세상이 변해도
배움의 즐거움은
변함없도록

시대는 빠르게 변해도
배움의 즐거움은
변함없어야 하기에

어제의 비상은
남다른 교재부터
결이 다른 콘텐츠
전에 없던 교육 플랫폼까지

변함없는 혁신으로
교육 문화 환경의 새로운 전형을
실현해왔습니다.

비상은 오늘, 다시 한번
새로운 교육 문화 환경을 실현하기 위한
또 하나의 혁신을 시작합니다.

오늘의 내가 어제의 나를 초월하고
오늘의 교육이 어제의 교육을 초월하여
배움의 즐거움을 지속하는 혁신,

바로, 메타인지 기반 완전 학습을.

상상을 실현하는 교육 문화 기업 비상

메타인지 기반 완전 학습
초월을 뜻하는 meta와 생각을 뜻하는 인지가 결합한 메타인지는
자신이 알고 모르는 것을 스스로 구분하고 학습계획을 세우도록 하는
궁극의 학습 능력입니다. 비상의 메타인지 기반 완전 학습 시스템은
잠들어 있는 메타인지를 깨워 공부를 100% 내 것으로 만들도록 합니다.

완벽한 자율학습서
완자

자율학습시
비상구
완자로 53

생명과학 II

Structure

01 | 단원 시작하기

기본기가 튼튼해야 배우게 될 내용을 쉽게 이해할 수 있다. 중등이나 통합과학, 생명과학 I에서 학습한 내용이 생명과학 II로 연계된 경우가 많으니 본 학습에 들어가기에 앞서 복습하도록 한다.

이미 배운 내용을 한눈에 파악하고, □ 넣기 문제로 확인해 보자.

단원을 시작하기 전에 학습 계획을 미리 세워 보자.

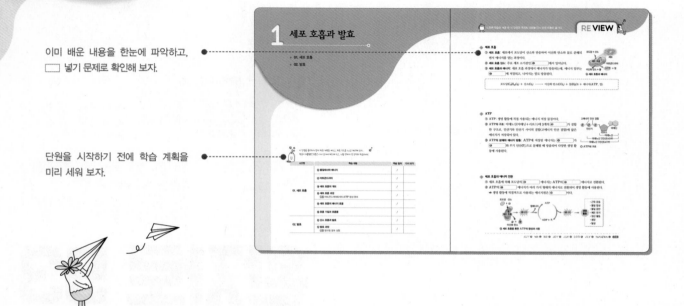

03 | 내신 문제 풀기

시험에 자주 출제되는 핵심 자료를 철저하게 분석해 보고, 내신 기출을 반영한 다양한 문제를 풀어 보면서 실력을 검증한다.

시험에 자주 출제되는 핵심 자료와 그 자료에 관련된 문제를 통해 자료를 완벽하게 분석할 수 있어.

시험에 자주 출제되는 문제에는 중요 표시가 되어 있어.

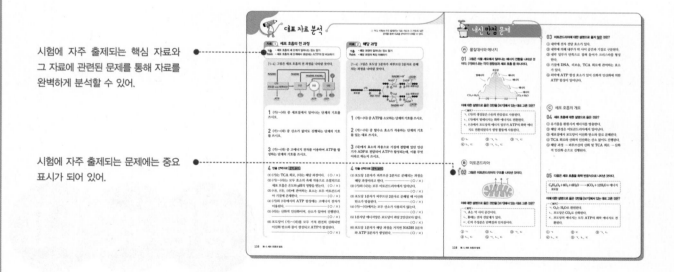

단원에서 꼭 알아야 하는 핵심 포인트를 확인하고, 친절하게 설명된 내용 정리로 개념을
이해한다. 그리고 나서 개념 확인 문제를 통해 핵심 개념을 제대로 이해했는지 확인
한다.

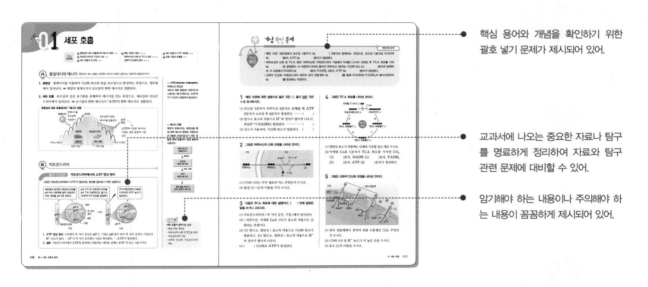

핵심 용어와 개념을 확인하기 위한
괄호 넣기 문제가 제시되어 있어.

교과서에 나오는 중요한 자료나 탐구
를 명료하게 정리하여 자료와 탐구
관련 문제에 대비할 수 있어.

암기해야 하는 내용이나 주의해야 하
는 내용이 꼼꼼하게 제시되어 있어.

중단원 핵심 정리로 다시 한번 복습한 후, 중단원 마무리 문제를 통해 자신의 실력을
확인한다. 그리고 나서 수능 실전 문제를 통해 수능 문제에 도전한다.

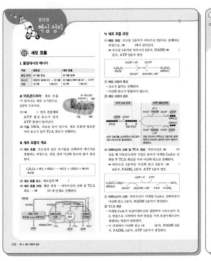
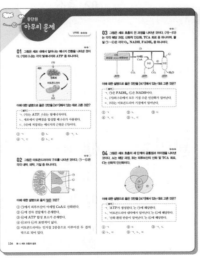
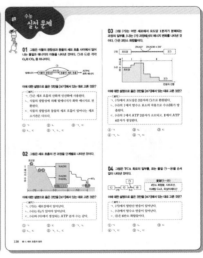

Contents

완자와 내 교과서 비교하기

I

생명 과학의 역사

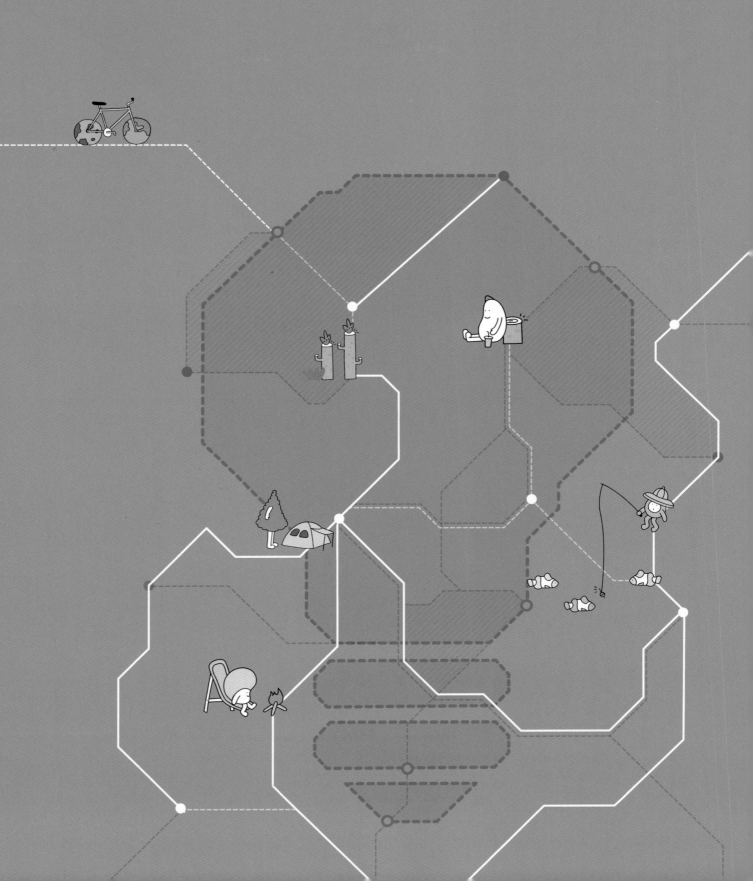

1 생명 과학의 역사

- **01.** 생명 과학의 발달과 연구 방법

이 단원을 공부하기 전에 학습 계획을 세우고, 학습 진도를 스스로 체크해 보자.
학습이 미흡했던 부분은 다시 보기에 체크해 두고, 시험 전까지 꼭 완벽히 학습하자!

이전에 학습한 내용 중 이 단원과 연계된 내용을 다시 한번 떠올려 봅시다.

RE VIEW

◆ 생명 과학의 특성

① **생명 과학**: 생물의 특성과 ❶ [　　　] 을 탐구하여 생명의 본질을 밝히고, 이를 인류의 생존과 복지에 응용하는 종합적인 학문이다.

② **생명 과학의 연구 대상**: 생물을 구성하는 분자부터, 세포, 조직, 기관, 개체, 생태계 등 모든 단계를 연구한다.
➡ 생명 과학은 세포학, 생리학, 유전학, 분류학, 생태학 등의 분야로 구분된다.

◆ 생명 과학의 탐구 방법

① ❷ [　　　] **탐구 방법**: 관찰하여 수집한 다양한 자료를 종합·분석하여 일반적인 원리나 법칙을 도출하는 방법이다.

• 탐구 과정

자연 현상 관찰 ➡ 관찰 주제 선정 ➡ 관찰 방법과 절차 고안 ➡ 관찰 수행 ➡ 관찰 결과 해석 ➡ 규칙성 발견 및 결론 도출

• 세포설, 다윈의 진화설, DNA 분자 구조 등을 밝히는 데 사용된 탐구 방법이다.

② ❸ [　　　] **탐구 방법**: 자연 현상을 관찰하면서 인식한 문제에 대해 잠정적인 답인 ❹ [　　　] 을 세우고, 이를 실험을 통해 검증하는 방법이다.

• 탐구 과정

관찰 및 문제 인식 ➡ 가설 설정 ➡ 탐구 설계 및 수행 ➡ 탐구 결과 정리 및 해석 ─ 가설이 옳으면 ➡ 결론 도출 / 가설이 옳지 않으면

• 대조실험: 실험 결과의 타당성을 높이기 위해 ❺ [　　　] 을 설정하여 실험군과 비교한다.
• 변인: 실험에 관계되는 모든 요인으로, 독립변인과 종속변인이 있다.

독립변인	• 조작 변인: 가설 검증을 위해 실험에서 의도적으로 변화시키는 변인 • ❻ [　　　] : 실험하는 동안 일정하게 유지시키는 변인
종속변인	• 독립변인에 따라 변화되는 요인이며, 실험 결과에 해당한다.

• 플레밍의 페니실린 발견, 파스퇴르의 탄저병 연구 등에 사용된 탐구 방법이다.

01 생명 과학의 발달과 연구 방법

핵심 포인트
- 🔎 생명 과학의 발달 과정 ★★★
- 생명 과학이 인간의 생활에 준 영향 ★★
- 🔎 생명 과학의 연구 방법 ★★

A 생명 과학의 발달 과정

생명 과학은 식량 생산, 의약품 개발 등에 응용되어 인류의 삶과 매우 밀접한 학문입니다. 생명 과학이 어떻게 탄생하고 발달하였는지 알아보아요.

> 💡 생명 과학의 발달 과정과 사례는 교과서마다 다르게 제시하니 꼭 내 교과서를 확인하고 공부해요.

1. 생명 과학 생명 현상의 특성 및 생명체의 구조와 기능을 연구하여 생명의 본질을 밝히고, 이를 식품, 의료, 환경 등의 다양한 분야에 응용하는 종합적인 학문이다.

2. 생명 과학의 탄생

(1) 생명 과학은 의식주와 같은 인간의 생활에 밀접하게 이용되는 생물에 대한 관심에서 시작되었다. 예 농작물 경작, 가축 사육, 미생물을 이용한 빵과 술 제조

(2) 기원전 4세기에 *아리스토텔레스는 생물을 관찰 및 분류·해부하였고, 생물은 무기물에서 저절로 생겨난다는 자연 발생설을 주장하였다.

3. 생명 과학의 발달 중세와 근대에 경험과 실험을 통한 연구, 현미경과 같은 도구의 발명 등으로 생명 과학 지식이 크게 증가하면서 생명 과학은 다양한 분야로 나뉘어 발달하였다.

(1) 세포와 미생물 연구

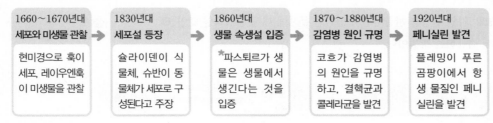

1660~1670년대 세포와 미생물 관찰	1830년대 세포설 등장	1860년대 생물 속생설 입증	1870~1880년대 감염병 원인 규명	1920년대 페니실린 발견
현미경으로 훅이 세포, 레이우엔훅이 미생물을 관찰	슐라이덴이 식물체, 슈반이 동물체가 세포로 구성된다고 주장	*파스퇴르가 생물은 생물에서 생긴다는 것을 입증	코흐가 감염병의 원인을 규명하고, 결핵균과 콜레라균을 발견	플레밍이 푸른곰팡이에서 항생 물질인 페니실린을 발견

(2) 생리학의 발달

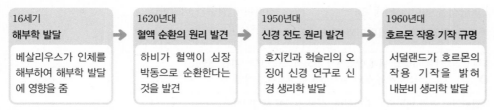

16세기 해부학 발달	1620년대 혈액 순환의 원리 발견	1950년대 신경 전도 원리 발견	1960년대 호르몬 작용 기작 규명
베살리우스가 인체를 해부하여 해부학 발달에 영향을 줌	하비가 혈액이 심장 박동으로 순환한다는 것을 발견	호지킨과 헉슬리의 오징어 신경 연구로 신경 생리학 발달	서덜랜드가 호르몬의 작용 기작을 밝혀 내분비 생리학 발달

(3) 생물 분류와 진화론의 확립

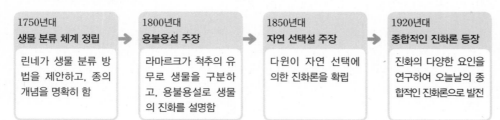

1750년대 생물 분류 체계 정립	1800년대 용불용설 주장	1850년대 자연 선택설 주장	1920년대 종합적인 진화론 등장
린네가 생물 분류 방법을 제안하고, 종의 개념을 명확히 함	라마르크가 척추의 유무로 생물을 구분하고, 용불용설로 생물의 진화를 설명함	다윈이 자연 선택에 의한 진화론을 확립	진화의 다양한 요인을 연구하여 오늘날의 종합적인 진화론으로 발전

★ **아리스토텔레스의 업적**
- 500종 이상의 동물을 관찰·분류하고, 50여 종을 해부하여 동물의 생태, 발생 등에 관한 저서를 남겼다.
- 곤충이나 진드기는 구더기나 쓰레기에서, 새우나 장어는 흙 탕물에서 저절로 생긴다고 주장하였다.

★ **파스퇴르의 실험**
백조목 플라스크에 고기즙을 담아 실험하여 고기즙이 공기 중의 미생물 때문에 부패된다는 것을 확인하였다. 이로부터 미생물도 이미 존재하는 미생물로부터 생긴다는 생물 속생설을 확립하였다.

> 📖 천재 교과서에만 나와요.

★ **생태학의 연구 사례**
생태학은 20세기 초에 생물 지리학을 토대로 나타났다.
- 챈들러: 천이 과정을 밝혀 식물 생태학에 큰 영향을 주었다.
- 허친슨: 호수와 강의 생물 지리적 구조를 밝혔다.
- 엘튼: 동물의 먹이 사슬을 연구하였다.

(4) 유전학과 분자 생물학의 발달 → 생물의 유전 현상과 형질의 발현 원리를 분자 수준에서 설명할 수 있게 되었다.

1860년대 유전의 기본 원리 발견	1920년대 유전자설 발표	1940년대 DNA가 유전 물질임을 증명	1950년대 DNA 이중 나선 구조 규명
멘델이 완두의 교배 실험으로 분리의 법칙과 독립의 법칙을 밝힘	모건이 초파리의 교배 실험으로 유전자가 염색체의 일정 위치에 있음을 밝힘	에이버리가 폐렴 쌍구균의 형질 전환 실험으로 DNA가 유전 물질임을 증명	왓슨과 크릭이 화학적 지식과 회절 사진 등을 종합해 DNA의 입체 구조를 밝힘

1960년대 유전부호 해독	1970년대 ❶DNA 재조합 기술 개발	1980년대 DNA 증폭 기술 개발	2000년대 *사람의 유전체 지도 완성
니런버그와 마테이가 인공 RNA로 단백질을 합성하여 유전부호 해독	코헨과 보이어가 제한 효소와 DNA 연결 효소로 DNA 재조합 기술 개발	멀리스가 ❷중합 효소 연쇄 반응(PCR)으로 DNA 대량 복제 방법 개발	사람의 DNA 염기 서열이 밝혀져 유전체학이 발달하고, 유전 정보 분석이 가능해짐

4. 생명 과학이 인간의 생활에 준 영향

세포학의 발달과 인간 생활	• 세포 분열에 대한 지식을 기초로 인간의 노화나 암과 같은 질병을 연구한다. • 세포 연구는 동물 복제와 줄기세포 연구의 기초가 되며, 동물 복제와 줄기세포는 인류의 식량 문제 해결, 이식용 장기의 생산, 질병 치료 등에 활용된다.
생리학의 발달과 인간 생활	• 생물의 기능이 나타나는 원리를 규명함에 따라 질병을 진단하고 치료할 수 있게 되었다. └ 심장 박동과 혈액 순환 원리, 신경 전도 원리, 호르몬의 작용 기작 등이 생리학의 연구 분야이다. • 생리학 지식은 식품과 영양, 건강과 운동 등 다양한 분야의 과학적 관리에 응용된다.
진화학의 발달과 인간 생활	• 생물이 진화한다는 관점은 철학, 사회학, 정치학, 경제학, 심리학 등에 영향을 주었다. └ 진화학의 영향으로 사회 진화론, 사회 생물학, 진화 심리학 등이 출현하였다. • 다윈의 진화론이 발표된 후 생존 경쟁과 적자생존의 개념이 자본주의의 발달에 영향을 주었다.
유전학 및 분자 생물학의 발달과 인간 생활	• 생물의 발생, 생장, 노화, 유전병의 원인을 유전자 수준에서 규명할 수 있게 되었다. • *DNA 지문 검사는 친자를 확인하고 범인을 식별하는 등 법의학에 활용된다. • DNA 재조합 기술은 인슐린과 같은 의약품을 생산하고, 해충에 저항성을 가진 작물을 만들어 작물의 생산량을 증대시키거나 정상 유전자를 도입하여 유전병을 치료하는 등 다양한 생명 공학 분야에 활용된다.

B 생명 과학의 연구 방법

인류는 오래 전부터 주변 생물을 오감을 통해 직접적으로 관찰하였지만, 이를 통해 알 수 있는 정보는 제한적이었고, 이후 도구와 기술이 발달되면서 생명 현상을 더 깊이 탐구할 수 있게 되었습니다. 어떤 연구 방법을 통해 탐구하였는지 알아볼까요?

1. 생명 과학의 발달에 기여한 주요 연구 방법과 사례

(1) 오감을 통한 직접적인 관찰 사례: 베살리우스는 인체를 해부하여 인체 구조의 특징을 설명하였고, 해부학과 생리학의 발달에 영향을 주었다.

(2) 도구를 사용한 관찰 사례

① 훅은 자신이 제작한 현미경으로 코르크를 관찰하고, 발견한 구조를 세포라고 명명하였다.

② 전자 현미경이 발명된 후 세포 소기관이 발견되었고, 바이러스를 관찰할 수 있게 되었다.

★ **DNA 염기 서열 분석법 개발**
1975년에 생어는 DNA 염기 서열과 단백질을 구성하는 아미노산의 서열을 분석하는 방법을 고안하였다. 이후 DNA 염기 서열 분석법의 발달로 생물의 유전체를 빠르고 쉽게 분석할 수 있게 되었고, 2003년에 사람의 유전체 분석을 완료하였다.

★ **DNA 지문 검사**
사람마다 반복적인 DNA 염기 서열의 길이가 다르다는 점을 이용한 검사 방법이다. DNA 증폭 기술을 이용하여 소량의 DNA를 대량으로 증폭한 후 DNA를 전기 영동하여 길이별로 나열하면 유전자형의 일치 여부를 알 수 있다.
DNA 지문 검사는 'Ⅵ−1−01. 생명 공학 기술의 원리'에서 자세하게 다룬다.

(궁금해)
바이러스는 왜 세균보다 늦게 발견되었을까?
바이러스는 세균보다 크기가 작아 광학 현미경으로 관찰하기 어려워 전자 현미경이 발명된 이후에 발견되었다.

| 용어 |
❶ **DNA 재조합 기술** DNA를 자르고 연결하여 새로운 유전자 조합을 가진 DNA를 만드는 기술이다.
❷ **중합 효소 연쇄 반응(Polymerase chain reaction, PCR)** DNA의 원하는 부분을 복제·증폭시키는 분자 생물학적 기술이다.

(3) **화학적 표지 방법의 사용 사례**: 염색액, 방사성 동위 원소, 형광 물질 등으로 특정 물질을 표지하면 구조를 관찰하거나 위치를 파악할 수 있다.

① 캘빈은 방사성 동위 원소를 이용하여 광합성 산물의 합성 경로를 발견하였다.

② 허시와 체이스는 방사성 동위 원소로 표지된 박테리오파지를 대장균에 감염시키는 실험을 통해 DNA가 유전 물질이라는 것을 증명하였다.

(4) **기술의 발달과 기기의 이용 사례**

① 호지킨과 헉슬리는 동물에서 발생하는 전기적 현상을 측정하는 기술로 신경 전도의 원리를 발견하였다.

② DNA 증폭 기술이 개발되어 중합 효소 연쇄 반응(PCR) 기기가 발명되고, DNA 염기 서열 분석기가 발명되어 생물의 유전체 해독이 활발하게 이루어지고 있다.

(5) **다른 학문과 연계된 사례**: 생물 정보학은 컴퓨터 과학과 통계학을 활용한 분야로, 컴퓨터를 이용하여 얻은 ❶빅데이터를 통계적으로 처리하여 특정 질병에 걸릴 확률 등을 계산한다.

2. 생명 과학의 탐구 방법

귀납적 탐구 방법	관찰을 통해 수집한 자료를 종합하고 분석한 후 규칙성을 찾아내 일반적인 원리나 법칙을 도출한다. 예 왓슨과 크릭의 DNA 이중 나선 구조 규명, *로렌츠의 동물 행동 연구
연역적 탐구 방법	자연 현상을 관찰하여 생긴 의문점을 해결하기 위해 가설을 세우고, 이를 실험을 통해 검증한다. 예 *플레밍의 페니실린 발견, 파스퇴르의 백신 발견, *밴팅의 인슐린 분리

탐구 자료창 — 인류의 복지에 기여한 생명 과학의 발견 사례

파스퇴르의 백신 연구 닭에게 독성이 약화된 콜레라균을 주사하고 일정 시간 후 독성이 강한 콜레라균을 주사하면 닭이 콜레라에 걸리지 않는 것을 발견하였다. 그는 약화시킨 병원체를 '백신'이라 명명하고, 탄저병 백신과 양을 이용하여 백신이 감염성 질병을 예방한다는 것을 입증하였다.

란트슈타이너의 혈액형 연구 수혈을 받은 환자의 대부분이 목숨을 잃는 까닭을 연구하던 중 수혈을 받은 환자의 혈액이 엉겨서 응집되는 것을 관찰하였다. 이후 다양한 사람의 혈액을 섞어 혈액의 응집이 무엇 때문인지를 알아내고, ABO식 혈액형의 종류를 밝혔다.

파스퇴르의 백신 연구	구분	란트슈타이너의 혈액형 연구
백신이 질병을 예방하는 효과가 있을 것이라는 가설을 설정하고, 실험을 설계하여 수행함으로써 가설이 옳다는 것을 증명하였다. → 연역적 탐구 방법	연구 방법	서로 다른 종류의 혈액이 섞여 혈액이 응집하는 것이라고 생각하고, 실험을 설계하여 수행함으로써 ABO식 혈액형을 구분하였다. → 연역적 탐구 방법
감염성 질병의 백신을 발견하여 질병을 예방하는 데 기여하였다.	인류 복지에 기여한 점	수혈 부작용을 크게 줄여 안전하게 수혈을 할 수 있게 하였다.

➡ 생명 과학의 주요 발견과 연구는 질병 예방과 치료에 응용되어 인류의 건강과 생명 연장에 크게 기여하였다.

★ 로렌츠의 동물 행동 연구
로렌츠는 야생 동물을 직접 관찰하거나, 집에서 야생 동물을 키우면서 동물 행동을 연구하여 각인 현상을 밝혔다.

★ 플레밍의 페니실린 발견
플레밍은 푸른곰팡이가 주변에서 세균이 생장하지 못하는 것을 발견하고 '푸른곰팡이는 세균의 생장을 억제하는 물질을 만들 것이다.'라는 가설을 세웠다. 그는 실험을 통해 가설이 옳다는 것을 증명하고, 항생 물질인 페니실린을 발견하였다.

★ 밴팅의 인슐린 분리
밴팅은 이자에서 분비되는 물질이 당뇨병과 관계있다는 논문을 읽은 후 개의 이자에서 인슐린을 추출하고, 이후 순수한 인슐린을 분리하였다.

ㅣ용어ㅣ
❶ **빅데이터(bigdata)** 수치로 된 자료뿐만 아니라 문자, 영상 등을 포함하는 디지털 환경에서 생성된 대규모의 자료이다.

개념확인문제

- (❶   ): 생명 현상을 탐구하여 생명의 본질을 밝히고, 이를 다양한 분야에 응용하는 종합적인 학문이다.
- 생명 과학의 발달과 인간의 생활
  - 세포학: 현미경의 발명으로 (❷   )가 발견된 후 세포학이 발달되었다. ➡ 노화, 암, 동물 복제, 줄기세포 연구의 기초가 되었다.
  - 생리학: 혈액 순환, 신경 전도 원리, 호르몬의 작용 기작 등을 밝혀 생리학이 발달되었다. ➡ 식품과 영양, 건강과 운동 등의 과학적 관리에 응용된다.
  - 진화학: (❸   )의 자연 선택설 이후 종합적인 진화론으로 발전하였으며, 진화의 개념은 철학, 사회학, 경제학, 심리학 등 다양한 영역에 영향을 주었다.
  - 유전학과 분자 생물학: (❹   )이 유전의 기본 원리를 발견한 후 유전 물질이 DNA임이 밝혀지고 DNA의 구조가 규명되었으며, 유전부호가 해독되었다. ➡ 노화, 유전병의 근본 원인을 규명하였다.
- 생명 과학의 연구 방법: 오감을 통한 직접적인 관찰, 도구를 사용한 관찰, 화학적 표지 방법, 기술의 발달과 기기의 이용 등

1 다음은 생명 과학의 발달 과정에서 생물의 발생에 대한 관점의 변화를 설명한 것이다. (   ) 안에 알맞은 학설을 쓰시오.

> 고대 사람들은 생물이 쓰레기나 흙탕물 같은 무기물에서 저절로 생겨난다는 ㉠(   )을 믿었다. 그러나 1860년대 파스퇴르의 실험으로 이러한 생각이 부정되고 생물은 생물로부터 생긴다는 ㉡(   )이 확립되었다.

2 생명 과학의 발달 과정에 대한 설명으로 옳은 것은 ○, 옳지 않은 것은 ×로 표시하시오.

(1) 현미경의 발달로 세포와 미생물을 관찰하게 되었다.
  .... (   )

(2) 푸른곰팡이에서 최초의 항생 물질인 페니실린을 발견하였다. .... (   )

(3) 다윈은 환경에 적응한 생물이 살아남아 자손을 남기며 진화한다는 용불용설을 주장하였다. .... (   )

(4) 멘델은 DNA가 유전 물질이라는 것을 증명하였다.
  .... (   )

(5) 하비는 인체를 해부하여 상세하게 묘사함으로써 해부학의 발달에 기여하였다. .... (   )

3 각 연구 업적에 해당하는 생명 과학자를 [보기]에서 있는 대로 고르시오.

> [보기]
> ㄱ. 훅   ㄴ. 린네   ㄷ. 왓슨
> ㄹ. 크릭   ㅁ. 호지킨   ㅂ. 헉슬리

(1) DNA 이중 나선 구조를 밝혔다.

(2) 생물 분류 방법을 제안하고, 종의 개념을 명확히 하였다.

(3) 자신이 제작한 현미경으로 코르크 조각을 관찰하여 세포를 명명하였다.

(4) 동물의 신경 세포에서 막전위의 변화를 측정하여 신경 전도의 원리를 발견하였다.

4 생명 과학의 중요한 발견과 그 발견이 인간 복지에 기여한 점을 옳게 연결하시오.

(1) 파스퇴르의 백신 연구 •   • ㉠ 수혈의 안전성 증대

(2) 란트슈타이너의 혈액형 연구 •   • ㉡ 감염성 질병의 예방

(3) 멀리스의 DNA 증폭 기술 개발 •   • ㉢ DNA 지문으로 개인 식별

대표 자료 분석

정답친해 2쪽

🏠 학교 시험에 자주 출제되는 대표 자료와 그 자료에 대한 문제를 통해 자료를 완벽하게 이해할 수 있다.

자료 ① 생명 과학의 발달 과정

기출 Point
- 생명 과학의 주요 발견 구분하기
- 생명 과학자의 주요 업적 구분하기
- 생명 과학의 주요 발견을 시기에 따라 나열하기

[1~3] 다음은 유전학과 분자 생물학의 발달 과정에서 사람의 유전체 분석이 완료되기까지 일어난 주요 발견들을 순서 없이 나열한 것이다.

(가) 유전부호 해독 ─ 니런버그, 마테이
(나) 유전의 기본 원리 발견 ─ ㉠
(다) DNA 재조합 기술 개발 ─ 코헨, 보이어
(라) DNA 이중 나선 구조 규명 ─ 왓슨, 크릭
(마) 유전자와 염색체의 관계를 밝힘 ─ ㉡

⬇

사람의 유전체 지도 완성

1 ㉠, ㉡에 해당하는 과학자의 이름을 쓰시오.

2 (가)~(마)를 오래된 것부터 시간 순서대로 나열하시오.

3 빈출 선택지로 **완벽 정리!**

(1) (가)를 통해 사람의 DNA 염기 서열을 모두 밝혔다.
⟶ (○ / ×)

(2) (나)에서는 유전자 수준에서 유전의 기본 원리를 밝혔다. ⟶ (○ / ×)

(3) (다)로 인해 DNA를 대량으로 복제할 수 있게 되었다. ⟶ (○ / ×)

(4) (라)에서 왓슨과 크릭은 귀납적 탐구 방법을 통해 DNA 이중 나선 구조를 규명하였다. ⟶ (○ / ×)

(5) (마) 이후에 DNA가 유전 물질이라는 것이 입증되었다. ⟶ (○ / ×)

(6) 사람의 유전체 지도를 통해 사람 유전자의 모든 기능을 알아냈다. ⟶ (○ / ×)

자료 ② 인류 복지에 기여한 생명 과학 발견과 연구 방법

기출 Point
- 생명 과학의 연구 방법 구분하기
- 생명 과학의 연구 사례에 적용된 탐구 방법 구분하기
- 생명 과학의 발달이 인류의 복지에 준 영향 알기

[1~3] 다음은 파스퇴르의 백신 연구 과정이다.

파스퇴르는 건강한 양을 두 집단 A, B로 나누어 집단 A에만 탄저병 백신을 주사한 후, 집단 A, B에 모두 탄저균을 주사하였더니 집단 B에만 탄저병이 발병하였다. 이를 통해 백신이 탄저병을 예방하는 데 효과가 있다는 것을 알아냈다.

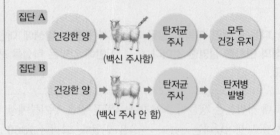

1 파스퇴르는 백신의 효과를 입증하기 위해 (연역적, 귀납적) 탐구 방법을 사용하였다.

2 파스퇴르의 연구 성과가 인류 복지에 기여한 점을 간단히 서술하시오.

3 빈출 선택지로 **완벽 정리!**

(1) 파스퇴르는 관찰과 실험의 방법으로 연구하였다.
⟶ (○ / ×)

(2) 파스퇴르는 '백신이 질병을 예방하는 효과가 있을 것이다.'라는 가설을 세우고 이를 실험으로 증명하였다.
⟶ (○ / ×)

(3) 백신은 항생 물질이다. ⟶ (○ / ×)

(4) 파스퇴르는 감염성 질병의 원인이 세균이라는 것을 발견하는 데 기여하였다. ⟶ (○ / ×)

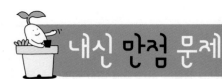

A 생명 과학의 발달 과정

01 생명 과학의 탄생과 발달에 대한 설명으로 옳은 것만을 [보기]에서 있는 대로 고른 것은?

─[보기]─
ㄱ. 생명 과학은 생명의 본질을 밝혀 다양한 분야에 응용하는 학문이다.
ㄴ. 인류는 생물에 대한 과학적 지식이 없을 때에도 생물을 이용하였다.
ㄷ. 아리스토텔레스는 여러 동물을 직접 관찰 및 분류하고 해부하였다.

① ㄱ   ② ㄴ   ③ ㄱ, ㄷ
④ ㄴ, ㄷ   ⑤ ㄱ, ㄴ, ㄷ

02 생명 과학자와 그 업적을 짝 지은 것으로 옳지 <u>않은</u> 것은?

① 훅 – 세포 명명
② 모건 – 유전자설 발표
③ 레이우엔훅 – 미생물 발견
④ 파스퇴르 – 감염병의 원인 규명
⑤ 호지킨, 헉슬리 – 신경 전도 원리 발견

03 세포와 미생물에 대한 연구와 발달 과정에 대한 설명으로 옳은 것만을 [보기]에서 있는 대로 고른 것은?

─[보기]─
ㄱ. 현미경이 발명되면서 세포와 미생물을 관찰하기 시작하였다.
ㄴ. 코흐는 결핵균을 발견하고 항생 물질을 이용한 치료법 개발에 기여하였다.
ㄷ. 슐라이덴과 슈반은 생물이 세포로 이루어져 있다는 세포설을 제창하였다.

① ㄱ   ② ㄴ   ③ ㄱ, ㄷ
④ ㄴ, ㄷ   ⑤ ㄱ, ㄴ, ㄷ

04 다음은 생리학이 발달하는 과정에 기여한 주요 발견들을 나열한 것이다.

(가) 혈액 순환 발견	(나) 해부학 발달에 영향
(다) 신경 전도 원리 발견	(라) 호르몬 작용 기작 발견

이에 대한 설명으로 옳은 것만을 [보기]에서 있는 대로 고른 것은?

─[보기]─
ㄱ. (가)는 베살리우스, (나)는 하비의 업적이다.
ㄴ. (다)는 전기적 현상을 측정하는 기술의 발달로 가능하였다.
ㄷ. (라)에 의해 내분비 생리학이 발달하였다.

① ㄱ   ② ㄴ   ③ ㄷ
④ ㄱ, ㄴ   ⑤ ㄴ, ㄷ

05 다음은 생물 분류와 진화론의 발달 과정에서 이루어진 주요 발견들을 순서 없이 나열한 것이다.

(가) 린네가 생물 분류 체계를 정립하였다.
(나) 다윈이 자연 선택에 의한 진화론을 확립하였다.
(다) 라마르크가 용불용설로 생물의 진화를 설명하였다.
(라) 진화의 다양한 요인을 연구하여 종합적인 진화론이 제시되었다.

순서대로 옳게 나열한 것은?

① (가) → (나) → (다) → (라)
② (가) → (다) → (나) → (라)
③ (나) → (가) → (라) → (다)
④ (나) → (라) → (가) → (다)
⑤ (다) → (나) → (라) → (가)

06 유전학과 분자 생물학의 발달 과정에 기여한 과학자와 그 업적에 대한 설명으로 옳은 것만을 [보기]에서 있는 대로 고른 것은?

[보기]
ㄱ. 멘델은 염색체의 일정한 위치에 유전자가 있다는 것을 밝혔다.
ㄴ. 왓슨과 크릭이 DNA 이중 나선 구조를 규명하였고, 이후 유전부호가 해독되었다.
ㄷ. 에이버리는 폐렴 쌍구균의 형질 전환 실험을 통해 DNA가 유전 물질임을 입증하였다.

① ㄱ　　　② ㄴ　　　③ ㄷ
④ ㄱ, ㄴ　　⑤ ㄴ, ㄷ

07 다음은 생명 공학의 발달에 큰 영향을 준 기술에 대한 설명이다.

제한 효소와 DNA 연결 효소를 사용하여 종이 다른 생물들의 DNA 조각을 연결하여 새로운 조합의 DNA를 만드는 기술이다. 이 기술은 의약품을 대량으로 생성하거나 특정 기능을 가진 작물을 만드는 등 다양한 생명 공학 분야에 사용되고 있다.

이 기술과 가장 밀접한 관련이 있는 과학자로 옳은 것은?

① 코헨　　　② 다윈　　　③ 서덜랜드
④ 니런버그　⑤ 레이우엔훅

08 생명 과학이 인간의 생활에 준 영향에 대한 설명으로 옳은 것만을 [보기]에서 있는 대로 고른 것은?

[보기]
ㄱ. 세포에 대한 연구는 노화, 암, 줄기세포 등을 연구하는 데 활용된다.
ㄴ. 생리학 지식이 발달하면서 건강과 운동 분야에 대한 과학적 관리가 가능해졌다.
ㄷ. 진화학은 사회학, 심리학 등에 영향을 주어 사회 진화론, 진화 심리학이 출현하는 계기가 되었다.

① ㄱ　　　② ㄷ　　　③ ㄱ, ㄴ
④ ㄴ, ㄷ　　⑤ ㄱ, ㄴ, ㄷ

09 다음은 어떤 기사의 내용이다.

49년 동안 헤어졌던 어머니와 아들이 경찰의 도움으로 극적으로 상봉하였다. 49년 전 추석을 앞두고 이웃집 누나와 시장에 놀러갔다가 손을 놓치면서 잃어버렸던 네 살 아들은 중년이 되어 어머니 앞에 다시 섰다. 경찰이 국립 과학수사연구원에 두 사람의 DNA 분석을 의뢰한 결과 두 사람이 모자 관계일 확률이 99.97 %라는 통보를 받았다.

DNA 분석으로 친자를 확인하는 기술과 밀접한 생명 과학 분야로 옳은 것만을 [보기]에서 있는 대로 고른 것은?

[보기]
ㄱ. 유전학　　　　ㄴ. 생리학
ㄷ. 미생물학　　　ㄹ. 분자 생물학

① ㄱ, ㄴ　　② ㄱ, ㄹ　　③ ㄴ, ㄷ
④ ㄴ, ㄹ　　⑤ ㄷ, ㄹ

10 DNA 재조합 기술을 응용한 사례로 옳지 <u>않은</u> 것은?

① 해충에 강한 작물을 만든다.
② 대장균에서 인슐린을 생산한다.
③ 오염 물질을 분해하는 미생물을 만든다.
④ DNA 특정 부분의 일치 여부를 알아본다.
⑤ 유전병 유전자를 정상 유전자로 치환한다.

B 생명 과학의 연구 방법

[11~12] 다음은 플레밍이 푸른곰팡이의 항생 효과를 입증하기 위해 수행한 실험 과정이다.

(가) 모든 조건이 동일한 세균 배양 접시 A, B를 준비하였다.
(나) 세균 배양 접시 A에는 푸른곰팡이를 접종하였고, 세균 배양 접시 B에는 푸른곰팡이를 접종하지 않았다.
(다) ☐
(라) 푸른곰팡이는 세균의 증식을 억제한다.

11 ^{서술형} 플레밍이 세운 가설을 쓰시오.

12 이에 대한 설명으로 옳은 것만을 [보기]에서 있는 대로 고른 것은?

┌─[보기]
ㄱ. (다)는 '세균 배양 접시 A에만 세균이 증식하였다.'이다.
ㄴ. 플레밍은 이 실험 이후에 푸른곰팡이에서 항생 물질인 페니실린을 발견하였다.
ㄷ. 플레밍은 이러한 발견으로 세균 감염으로 인한 질병 치료 방법 개발에 기여하였다.
└─

① ㄱ   ② ㄷ   ③ ㄱ, ㄴ
④ ㄱ, ㄷ   ⑤ ㄴ, ㄷ

13 생명 과학의 연구 방법에 대한 설명으로 옳은 것만을 [보기]에서 있는 대로 고른 것은?

┌─[보기]
ㄱ. 생명 과학과 컴퓨터 공학, 통계학이 연계되어 생물 정보학이 탄생하였다.
ㄴ. 방사성 동위 원소를 이용하여 살아 있는 세포에서 특정 물질의 위치를 관찰할 수 있다.
ㄷ. 전자 현미경이 발명된 후 세포 소기관이 발견되고, 세균에 이어 바이러스까지 발견되었다.
└─

① ㄱ   ② ㄴ   ③ ㄱ, ㄷ
④ ㄴ, ㄷ   ⑤ ㄱ, ㄴ, ㄷ

14 다음은 생명 과학의 여러 연구 사례이다.

(가) 식물체 내로 흡수된 이산화 탄소의 탄소를 추적하여 광합성 산물의 합성 경로를 밝혔다.
(나) 현미경으로 수많은 동물과 식물을 관찰하여 동식물이 모두 세포로 되어 있다는 것을 밝혔다.
(다) 이자에서 분비되는 물질이 당뇨병과 관계있다는 논문을 읽은 후 개에서 인슐린을 추출하여 당뇨병 치료에 적용하였다.

이에 대한 설명으로 옳은 것만을 [보기]에서 있는 대로 고른 것은?

┌─[보기]
ㄱ. (가)에서 탄소의 전환 과정을 추적하기 위해서 방사성 동위 원소와 같은 화학적 표지가 사용된다.
ㄴ. (나)에서는 도구를 사용하여 관찰한 자료를 수집하는 과정이 포함된다.
ㄷ. (다)에는 귀납적 탐구 방법이 사용되었다.
└─

① ㄱ   ② ㄴ   ③ ㄷ
④ ㄱ, ㄴ   ⑤ ㄴ, ㄷ

중단원
핵심 정리

01 생명 과학의 발달과 연구 방법

1. 생명 과학 생명 현상을 탐구하여 생명의 본질을 밝히고, 이를 다양한 분야에 응용하는 종합적인 학문이다.

2. 생명 과학의 탄생 생명 과학은 인간이 생활과 밀접한 생물에 관심을 가지면서 시작되었다. 예 농작물 경작, 미생물을 이용한 술 제조

3. 생명 과학의 발달

(1) 세포와 미생물의 연구

로버트 훅	→	슐라이덴, 슈반	→	파스퇴르	→
세포 명명		(**❶**) 제창		자연 발생설을 부정하고 (**❷**)입증	

코흐	→	플레밍
감염병 원인 규명, 결핵균 발견		항생 물질인 페니실린 발견

(2) 생리학의 발달

(**❸**)	→	하비	→	호지킨, 헉슬리	→	서덜랜드
해부학 발달에 영향		혈액 순환 원리 발견		신경 전도 원리 발견		호르몬 작용 기작 규명

(3) 생물 분류와 진화론의 확립

(**❹**)	→	라마르크	→	다윈	→	현대 종합론 등장
생물 분류 체계 정립		용불용설 주장		(**❺**) 주장		

(4) 유전학과 분자 생물학의 발달

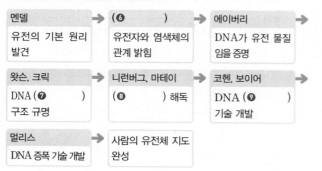

멘델	→	(**❻**)	→	에이버리	→
유전의 기본 원리 발견		유전자와 염색체의 관계 밝힘		DNA가 유전 물질임을 증명	

왓슨, 크릭	→	니런버그, 마테이	→	코헨, 보이어	→
DNA (**❼**) 구조 규명		(**❽**) 해독		DNA (**❾**) 기술 개발	

멀리스	→	사람의 유전체 지도 완성
DNA 증폭 기술 개발		

4. 생명 과학이 인간의 생활에 준 영향

세포학의 발달과 인간 생활	• 인간의 노화와 암과 같은 질병 연구의 기초 제공. • 동물 복제와 줄기세포 연구의 기초 제공 ➡ 식량 문제 해결, 이식용 장기의 생산, 질병 치료 등에 활용
생리학의 발달과 인간 생활	• 생물의 기능이 나타나는 원리에 대한 이해로 질병의 진단 및 치료 가능성 증가 • 식품과 영양, 건강과 운동 등 다양한 분야의 과학적 관리에 응용
진화학의 발달과 인간 생활	• 철학, 사회학, 정치학, 경제학, 심리학 등 사회 전반에 영향을 줌 • 다윈의 진화론은 자본주의의 발달에 영향을 줌
유전학 및 분자 생물학의 발달과 인간 생활	• 생물의 발생, 생장, 노화, 유전병의 원인을 유전자 수준에서 규명 • (**❿**) 검사를 통해 친자를 확인하고, 범인을 식별하는 등 법의학에 활용 • DNA 재조합 기술과 같은 생명 공학 기술의 발달 촉진 ➡ 의약품 생산, 해충 저항성 작물 개발 등에 활용

5. 생명 과학의 연구 방법

① 생명 과학의 연구 방법과 사례

직접 관찰	• 베살리우스: 인체를 직접 해부하여 인체 구조의 특징 설명
도구를 사용한 관찰	• 훅: 자신이 만든 현미경으로 코르크를 관찰한 후 발견한 구조를 세포라고 명명 • (**⓫**)으로 세포 소기관과 바이러스 발견
화학적 표지	• 캘빈: 방사성 동위 원소를 이용하여 광합성 산물의 합성 경로 발견 • 허시, 체이스: 방사성 동위 원소로 표지된 박테리오파지의 실험을 통해 DNA가 유전 물질임을 증명
기술과 기기 발달	• 호지킨, 헉슬리: 전기적 현상을 측정하는 기술로 신경 전도의 원리 발견 • 중합 효소 연쇄 반응(PCR)을 이용한 DNA 증폭 기술 개발 • DNA 염기 서열 분석기 개발로 사람의 유전체 분석
다른 학문과의 연계	• 생명 과학, 컴퓨터 과학, 통계학이 통합적으로 연계되어 생물 정보학 탄생

② 생명 과학의 탐구 방법
• 귀납적 탐구 방법: 자료를 수집 및 분석한 후 규칙성을 찾아 일반적인 원리나 법칙 도출
• 연역적 탐구 방법: 의문점을 해결하기 위해 (**⓬**)을 세우고 이를 실험으로 검증

중단원 마무리 문제

난이도 ●●●

01 세포와 관련된 생명 과학의 역사에 대한 설명으로 옳은 것은?

① 세포를 처음 명명한 사람은 레이우엔훅이다.
② 전자 현미경이 개발된 이후 세포설이 제안되었다.
③ 세포설을 주장하기까지 귀납적 탐구 방법이 사용되었다.
④ 슈반은 식물체가 세포로 이루어져 있다고 주장하였다.
⑤ 슐라이덴은 동물체가 세포로 이루어져 있다고 주장하였다.

02 생명 과학이 발달함에 따라 생명 과학 지식이 변화한 과정에 대한 설명으로 옳지 <u>않은</u> 것은?

① 생물 속생설이 부정되고 자연 발생설이 확립되었다.
② 전염병은 신의 노여움이 아니라 세균의 감염으로 발생한다.
③ 생물종은 변화하지 않는 것이 아니라 환경에 적응하여 변화한다.
④ 생물의 진화는 한 가지 요인이 아니라 다양한 요인에 의해 일어난다.
⑤ 자손이 부모를 닮는 것은 부모로부터 혈액이 아니라 DNA를 물려받아 나타나는 현상이다.

03 생명 과학자와 그 업적에 대한 설명으로 옳지 <u>않은</u> 것은?

① 멀리스가 DNA 재조합 기술을 개발하였다.
② 니런버그는 유전부호를 해독하는 데 기여하였다.
③ 밴팅은 개의 이자에서 인슐린을 추출하는 데 성공하였다.
④ 란트슈타이너는 혈액형의 종류를 밝혀 안전한 수혈을 가능하게 하였다.
⑤ 허시는 방사성 동위 원소로 표지된 박테리오파지를 이용해 DNA가 유전 물질임을 증명하였다.

●●●

04 다음은 유전학의 발전에 기여한 여러 과학자의 연구 성과이다.

> (가) 모건은 초파리를 이용한 실험으로 유전자가 염색체의 특정 위치에 있음을 밝혔다.
> (나) 멘델은 완두의 교배 실험을 통해 유전의 기본 원리를 발견하고, 유전 인자를 제안하였다.
> (다) 에이버리는 폐렴 쌍구균의 형질 전환 실험을 통해 DNA가 유전 물질이라는 것을 증명하였다.

이에 대한 설명으로 옳은 것만을 [보기]에서 있는 대로 고른 것은?

[보기]
ㄱ. (가)에서 모건은 전자 현미경으로 염색체의 특정 위치에 있는 유전자를 관찰하였다.
ㄴ. DNA의 이중 나선 구조가 밝혀진 후에 (다)의 연구가 이루어졌다.
ㄷ. 연구 성과를 시간 순서대로 나열하면 (나) → (가) → (다)이다.

① ㄱ　　　　　② ㄷ　　　　　③ ㄱ, ㄴ
④ ㄱ, ㄷ　　　⑤ ㄴ, ㄷ

●●○

05 다음은 생물 분류와 진화론의 발달에 대한 세 학생의 대화이다.

학생 A: 린네는 종의 개념을 명확히 제시하였어.
학생 B: 라마르크는 자연 선택설을 주장하였어.
학생 C: 진화론은 생명 과학뿐만 아니라 정치, 경제 등 많은 분야에 큰 영향을 주었어.

생물 분류와 진화론의 발달에 대해 옳게 설명한 학생을 있는 대로 고른 것은?

① B　　　　　② C　　　　　③ A, B
④ A, C　　　⑤ A, B, C

06 DNA 증폭 기술과 DNA 재조합 기술의 발달이 인간의 생활에 준 영향에 대한 설명으로 옳은 것만을 [보기]에서 있는 대로 고른 것은?

〔보기〕
ㄱ. 식량의 생산량 증대가 가능해졌다.
ㄴ. 인슐린과 같은 의약품을 대량 생산할 수 있게 되었다.
ㄷ. DNA를 분석하여 친자를 확인하고, 범인을 식별할 수 있게 되었다.

① ㄴ   ② ㄱ, ㄴ   ③ ㄱ, ㄷ
④ ㄴ, ㄷ   ⑤ ㄱ, ㄴ, ㄷ

07 다음은 생명 과학의 중요한 발견에 대한 설명이다.

(가) 여러 과학자들이 다양한 생물 표본을 관찰하여 얻은 결과를 종합하여 '모든 생물은 세포로 이루어져 있다.'라는 세포설을 발표하였다.
(나) 5년 동안 갈라파고스 군도를 비롯한 여러 나라를 탐험하면서 수집한 자료를 토대로 환경에 대한 적응으로 생물의 진화를 설명하는 자연 선택설을 제안하였다.

이에 대한 설명으로 옳은 것만을 [보기]에서 있는 대로 고른 것은?

〔보기〕
ㄱ. (가)의 세포설은 현미경 발명 이후에 확립되었다.
ㄴ. (나)의 이론은 자본주의의 발달에 영향을 주었다.
ㄷ. (가)와 (나)에는 주로 연역적 탐구 방법이 사용되었다.

① ㄱ   ② ㄴ   ③ ㄷ
④ ㄱ, ㄴ   ⑤ ㄴ, ㄷ

서술형 문제

08 다음은 생물의 발생에 대한 두 가지 학설에 대한 설명이다.

(가) 생물은 이미 존재하는 생물로부터 생겨나므로 생물이 발생하려면 반드시 그 어버이가 있어야 한다.
(나) 생물은 흙, 물, 공기 등과 같은 무기물에서 자연적으로 생겨나므로 어버이가 없이도 발생할 수 있다.

생명 과학이 발달함에 따라 생물의 발생에 대한 생각은 어떻게 변화해왔는지 기호를 사용하여 쓰고, 이러한 생각의 변화에 결정적인 역할을 한 생명 과학자와 업적을 서술하시오.

09 다음은 유전학의 발달 과정에서 이루어진 주요 발견들을 순서 없이 나열한 것이다.

(가) 유전의 기본 원리 발견
(나) DNA 이중 나선 구조 발견
(다) DNA가 유전 물질임을 증명
(라) 유전자와 염색체의 관계를 밝힘

(가)~(라)의 업적을 이룬 과학자의 이름을 쓰고, (가)~(라)를 오래된 순서대로 옳게 나열하시오.

10 다음은 미생물을 연구한 두 과학자의 업적에 대한 설명이다.

(가) 플레밍은 푸른곰팡이가 세균의 생장을 억제하는 항생 물질인 페니실린을 생성한다는 것을 발견하였다.
(나) 왁스먼은 토양 미생물인 방선균으로부터 결핵균의 생장을 억제하는 스트렙토마이신을 발견하였다.

이 과학자들의 업적이 인류 복지에 어떻게 기여하였는지 서술하시오.

수능 실전 문제

01 그림은 파스퇴르의 실험과 결과를 나타낸 것이다.

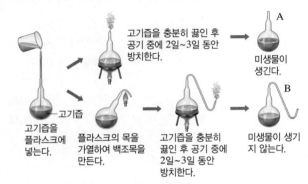

고기즙을 플라스크에 넣는다. → 플라스크의 목을 가열하여 백조목을 만든다. → 고기즙을 충분히 끓인 후 공기 중에 2일~3일 동안 방치한다. → A 미생물이 생긴다. → B 미생물이 생기지 않는다.

고기즙을 충분히 끓인 후 공기 중에 2일~3일 동안 방치한다.

이에 대한 설명으로 옳은 것만을 [보기]에서 있는 대로 고른 것은?

〔보기〕
ㄱ. 이 실험을 통해 생물 속생설을 입증하였다.
ㄴ. A의 미생물은 고기즙 속의 미생물이 증식한 것이다.
ㄷ. B에 미생물이 생기지 않은 것은 공기 중의 미생물이 플라스크 안으로 들어가지 못하였기 때문이다.

① ㄱ ② ㄴ ③ ㄷ ④ ㄱ, ㄷ ⑤ ㄴ, ㄷ

02 다음은 유전학과 분자 생물학의 발달 과정에서 중요한 발견의 사례에 대한 설명이다.

• 폐렴 쌍구균에는 R형균과 S형균이 있다.
• 열처리를 하여 죽은 S형균의 추출물을 섞은 배지에 살아 있는 R형균을 배양하면 살아 있는 S형균이 발견된다.
• 열처리를 하여 죽은 S형균의 추출물에 DNA 분해 효소를 처리한 후 배지에 섞어 살아 있는 R형균을 배양하면 살아 있는 S형균이 발견되지 않는다.

이에 대한 설명으로 옳은 것만을 [보기]에서 있는 대로 고른 것은?

〔보기〕
ㄱ. DNA가 폐렴 쌍구균의 형질을 결정한다.
ㄴ. 열처리를 하면 S형균의 유전 물질이 파괴된다.
ㄷ. 이 실험은 DNA의 구조와 기능이 밝혀진 이후에 이루어진 것이다.

① ㄱ ② ㄷ ③ ㄱ, ㄴ ④ ㄱ, ㄷ ⑤ ㄴ, ㄷ

03 다음은 어떤 생명 과학자가 주장한 학설의 내용이다.

생물은 주어진 환경에서 살아남을 수 있는 것보다 많은 수의 자손을 낳으며, 이 때 같은 종의 개체들 사이에는 다양한 형질이 나타난다. 과잉 생산된 개체들은 먹이, 서식지, 배우자 등을 두고 생존 경쟁을 하며, 환경에 잘 적응한 개체가 더 많이 살아남아 자손을 남기는 자연 선택이 일어난다. 이러한 과정이 오랜 세월 동안 누적되어 생물이 진화한다.

이에 대한 설명으로 옳은 것만을 [보기]에서 있는 대로 고른 것은?

〔보기〕
ㄱ. 자연 선택이 진화의 원동력이라고 설명한다.
ㄴ. 생물의 진화를 직접 관찰하고 실험으로 증명하였다.
ㄷ. 철학, 사회학, 심리학 등 다양한 분야의 영향을 받아 탄생한 학설이다.

① ㄱ ② ㄴ ③ ㄷ
④ ㄱ, ㄴ ⑤ ㄴ, ㄷ

04 파스퇴르는 백신의 효과를 입증하기 위해 그림과 같이 실험하였다.

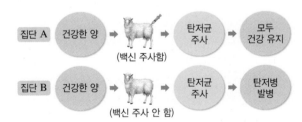

집단 A: 건강한 양 → (백신 주사함) → 탄저균 주사 → 모두 건강 유지
집단 B: 건강한 양 → (백신 주사 안 함) → 탄저균 주사 → 탄저병 발병

이에 대한 설명으로 옳은 것만을 [보기]에서 있는 대로 고른 것은?

〔보기〕
ㄱ. 집단 A는 실험군이고, 집단 B는 대조군이다.
ㄴ. 이 실험에는 연역적 탐구 방법이 사용되었다.
ㄷ. '백신은 탄저병을 예방할 수 있다.'는 이 실험의 결론에 해당한다.

① ㄱ ② ㄴ ③ ㄴ, ㄷ
④ ㄱ, ㄷ ⑤ ㄱ, ㄴ, ㄷ

세포의 특성

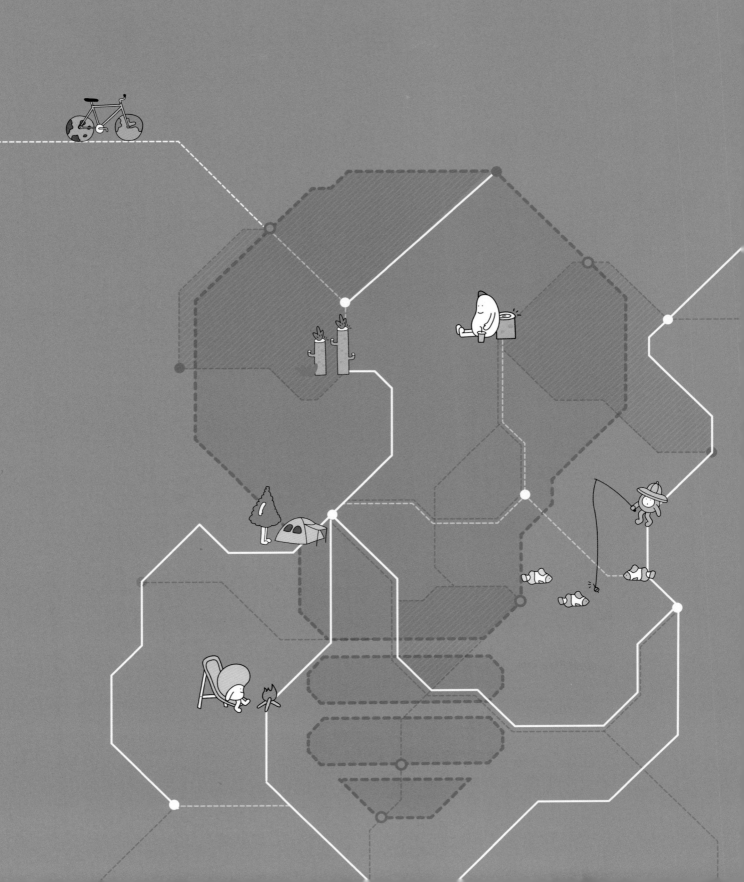

1 세포의 특성

- 01. 생명체의 구성
- 02. 세포의 연구 방법
- 03. 세포 소기관의 구조와 기능

이 단원을 공부하기 전에 학습 계획을 세우고, 학습 진도를 스스로 체크해 보자.
학습이 미흡했던 부분은 다시 보기에 체크해 두고, 시험 전까지 꼭 완벽히 학습하자!

소단원	학습 내용	학습 일자	다시 보기
01. 생명체의 구성	Ⓐ 생명체의 유기적 구성	/	
	Ⓑ 생명체를 구성하는 주요 물질	/	
02. 세포의 연구 방법	Ⓐ 세포의 연구 방법 탐구 세포의 길이 측정	/	
03. 세포 소기관의 구조와 기능	Ⓐ 원핵세포와 진핵세포	/	
	Ⓑ 세포 소기관의 유기적인 관계 탐구 단백질의 합성과 분비	/	

◆ **생명체의 구성 단계**

① **동물체의 구성 단계:** ❶ [   ] → 조직 → 기관 → 기관계 → 개체

② **식물체의 구성 단계:** 세포 → 조직 → ❷ [   ] → 기관 → 개체

◆ **생명체의 구성 물질**

물	생명체에서 가장 많은 양을 차지하며, 체온 유지, 물질 운반에 관여한다.
무기염류	생리 작용을 조절하는 데 관여한다.
❸ [ ]	생명체의 주요 에너지원이며, 포도당, 설탕, 녹말, 글리코젠 등의 형태로 존재한다.
지질	에너지원이며, 지질 중 인지질은 세포막의 성분이 된다.
단백질	• 에너지원이며, 효소, 근육, 항체 등을 구성한다. • 단위체는 아미노산이며, 많은 수의 아미노산이 ❹ [ ]으로 연결되어 폴리펩타이드가 만들어지고, 폴리펩타이드가 입체 구조를 형성하여 단백질이 된다.
핵산	• 유전 정보를 저장하거나 단백질을 합성하는 과정에 관여한다. • 단위체는 ❺ [ ]이며, 이중 나선 구조인 DNA와 단일 가닥 구조인 RNA가 있다.

◆ **세포의 구조와 기능**

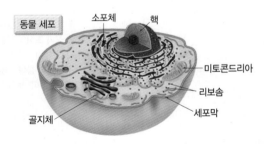

동물 세포 — 소포체, 핵, 미토콘드리아, 리보솜, 세포막, 골지체

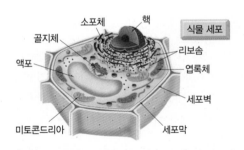

식물 세포 — 소포체, 핵, 골지체, 리보솜, 액포, 엽록체, 미토콘드리아, 세포벽, 세포막

구조	기능	구조	기능
❻ [ ]	유전 물질(DNA)이 있어 세포의 구조와 기능 결정	❼ [ ]	세포 호흡이 일어나 생명 활동에 필요한 형태의 에너지 생산
리보솜	단백질 합성 장소		
소포체	리보솜에서 합성한 단백질을 골지체나 세포의 다른 곳으로 운반	❽ [ ]	• 광합성이 일어나 포도당 합성 • 식물 세포에만 존재
골지체	단백질을 세포 밖으로 분비하는 데 관여	세포벽	• 세포를 보호하고 세포의 형태 유지 • 식물 세포에만 존재
세포막	세포 안팎으로의 물질 출입 조절	액포	• 물, 색소, 노폐물 등을 저장 • 성숙한 식물 세포에서 크게 발달

❽ 엽록체 ❼ 미토콘드리아 ❻ 핵 ❺ 뉴클레오타이드 ❹ 펩타이드 결합 ❸ 탄수화물 ❷ 조직계 ❶ 세포 **정답**

01 생명체의 구성

핵심
포인트

Ⓐ 생명체의 구성 단계 ★★
동물체와 식물체의 구성 단계 구분 ★★★

Ⓑ 생명체의 주요 구성 물질의 종류 ★★★
단백질, 지질, 탄수화물, 핵산의 기본 구조와 기능 ★★★

Ⓐ 생명체의 유기적 구성

자동차는 수많은 부속품이 유기적으로 작용하여 움직입니다. 생명체는 어떻게 유기적으로 구성되어 생명 현상을 유지하는지 알아보아요.

1. 생명체의 구성 단계 *다세포 생물에서 세포들은 유기적으로 조직되어 정교한 체계를 이룬다.

세포	→	조직	→	기관	→	개체
생명체를 구성하는 구조적·기능적 단위		형태와 기능이 비슷한 세포들의 모임		여러 조직이 모여 고유한 형태와 기능을 함		여러 기관이 모여 독립적으로 생활하는 생명체

2. 동물체의 구성 단계

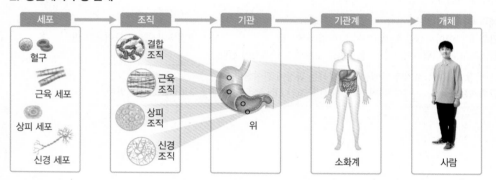

세포 → 조직 → 기관 → 기관계 → 개체

혈구 / 근육 세포 / 상피 세포 / 신경 세포 → 결합 조직 / 근육 조직 / 상피 조직 / 신경 조직 → 위 → 소화계 → 사람

(1) 조직: 기능과 특징에 따라 상피 조직, 결합 조직, 근육 조직, 신경 조직으로 구분한다.

*상피 조직	몸의 바깥이나 내장 기관의 안쪽 벽을 덮어 몸을 보호하거나 물질을 흡수 및 분비한다.
결합 조직	몸의 조직이나 기관을 서로 결합하거나 지지한다. 예 힘줄, 인대, 혈액, 뼈
근육 조직	몸의 근육이나 기관을 구성하여 몸의 움직임에 관여한다. 예 골격근, 심장근, 내장근
신경 조직	자극을 받아들이고 신호를 전달한다. → 신경 세포(뉴런)와 이를 지지하는 세포로 구성된다.

(2) 기관: 여러 조직이 모여 특정 기능을 수행한다. 예 뇌, 심장, 콩팥, 간, 폐, 이자

(3) 기관계: 연관된 기능을 하는 기관들이 모여 구성되며, 동물체에만 있는 구성 단계이다.

기관계	구성 기관	기능
소화계	위, 간, 이자, 소장 등	영양소의 소화 및 흡수
호흡계	폐, 기관, 기관지 등	기체 교환
순환계	심장, 혈관 등	영양소, 산소, 노폐물 등 물질의 운반
배설계	콩팥, 방광 등	노폐물의 배설
신경계	뇌, 척수 등	흥분의 전달, 기관의 작용 조절
생식계	정소, 난소, 자궁 등	생식세포 형성, 수정과 발생
내분비계	뇌하수체, 갑상샘, 부신 등	호르몬의 생성 및 분비

★ 단세포 생물과 다세포 생물
• 단세포 생물: 세포 하나에서 모든 생명 활동이 일어나 하나의 세포가 하나의 개체가 되는 생물 예 아메바, 짚신벌레
• 다세포 생물: 서로 다른 기능을 하는 많은 세포가 유기적으로 조직되어 개체를 이루고 생명 활동을 하는 생물 예 사람, 토끼

비상 교과서에만 나와요.
★ 상피 조직의 구분
• 보호 상피: 피부 등
• 샘 상피: 침샘, 위샘 등
• 감각 상피: 눈의 망막, 후각 상피 등
• 흡수 상피: 소장 내벽 등

3. 식물체의 구성 단계

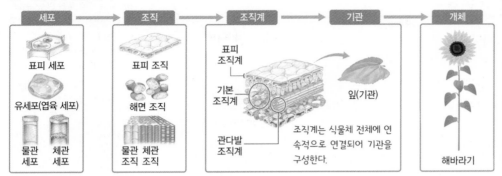

★ 영구 조직의 구분
• 표피 조직: 식물의 바깥 표면을 덮는 조직이며, 표피 세포, 뿌리털, 공변세포 등으로 구성된다.
• 유조직: 광합성, 세포 호흡, 물질 저장 및 분비 등이 활발하게 일어난다. 예 울타리 조직, 해면 조직
• 통도 조직: 물과 양분의 이동 통로가 된다. 예 물관(물의 이동 통로), 체관(광합성 산물의 이동 통로)

(1) **조직**: 분열이 왕성하게 일어나는지에 따라 분열 조직과 영구 조직으로 구분한다.

① 분열 조직: 세포 분열이 왕성하게 일어나는 조직 예 생장점, 형성층

② *영구 조직: 분열 조직으로부터 분화된 조직 예 표피 조직, 유조직, 통도 조직

(2) **조직계**: 여러 조직이 모여 일정한 기능을 수행하며, 식물체에만 있는 구성 단계이다.

조직계	구성 조직	기능
표피 조직계	표피 조직	표면을 덮어 식물 보호 및 수분 출입 조절
관다발 조직계	물관, 체관의 통도 조직과 형성층	물과 양분의 이동 통로, 지지 작용
기본 조직계	대부분 울타리·해면 조직과 같은 유조직	광합성, 양분 저장, 지지 작용 등

└─● 표피 조직계와 관다발 조직계를 제외한 나머지 부분

(3) **기관**: 꽃, 열매와 같은 생식 기관과 뿌리, 줄기, 잎과 같은 영양 기관이 있다.

주의해
동물체와 식물체 구성 단계의 차이점
동물체에만 있는 구성 단계는 기관계이고, 식물체에만 있는 구성 단계는 조직계이다.

개념 확인 문제

정답친해 7쪽

핵심 체크

• 동물체의 구성 단계: 세포 → 조직 → 기관 → (❶   ) → 개체
• 식물체의 구성 단계: 세포 → 조직 → (❷   ) → 기관 → 개체

1 그림은 동물체와 식물체의 구성 단계를 나타낸 것이다.

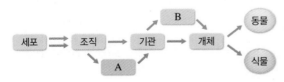

이에 대한 설명에서 ( ) 안에 알맞은 말을 쓰시오.

(1) 구성 단계 A는 ㉠(   ), B는 ㉡(   )이다.
(2) (   )는 생명체를 구성하는 기본 단위이다.
(3) 형태와 기능이 비슷한 세포들의 모임은 (   )이다.
(4) 동·식물체에서 여러 조직이 모여 (   )을 형성한다.

2 동물체의 구성 단계에 대한 설명으로 옳은 것은 ○, 옳지 않은 것은 ×로 표시하시오.

(1) 동물체에는 몸 바깥을 덮어 몸을 보호하는 표피 조직이 있다. ┈┈┈┈┈┈┈┈┈┈┈┈┈ (   )
(2) 뇌, 심장, 콩팥은 모두 기관에 해당한다. ┈┈ (   )
(3) 적혈구, 백혈구, 난자는 모두 세포에 해당한다. (   )

3 울타리 조직, 해면 조직 등의 유조직으로 구성되어 광합성, 양분 저장 등의 기능을 하는 조직계의 이름을 쓰시오.

01 생명체의 구성

B 생명체를 구성하는 주요 물질

1. 탄수화물 단당류, 이당류, 다당류로 구분되며, 포도당과 같은 단당류는 주된 에너지원으로 쓰인다. → 구성 원소: 탄소(C), 수소(H), 산소(O)

단당류	가장 단순한 형태의 탄수화물이다. 예 포도당, 과당, 갈락토스	단당류(포도당)
이당류	단당류 2개가 결합한 형태의 탄수화물이다. 예 엿당(포도당+포도당), 설탕(포도당+과당), 젖당(포도당+갈락토스)	이당류(엿당)
다당류	수백, 수천 개의 단당류가 결합한 긴 사슬 형태의 탄수화물이다. 예 녹말(식물에서의 에너지 저장 물질), 글리코젠(동물에서의 에너지 저장 물질), 셀룰로스(식물 세포의 세포벽 구성)	다당류(녹말)

2. 지질 물에 잘 녹지 않고 *유기 용매에 잘 녹는 화합물이며, 성분이나 구조에 따라 중성 지방, 인지질, 스테로이드로 구분된다. → 구성 원소: 탄소(C), 수소(H), 산소(O), 일부는 인(P) 포함

중성 지방	• 글리세롤 1분자에 지방산 3분자가 결합한 화합물이다. • 생명체에서 주요 에너지 저장 물질로 이용된다. → 같은 양의 탄수화물보다 2배 이상의 에너지를 저장할 수 있다. • 피부 밑의 지방층을 구성하여 체온 유지에 중요한 역할을 한다.	글리세롤 / 지방산
인지질	• 글리세롤 1분자에 지방산 2분자와 인산기를 포함한 화합물이 결합한 것이다. • 친수성 머리와 소수성 꼬리로 구성된다. ➡ 물에 넣으면 2중층을 형성한다. • 주로 세포막, 핵막 등 생체막을 구성하는 성분이다.	친수성 머리 / 소수성 꼬리 / 콜린 / 인산 / 글리세롤 / 지방산
스테로이드	• 탄소로 구성된 고리 화합물 4개가 연결된 구조이다. • 성호르몬, 부신 겉질 호르몬의 구성 성분이다. • 스테로이드의 일종인 콜레스테롤은 동물의 세포막을 구성한다.	

3. 단백질 생명체의 주성분이며, 생명체에서 일어나는 대부분의 생명 활동에 관여한다.
└ • 구성 원소: 탄소(C), 수소(H), 산소(O), 질소(N), 일부는 황(S) 포함

(1) 단백질의 형성: 단백질은 수많은 *아미노산이 펩타이드 결합으로 연결되어 만들어진다.

① **펩타이드 결합**: 한 아미노산의 카복실기와 다른 아미노산의 아미노기 사이에서 물 한 분자가 빠져나오면서 형성되는 결합이다.

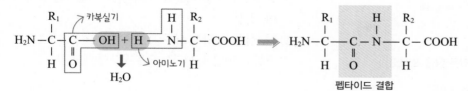

② 여러 종류의 아미노산이 펩타이드 결합으로 연결되어 폴리펩타이드가 형성되고, 폴리펩타이드가 꼬이거나 접혀 입체 구조를 형성하여 단백질이 된다. ➡ 아미노산의 수, 종류, 배열에 따라 입체 구조가 결정되며, 입체 구조에 따라 단백질의 기능이 결정된다.

★ **생명체의 구성 물질**
생명체는 주로 물과 탄소 화합물로 이루어져 있다. 탄소 화합물에는 탄수화물, 지질, 단백질, 핵산 등이 있으며, 종류에 따라 생명체를 구성하는 비율이 다르다.

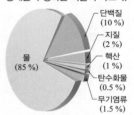

물(85 %) / 단백질(10 %) / 지질(2 %) / 핵산(1 %) / 탄수화물(0.5 %) / 무기염류(1.5 %)

◑ 사람(간)을 구성하는 물질

★ **유기 용매**
액체 상태의 유기물로 된 용매이다. 예 알코올, 아세톤, 에테르

★ **아미노산의 구조**
아미노산은 중심에 탄소가 있고, 여기에 아미노기, 카복실기, 수소 원자, 곁사슬(R)이 연결되어 있다. 곁사슬의 종류에 따라 아미노산은 20종류로 구분된다.

곁사슬 / 아미노기 / 카복실기

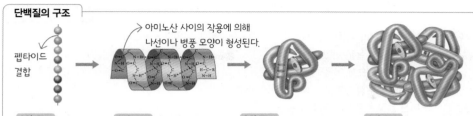

단백질의 구조

아미노산 사이의 작용에 의해 나선이나 병풍 모양이 형성된다.

펩타이드 결합

1차 구조 여러 개의 아미노산이 펩타이드 결합으로 연결되어 폴리펩타이드를 형성한다.

2차 구조 폴리펩타이드는 나선처럼 꼬이거나 병풍처럼 접힌다.

3차 구조 2차 구조의 폴리펩타이드가 구부러지고 접혀 입체 구조를 형성한다.

4차 구조 3차 구조의 폴리펩타이드가 2개 이상 모여 형성된 구조이다.

단백질은 1개 이상의 폴리펩타이드로 구성되며, 어떤 단백질은 폴리펩타이드가 2개 이상 모여 기능을 수행하기도 한다. 예 헤모글로빈은 폴리펩타이드 4개(2개의 α 사슬, 2개의 β 사슬)로 구성되며, 산소를 운반한다.

(2) 단백질의 기능 → 교과서에 따라 제시하는 단백질의 기능이 조금씩 다르니 내 교과서를 확인하세요.

① 몸을 구성한다. 예 뼈, 근육, 힘줄, 피부, 손톱, 머리카락 등을 구성

② 물질대사와 생리 작용을 조절한다. 예 효소, 호르몬의 성분

③ 외부 물질에 대한 방어 작용을 담당한다. 예 항체의 성분

4. 핵산 유전 정보를 저장 및 전달하거나 단백질 합성에 관여한다.
└ 구성 원소: 탄소(C), 수소(H), 산소(O), 질소(N), 인(P)

(1) 핵산의 형성: 핵산은 인산, 당, 염기가 1 : 1 : 1로 결합된 뉴클레오타이드가 반복적으로 결합하여 형성된 폴리뉴클레오타이드이다.

(2) 핵산의 종류: DNA와 RNA가 있다.

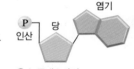

비상, 미래엔 교과서에만 나와요.

★ **단백질의 변성**
단백질의 입체 구조는 온도, pH 등의 환경 조건에 영향을 받는다. 환경 변화에 의해 단백질의 입체 구조가 변하는 것을 변성이라고 하며, 일반적으로 단백질은 변성되면 그 기능을 상실한다.

↑ 뉴클레오타이드

구분	DNA(디옥시리보핵산)	RNA(리보핵산)
구조	폴리뉴클레오타이드 두 가닥이 이중 나선 구조를 이루고 있다. • 한쪽 가닥의 염기와 다른 쪽 가닥의 염기가 상보적으로 결합하고 있다.	단일 가닥의 폴리뉴클레오타이드로 되어 있다.
*당	디옥시리보스	리보스
*염기의 종류	아데닌(A), 구아닌(G), 사이토신(C), 타이민(T)	아데닌(A), 구아닌(G), 사이토신(C), 유라실(U)
기능	유전 정보 저장 → DNA에 생물의 형질을 결정하는 유전자가 있다.	유전 정보 전달, 단백질 합성 과정에 관여 → 일부 바이러스는 유전 정보를 RNA에 저장한다.

★ **핵산을 구성하는 당**
DNA를 구성하는 디옥시리보스는 RNA를 구성하는 리보스보다 산소 원자 하나가 부족하다.

↑ 디옥시리보스 ↑ 리보스

★ **염기의 분류**
• 퓨린 계열: 아데닌(A), 구아닌(G)
• 피리미딘 계열: 사이토신(C), 타이민(T), 유라실(U)

퓨린 계열 염기

아데닌(A) 구아닌(G)

피리미딘 계열 염기

사이토신(C) 타이민(T) 유라실(U)

🔍 확대경 물

비상, 천재 교과서에만 나와요.

1. 물은 생명체의 구성 성분 중 가장 많은 양을 차지하는 물질이다. → 체액의 주성분

2. **물 분자의 구조:** 산소 원자 1개와 수소 원자 2개가 결합되어 있으며, 극성을 띠는 물 분자 사이에 인력이 작용하여 수소 결합이 형성된다.

3. **물의 기능**
• 비열과 기화열이 높아 체온 유지에 관여한다.
• 화학 반응의 매개체가 되어 물질대사가 원활하게 일어나도록 한다.
• 물질을 녹이는 용매로 작용하고, 양분, 산소, 노폐물 등을 운반한다.

─ 수소 결합

↑ 물 분자의 구조

개념 확인 문제

핵심 체크

- (❶   ): 에너지원으로 가장 많이 이용되며, (❷   ), 이당류, 다당류로 구분한다.
- 지질: 물에 잘 녹지 않고 유기 용매에 잘 녹는 화합물이다.
  - (❸   ): 주요 저장 에너지원으로 이용
  - (❹   ): 친수성 머리와 소수성 꼬리로 구성, 생체막의 주요 성분
  - 스테로이드: 성호르몬과 부신 겉질 호르몬의 구성 성분
- 단백질: (❺   )이 펩타이드 결합으로 연결되어 형성되며, 생명체의 주성분으로 물질대사와 생리 작용 조절, 방어 작용 등의 기능을 한다.
- 핵산: (❻   )가 연속적으로 결합하여 형성되며, 유전 정보를 저장 및 전달하거나 단백질 합성 과정에 관여한다.
  - DNA: 이중 나선 구조로, 당은 (❼   )이며, 염기에는 A, G, C, T이 있다.
  - RNA: 단일 가닥 구조로, 당은 리보스이며, 염기에는 A, G, C, (❽   )이 있다.

1 다음 설명에 해당하는 생명체의 구성 물질로 옳은 것만을 [보기]에서 있는 대로 고르시오.

[보기]
ㄱ. 물   ㄴ. 지질   ㄷ. 핵산
ㄹ. 단백질   ㅁ. 탄수화물

(1) 효소와 항체의 주성분이다.
(2) 주된 에너지원으로 이용된다.
(3) 유전 정보를 저장하거나 단백질 합성에 관여한다.
(4) 구성 원소로 탄소(C), 수소(H), 산소(O)를 가진다.
(5) 생명체의 구성 성분 중 가장 많은 양을 차지하는 물질이다.

2 탄수화물에 대한 설명으로 옳은 것은 ○, 옳지 않은 것은 ×로 표시하시오.

(1) 엿당, 젖당, 설탕은 모두 탄수화물의 가장 단순한 형태이다. ·· ( )
(2) 포도당과 같은 단당류는 생명체에서 주된 에너지원으로 쓰인다. ·· ( )
(3) 셀룰로스는 식물 세포의 세포벽을 구성하는 다당류이다.
·· ( )

3 다음 설명에 해당하는 생명체의 주요 구성 물질의 이름을 쓰시오.

- 물에 잘 녹지 않고 유기 용매에 잘 녹는다.
- 글리세롤 1분자와 지방산 3분자로 구성된다.
- 피부 밑의 지방층을 구성하여 체온 유지에 중요한 역할을 한다.

4 단백질에 대한 설명으로 옳은 것은 ○, 옳지 않은 것은 ×로 표시하시오.

(1) 단위체가 펩타이드 결합으로 연결되어 있다. ( )
(2) 단백질의 고유한 기능은 단백질의 입체 구조에 따라 달라진다. ·· ( )
(3) 생명체에서 주요 에너지 저장 물질로 쓰이고, 화학 반응과 생리 작용을 조절한다. ·· ( )

5 다음은 핵산에 대한 설명이다. ( ) 안에 알맞은 말을 있는 대로 고르시오.

(1) 핵산의 단위체는 (아미노산, 뉴클레오타이드)이다.
(2) DNA는 당으로 ㉠(디옥시리보스, 리보스)를, RNA는 당으로 ㉡(디옥시리보스, 리보스)를 가진다.
(3) DNA를 구성하는 염기는 ㉠(A, G, C, T, U)이고, RNA를 구성하는 염기는 ㉡(A, G, C, T, U)이다.
(4) 일반적으로 ㉠(DNA, RNA)는 유전 정보를 저장하고, ㉡(DNA, RNA)는 유전 정보를 전달한다.

대표 자료 분석

자료 ① 생명체의 구성 단계

기출 Point
• 생명체의 구성 단계별 특징 구분하기
• 동물체와 식물체의 구성 단계 차이 알기

[1~4] 그림 (가)는 동물체의, (나)는 식물체의 구성 단계를 나타낸 것이다.

(가) 세포 → A → B → C → 개체

(나) 세포 → D → E → F → 개체

1 구성 단계 A~F의 이름을 각각 쓰시오.

2 식물체에는 없고 동물체에만 있는 구성 단계와 동물체에는 없고 식물체에만 있는 구성 단계의 기호를 순서대로 쓰시오.

3 (가)와 (나)에서 형태와 기능이 비슷한 세포들의 모임에 해당하는 구성 단계의 기호를 있는 대로 쓰시오.

4 빈출 선택지로 완벽 정리!

(1) 신경 조직은 A에 해당한다. ───────── (○ / ×)

(2) 소화계와 배설계는 모두 B에 해당한다. ── (○ / ×)

(3) 간과 콩팥은 C와 같은 구성 단계이다. ──── (○ / ×)

(4) 표피 조직은 D에 해당한다. ─────────── (○ / ×)

(5) 해면 조직, 울타리 조직 등이 모여 E를 이룬다.
─────────────────────────── (○ / ×)

(6) E에는 표피 조직계, 관다발 조직계, 기본 조직계가 있다. ───────────────────── (○ / ×)

(7) 생장점과 형성층은 F에 해당한다. ────── (○ / ×)

(8) 개체는 독립적으로 생명 활동을 할 수 있는 하나의 생명체이다. ─────────────── (○ / ×)

자료 ② 생명체를 구성하는 주요 물질

기출 Point
• 생명체를 구성하는 물질의 기본 구조 알기
• 생명체를 구성하는 물질의 특성 구분하기

[1~4] 그림은 생명체를 구성하는 물질을 나타낸 것이다. (가)~(다)는 각각 DNA, 단백질, 글리코젠 중 하나이다.

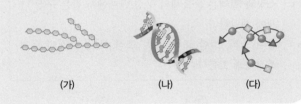

(가)   (나)   (다)

1 (가)~(다)의 이름을 각각 쓰시오.

2 (가)~(다)의 단위체를 각각 쓰시오.

3 (다)에서 단위체와 단위체를 연결하는 결합의 이름을 쓰시오.

4 빈출 선택지로 완벽 정리!

(1) (가)는 식물의 뿌리, 열매, 줄기 등에 저장되는 다당류이다. ───────────────── (○ / ×)

(2) (나)의 단위체는 인산, 당, 염기가 1 : 1 : 3으로 결합되어 있다. ──────────────── (○ / ×)

(3) (나)는 핵산의 한 종류이며, 유전 정보를 저장하는 역할을 한다. ───────────────── (○ / ×)

(4) (다)는 생명체에서 에너지원으로 가장 많이 사용된다.
─────────────────────────── (○ / ×)

(5) (다)는 모두 폴리펩타이드 1개로만 구성된다.
─────────────────────────── (○ / ×)

(6) (가)~(다)에는 모두 탄소(C)가 포함된다. (○ / ×)

A 생명체의 유기적 구성

01 생명체의 구성 단계에 대한 설명으로 옳은 것만을 [보기]에서 있는 대로 고른 것은?

─[보기]─
ㄱ. 식물에서 열매는 기관에 해당한다.
ㄴ. 소장과 혈액은 동물체의 구성 단계에서 같은 구성 단계에 해당한다.
ㄷ. 상피 조직, 결합 조직, 근육 조직, 신경 조직이 모여 조직계를 이룬다.

① ㄱ   ② ㄴ   ③ ㄷ
④ ㄱ, ㄴ   ⑤ ㄴ, ㄷ

02 그림 (가)는 동물체의, (나)는 식물체의 구성 단계를 나타낸 것이다.

(가) 세포 → A → B → 기관계 → 개체
(나) 세포 → 조직 → C → D → 개체

이에 대한 설명으로 옳지 **않은** 것은?

① A는 기능이 서로 다른 세포들이 모여 구성된다.
② B와 D는 모두 기관이다.
③ 심장과 폐는 모두 B에 해당한다.
④ C는 여러 조직이 모여 일정한 기능을 수행하는 단계이다.
⑤ 물관과 체관이 모여 C를 이룬다.

03 그림 (가)는 동물의 위를, (나)는 식물의 잎을 나타낸 것이다. A와 B는 각각 근육 조직과 표피 조직 중 하나이다.

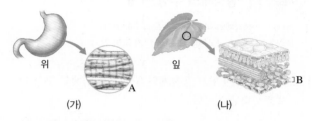

위   A   잎   B
(가)   (나)

이에 대한 설명으로 옳지 **않은** 것은?

① A는 근육 조직이다.
② B는 줄기에도 존재한다.
③ B는 표피 조직계를 구성한다.
④ 위와 잎은 모두 기관에 해당한다.
⑤ 위는 한 종류의 조직으로 이루어져 있다.

B 생명체를 구성하는 주요 물질

04 생명체를 구성하는 물질에 대한 설명으로 옳지 **않은** 것은?

① 핵산은 유전 정보를 저장 및 전달한다.
② 단백질은 생명체의 주요 구성 성분이다.
③ 중성 지방은 에너지 저장 물질로 이용된다.
④ 물은 기화열과 비열이 높아 체온 유지에 도움을 준다.
⑤ 다당류에는 셀룰로스, 글리코젠, 콜레스테롤 등이 있다.

05 그림은 탄수화물의 종류를 나타낸 것이다. (가)~(다)는 각각 엿당, 포도당, 셀룰로스 중 하나이다.

(가)   (나)   (다)

이에 대한 설명으로 옳은 것은?

① (가)의 구성 원소에는 질소(N)가 포함되어 있다.
② (가)는 식물 세포에서 에너지를 저장하는 물질이다.
③ (나)는 생명체에서 주된 에너지원으로 이용된다.
④ 젖당, 설탕은 (나)와 같은 종류에 속한다.
⑤ (다)는 탄수화물의 가장 단순한 형태이다.

06 지질에 대한 설명으로 옳지 <u>않은</u> 것은?

① 물에 잘 녹지 않는 화합물이다.
② 인지질은 세포막의 주성분이다.
③ 스테로이드는 친수성 머리와 소수성 꼬리를 가진다.
④ 중성 지방은 동물체에서 체온 유지에 중요한 역할을 한다.
⑤ 중성 지방은 1분자의 글리세롤과 3분자의 지방산이 결합된 물질이다.

07 단백질에 대한 설명으로 옳지 <u>않은</u> 것은?

① 사람 성호르몬의 주성분이다.
② 1개 이상의 폴리펩타이드로 구성된다.
③ 몸을 구성하거나 에너지원으로 쓰인다.
④ 단위체가 펩타이드 결합으로 연결되어 형성된다.
⑤ 단위체의 종류와 배열에 따라 입체 구조가 결정되고, 그에 따라 기능이 달라진다.

08 그림은 생명체를 구성하는 물질의 일부를 나타낸 것이다. (가)와 (나)는 각각 DNA와 단백질 중 하나이다.

(가)   (나)

이에 대한 설명으로 옳지 <u>않은</u> 것은?

① (가)는 유전 정보를 저장하는 물질이다.
② (나)는 근육의 구성 성분이다.
③ (나)의 기능은 온도, pH의 영향을 받는다.
④ 사람의 몸을 구성하는 비율은 (가)가 (나)보다 높다.
⑤ (가)의 단위체는 뉴클레오타이드이고, (나)의 단위체는 아미노산이다.

09 (서술형) DNA와 RNA를 구성하는 물질의 차이점을 <u>두 가지</u>만 서술하시오.

10 표는 생명체를 구성하는 물질 (가)~(다)의 예를 나타낸 것이다. (가)~(다)는 각각 탄수화물, 지질, 핵산 중 하나이다.

물질	(가)	(나)	(다)
예	RNA	중성 지방	녹말

이에 대한 설명으로 옳은 것만을 [보기]에서 있는 대로 고른 것은?

[보기]
ㄱ. (가)의 단위체는 인산, 당, 염기가 1 : 1 : 1로 결합된 형태이다.
ㄴ. 인지질은 (나)에 속한다.
ㄷ. 녹말은 동물 세포의 에너지 저장 물질이다.
ㄹ. (가)~(다)는 모두 탄소(C)를 포함하는 화합물이다.

① ㄱ, ㄴ   ② ㄴ, ㄷ   ③ ㄷ, ㄹ
④ ㄱ, ㄴ, ㄹ   ⑤ ㄱ, ㄷ, ㄹ

11 (서술형) 그림은 생명체를 구성하는 물질인 단백질, 인지질, 중성 지방을 특징 ㉠과 ㉡을 이용해 구분하여 나타낸 것이다.

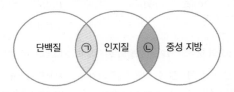

단백질   ㉠   인지질   ㉡   중성 지방

특징 ㉠과 ㉡을 <u>한</u> 가지씩 서술하시오.

02 세포의 연구 방법

핵심 포인트

◎ 세포의 연구 방법 구분 ★★
광학 현미경과 전자 현미경의 특징 ★★

세포 분획법의 원리와 세포 분획 순서 ★★★

A 세포의 연구 방법

오늘날에는 현미경과 염색법이 발달하여 세포 소기관의 구조를 자세히 관찰할 수 있고, 다양한 방법으로 세포 소기관의 기능을 자세히 알아볼 수 있습니다. 세포의 연구 방법에는 어떤 것이 있는지 함께 알아보아요.

1. 현미경 세포의 구조를 관찰하는 데 사용한다.

 완자쌤 비법특강 38쪽

구분	★광학 현미경(LM) Light 빛 Microscope 현미경	전자 현미경(EM) → Electron 전자 Microscope 현미경	
		투과 전자 현미경(TEM) Transmission 투과하다	주사 전자 현미경(SEM) Scanning 주사
원리	대물렌즈와 접안렌즈를 통해 가시광선을 굴절시켜 확대된 상을 얻는다.	전자선을 시료의 얇은 단면에 투과하여 화면에 시료 단면의 영상을 형성한다.	전자선을 금속으로 코팅한 시료 표면에 주사하여 화면에 시료 표면의 입체 영상을 형성한다.
관찰 결과	60 μm	60 μm	60 μm
이용	세포의 모양과 길이, 핵, 염색체, 엽록체 등의 관찰	세포와 세포 소기관의 미세 구조 관찰	
특징	• 전자 현미경보다 배율과 ★해상력이 낮다. ➡ 세포 소기관을 자세히 관찰할 수 없다. • 살아 있는 세포를 관찰할 수 있다.	세포의 내부 구조를 연구하는 데 적합하다. 표본을 제작하는 과정에서 세포가 죽는다.	세포의 표면이나 외부 형태를 연구하는 데 주로 사용된다.

⊕ 확대경 세포의 크기와 현미경의 관찰 범위

📖 비상, 지학사 교과서에만 나와요.

대장균 적혈구 양파 세포 짚신벌레 개구리 알 사람의 신경 세포

1 nm 10 nm 100 nm 1 μm 10 μm 100 μm 1 mm 1 cm 10 cm 1 m
◄─── 전자 현미경 ───►
◄─── 광학 현미경 ───►
◄─── 맨눈 ───►

1. 세포의 모양과 크기는 생물의 종류에 따라 다르며, 한 생물 내에서도 몸의 부위에 따라 다양하다.

2. 맨눈으로 관찰할 수 있을 만큼 크기가 큰 세포도 있지만, 대부분의 세포는 현미경을 사용해야 관찰할 수 있을 정도로 크기가 작다. ➡ 세포 수준에서의 생명체 연구는 현미경의 발명 이후에 이루어졌다.

★ 광학 현미경의 종류

일반 광학 현미경 외에 위상차 현미경과 형광 현미경 등이 있다.

• 위상차 현미경: 세포를 염색하지 않아도 물질에 따른 빛의 굴절률 차이가 명암으로 나타나 세포의 구조를 관찰할 수 있다.

• 형광 현미경: 형광 염색액을 세포에 주입한 후 특정 파장의 빛을 쪼이면 형광 염색액의 색깔이 나타나 세포의 구조를 관찰할 수 있다.

일반적인 광학 현미경은 세포를 염색하지 않으면 세포의 구조가 잘 구분되지 않는다.

전자 현미경으로 관찰되는 상은 흑백이지만 특정 구조를 관찰하기 위해 색깔을 입혀요.

★ 현미경의 해상력

해상력은 매우 가까운 거리에 있는 두 점이 확실하게 분리되어 보이는 최소한의 거리이며, 해상력이 높을수록 상이 선명하게 보인다. 각 현미경의 해상력은 일반적으로 다음과 같다.

• 광학 현미경: 0.2 μm
• 투과 전자 현미경: 0.0002 μm
• 주사 전자 현미경: 0.005 μm
  거리가 짧을수록 ●
  해상력이 높은 것이다.

2. 세포 분획법 세포 내의 구성 물질이나 세포 소기관을 서로 분리하는 방법이다.

(1) 원리: 세포나 조직을 균질기로 부수어 만든 세포 파쇄액을 *원심 분리기에 넣어 속도와 시간을 다르게 하여 회전시키면 세포 소기관이 크기와 밀도에 따라 단계적으로 가라앉는다.

① 느린 회전 속도에서는 비교적 크고 무거운 핵이 가라앉고, 회전 속도를 증가시키면 점차 작은 세포 소기관이 가라앉아 분리된다.

② 세포 소기관이 가라앉아 분리되는 순서 ┌─ 예 소포체

• 동물 세포: 핵 → 미토콘드리아 → 세포막과 <u>내부 막</u> 조각 → 리보솜

• 세포벽이 제거된 식물 세포: 핵 → 엽록체 → 미토콘드리아 → 세포막과 내부 막 조각 → 리보솜

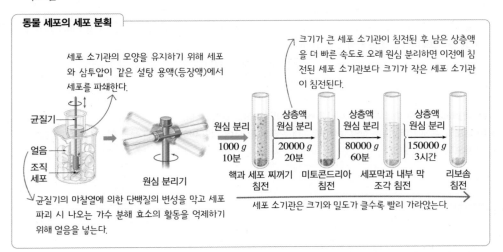

동물 세포의 세포 분획

(2) 이용 특정 세포 소기관을 구조나 기능을 연구하기 위해 대량으로 얻을 때 이용한다.

3. 자기 방사법 *방사성 동위 원소로 표지된 물질을 추적하는 방법이다.

(1) 원리: 방사성 동위 원소로 표지된 화합물을 세포에 공급하고, 시간 경과에 따라 방사성 동위 원소에서 방출되는 방사선을 추적한다. ─→ 현재는 방사선의 위험 때문에 대부분 방사성 동위 원소를 형광 물질로 대체한다.

방사성 동위 원소로 표지된 물질 위에 X선 필름을 놓는다.

방사성 동위 원소로 표지된 물질이 방출하는 방사선에 의해 검은색 점이 나타난다.

방사성 동위 원소로 표지된 물질의 위치를 알 수 있다.

(2) 이용 광합성, 세포 호흡 등에 의한 세포 내 물질의 이동 및 변화 과정을 알아보거나, 세포 분열, 유전을 연구하는 데 이용한다.

① ^{14}C로 표지된 이산화 탄소를 식물 세포에 주입하고 추적하면 광합성 과정과 생성물을 알 수 있다.

② ^{35}S으로 표지된 아미노산을 세포에 주입하고 방사선을 방출하는 세포 소기관을 조사하면 세포에서 단백질이 합성 및 이동, 분비되는 경로를 알 수 있다.

★ **원심 분리기**
고속 회전으로 생기는 원심력을 이용하여 용액 내의 물질을 침전시켜 분리하는 기구이다.

궁금해
원심 분리기의 속도는 어떻게 나타낼까?
원심 분리기의 속도는 중력 가속도(g)의 배율로 나타낸다. 예를 들어 $1000\,g$는 중력 가속도(g)의 1000배에 해당하는 힘을 의미한다.

★ **방사성 동위 원소**
원자 번호는 같으나 질량이 다른 동위 원소 중 방사선을 방출하는 것을 방사성 동위 원소라고 한다. 자기 방사법에는 ^{3}H, ^{14}C, ^{32}P, ^{35}S 등의 방사성 동위 원소가 주로 사용된다.

세포의 길이 측정 📖 미래엔 교과서에만 나와요.

○ 정답친해 10쪽

현미경으로 세포 등을 관찰할 때 눈금이 새겨진 접안 마이크로미터와 대물 마이크로미터를 이용하여 그 길이를 측정할 수 있습니다. 과정이 복잡해 보이지만 차근차근 따라하면 쉽게 측정할 수 있답니다. 함께 시작해 볼까요?

1 세포의 길이 측정 방법 다음 과정에 따라 접안 마이크로미터 눈금 한 칸의 길이를 측정한 후 세포의 길이를 측정한다.

접안 마이크로미터 눈금 한 칸의 길이 측정하기

❶ 접안렌즈에 접안 마이크로미터를 끼우고 재물대에 대물 마이크로미터를 올려놓는다.
❷ 현미경의 배율을 100배로 맞추고, 눈금이 선명하게 보이도록 초점을 조절한다.
❸ 접안 마이크로미터와 대물 마이크로미터의 눈금을 평행하게 맞춘다.
❹ 접안 마이크로미터와 대물 마이크로미터의 눈금이 겹친 두 지점 사이의 눈금 칸 수를 각각 세고, 다음 공식에 따라 접안 마이크로미터 눈금 한 칸의 길이를 구한다.
• 대물 마이크로미터 눈금 한 칸의 길이: 10 μm
• 접안 마이크로미터 눈금 한 칸의 길이 = $\dfrac{\text{대물 마이크로미터 눈금의 칸 수}}{\text{접안 마이크로미터 눈금의 칸 수}} \times 10$ μm

대물 마이크로미터 눈금 한 칸의 길이는 10 μm로 일정하지만, 접안 마이크로미터 눈금 한 칸의 길이는 대물렌즈의 배율에 따라 달라져요!

세포의 길이 측정하기

❶ 재물대에 장치한 대물 마이크로미터를 빼고, 현미경 표본을 올려놓는다.
❷ 세포의 길이에 해당하는 접안 마이크로미터 눈금의 칸 수에 접안 마이크로미터 눈금 한 칸의 길이를 곱하여 세포의 길이를 구한다.

[예제] 세포의 길이 측정하기

❶ 눈금이 겹친 두 지점 사이의 대물 마이크로미터 눈금의 칸 수는 3눈금이고, 접안 마이크로미터 눈금의 칸 수는 5눈금이다.
❷ 접안 마이크로미터 눈금 한 칸의 길이를 x μm라고 하면, 겹쳐진 두 지점 사이의 길이는 같으므로 3눈금×10 μm=5눈금×x μm이다.
∴ 접안 마이크로미터 눈금 한 칸의 길이(x)
$= \dfrac{3}{5} \times 10$ μm$= 6$ μm
❸ 접안 마이크로미터 눈금 한 칸의 길이는 6 μm이므로 세포의 길이는 6 μm×22눈금=132 μm이다.

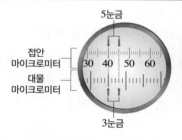

접안 마이크로미터
대물 마이크로미터
5눈금
3눈금
22눈금

Q1 그림 (가)는 200배의 현미경 배율에서 대물 마이크로미터와 접안 마이크로미터의 눈금이 일치된 부분을, (나)는 이 현미경으로 세포의 길이를 측정한 결과를 나타낸 것이다.
이에 대한 설명으로 옳은 것만을 [보기]에서 있는 대로 고르시오.

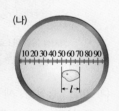

(가) (나)
A
B
눈금 일치
l

─[보기]─
ㄱ. A는 접안 마이크로미터이고, B는 대물 마이크로미터이다.
ㄴ. 접안 마이크로미터 눈금 한 칸의 길이는 5 μm이다.
ㄷ. (나)에서 세포의 길이(l)는 100 μm이다.
ㄹ. 대물렌즈의 배율을 높이면 대물 마이크로미터 눈금 한 칸의 길이가 증가한다.

개념 확인 문제

정답친해 10쪽

핵심 체크

- 광학 현미경: (❶   )을 이용하며, 살아 있는 세포를 관찰할 수 있다.
- 전자 현미경: (❷   )을 이용하며, 세포나 세포 소기관의 미세 구조를 관찰할 수 있다.
  - (❸   ) 전자 현미경: 시료의 얇은 단면에 전자선을 투과하여 세포 내부의 미세 구조를 관찰한다.
  - (❹   ) 전자 현미경: 시료의 표면에 전자선을 쏴 세포의 표면이나 외부 형태를 관찰한다.
- (❺   ): 원심 분리기를 이용하여 세포 소기관을 크기와 밀도에 따라 단계적으로 분리하는 방법이다.
- (❻   ): 방사성 동위 원소에서 방출되는 방사선을 추적하여 세포 내 물질의 이동 경로나 변화를 알아내는 방법이다.

1 현미경의 종류와 그 원리에 대한 설명을 옳게 연결하시오.

(1) 광학 현미경 •

(2) 투과 전자 현미경 •

(3) 주사 전자 현미경 •

• ㉠ 시료 단면에 전자선을 투과하여 단면 영상을 얻는다.

• ㉡ 시료 표면에 전자선을 주사하여 입체 영상을 얻는다.

• ㉢ 렌즈를 통해 가시광선을 굴절시켜 상을 확대한다.

2 현미경을 이용한 세포의 연구에 대한 설명으로 옳은 것은 ○, 옳지 않은 것은 ×로 표시하시오.

(1) 위상차 현미경과 형광 현미경은 전자선을 이용한다.
   ·· ( )
(2) 주사 전자 현미경은 세포 내부의 미세 구조를 관찰하는 데 유용하다. ·················· ( )
(3) 투과 전자 현미경을 이용하여 세포의 단면을 영상으로 관찰할 수 있다. ·················· ( )
(4) 광학 현미경은 전자 현미경에 비해 해상력이 낮지만 살아 있는 세포를 관찰할 수 있다. ·········· ( )

3 미토콘드리아의 구조와 기능을 연구하기 위해 미토콘드리아를 대량으로 얻으려고 한다. 이때 이용하기에 적합한 세포의 연구 방법을 쓰시오.

4 다음은 세포 분획법에 대한 설명이다. (   ) 안에 알맞은 말을 쓰거나 고르시오.

(1) 세포 파쇄액을 ㉠(   )와 시간을 다르게 하여 원심 분리하면 세포 소기관이 ㉡(   )와 밀도에 따라 단계적으로 가라앉아 분리된다.
(2) 느린 회전 속도에서는 ㉠(크고 무거운, 작고 가벼운) 세포 소기관이 먼저 가라앉고, 회전 속도가 빨라질수록 점차 ㉡(작은, 큰) 세포 소기관이 가라앉는다.

5 다음은 세포벽을 제거한 식물 세포를 파쇄하여 세포 분획할 때 세포 소기관이 가라앉는 순서를 나타낸 것이다. (   ) 안에 알맞은 세포 소기관을 쓰시오.

> 핵 → ㉠(   ) → 미토콘드리아 → 세포막과 내부 막 조각 → ㉡(   )

6 자기 방사법에 대한 설명으로 옳은 것은 ○, 옳지 않은 것은 ×로 표시하시오.

(1) 방사성 동위 원소로 표지된 물질이 방출하는 방사선을 추적하는 방법이다. ·················· ( )
(2) 방사성 동위 원소를 이용하면 세포에서 단백질이 합성되어 이동하는 경로를 알 수 있다. ·········· ( )
(3) 식물 세포에서 광합성 과정을 알아볼 때에는 방사성 동위 원소 ^{35}S을 사용한다. ·················· ( )

대표 자료 분석

자료 ① 현미경을 이용한 세포 연구

기출 Point
• 광학 현미경과 전자 현미경의 특징 구분하기
• 현미경의 종류에 따른 세포 관찰의 특징 알기

[1~4] 그림은 세 종류의 현미경 A~C로 짚신벌레를 관찰한 결과를 나타낸 것이다. A~C는 각각 광학 현미경, 투과 전자 현미경, 주사 전자 현미경 중 하나이다.

현미경	A	B	C
관찰 결과	90 μm	90 μm	90 μm

1 현미경 A~C의 이름을 각각 쓰시오.

2 현미경 A~C에서 이용되는 광원을 각각 쓰시오.

3 현미경 A~C 중 배율과 해상력이 가장 낮은 것의 기호를 쓰시오.

4 빈출 선택지로 **완벽 정리!**

(1) 현미경 A로는 살아 있는 짚신벌레를 관찰할 수 있다.
·· (○ / ×)

(2) 현미경 B는 짚신벌레에 전자선을 투과시켜 상을 얻는다. ·· (○ / ×)

(3) 현미경 B는 짚신벌레의 내부 구조를 자세히 관찰하는 데 적합하다. ································ (○ / ×)

(4) 현미경 C는 짚신벌레 단면의 영상을 형성한다.
·· (○ / ×)

(5) 짚신벌레의 외부 형태를 자세히 관찰하는 데에는 현미경 C가 A보다 적합하다. ················ (○ / ×)

자료 ② 세포 분획법을 이용한 세포 연구

기출 Point
• 세포 분획법의 원리와 방법 알기
• 세포 소기관이 가라앉는 순서 구분하기

[1~3] 그림은 동물 세포의 세포 분획 과정을 나타낸 것이다. 침전물 A~D에는 각각 미토콘드리아, 리보솜, 세포막, 핵 중 하나가 있다.

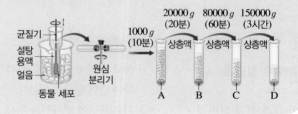

1 미토콘드리아, 리보솜, 세포막, 핵 중 침전물 A~D에 있는 것을 각각 쓰시오.

2 ( ) 안에 알맞은 기호를 있는 대로 고르시오.

(1) 세포 소기관 중 가장 무거운 것은 침전물 A~D 중 (A, B, C, D)에 있다.

(2) 침전물 B의 상층액에는 침전물 (A, B, C, D)에 존재하는 세포 구조가 포함되어 있다.

3 빈출 선택지로 **완벽 정리!**

(1) 세포 내 구성물을 크기나 밀도 차에 따라 분리하는 방법이다. ·· (○ / ×)

(2) 설탕 용액의 농도는 동물 세포액보다 낮다. (○ / ×)

(3) 침전물 A~D 중 DNA 함량이 가장 적은 것은 A이다. ·· (○ / ×)

(4) 침전물 C에는 2중막 구조를 가지며 ATP를 합성하는 세포 소기관이 있다. ·············· (○ / ×)

(5) 원심 분리기의 속도가 빨라질수록 점차 작은 세포 소기관이 가라앉아 분리된다. ·············· (○ / ×)

(6) 얼음은 온도를 낮춰 세포에 들어 있는 효소의 작용을 억제하기 위해 넣는다. ·············· (○ / ×)

내신 만점 문제

Ⓐ 세포의 연구 방법

01 표는 세포를 연구하는 방법 (가)~(다)에 대한 설명이다.

(가)	가시광선이나 전자선을 이용하여 세포를 확대하여 관찰한다.
(나)	세포 내 방사성 동위 원소에서 방출되는 방사선을 추적한다.
(다)	세포를 파쇄한 후 원심 분리기에 넣어 회전 속도와 회전 시간을 달리하면서 세포 소기관을 분리한다.

이에 대한 설명으로 옳은 것만을 [보기]에서 있는 대로 고르시오.

〔보기〕
ㄱ. (가)는 현미경 관찰, (나)는 세포 분획법, (다)는 자기 방사법이다.
ㄴ. (나) 방법으로 세포 내 물질의 이동 경로를 알 수 있다.
ㄷ. (다) 방법을 이용하여 특정 세포 소기관을 분리하여 연구할 수 있다.

02 표는 현미경 A~C의 해상력과 각 현미경으로 짚신벌레를 관찰한 결과를 나타낸 것이다. A~C는 각각 광학 현미경, 투과 전자 현미경, 주사 전자 현미경 중 하나이다.

현미경	A	B	C
해상력	약 0.2 μm	약 0.0002 μm	약 0.005 μm
관찰 결과	90 μm	90 μm	90 μm

이에 대한 설명으로 옳은 것은?

① A는 주사 전자 현미경이다.
② B는 시료의 표면을 금속으로 코팅한 후 전자선을 주사하여 표면의 입체 영상을 형성한다.
③ 짚신벌레의 몸 색깔을 구분할 수 있는 현미경은 C이다.
④ A는 B보다 가까이 있는 2개의 점을 구별할 수 있는 최소한의 거리가 짧다.
⑤ 살아 있는 짚신벌레의 관찰에는 A가 C보다 적합하다.

[03~04] 그림은 세포 분획법을 이용하여 어떤 동물 세포의 세포 소기관을 단계적으로 분리하는 과정을 나타낸 것이다. 침전물 A~C에는 각각 핵, 리보솜, 미토콘드리아 중 하나가 있다.

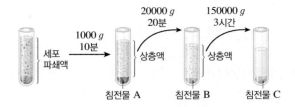

03 ^{서술형} 침전물 A~C에 있는 세포 소기관을 각각 쓰고, 이와 같이 판단한 까닭을 서술하시오.

04 이에 대한 설명으로 옳은 것만을 [보기]에서 있는 대로 고른 것은?

〔보기〕
ㄱ. 침전물 A~C 중 DNA 함량이 가장 많은 것은 A이다.
ㄴ. A의 상층액에는 리보솜, 미토콘드리아 등이 들어 있다.
ㄷ. 침전물 A~C 중 산소 소비량이 가장 많은 세포 소기관이 포함된 것은 B이다.

① ㄱ   ② ㄷ   ③ ㄱ, ㄴ
④ ㄴ, ㄷ   ⑤ ㄱ, ㄴ, ㄷ

05 자기 방사법에 대한 설명으로 옳은 것만을 [보기]에서 있는 대로 고르시오.

〔보기〕
ㄱ. X선 필름을 이용하여 방사선을 검출할 수 있다.
ㄴ. 세포 내에서 광합성의 과정과 생성물을 밝히는 데 이용되었다.
ㄷ. 세포 소기관을 대량으로 분리하여 그 구조나 기능을 연구할 때 이용한다.

03 세포 소기관의 구조와 기능

핵심
포인트
◉ 원핵세포와 진핵세포의 차이점 ★★
◉ 세포 소기관의 구조와 기능 ★★★
단백질의 합성과 분비 경로 ★★★

엽록체와 미토콘드리아의 비교 ★★
리소좀의 세포내 소화 과정 ★★

A 원핵세포와 진핵세포

1. *원핵세포와 진핵세포 세포는 원핵세포와 진핵세포로 구분된다.

구분	원핵세포	진핵세포
구조	리보솜 / 유전 물질 / 세포막 / 세포벽 / 피막 / 플라스미드 세균	핵 / 세포막 / 리보솜 / 미토콘드리아 / 골지체 / 유전 물질 / 소포체 동물 세포
정의 및 크기	핵막과 막으로 둘러싸인 세포 소기관이 없는 세포로, 크기가 약 1 μm~10 μm이다.	핵막과 막으로 둘러싸인 세포 소기관이 있는 세포로, 크기가 약 10 μm~100 μm이다.
핵과 유전 물질	• 유전 물질은 핵막이 없어 세포질에 퍼져 있고, 일반적으로 진핵세포보다 적다. • 하나의 원형 DNA가 응축되어 있으며, 일부는 플라스미드가 있다.	• 핵막으로 둘러싸인 핵 속에 유전 물질(DNA)이 들어 있다. • 핵 속에서 여러 개의 선형 DNA와 히스톤이 염색체를 구성한다.
세포 소기관 / 막으로 둘러싸인 것	없다. → 막으로 둘러싸인 세포 소기관이 없어 세포질에 다양한 효소가 있다.	있다. 예 미토콘드리아, 골지체, 소포체, 엽록체 등
세포 소기관 / 리보솜	있다. ➡ 진핵세포의 리보솜보다 작고, 구성 단백질과 RNA 등이 다르다.	있다.
세포벽	있다. ➡ *세포막 바깥에 세포벽이 있고, 대장균과 같은 세균은 ❶펩티도글리칸을 포함한다.	• 있다. ➡ 셀룰로스(식물)나 키틴(버섯, 곰팡이)이 주성분이다. • 동물 세포에는 세포벽이 없다.
생물 예	원핵생물 ➡ 모두 하나의 세포로 구성되며, 세균이 대표적이다.	진핵생물 ➡ 하나 또는 많은 수의 세포로 구성되며, 원생생물, 균류, 식물, 동물이 있다.

2. 진핵세포의 구조

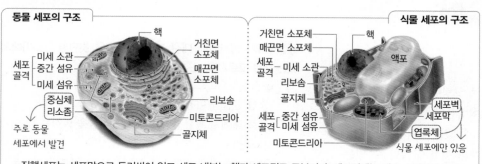

동물 세포의 구조 — 핵 / 미세 소관 / 세포 골격 / 중간 섬유 / 미세 섬유 / 중심체 / 리소좀 / 거친면 소포체 / 매끈면 소포체 / 리보솜 / 미토콘드리아 / 골지체 / 주로 동물 세포에서 발견

식물 세포의 구조 — 거친면 소포체 / 매끈면 소포체 / 세포 골격 / 미세 소관 / 리보솜 / 골지체 / 세포 골격 / 중간 섬유 / 미세 섬유 / 미토콘드리아 / 핵 / 액포 / 세포벽 / 세포막 / 엽록체 / 식물 세포에만 있음

• 진핵세포는 세포막으로 둘러싸여 있고 세포 내부는 핵과 세포질로 구분되며, 세포질에는 세포 소기관이 있다.
• 동물 세포와 식물 세포에 공통으로 존재하는 구조: 핵, 미토콘드리아, 소포체, 골지체, 리보솜, 세포 골격

★ 세균(원핵세포)과 식물 세포(진핵세포)의 비교
• 공통점: 유전 물질(DNA)과 리보솜, 세포벽이 있다.
• 차이점

구분	세균	식물 세포
크기	세균은 식물 세포보다 작다.	
핵막	없음	있음
유전 물질	하나의 원형 DNA	여러 개의 선형 DNA
막성 세포 소기관	없음	있음

★ 원핵생물의 세포벽
• 원핵생물의 세포벽은 세포의 모양을 유지하며 급격한 삼투압의 변화로 세포가 변형되거나 파괴되는 것을 막는다.
• 어떤 원핵세포에서는 세포벽 바깥을 피막이 둘러싼다.

반고체 상태로, 세포의 건조를 막고 숙주로부터 세포를 보호한다.

| 용어
❶ 펩티도글리칸(peptidoglycan)
다당류 사슬에 짧은 폴리펩타이드가 결합된 당단백질이다.

Ⓑ 세포 소기관의 유기적인 관계

세포가 생명 활동을 원활하게 할 수 있도록 진핵세포에서 여러 세포 소기관들이 어떻게 유기적으로 작용하는지 함께 알아볼까요?

1. 물질의 합성과 수송에 관여 — 핵, 리보솜, 소포체, 골지체

(1) 핵 → 핵은 세포에서 가장 크고 뚜렷하며, 세포 생명 활동의 중심이다.

① 구조: 핵막으로 둘러싸여 있고, 핵 속에는 유전 물질인 DNA와 인이 있다.

핵막	• 외막과 내막의 2중막 구조이다. • 핵공을 통해 RNA, 단백질 등이 출입한다.
유전 물질	• DNA는 단백질인 히스톤과 결합하고 있다. • 세포 분열 시 응축되어 염색체를 형성한다.
인	• rRNA(리보솜 RNA)의 합성 장소이다.

• 핵 속에 1개 이상 있다.

↑ 핵의 구조

② 기능: *세포의 구조와 기능을 결정하고, 세포의 생명 활동을 조절한다. ➡ DNA의 유전 정보에 따라 합성된 단백질이 대부분의 생명 활동을 조절하는 데 관여한다.

(2) 리보솜

① 구조: 막으로 둘러싸여 있지 않은 작은 알갱이 모양이며, *rRNA와 단백질로 된 크기가 다른 2개의 단위체로 구성된다.

② 기능: 세포질에서 유전 정보에 따라 단백질을 합성한다.

③ 소포체에 붙어 있거나 세포질에 흩어져 있으며, 단백질이 활발하게 합성되는 세포에서 많이 발견된다.

— 대단위체
— 소단위체
↑ 리보솜의 구조

(3) 소포체

① 구조: 단일막 구조이며, 핵막에 부분적으로 연결되고 소포체끼리 내부가 연결된다.

② 종류와 기능: 소포체는 거친면 소포체와 매끈면 소포체로 구분한다.

거친면 소포체	• 표면에 리보솜이 붙어 있는 소포체이다. • 기능: 리보솜에서 합성한 단백질을 가공한 후 소포체 막의 일부로 둘러싸 운반 소낭을 만들어 운반한다. • 발달한 세포: 분비 작용이 활발한 이자 세포 등
매끈면 소포체	• 표면에 리보솜이 붙어 있지 않은 소포체이다. • 기능: 인지질과 스테로이드 합성, 해독 작용, 칼슘 이온 저장 • 발달한 세포: 간세포(해독 작용), 부신 겉질 세포(스테로이드 호르몬 합성) 등

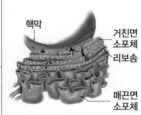
핵막
거친면 소포체
리보솜
매끈면 소포체
↑ 소포체의 구조

(4) 골지체 → 소포체 막으로부터 기원한다.

① 구조: 단일막으로 된 납작한 주머니인 시스터나가 쌓여 있다.

② 기능: 소포체에서 운반한 단백질과 지질을 가공 및 분류하고, 골지체 막으로 둘러싸 분비 소낭을 만들어 세포의 다른 곳으로 운반하거나 세포 밖으로 분비한다.

③ 소화샘 세포, 내분비샘 세포와 같이 분비 작용이 활발한 세포에서 발달한다.

시스터나
소포체에서 온 운반 소낭
골지체에서 나온 분비 소낭
↑ 골지체의 구조

궁금해

DNA는 핵에만 존재할까?
DNA는 핵뿐만 아니라 미토콘드리아와 엽록체에도 존재한다. 이들 세포 소기관에 있는 DNA의 유전 정보에 따라 합성된 단백질은 세포 소기관 안에서 특정한 기능을 수행한다.

📖 비상 교과서에만 나와요.
★ 삿갓말의 재생 실험
M형과 C형의 삿갓말 자루에 헛뿌리를 교환하여 이식하였을 때 재생되는 갓의 모양은 핵이 있는 헛뿌리에 따라 결정된다. ➡ 핵이 생물의 형질을 결정한다.

M형 자루
핵
M형 자루에 C형 헛뿌리 이식
C형 갓 재생

C형 자루
핵
C형 자루에 M형 헛뿌리 이식
M형 갓 재생

★ rRNA(ribosomal RNA)와 리보솜
rRNA는 핵공을 통해 들어온 리보솜 단백질과 합쳐져 대단위체와 소단위체를 구성한다. 각 단위체는 핵공을 통해 세포질로 빠져나가 단백질을 합성할 때 결합하여 완전한 리보솜을 형성한다.

주의해

소포체와 골지체의 차이
소포체는 막의 일부가 핵막과 연결되어 있고 내부가 서로 연결되어 있지만, 골지체는 핵막과 연결되어 있지 않으며 내부가 서로 연결되어 있지 않다.

03 세포 소기관의 구조와 기능

탐구 자료창 단백질의 합성과 분비

그림은 세포에서 단백질이 합성되어 세포 밖으로 분비되는 과정을 나타낸 것이다.

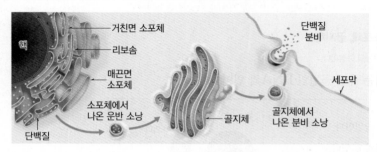

1. **세포에서 단백질이 합성·분비되는 과정:** 핵 속의 DNA로부터 유전 정보 전달 → 리보솜에서 단백질 합성 → 소포체에서 단백질 가공, 운반 소낭에 넣어 골지체로 운반 → 운반 소낭의 막이 골지체 막과 결합하여 단백질 전달 → 골지체에서 단백질 가공, 분비 소낭에 넣어 세포막 쪽으로 이동 → 분비 소낭의 막이 세포막에 융합되면서 단백질이 세포 밖으로 분비
2. **단백질이 합성·분비되는 과정을 추적하는 데 적합한 세포의 연구 방법:** 자기 방사법

★ **세포에서 합성된 단백질의 사용**
· 소포체에 붙어 있는 리보솜에서 합성된 단백질: 세포막을 구성하거나 세포 밖으로 분비된다.
· 세포질에 흩어져 있는 리보솜에서 합성된 단백질: 세포의 여러 소기관에서 사용된다.

2. 에너지 전환에 관여 ― *엽록체, 미토콘드리아

구분	엽록체		미토콘드리아	
	· 타원형의 세포 소기관이며, 외막과 내막의 2중막 구조이다. · 내막 안쪽은 그라나와 스트로마로 구성된다.		· 타원형의 세포 소기관이며, 외막과 내막의 2중막 구조이다. · 내막이 크리스타를 형성한다.	
구조	그라나	· 틸라코이드가 쌓여 층을 이룬 구조 └ 단일막으로 된 납작한 원반 모양 · 틸라코이드 막에 광합성에 관여하는 색소와 단백질 존재	크리스타	· 내막이 안쪽으로 돌출한 주름진 구조 ➡ 세포 호흡이 일어나는 면적 증가 · 내막에 세포 호흡에 필요한 여러 가지 단백질 존재
	스트로마	· 내막 안쪽에 기질로 채워진 공간 · 포도당 합성에 관여하는 효소 존재 · DNA와 리보솜 존재 ➡ 엽록체는 스스로 복제와 증식 가능	기질	· 액체 상태의 내막 안쪽 공간 · DNA와 리보솜 존재 ➡ 미토콘드리아는 스스로 복제와 증식 가능
기능	광합성을 한다. ➡ 빛에너지를 화학 에너지로 전환하여 유기물(포도당)에 저장한다.		세포 호흡을 한다. ➡ 유기물(포도당)의 화학 에너지를 ATP의 화학 에너지로 전환한다.	
분포	식물 세포에만 있다.		거의 모든 진핵세포에 있고, 간세포, 근육 세포와 같이 에너지를 많이 사용하는 세포에 많다.	

★ **엽록체와 미토콘드리아의 비교**

공통점
· 2중막 구조이다.
· DNA와 리보솜이 있어 스스로 복제하여 증식할 수 있다.
· 에너지 전환이 일어난다.

차이점
· 엽록체는 식물 세포에는 있고 동물 세포에는 없지만, 미토콘드리아는 식물 세포와 동물 세포에 모두 있다.
· 엽록체에서는 광합성, 미토콘드리아에서는 세포 호흡이 일어난다.

3. 물질의 분해와 저장에 관여 — 리소좀, 액포

(1) 리소좀 → 주로 동물 세포에서 발견된다.

① 구조: 단일막으로 된 작은 주머니 모양이며, 골지체의 일부가 떨어져 나와 만들어진다.

② 기능: 다양한 [1]가수 분해 효소가 들어 있어 세포 밖에서 들어온 이물질이나 세포 내의 손상된 세포 소기관, 노폐물 등을 분해한다. ➡ 세포내 소화

- 세포내 소화 과정: 이물질을 가진 [2]식포나 손상된 세포 소기관이 들어 있는 소낭이 형성되고, 이것이 리소좀과 융합하면 리소좀의 가수 분해 효소에 의해 이물질이나 손상된 세포 소기관이 분해된다.

주의해

리소좀은 골지체 막으로부터, 골지체는 소포체 막으로부터 기원하므로 모두 같은 단일막 구조이지만, 리보솜은 막으로 싸여 있지 않다.

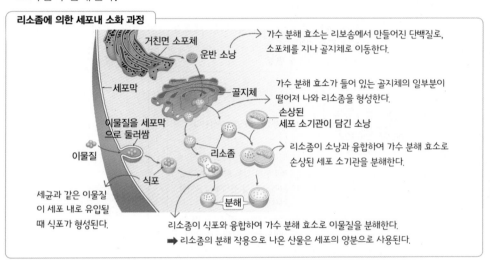

리소좀에 의한 세포내 소화 과정

- 거친면 소포체
- 운반 소낭
- 세포막
- 골지체
- 이물질을 세포막으로 둘러쌈
- 이물질
- 리소좀
- 식포
- 세균과 같은 이물질이 세포 내로 유입될 때 식포가 형성된다.
- 손상된 세포 소기관이 담긴 소낭
- 분해

→ 가수 분해 효소는 리보솜에서 만들어진 단백질로, 소포체를 지나 골지체로 이동한다.

→ 가수 분해 효소가 들어 있는 골지체의 일부분이 떨어져 나와 리소좀을 형성한다.

→ 리소좀이 소낭과 융합하여 가수 분해 효소로 손상된 세포 소기관을 분해한다.

리소좀이 식포와 융합하여 가수 분해 효소로 이물질을 분해한다.
➡ 리소좀의 분해 작용으로 나온 산물은 세포의 양분으로 사용된다.

(2) 액포 → 교학사 교과서에서는 식물 세포의 액포를 다른 소낭과 구분하기 위해 중심 액포라고도 한다고 설명한다.

① 구조: 단일막으로 된 주머니 모양이다.

② 기능 → 액포의 기능은 세포의 종류에 따라 다양하다.

- 식물 세포의 형태를 유지한다.
- 식물 세포 내부의 수분량을 조절하여 삼투압을 유지한다.
- 식물 세포에서 단백질, 무기염류와 같은 영양소나 노폐물, 색소, 독성 물질 등을 저장한다.

➡ 성숙한 식물 세포에서는 액포가 크게 발달한다.

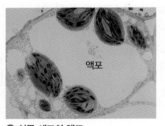

액포

⬆ **식물 세포의 액포**

★ 세포벽을 통한 물질 출입

식물 세포의 경우 세포벽은 물과 용질을 모두 통과시키지만 세포벽 안쪽의 세포막에 의해 세포 내로 이동하는 물질이 선별되어 물질 출입이 조절된다.

천재 교과서에서는 세포막의 구조와 기능을 세포의 형태 유지 및 보호에 관여하는 세포 소기관에 다루고 있는데, 완자에서는 Ⅱ-2-01. 세포막을 통한 물질 이동 단원에서 함께 알아보아요!

4. 세포의 형태 유지와 운동에 관여 — 세포벽, 세포 골격, 편모와 섬모, 중심체

(1) ★세포벽: 세포막 바깥쪽에 형성되는 두껍고 단단한 구조물이며, 식물 세포에서는 셀룰로스가 주성분이다.

① 구조: 1차 세포벽과 2차 세포벽으로 구성된다.

- 1차 세포벽: 어린 식물 세포에 있는 얇은 세포벽이다.
- 2차 세포벽: 식물 세포가 성숙하면서 세포막과 1차 세포벽 사이에 형성되는 세포벽이며, 2차 세포벽이 합성되면 세포벽이 더욱 두꺼워진다. • 2차 세포벽은 셀룰로스와 리그닌 등으로 구성된다.

② 기능: 세포를 보호하고 모양을 유지한다.

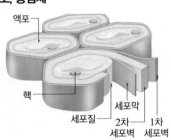

- 액포
- 핵
- 세포질
- 2차 세포벽
- 1차 세포벽
- 세포막

⬆ **세포벽의 구조**

| 용어 |

❶ **가수**(加 더하다, 水 물) **분해 효소** 물을 첨가하여 물질을 분해하는 가수 분해 반응의 촉매로 작용하는 효소이다.

❷ **식포**(食 먹다, 胞 세포) 세포가 바깥에 있는 이물질을 세포막으로 둘러싸서 만든 소낭이다.

03 세포 소기관의 구조와 기능

(2) 세포 골격: 단백질 섬유가 그물처럼 얽혀 세포질 내에 퍼져 있는 것이며, 세포의 모양을 유지하고 세포 소기관의 위치를 결정한다.── 세포가 형성하는 세포 골격에 따라 세포의 모양과 크기가 달라진다.

• 단백질 섬유의 종류와 기능

구분	구조	기능
미세 소관	세포 골격을 구성하는 단백질 섬유 중 지름이 가장 큰 원통형 관이다.	• 세포의 형태 유지 • 세포 소기관, 소낭, 염색체 이동에 관여 • 중심체, 방추사, 섬모와 편모 등을 구성
중간 섬유	단백질 여러 가닥이 두껍게 꼬인 모양이며, 단백질 섬유 중 가장 질기고 안정된 구조이다.	• 세포의 형태와 핵막의 유지 • 핵과 세포 소기관의 위치 고정에 관여
미세 섬유	액틴 필라멘트 두 가닥이 서로 꼬인 모양이며, 단백질 섬유 중 가장 가늘고 유연하다.	• 세포 내의 물질 이동, 근육 수축, 세포질 분열 등에 관여 • 세포막의 지탱과 변형

세포 골격의 구조와 분포

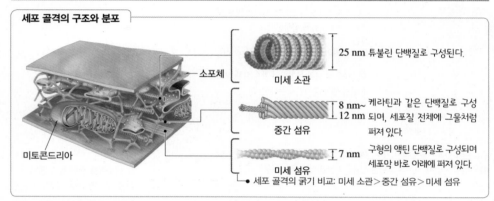

25 nm 튜불린 단백질로 구성된다. — 미세 소관

8 nm~12 nm 케라틴과 같은 단백질로 구성되며, 세포질 전체에 그물처럼 퍼져 있다. — 중간 섬유

7 nm 구형의 액틴 단백질로 구성되며 세포막 바로 아래에 퍼져 있다. — 미세 섬유

소포체 / 미토콘드리아

• 세포 골격의 굵기 비교: 미세 소관 > 중간 섬유 > 미세 섬유

(3) 편모와 섬모 ── 단세포 진핵생물, 동물과 식물의 일부 세포에 존재한다.

① **구조:** 미세 소관 2개로 구성된 미세 소관 다발이 규칙적으로 배열되어 있다.

└ 미세 소관 다발 9개가 일정한 간격으로 둥글게 배열되어 있고, 중앙에 미세 소관 2개가 있다.

② **기능:** 세포의 운동 기관이다.

③ 편모와 섬모의 비교

미세 소관 다발 / 섬모 / 편모 / 정자 / 기관지의 상피 세포

⊙ **편모와 섬모의 횡단면**

편모	섬모
길이가 길고 수가 적다. 예 사람 정자의 편모 ── 긴 꼬리로 파도치듯 이동한다.	길이가 짧고 수가 많다. 예 짚신벌레와 같은 섬모충류의 섬모, 사람 기관지의 섬모 ── 여러 개가 한꺼번에 노 젓듯이 움직인다.

(4) 중심체 ── 주로 동물 세포에서 발견된다.

① **구조:** 미세 소관 다발로 이루어진 *중심립 2개가 직각으로 배열되어 있다.

② **기능:** 세포 분열 시 염색체 이동에 관여한다. ➡ 중심체는 세포 분열 시 복제된 후 나뉘어 세포 양극으로 이동하며, 여기에서 방추사가 뻗어 나와 염색체를 끌어당긴다.

미세 소관 다발 / 중심체 / 중심립

⊙ **중심체의 구조**

★ **중심립과 중심체**
• 중심립: 3개의 미세 소관으로 이루어진 미세 소관 다발 9개가 둥글게 배열되고, 중앙은 비어 있는 구조이다.
• 중심체: 중심립 2개가 핵 근처에 직각으로 위치해 있는 구조물이다.

개념 확인 문제

정답친해 13쪽

핵심 체크

- (❶)세포: 핵막과 막으로 둘러싸인 세포 소기관이 없는 세포
- (❷)세포: 핵막과 막으로 둘러싸인 세포 소기관이 있는 세포
- 세포 소기관의 유기적 관계

물질의 합성과 수송		에너지 전환		물질의 분해와 저장		세포의 형태 유지와 운동	
(❸)	세포의 생명 활동 조절	(❻)	광합성 장소 ➡ 빛에너지를 화학 에너지로 전환	(❽)	가수 분해 효소를 가져 세포내 소화 담당	세포벽	식물 세포 보호 및 형태 유지
(❹)	단백질 합성			(❾)	색소, 노폐물 등 물질 저장	(❿)	세포 모양 유지, 세포 소기관의 위치 결정
소포체	물질 수송의 통로	(❼)	세포 호흡 장소 ➡ 유기물의 화학 에너지를 ATP의 화학 에너지로 전환			편모, 섬모	세포의 운동 기관
(❺)	단백질 가공 및 분비						

1 원핵세포와 진핵세포에 대한 설명으로 옳은 것은 ○, 옳지 <u>않은</u> 것은 ×로 표시하시오.

(1) 진핵세포는 하나의 원형 DNA를 가진다. ┈┈ ( )
(2) 진핵세포의 리보솜은 원핵세포의 리보솜보다 크기가 크다. ┈┈┈┈┈┈┈┈┈┈┈┈┈┈┈┈┈┈ ( )
(3) 원핵세포와 진핵세포의 세포벽을 이루는 주성분은 모두 셀룰로스이다. ┈┈┈┈┈┈┈┈┈┈┈ ( )
(4) 원핵세포에는 미토콘드리아, 소포체 등 막으로 둘러싸인 세포 소기관이 존재한다. ┈┈┈┈ ( )

2 그림은 식물 세포의 구조를 나타낸 것이다. 동물 세포에는 없고 식물 세포에만 있는 구조의 기호와 이름을 있는 대로 쓰시오.

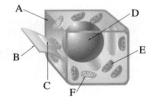

3 다음 설명에 해당하는 세포 소기관의 기호를 [보기]에서 있는 대로 고르시오.

┌─[보기]─────────────────────┐
│ ㄱ. 핵   ㄴ. 엽록체   ㄷ. 골지체 │
│ ㄹ. 소포체   ㅁ. 미토콘드리아   │
└─────────────────────────┘

(1) 2중막 구조로 되어 있다.
(2) 단일막 구조이며, 물질의 수송과 분비에 관여한다.
(3) 에너지 전환이 일어나며, DNA와 리보솜이 있다.

4 세포 소기관에 대한 설명으로 옳은 것은 ○, 옳지 <u>않은</u> 것은 ×로 표시하시오.

(1) 거친면 소포체는 인지질을 합성하고, 독성 물질의 해독에 관여한다. ┈┈┈┈┈┈┈┈┈┈┈┈┈ ( )
(2) 골지체는 시스터나가 층층이 쌓인 구조로, 분비 작용이 활발한 세포에 발달해 있다. ┈┈┈┈ ( )
(3) 엽록체는 스스로 복제하고 증식할 수 있다. ( )
(4) 미토콘드리아에서 빛에너지가 화학 에너지로 전환된다. ┈┈┈┈┈┈┈┈┈┈┈┈┈┈┈┈┈┈┈ ( )
(5) 리소좀은 가수 분해 효소를 가지고 있어 동물 세포에서 세포내 소화를 담당한다. ┈┈┈┈ ( )
(6) 액포는 식물 세포의 형태를 유지하고, 삼투압을 조절한다. ┈┈┈┈┈┈┈┈┈┈┈┈┈┈┈┈ ( )
(7) 미세 소관은 세포막 바로 아래에 퍼져 있고, 근육 수축, 세포질 분열에 관여한다. ┈┈┈┈ ( )

5 세포에서 단백질이 합성되어 세포 밖으로 분비되기까지 관여하는 세포 소기관을 순서대로 옳게 나열한 것은?

① 골지체 → 소포체 → 리보솜
② 골지체 → 리보솜 → 소포체
③ 리보솜 → 골지체 → 소포체
④ 리보솜 → 소포체 → 골지체
⑤ 소포체 → 골지체 → 리보솜

대표 자료 분석

자료 ① 원핵세포와 진핵세포

기출 Point
· 원핵세포와 진핵세포의 공통점과 차이점 알기
· 식물 세포와 세균의 리보솜과 세포벽의 차이 알기

[1~4] 그림 (가)와 (나)는 각각 세균과 식물 세포 중 하나를 나타낸 것이다.

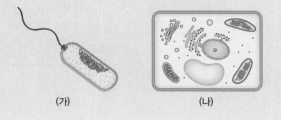

(가)　　　　　　　(나)

1 (가)와 (나)를 각각 세균과 식물 세포로 구분하여 쓰시오.

2 (가)와 (나)를 각각 원핵세포와 진핵세포로 구분하여 쓰시오.

3 (가)의 리보솜이 (나)의 리보솜과 다른 점을 <u>한 가지</u>만 서술하시오.

4 빈출 선택지로 **완벽 정리!**

(1) (가)는 유전 물질로 여러 개의 원형 DNA를 가진다.
　　　　　　　　　　　　　　　　　　　　　(○ / ×)
(2) (나)에는 미토콘드리아, 엽록체, 소포체, 액포 등 막으로 둘러싸인 세포 소기관이 있다. ─────── (○ / ×)
(3) (가)와 (나)는 모두 세포막을 가진다. ──── (○ / ×)
(4) (가)와 (나)는 모두 유전 물질이 막으로 싸여 있다.
　　　　　　　　　　　　　　　　　　　　　(○ / ×)
(5) (가)의 세포벽에는 펩티도글리칸, (나)의 세포벽에는 셀룰로스가 포함되어 있다. ──────── (○ / ×)

자료 ② 진핵세포의 구조와 기능

기출 Point
· 진핵세포의 각 세포 소기관 특징 구분하기
· 동물 세포와 식물 세포의 차이점 알기

[1~3] 그림 (가)와 (나)는 서로 다른 두 종류의 세포를 나타낸 것이다. (가)와 (나)는 각각 동물 세포와 식물 세포 중 하나이다.

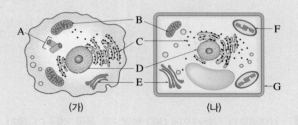

(가)　　　　　　　(나)

1 A~G의 이름을 각각 쓰시오.

2 (가)와 (나) 중 식물 세포에 해당하는 것의 기호를 쓰시오.

3 빈출 선택지로 **완벽 정리!**

(1) A는 주로 동물 세포에서 관찰된다. ───── (○ / ×)
(2) B는 근육 세포와 같이 에너지를 많이 사용하는 세포에 많이 존재한다. ───────────── (○ / ×)
(3) B와 F는 모두 외막과 내막의 2중막으로 둘러싸인 구조이다. ────────────────── (○ / ×)
(4) C에서 단백질이 합성된다. ───────── (○ / ×)
(5) D에는 DNA가 히스톤을 감아 형성된 구조가 존재한다. ──────────────────── (○ / ×)
(6) C, D, E는 모두 단일막으로 둘러싸여 있다.
　　　　　　　　　　　　　　　　　　　　　(○ / ×)
(7) F에서는 유기물의 화학 에너지가 ATP의 화학 에너지로 전환된다. ─────────────── (○ / ×)

자료 ③ 단백질의 합성과 분비

기출 Point
• 단백질의 합성과 분비 과정 알기
• 단백질의 합성 및 분비 과정에 관여하는 세포 소기관의 유기적인 관계 알기

[1~3] 그림은 세포에서 단백질이 합성되어 분비되는 과정을 나타낸 것이다.

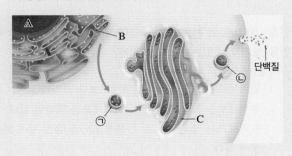

1 세포 소기관 A~C의 이름을 각각 쓰시오.

2 A~C 중 단백질 합성에 필요한 유전 정보를 저장하는 물질을 가진 것의 기호를 쓰시오.

3 빈출 선택지로 완벽 정리!

(1) A, B, C는 내부가 서로 연결되어 있다. ──── (○ / ×)
(2) B는 이자 세포와 같이 분비 작용이 활발한 세포에 발달해 있다. ──── (○ / ×)
(3) C는 단백질의 분비에 관여한다. ──── (○ / ×)
(4) ㉠은 가공된 단백질을 운반하는 운반 소낭이다.
 ──── (○ / ×)
(5) ㉡ 속의 단백질은 ㉡의 막이 세포막과 융합되면서 세포 밖으로 분비된다. ──── (○ / ×)

자료 ④ 리소좀에 의한 세포내 소화

기출 Point
• 리소좀의 유래와 기능 알기
• 세포내 소화 과정 알기

[1~4] 그림은 백혈구에서 일어나는 리소좀의 형성과 세포내 소화 과정을 나타낸 것이다.

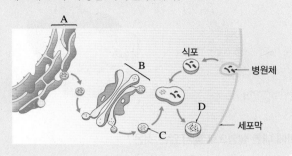

1 세포 소기관 A~C의 이름을 각각 쓰시오.

2 세포 소기관 A~C 중 리보솜에서 합성된 단백질을 가공하는 곳의 기호를 쓰시오.

3 D에서 가수 분해 효소에 의해 병원체가 분해되는 작용을 무엇이라고 하는지 쓰시오.

4 빈출 선택지로 완벽 정리!

(1) A, B, C는 모두 단일막으로 둘러싸인 세포 소기관 이다. ──── (○ / ×)
(2) A와 B는 각각 내부가 연결되어 있다. ──── (○ / ×)
(3) C는 B의 일부가 떨어져 나와 만들어진 것이다.
 ──── (○ / ×)
(4) 손상된 세포 소기관은 B에 의해 분해된다. (○ / ×)
(5) C에는 한 종류의 가수 분해 효소만 들어 있다.
 ──── (○ / ×)

내신 만점 문제

A 원핵세포와 진핵세포

01 그림은 원핵세포와 진핵세포의 모습을 순서 없이 나타낸 것이다.

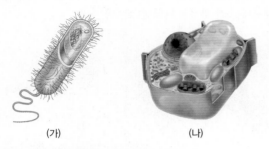

(가)   (나)

이에 대한 설명으로 옳지 <u>않은</u> 것은?

① (가)는 원핵세포이고, (나)는 진핵세포이다.
② (가)에는 막으로 둘러싸인 세포 소기관이 없다.
③ (나)는 셀룰로스를 포함하는 세포벽을 가진다.
④ (가)와 (나)에는 모두 세포막과 리보솜이 있다.
⑤ (가)의 유전 물질은 선형 DNA이고, (나)의 유전 물질은 원형 DNA이다.

02 원핵세포에 대한 설명으로 옳은 것은?

① 유전 물질이 핵 속에 존재한다.
② 핵막과 세포벽을 모두 가진다.
③ 소포체, 골지체, 미토콘드리아가 있다.
④ DNA가 단백질인 히스톤과 결합되어 있다.
⑤ 진핵세포의 리보솜보다 크기가 작은 리보솜이 있다.

03 막으로 둘러싸인 세포 소기관을 가지는 생물로 옳지 <u>않은</u> 것은?

① 곰팡이   ② 대장균   ③ 소나무
④ 아메바   ⑤ 초파리

04 원핵세포와 진핵세포의 차이점에 대한 설명으로 옳은 것만을 [보기]에서 있는 대로 고른 것은?

[보기]
ㄱ. 원핵세포는 일반적으로 진핵세포보다 크기가 크다.
ㄴ. 원핵세포는 핵막이 있지만, 진핵세포는 핵막이 없다.
ㄷ. 원핵세포는 일반적으로 진핵세포보다 유전 물질의 양이 적다.
ㄹ. 원핵세포는 모두 세포벽이 있지만, 진핵세포는 세포벽이 없는 것도 있다.

① ㄱ, ㄴ   ② ㄱ, ㄷ   ③ ㄴ, ㄷ
④ ㄴ, ㄹ   ⑤ ㄷ, ㄹ

05 표는 사람의 상피 세포, 대장균, 양파의 표피 세포에서 세포 구조 A~C의 유무를 나타낸 것이다.

구분	사람의 상피 세포	대장균	양파의 표피 세포
A	○	×	○
B	○	○	○
C	×	○	○

(○: 있음, ×: 없음)

A~C에 해당하는 세포 구조를 옳게 짝 지은 것은?

	A	B	C
①	핵막	리보솜	세포벽
②	핵막	리보솜	미토콘드리아
③	핵막	세포벽	미토콘드리아
④	미토콘드리아	핵막	세포벽
⑤	미토콘드리아	리보솜	핵막

06 ^{서술형} 그림 (가)는 동물 세포를, (나)는 세균을 나타낸 것이다.

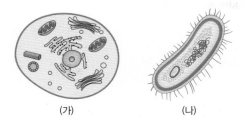

(가)   (나)

(가)와 (나)의 공통점을 <u>두 가지만</u> 서술하시오.

B 세포 소기관의 유기적인 관계

[07~08] 그림은 식물 세포와 동물 세포의 구조를 순서없이 나타낸 것이다.

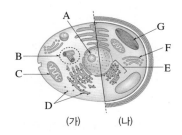

(가)   (나)

07 ^{서술형} (가), (나) 중 식물 세포에 해당하는 것의 기호를 쓰고, 그렇게 판단한 까닭을 서술하시오.

08 이에 대한 설명으로 옳지 <u>않은</u> 것은?

① A에서 D를 구성하는 rRNA가 합성된다.
② B와 F는 모두 막으로 둘러싸여 있다.
③ C와 G에서는 모두 에너지 전환이 일어난다.
④ E는 분비 작용이 활발한 이자 세포 등에 발달해 있다.
⑤ G는 광합성이 활발한 세포에 발달해 있다.

09 그림은 동물 세포의 구조를 나타낸 것이다.

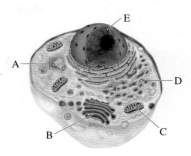

이에 대한 설명으로 옳지 <u>않은</u> 것은?

① A는 독성 물질 해독과 칼슘 이온 저장에 관여한다.
② B는 물질의 분비에 관여한다.
③ C는 동물 세포와 식물 세포에 모두 존재한다.
④ D의 표면에는 리보솜이 붙어 있지 않다.
⑤ E에는 생물의 형질을 결정하는 물질이 들어 있다.

10 그림은 핵의 구조를 나타낸 것이다.

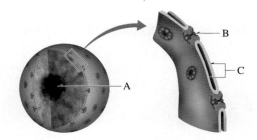

이에 대한 설명으로 옳은 것만을 [보기]에서 있는 대로 고른 것은?

┌─[보기]─────────────────────────┐
ㄱ. A에서 rRNA가 합성된다.
ㄴ. B를 통해 DNA가 세포질로 이동한다.
ㄷ. C는 외막과 내막으로 된 2중막으로, 일부가 소포체의 막과 연결되어 있다.
ㄹ. 핵 속에 유전 물질인 DNA가 단백질과 결합하고 있다.
└───────────────────────────────┘

① ㄱ, ㄴ   ② ㄱ, ㄹ   ③ ㄴ, ㄷ
④ ㄱ, ㄷ, ㄹ   ⑤ ㄴ, ㄷ, ㄹ

11 그림은 어떤 세포에서 단백질이 합성되어 이동하는 과정을 나타낸 것이다. A~D는 각각 골지체, 리보솜, 리소좀, 분비 소낭 중 하나이다.

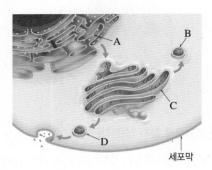

이에 대한 설명으로 옳지 <u>않은</u> 것은?

① A, B, C는 모두 단일막 구조를 가진다.
② A에서 핵 속의 유전 정보를 바탕으로 단백질이 합성된다.
③ B는 손상된 세포 소기관을 분해하는 데 관여한다.
④ C는 내분비샘 세포에 발달되어 있다.
⑤ A → C → D로의 물질 이동 과정은 자기 방사법을 이용하여 추적할 수 있다.

12 그림은 에너지 전환에 관여하는 두 세포 소기관을 나타낸 것이다.

이에 대한 설명으로 옳지 <u>않은</u> 것은?

① (가)는 동물 세포에서 발견되지 않는다.
② (가)에서는 빛에너지가 화학 에너지로, (나)에서는 열에너지가 화학 에너지로 전환된다.
③ (나)는 근육 세포와 같이 에너지를 많이 사용하는 세포에 많다.
④ (가)와 (나)에는 모두 DNA와 리보솜이 존재한다.
⑤ (가)와 (나)는 외막과 내막의 2중막으로 둘러싸여 있다.

13 그림은 백혈구에서 일어나는 리소좀의 형성과 세포내 소화 과정을 나타낸 것이다.

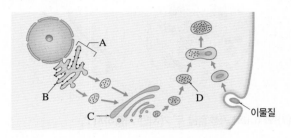

이에 대한 설명으로 옳은 것만을 [보기]에서 있는 대로 고른 것은?

[보기]
ㄱ. A는 거친면 소포체이다.
ㄴ. B에서 생성된 물질은 운반 소낭을 통해 C로 운반된다.
ㄷ. C는 세포내 소화를 담당한다.
ㄹ. D에는 단백질을 분해하는 가수 분해 효소만 들어 있다.

① ㄱ, ㄴ　　　② ㄱ, ㄷ　　　③ ㄴ, ㄷ
④ ㄴ, ㄹ　　　⑤ ㄷ, ㄹ

14 그림은 어떤 식물 조직을 구성하는 세포들의 구조 중 일부를 나타낸 것이다.

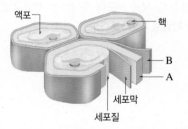

이에 대한 설명으로 옳은 것만을 [보기]에서 있는 대로 고른 것은?

[보기]
ㄱ. A는 세포 안팎으로의 물질 출입을 조절한다.
ㄴ. B를 구성하는 주성분은 셀룰로스이다.
ㄷ. A는 B보다 먼저 형성된다.

① ㄱ　　　② ㄴ　　　③ ㄷ
④ ㄱ, ㄴ　　　⑤ ㄴ, ㄷ

15 그림은 진핵세포에서 세포 골격을 이루는 세 종류의 섬유를 나타낸 것이다.

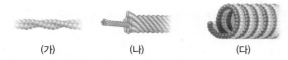

(가)   (나)   (다)

이에 대한 설명으로 옳지 <u>않은</u> 것은?

① (가)는 미세 섬유, (나)는 중간 섬유, (다)는 미세 소관이다.
② (가)는 세포막 바로 아래에 퍼져 있으며, 근육 수축에 관여한다.
③ (나)는 염색체의 이동에 관여한다.
④ (가)~(다)는 모두 단백질로 이루어져 있다.
⑤ (가)~(다) 중 굵기가 가장 굵은 것은 (다)이다.

16 그림은 짚신벌레에서 관찰되는 섬모의 횡단면을 나타낸 것이다.

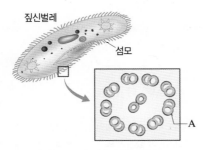

이에 대한 설명으로 옳은 것만을 [보기]에서 있는 대로 고른 것은?

┌─[보기]─────────────────────
ㄱ. A는 미세 소관이다.
ㄴ. 중심립의 횡단면과 동일한 구조이다.
ㄷ. 섬모는 사람의 정자에서도 관찰된다.
└──────────────────────────

① ㄱ   ② ㄷ   ③ ㄱ, ㄴ
④ ㄴ, ㄷ   ⑤ ㄱ, ㄴ, ㄷ

17 그림은 세포 소기관 A~C를 막 구조의 유무와 기능에 따라 분류한 것이다. A~C는 각각 골지체, 리보솜, 리소좀 중 하나이다.

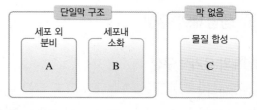

이에 대한 설명으로 옳은 것은?

① A는 내부가 서로 연결되어 있다.
② B는 항체를 분비하는 세포에 많이 존재한다.
③ B는 C로부터 유래된 것이다.
④ 세포 안으로 들어온 세균과 같은 이물질은 B에 의해 분해된다.
⑤ C는 거친면 소포체와 매끈면 소포체의 표면에 모두 붙어 있다.

18 그림은 핵, 엽록체, 리보솜의 공통점과 차이점을 나타낸 것이다.

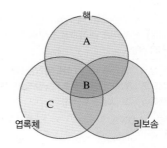

이에 대한 설명으로 옳은 것만을 [보기]에서 있는 대로 고른 것은?

┌─[보기]─────────────────────
ㄱ. '2중막 구조이다.'는 A에 해당한다.
ㄴ. '동물 세포에 있다.'는 B에 해당한다.
ㄷ. '광합성이 일어난다.'는 C에 해당한다.
└──────────────────────────

① ㄱ   ② ㄴ   ③ ㄷ
④ ㄱ, ㄷ   ⑤ ㄴ, ㄷ

01 생명체의 구성

1. 생명체의 유기적 구성

동물체의 구성 단계	세포 → 조직 → 기관 → (❶) → 개체
식물체의 구성 단계	세포 → 조직 → (❷) → 기관 → 개체

2. 생명체를 구성하는 주요 물질

탄수화물	• 생명체의 주된 에너지원이다. • 종류: 단당류(포도당, 과당 등), (❸)(설탕, 엿당 등), 다당류(녹말, 셀룰로스, 글리코젠 등)		
지질	• 물에 잘 녹지 않고, 유기 용매에 잘 녹는 화합물이다.		
	중성 지방	• 글리세롤 1분자와 지방산 3분자로 구성 • 저장 에너지원, 체온 유지 역할	
	(❹)	• 글리세롤 1분자, 지방산 2분자 등으로 구성 • 생체막의 구성 성분	
	스테로이드	• 탄소로 된 고리 화합물 4개가 연결된 구조 • 성호르몬, 부신 겉질 호르몬의 성분	
단백질	• 생명체를 구성하는 주성분이다. • 많은 수의 아미노산이 (❺)으로 연결된 폴리펩타이드가 입체 구조를 형성하여 특정 기능을 하는 단백질이 된다. • 기능: 몸 구성(근육, 뼈 등을 구성), 물질대사 관여(효소의 성분), 생리 작용 조절(호르몬의 성분), 방어 작용 담당(항체의 성분)		

아미노산
펩타이드
결합

⬆ 단백질

핵산	• 인산, 당, 염기가 1 : 1 : 1로 결합한 (❻)가 반복적으로 결합하여 형성된 폴리뉴클레오타이드이다. • 핵이나 세포질에 존재한다.		
	구분	DNA	RNA
	구조	이중 나선	단일 가닥
	당	(❼)	리보스
	염기	A, G, C, T	A, G, C, U
	기능	유전 정보 저장	DNA의 유전 정보 전달, 단백질 합성 과정에 관여

02 세포의 연구 방법

1. 현미경 세포의 구조를 관찰하는 데 이용한다.

광학 현미경	(❽) 전자 현미경	주사 전자 현미경
가시광선 이용	전자선 이용	
살아 있는 세포 관찰	표본 제작 과정에서 세포가 죽음	
세포 모양, 핵, 염색체, 엽록체 등 관찰	세포의 미세 내부 구조 관찰	세포의 표면이나 외부 형태 관찰

2. (❾   ) 세포 소기관을 분리하는 데 이용한다.

① 원심 분리기의 느린 회전 속도에서 무겁고 큰 세포 소기관이 먼저 가라앉는다.

② 세포 소기관이 가라앉아 분리되는 순서

• 동물 세포: 핵 → 미토콘드리아 → 세포막과 내부 막 조각 → 리보솜

• 세포벽이 제거된 식물 세포: 핵 → 엽록체 → 미토콘드리아 → 세포막과 내부 막 조각 → 리보솜

3. 자기 방사법 세포에 방사성 동위 원소로 표지된 화합물을 주입하고, 방사선을 추적하여 세포 내 물질 이동과 변화를 연구하는 데 사용한다. 예 단백질 합성과 이동 경로 추적

03 세포 소기관의 구조와 기능

1. 원핵세포와 진핵세포

구분	(❿)세포	(⓫)세포
구조	세균	동물 세포
정의	핵막과 막으로 둘러싸인 세포 소기관이 없는 세포	핵막과 막으로 둘러싸인 세포 소기관이 있는 세포
유전 물질	하나의 원형 DNA가 세포질에 존재	여러 개의 선형 DNA가 핵 속에 존재
막성 세포 소기관	없음	있음(엽록체, 미토콘드리아, 소포체 등)
리보솜	(⓬)	있음
세포벽	있음(세균의 세포벽은 펩티도글리칸 포함)	식물 세포(셀룰로스 성분), 버섯과 곰팡이(키틴 성분)에 있음

2. 세포 소기관의 유기적인 관계

① 진핵세포의 구조

- 핵, 세포질, 세포막으로 구분하며, 세포질에 여러 세포 소기관이 있다.
- 식물 세포에만 있는 구조: (⑬   ), 세포벽

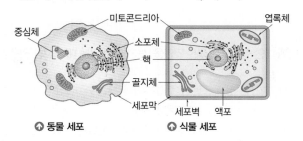

⬆ 동물 세포　　　　⬆ 식물 세포

② 물질의 합성과 수송에 관여

핵	• 세포 생명 활동의 중심 • 핵막: 2중막(외막과 내막), 소포체 막과 연결 • 핵공: 세포질과 핵 사이의 물질 이동 통로 • 유전 물질인 DNA는 히스톤과 결합하고 있음 • (⑭): rRNA(리보솜 RNA)의 합성 장소
(⑮)	• 막으로 둘러싸여 있지 않으며, rRNA와 단백질로 구성 • 단백질의 합성 장소
소포체	• 단일막 구조 • (⑯) 소포체: 리보솜이 붙어 있으며, 단백질을 가공하고 운반 • (⑰) 소포체: 인지질과 스테로이드의 합성, 독성 물질의 해독, 칼슘 이온의 저장에 관여
골지체	• 단일막 구조 • 단백질과 지질을 가공 및 분류하여 운반 및 분비

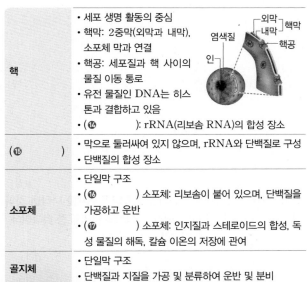

단백질의 합성과 분비 경로: 핵 속의 DNA에서 유전 정보 전달 → 리보솜에서 단백질 합성 → 소포체 → 운반 소낭 → 골지체 → 분비 소낭 → 세포 밖

③ 에너지 전환에 관여

엽록체	미토콘드리아
• 2중막 구조 • DNA, 리보솜 있음 ➡ 스스로 복제와 증식 가능	
• 그라나와 스트로마로 구성 • (⑱)(빛에너지를 유기물의 화학 에너지로 전환) 장소	• 내막이 크리스타 형성 • (⑲)(유기물의 화학 에너지를 ATP의 화학 에너지로 전환) 장소

④ 물질의 분해와 저장에 관여

(⑳)	• 단일막 구조, 골지체에서 유래 • 다양한 가수 분해 효소를 포함하여 이물질이나 손상된 세포 소기관, 노폐물 등을 분해 ➡ 세포내 소화 담당
액포	• 단일막 구조 • 식물 세포의 형태와 삼투압 유지, 영양소와 노폐물, 색소 등 저장 ➡ 성숙한 식물 세포에서 크게 발달

⑤ 세포의 형태 유지와 운동에 관여

세포벽	• 식물 세포의 세포막 바깥쪽에 형성 • 1차 세포벽과 2차 세포벽으로 구성 • 세포 보호, 세포의 형태 유지

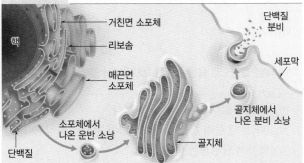

세포 골격	• 단백질 섬유로 형성, 세포의 형태 유지 • 단백질 섬유의 종류: 미세 소관, 중간 섬유, 미세 섬유 ➡ 굵기: 미세 소관＞중간 섬유＞미세 섬유

(㉑)	중간 섬유	(㉒)
세포의 형태 유지, 세포 소기관, 염색체의 이동에 관여, 섬모와 편모 구성	세포의 형태 유지, 핵과 세포 소기관 위치 고정, 핵막 유지	세포 내의 물질 이동, 근육 수축, 세포질 분열 등에 관여

편모와 섬모	• 미세 소관 다발로 구성(9+2 구조) • 편모: 길이가 길고 수가 적으며, 파도치듯이 움직인다. 　📙 사람 정자의 편모 • 섬모: 길이가 짧고 수가 많으며, 여러 개가 한꺼번에 노 젓듯이 움직인다. 📙 짚신벌레의 섬모, 사람 기관지의 섬모
중심체	• 미세 소관으로 구성, 세포 분열 시 염색체 이동에 관여

난이도 ●●●

01 그림은 사람의 구성 단계와 그 예를 나타낸 것이다.

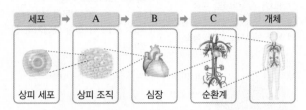

| 세포 | ➡ | A | ➡ | B | ➡ | C | ➡ | 개체 |

상피 세포　　상피 조직　　심장　　순환계

이에 대한 설명으로 옳은 것만을 [보기]에서 있는 대로 고른 것은?

[보기]
ㄱ. 인대와 혈액은 A의 구성 단계에 해당한다.
ㄴ. B는 독립된 구조와 기능을 가지는 단계이다.
ㄷ. C는 형태와 기능이 비슷한 세포들로 구성된다.

① ㄱ　　　　　② ㄴ　　　　　③ ㄱ, ㄷ
④ ㄴ, ㄷ　　　⑤ ㄱ, ㄴ, ㄷ

02 그림 (가)는 사람의 소화계를, (나)는 해바라기의 줄기를 나타낸 것이다.

(가)　　　　　　　　　(나)

이에 대한 설명으로 옳은 것은?

① 심장, 콩팥은 모두 (가)를 구성한다.
② (가)는 연관된 기능을 하는 여러 기관들로 구성된다.
③ (나)는 식물체의 구성 단계 중 조직계에 해당한다.
④ 동물의 근육은 (나)와 같은 구성 단계에 해당한다.
⑤ (가)와 (나)에서는 모두 조직이 모여 조직계를 이룬다.

03 그림은 생명체를 구성하는 물질 (가)~(다)의 기능을 나타낸 것이다. (가)~(다)는 각각 탄수화물, 단백질, 핵산 중 하나이다.

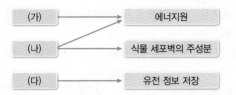

(가)	➡	에너지원
(나)	➡	식물 세포벽의 주성분
(다)	➡	유전 정보 저장

이에 대한 설명으로 옳은 것만을 [보기]에서 있는 대로 고른 것은?

[보기]
ㄱ. (가)는 성호르몬의 주성분이다.
ㄴ. 셀룰로스는 (나)에 해당한다.
ㄷ. (다)의 구성 원소에는 인(P)이 포함된다.

① ㄱ　　　　　② ㄷ　　　　　③ ㄱ, ㄴ
④ ㄱ, ㄷ　　　⑤ ㄴ, ㄷ

●●○

04 그림은 생명체를 구성하는 물질의 단위체를 나타낸 것이다. (가)~(다)는 각각 녹말, 핵산, 단백질의 단위체 중 하나이다.

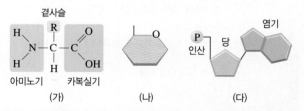

곁사슬
아미노기　카복실기
(가)　　　　　(나)　　　　　(다)
인산　당　염기

이에 대한 설명으로 옳은 것만을 [보기]에서 있는 대로 고른 것은?

[보기]
ㄱ. 생명체에는 4종류의 (가)가 있다.
ㄴ. (나)는 동물의 간에서 글리코젠의 형태로 저장된다.
ㄷ. 핵산의 단위체는 (다)이다.

① ㄱ　　　　　② ㄷ　　　　　③ ㄱ, ㄴ
④ ㄴ, ㄷ　　　⑤ ㄱ, ㄴ, ㄷ

05 그림은 두 종류의 핵산을 나타낸 것이다.

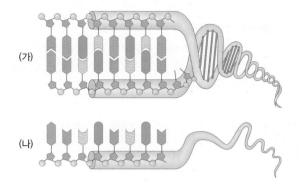

(가)
(나)

이에 대한 설명으로 옳지 <u>않은</u> 것은?

① (가)는 염색체를 구성한다.
② (나)는 미토콘드리아와 엽록체에서 모두 발견된다.
③ (가)와 (나)를 구성하는 염기의 종류는 모두 같다.
④ (가)의 당은 디옥시리보스, (나)의 당은 리보스이다.
⑤ (가)는 유전 정보를 저장하고, (나)는 유전 정보를 전달한다.

06 그림은 현미경 (가)~(다)로 시료를 관찰하는 원리를 나타낸 것이다. (가)~(다)는 각각 광학 현미경, 주사 전자 현미경, 투과 전자 현미경 중 하나이다.

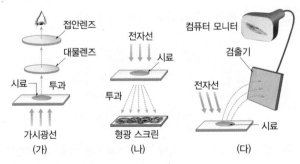

접안렌즈
대물렌즈
시료
투과
가시광선
(가)

전자선
시료
투과
형광 스크린
(나)

컴퓨터 모니터
검출기
전자선
시료
(다)

이에 대한 설명으로 옳지 <u>않은</u> 것은?

① (가)와 (나)의 광원은 서로 다르다.
② (가)로 살아 있는 아메바를 관찰할 수 있다.
③ (나)로 백혈구의 표면을 입체적으로 관찰할 수 있다.
④ (나)의 해상력은 (가)보다 높다.
⑤ (다)는 주사 전자 현미경이다.

07 다음은 동물 세포를 이용한 실험이다.

(가) 세포 파쇄액을 ㉠ g에서 10분 동안 원심 분리하여 침전물 Ⅰ을 모았다.
(나) (가)의 상층액을 ㉡ g에서 20분 동안 원심 분리하여 침전물 Ⅱ를 모았다.
(다) (나)의 상층액을 ㉢ g에서 60분 동안 원심 분리하여 침전물 Ⅲ을 모았다.
(라) 침전물 Ⅰ~Ⅲ 각각에 포함된 세포 소기관 A~C의 특성을 조사하였더니 표와 같았다.

침전물에 포함된 세포 소기관	특징
Ⅰ에 포함된 A	DNA와 인이 있다.
Ⅱ에 포함된 B	크리스타 구조가 있다.
Ⅲ에 포함된 C	물질 수송의 통로 역할을 한다.

이에 대한 설명으로 옳은 것만을 [보기]에서 있는 대로 고른 것은?(단, ㉠~㉢은 원심 분리 속도로 각각 1000, 20000, 80000 중 하나이며, A~C는 각각 미토콘드리아, 소포체, 핵 중 하나이다.)

[보기]
ㄱ. 원심 분리 속도는 ㉠>㉡>㉢ 순이다.
ㄴ. A가 C보다 크기가 크고 무겁다.
ㄷ. B는 스스로 복제하여 증식할 수 있다.

① ㄱ   ② ㄴ   ③ ㄱ, ㄷ
④ ㄴ, ㄷ   ⑤ ㄱ, ㄴ, ㄷ

08 세균과 식물 세포의 공통점에 대한 설명으로 옳은 것만을 [보기]에서 있는 대로 고른 것은?

[보기]
ㄱ. 세포벽을 가진다.
ㄴ. 효소가 있으며, 세포 분열을 한다.
ㄷ. 유전 물질로 선형 DNA를 가진다.
ㄹ. 막으로 둘러싸인 세포 소기관이 없다.

① ㄱ, ㄴ   ② ㄱ, ㄷ   ③ ㄴ, ㄷ
④ ㄴ, ㄹ   ⑤ ㄷ, ㄹ

09 그림은 쥐의 이자 세포에 방사성 동위 원소 ^{35}S으로 표지된 아미노산을 3분 동안 공급한 후 시간에 따라 세포 소기관 A ~C에서 검출되는 단백질의 방사선량을 나타낸 것이다. A~C는 각각 거친면 소포체, 골지체, 분비 소낭 중 하나이다.

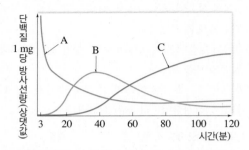

이에 대한 설명으로 옳은 것만을 [보기]에서 있는 대로 고른 것은?

[보기]
ㄱ. B는 골지체이다.
ㄴ. 자기 방사법을 이용하여 얻은 결과이다.
ㄷ. 합성된 단백질은 C → B → A의 경로로 이동한다.

① ㄱ   ② ㄷ   ③ ㄱ, ㄴ
④ ㄴ, ㄷ   ⑤ ㄱ, ㄴ, ㄷ

10 그림은 세포 소기관 A~C를 특징에 따라 구분하는 과정을 나타낸 것이다. A~C는 각각 리소좀, 엽록체, 미토콘드리아 중 하나이다.

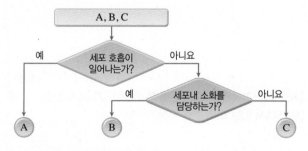

이에 대한 설명으로 옳지 않은 것은?

① 식물 세포에는 A와 C가 모두 있다.
② A와 B에는 모두 유전 물질이 있다.
③ B는 리소좀이다.
④ B는 여러 종류의 가수 분해 효소를 가진다.
⑤ C는 2중막으로 둘러싸여 있다.

11 다음은 세포 소기관의 구조와 기능에 대한 설명이다.

• (A)에는 그라나와 스트로마가 있다.
• (B)는 식물 세포 내의 수분량과 삼투압을 조절한다.
• 섬모와 편모는 모두 (C)으로 이루어져 있으며, 세포의 운동 기관이다.

A~C에 해당하는 세포 소기관의 이름을 각각 쓰시오.

12 그림은 서로 다른 세포 소기관의 구조를 나타낸 것이다.

(가)   (나)   (다)

이에 대한 설명으로 옳지 않은 것은?

① (가)와 (나)는 모두 2중막 구조를 가진다.
② (가)는 세포의 생명 활동의 중심이다.
③ (나)는 에너지를 많이 사용하는 세포에 발달해 있다.
④ (다)는 미세 섬유로 이루어져 있다.
⑤ (가)~(다)는 모두 동물 세포에 존재한다.

13 그림은 세포내 소화 과정을 나타낸 것이다.

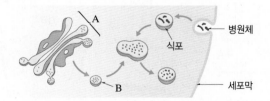

이에 대한 설명으로 옳은 것만을 [보기]에서 있는 대로 고른 것은?

[보기]
ㄱ. A는 시스터나가 쌓여 있는 구조이다.
ㄴ. B는 리소좀이다.
ㄷ. B에 있는 가수 분해 효소의 주성분은 A에서 합성된다.

① ㄱ   ② ㄷ   ③ ㄱ, ㄴ
④ ㄴ, ㄷ   ⑤ ㄱ, ㄴ, ㄷ

14 그림 (가)는 세포 소기관 A~C의 공통점과 차이점을, (나)는 특징 ㉠~㉢을 순서 없이 나타낸 것이다. 세포 소기관 A~C는 각각 엽록체, 리보솜, 리소좀 중 하나이다.

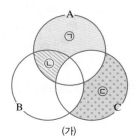

특징(㉠~㉢)
• 2중막 구조를 가진다.
• 구성 물질에 RNA가 있다.
• 세포내 소화가 일어난다.

(가)   (나)

이에 대한 설명으로 옳은 것만을 [보기]에서 있는 대로 고른 것은?

[보기]
ㄱ. A는 엽록체이다.
ㄴ. B에서 단백질이 합성된다.
ㄷ. ㉡은 '구성 물질에 RNA가 있다.'이다.
ㄹ. ㉢은 '2중막 구조를 가진다.'이다.

① ㄱ, ㄴ   ② ㄱ, ㄹ   ③ ㄷ, ㄹ
④ ㄱ, ㄴ, ㄷ   ⑤ ㄴ, ㄷ, ㄹ

15 그림은 세포 골격을 나타낸 것이다. A~C는 각각 미세 섬유, 미세 소관, 중간 섬유 중 하나이다.

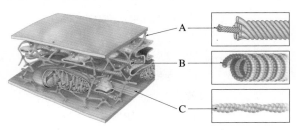

이에 대한 설명으로 옳은 것만을 [보기]에서 있는 대로 고른 것은?

[보기]
ㄱ. A~C 중 B가 가장 굵다.
ㄴ. A는 진핵세포의 편모를 구성한다.
ㄷ. C는 근육 수축에 관여한다.

① ㄱ   ② ㄴ   ③ ㄷ
④ ㄱ, ㄷ   ⑤ ㄴ, ㄷ

16 그림은 생명체에서 일어나는 어떤 화학 결합을 나타낸 것이다.

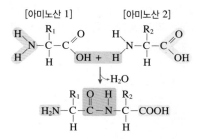

이 결합의 이름을 쓰고, 이 결합이 반복되어 생명체를 구성하는 기본 물질이 생성되는 과정을 서술하시오.

17 식물 세포에서 광합성에 의해 포도당이 합성되기까지의 경로를 확인할 때 이용할 수 있는 세포의 연구 방법을 쓰고, 연구 방법에 이용된 물질을 포함하여 포도당이 합성되기까지의 경로를 어떻게 알 수 있는지 서술하시오.

18 그림은 미토콘드리아와 엽록체를 순서 없이 나타낸 것이다.

(가)   (나)

(가), (나)의 이름을 각각 쓰고, (가), (나)의 구조적 특징과 기능적 특징의 공통점을 각각 한 가지씩 서술하시오.

01 그림은 생물 (가)와 (나)의 공통점과 차이점을 나타낸 것이다. (가), (나)는 각각 생쥐와 옥수수 중 하나이고, ㉠, ㉡ 중 하나는 '기관계가 있다.'이다.

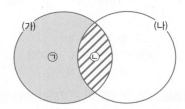

이에 대한 설명으로 옳은 것만을 [보기]에서 있는 대로 고른 것은?

〔보기〕
ㄱ. '조직 단계가 있다.'는 ㉡에 해당한다.
ㄴ. (나)를 구성하는 세포에는 세포벽이 있다.
ㄷ. 생쥐의 뇌와 옥수수의 체관은 생명체의 구성 단계에서 같은 단계에 속한다.

① ㄱ　　　　② ㄴ　　　　③ ㄷ
④ ㄱ, ㄴ　　　⑤ ㄴ, ㄷ

02 그림은 생명체의 주요 구성 물질을 구분하는 과정을 나타낸 것이다.

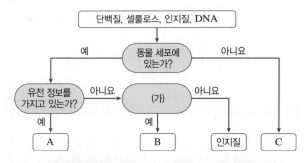

이에 대한 설명으로 옳은 것만을 [보기]에서 있는 대로 고른 것은?

〔보기〕
ㄱ. 은행나무 잎 세포에는 A~C가 모두 포함되어 있다.
ㄴ. C는 이당류의 한 종류이다.
ㄷ. '펩타이드 결합이 존재하는가?'는 (가)에 해당한다.

① ㄱ　　　　② ㄴ　　　　③ ㄷ
④ ㄱ, ㄷ　　　⑤ ㄴ, ㄷ

03 그림 (가)는 녹말, (나)는 인지질, (다)는 단백질을 나타낸 것이다.

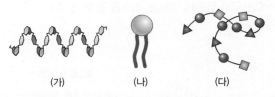

(가)　　　　　(나)　　　　　(다)

이에 대한 설명으로 옳은 것만을 [보기]에서 있는 대로 고른 것은?

〔보기〕
ㄱ. (가)~(다)의 공통적인 구성 원소는 탄소(C), 수소(H), 산소(O)이다.
ㄴ. (나)는 친수성 머리와 소수성 꼬리를 가진다.
ㄷ. (다)는 효소와 호르몬의 성분이다.

① ㄱ　　　　② ㄴ　　　　③ ㄱ, ㄷ
④ ㄴ, ㄷ　　　⑤ ㄱ, ㄴ, ㄷ

04 그림은 세포벽을 제거한 식물 세포의 파쇄액을 원심 분리하여 세포 소기관을 단계적으로 분리하는 과정을 나타낸 것이다. 침전물 A~C에는 각각 미토콘드리아, 엽록체, 핵 중 하나가 포함되어 있다.

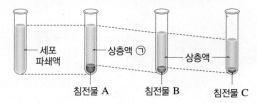

이에 대한 설명으로 옳은 것만을 [보기]에서 있는 대로 고른 것은?

〔보기〕
ㄱ. 상층액 ㉠에는 리보솜이 있다.
ㄴ. A~C에는 모두 DNA와 단백질이 있다.
ㄷ. B에는 엽록체가 있다.

① ㄱ　　　　② ㄴ　　　　③ ㄱ, ㄷ
④ ㄴ, ㄷ　　　⑤ ㄱ, ㄴ, ㄷ

05 표는 세포 A~C에서 핵막, 리보솜, 세포벽의 유무를 나타낸 것이다. A~C는 각각 대장균, 사람의 상피 세포, 시금치의 공변세포 중 하나이다.

세포	A	B	C
핵막	있음	없음	있음
리보솜	?	있음	있음
세포벽	없음	있음	?

이에 대한 설명으로 옳은 것만을 [보기]에서 있는 대로 고른 것은?

[보기]
ㄱ. A는 진핵세포이다.
ㄴ. B와 C에는 모두 엽록체가 있다.
ㄷ. B는 펩티도글리칸이 포함된 세포벽을 가진다.

① ㄱ   ② ㄴ   ③ ㄱ, ㄴ
④ ㄱ, ㄷ   ⑤ ㄴ, ㄷ

06 그림 (가)는 생명체를 구성하는 물질 중 하나를, (나)는 세포 소기관 A~C를 나타낸 것이다. A~C는 각각 골지체, 리소좀, 거친면 소포체 중 하나이다.

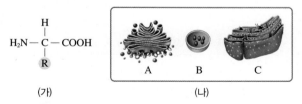

(가)   (나)

이에 대한 설명으로 옳은 것만을 [보기]에서 있는 대로 고른 것은?

[보기]
ㄱ. (가)로 구성된 물질은 B에 존재한다.
ㄴ. A의 막은 핵막과 연결되어 있다.
ㄷ. A~C는 모두 세균에서 관찰된다.

① ㄱ   ② ㄴ   ③ ㄷ
④ ㄱ, ㄴ   ⑤ ㄱ, ㄷ

07 표 (가)는 세포 소기관 A~C에서 특징 ㉠과 ㉡의 유무를, (나)는 특징 ㉠과 ㉡을 순서 없이 나타낸 것이다. A~C는 각각 리보솜, 골지체, 미토콘드리아 중 하나이다.

구분	A	B	C
㉠	○	○	×
㉡	×	○	×

(○: 있음, ×: 없음)

(가)

특징(㉠, ㉡)
• 단백질이 합성된다.
• 크리스타 구조를 가진다.

(나)

이에 대한 설명으로 옳은 것만을 [보기]에서 있는 대로 고른 것은?

[보기]
ㄱ. A는 대장균에 존재한다.
ㄴ. ㉡은 '크리스타 구조를 가진다.'이다.
ㄷ. C에는 핵산이 있다.

① ㄱ   ② ㄷ   ③ ㄱ, ㄴ
④ ㄱ, ㄷ   ⑤ ㄴ, ㄷ

08 표는 정상 세포와 세포 소기관에 이상이 생긴 돌연변이 세포 I~III을 방사성 동위 원소 ^3H로 표지된 아미노산을 첨가한 배지에서 배양한 후, 정상 배지로 옮겨 세포 소기관 A~C와 세포 밖에서의 방사선 검출 여부를 조사한 결과를 나타낸 것이다. A~C는 각각 골지체, 리보솜, 소포체 중 하나이다.

구분	방사선 검출 여부			
	A	B	C	세포 밖
정상 세포	○	○	○	○
세포 I	—	—	○	—
세포 II	○	○	○	—
세포 III	—	○	○	—

(○: 방사선 검출됨, —: 방사선 검출 안 됨)

이에 대한 설명으로 옳은 것만을 [보기]에서 있는 대로 고른 것은?

[보기]
ㄱ. 세포 I에서는 단백질이 합성된다.
ㄴ. 세포 II는 골지체에 이상이 생긴 돌연변이이다.
ㄷ. 세포 III에서는 합성된 단백질이 들어 있는 분비 소낭이 형성된다.
ㄹ. 정상 세포에서 단백질의 합성과 이동은 C → B → A의 경로로 일어난다.

① ㄱ, ㄴ   ② ㄴ, ㄷ   ③ ㄷ, ㄹ
④ ㄱ, ㄴ, ㄹ   ⑤ ㄱ, ㄷ, ㄹ

2 세포막과 효소

이 단원을 공부하기 전에 학습 계획을 세우고, 학습 진도를 스스로 체크해 보자.
학습이 미흡했던 부분은 다시 보기에 체크해 두고, 시험 전까지 꼭 완벽히 학습하자!

소단원	학습 내용	학습 일자	다시 보기
01. 세포막을 통한 물질 이동	**Ⓐ 세포막의 구조** 탐구 세포막의 특성	/	
	Ⓑ 세포막의 선택적 투과성	/	
	Ⓒ 에너지를 사용하지 않는 물질 이동 탐구 양파 세포에서 일어나는 삼투 관찰	/	
	Ⓓ 에너지를 사용하는 물질 이동 탐구 리포솜의 활용	/	
02. 효소	**Ⓐ 효소의 작용과 특성**	/	
	Ⓑ 효소의 구성과 종류	/	
	Ⓒ 효소의 작용에 영향을 미치는 요인 탐구 효소의 작용에 영향을 미치는 요인	/	
	Ⓓ 생활 속 효소의 이용	/	

◆ 세포막

① 세포막의 구조

• 인지질 ❶〔   〕: 인지질에서 친수성을 띠는 부분이 바깥쪽에, 소수성을 띠는 부분이 안쪽에 배열된다.

• 단백질: 인지질 2중층에 파묻혀 있거나 관통하고 있으며, 물질의 이동 통로 역할을 하기도 한다.

② ❷〔   〕: 세포막은 물질의 종류에 따라 어떤 물질은 잘 통과시키고 어떤 물질은 잘 통과시키지 않는다.

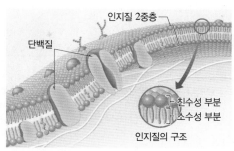

↑ 세포막의 구조

◆ 세포막을 통한 물질 이동

① ❸〔   〕: 물질이 농도가 높은 쪽에서 낮은 쪽으로 스스로 운동하여 퍼져 나가는 현상이다.

• 인지질 2중층을 통한 확산: 산소, 이산화 탄소 등과 같이 크기가 매우 작은 물질이 이동한다.

• 막단백질을 통한 확산: 이온, 크기가 비교적 큰 포도당, 아미노산과 같은 물질이 이동한다.

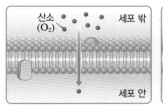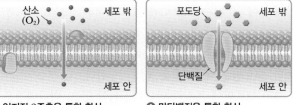

↑ 인지질 2중층을 통한 확산   ↑ 막단백질을 통한 확산

② ❹〔   〕: 세포막을 경계로 용질의 농도가 낮은 용액에서 높은 용액으로 물이 이동하는 현상

◆ 효소

① 물질대사: 생명체에서 일어나는 모든 화학 반응이다.

② ❺〔   〕: 물질대사에서 반응을 촉진하는 생체 촉매이다.

③ 효소의 작용 원리: 효소는 입체 구조에 들어맞는 반응물과 결합하여 ❻〔   〕를 낮추어 체온 정도의 온도에서도 화학 반응이 빠르게 일어나도록 한다.

분리된 효소는 촉매 작용을 반복한다.

01 세포막을 통한 물질 이동

핵심 포인트
◉ 세포막의 구조와 기능 ★★★
◉ 세포막의 선택적 투과성 ★★
◉ 단순 확산과 촉진 확산의 구분 ★★★
삼투의 원리 ★★★
◉ 능동 수송의 특징 ★★★
세포내 섭취와 세포외 배출의 원리 ★★

Ⓐ 세포막의 구조

세포가 생명 활동을 유지하려면 끊임없이 외부에서 필요한 물질을 얻고, 불필요한 물질을 내보내야 합니다. 세포를 둘러싸고 있는 세포막의 구조와 특징을 알아보고, 물질이 세포막을 통해 어떻게 이동할 수 있는지 생각해 보아요.

1. 세포막 세포질 바깥쪽을 둘러싸는 막이며, 세포의 형태를 유지하고 세포로 드나드는 물질의 출입을 조절한다.

(1) 세포막의 주성분: 인지질과 단백질

(2) 세포막의 구조

① 인지질 2중층: 세포 안팎에 물이 풍부하므로 인지질에서 ❶친수성인 머리 부분은 양쪽 바깥(물 쪽)을 향하고, ❷소수성인 꼬리 부분은 마주 보며 배열된다.

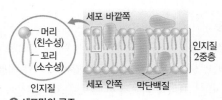

② *막단백질: 인지질 2중층을 관통하거나, 인지질 2중층에 파묻혀 있거나 표면에 붙어 있다. → 대부분의 막단백질도 친수성과 소수성 부분을 함께 가진다.

(3) 세포막의 기능 → 인지질은 막의 기본 구조를 형성하고, 막단백질은 막의 기능을 결정한다.

① 선택적 투과성: 물질은 종류에 따라 세포막을 통해 선택적으로 이동한다. 예 산소는 인지질 2중층을 직접 통과하여 이동하지만, 포도당은 막단백질을 통해 이동한다.

② 막단백질의 기능: 세포의 종류에 따라 세포막에 특정한 막단백질들이 있고, 막단백질은 다양한 기능을 담당한다.

세포 인식(당단백질)	신호 전달(수용체 단백질)	효소 작용(효소)	물질 운반(수송 단백질)
막단백질에 붙어 있는 탄수화물은 세포를 구별하는 데 이용된다.	세포 밖의 특정 화학 물질을 인식하여 세포 안으로 신호를 전달한다.	물질대사에 관여한다.	세포막을 통한 물질의 이동에 관여한다.

세포막의 구조와 기능

동물 세포의 세포막은 인지질 이외에 콜레스테롤도 일부 포함한다.

탄수화물

콜레스테롤

물질 운반에 관여하는 수송 단백질이다.

세포 바깥쪽

탄수화물이 붙어 있는 당단백질은 다른 세포를 구별한다.

탄수화물

당단백질

인지질 2중층

막단백질

인지질

막단백질은 신호 전달이나 효소 기능도 한다.

세포질

세포 안쪽

주의해

인지질 2중층과 세포 소기관의 2중막

인지질 2중층은 2중막이 아니다. 인지질 2중층은 인지질이 두 층으로 배열된 구조로, 생체막은 모두 인지질 2중층 구조로 되어 있다. 한편, 핵, 미토콘드리아, 엽록체의 막과 같이 두 겹의 생체막(외막과 내막)으로 구성된 막이 2중막이다.

★ 막단백질의 성질에 따른 구분
• 외재성 단백질: 친수성이 강해 인지질 2중층 바깥쪽에 분포하는 단백질이다.
• 내재성 단백질: 소수성이 강해 인지질 2중층을 관통하거나 인지질 2중층에 일부분만 파묻힌 단백질이다.

┤용어├
❶ 친수성(親 친하다, 水 물, 性 성질) 물과 친하다는 의미로, 물에 대한 용해도가 큰 성질이다.
❷ 소수성(疏 친하지 않다, 水 물, 性 성질) 물과 친하지 않다는 의미로, 물에 대한 용해도가 작은 성질이다.

2. 유동 모자이크막 세포막에서 막단백질은 인지질 2중층 곳곳에 분포하고 있으며, *인지질과 막단백질은 유동성이 있어 특정 위치에 고정되어 있지 않고 이동할 수 있다. ➡ 이러한 특성을 바탕으로 세포막의 구조를 나타낸 것을 유동 모자이크막 모델이라고 한다.

★ 세포막의 유동성과 막의 기능
세포막의 유동성이 떨어지면 막을 통한 물질의 투과성이 변하고, 이동이 필요한 막의 효소 단백질이 불활성화된다. 반대로 유동성이 지나치게 커지면 막단백질이 안정적으로 기능하지 못한다.

세포막에 있는 콜레스테롤은 높은 온도에서는 인지질의 이동을 감소시킴으로써 막의 유동성을 낮추지만, 낮은 온도에서는 인지질이 정상적으로 채워지는 것을 방해하여 세포막이 고체화되는 것을 막는다.

탐구 자료창 **세포막의 특성**

> 비상, 지학사 교과서에만 나와요.

실험 (가)

│과정 및 결과│ 세포 표면의 막단백질에 형광 물질을 부착하고, 일정 부위만 레이저로 형광을 제거하였더니 시간이 지남에 따라 형광 제거 부위에서 형광의 세기가 회복되었다.

세포막 →
일정 부위의 형광 물질 제거
형광 제거 부위

형광 제거 부위의 형광 제거 세기 | 형광 제거
0 ────── 시간

실험 (나)

│과정 및 결과│ 사람 세포와 생쥐 세포의 막단백질을 서로 다른 색깔의 형광 물질로 표지하고 세포를 융합하였더니 1시간 후 표면의 막단백질이 고르게 섞여 분포되었다.

형광 물질로 표지한 막단백질 — 사람 세포 / 생쥐 세포 → 세포 융합 → 세포 융합 직후 → 1시간 후

│결론│ 세포막을 구성하는 인지질과 막단백질은 특정 위치에 고정되어 있는 것이 아니라 유동성이 있어 움직일 수 있다. ● 인지질의 유동성에 따라 막단백질도 이동한다.

개념 확인 문제

정답친해 22쪽

핵심 체크

- 세포막의 구성
  - 인지질: (❶   )인 머리 부분과 (❷   )인 꼬리 부분으로 구성된다.
  - (❸   ): 세포 인식, 신호 전달, 효소 작용, 물질 운반의 기능을 한다.
- 세포막은 물질을 종류에 따라 선택적으로 이동시키는 (❹   )이 있다.
- 세포막의 특성: 인지질과 막단백질은 유동성이 있어 이동할 수 있다. ➡ (❺   ) 모델

---

1 그림은 세포막의 구조를 나타낸 것이다. 이에 대한 설명으로 옳은 것은 ○, 옳지 않은 것은 ×로 표시하시오.

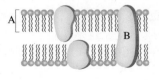

(1) A는 인지질이고, B는 막단백질이다. ┄┄┄┄ (   )

(2) 세포막은 2중막 구조이다. ┄┄┄┄┄ (   )

(3) 세포막의 A와 B는 유동성이 있다. ┄┄┄┄ (   )

(4) A의 꼬리 부분은 바깥쪽을 향하고, 머리 부분은 마주 보며 배열되어 세포막을 이룬다. ┄┄┄┄ (   )

2 다음 설명에 해당하는 세포막의 특성을 쓰시오.

> 세포막을 통해 물질대사에 필요한 물질은 세포 안으로 들어오고, 노폐물은 세포 밖으로 배출되는데, 이 과정에서 물질 이동은 물질의 특성에 따라 선택적으로 일어난다.

3 세포막을 구성하는 막단백질의 기능으로 옳지 않은 것은?

① 물질 운반 ② 신호 전달 ③ 효소 작용
④ 세포 인식 ⑤ 막의 유동성 조절

01 세포막을 통한 물질 이동

B 세포막의 선택적 투과성

1. 세포막의 선택적 투과성 세포막이 물질의 종류에 따라 세포 안팎으로의 물질 이동을 선택적으로 조절하여 세포 안팎의 환경 차이를 유지할 수 있다.

2. 물질의 종류에 따른 세포막 통과 방법

물질의 종류	세포막 통과 방법
크기가 작은 분자나 소수성 물질 예 산소, 이산화 탄소, 물, 지방산 ←*극성이 없는 물질	인지질 2중층을 직접 통과
크기가 큰 분자, 이온과 같은 친수성 물질 예 포도당, 아미노산, Na^+, K^+	수송 단백질을 통해 이동
크기가 큰(고분자) 물질 예 단백질	세포막 함입에 의해 이동

C *에너지를 사용하지 않는 물질 이동

1. *확산 세포 안팎의 농도 기울기에 따라 물질이 이동하며, 세포가 에너지를 사용하지 않는다.

(1) 단순 확산: 산소, 이산화 탄소와 같은 물질이 인지질 2중층을 직접 통과하여 이동하는 현상 예 폐포와 모세 혈관, 모세 혈관과 조직 세포 사이에서의 산소와 이산화 탄소 이동

(2) 촉진 확산: 이온, 포도당, 아미노산과 같은 물질이 세포막에 있는 수송 단백질을 통해 이동하는 현상
└→ 통로 단백질과 운반체 단백질로 구분된다.

구분	통로 단백질을 통한 확산	운반체 단백질을 통한 확산
확산 원리	통로 단백질은 Na^+, K^+ 등의 이온과 같은 물질이 인지질 2중층을 통과할 수 있는 통로 역할을 한다.	운반체 단백질은 포도당, 아미노산과 같이 결합 부위의 구조에 들어맞는 물질이 결합하면 단백질의 구조가 변하여 물질을 운반한다.
예	뉴런에서 흥분 전도 시 Na^+의 유입과 K^+의 유출	인슐린 작용에 의한 혈액 속 포도당의 세포 내로의 이동

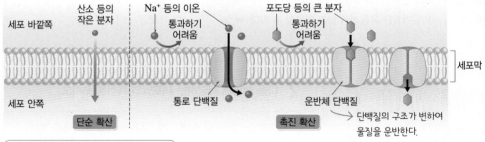

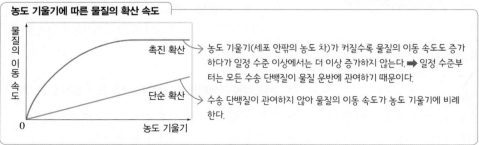

농도 기울기에 따른 물질의 확산 속도

→ 농도 기울기(세포 안팎의 농도 차)가 커질수록 물질의 이동 속도도 증가하다가 일정 수준 이상에서는 더 이상 증가하지 않는다. ➡ 일정 수준부터는 모든 수송 단백질이 물질 운반에 관여하기 때문이다.

→ 수송 단백질이 관여하지 않아 물질의 이동 속도가 농도 기울기에 비례한다.

2. 삼투 세포막과 같은 *반투과성 막을 경계로 물의 농도가 높은 쪽에서 낮은 쪽으로 물 분자가 확산하는 현상이며, 세포가 에너지를 사용하지 않는다. → 미래엔 교과서에서는 선택적 투과성 막을 이용하여 삼투를 설명한다.

(1) *삼투압: 삼투가 일어날 때 반투과성 막이 받는 압력이다. → 용액의 농도 차이가 클수록 크다.

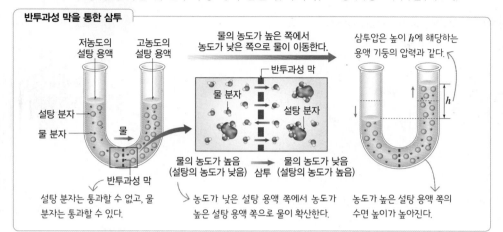

반투과성 막을 통한 삼투

저농도의 설탕 용액 / 고농도의 설탕 용액
설탕 분자 / 물 분자 / 물
반투과성 막
설탕 분자는 통과할 수 없고, 물 분자는 통과할 수 있다.

물의 농도가 높은 쪽에서 농도가 낮은 쪽으로 물이 이동한다.
반투과성 막
물 분자 / 설탕 분자
물의 농도가 높음 (설탕의 농도가 낮음) → 삼투 (설탕의 농도가 높음) 물의 농도가 낮음
농도가 낮은 설탕 용액 쪽에서 농도가 높은 설탕 용액 쪽으로 물이 확산한다.

삼투압은 높이 h에 해당하는 용액 기둥의 압력과 같다.
h
농도가 높은 설탕 용액 쪽의 수면 높이가 높아진다.

(2) 동물 세포에서의 삼투 → 미래엔 교과서에서는 세포에서 물이 빠져나가고 들어오는 속도로 삼투에 의한 물 이동을 설명한다.

• 적혈구를 서로 다른 농도의 용액에 넣었을 때 나타나는 변화

구분	❶저장액	❷등장액	❸고장액
물의 이동	적혈구로 물이 들어온다. 물이 들어오는 속도 > 물이 빠져나가는 속도	적혈구 안팎으로 출입하는 물의 양이 같다. 물이 양방향으로 같은 속도로 이동	적혈구에서 물이 빠져나간다. 물이 들어오는 속도 < 물이 빠져나가는 속도
결과 및 모양 변화	적혈구가 부풀어 오르다가 결국 세포막이 터진다(용혈). 적혈구의 부피가 커진다. 물 물 용혈	적혈구의 모양이 정상 상태를 유지한다. 적혈구의 부피가 변하지 않는다. 물 물	적혈구가 쭈그러든다. 적혈구의 부피가 작아진다. 물 물

(3) 식물 세포에서의 삼투

① 양파 세포를 서로 다른 농도의 용액에 넣었을 때 나타나는 변화

구분	저장액	등장액	고장액
물의 이동	양파 세포로 물이 들어온다. 물이 들어오는 속도 > 물이 빠져나가는 속도	양파 세포 안팎으로 출입하는 물의 양이 같다. 물이 양방향으로 같은 속도로 이동	양파 세포에서 물이 빠져나간다. 물이 들어오는 속도 < 물이 빠져나가는 속도
결과 및 모양 변화	양파 세포의 부피가 커지고 (팽윤), ❹팽압이 발생한다. 세포벽이 있어 일정 크기 이상으로 커지지 않는다. 물 물 액포 팽윤 상태	양파 세포의 모양이 정상 상태를 유지한다. 양파 세포의 부피가 변하지 않는다. 물 물	세포질의 부피가 작아지다가 세포막이 세포벽에서 떨어진다(*원형질 분리). 물 물 원형질 분리

★ 반투과성 막
미세한 구멍이 뚫려 있어 막의 구멍보다 크기가 작은 용매나 용질은 통과할 수 있고, 크기가 큰 물질은 통과할 수 없다. 예 세포막, 달걀 속껍질, 셀로판 막

★ 삼투압
삼투압은 용액의 농도가 높을수록, 온도가 높을수록 커진다.
$$P=CRT$$
(P: 삼투압, C: 용액의 물 농도, R: 기체 상수, T: 절대 온도)

주의해
등장액에서는 세포막을 통해 물이 이동하지 않는 것일까?
세포를 등장액에 넣었을 때 부피가 변하지 않는 것은 물이 이동하지 않아서가 아니라 세포막 안팎으로 물이 같은 속도로 이동하기 때문이다. 저장액과 고장액에서도 물은 양방향으로 이동하며, 물의 이동 속도 차이로 세포의 모양이 변화한다.

★ 원형질
세포에서 생명 활동과 직접 관련된 부분으로, 핵, 세포질, 미토콘드리아, 엽록체, 리보솜, 소포체, 골지체, 세포막이 해당된다.

| 용어 |
❶ 저장액(低 낮다, 張 베풀다, 液 진액) 수용액의 삼투압이 세포액보다 낮은 용액이다.
❷ 등(等 같다)장액 수용액의 삼투압이 세포액과 같은 용액이다. 예 체액과 생리 식염수
❸ 고(高 높다)장액 수용액의 삼투압이 세포액보다 높은 용액이다.
❹ 팽압(膨 부풀다, 壓 누르다) 세포 내부로부터 세포벽이 받는 압력이다.

② 흡수력: 식물 세포가 물을 흡수하려는 힘이며, 삼투압이 높을수록, *팽압이 낮을수록 커진다.

$$흡수력 = 삼투압 - 팽압$$

식물 세포의 삼투압, 팽압, 흡수력의 관계 – 고장액에 있던 식물 세포를 저장액에 넣은 경우

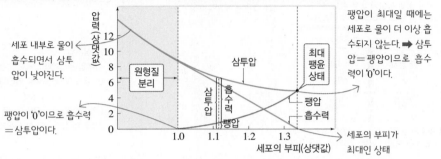

세포 내부로 물이 흡수되면서 삼투압이 낮아진다.

팽압이 '0'이므로 흡수력 = 삼투압이다.

팽압이 최대일 때에는 세포로 물이 더 이상 흡수되지 않는다. ➡ 삼투압 = 팽압이므로 흡수력이 '0'이다.

고장액에 있던 식물 세포를 저장액에 옮겨 넣으면 세포가 물을 흡수하여 팽압은 증가하고, 삼투압은 감소한다. ➡ 흡수력 감소

탐구 자료창 *양파 세포에서 일어나는 삼투 관찰

│과정│

양파 비늘잎 안쪽의 표피를 5 mm 크기로 잘라 증류수, 0.9 % 소금물, 2 % 소금물에 각각 10분 동안 담가 두었다가 아세트산 카민 용액으로 염색하여 현미경으로 관찰한다.

양파 비늘 잎

양파 표피 조각

아세트산 카민 용액

│결과 및 해석│

1. 현미경 관찰 결과 및 물의 이동 방향

증류수에 담가 둔 표피 세포	0.9 % 소금물에 담가 둔 표피 세포	2 % 소금물에 담가 둔 표피 세포
세포의 부피가 커졌다.	세포의 부피가 거의 변하지 않았다.	세포막이 세포벽에서 떨어졌다(원형질 분리).
➡ 증류수에서 양파의 표피 세포로 물이 들어왔다.	➡ 양파의 표피 세포 안팎으로 출입하는 물의 양이 같다.	➡ 양파의 표피 세포에서 2 % 소금물로 물이 빠져나갔다.

2. 용액의 농도에 따라 양파 표피 세포의 모양이 달라지는 까닭: 증류수(저장액)에서는 표피 세포 속으로 물이 들어와 세포의 부피가 커졌고, 2 % 소금물(고장액)에서는 표피 세포 속의 물이 밖으로 빠져나가 세포질의 부피가 작아지다가 원형질 분리가 일어났다. ➡ 세포막을 경계로 용액의 농도가 다를 때 삼투가 일어난다.

★ **팽압에 따른 식물의 변화**
식물은 팽압이 감소하면 시들고, 팽압이 증가하면 싱싱해진다.

팽압 감소
팽압 증가

★ **역삼투**
역삼투는 반투과성 막을 경계로 고농도 용액 쪽에 압력을 가해 고농도 쪽에서 저농도 쪽으로 물을 이동시키는 것이다. 역삼투의 원리는 오염된 물에서 깨끗한 물을 얻는 데 이용되며, 과즙의 농축과 정제, 커피 추출액 농축 등 다양한 분야에 적용되고 있다.

미래엔, 교학사 교과서에서는 적양파의 표피 조각에 증류수와 10 % 소금물을 떨어뜨려 실험해요.

★ **적혈구의 삼투 관찰하기**
증류수(저장액), 생리 식염수(등장액), 2 % 소금물(고장액)에 혈액을 한 방울씩 떨어뜨린 후, 각 용액을 한 방울씩 받침 유리에 떨어 현미경으로 관찰하면 용액의 농도에 따른 적혈구의 모양 변화를 관찰할 수 있다.

개념 확인 문제

핵심 체크

- (❶   ): 물질이 농도 기울기에 따라 인지질 2중층을 직접 통과하여 이동하는 현상
- (❷   ): 물질이 농도 기울기에 따라 수송 단백질을 통해 이동하는 현상
- 삼투: 반투과성 막을 사이에 두고 물의 농도가 높은 쪽에서 낮은 쪽으로 (❸   )이 확산하는 현상
- (❹   ): 적혈구를 (❺   )액에 넣었을 때 적혈구로 물이 들어와 부피가 커지다가 세포막이 터져 내용물이 빠져나오는 현상
- (❻   ): 식물 세포를 (❼   )액에 넣었을 때 물이 세포 안으로 들어와 세포의 부피가 커지는 현상
- (❽   ): 식물 세포를 (❾   )액에 넣었을 때 세포 밖으로 물이 빠져나가 세포질의 부피가 작아지다가 세포막이 세포벽에서 떨어지는 현상
- 흡수력: 식물 세포가 물을 흡수하려는 힘이며, '(❿   )−(⓫   )'으로 계산한다.

1 다음 물질을 (가) 세포막의 인지질 2중층을 직접 통과하는 물질과 (나) 막단백질을 통해 통과하는 물질로 구분하여 쓰시오.

| Na^+ | 산소 | 포도당 | 아미노산 |

2 확산에 대한 설명으로 옳은 것은 ○, 옳지 않은 것은 ×로 표시하시오.

(1) 단순 확산과 촉진 확산에는 모두 에너지가 사용되지 않는다. ··· (   )
(2) 폐포와 모세 혈관 사이에서의 기체 교환은 촉진 확산에 의해 일어난다. ··································· (   )
(3) 단순 확산에서 물질의 이동 속도는 세포 안팎의 농도 차가 증가함에 따라 증가하다가 일정해진다. (   )

3 그림은 촉진 확산에 관여하는 두 종류의 수송 단백질을 나타낸 것이다.

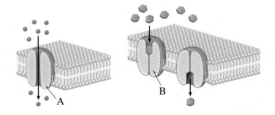

A, B 중 뉴런에서 흥분 전도 시 Na^+이 유입될 때 관여하는 것의 기호와 이름을 쓰시오.

4 그림과 같이 반투과성 막을 경계로 농도가 다른 설탕 용액을 넣었다.

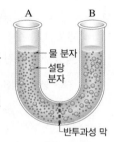

(1) 일정 시간 후 A, B에서의 설탕 용액 높이의 변화를 쓰시오.
(2) 설탕 용액의 높이 변화를 일으킨 물질의 이동 방식을 쓰시오.

5 그림은 사람의 적혈구를 저장액, 등장액, 고장액에 일정 시간 동안 넣었을 때의 변화를 순서 없이 나타낸 것이다.

(가) 　(나) 　(다)

저장액, 등장액, 고장액에 넣었을 때의 적혈구의 모양 변화에 해당하는 것의 기호를 각각 쓰시오.

6 다음은 식물 세포에서 일어나는 삼투에 대한 설명이다. (   ) 안에 알맞은 말을 고르시오.

(1) 식물 세포를 (저장액, 고장액)에 넣어 두면 원형질 분리가 일어난다.
(2) 식물 세포를 (저장액, 고장액)에 넣어 두면 세포 안으로 물이 들어와 세포의 부피가 커진다.
(3) 식물 세포가 삼투로 물을 흡수하면 팽압은 ㉠(감소, 증가)하고, 삼투압은 ㉡(감소, 증가)하며, 흡수력은 ㉢(감소, 증가)한다.

D 에너지를 사용하는 물질 이동

특정 이온이나 분자는 세포 안과 밖의 농도 차이가 일정하게 유지되기도 합니다. 이는 세포가 에너지를 사용하면서 농도 기울기를 거슬러 물질을 세포 안이나 밖으로 이동시켰기 때문이죠. 그럼 에너지를 사용하는 물질 이동 방식에 대해 알아볼까요?

1. 능동 수송 물질을 운반체 단백질을 통해 농도가 낮은 쪽에서 높은 쪽으로 이동시키는 방식이며, 세포가 에너지를 사용한다. ➡ 세포 안팎의 농도 차를 유지한다.

(1) 능동 수송의 특징

① 물질 이동 속도는 일정 수준 이상으로 빨라지지 않는다. → 운반체 단백질의 수가 한정되어 있기 때문이다.

② 운반체 단백질은 결합 부위에 맞는 특정 물질만 선택적으로 운반한다.

③ *세포 호흡이 멈추면 에너지가 생성되지 않으므로 능동 수송이 일어나지 않는다.

(2) 능동 수송의 예

① Na^+-K^+ 펌프: ATP를 사용하여 Na^+은 세포 밖으로, K^+은 세포 안으로 운반한다.

➡ 세포 바깥쪽보다 안쪽의 Na^+ 농도를 훨씬 낮게, K^+ 농도를 훨씬 높게 유지할 수 있다.

예 적혈구와 뉴런 세포막의 Na^+-K^+ 펌프

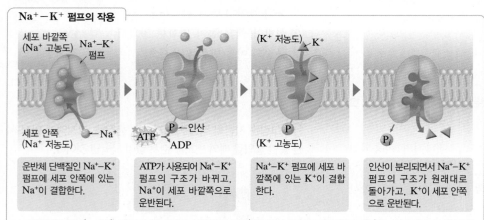

Na^+-K^+ 펌프의 작용

세포 바깥쪽 (Na^+ 고농도) Na^+-K^+ 펌프 / 세포 안쪽 (Na^+ 저농도) Na^+	P—인산 ATP ADP	(K^+ 저농도) K^+ / (K^+ 고농도) P	(K^+ 저농도) / P_i
운반체 단백질인 Na^+-K^+ 펌프에 세포 안쪽에 있는 Na^+이 결합한다.	ATP가 사용되어 Na^+-K^+ 펌프의 구조가 바뀌고, Na^+이 세포 바깥쪽으로 운반된다.	Na^+-K^+ 펌프에 세포 바깥쪽에 있는 K^+이 결합한다.	인산이 분리되면서 Na^+-K^+ 펌프의 구조가 원래대로 돌아가고, K^+이 세포 안쪽으로 운반된다.

- 세포막의 Na^+-K^+ 펌프가 에너지를 사용하여 Na^+을 세포 밖으로 내보내고, K^+을 세포 안으로 이동시킨다. ➡ 세포 밖에 비해 세포 안의 Na^+ 농도는 낮게, K^+ 농도는 높게 유지된다.
- 뉴런에서의 막전위 유지: 뉴런의 축삭 돌기에 분포한 Na^+-K^+ 펌프에 의해 세포 밖은 Na^+ 농도가 높게, 세포 안은 K^+ 농도가 높게 유지되어 막전위를 형성한다.

② 그 밖의 예: 콩팥 세뇨관에서 모세 혈관으로의 포도당과 아미노산 재흡수, 소장 융털에서의 양분 흡수, 뿌리털에서의 무기 양분 흡수
→ 당, 아미노산 → 물은 삼투로 흡수된다.

확산과 능동 수송을 비교하여 정리해 보아요~

구분	확산			능동 수송
	단순 확산	촉진 확산	삼투	
물질 이동 방향	고농도 → 저농도	물의 농도가 높은 쪽에서		저농도 → 고농도
에너지 사용	사용하지 않는다.	낮은 쪽으로 확산		사용한다.
수송 단백질	관여하지 않는다.	관여한다.	관여하지 않는다.	관여한다. → 운반체 단백질

→ 통로 단백질, 운반체 단백질

★ ATP의 생성과 세포(적혈구) 안팎의 주요 이온 농도

• 정상 세포

(단위: mM)

이온	세포 안	세포 밖
Na^+	12	145
K^+	155	4

Na^+ 농도는 적혈구 내부보다 혈장에서 높게 유지되고, K^+ 농도는 혈장보다 적혈구 내부에서 높게 유지된다.

• 포도당 공급이 중단된 세포

(단위: mM)

이온	세포 안	세포 밖
Na^+	83	122
K^+	81	33

포도당이 공급되지 않아 ATP가 생성되지 않으므로 능동 수송이 억제되어 세포 안과 밖의 Na^+과 K^+의 농도 차이가 정상 세포보다 줄어든다.

★ Na^+-K^+ 펌프의 인산화

ATP가 ADP와 무기 인산(P_i)으로 분해되면서 생성된 무기 인산(P_i)이 Na^+-K^+ 펌프에 붙는 것을 인산화라고 하며, 인산화는 세포 안에서 일어난다. Na^+-K^+ 펌프가 인산화되면 Na^+-K^+ 펌프의 모양이 바뀌면서 Na^+이 세포 바깥쪽으로 방출된다.

2. 세포내 섭취와 세포외 배출 단백질과 같이 크기가 큰 물질을 막으로 둘러싸 소낭을 만들어 세포 안팎으로 이동시키는 방식으로, 세포가 에너지를 사용한다.
└─ 확산이나 능동 수송으로 세포막을 통과하지 못하는 크기가 큰 물질

세포내 섭취		• 세포 밖의 물질을 세포막으로 감싸 소낭을 만들어 세포 안으로 끌어들이는 방식이다. • 식세포 작용과 음세포 작용이 있다.
	식세포 작용	크기가 큰 고체 물질을 세포 안으로 끌어들일 때 일어난다. 예 백혈구는 식세포 작용으로 세균을 끌어들인 후 리소좀으로 소화한다.
	음세포 작용	액체에 녹아 있는 물질을 세포 안으로 이동시킬 때 일어난다. 예 모세 혈관 벽을 구성하는 세포에서 혈액의 액체 성분을 흡수한다.
세포외 배출		• 세포 안의 소낭이 세포막과 융합하면서 소낭 속의 물질을 세포 밖으로 내보내는 방식이다. • 노폐물이나 세포 안에서 합성한 물질을 세포 밖으로 분비할 때 주로 일어난다. • 예 이자 세포에서 인슐린과 글루카곤 분비, 뉴런의 축삭 돌기 말단에서 시냅스 틈으로 신경 전달 물질 방출

세포내 섭취와 세포외 배출

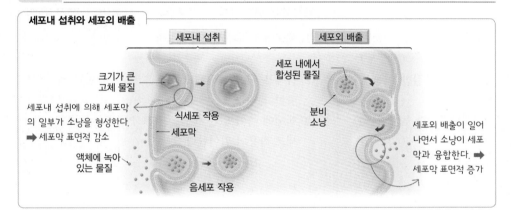

세포내 섭취가 일어나면 물질을 세포막으로 싸서 세포 안으로 끌어들이므로 물질을 둘러싼 만큼 세포막의 면적이 줄어들어요. 하지만 세포외 배출이 일어나면 세포막의 면적이 다시 늘어나므로 세포막의 면적은 거의 일정하게 유지된답니다.

탐구 자료창 **리포솜의 활용**

리포솜은 세포막의 주성분인 인지질로 만든 원형 또는 타원형의 인공 구조물이며, 일상생활에서 여러 가지 목적으로 활용되고 있다. 그림은 리포솜 내부의 물질이 세포로 들어가는 과정을 나타낸 것이다.

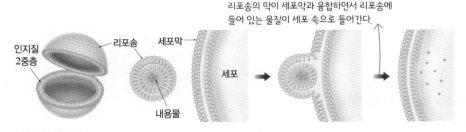

리포솜의 막이 세포막과 융합하면서 리포솜에 들어 있는 물질이 세포 속으로 들어간다.

1. 리포솜의 특성
• 리포솜은 속이 비어 있어 그 공간에 특정 물질을 넣을 수 있다.
• *리포솜의 막은 인지질 2중층으로 이루어져 있으며 유동성이 있고, 다른 막과 쉽게 융합된다.

2. 리포솜이 활용되는 사례
• 세포막의 기능을 연구하는 데 이용된다.
• 생명 현상이 일어날 수 있는 공간을 제공하므로 리포솜 안에서 생명 현상을 재현할 수 있다.
• 리포솜에 물질을 담아 세포 내로 운반할 수 있다. 예 약물 복용 및 주사가 어려운 환자에게 약물 투여, 피부 속으로 화장품 성분을 효과적으로 전달, 암세포에 직접적·효과적으로 약물 전달

★ **세포막과 리포솜 막의 공통점과 차이점**
• 공통점: 세포막과 리포솜 막은 모두 인지질 2중층으로 되어 있다.
• 차이점: 세포막은 막단백질을 가지지만, 리포솜 막은 막단백질을 가지지 않아 세포 인식, 신호 전달, 효소 작용과 같은 세포막의 기능을 수행하지 못한다.

개념 확인 문제

정답친해 23쪽

**핵심
체크**

- (❶   ): 세포가 에너지를 사용하면서 세포막의 (❷   )을 통해 농도가 낮은 쪽에서 높은 쪽으로 물질을 이동시키는 방식
- $Na^+ - K^+$ 펌프: ATP를 사용하여 Na^+은 세포 (❸   )으로, K^+은 세포 (❹   )으로 이동시킨다.
  ➡ Na^+ 농도는 세포 안보다 밖이 훨씬 높게, K^+ 농도는 세포 밖보다 안이 훨씬 높게 유지된다.
- (❺   ): 세포 밖의 물질을 세포막으로 감싸 소낭을 만들어 세포 안으로 끌어들이는 물질 이동 방식
  - 식세포 작용: 크기가 큰 고체 물질을 세포막으로 감싸 세포 안으로 끌어들일 때 일어나는 작용
  - 음세포 작용: 액체에 녹아 있는 물질을 세포막으로 감싸 세포 안으로 이동시킬 때 일어나는 작용
- (❻   ): 세포 안에 있는 소낭이 세포막과 융합하면서 소낭 속의 물질을 세포 밖으로 내보내는 물질 이동 방식

1 능동 수송에 대한 설명으로 옳은 것은 ○, 옳지 <u>않은</u> 것은 ×로 표시하시오.

(1) 에너지를 사용하여 농도 기울기에 따라 물질을 세포막을 통해 이동시키는 방식이다. ┄┄┄┄┄┄ (   )

(2) 세포막의 운반체 단백질을 통해 특정 물질만 이동시킨다. ┄┄┄┄┄┄┄┄┄┄┄┄┄┄┄ (   )

(3) 세포 안의 특정 물질의 농도를 세포 밖보다 높거나 낮게 유지하는 데 관여한다. ┄┄┄┄┄┄ (   )

2 능동 수송에 의한 생명 현상으로 옳지 <u>않은</u> 것은?

① 신경 세포에서의 막전위 유지
② 소장 융털에서의 아미노산 흡수
③ 콩팥 세뇨관에서의 포도당 재흡수
④ 식물 뿌리털에서의 무기 양분 흡수
⑤ 조직 세포와 모세 혈관 사이에서의 산소 이동

3 그림은 $Na^+ - K^+$ 펌프에 의해 Na^+과 K^+이 세포막을 통해 이동하는 과정을 나타낸 것이다.

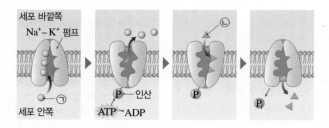

㉠과 ㉡에 해당하는 물질의 이름을 각각 쓰시오.

4 세포내 섭취와 세포외 배출에 대한 설명으로 옳은 것은 ○, 옳지 <u>않은</u> 것은 ×로 표시하시오.

(1) 세포내 섭취와 세포외 배출에는 모두 에너지가 필요하다. ┄┄┄┄┄┄┄┄┄┄┄┄┄┄┄┄ (   )

(2) 음세포 작용과 식세포 작용은 모두 세포외 배출에 해당한다. ┄┄┄┄┄┄┄┄┄┄┄┄┄┄┄ (   )

(3) 액체에 녹아 있는 물질을 세포 안으로 이동시킬 때 식세포 작용이 일어난다. ┄┄┄┄┄┄┄ (   )

5 그림은 세포막을 통해 물질을 이동시키는 방식을 나타낸 것이다.

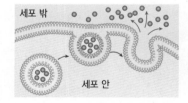

이와 같은 방식으로 물질이 세포막을 통과하는 예로 옳은 것은 ○, 옳지 <u>않은</u> 것은 ×로 표시하시오.

(1) 백혈구가 식균 작용을 한다. ┄┄┄┄┄┄ (   )
(2) 이자 세포에서 인슐린을 분비한다. ┄┄┄ (   )
(3) 흥분 전도 시 Na^+이 뉴런 안으로 유입된다. (   )
(4) 뉴런의 축삭 돌기 말단에서 시냅스 틈으로 신경 전달 물질을 방출한다. ┄┄┄┄┄┄┄┄┄┄┄ (   )

대표 자료 분석

자료 ① 세포막의 구조

기출 Point
- 세포막의 구성 성분과 구조 알기
- 세포막의 특성 알기

[1~3] 그림은 세포막의 구조를 나타낸 것이다.

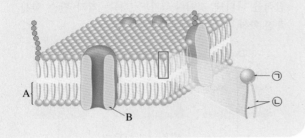

1 세포막을 구성하는 성분 A와 B의 이름을 각각 쓰시오.

2 ㉠과 ㉡을 각각 친수성과 소수성으로 구분하여 쓰시오.

3 빈출 선택지로 완벽 정리!!
(1) 세포 안과 밖에는 물이 풍부하여 인지질은 소수성 부분이 바깥을 향하여 2중층을 이룬다. ········· (○ / ×)
(2) ㉠은 지방산이 있는 머리 부분이고, ㉡은 인산 등을 포함한 꼬리 부분이다. ········· (○ / ×)
(3) A는 유동성이 있어 이동할 수 있지만, B는 이동하지 못한다. ········· (○ / ×)
(4) 크기가 작고 극성이 없는 물질은 인지질 2중층을 직접 통과하여 이동할 수 있다. ········· (○ / ×)
(5) B는 물질 운반, 세포 인식, 신호 전달 등의 역할을 한다. ········· (○ / ×)
(6) B를 통해 물질이 농도 기울기를 거슬러 세포막을 통과할 수 있다. ········· (○ / ×)

자료 ② 단순 확산과 촉진 확산

기출 Point
- 단순 확산과 촉진 확산의 특징 구분하기
- 세포 안팎의 농도 차에 따른 단순 확산과 촉진 확산의 물질 이동 속도 비교하기

[1~3] 그림은 물질 A와 B가 세포 안팎의 농도 차에 따라 세포막을 통해 확산하는 속도를 나타낸 것이다. 물질 A와 B는 각각 촉진 확산과 단순 확산 중 한 방식으로 세포막을 통과한다.

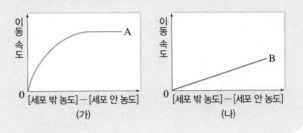

1 물질 A와 B의 이동 방식을 각각 쓰시오.

2 (가)에서 물질 A의 이동 속도가 일정한 구간이 나타나는 까닭을 서술하시오.

3 빈출 선택지로 완벽 정리!!
(1) 세포는 물질 A와 B를 이동시키는 데 에너지를 사용하지 않는다. ········· (○ / ×)
(2) 물질 A와 B는 모두 농도가 높은 쪽에서 낮은 쪽으로 세포막을 통해 이동한다. ········· (○ / ×)
(3) 물질 A와 B는 모두 세포 안쪽에서 바깥쪽으로 이동한다. ········· (○ / ×)
(4) 세포막을 통해 확산하는 데 막단백질이 관여하는 것은 물질 A이다. ········· (○ / ×)
(5) 세포막을 통한 산소의 이동 방식은 물질 A의 이동 방식과 같다. ········· (○ / ×)
(6) 물질 B는 인지질 2중층을 직접 통과한다. (○ / ×)
(7) 물질 B는 세포 안팎의 농도 차가 커질수록 세포막을 통한 이동 속도가 증가한다. ········· (○ / ×)

대표 자료 분석

자료 3 식물 세포에서 일어나는 삼투

기출 Point
- 저장액, 등장액, 고장액에서의 세포 모양 구분하기
- 삼투압과 팽압에 따라 세포 주변 용액의 농도 추측하기
- 세포의 부피에 따른 흡수력 구하기

[1~4] 그림 (가)는 어떤 식물 세포를 용액 ㉠에 넣고 일정 시간이 지난 후를, (나)는 용액 ㉠에 있던 이 세포를 용액 ㉡으로 옮긴 후 세포의 부피에 따른 팽압과 삼투압을 나타낸 것이다.(단, 용액 ㉠과 ㉡의 용질은 같다.)

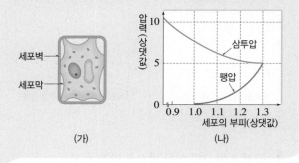

(가) / (나)

1 (가)와 같이 세포막이 세포벽에서 떨어지는 현상을 무엇이라고 하는지 쓰시오.

2 용액 ㉠과 ㉡은 저장액, 등장액, 고장액 중 각각 어느 것에 해당하는지 쓰시오.

3 세포의 부피가 1.3일 때 흡수력을 구하시오.

4 빈출 선택지로 완벽 정리!

(1) 용액 ㉠의 농도는 용액 ㉡보다 높다. ……… (○ / ×)
(2) 등장액에 있던 식물 세포를 용액 ㉠에 넣으면 물이 세포 밖으로 빠져나가는 속도가 안으로 들어오는 속도보다 빨라진다. ……………… (○ / ×)
(3) 세포의 부피가 1.0일 때를 최대 팽윤 상태라고 한다.
…………………………………………… (○ / ×)
(4) 흡수력은 삼투압과 팽압이 높을수록 커진다. (○ / ×)
(5) 세포의 부피가 1.3 이상이 되면 용혈이 일어난다.
…………………………………………… (○ / ×)

자료 4 세포막을 통한 물질의 이동 방식

기출 Point
- 물질의 이동 방식 구분하기
- 확산과 능동 수송의 공통점과 차이점 알기

[1~3] 그림 (가)~(다)는 세포막을 통한 물질의 이동 방식을 나타낸 것이다. (가)~(다)는 각각 단순 확산, 촉진 확산, 능동 수송 중 하나이다.

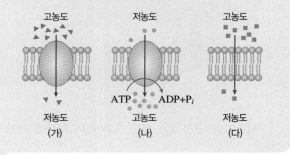

(가) / (나) / (다)

1 (가)~(다)의 물질 이동 방식 이름을 각각 쓰시오.

2 물질을 이동시키는 데 에너지를 사용하는 방식을 있는 대로 골라 기호를 쓰시오.

3 빈출 선택지로 완벽 정리!

(1) (가)와 (나)는 모두 물질 이동에 막단백질이 관여하지만, (다)는 막단백질이 관여하지 않는다. …… (○ / ×)
(2) (가)~(다)는 모두 세포 호흡이 멈춘 세포에서도 일어난다. ……………………………………… (○ / ×)
(3) (가)는 농도 기울기를 거슬러 물질을 이동시키는 방식이다. ………………………………………… (○ / ×)
(4) 인슐린의 작용으로 혈액의 포도당이 세포막을 통해 이동하는 방식은 (가)와 같다. ……………… (○ / ×)
(5) Na$^+$−K$^+$ 펌프를 통한 이온의 이동은 (나)의 예에 해당한다. …………………………………… (○ / ×)
(6) 적혈구를 증류수에 일정 시간 동안 넣어 두었을 때 나타나는 용혈은 (나)에 의해 일어난다. …… (○ / ×)

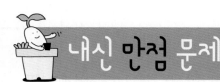
A 세포막의 구조

01 그림은 세포막의 구조를 나타낸 것이다.

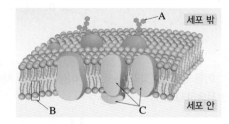

이에 대한 설명으로 옳지 <u>않은</u> 것은?

① 세포막은 단일막 구조이다.
② A는 콜레스테롤이며, 세포를 구별하는 데 이용된다.
③ B는 친수성과 소수성을 모두 가진다.
④ C는 단백질이며, 인지질 2중층에서 수평으로 이동할 수 있다.
⑤ B는 세포막의 기본 구조를 형성하고, C는 막의 기능을 결정한다.

02 그림은 막단백질의 종류 (가)~(다)를 나타낸 것이다.

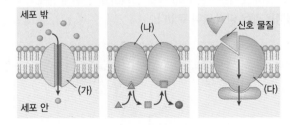

(가)~(다)의 기능을 옳게 짝 지은 것은?

	(가)	(나)	(다)
①	물질 운반	신호 전달	효소 작용
②	물질 운반	효소 작용	신호 전달
③	물질 운반	효소 작용	세포 인식
④	신호 전달	물질 운반	효소 작용
⑤	신호 전달	세포 인식	물질 운반

03 그림 (가)와 같이 세포 표면의 막단백질에 형광 물질을 부착하고 A 부위만 형광 물질을 제거하였더니 시간이 지나면서 A 부위의 형광 세기가 그림 (나)와 같이 변하였다.

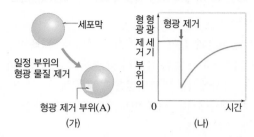

이를 통해 알 수 있는 사실에 대한 설명으로 옳은 것만을 [보기]에서 있는 대로 고른 것은?

[보기]
ㄱ. 형광 물질이 부착된 막단백질이 A 부위로 이동하였다.
ㄴ. 세포막을 구성하는 인지질은 특정 위치에 고정되어 있다.
ㄷ. 이 실험 결과와 관계 있는 세포막의 구조 모형은 유동 모자이크막 모델이다.

① ㄱ   ② ㄴ   ③ ㄷ
④ ㄱ, ㄷ   ⑤ ㄴ, ㄷ

B 세포막의 선택적 투과성

04 세포막의 선택적 투과성에 대한 설명으로 옳은 것만을 [보기]에서 있는 대로 고른 것은?

[보기]
ㄱ. 소수성 물질은 세포막을 직접 통과하지 못한다.
ㄴ. 전하를 띠고 있는 물질은 인지질 2중층을 직접 통과한다.
ㄷ. 크기가 작고 극성이 없는 분자는 확산에 의해 세포막을 직접 통과할 수 있다.
ㄹ. 세포막이 물질 이동을 선택적으로 조절하여 세포 안팎의 환경이 큰 차이를 유지할 수 있다.

① ㄱ, ㄴ   ② ㄱ, ㄷ   ③ ㄴ, ㄷ
④ ㄴ, ㄹ   ⑤ ㄷ, ㄹ

C 에너지를 사용하지 않는 물질 이동

05 세포막에서 일어나는 물질의 확산에 대한 설명으로 옳지 않은 것은?

① 기체, 이온과 같이 크기가 작은 물질만 확산된다.
② 물질이 농도가 높은 쪽에서 낮은 쪽으로 이동한다.
③ 촉진 확산에서는 막단백질을 통해 물질이 이동한다.
④ 단순 확산에서는 세포 안팎의 물질 농도 차가 클수록 이동 속도가 빨라진다.
⑤ 물질이 인지질 2중층을 직접 통과하여 확산하는 것을 단순 확산이라고 한다.

[06~07] 그림은 세포막을 통한 물질 이동 방식 A, B를 나타낸 것이다. A와 B는 각각 단순 확산과 촉진 확산 중 하나이다.

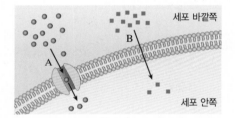

06 이에 대한 설명으로 옳은 것만을 [보기]에서 있는 대로 고르시오.

[보기]
ㄱ. A의 이동 방식은 촉진 확산이다
ㄴ. A와 B에는 모두 에너지가 사용되지 않는다.
ㄷ. A는 농도 기울기를 따라 물질이 이동하고, B는 농도 기울기를 거슬러 물질이 이동한다.

07 방식 A, B로 이동하는 물질의 예를 옳게 짝 지은 것은?

	A	B		A	B
①	K^+	Na^+	②	산소	Na^+
③	산소	이산화 탄소	④	Na^+	산소
⑤	포도당	아미노산			

08 서술형 그림은 물질 A와 B가 세포 안팎의 농도 차에 따라 세포막을 통해 확산하는 속도를 나타낸 것이다. 물질 A와 B는 각각 단순 확산과 촉진 확산 중 하나의 방식으로 이동한다.

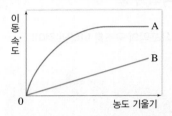

A와 B의 이동 방식을 각각 쓰고, 두 이동 방식의 차이점을 한 가지만 서술하시오.

09 삼투에 대한 설명으로 옳지 않은 것은?

① 삼투에는 에너지가 사용되지 않는다.
② 용질이 반투과성 막을 통과할 수 있을 때 일어난다.
③ 반투과성 막을 경계로 물의 농도가 높은 쪽에서 낮은 쪽으로 물이 확산하는 현상이다.
④ 삼투가 일어날 때 반투과성 막에 가해지는 압력을 삼투압이라고 한다.
⑤ 적혈구를 저장액에 넣어 두면 삼투에 의해 용혈 현상이 나타난다.

10 그림과 같이 U자관에 물과 포도당은 통과하고, 설탕은 통과하지 못하는 반투과성 막을 설치하고, 양쪽에 농도가 다른 용액을 같은 양씩 넣어 두었다.

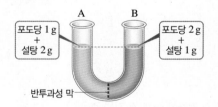

이에 대한 설명으로 옳은 것만을 [보기]에서 있는 대로 고른 것은?

[보기]
ㄱ. 설탕의 농도는 A쪽보다 B쪽이 높아질 것이다.
ㄴ. A쪽의 용액 높이가 B쪽보다 높아질 것이다.
ㄷ. B쪽의 포도당은 그 양이 증가할 것이다.

① ㄱ　② ㄴ　③ ㄷ　④ ㄱ, ㄴ　⑤ ㄴ, ㄷ

11 그림은 어떤 식물 세포를 농도가 다른 소금물에 각각 일정 시간 동안 넣어 두었을 때의 모습을 나타낸 것이다. 소금물 중 하나는 저장액, 다른 하나는 고장액이다.

(가)　　　　(나)

이에 대한 설명으로 옳은 것은?

① 흡수력은 (가)가 (나)보다 작다.
② 세포의 삼투압은 (가)가 (나)보다 높다.
③ (가)의 세포는 저장액에, (나)의 세포는 고장액에 넣어 둔 것이다.
④ (가)의 상태로 될 때에는 세포 밖으로 나가는 물의 양보다 세포 안으로 들어오는 물의 양이 많다.
⑤ (나)에서는 원형질 분리가 일어났다.

12 그림은 고장액에 넣어 두었던 식물 세포를 저장액에 넣었을 때 식물 세포의 상대적 부피에 따른 팽압과 삼투압의 변화를 나타낸 것이다.

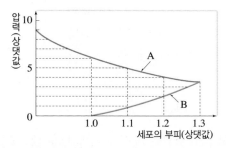

이에 대한 설명으로 옳은 것만을 [보기]에서 있는 대로 고른 것은?

[보기]
ㄱ. A는 팽압, B는 삼투압의 변화를 나타낸 것이다.
ㄴ. 세포의 부피가 커질수록 흡수력은 커진다.
ㄷ. 세포의 부피가 1.1일 때 흡수력은 4이다.
ㄹ. 세포의 부피가 1.3일 때 세포는 최대 팽윤 상태이다.

① ㄱ, ㄴ　　② ㄱ, ㄷ　　③ ㄴ, ㄷ
④ ㄴ, ㄹ　　⑤ ㄷ, ㄹ

13 그림 (가)와 같이 동일한 조직에서 얻은 동물 세포 X와 Y를 농도가 다른 두 용액 A와 B에 각각 넣고 시간에 따른 세포액의 삼투압 변화를 조사하였더니 그림 (나)와 같았다.(단, 용액 A, B의 용질은 종류가 같고 세포막을 통과하지 못한다.)

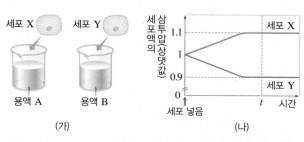

(가)　　　　　　(나)

이에 대한 설명으로 옳은 것만을 [보기]에서 있는 대로 고른 것은?

[보기]
ㄱ. 용액 A는 용액 B보다 농도가 낮다.
ㄴ. t 시점에서 세포 X의 부피는 용액 A에 넣기 전보다 작다.
ㄷ. t 시점에서 세포 Y에서는 세포막을 통한 물의 이동이 일어나지 않는다.

① ㄴ　　　　　② ㄷ　　　　　③ ㄱ, ㄴ
④ ㄱ, ㄷ　　　⑤ ㄴ, ㄷ

14 그림은 동물 세포의 세포막을 통과하지 못하는 용질이 포함된 용액 X에 동물 세포를 넣은 후 시간에 따른 세포의 부피 변화를 나타낸 것이다.

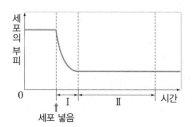

이에 대한 설명으로 옳은 것만을 [보기]에서 있는 대로 고른 것은?

[보기]
ㄱ. 용액 X는 고장액이다.
ㄴ. 구간 Ⅰ에서 동물 세포 안에서 밖으로 물이 빠져나간다.
ㄷ. 구간 Ⅱ에서 용혈 현상이 나타난다.

① ㄱ　　　　　② ㄴ　　　　　③ ㄷ
④ ㄱ, ㄴ　　　⑤ ㄱ, ㄷ

15 ^{서술형}
비커 (가)~(라)에 농도가 다른 용액을 같은 양씩 넣고, 크기와 질량이 같은 정육면체 모양의 감자 조각 1개를 충분히 잠기도록 넣어 두었더니 일정 시간 후 감자 조각의 질량 변화가 표와 같았다.

구분	(가)	(나)	(다)	(라)
용액	증류수	0.1 M 설탕 용액	0.3 M 설탕 용액	0.5 M 설탕 용액
감자 조각의 질량 변화	0.2 g 증가	0.05 g 증가	변화 없음	0.15 g 감소

(가)~(라) 중 감자 세포의 삼투압이 가장 낮고 팽압이 가장 높은 것의 기호를 쓰고, 그렇게 판단한 근거를 삼투와 연관 지어 서술하시오.

Ⓓ **에너지를 사용하는 물질 이동**

16 ATP가 사용되는 현상으로 옳지 **않은** 것은?

① 식세포 작용
② 음세포 작용
③ Na^+-K^+ 펌프
④ 식물 세포의 원형질 분리
⑤ 식물 뿌리털에서의 무기 양분 흡수

17 그림은 세포막을 통한 세 종류의 물질 이동 방식 (가)~(다)를 모식적으로 나타낸 것이다. (가)~(다)는 각각 능동 수송, 단순 확산, 촉진 확산 중 하나이다.

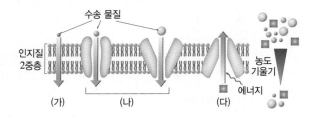

이에 대한 설명으로 옳은 것은?

① (가)는 단순 확산, (나)는 능동 수송이다.
② (나)와 (다)는 특정한 물질의 수송에 관여한다.
③ 세포 호흡 저해제를 처리하면 (나)와 (다)가 억제된다.
④ 폐포와 모세 혈관 사이에서 기체 교환이 일어날 때의 물질 이동 방식은 (나)와 같다.
⑤ (다)의 결과 세포 안팎의 물질 농도가 같아진다.

18 그림은 Na^+-K^+ 펌프에 의한 Na^+과 K^+의 이동을 나타낸 것이다. (가)와 (나)는 각각 세포 안쪽과 바깥쪽 중 하나이고, ㉠과 ㉡은 각각 Na^+과 K^+ 중 하나이다.

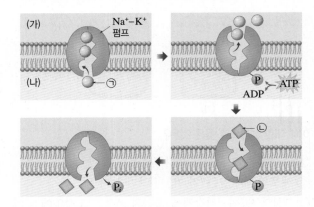

이에 대한 설명으로 옳지 **않은** 것은?

① ㉠은 Na^+, ㉡은 K^+이다.
② (가)는 세포 안쪽, (나)는 세포 바깥쪽이다.
③ Na^+과 K^+의 이동에 에너지가 사용된다.
④ Na^+과 K^+의 이동에 막단백질이 관여한다.
⑤ 농도 기울기를 거슬러 Na^+과 K^+이 이동한다.

19 그림은 세포막을 통한 물질 X의 이동을 나타낸 것이다.

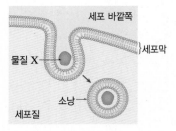

이에 대한 설명으로 옳은 것만을 [보기]에서 있는 대로 고른 것은?

〔보기〕
ㄱ. X는 수송 단백질을 통해 세포막을 통과하기 어렵다.
ㄴ. X의 이동 과정에서 세포막의 표면적이 일시적으로 증가한다.
ㄷ. 백혈구는 X의 운반 과정과 같은 방식으로 세균을 끌어들여 제거한다.

① ㄱ
② ㄴ
③ ㄱ, ㄷ
④ ㄴ, ㄷ
⑤ ㄱ, ㄴ, ㄷ

20 그림은 세포에서의 물질 출입 과정을 나타낸 것이다.

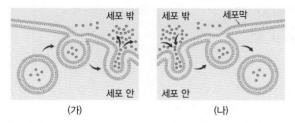

(가)   (나)

이에 대한 설명으로 옳은 것만을 [보기]에서 있는 대로 고른 것은?

─〔보기〕─
ㄱ. (가)는 세포내 섭취이다.
ㄴ. (가)와 (나)에서 모두 에너지가 사용된다.
ㄷ. 리보솜에서 합성된 단백질이 세포 밖으로 분비될 때 (나)와 같은 현상이 나타난다.

① ㄴ   ② ㄷ   ③ ㄱ, ㄴ
④ ㄱ, ㄷ   ⑤ ㄱ, ㄴ, ㄷ

21 그림은 인지질로 구성된 리포솜을 통해 어떤 물질을 세포 내로 이동시키는 과정을 나타낸 것이다.

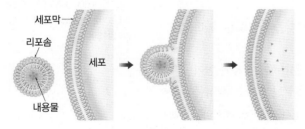

이에 대한 설명으로 옳은 것만을 [보기]에서 있는 대로 고른 것은?

─〔보기〕─
ㄱ. 리포솜은 인지질 2중층으로 이루어져 있다.
ㄴ. 이 과정에서 세포막의 표면적이 일시적으로 감소한다.
ㄷ. 리포솜을 이용하여 암세포에 직접적으로 약물을 전달할 수 있다.

① ㄱ   ② ㄴ   ③ ㄷ
④ ㄱ, ㄷ   ⑤ ㄴ, ㄷ

22 그림은 동물의 세포막을 통한 물질의 이동 방식 (가)와 (나)를 나타낸 것이다. (가)와 (나)는 각각 세포외 배출과 촉진 확산 중 하나이다.

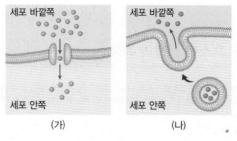

(가)   (나)

이에 대한 설명으로 옳지 않은 것은?

① 혈액 속 포도당이 세포막을 통과할 때 (가)와 같은 방식으로 이동한다.
② (가)에서는 농도 기울기에 따라 물질이 세포막을 통과한다.
③ (나)에서는 소낭이 관여한다.
④ 인슐린은 (나)와 같은 방식으로 세포 밖으로 이동한다.
⑤ (가)와 (나)에서는 모두 에너지가 사용된다.

23 표는 세포막을 통한 물질 이동 방식 (가)와 (나)의 특징을, 그림은 물질 X가 들어 있는 배양액에 세포를 넣은 후 시간에 따라 X의 세포 안쪽과 바깥쪽의 농도를 나타낸 것이다. (가)와 (나)는 각각 능동 수송과 촉진 확산 중 하나이고, X의 이동 방식은 (가)와 (나) 중 하나이다.

구분	ATP	막단백질
(가)	사용함	관여함
(나)	사용 안 함	㉠

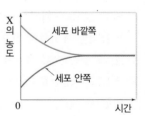

이에 대한 설명으로 옳은 것은?

① ㉠은 '관여 안 함'이다.
② X의 이동 방식은 (가)이다.
③ (나)는 농도 기울기를 따라 물질이 세포막을 통해 이동하는 방식이다.
④ Na^+-K^+ 펌프를 통한 Na^+의 이동 방식은 (나)이다.
⑤ X의 이동 속도는 세포 안팎의 농도 차에 비례하여 계속 증가한다.

02 효소

핵심
포인트

ⓐ 효소와 활성화 에너지 ★★★
　효소의 작용과 기질 특이성 ★★★

ⓑ 효소의 구성 ★★
ⓒ 기질의 농도, 온도, pH, 저해제가 효소의
　작용에 미치는 영향 ★★★

ⓓ 생활 속 효소의 이용 예 ★

Ⓐ 효소의 작용과 특성

우리 몸에서는 생명을 유지하기 위해 다양한 화학 반응이 끊임없이 일어나는데, 효소는 몸속에서 화학 반응이 일어나는 데 꼭 필요합니다. 효소가 우리 몸속에서 어떤 기능을 하고, 어떤 특성을 가지는지 함께 알아보아요.

1. 효소와 화학 반응　효소는 *생명체에서 일어나는 화학 반응을 촉진하는 생체 ❶촉매이다.

2. 효소의 기능　화학 반응이 일어나기 위해 필요한 최소한의 에너지인 활성화 에너지를 낮추어 화학 반응이 빠르게 일어나게 한다. → 활성화 에너지가 높으면 화학 반응이 일어나기 어렵고, 활성화 에너지가 낮으면 화학 반응이 잘 일어난다.

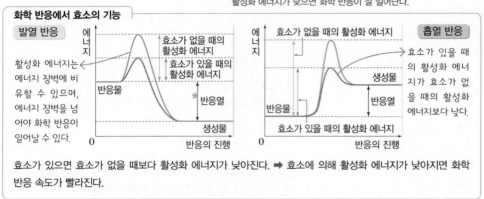

화학 반응에서 효소의 기능

발열 반응 / 흡열 반응

효소가 있으면 효소가 없을 때보다 활성화 에너지가 낮아진다. ➡ 효소에 의해 활성화 에너지가 낮아지면 화학 반응 속도가 빨라진다.

3. 효소의 작용과 특성

(1) 효소·기질 복합체 형성: 효소의 활성 부위에 ❷기질이 결합하면 효소·기질 복합체가 형성되고, 효소와 기질이 결합하고 있는 동안 기질이 생성물로 변한다. ➡ 효소는 효소·기질 복합체를 형성하여 반응의 활성화 에너지를 낮춘다.

① **효소의 활성 부위**: 기질이 결합하는 효소의 특정 부위로, 이 부위에서 촉매 작용이 일어난다.

② **효소의 재사용**: 효소는 반응 전후에 변하지 않으므로 화학 반응이 끝난 효소는 생성물과 분리된 후 새로운 기질과 결합하여 다시 촉매 작용을 한다. → 효소는 적은 양으로도 효율적으로 작용한다.

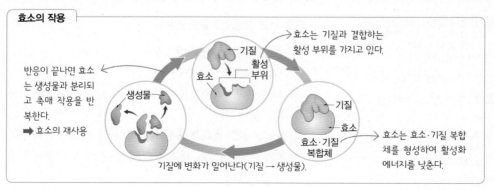

효소의 작용

효소는 기질과 결합하는 활성 부위를 가지고 있다.

반응이 끝나면 효소는 생성물과 분리되고 촉매 작용을 반복한다.
➡ 효소의 재사용

기질에 변화가 일어난다(기질 → 생성물).

효소는 효소·기질 복합체를 형성하여 활성화 에너지를 낮춘다.

★ **물질대사**

생명체에서 일어나는 화학 반응을 통틀어 물질대사라고 하며, 이화 작용과 동화 작용으로 구분된다.

• 이화 작용: 복잡한 물질이 간단한 물질로 분해되는 반응이며, 발열 반응이다. 예 세포 호흡
• 동화 작용: 간단한 물질이 복잡한 물질로 합성되는 반응이며, 흡열 반응이다. 예 광합성

★ **반응열**

화학 반응이 일어날 때 흡수되거나 방출되는 열로, 반응물과 생성물의 에너지 차이이다. 반응열의 크기는 효소의 유무와 관계없이 일정하다.

| 용어 |

❶ **촉매**(觸 닿다, 媒 중매) 화학 반응 전후에 자신은 변하지 않고 활성화 에너지를 변화시켜 반응 속도에 영향을 주는 물질이다.
❷ **기질**(基 터, 質 바탕) 효소와 결합하는 반응물이다.

(2) **기질 특이성**: *효소가 활성 부위의 입체 구조에 들어맞는 특정한 기질과만 결합하여 작용하는 성질이다. 예 수크레이스는 설탕만, 아밀레이스는 녹말만 분해한다.

효소의 기질 특이성

- 활성 부위에 들어맞는 기질 → 효소·기질 복합체를 형성한다. → 자물쇠에 맞는 열쇠가 있는 것처럼 효소는 활성 부위의 입체 구조에 들어맞는 구조를 가진 기질과만 결합한다.
- 활성 부위에 들어맞지 않는 물질 → 효소·기질 복합체를 형성하지 못한다. → 물질의 구조가 활성 부위의 입체 구조에 들어맞지 않기 때문이다.

효소

★ 효소와 기질의 결합
효소와 기질이 결합하기 전부터 효소 활성 부위의 입체 구조가 기질과 완벽하게 맞는 것은 아니다. 효소의 활성 부위에 어느 정도 맞는 기질이 결합하면 활성 부위의 입체 구조가 기질과 꼭 들어맞도록 변한다.

B 효소의 구성과 종류

1. 효소의 구성 효소의 주성분은 단백질이다. ➡ 효소에는 단백질 성분만으로 활성을 나타내는 것이 있고, 단백질에 비단백질 성분인 보조 인자가 결합해야 활성을 나타내는 것이 있다.

• 단백질 성분으로만 활성을 나타내는 효소에는 아밀레이스, 펩신이 있고, 보조 인자가 있어야 활성을 나타내는 효소에는 탈수소 효소가 있다.

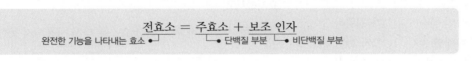

전효소 = 주효소 + 보조 인자
완전한 기능을 나타내는 효소 • 단백질 부분 • 비단백질 부분

주효소	효소의 단백질 부분으로, 열과 pH에 의해 쉽게 변성된다. → 단백질 구조가 변하면 효소 활성이 떨어진다.
보조 인자	• 효소의 비단백질 부분으로, 활성 부위를 기질과 결합하기 적합한 형태로 만든다. • 효소의 활성 부위에 영구적으로 존재하는 것도 있고, 기질과 결합할 때 결합하는 것도 있다. • 종류: Zn^{2+}, Fe^{2+}, Cu^{2+} 등의 금속 이온, 비타민과 같은 유기 화합물로 된 *조효소

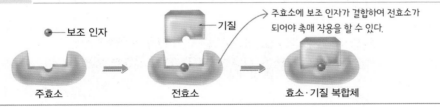

• 보조 인자
기질
주효소에 보조 인자가 결합하여 전효소가 되어야 촉매 작용을 할 수 있다.

주효소 전효소 효소·기질 복합체

★ 조효소의 특징
한 종류의 조효소가 여러 가지 주효소의 작용에 관여하며, 주효소에 비해 크기가 작고 열에 강하다.
예 NAD^+, FAD, $NADP^+$

2. 효소의 종류 효소가 촉매하는 화학 반응의 종류에 따라 6가지로 분류한다.

*산화 환원 효소	수소나 산소, 전자를 다른 분자에 전달하여 산화·환원 반응에 관여한다.	◯—H₂ + ◯ → ◯ + ◯—H₂
전이 효소	기질의 *작용기를 떼어 다른 분자에 전달한다.	◯—NH₂ + ◯ → ◯ + ◯—NH₂
가수 분해 효소	물 분자를 첨가하여 기질을 분해한다.	◯◯ + H₂O → ◯—H + ◯—OH
부가 제거 효소	기질에서 작용기를 떼어 내거나 기질에 작용기를 붙인다. → 제거 부가 효소라고도 한다.	◯● → ◯ + ● 작용기
이성질화 효소	기질의 분자 구조를 변형하여 성질이 다른 물질(이성질체)로 바꾼다.	
연결 효소	에너지(ATP)를 사용하여 두 개의 분자를 연결한다.	

★ 산화와 환원
• 산화: 산소(O)를 얻거나 수소(H) 또는 전자를 잃는 반응
• 환원: 산소(O)를 잃거나 수소(H) 또는 전자를 얻는 반응

★ 작용기
화학 반응에 동시에 관여하는 몇 개의 원자 집단이다. 예 아미노기($-NH_2$), 카복실기($-COOH$)

개념 확인 문제

정답친해 28쪽

핵심 체크

- (❶   ) 에너지: 화학 반응이 일어나기 위해 필요한 최소한의 에너지
- 효소: 생명체에서 일어나는 화학 반응의 활성화 에너지를 (❷   )시켜 반응 속도를 빠르게 하는 생체 촉매
- 효소의 (❸   ): 한 종류의 효소가 특정한 기질과만 결합하여 작용하는 성질
- 효소는 기질과 결합하여 (❹   )를 형성하고, 기질이 생성물로 변하면 생성물과 분리된다.
- 효소의 구성: (❺   ) = (❻   )+보조 인자
- 효소의 종류
  - (❼   ) 효소: 수소나 산소, 전자를 다른 분자에 전달
  - 전이 효소: 기질의 작용기를 떼어 다른 분자에 전달
  - (❽   ) 효소: 물 분자를 첨가하여 기질을 분해
  - 부가 제거 효소: 기질에서 작용기를 떼어 내거나 기질에 작용기를 붙임
  - 이성질화 효소: 기질의 분자 구조를 변형하여 성질이 다른 물질로 바꿈
  - 연결 효소: 에너지를 사용하여 두 분자를 연결

1 다음은 효소의 작용에 대한 설명이다.

생명체에서 일어나는 화학 반응인 ㉠(   )가 원활하게 일어날 수 있는 것은 생체 촉매인 ㉡(   )가 있기 때문이며, ㉡(   )는 화학 반응이 일어나기 위해 필요한 최소한의 에너지인 ㉢(   )를 낮추어 반응이 빠르게 일어나게 한다.

(   ) 안에 알맞은 말을 쓰시오.

2 그림은 효소가 있을 때와 없을 때 화학 반응의 진행에 따른 상대적인 에너지양의 변화를 나타낸 것이다.
A∼C 중 효소가 있을 때의 활성화 에너지에 해당하는 것의 기호를 쓰시오.

3 그림은 효소의 작용 과정을 나타낸 것이다.

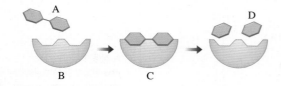

물질 A∼D의 이름을 각각 쓰시오.

4 효소에 대한 설명으로 옳은 것은 ○, 옳지 <u>않은</u> 것은 ×로 표시하시오.

(1) 화학 반응에 한 번 참여한 효소는 다시 사용되지 못한다.
                         (   )

(2) 효소가 기질과 결합하여 효소·기질 복합체를 형성하고 있는 동안 기질이 생성물로 변한다. ⸺⸺ (   )

(3) 효소는 활성 부위와 입체 구조가 들어맞는 기질과만 결합하여 작용하는 기질 특이성이 있다. ⸺⸺ (   )

5 그림은 효소의 구성을 나타낸 것이다.

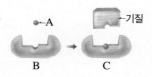

(1) A∼C는 각각 전효소, 보조 인자, 주효소 중 어느 것에 해당하는지 쓰시오.

(2) A, B 중 비단백질 부분의 기호를 쓰시오.

6 효소의 종류와 기능을 옳게 연결하시오.

(1) 전이 효소 •

(2) 산화 환원 효소 •

(3) 가수 분해 효소 •

• ㉠ 전자를 다른 분자에 전달

• ㉡ 물 분자를 첨가하여 기질 분해

• ㉢ 기질의 작용기를 떼어 다른 분자에 전달

C **효소의 작용에 영향을 미치는 요인**

효소는 주성분이 단백질이므로 온도, pH와 같은 주변 환경의 영향을 많이 받습니다. 지금부터 효소의 작용에 영향을 미치는 요인에는 무엇이 있으며, 효소의 작용에 어떤 영향을 미치는지 함께 알아보아요.

1. 온도와 pH 효소는 일정 온도와 pH를 벗어나면 단백질의 입체 구조가 변하여 반응 속도가 급격히 감소하거나 반응이 일어나지 않는다.

(1) 온도

① 최적 온도: 효소의 활성이 가장 높아 반응 속도가 최대인 온도이며, 사람 몸에 있는 효소의 최적 온도는 체온 범위인 35 °C~40 °C이다.

② 반응 속도는 온도가 높아질수록 증가하다가 최적 온도보다 높아지면 급격하게 감소한다.

온도에 따른 효소의 반응 속도

최적 온도보다 낮은 온도: 온도가 높아질수록 효소와 기질의 운동성이 활발해져 효소·기질 복합체의 형성 속도가 빨라지므로 반응 속도가 증가한다.

이 효소는 35 °C~40 °C에서 반응 속도가 최대이므로, 이 때의 온도가 최적 온도이다.

최적 온도보다 높은 온도: 효소의 주성분인 단백질의 입체 구조가 변하므로 반응 속도가 급격하게 감소한다.

(세로축: 반응 속도, 가로축: 0 10 20 30 40 온도(°C), 최적 온도)

(2) *pH

① 최적 pH: 효소의 활성이 가장 높아 반응 속도가 최대인 pH이며, 최적 pH는 효소의 종류에 따라 다르다.

② 최적 pH를 벗어나면 반응 속도가 급격하게 감소한다.

pH에 따른 효소의 반응 속도

사람 효소의 최적 pH는 중성인 경우가 많지만 작용 장소에 따라 다르다.
- 펩신의 최적 pH: 2
- 아밀레이스의 최적 pH: 7
- 트립신의 최적 pH: 8

펩신과 트립신은 모두 단백질 소화 효소이지만 서로 다른 소화 기관에서 작용하므로 최적 pH가 다르다.

산성 환경에서 작용한다. → 중성 환경에서 작용한다.

(세로축: 반응 속도, 산성 중성 염기성, 펩신 아밀레이스 트립신, 0 1 2 3 4 5 6 7 8 9 pH)

약염기성 환경에서 작용한다.

2. 기질의 농도 효소의 농도가 일정할 때 기질의 농도가 증가할수록 반응 속도가 증가하다가 기질의 농도가 일정 수준에 이르면 반응 속도는 더 이상 증가하지 않고 일정해진다.

기질의 농도에 따른 효소의 반응 속도

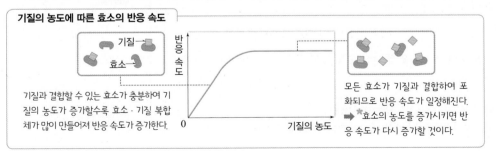

기질과 결합할 수 있는 효소가 충분하여 기질의 농도가 증가할수록 효소·기질 복합체가 많이 만들어져 반응 속도가 증가한다.

모든 효소가 기질과 결합하여 포화되므로 반응 속도가 일정해진다. ➡ *효소의 농도를 증가시키면 반응 속도가 다시 증가할 것이다.

(세로축: 반응 속도, 가로축: 기질의 농도)

온도, pH 등에 의해 효소의 입체 구조가 변하면 효소·기질 복합체가 형성되기 어려워 효소가 반응을 잘 하지 못하거나 촉매 기능을 잃어요.

궁금해

모든 효소의 최적 온도는 같을까?
효소의 최적 온도는 생물이 서식하는 환경의 온도와 밀접한 관련이 있다. 온천수와 같이 뜨거운 곳에 사는 세균의 효소는 최적 온도가 80 °C 이상이고, 차가운 곳에 사는 세균의 효소는 최적 온도가 약 15 °C이다.

★ pH
- 용액의 산성도를 측정하는 척도로, 물질의 산성, 중성, 염기성의 정도를 나타내는 수치이다.
- pH 1~14까지 있으며 pH 7이면 중성, pH 7보다 작으면 산성, pH 7보다 크면 염기성이다.

★ 효소의 농도와 반응 속도
기질의 농도가 충분하고, 온도와 pH 등의 조건이 최적일 때에는 효소의 농도가 증가할수록 반응 속도가 증가한다.

탐구 자료창 효소의 작용에 영향을 미치는 요인

온도가 효소의 작용에 미치는 영향

과정
❶ 비커 A~C에 *감자즙을 10 mL씩 넣고, 비커 A는 얼음물, 비커 B는 35 ℃의 물, 비커 C 는 60 ℃의 물이 든 비커에 담가 둔다. * 감자를 강판에 갈고 거즈를 이용하여 감자즙을 짜낸다.
❷ 같은 크기의 거름종이 조각을 비커 A~C의 감자즙에 각각 넣어 적신다.
❸ 비커 3개에 1 % 과산화 수소 용액을 30 mL씩 넣고 감자즙을 적신 거름종이 조각을 1개씩 넣어 가라앉힌 후, 거름종이 조각이 수면까지 완전히 떠오르는 데 걸리는 시간을 측정한다.
❹ 과정 ❷~❸을 2회 더 반복하여 거름종이 조각이 수면까지 완전히 떠오르는 데 걸리는 시간 의 평균값을 구한다.
↳ 거름종이 조각에 묻은 카탈레이스에 의해 과산화 수소가 분해되면서 발생한 산소가 기포 형태로 거름종이에 달라붙어 부력이 생긴다.

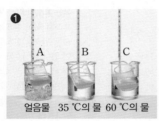

❶

얼음물 35 ℃의 물 60 ℃의 물

❷

거름종이

❸

과산화 수소 용액

결과

구분	1회	2회	3회	평균값
A의 거름종이 조각(0 ℃)	10분	12분	11분	11분
B의 거름종이 조각(35 ℃)	16초	20초	18초	18초
C의 거름종이 조각(60 ℃)	9분	8분	10분	9분

➡ 비커 A~C 중 B의 감자즙을 적신 거름종이 조각이 가장 빠르게 떠올랐다.

해석 카탈레이스의 작용은 온도의 영향을 받으며, 0 ℃, 35 ℃, 60 ℃ 중 카탈레이스의 작용이 가 장 활발한 온도는 35 ℃이다.

같은 탐구 **다른 실험**

미래엔 교과서에만 나와요.

온도와 pH가 효소의 작용에 미치는 영향

과정
❶ 시험관 A~F에 2 % 녹말 용액을 3 mL씩 넣고 *아이오딘 용액을 한 방울씩 떨어뜨린다.
❷ 시험관 D에는 pH 3 표준 용액을, E에는 pH 7 표준 용액을, F에는 pH 10 표준 용액을 1 mL 씩 넣는다.
❸ 시험관 A~F에 1 % 아밀레이스 용액을 1 mL 씩 넣은 후, 시험관 A, D, E, F는 35 ℃의 물, B 는 얼음물, C는 60 ℃의 물이 든 비커에 담가 두고 10분 동안 시험관 용액의 색깔 변화를 관찰한다.

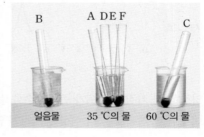

B A D E F C

얼음물 35 ℃의 물 60 ℃의 물

결과 시험관 A, B, C 중에서는 A의 색깔이, D, E, F 중에서는 E의 색깔이 가장 많이 변하였다.

해석 아밀레이스의 작용은 온도와 pH의 영향을 받으며, 35 ℃, pH 7 정도에서 활발하게 작용한다.

확인 문제
1 카탈레이스는 (0 ℃, 35 ℃, 60 ℃)에서 가장 활발하게 작용한다.
2 효소의 주성분이 (   )이기 때문에 효소의 작용은 온도와 pH의 영향을 받는다.

확인 문제 답
1 35 ℃
2 단백질

3. 저해제 효소와 결합하여 효소·기질 복합체의 형성을 방해하는 물질이다. ➡ 저해제가 있으면 반응 속도가 느려진다. → 저해제는 특정 효소의 작용을 선택적으로 방해하여 물질대사에 영향을 미친다.

경쟁적 저해제	비경쟁적 저해제
• 기질과 입체 구조가 유사하여 활성 부위에 기질과 경쟁적으로 결합한다. • 기질의 농도가 낮으면 저해 효과가 크지만, 기질의 농도가 높아지면 저해 효과가 감소한다.	• 활성 부위가 아닌 다른 부위에 결합하여 활성 부위의 구조를 변형시켜 기질이 결합하지 못하게 한다. • 기질의 농도가 높아져도 저해 효과가 감소하지 않는다.
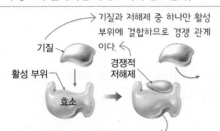기질과 저해제 중 하나만 활성 부위에 결합하므로 경쟁 관계이다. 경쟁적 저해제가 효소와 결합하면 기질이 효소의 활성 부위에 결합할 수 없다.	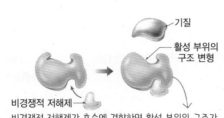비경쟁적 저해제가 효소에 결합하면 활성 부위의 구조가 변형되어 기질이 결합할 수 없다.

★ **저해제의 이용**
• 물질대사 과정 조절: 물질대사의 최종 산물이 물질대사 초기 단계의 효소에 비경쟁적 저해제로 작용한다.
• 살충제, 의약품, 항암제의 개발에 쓰인다.
 – 아스피린: 염증, 발열, 통증 유발 물질의 합성에 관여하는 효소의 활성 부위에 결합하여 작용을 방해한다.
 – 페니실린: 세균의 세포벽을 합성하는 효소의 활성 부위에 결합하여 세포벽이 합성되는 것을 막아 세균을 죽게 한다.

경쟁적 저해제와 효소의 활성

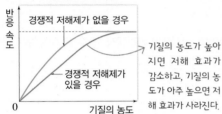

기질의 농도가 높아지면 효소의 활성 부위에 경쟁적 저해제가 결합할 확률이 낮아져 저해 효과가 점점 사라진다.

비경쟁적 저해제와 효소의 활성

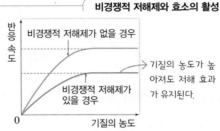

비경쟁적 저해제는 효소의 활성 부위가 아닌 다른 부위에 결합하므로 기질의 농도가 높아져도 저해 효과가 유지된다.

D 생활 속 효소의 이용
→ 효소는 19세기에 그 존재가 밝혀지고, 생명체 밖에서도 작용할 수 있다는 것이 알려지면서 본격적으로 이용되기 시작했다.

식품에서의 이용	• 엿기름 속의 아밀레이스를 이용하여 식혜를 만든다. • 키위, 배 등 과일의 단백질 분해 효소를 이용하여 고기를 연하게 만든다. • 새우젓의 단백질 분해 효소와 지방 분해 효소가 돼지고기의 소화를 돕는다. • 누룩곰팡이, 젖산균 등의 효소를 이용하여 된장, 김치와 같은 발효 식품을 만든다.
생활용품 에서의 이용	• 효소 세제: 단백질 분해 효소, 지방 분해 효소 등으로 옷의 때를 분해한다. • 유용 미생물(EM): 유용 미생물(EM)은 다양한 효소가 있어 하수구에 뿌리면 하수구 냄새가 사라지고, 세탁할 때 사용하면 옷에 묻은 얼룩이 사라진다.
의약품에서의 이용	• 소화제: 단백질 분해 효소, 탄수화물 분해 효소 등의 소화 효소를 이용하여 소화를 돕는다. • 요검사지: 포도당 산화 효소를 이용하여 오줌 속의 포도당 양을 알아낸다. • 인슐린 대량 생산: DNA 제한 효소와 연결 효소를 이용한 유전자 재조합 기술로 사람의 인슐린을 다른 생물에서 대량 생산한다.
산업에서의 이용	• 오염 물질 분해: 미생물의 효소를 이용하여 생활하수, 공장 폐수 속 오염 물질을 분해한다. • 면섬유 가공: 셀룰로스 분해 효소를 이용한다.

개념 확인 문제

정답친해 29쪽

핵심 체크

- (❶   ) 온도: 효소의 활성이 가장 높아 반응 속도가 최대인 온도
- 최적 pH: 효소의 활성이 가장 높아 반응 속도가 최대인 pH이며, 효소의 종류에 따라 (❷   ).
- 효소는 주성분이 (❸   )이어서 최적 온도와 pH를 벗어나면 입체 구조가 변하여 반응 속도가 감소한다.
- 효소의 농도가 일정할 때 기질의 농도가 증가하면 반응 속도는 (❹   )하다가 기질의 농도가 어느 수준에 도달하면 일정해진다.
- (❺   ) 저해제는 효소의 활성 부위에 결합하고, (❻   ) 저해제는 효소의 활성 부위가 아닌 다른 부위에 결합하여 효소·기질 복합체의 형성을 방해한다.

1 효소의 반응 속도에 영향을 미치는 요인으로 옳은 것만을 [보기]에서 있는 대로 고르시오.

┌─[보기]─────────────────────
│ ㄱ. pH   ㄴ. 온도
│ ㄷ. 기질의 농도   ㄹ. 효소의 농도
└──────────────────────────

2 효소의 작용에 영향을 미치는 요인에 대한 설명으로 옳은 것은 ○, 옳지 않은 것은 ×로 표시하시오.

(1) 효소의 최적 온도와 최적 pH는 효소의 종류에 관계없이 동일하다. ································· (   )
(2) 주효소는 효소의 단백질 부분이므로 온도와 pH의 영향을 크게 받는다. ····························· (   )
(3) 효소에 의한 반응에서 최적 온도에 이르기까지 온도가 높아질수록 반응 속도가 증가한다. ··········· (   )
(4) 효소의 농도가 일정할 때 기질의 농도가 높아질수록 효소의 반응 속도는 계속 증가한다. ··········· (   )

3 그림은 온도에 따른 효소의 반응 속도를 나타낸 것이다. **40 °C** 이상의 온도에서 반응 속도가 급격히 감소하는 까닭을 서술하시오.

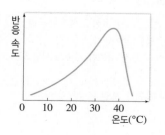

4 그림은 물질 A와 B가 각각 효소와 결합하여 효소의 작용을 저해하는 과정을 나타낸 것이다.

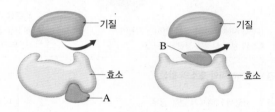

물질 A, B를 경쟁적 저해제와 비경쟁적 저해제로 구분하여 각각 쓰시오.

5 다음은 효소의 저해제에 대한 설명이다. (   ) 안에 알맞은 말을 고르시오.

(1) (경쟁적, 비경쟁적) 저해제는 기질과 구조가 유사하다.
(2) (경쟁적, 비경쟁적) 저해제가 효소와 결합하면 활성 부위의 구조가 바뀌어 기질이 효소와 결합하지 못한다.
(3) 기질의 농도가 증가하면 경쟁적 저해제의 저해 효과는 ㉠(감소, 증가)하며, 비경쟁적 저해제의 저해 효과는 ㉡(감소한다, 감소하지 않는다).

6 효소를 이용한 사례로 옳은 것은 ○, 옳지 않은 것은 ×로 표시하시오.

(1) 유용 미생물(EM)로 옷의 얼룩을 제거한다. (   )
(2) 페니실린으로 세균성 감염 질환을 치료한다. (   )
(3) 유전자 재조합 기술로 인슐린을 대량 생산한다. (   )
(4) 불고기를 잴 때 배즙을 넣어 고기를 연하게 한다.
                 ··· (   )

대표 자료 분석

🔖 학교 시험에 자주 출제되는 대표 자료와 그 자료에 대한 문제를 통해 자료를 완벽하게 이해할 수 있다.

자료 ① 효소와 활성화 에너지

기출 Point
· 효소가 있을 때와 없을 때의 활성화 에너지 차이 알기
· 활성화 에너지와 반응열 구분하기

[1~4] 그림은 체내에서 일어나는 어떤 화학 반응에서 효소가 있을 때와 없을 때의 에너지 변화를 나타낸 것이다.

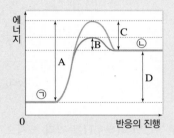

1 ㉠, ㉡을 반응물과 생성물로 구분하여 쓰시오.

2 A~D 중 효소가 있을 때의 활성화 에너지에 해당하는 것을 기호로 나타내시오.

3 A~D 중 반응열에 해당하는 것의 기호를 쓰시오.

4 빈출 선택지로 완벽 정리!

(1) 이 반응은 흡열 반응이고, 동화 작용이다. (○ / ×)
(2) 효소의 유무에 따라 생성물의 종류가 달라진다.
              ⸻⸻⸻⸻⸻⸻⸻⸻ (○ / ×)
(3) 효소가 있을 때보다 없을 때의 활성화 에너지가 작다.
              ⸻⸻⸻⸻⸻⸻⸻⸻ (○ / ×)
(4) 효소의 농도가 증가할수록 B는 작아진다. (○ / ×)
(5) 효소의 유무와 관계없이 D는 일정하다. ⸻ (○ / ×)
(6) ㉠은 ㉡보다 고분자 물질이다. ⸻⸻⸻ (○ / ×)
(7) 반응이 진행될수록 ㉠의 농도는 증가하고, ㉡의 농도는 감소한다. ⸻⸻⸻⸻⸻ (○ / ×)

자료 ② 효소의 작용

기출 Point
· 효소의 작용 과정 알기
· 효소의 특성 알기

[1~3] 그림은 어떤 물질대사에 관여하는 효소 X의 작용 과정을 나타낸 것이다.

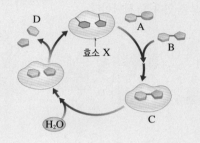

1 A~D 중 효소 X의 기질, 생성물, 효소·기질 복합체에 해당하는 것을 각각 기호로 쓰시오.

2 효소 X가 A와는 결합하지 않고 B와만 결합하여 작용하는 성질을 무엇이라고 하는지 쓰시오.

3 빈출 선택지로 완벽 정리!

(1) 효소 X는 가수 분해 반응을 촉매한다. ⸻ (○ / ×)
(2) 반응이 끝나 생성물과 분리된 효소 X는 다시 촉매 작용을 할 수 있다. ⸻⸻⸻⸻ (○ / ×)
(3) 반응 전과 후 효소 X의 농도는 변하지 않는다.
              ⸻⸻⸻⸻⸻⸻⸻⸻ (○ / ×)
(4) 효소 X가 효소·기질 복합체를 형성하려면 A가 필요하다. ⸻⸻⸻⸻⸻⸻⸻ (○ / ×)
(5) B는 효소 X의 활성 부위에 결합한다. ⸻ (○ / ×)
(6) 분자당 에너지양은 B가 D보다 작다. ⸻ (○ / ×)
(7) C가 형성되면 활성화 에너지가 낮아져 화학 반응이 빠르게 일어난다. ⸻⸻⸻⸻⸻ (○ / ×)
(8) D와 분리된 효소 X는 새로운 B와 다시 결합할 수 있다. ⸻⸻⸻⸻⸻⸻⸻ (○ / ×)

대표 자료 분석

자료 ③ 효소의 구성

기출 Point
• 전효소의 구성 알기
• 주효소와 보조 인자의 특성 구분하기

[1~3] 그림은 어떤 효소에 의해 화학 반응이 일어나는 과정을 나타낸 것이다. A~D는 각각 전효소, 주효소, 기질, 보조 인자 중 하나이다.

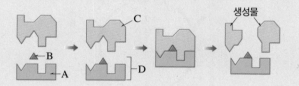

1 A~D의 이름을 각각 쓰시오.

2 ( ) 안에 알맞은 말을 쓰시오.

> B는 효소의 활성 부위를 기질과 결합하기 적합한 형태로 만들어 주며, B에는 Zn^{2+}, Fe^{2+} 등과 같은 ㉠( )과 유기 화합물로 된 ㉡( )가 있다.

3 빈출 선택지로 완벽 정리!

(1) A와 B의 주성분은 모두 단백질이다. ········ (○ / ×)
(2) B는 A보다 크기가 작고 열에 약하다. ········ (○ / ×)
(3) A에 B가 결합해야 완전한 활성을 가진 효소가 된다.
··· (○ / ×)
(4) A는 B가 결합되어야 입체 구조가 C와 들어맞는다.
··· (○ / ×)
(5) B는 대부분 한 종류의 주효소에만 결합하여 작용한다.
··· (○ / ×)
(6) B가 없으면 효소·기질 복합체가 형성되지 않는다.
··· (○ / ×)

자료 ④ 온도와 pH가 효소의 작용에 미치는 영향

기출 Point
• 온도와 pH에 따른 효소의 활성 변화 알기
• 여러 가지 효소의 최적 온도와 최적 pH 알기

[1~3] 그림 (가)와 (나)는 각각 사람의 소화 효소 A~C의 온도와 pH에 따른 반응 속도를 나타낸 것이다.

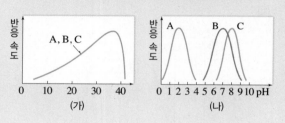

1 효소 A~C의 최적 pH를 각각 쓰시오.

2 ( ) 안에 알맞은 말을 고르시오.

(1) 효소에 의한 반응에서 온도가 높아질수록 반응 속도가 ㉠(증가, 감소)하다가 최적 온도보다 높은 온도에서는 반응 속도가 급격히 ㉡(증가, 감소)한다.
(2) 최적 pH를 벗어나면 ㉠(기질, 효소)의 입체 구조가 변하여 반응 속도가 ㉡(증가, 감소)한다.

3 빈출 선택지로 완벽 정리!

(1) 효소 A~C는 최적 온도가 약 35 °C~40 °C로 같다.
··· (○ / ×)
(2) 효소 A는 효소 C의 최적 pH에서 작용할 수 없다.
··· (○ / ×)
(3) 온도가 최적 온도보다 높아지면 효소의 단백질이 변성된다. ··· (○ / ×)
(4) 효소 A와 B는 같은 소화 기관에서 작용할 수 있다.
··· (○ / ×)
(5) 주변 환경의 pH가 5에서 7로 변할 때 효소 A~C의 활성이 모두 증가한다. ··· (○ / ×)
(6) 효소 A~C는 모두 20 °C에서보다 30 °C에서 기질과 더 잘 결합한다. ··· (○ / ×)

내신 만점 문제

정답친해 31쪽

A 효소의 작용과 특성

01 그림은 생명체에서 일어나는 어떤 화학 반응에서 효소가 있을 때와 효소가 없을 때의 에너지 변화를 나타낸 것이다. 이에 대한 설명으로 옳은 것만을 [보기]에서 있는 대로 고른 것은?

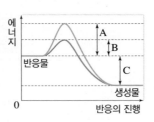

┌─ 보기 ─────────────────────
ㄱ. 이 반응은 발열 반응이다.
ㄴ. 효소가 있을 때의 활성화 에너지는 B이다.
ㄷ. 효소에 의해 C의 크기가 작아진다.
└──────────────────────────

① ㄱ   ② ㄴ   ③ ㄱ, ㄴ   ④ ㄱ, ㄷ   ⑤ ㄴ, ㄷ

02 그림은 어떤 화학 반응에서 활성화 에너지에 따른 반응을 일으킬 수 있는 분자 수를 나타낸 것이다.

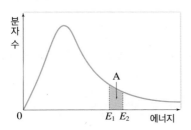

이에 대한 설명으로 옳은 것만을 [보기]에서 있는 대로 고른 것은? (단, E_1과 E_2는 각각 효소가 있을 때와 없을 때의 활성화 에너지 중 하나이다.)

┌─ 보기 ─────────────────────
ㄱ. E_1보다 E_2에서 반응을 일으킬 수 있는 분자 수가 많다.
ㄴ. E_1은 효소가 없을 때, E_2는 효소가 있을 때의 활성화 에너지이다.
ㄷ. 효소가 있을 때에는 효소가 없을 때보다 반응에 참여하는 분자 수가 면적 A만큼 증가한다.
└──────────────────────────

① ㄱ   ② ㄴ   ③ ㄷ   ④ ㄱ, ㄴ   ⑤ ㄴ, ㄷ

03 효소에 대한 설명으로 옳지 <u>않은</u> 것은?

① 생명체에서 일어나는 화학 반응을 촉진한다.
② 효소에는 기질과 결합하는 특정 부위가 있다.
③ 한 번 반응에 참여한 효소는 다시 작용할 수 없다.
④ 주성분이 단백질이므로 온도와 pH의 영향을 많이 받는다.
⑤ 효소·기질 복합체를 형성하여 반응의 활성화 에너지를 낮춘다.

04 _{서술형} 그림은 효소의 작용 과정을 나타낸 것이다.

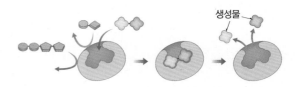

이를 통해 알 수 있는 효소의 특성을 기질, 활성 부위를 포함하여 서술하시오.

05 그림은 효소가 작용하는 과정을 나타낸 것이다.

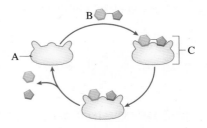

이에 대한 설명으로 옳지 <u>않은</u> 것은?

① A는 이화 작용을 촉진한다.
② A는 반응이 끝나면 새로운 B와 결합한다.
③ A는 B와 결합할 수 있는 활성 부위를 가지고 있다.
④ A의 농도가 일정할 때 B의 농도가 증가하면 반응 속도는 계속 증가한다.
⑤ C가 형성되어야 활성화 에너지를 낮출 수 있다.

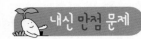

B 효소의 구성과 종류

06 효소의 구성에 대한 설명으로 옳지 <u>않은</u> 것은?

① 단백질 성분만으로 활성을 나타내는 효소도 있다.
② 보조 인자는 비단백질 부분이며, 주효소에 비해 작다.
③ 모든 보조 인자는 주효소에 결합했다가 반응이 끝나면 주효소로부터 분리된다.
④ 아연 이온(Zn^{2+}), 철 이온(Fe^{2+}) 등과 같은 금속 이온도 보조 인자에 속한다.
⑤ 보조 인자가 필요한 경우 주효소에 보조 인자가 결합해야 완전한 기능을 나타내는 전효소가 된다.

07 그림은 어떤 효소의 작용을 나타낸 것이다.

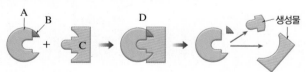

이에 대한 설명으로 옳은 것만을 [보기]에서 있는 대로 고른 것은?

[보기]
ㄱ. A는 효소의 비단백질 부분이다.
ㄴ. A와 B는 반응이 끝난 후 재사용된다.
ㄷ. B가 없어도 A가 존재하면 D가 형성된다.
ㄹ. C는 기질이다.

① ㄱ, ㄴ　　　② ㄱ, ㄷ　　　③ ㄴ, ㄷ
④ ㄴ, ㄹ　　　⑤ ㄷ, ㄹ

08 그림은 어떤 효소의 작용 과정을 나타낸 것이고, 표는 물질 A와 B에 열처리 조건을 달리하여 반응시켰을 때 생성물의 생성 여부를 나타낸 것이다. A는 유기 화합물이다.

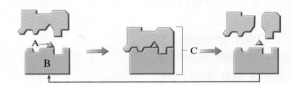

A	B	생성물
열처리함	열처리함	생성 안 됨
열처리함	열처리 안 함	생성됨
열처리 안 함	열처리함	㉠

이에 대한 설명으로 옳지 <u>않은</u> 것은?

① A는 조효소이며, B보다 열에 강하다.
② ㉠은 '생성 안 됨'이다.
③ A가 없어도 B는 촉매 작용을 할 수 있다.
④ A에 해당하는 물질에는 NAD^+나 FAD가 있다.
⑤ C가 형성되면 활성화 에너지가 낮아진다.

09 그림은 서로 다른 효소 A~C의 작용 방식을 나타낸 것이다.

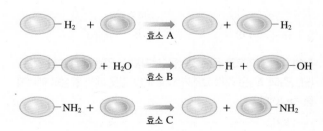

효소 A~C의 종류를 옳게 짝 지은 것은?

	효소 A	효소 B	효소 C
①	전이 효소	가수 분해 효소	전이 효소
②	전이 효소	산화 환원 효소	가수 분해 효소
③	산화 환원 효소	전이 효소	가수 분해 효소
④	산화 환원 효소	가수 분해 효소	부가 제거 효소
⑤	산화 환원 효소	가수 분해 효소	전이 효소

C 효소의 작용에 영향을 미치는 요인

10 다음은 감자즙에 들어 있는 효소인 카탈레이스의 활성에 대해 알아보기 위한 실험이다.

같은 양의 과산화 수소 용액이 들어 있는 비커 A~C에 0 °C, 35 °C, 60 °C에 있던 감자즙을 적신 같은 크기의 거름종이 조각을 각각 넣어 가라앉은 후, 수면으로 완전히 떠오르는 데 걸리는 시간을 측정하여 표와 같은 결과를 얻었다.

비커	A	B	C
감자즙을 두었던 온도	0 °C	35 °C	60 °C
거름종이 조각이 떠오르는 데 걸린 시간	11분	18초	9분

이에 대한 설명으로 옳은 것만을 [보기]에서 있는 대로 고른 것은?

[보기]
ㄱ. 카탈레이스는 35 °C에서 가장 활발하게 작용한다.
ㄴ. 카탈레이스에 의해 과산화 수소가 분해되는 속도는 A>C>B 순이다.
ㄷ. 카탈레이스는 최적 온도보다 높은 온도에서는 활성이 저하된다.

① ㄱ   ② ㄴ   ③ ㄱ, ㄷ
④ ㄴ, ㄷ   ⑤ ㄱ, ㄴ, ㄷ

11 그림은 사람의 소화 효소 A~C의 pH에 따른 반응 속도를 나타낸 것이다.

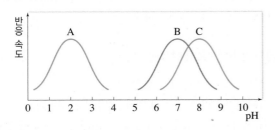

이에 대한 설명으로 옳은 것만을 [보기]에서 있는 대로 고르시오.

[보기]
ㄱ. 효소 A와 B는 같은 소화 기관에서 작용한다.
ㄴ. 효소의 최적 pH는 효소의 종류에 따라 다르다.
ㄷ. 효소 C는 pH 7일 때보다 pH 8일 때 활성이 더 높다.

12 그림 (가)는 어떤 효소의 작용 과정을, (나)는 이 효소가 관여하는 반응의 pH에 따른 반응 속도를 나타낸 것이다.

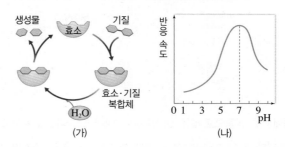

이에 대한 설명으로 옳은 것만을 [보기]에서 있는 대로 고른 것은? (단, pH 이외의 반응에 필요한 모든 조건은 최적으로 유지한다.)

[보기]
ㄱ. 이 효소는 이성질화 효소이다.
ㄴ. (가)에서 효소는 반응이 끝난 후에 재사용된다.
ㄷ. 이 효소는 pH 7에서 단위 시간당 효소·기질 복합체의 형성량이 가장 많다.

① ㄱ   ② ㄴ   ③ ㄷ
④ ㄱ, ㄷ   ⑤ ㄴ, ㄷ

13 그림 (가)는 효소 X의 농도가 일정할 때 기질의 농도에 따른 반응 속도를, (나)는 기질의 농도에 따른 효소·기질 복합체의 형성 정도를 나타낸 것이다. A~C는 각각 S_1~S_3 중 하나의 효소·기질 복합체의 형성 정도이다.

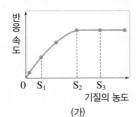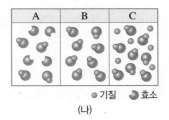

이에 대한 설명으로 옳은 것만을 [보기]에서 있는 대로 고른 것은?

[보기]
ㄱ. S_1일 때가 S_2일 때보다 반응의 활성화 에너지가 작다.
ㄴ. S_2일 때 효소·기질 복합체의 형성 정도는 C와 같다.
ㄷ. S_3일 때 효소 X를 더 첨가하면 반응 속도가 증가할 것이다.

① ㄱ   ② ㄴ   ③ ㄷ
④ ㄱ, ㄴ   ⑤ ㄴ, ㄷ

14 그림은 어떤 효소와 물질 ㉠, ㉡의 반응을 나타낸 것이다.

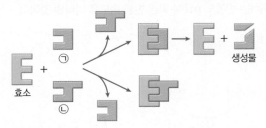

이에 대한 설명으로 옳은 것만을 [보기]에서 있는 대로 고르시오.

[보기]
ㄱ. 물질 ㉠의 농도는 반응 전보다 후에 낮다.
ㄴ. 물질 ㉠과 물질 ㉡은 효소의 활성 부위에 경쟁적으로 결합한다.
ㄷ. 효소가 관여하는 반응의 활성화 에너지는 물질 ㉡이 있을 때보다 없을 때 낮다.

15 그림 (가)는 저해제 ㉠과 ㉡의 작용 원리를, (나)는 저해제 ㉠ 또는 ㉡을 첨가하거나 첨가하지 않았을 때 기질의 농도에 따른 반응 속도를 나타낸 것이다.(단, (나)에서 효소의 농도는 일정하고, 저해제를 제외한 반응 조건은 동일하다.)

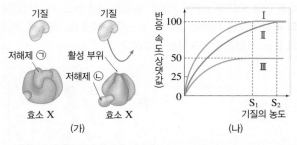

이에 대한 설명으로 옳은 것만을 [보기]에서 있는 대로 고른 것은?

[보기]
ㄱ. 저해제 ㉡이 효소에 결합하면 활성 부위의 구조가 변형된다.
ㄴ. 저해제 ㉠이 있는 경우 기질의 농도가 S_1일 때 효소는 기질에 의해 포화된다.
ㄷ. 기질의 농도가 S_2일 때 저해제 ㉡이 있는 경우와 저해제가 없는 경우의 반응 속도는 같다.

① ㄱ   ② ㄴ   ③ ㄷ
④ ㄱ, ㄴ   ⑤ ㄴ, ㄷ

16 (서술형) 그림은 어떤 효소가 관여하는 반응에서 저해제 A가 없을 때와 저해제 A가 있을 때 기질의 농도에 따른 반응 속도를 나타낸 것이다. 저해제의 유무 이외의 조건은 동일하다.

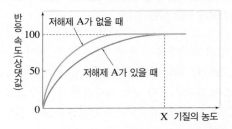

기질의 농도 X에서 저해제 A가 없을 때와 있을 때 반응 속도가 같은 까닭을 저해제 A의 특성과 연관 지어 서술하시오.

D 생활 속 효소의 이용

17 다음은 일상생활에서 나타나는 여러 가지 현상을 나열한 것이다.

• 밥을 오랫동안 씹으면 단맛이 느껴진다.
• 소고기에 배나 키위를 갈아서 섞어 두면 소고기가 연해진다.
• 옷의 찌든 때나 얼룩은 일반 세제보다 효소 세제를 이용하면 잘 제거할 수 있다.
• 엿기름과 밥을 섞어 보온밥통에 넣고 4~5시간 동안 따뜻하게 두면 식혜가 만들어진다.

이에 대한 설명으로 옳지 <u>않은</u> 것은?

① 모두 효소가 관여하는 현상이다.
② 입에서는 아밀레이스에 의해 녹말이 분해된다.
③ 배나 키위에는 소고기의 녹말을 분해하는 효소가 들어 있다.
④ 효소 세제에는 단백질 분해 효소와 지방 분해 효소가 들어 있다.
⑤ 식혜를 만들 때 따뜻하게 하는 것은 효소의 작용이 온도의 영향을 받기 때문이다.

01 세포막을 통한 물질 이동

1. 세포막의 구조와 기능

(1) **세포막의 구조**: 인지질과 단백질이 주성분이다.

① 인지질: (❶   )의 머리 부분과 (❷   )의 꼬리 부분으로 구성 ➡ 물이 풍부한 환경에서 인지질 2중층 구성

② 단백질: 인지질 2중층에 관통하거나 파묻혀 있고, 표면에도 붙어 있다.

(2) **유동 모자이크막 모델**: 인지질과 막단백질은 유동성이 있다.

- 친수성 부분
- 소수성 부분
- 인지질
- 세포 밖
- 탄수화물
- 세포 안 (세포질)
- 단백질

(3) **세포막의 선택적 투과성**: 세포막을 통한 물질 이동은 물질의 종류에 따라 선택적으로 일어난다.

(4) **막단백질 기능**: 세포 인식, 신호 전달, 효소 작용, 물질 운반

2. 세포막을 통한 물질 이동

(1) **확산**: 세포막을 경계로 농도 기울기에 따라 물질이 이동하는 현상이며, 세포가 에너지를 사용하지 않는다.

(❸) 확산	물질이 인지질 2중층을 직접 통과하여 이동하는 현상 예 소수성 물질, 크기가 작은 물질(산소, 이산화 탄소)
(❹) 확산	• 물질이 세포막의 수송 단백질을 통해 이동하는 현상 ┌ 통로 단백질을 통한 확산: Na^+, K^+ 등 이온의 이동 └ 운반체 단백질을 통한 확산: 포도당, 아미노산과 같이 비교적 크기가 큰 물질의 이동 • 단순 확산은 농도 기울기에 비례하여 물질의 이동 속도가 증가하지만, 촉진 확산은 수송 단백질이 포화되면 이동 속도가 일정해진다.

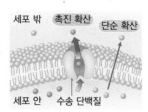

세포 밖 / 촉진 확산 / 단순 확산 / 세포 안 / 수송 단백질

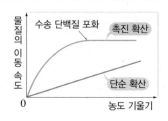

물질의 이동 속도 / 수송 단백질 포화 / 촉진 확산 / 단순 확산 / 농도 기울기

(2) **삼투**: 반투과성 막을 경계로 농도가 다른 용액이 있을 때 물의 농도가 높은 쪽에서 낮은 쪽으로 (❺   )이 확산하는 현상이며, 세포가 에너지를 사용하지 않는다.

① **삼투압**: 삼투가 일어날 때 반투과성 막에 작용하는 압력

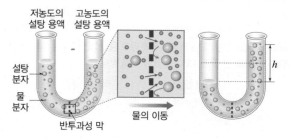

저농도의 설탕 용액 / 고농도의 설탕 용액 / 설탕 분자 / 물 분자 / 반투과성 막 / 물의 이동 / h

② 동물 세포와 식물 세포에서의 삼투

구분	저장액	등장액	고장액
동물 세포	(❻) 물→○→물	정상 물→○→물	쭈그러든다. 물→○→물
식물 세포	팽윤 상태 물→○→물	정상 물→○→물	(❼) 물→○→물

③ 식물 세포의 (❽   ): 삼투압에서 팽압을 뺀 값으로, 삼투압이 높을수록, 팽압이 낮을수록 흡수력은 커진다.

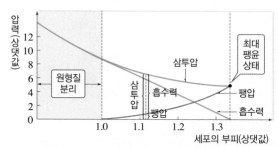

압력(상댓값) / 12 / 10 / 8 / 6 / 4 / 2 / 0 / 원형질 분리 / 삼투압 / 최대 팽윤 상태 / 삼투압 / 흡수력 / 팽압 / 팽압 / 흡수력 / 1.0 / 1.1 / 1.2 / 1.3 / 세포의 부피(상댓값)

⬆ **고장액에 있던 식물 세포를 저장액에 넣었을 때의 변화**

(3) (❾   ): 세포막에서 운반체 단백질을 통해 농도가 낮은 쪽에서 높은 쪽으로 농도 기울기를 거슬러 물질을 이동시키는 방식이며, 세포가 에너지를 사용한다.

① 운반체 단백질의 결합 부위에 맞는 특정 물질만 선택적으로 운반한다.

② 능동 수송의 예: $Na^+ - K^+$ 펌프, 소장 융털에서의 양분 흡수, 세뇨관에서의 포도당 재흡수

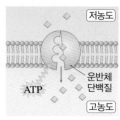

저농도 / ATP / 운반체 단백질 / 고농도

(4) 세포내 섭취와 세포외 배출: 큰 분자들을 막으로 둘러싸 운반하는 방식이며, 세포가 에너지를 사용한다.

세포내 섭취	세포 밖의 물질을 세포막으로 감싸 소낭으로 만들어 세포 안으로 끌어들이는 물질 이동 방식 • (⑩　　　) 작용: 고체 물질을 세포 내로 끌어들인다. • 음세포 작용: 액체에 녹아 있는 물질을 세포 내로 이동시킨다.
세포외 배출	세포 안에 있는 소낭이 세포막과 융합하면서 소낭 속의 물질을 세포 밖으로 내보내는 물질 이동 방식

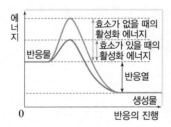

02 효소

1. 효소의 작용과 특성

(1) 효소와 활성화 에너지: 효소는 (⑪　　　)를 낮추어 화학 반응이 빠르게 일어나게 한다.

(2) 효소의 작용과 특성

① 효소의 작용: 효소·기질 복합체를 형성하여 반응의 활성화 에너지를 낮춘다.

② 효소의 재사용: 생성물이 효소로부터 분리되면 효소는 새로운 기질과 결합하여 다시 촉매 작용을 한다.

③ (⑫　　　): 효소는 특정 기질하고만 결합하여 작용한다.

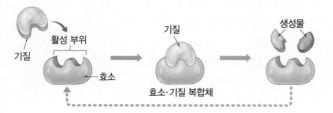

2. 효소의 구성과 종류

(1) 효소의 구성: (⑬　　　　)=주효소+보조 인자

주효소	효소의 단백질 부분이다.
(⑭　　　)	효소의 비단백질 부분이며, 금속 이온과 조효소가 있다. ┌ 금속 이온: Fe^{2+}, Zn^{2+} 등 └ 조효소: 비타민과 같은 유기 화합물로 구성되며, 주효소보다 크기가 작고 열에 강하다.

(2) 효소의 종류

산화 환원 효소	수소나 산소 원자, 전자를 다른 분자에 전달
(⑮　　　)	기질의 작용기를 떼어 다른 분자에 전달
가수 분해 효소	물 분자를 첨가하여 기질을 분해
부가 제거 효소	작용기를 기질에서 떼어 내거나 기질에 붙임
이성질화 효소	기질의 분자 구조를 변형하여 성질이 다른 물질로 바꿈
연결 효소	에너지(ATP)를 사용하여 두 개의 분자를 연결

3. 효소의 작용에 영향을 미치는 요인

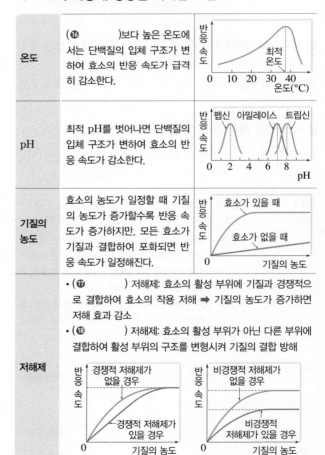

온도	(⑯　　　)보다 높은 온도에서는 단백질의 입체 구조가 변하여 효소의 반응 속도가 급격히 감소한다.
pH	최적 pH를 벗어나면 단백질의 입체 구조가 변하여 효소의 반응 속도가 감소한다.
기질의 농도	효소의 농도가 일정할 때 기질의 농도가 증가할수록 반응 속도가 증가하지만, 모든 효소가 기질과 결합하여 포화되면 반응 속도가 일정해진다.
저해제	• (⑰　　　) 저해제: 효소의 활성 부위에 기질과 경쟁적으로 결합하여 효소의 작용 저해 ➡ 기질의 농도가 증가하면 저해 효과 감소 • (⑱　　　) 저해제: 효소의 활성 부위가 아닌 다른 부위에 결합하여 활성 부위의 구조를 변형시켜 기질의 결합 방해

난이도 ●●●

01 그림은 세포막의 구조를 나타낸 것이다.

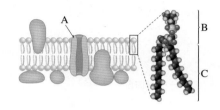

이에 대한 설명으로 옳지 <u>않은</u> 것은?

① A는 모두 친수성이다.
② B에는 인산이 포함된다.
③ C는 인지질에서 소수성인 꼬리 부분이다.
④ 친수성인 B가 바깥을 향하여 인지질 2중층을 이룬다.
⑤ A 중에는 세포막을 통한 물질 이동에 관여하는 것이 있다.

●●●

02 그림 (가)는 물질 A, B가 세포막을 통해 각각 이동하는 방식을, (나)는 물질 ㉠, ㉡이 농도 기울기에 따라 세포막을 통해 이동하는 속도를 나타낸 것이다. 물질 ㉠, ㉡은 각각 물질 A와 B 중 하나이다.

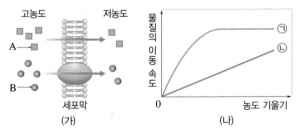

이에 대한 설명으로 옳은 것만을 [보기]에서 있는 대로 고른 것은?

[보기]
ㄱ. 물질 A는 ㉠이고, 물질 B는 ㉡이다.
ㄴ. 폐포에서 모세 혈관으로 산소가 이동할 때에는 A와 같은 방식으로 이동한다.
ㄷ. B의 이동에는 에너지가 사용된다.

① ㄱ　　　② ㄴ　　　③ ㄷ
④ ㄱ, ㄴ　　　⑤ ㄴ, ㄷ

●●○

03 그림은 세포막에서의 물질 이동 방식을 구분하는 과정을 나타낸 것이다. A~C는 각각 단순 확산, 촉진 확산, 능동 수송 중 하나이다.

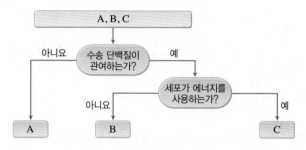

이에 대한 설명으로 옳지 <u>않은</u> 것은?

① A는 물질이 인지질 2중층을 직접 통과하는 방식이다.
② B는 촉진 확산이다.
③ B와 C는 모두 농도가 높은 쪽에서 낮은 쪽으로 물질이 이동하는 방식이다.
④ 신경 세포의 흥분으로 Na^+이 세포 바깥쪽에서 안쪽으로 이동할 때 B가 일어난다.
⑤ C의 예로는 Na^+-K^+ 펌프가 있다.

●●○

04 그림 (가)는 2 % 소금물에 담가 둔 어떤 식물 세포의 모습을, (나)는 이 세포를 증류수로 옮겨 담가 두었을 때 세포의 상대적 부피에 따른 삼투압과 팽압을 나타낸 것이다.

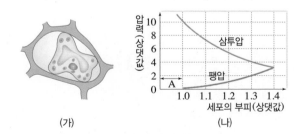

이에 대한 설명으로 옳지 <u>않은</u> 것은?

① (가)는 (나)의 A 구간에서 관찰되는 현상이다.
② (나)에서 팽압이 2일 때 흡수력의 크기는 2이다.
③ 세포의 부피가 작아질수록 흡수력은 커진다.
④ 2 % 소금물은 이 식물 세포의 세포액보다 삼투압이 높다.
⑤ 삼투압과 팽압의 차이가 클수록 세포 안으로 들어오는 물의 양이 적어진다.

05 그림은 사람의 적혈구를 동물 A∼C의 혈장과 삼투압이 같은 용액에 넣고 일정 시간이 지났을 때 적혈구의 모양을 나타낸 것이다.

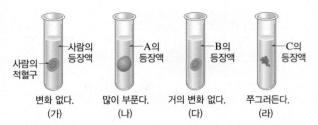

이에 대한 설명으로 옳은 것만을 [보기]에서 있는 대로 고른 것은? (단, 동물 A∼C의 혈액에는 모두 적혈구가 존재한다.)

─[보기]─
ㄱ. B의 적혈구를 C의 등장액에 넣으면 용혈 현상이 일어날 것이다.
ㄴ. 등장액의 농도는 A<B<C 순이다.
ㄷ. 사람의 등장액과 농도가 가장 비슷한 혈장을 가진 동물은 B이다.
ㄹ. (다)에서는 적혈구 막을 통해 물이 이동하지 않는다.

① ㄱ, ㄴ ② ㄱ, ㄷ ③ ㄴ, ㄷ ④ ㄴ, ㄹ ⑤ ㄷ, ㄹ

06 그림은 동물의 세포막을 통해 물질이 이동하는 방식 A∼D를 나타낸 것이다.

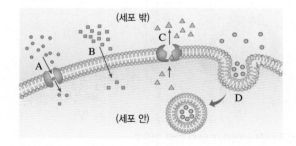

이에 대한 설명으로 옳지 않은 것은?

① A와 B에서는 농도 기울기에 따라 물질이 이동한다.
② A와 C에 의한 물질 이동에는 모두 수송 단백질이 필요하다.
③ A와 B는 모두 수동 수송이다.
④ C와 D에는 모두 에너지가 사용된다.
⑤ D와 같은 방식으로 이자 세포에서 인슐린이 분비된다.

07 다음은 리포솜을 이용한 실험이다.

(가) 비커 A, B를 준비하여 막에 $Na^+ - K^+$ 펌프가 있는 리포솜과 Na^+ 농도 및 K^+ 농도가 리포솜 내부와 같은 수용액을 각각 넣고, 비커 B의 리포솜 바깥쪽 수용액에만 ATP를 첨가하였다.

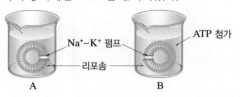

(나) 일정 시간 후 A의 리포솜 내부 Na^+ 농도는 변하지 않았고, B의 리포솜 내부 Na^+ 농도는 증가하였다.

이에 대한 설명으로 옳은 것만을 [보기]에서 있는 대로 고른 것은? (단, $Na^+ - K^+$ 펌프에 의한 물질의 이동만 고려하며, ATP는 리포솜의 막을 통과하지 못한다.)

─[보기]─
ㄱ. B에서 리포솜 외부의 K^+ 농도는 감소하였을 것이다.
ㄴ. $Na^+ - K^+$ 펌프는 운반체 단백질이다.
ㄷ. $Na^+ - K^+$ 펌프는 ATP를 사용해 물질을 운반한다.

① ㄱ ② ㄴ ③ ㄷ ④ ㄱ, ㄴ ⑤ ㄴ, ㄷ

08 그림 (가)는 사람 몸속에서의 화학 반응을, (나)는 어떤 화학 반응에서 효소의 유무에 따른 에너지 변화를 나타낸 것이다.

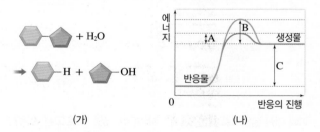

이에 대한 설명으로 옳은 것은?

① (가) 반응에는 전이 효소가 관여한다.
② (가)에서 반응 진행에 따른 에너지 변화는 (나)와 같다.
③ (나)에서 효소가 있을 때의 활성화 에너지는 효소가 없을 때보다 B−A만큼 크다.
④ (나)에서 효소가 작용하여도 C는 변하지 않는다.
⑤ (나)에서 분자당 에너지양은 반응물이 생성물보다 많다.

09 표는 보조 인자가 필요한 어떤 효소를 이루는 두 성분 (가)와 (나)를 이용하여 화학 반응이 일어나는지 알아본 실험 결과를 나타낸 것이다.

실험	처리	반응 여부
I	기질+(가)	일어나지 않음
II	기질+(나)	일어나지 않음
III	기질+(가)+(나)	일어남
IV	기질+가열한 (가)+(나)	일어남
V	기질+(가)+가열한 (나)	일어나지 않음

이에 대한 설명으로 옳은 것만을 [보기]에서 있는 대로 고른 것은?

〔보기〕
ㄱ. 실험 I과 II에서는 시간이 경과하더라도 기질의 농도가 일정하게 유지된다.
ㄴ. 실험 III에서는 (가)와 (나)가 전효소를 이루었기 때문에 반응이 일어났다.
ㄷ. (가)는 주효소이고, (나)는 보조 인자이다.

① ㄱ ② ㄷ ③ ㄱ, ㄴ
④ ㄴ, ㄷ ⑤ ㄱ, ㄴ, ㄷ

10 그림은 어떤 동물의 체내에서 효소에 의해 메탄올과 에탄올이 분해되는 반응을 각각 나타낸 것이다.

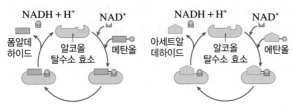

이에 대한 설명으로 옳은 것만을 [보기]에서 있는 대로 고른 것은? (단, 메탄올 분해 결과 생성되는 폼알데하이드는 실명을 일으킬 수 있는 독성 물질이다.)

〔보기〕
ㄱ. 알코올 탈수소 효소는 산화 환원 효소이다.
ㄴ. 메탄올과 에탄올은 모두 알코올 탈수소 효소의 활성 부위에 결합한다.
ㄷ. 이 동물이 메탄올에 중독되었을 때 체내에 에탄올을 주사하면 폼알데하이드의 생성을 억제할 수 있다.

① ㄱ ② ㄴ ③ ㄱ, ㄷ
④ ㄴ, ㄷ ⑤ ㄱ, ㄴ, ㄷ

11 그림 (가)와 (나)는 두 종류의 효소 A와 B의 pH와 온도에 따른 활성도를 각각 나타낸 것이다.

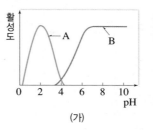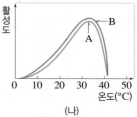

이에 대한 설명으로 옳은 것만을 [보기]에서 있는 대로 고른 것은?

〔보기〕
ㄱ. pH 6에서는 효소 A보다 효소 B가 더 잘 작용한다.
ㄴ. 효소 A와 B는 모두 30 °C일 때보다 40 °C일 때 활성도가 더 높다.
ㄷ. 30 °C 이하에서는 온도가 높아질수록 효소·기질 복합체의 형성 속도가 빨라진다.

① ㄱ ② ㄴ ③ ㄱ, ㄷ
④ ㄴ, ㄷ ⑤ ㄱ, ㄴ, ㄷ

12 감자즙에 들어 있는 효소인 카탈레이스의 활성을 알아보기 위해 그림과 같이 장치하고 감자즙을 같은 양씩 넣어 주었더니 (가)의 눈금실린더에서 거품이 가장 높게 발생하였다.

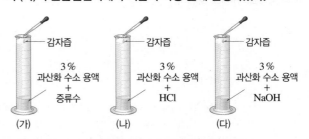

이에 대한 설명으로 옳은 것만을 [보기]에서 있는 대로 고른 것은?

〔보기〕
ㄱ. 카탈레이스는 중성에서 활성이 가장 높다.
ㄴ. 끓인 감자즙을 넣으면 거품이 거의 발생하지 않을 것이다.
ㄷ. 이 실험을 통해 효소의 종류에 따라 최적 pH가 다르다는 것을 알 수 있다.

① ㄱ ② ㄴ ③ ㄷ
④ ㄱ, ㄴ ⑤ ㄴ, ㄷ

13 그림은 효소 X의 농도가 A와 B일 때 기질의 농도에 따른 효소의 반응 속도를 나타낸 것이다.

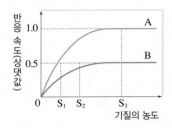

이에 대한 설명으로 옳은 것만을 [보기]에서 있는 대로 고른 것은?

[보기]
ㄱ. 효소 X의 농도 A는 B의 2배이다.
ㄴ. S_3에서 A와 B일 때 활성화 에너지의 크기는 같다.
ㄷ. 효소 X의 농도가 B일 때 효소·기질 복합체의 양은 S_2일 때가 S_1일 때보다 많다.

① ㄴ　　　② ㄷ　　　③ ㄱ, ㄴ
④ ㄱ, ㄷ　　⑤ ㄱ, ㄴ, ㄷ

14 그림은 어떤 효소가 관여하는 반응과 이 반응을 저해하는 X의 작용을 나타낸 것이다.

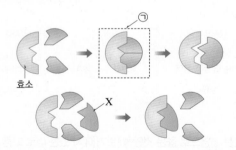

이에 대한 설명으로 옳은 것만을 [보기]에서 있는 대로 고른 것은?

[보기]
ㄱ. X는 기질과 경쟁적으로 효소에 결합한다.
ㄴ. ㉠은 효소·기질 복합체이다.
ㄷ. X가 효소의 활성 부위에 결합하면 효소의 입체 구조가 변한다.

① ㄱ　　　② ㄷ　　　③ ㄱ, ㄴ
④ ㄴ, ㄷ　　⑤ ㄱ, ㄴ, ㄷ

서술형 문제

15 그림은 막단백질을 형광 물질로 표지한 사람 세포와 생쥐 세포를 융합한 후 형광색의 분포 변화를 나타낸 것이다.

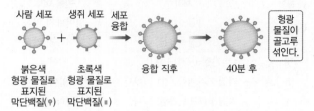

이 실험 결과로 유추할 수 있는 세포막의 특성을 서술하시오.

16 그림은 사람의 혈장과 적혈구 내부의 Na^+과 K^+의 농도를 나타낸 것이다.

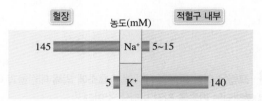

적혈구 안팎의 이온 분포가 그림과 같이 유지되는 까닭을 세포막을 통한 물질의 이동과 연관 지어 서술하시오.

17 그림은 저해제 ㉠과 ㉡의 작용 과정을 나타낸 것이다.

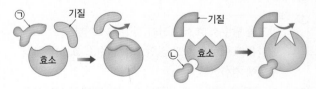

기질의 농도가 높아질수록 저해제 ㉠과 ㉡의 저해 효과는 어떻게 달라지는지 서술하시오.

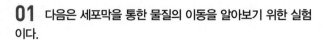

01 다음은 세포막을 통한 물질의 이동을 알아보기 위한 실험이다.

> (가) Na^+-K^+ 펌프와 인지질 2중층으로 구성된 인공 막을 그림과 같이 장치한 후, Na^+과 K^+ 농도가 같은 수용액을 같은 양씩 Ⅰ과 Ⅱ에 넣는다.
>
>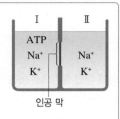
>
> (나) Ⅰ에는 충분한 양의 ATP 수용액을, Ⅱ에는 같은 양의 증류수를 첨가한 후, 일정 시간 동안 Ⅰ과 Ⅱ의 수면 높이를 측정하였더니 그래프와 같았다.
>
>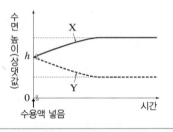

이에 대한 설명으로 옳은 것만을 [보기]에서 있는 대로 고른 것은? (단, ATP는 모두 인공 막을 통과하지 못하며, ATP의 농도는 고려하지 않는다.)

> **보기**
> ㄱ. 삼투에 의해 물이 인공 막을 통과한다.
> ㄴ. 실험 결과에서 Y는 Ⅰ의 수용액 높이 변화이다.
> ㄷ. Ⅰ에서는 K^+의 양이 증가하고, Ⅱ에서는 Na^+의 양이 증가할 것이다.

① ㄱ 　　② ㄷ 　　③ ㄱ, ㄴ
④ ㄴ, ㄷ 　　⑤ ㄱ, ㄴ, ㄷ

02 그림은 설탕 용액 A에 넣어 두었던 식물 세포를 설탕 용액 B로 옮긴 후 세포의 부피에 따른 삼투압과 흡수력을 나타낸 것이다. ㉠과 ㉡은 각각 흡수력과 삼투압 중 하나이다.

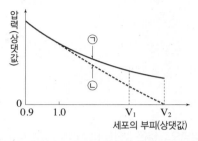

이에 대한 설명으로 옳은 것만을 [보기]에서 있는 대로 고른 것은?

> **보기**
> ㄱ. 설탕 용액의 농도는 A가 B보다 낮다.
> ㄴ. V_1일 때 이 세포의 삼투압은 팽압보다 작다.
> ㄷ. V_2일 때 이 세포는 팽윤 상태이다.

① ㄱ 　　② ㄴ 　　③ ㄷ
④ ㄱ, ㄷ 　　⑤ ㄴ, ㄷ

03 그림 (가)는 어떤 세포에서 물질 ㉠의 농도 차에 따른 세포막을 통한 ㉠의 이동 속도를, (나)는 이 세포를 물질 ㉠이 들어 있는 배양액에 넣었을 때 세포 안쪽의 ㉠ 농도를 시간에 따라 나타낸 것이다. X에서 물질 ㉠의 세포 안팎 농도가 같아지며, ㉠의 이동 방식은 단순 확산, 촉진 확산, 능동 수송 중 하나이다.

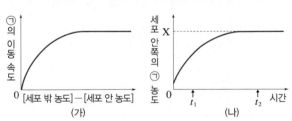

이에 대한 설명으로 옳은 것만을 [보기]에서 있는 대로 고른 것은?

> **보기**
> ㄱ. ㉠의 이동에 막단백질이 관여한다.
> ㄴ. 세포막을 통한 산소의 이동 방식은 물질 ㉠의 이동 방식과 같다.
> ㄷ. 세포 밖에서 안으로의 ㉠의 이동 속도는 t_1일 때가 t_2일 때보다 빠르다.

① ㄱ 　　② ㄴ 　　③ ㄷ
④ ㄱ, ㄷ 　　⑤ ㄴ, ㄷ

04 그림 (가)와 (나)는 세포막을 통해 일어나는 서로 다른 물질 이동 방식을 나타낸 것이다.

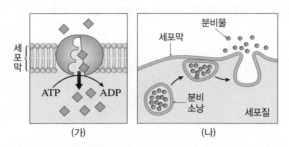

(가)　　　　(나)

이에 대한 설명으로 옳은 것만을 [보기]에서 있는 대로 고른 것은?

〔보기〕
ㄱ. (가)에 의해 물질이 농도 기울기에 따라 이동한다.
ㄴ. (가)의 경우 세포 호흡 저해제를 처리하면 물질 이동이 억제된다.
ㄷ. (나)에 의한 물질 이동이 활발해지면 세포막의 표면적이 일시적으로 감소한다.

① ㄱ　　　　② ㄴ　　　　③ ㄷ
④ ㄱ, ㄴ　　　⑤ ㄴ, ㄷ

05 그림 (가)는 효소 A와 B가 각각 작용하여 물질 X가 Z로 되기까지의 과정을, (나)는 (가)에서 반응의 진행에 따른 에너지 변화를 나타낸 것이다.

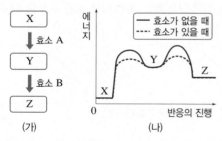

(가)　　　　(나)

이에 대한 설명으로 옳은 것만을 [보기]에서 있는 대로 고른 것은?

〔보기〕
ㄱ. 효소 A의 기질은 Y이다.
ㄴ. 효소 A와 B가 모두 있을 때 활성화 에너지는 X → Y의 반응에서가 Y → Z의 반응에서보다 크다.
ㄷ. X → Y의 반응에서 반응열은 효소 A가 있을 때가 없을 때보다 크다.

① ㄱ　　　　② ㄴ　　　　③ ㄷ
④ ㄴ, ㄷ　　　⑤ ㄱ, ㄴ, ㄷ

06 그림은 어떤 효소가 작용하여 일어나는 반응에서 시간에 따른 효소, 기질, 효소·기질 복합체의 농도 변화를 나타낸 것이다. ㉠~㉢은 각각 효소, 기질, 효소·기질 복합체 중 하나이다.

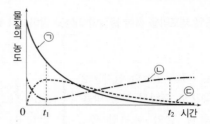

이에 대한 설명으로 옳은 것만을 [보기]에서 있는 대로 고른 것은?

〔보기〕
ㄱ. ㉠은 효소의 활성 부위에 결합한다.
ㄴ. ㉢은 효소·기질 복합체이다.
ㄷ. 이 반응의 활성화 에너지는 t_2일 때가 t_1일 때보다 작다.

① ㄱ　　　　② ㄴ　　　　③ ㄷ
④ ㄱ, ㄴ　　　⑤ ㄴ, ㄷ

07 다음은 무즙에 들어 있는 아밀레이스의 작용에 대해 알아보기 위한 실험이다.

(가) 녹말이 포함된 고체 배지 A, B를 준비하고 A에는 무즙에 적신 거름종이 조각을, B에는 증류수에 적신 거름종이 조각을 올려 둔다.
(나) 일정 시간 후 거름종이를 제거하고 A, B의 거름종이를 올려 두었던 부분에 각각 아이오딘 용액을 떨어뜨렸더니 B에서만 청람색이 나타났다.

이에 대한 설명으로 옳은 것만을 [보기]에서 있는 대로 고른 것은?

〔보기〕
ㄱ. 무즙에 있는 아밀레이스는 전이 효소에 해당한다.
ㄴ. 무즙에 있는 아밀레이스는 녹말과 효소·기질 복합체를 형성한다.
ㄷ. (가)의 B에서는 녹말이 엿당으로 분해되는 반응이 일어나지 않았다.

① ㄱ　　　　② ㄴ　　　　③ ㄱ, ㄷ
④ ㄴ, ㄷ　　　⑤ ㄱ, ㄴ, ㄷ

08 그림 (가)는 사람의 효소 X에 의해 젖당이 분해되는 반응을, (나)는 (가)의 반응에서 반응 온도가 15 °C일 때와 37 °C일 때 시간 경과에 따른 기질의 농도를 나타낸 것이다.

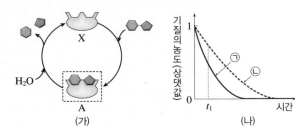

(가)

(나)

이에 대한 설명으로 옳은 것만을 [보기]에서 있는 대로 고른 것은? (단, (나)에서 반응 온도 이외의 다른 조건은 동일하다.)

[보기]
ㄱ. (가)는 가수 분해 반응이다.
ㄴ. ㉠은 37 °C일 때의 기질의 농도 변화이다.
ㄷ. t_1에서 A의 수는 ㉠일 때가 ㉡일 때보다 많다.

① ㄱ   ② ㄷ   ③ ㄱ, ㄴ
④ ㄴ, ㄷ   ⑤ ㄱ, ㄴ, ㄷ

09 효소의 작용에 영향을 미치는 요인을 알아보기 위해 시험관 A~F를 다음과 같이 장치하고 아이오딘 용액을 한두 방울씩 떨어뜨린 후 10분 동안 색깔 변화를 관찰하였다.

시험관	A	B	C	D	E	F
2 % 녹말 용액	3 mL	3 mL	3 mL	3 mL	3 mL	3 mL
pH 3 표준 용액	—	—	—	1 mL	—	—
pH 7 표준 용액	—	—	—	—	1 mL	—
pH 10 표준 용액	—	—	—	—	—	1 mL
1 % 아밀레이스 용액	1 mL	1 mL	1 mL	1 mL	1 mL	1 mL
온도	35 ℃	60 ℃	0 ℃	35 ℃	35 ℃	35 ℃

이에 대한 설명으로 옳은 것만을 [보기]에서 있는 대로 고른 것은?

[보기]
ㄱ. 시험관 A와 D에서는 색깔이 변하지 않을 것이다.
ㄴ. 시험관 A, B, C를 비교하면 아밀레이스의 작용이 온도의 영향을 받는다는 것을 알 수 있다.
ㄷ. 이 실험 결과 기질의 농도가 높을수록 반응 속도가 빨라지는 것을 알 수 있다.

① ㄱ   ② ㄴ   ③ ㄷ
④ ㄱ, ㄴ   ⑤ ㄴ, ㄷ

10 그림 (가)는 효소 X에 의한 반응과 저해제 A의 작용을, (나)는 X에 의한 반응에서의 에너지 변화를 나타낸 것이다.

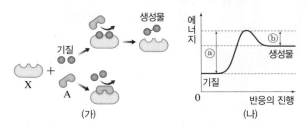

(가)

(나)

이에 대한 설명으로 옳은 것만을 [보기]에서 있는 대로 고른 것은?

[보기]
ㄱ. A는 X의 활성 부위에 결합할 수 있다.
ㄴ. 효소 X가 관여하는 반응의 활성화 에너지는 ⓑ이다.
ㄷ. A의 양이 많아지면 (나)에서 ⓐ는 감소한다.

① ㄱ   ② ㄷ   ③ ㄱ, ㄴ
④ ㄱ, ㄷ   ⑤ ㄴ, ㄷ

11 표는 효소 X에 의한 반응에서 실험 Ⅰ~Ⅲ의 조건을, 그림은 Ⅰ~Ⅲ에서 기질의 농도에 따른 초기 반응 속도를 나타낸 것이다. ㉠~㉢은 각각 Ⅰ~Ⅲ 중 하나이다.

조건＼실험	Ⅰ	Ⅱ	Ⅲ
효소 X의 농도(상댓값)	1	2	2
저해제 A	×	○	×

(○: 있음, ×: 없음)

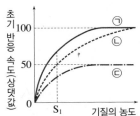

이에 대한 설명으로 옳은 것만을 [보기]에서 있는 대로 고른 것은? (단, 제시된 조건 이외의 효소 반응에 필요한 모든 조건은 동일하게 유지한다.)

[보기]
ㄱ. ㉠은 실험 Ⅲ에서의 초기 반응 속도를 나타낸 것이다.
ㄴ. A는 비경쟁적 저해제이다.
ㄷ. S_1일 때 ㉡에서 $\dfrac{\text{효소·기질 복합체의 수}}{\text{효소 X의 총 수}}$의 값은 1이다.

① ㄱ   ② ㄴ   ③ ㄷ
④ ㄱ, ㄷ   ⑤ ㄱ, ㄴ, ㄷ

세포 호흡과 광합성

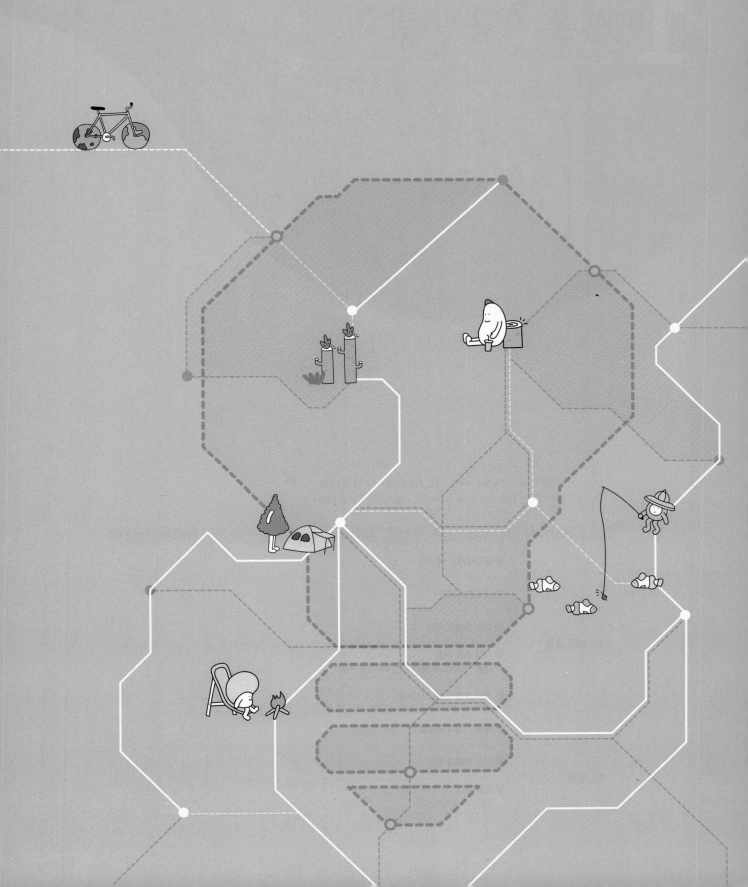

1 세포 호흡과 발효

- 01. 세포 호흡
- 02. 발효

이 단원을 공부하기 전에 학습 계획을 세우고, 학습 진도를 스스로 체크해 보자.
학습이 미흡했던 부분은 다시 보기에 체크해 두고, 시험 전까지 꼭 완벽히! 학습하자!

◆ 세포 호흡

① **세포 호흡**: 세포에서 포도당이 산소와 반응하여 이산화 탄소와 물로 분해되면서 에너지를 얻는 과정이다.

② **세포 호흡 장소**: 주로 세포 소기관인 **❶** 에서 일어난다.

③ **세포 호흡과 에너지**: 세포 호흡 과정에서 에너지가 방출되는데, 에너지 일부는 **❷** 에 저장되고, 나머지는 열로 방출된다.

↑ 세포 호흡과 에너지

$$포도당(C_6H_{12}O_6) + 산소(O_2) \longrightarrow 이산화\ 탄소(CO_2) + 물(H_2O) + 에너지(ATP, 열)$$

◆ ATP

① **ATP**: 생명 활동에 직접 사용되는 에너지 저장 물질이다.

② **ATP의 구조**: 아데노신(아데닌+리보스)에 3개의 **❸** 가 결합한 구조로, 인산기와 인산기 사이의 결합(고에너지 인산 결합)에 많은 에너지가 저장되어 있다.

③ **ATP의 분해와 에너지 방출**: ATP에 저장된 에너지는 **❹** 가 **❺** 와 무기 인산(P_i)으로 분해될 때 방출되어 다양한 생명 활동에 사용된다.

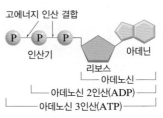

↑ ATP의 구조

◆ 세포 호흡의 에너지 전환

① 세포 호흡에 의해 포도당의 **❻** 에너지는 ATP의 **❼** 에너지로 전환된다.

② ATP의 **❼** 에너지가 여러 가지 형태의 에너지로 전환되어 생명 활동에 사용된다.

➡ 생명 활동에 직접적으로 사용되는 에너지원은 **❽** 이다.

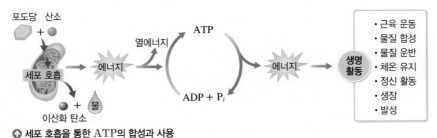

↑ 세포 호흡을 통한 ATP의 합성과 사용

01 세포 호흡

핵심
포인트
- 광합성과 세포 호흡에서의 에너지 전환 ★★
- 미토콘드리아의 구조와 기능 ★★
- 세포 호흡의 전 과정 ★★
- 해당 과정의 경로 ★★★
- 피루브산의 산화 및 TCA 회로 ★★★
- 산화적 인산화의 원리 ★★★
- 세포 호흡의 ATP 생성량 ★★
- 호흡 기질과 호흡률 ★★

A 물질대사와 에너지 광합성과 세포 호흡은 세포에서 에너지 전환이 일어나는 대표적인 물질대사이다.

1. 광합성 빛에너지를 이용하여 이산화 탄소와 물을 포도당으로 합성하는 과정으로, 엽록체에서 일어난다. ➡ 태양의 빛에너지가 포도당의 화학 에너지로 전환된다.

2. 세포 호흡 포도당과 같은 유기물을 분해하여 에너지를 얻는 과정으로, 세포질과 미토콘드리아에서 일어난다. ➡ 유기물의 화학 에너지가 *ATP의 화학 에너지로 전환된다.

광합성과 세포 호흡에서의 *에너지 전환

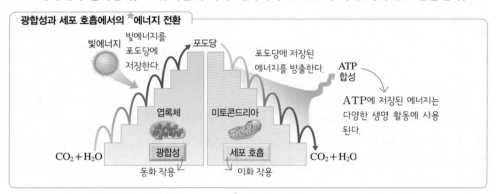

> **★ ATP(Adenosine triphosphate, 아데노신 3인산)**
> 세포의 생명 활동에 직접적으로 사용되는 에너지원으로, ADP와 무기 인산이 결합하여 합성된다.

> **★ 에너지 전환**
> 태양의 빛에너지는 광합성을 통해 화학 에너지 형태로 전환되어 유기물에 저장되었다가 세포 호흡을 통해 방출되어 생명 활동에 사용된다.
>
>

B 미토콘드리아

1. *미토콘드리아 세포 호흡이 일어나는 세포 소기관

2. 미토콘드리아의 구조와 기능 미토콘드리아는 외막과 내막의 2중막 구조이며, 외막과 내막 사이의 공간을 막 사이 공간, 내막 안쪽을 기질이라고 한다.

(1) 내막: 안쪽으로 접혀 들어가 주름진 구조인 크리스타를 형성한다. 내막에는 전자 전달 효소, ATP 합성 효소 등이 있어 ATP 합성이 일어난다. └▸ 내막의 표면적이 넓어져 세포 호흡이 효율적으로 일어난다.

(2) 기질: DNA, 리보솜, 세포 호흡에 필요한 여러 효소 등이 있으며, TCA 회로가 진행된다. └▸ 탈탄산 효소, 탈수소 효소 등

미토콘드리아의 구조와 기능

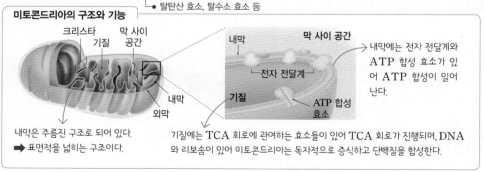

내막은 주름진 구조로 되어 있다. ➡ 표면적을 넓히는 구조이다.

기질에는 TCA 회로에 관여하는 효소들이 있어 TCA 회로가 진행되며, DNA와 리보솜이 있어 미토콘드리아는 독자적으로 증식하고 단백질을 합성한다.

> **★ 미토콘드리아의 크기와 개수**
> 미토콘드리아는 진핵생물에서 발견되는 세포 소기관으로, 크기는 0.2 μm~3 μm 정도이다. 세포 하나당 수백 개~수천 개가 들어 있으며, 물질대사가 활발하게 일어나는 세포(간세포, 근육 세포 등)일수록 많이 들어 있다.

세포 호흡의 개요

1. 세포 호흡 포도당과 같은 유기물을 산화하여 에너지를 방출하는 과정으로, 반응 결과 이산화 탄소와 물이 생성된다.

> **세포 호흡의 화학 반응식**
>
> $$\overbrace{C_6H_{12}O_6 + 6O_2}^{\text{산화}(e^- \text{ 잃음})} + 6H_2O \longrightarrow \underbrace{6CO_2 + 12H_2O}_{\text{환원}(e^- \text{ 얻음})} + \text{에너지}$$
> 포도당
>
> • 세포 호흡과 *산화 환원 반응: 포도당은 이산화 탄소로 분해되면서 수소 원자(H)를 잃고, 산소는 수소 원자(H)를 얻어 물이 된다. 수소 원자(H)는 수소 이온(H^+)과 전자(e^-)로 나누어질 수 있으므로 수소 원자의 이동은 곧 전자의 이동을 의미한다. 따라서 세포 호흡을 통해 포도당은 전자를 잃고 이산화 탄소로 산화되며, 산소는 전자를 얻어 물로 환원된다.

2. 세포 호흡 과정 세포 호흡은 해당 과정, 피루브산의 산화 및 TCA 회로, 산화적 ❶인산화의 세 단계로 구분한다.

➡ 포도당은 세포질에서 해당 과정을 거쳐 피루브산으로 분해되고, 피루브산은 미토콘드리아로 들어가 산화된 후 TCA 회로와 산화적 인산화를 거쳐 이산화 탄소와 물로 분해된다.

> **세포 호흡의 전 과정**
>
> |1단계| **해당 과정**
> • 포도당 1분자가 세포질에서 피루브산 2분자로 분해되는 과정
> • NADH와 소량의 ATP 생성
>
> ⬇
>
> |2단계| **피루브산의 산화 및 TCA 회로**
> • 해당 과정에서 생성된 피루브산이 미토콘드리아 기질에서 아세틸 CoA로 산화된 후 TCA 회로를 거쳐 이산화 탄소로 분해되는 과정
> • NADH와 $FADH_2$, 소량의 ATP 생성
>
> ⬇
>
> |3단계| **산화적 인산화**
> 미토콘드리아 내막에 있는 여러 효소가 해당 과정, 피루브산의 산화 및 TCA 회로에서 생성된 NADH와 $FADH_2$로부터 다량의 ATP를 생성하는 과정

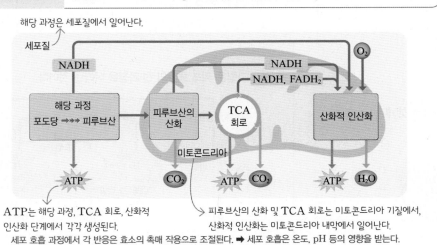

해당 과정은 세포질에서 일어난다.

ATP는 해당 과정, TCA 회로, 산화적 인산화 단계에서 각각 생성된다.

피루브산의 산화 및 TCA 회로는 미토콘드리아 기질에서, 산화적 인산화는 미토콘드리아 내막에서 일어난다.
세포 호흡 과정에서 각 반응은 효소의 촉매 작용으로 조절된다. ➡ 세포 호흡은 온도, pH 등의 영향을 받는다.

★ **산화 환원 반응**
• 산화: 어떤 물질이 산소(O)를 얻거나 수소(H) 또는 전자(e^-)를 잃는 것
• 환원: 어떤 물질이 산소를 잃거나 수소 또는 전자를 얻는 것
• 산화 환원 반응: 어떤 물질이 전자를 잃고 산화되면, 다른 물질이 이탈된 전자와 결합하여 환원된다. 이처럼 산화 환원 반응에서 산화와 환원은 항상 동시에 일어난다.

세포 호흡은 포도당의 전자가 최종적으로 산소에 전달되면서 에너지를 방출하는 산화 환원 반응이에요.

암기해

세포 호흡이 일어나는 장소
• 해당 과정: 세포질
• 피루브산의 산화 및 TCA 회로: 미토콘드리아 기질
• 산화적 인산화: 미토콘드리아 내막

┃용어┃
❶ **인산화** 특정 물질에 인산기가 결합하는 반응이다. ADP에 무기 인산이 결합하여 ATP가 합성되는 반응도 인산화에 해당한다.

개념 확인 문제

정답친해 40쪽

- 광합성과 세포 호흡에서의 에너지 전환: 태양의 빛에너지는 (❶   )을 통해 (❷   ) 에너지 형태로 전환되어 유기물에 저장되고, 유기물의 화학 에너지는 세포 호흡을 통해 (❸   )의 화학 에너지로 전환된다.
- 미토콘드리아: 외막과 내막의 (❹   ) 구조이며, (❺   )은 주름진 구조를 하고 있고, 내막 안쪽은 기질로 채워져 있다. 세포 호흡이 일어난다.
- 세포 호흡: 포도당과 같은 유기물을 산화하여 에너지를 방출하는 과정으로, 반응 결과 (❻   )와 물이 생성된다.
- 세포 호흡 과정: 해당 과정, 피루브산의 산화 및 (❼   ), 산화적 인산화의 세 단계로 구분한다.

---

1 그림은 광합성과 세포 호흡에서의 에너지 전환을 순서 없이 나타낸 것이다.

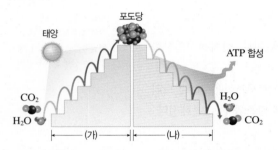

이에 대한 설명으로 옳은 것은 ○, 옳지 <u>않은</u> 것은 ×로 표시하시오.

(1) 광합성과 세포 호흡은 모두 물질대사이며, 광합성은 이화 작용, 세포 호흡은 동화 작용이다. ……… (   )
(2) (가)는 세포 호흡, (나)는 광합성이다. ………… (   )
(3) (가)는 빛에너지를 포도당의 화학 에너지로 전환하는 과정이고, (나)는 포도당의 화학 에너지를 ATP의 화학 에너지로 전환하는 과정이다. ………… (   )
(4) (가)는 엽록체에서, (나)는 세포질과 미토콘드리아에서 일어난다. ………………………………… (   )

2 그림은 미토콘드리아의 구조를 나타낸 것이다.

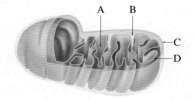

A~D의 이름을 각각 쓰시오.

3 미토콘드리아에 대한 설명으로 옳은 것은 ○, 옳지 <u>않은</u> 것은 ×로 표시하시오.

(1) 미토콘드리아는 외막과 내막의 2중막 구조이다.
……………………………………………………… (   )
(2) 미토콘드리아 외막은 주름진 구조의 크리스타를 형성한다. ………………………………………… (   )
(3) 미토콘드리아 기질에는 전자 전달계와 ATP 합성 효소가 있다. …………………………………… (   )
(4) 근육 세포와 같이 에너지를 많이 소비하는 세포에는 에너지를 적게 소비하는 세포에 비해 미토콘드리아가 많이 들어 있다. ………………………………… (   )

4 다음 물질이 미토콘드리아의 기질에 있으면 '기질', 내막에 있으면 '내막'이라고 쓰시오.

(1) DNA ……………………………………………… (   )
(2) 전자 전달 효소 ………………………………… (   )
(3) ATP 합성 효소 ………………………………… (   )
(4) TCA 회로에 관여하는 효소 ………………… (   )

5 그림은 세포 호흡의 전 과정을 나타낸 것이다.

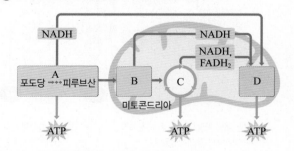

A~D에 해당하는 과정을 각각 쓰시오.

D 세포 호흡 과정

1. 해당 과정 포도당 1분자가 여러 단계의 화학 반응을 거쳐 피루브산 2분자로 분해되는 과정으로, 세포질에서 일어난다. → 포도당으로부터 에너지를 얻는 모든 원핵세포와 진핵세포에서 일어난다.

➡ 포도당 1분자당 피루브산 2분자, NADH 2분자, ATP 2분자가 생성된다.

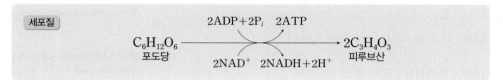

(1) 해당 과정의 특징

① 산소가 사용되지 않으므로 산소가 없어도 진행된다.

② 포도당(C_6)을 구성하고 있던 탄소는 모두 피루브산(C_3) 2분자를 구성하는 탄소로 전환된다.

➡ 이산화 탄소가 방출되지 않는다.

(2) 해당 과정의 경로: ATP를 소모하는 단계와 생성하는 단계로 구분할 수 있다.

① ATP 소모 단계: 포도당 1분자당 ATP 2분자를 소모하여 과당 2인산으로 활성화된다.

② ATP 생성 단계: 과당 2인산이 피루브산 2분자로 분해되면서 NADH 2분자와 ATP 4분자가 생성된다.

• 2NADH: [1]탈수소 효소의 작용으로 방출된 H^+과 고에너지 전자를 *NAD^+가 받아 NADH 2분자가 생성된다. → NADH는 포도당에서 방출된 화학 에너지의 일부를 저장한다.

• 4ATP: 기질 수준 인산화로 ATP 4분자가 생성된다. ➡ 초기 단계에서 ATP 2분자가 소모되었으므로, 해당 과정 전체로는 ATP 2분자가 생성된다.

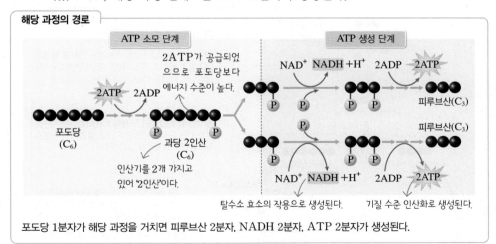

포도당 1분자가 해당 과정을 거치면 피루브산 2분자, NADH 2분자, ATP 2분자가 생성된다.

(3) 기질 수준 인산화: 효소의 작용으로 기질에 결합해 있던 인산기가 ADP로 전달되어 *ATP가 합성되는 과정이다. 해당 과정과 TCA 회로에서는 기질 수준 인산화로 ATP가 합성된다.

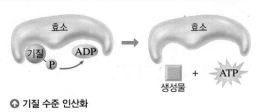

⬆ 기질 수준 인산화

★ **NAD^+(Nicotinamide adenine dinucleotide)**
탈수소 효소의 조효소로, 전자 2개와 H^+ 1개를 운반한다. 탈수소 효소가 기질에서 2개의 수소 원자($2H^+ + 2e^-$)를 떼어 내면 NAD^+는 H^+ 1개와 전자 2개를 받아 NADH로 환원되고, 나머지 H^+은 방출된다.
$$NAD^+ + 2H^+ + 2e^-$$
$$\longrightarrow NADH + H^+$$

암기해

세포 호흡 과정
• 해당 과정: 산소가 없어도 일어난다.
• 피루브산의 산화 및 TCA 회로, 산화적 인산화: 산소가 있어야 일어난다.

★ **ATP 합성**
ATP는 기질 수준 인산화와 산화적 인산화(세포 호흡), 광인산화(광합성)의 세 가지 방식으로 합성된다.

용어

❶ **탈수소 효소** 화합물로부터 수소 원자(H)를 떼어 내는 반응을 촉매하는 효소이다.

2. 피루브산의 산화 및 *TCA 회로   해당 과정에서 생성된 피루브산은 산소가 있을 때 미토콘드리아 기질로 들어가 아세틸 CoA로 산화된 후 TCA 회로를 거쳐 이산화 탄소로 분해된다.

➡ 피루브산 1분자당 이산화 탄소 3분자, NADH 4분자, FADH₂ 1분자, ATP 1분자가 생성된다. ──→ 해당 과정에서 생성된 피루브산은 미토콘드리아로 능동 수송되어 들어간다.

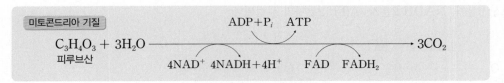

미토콘드리아 기질

$$C_3H_4O_3 + 3H_2O \longrightarrow 3CO_2$$
피루브산

$ADP+P_i$ ATP

$4NAD^+$ $4NADH+4H^+$ FAD $FADH_2$

(1) 피루브산의 산화: 이산화 탄소 1분자, NADH 1분자 생성

① 피루브산(C_3)은 효소의 작용으로 이산화 탄소를 방출하고 H^+과 고에너지 전자를 잃으면서 조효소 A(CoA)와 결합하여 아세틸 CoA(C_2)가 된다.

② 방출된 H^+과 고에너지 전자는 NAD^+에 전달되어 NADH가 생성된다.

(2) TCA 회로: 이산화 탄소 2분자, NADH 3분자, FADH₂ 1분자, ATP 1분자 생성

① 아세틸 CoA(C_2)는 옥살아세트산(C_4)과 결합하여 시트르산(C_6)이 되며, 시트르산(C_6)은 일련의 화학 반응을 거치면서 ❶탈탄산 효소의 작용으로 이산화 탄소 2분자를 방출하고 다시 옥살아세트산(C_4)으로 전환된다.

② 이 과정에서 탈수소 효소의 작용으로 방출된 H^+과 고에너지 전자는 NAD^+와 *FAD에 전달되어 NADH와 FADH₂가 생성되고, 기질 수준 인산화로 ATP가 생성된다.

★ **TCA 회로**
TCA는 Tricarboxylic acid의 약자로, 회로에서 처음 합성되는 물질인 시트르산이 3개의 카복실기(−COOH)를 가지기 때문에 붙은 이름이다. 시트르산 회로라고도 하며, 이 회로를 발견한 과학자 크레브스의 이름을 따서 크레브스 회로라고도 한다.

★ **FAD(Flavin adenine dinucleotide)**
탈수소 효소의 조효소로, 전자 2개와 H^+ 2개를 운반한다. FAD는 탈수소 효소의 작용으로 방출된 H^+ 2개와 전자 2개를 받아 FADH₂로 환원된다.
$FAD+2H^+ +2e^-$
$\longrightarrow FADH_2$

│용어│
❶ **탈탄산 효소** 화합물의 카복실기(−COOH)에 작용하여 이산화 탄소(CO_2)를 떼어 내는 효소

피루브산의 산화 및 TCA 회로

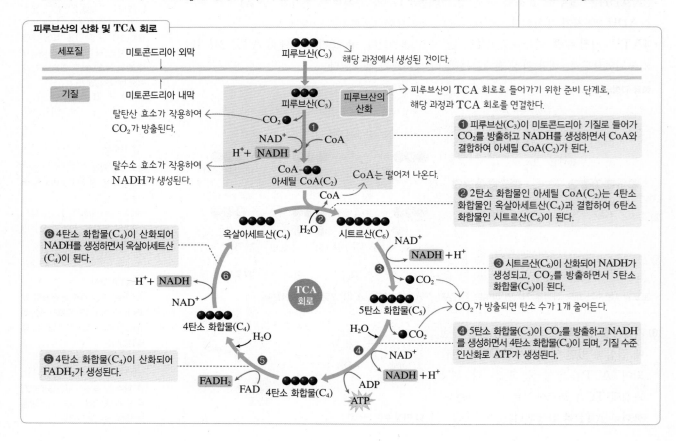

세포질 | 미토콘드리아 외막

피루브산(C_3) → 해당 과정에서 생성된 것이다.

기질 | 미토콘드리아 내막

피루브산(C_3) 피루브산의 산화 → 피루브산이 TCA 회로로 들어가기 위한 준비 단계로, 해당 과정과 TCA 회로를 연결한다.

탈탄산 효소가 작용하여 CO_2가 방출된다. ← CO_2

NAD^+ CoA
$H^+ +$ NADH

❶ 피루브산(C_3)이 미토콘드리아 기질로 들어가 CO_2를 방출하고 NADH를 생성하면서 CoA와 결합하여 아세틸 CoA(C_2)가 된다.

탈수소 효소가 작용하여 NADH가 생성된다. ← CoA─●● 아세틸 CoA(C_2)

CoA는 떨어져 나온다.

CoA

❷ 2탄소 화합물인 아세틸 CoA(C_2)는 4탄소 화합물인 옥살아세트산(C_4)과 결합하여 6탄소 화합물인 시트르산(C_6)이 된다.

옥살아세트산(C_4) H_2O ❷ 시트르산(C_6)

NAD^+
NADH $+H^+$

❸ 시트르산(C_6)이 산화되어 NADH가 생성되고, CO_2를 방출하면서 5탄소 화합물(C_5)이 된다.

❸ CO_2

❻ 4탄소 화합물(C_4)이 산화되어 NADH를 생성하면서 옥살아세트산(C_4)이 된다.

$H^+ +$ NADH
NAD^+
4탄소 화합물(C_4) ❻

TCA 회로

5탄소 화합물(C_5) → CO_2가 방출되면 탄소 수가 1개 줄어든다.

H_2O CO_2 ❹
NAD^+
NADH $+H^+$

❹ 5탄소 화합물(C_5)이 CO_2를 방출하고 NADH를 생성하면서 4탄소 화합물(C_4)이 되며, 기질 수준 인산화로 ATP가 생성된다.

❺ 4탄소 화합물(C_4)이 산화되어 FADH₂가 생성된다.

FADH₂ FAD ❺ 4탄소 화합물(C_4) H_2O
ADP ATP

3. 산화적 인산화 미토콘드리아 내막의 전자 전달계와 화학 삼투를 통해 NADH와 $FADH_2$의 에너지로부터 ATP를 합성하는 과정이다. ─→ 세포 호흡에서 생성되는 ATP의 대부분이 이 단계에서 생성된다.

세포 호흡에서 **NADH**와 **$FADH_2$**의 역할은?
해당 과정과 피루브산의 산화 및 TCA 회로에서 방출된 고에너지 전자를 받아 전자 전달계로 전달한다.

> 미토콘드리아 내막
>
> $$NADH \text{ 또는 } FADH_2 + O_2 \longrightarrow H_2O + \text{다량의 ATP}$$

(1) 전자 전달계: 미토콘드리아 내막에서 여러 전자 운반체가 일련의 사슬을 이루고 있는 것을 말한다.

① 해당 과정과 피루브산의 산화 및 TCA 회로에서 생성된 NADH와 $FADH_2$는 전자 전달계에 고에너지 전자를 전달하고, 각각 NAD^+와 FAD로 산화된다.

② 고에너지 전자는 전자 운반체의 산화 환원 반응으로 이동하면서 에너지를 조금씩 방출하고, 미토콘드리아 기질에 있는 H^+과 함께 최종적으로 *산소에 전달되어 물을 생성한다.

➡ 이때 전자에서 방출된 에너지의 일부가 ATP 합성에 이용된다. ─→ 산소가 없으면 전자의 흐름이 정지되어 ATP가 합성되지 못한다.

★ **산소가 없을 경우**
전자를 최종적으로 수용하는 산소가 없으면 전자 전달계에서의 전자 흐름이 정지되고, 그 결과 NADH와 $FADH_2$로부터 NAD^+와 FAD가 생성되지 않는다. 따라서 TCA 회로에 NAD^+와 FAD가 공급되지 않아 TCA 회로도 중단된다.

전자 전달계에서 에너지 수준의 변화

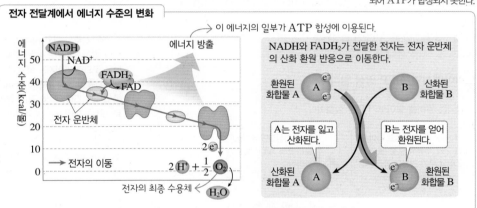

이 에너지의 일부가 ATP 합성에 이용된다.

NADH와 $FADH_2$가 전달한 전자는 전자 운반체의 산화 환원 반응으로 이동한다.

A는 전자를 잃고 산화된다.

B는 전자를 얻어 환원된다.

• 전자 운반체는 전자와 결합하면 환원 상태가 되고, 전자를 잃으면 산화 상태가 된다.
• 전자 전달계에서 전자 운반체는 전자에 대한 친화력이 작은 것에서 큰 것 순으로 나열되어 있어 차례로 전자를 주고받는다. ➡ 전자에 대한 친화력이 가장 큰 물질은 전자의 최종 수용체인 산소이다.
• NADH와 $FADH_2$가 전달한 고에너지 전자는 전자 전달계를 따라 이동하면서 에너지를 방출하므로 전자의 에너지 수준이 점차 낮아진다.
• 전자 전달계에서 방출된 에너지는 화학 삼투를 통해 ATP 합성으로 연결된다.

(2) *화학 삼투: 미토콘드리아 내막을 경계로 H^+의 농도 기울기가 형성되면, H^+이 내막에 있는 ❶ATP 합성 효소를 통해 고농도에서 저농도로 확산되는 과정이다.

① H^+의 농도 기울기 형성: NADH와 $FADH_2$가 전달한 고에너지 전자가 전자 운반체의 산화 환원 반응으로 이동할 때 방출된 에너지를 이용하여 일부 전자 운반체는 H^+을 미토콘드리아 기질에서 막 사이 공간으로 능동 수송한다.

➡ 막 사이 공간의 H^+ 농도가 미토콘드리아 기질보다 높아져 내막을 경계로 H^+의 농도 기울기가 형성된다. └→ 막 사이 공간의 pH < 기질의 pH

② 화학 삼투에 의한 ATP 합성: H^+의 농도 기울기에 따라 막 사이 공간에 있는 H^+이 ATP 합성 효소를 통해 미토콘드리아 기질로 확산된다. └→ 화학 삼투

➡ H^+의 이동으로 발생하는 에너지를 이용하여 ATP 합성 효소가 ATP를 합성한다.

주의해
전자 전달계와 ATP 합성
고에너지 전자가 전자 전달계를 따라 이동하면서 에너지를 방출하는데, 이 에너지로부터 ATP가 직접 합성되는 것은 아니다. 전자가 이동하는 과정에서 방출된 에너지를 이용하여 화학 삼투가 일어나 ATP가 합성된다.

┃용어┃
❶ **ATP 합성 효소** 미토콘드리아 내막과 엽록체의 틸라코이드 막에 있는 단백질 복합체로, ADP와 무기 인산을 ATP로 합성하는 효소이다.

산화적 인산화의 원리

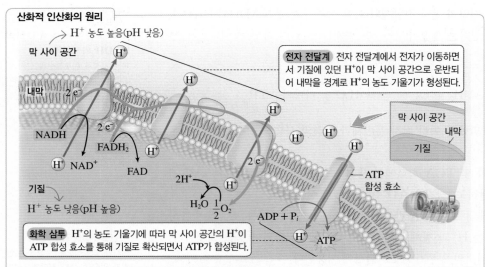

→ H^+ 농도 높음(pH 낮음)

막 사이 공간

내막 2 e^-

NADH

2 e^-

H^+ NAD$^+$

FADH$_2$

FAD

$2H^+$

H_2O $\frac{1}{2}O_2$

기질

H^+ 농도 낮음(pH 높음)

전자 전달계 전자 전달계에서 전자가 이동하면서 기질에 있던 H^+이 막 사이 공간으로 운반되어 내막을 경계로 H^+의 농도 기울기가 형성된다.

막 사이 공간
내막
기질

ATP
합성 효소

ADP + P$_i$

H^+ ATP

화학 삼투 H^+의 농도 기울기에 따라 막 사이 공간의 H^+이 ATP 합성 효소를 통해 기질로 확산되면서 ATP가 합성된다.

- 미토콘드리아 내막에서 전자 운반체를 통한 H^+의 이동은 능동 수송에 의해 일어나고, ATP 합성 효소를 통한 H^+의 이동은 촉진 확산에 의해 일어난다.
- H^+이 *화학 삼투에 의해 ATP 합성 효소를 통과할 때 ATP가 합성된다.

궁금해

미토콘드리아 내막의 전자 전달계와 화학 삼투를 통해 일어나는 **ATP 합성을 산화적 인산화**라고 하는 까닭은?
미토콘드리아 기질과 막 사이 공간 사이에 형성된 H^+의 농도 기울기가 산환 환원 반응으로 형성된 것이기 때문이다.

★ **화학 삼투와 위치 에너지**
수력 발전소에서는 높은 곳에서 낮은 곳으로 떨어지는 물의 위치 에너지를 이용하여 전기 에너지를 발생시킨다. 이와 같은 원리로 미토콘드리아 내막의 ATP 합성 효소는 농도가 높은 쪽에서 낮은 쪽으로 이동하는 H^+의 위치 에너지를 이용하여 ATP를 합성한다.

탐구 자료창 미토콘드리아에서의 ATP 합성 원리

그림은 미토콘드리아에서 ATP가 합성되는 원리를 알아보기 위한 실험이다.

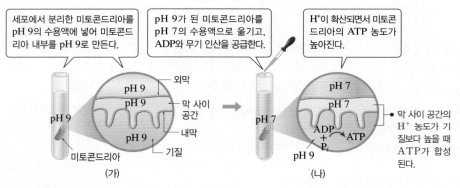

세포에서 분리한 미토콘드리아를 pH 9의 수용액에 넣어 미토콘드리아 내부를 pH 9로 만든다.

pH 9가 된 미토콘드리아를 pH 7의 수용액으로 옮기고, ADP와 무기 인산을 공급한다.

H^+이 확산되면서 미토콘드리아의 ATP 농도가 높아진다.

pH 9 — 외막
pH 9 — 막 사이 공간
pH 9 — 내막
pH 9 — 기질

미토콘드리아

(가)

pH 7
pH 7
pH 7
ADP + P$_i$ → ATP
pH 9

막 사이 공간의 H^+ 농도가 기질보다 높을 때 ATP가 합성된다.

(나)

1. **ATP 합성 원리**: (나)에서 막 사이 공간은 pH 7, 기질은 pH 9가 되어 막 사이 공간이 기질보다 H^+ 농도가 높다. → H^+이 막 사이 공간에서 기질로 확산된다. → ATP가 합성된다.
2. **결론**: 미토콘드리아에서 ATP를 합성하는 원동력은 내막을 경계로 한 H^+의 농도 기울기이다.

확대경 세포 호흡 저해제

1. **전자 전달 저해제**: 전자 전달계를 구성하는 전자 운반체에 결합하여 전자의 흐름을 막아 기질에서 막 사이 공간으로 H^+을 운반하지 못하게 한다. 예 사이안화물(청산가리), 로테논, 일산화 탄소
2. **ATP 합성 효소 저해제**: ATP 합성 효소에 결합하여 H^+이 ATP 합성 효소를 통해 막 사이 공간에서 기질로 확산되는 것을 막는다. 예 올리고마이신, 아우로베르틴, 벤추리시딘
3. **짝풀림제**: 막 사이 공간에 축적된 H^+이 ATP 합성 효소를 통하지 않고 기질로 들어갈 수 있게 하여 H^+의 농도 기울기를 감소시킨다. 그 결과 전자 전달계는 계속 작동하지만, 전자 전달계와 짝을 이루어 일어나던 ATP 합성 효소에 의한 ATP 합성은 일어나지 않는다. 예 DNP, FCCP

개념 확인 문제

정답친해 40쪽

핵심
체크

- 해당 과정: 세포질에서 포도당 1분자가 (❶) 2분자로 분해되는 과정으로, 포도당 1분자당 NADH (❷)분자, ATP (❸)분자가 생성된다.
- 피루브산의 산화 및 TCA 회로: 피루브산은 미토콘드리아 기질에서 아세틸 CoA로 산화된 후 TCA 회로를 거쳐 (❹)로 분해된다. ➡ 미토콘드리아로 들어간 피루브산 1분자는 이산화 탄소 (❺)분자로 분해되며, 이 과정에서 NADH (❻)분자, FADH₂ 1분자, ATP (❼)분자가 생성된다.
- 산화적 인산화: 미토콘드리아 내막의 전자 전달계와 (❽)를 통해 NADH와 FADH₂의 에너지로부터 (❾)를 합성하는 과정이다.

1 해당 과정에 대한 설명으로 옳은 것은 ○, 옳지 <u>않은</u> 것은 ×로 표시하시오.

(1) 포도당 1분자가 피루브산 2분자로 분해될 때 ATP 2분자가 소모된 후 4분자가 생성된다. ·············· ( )

(2) 탈수소 효소의 작용으로 H^+과 전자가 떨어져 나오고, NAD^+가 NADH로 환원된다. ·············· ( )

(3) 산소가 사용되며, 이산화 탄소가 방출된다. ( )

2 그림은 피루브산의 산화 과정을 나타낸 것이다.

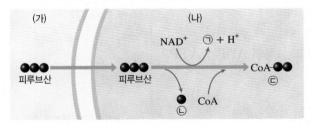

(1) (가)와 (나)는 각각 세포의 어느 부위인지 쓰시오.
(2) 물질 ㉠~㉢의 이름을 각각 쓰시오.

3 다음은 TCA 회로에 대한 설명이다. ( ) 안에 알맞은 말을 쓰거나 고르시오.

(1) 미토콘드리아의 (막 사이 공간, 기질)에서 일어난다.
(2) (피루브산, 아세틸 CoA)이/가 효소의 작용으로 산화되는 과정이다.
(3) ㉠(탈수소, 탈탄산) 효소의 작용으로 이산화 탄소가 방출되고, ㉡(탈수소, 탈탄산) 효소의 작용으로 H^+과 전자가 떨어져 나온다.
(4) ( ) 인산화로 ATP가 합성된다.

4 그림은 TCA 회로를 나타낸 것이다.

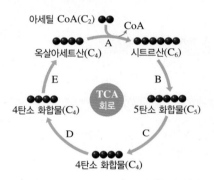

(1) 탈탄산 효소가 작용하는 단계의 기호를 있는 대로 쓰시오.
(2) 아세틸 CoA 1분자가 TCA 회로를 거치면 CO_2 ㉠( )분자, NADH ㉡( )분자, FADH₂ ㉢( )분자, ATP ㉣( )분자가 생성된다.

5 그림은 산화적 인산화 과정을 나타낸 것이다.

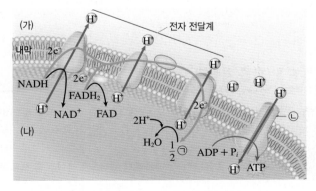

(1) 전자 전달계에서 전자의 최종 수용체인 ㉠은 무엇인지 쓰시오.
(2) (가)와 (나) 중 H^+ 농도가 더 높은 곳을 쓰시오.
(3) 효소 ㉡의 이름을 쓰시오.

E 세포 호흡의 에너지 효율

1. 세포 호흡의 ATP 생성량 포도당 1분자로부터 최대 32ATP가 생성된다.

(1) 해당 과정: 기질 수준 인산화로 2ATP 생성

(2) 피루브산의 산화 및 TCA 회로: 기질 수준 인산화로 2ATP 생성

(3) 산화적 인산화: NADH 1분자로부터 약 2.5ATP, $FADH_2$ 1분자로부터 약 1.5ATP가 생성된다. ➡ 포도당 1분자당 해당 과정에서 2NADH, 피루브산의 산화 및 TCA 회로에서 8NADH와 $2FADH_2$가 생성되므로 산화적 인산화로 최대 28ATP 생성

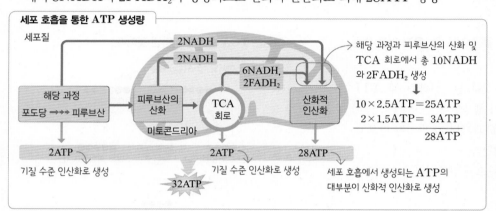

세포 호흡을 통한 ATP 생성량

해당 과정과 피루브산의 산화 및 TCA 회로에서 총 10NADH와 $2FADH_2$ 생성

$10 \times 2.5ATP = 25ATP$
$2 \times 1.5ATP = \ \ 3ATP$
$\overline{\qquad\qquad\qquad 28ATP}$

세포 호흡에서 생성되는 ATP의 대부분이 산화적 인산화로 생성

산화적 인산화로 생성되는 ATP의 양은 세포의 유형에 따라 다를 수 있어요.

2. 세포 호흡의 ❶에너지 효율 포도당에 저장되어 있던 에너지의 약 34 %가 ATP에 저장되고, 나머지 약 66 %의 에너지는 열로 방출되어 체온 유지 등에 사용된다.

🎵 포도당 1몰이 이산화 탄소와 물로 완전히 분해되면 686 kcal의 에너지가 방출된다.

🎵 포도당 1몰이 세포 호흡을 거치면 최대 32몰의 ATP가 생성되고, 1몰의 ADP가 ATP로 합성될 때 필요한 에너지는 약 7.3 kcal이다.

$$\text{에너지 효율} = \frac{32 \times 7.3 \ \text{kcal/몰}}{686 \ \text{kcal/몰}} \times 100 \fallingdotseq 34(\%)$$

F 호흡 기질과 호흡률

1. *호흡 기질 세포 호흡을 통해 분해되어 에너지를 방출할 수 있는 유기물로, 주로 탄수화물이 사용되지만, 지방과 단백질도 사용된다.

탄수화물	당으로 분해	해당 과정으로 들어간 후 세포 호흡의 나머지 단계를 거친다.
지방	글리세롤과 지방산으로 분해	• 글리세롤: 해당 과정으로 들어가 피루브산으로 전환된 후 피루브산의 산화 및 TCA 회로를 거쳐 산화된다. • 지방산: 아세틸 CoA로 전환된 후 TCA 회로로 들어가 산화된다.
단백질	아미노산으로 분해	탈아미노 반응으로 아미노기($-NH_2$)가 떨어진 후 피루브산, 아세틸 CoA, TCA 회로의 중간 산물 등으로 전환되어 산화된다.

⭐ **호흡 기질의 종류에 따른 에너지양**
지방이 탄수화물보다 더 많은 에너지를 저장하고 있기 때문에, 세포 호흡으로 산화될 때 지방 1 g은 탄수화물 1 g보다 2배 이상의 ATP를 생성한다. ➡ 탄수화물과 단백질은 4 kcal/g의 에너지를, 지방은 9 kcal/g의 에너지를 낸다.

용어
❶ 에너지 효율 투입한 에너지에 대해 이용할 수 있는 에너지의 비이다.

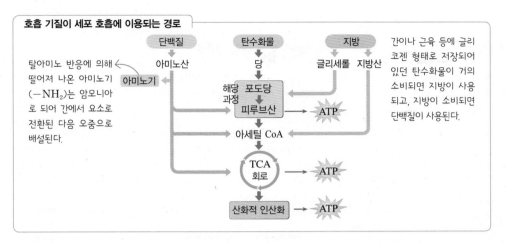

호흡 기질이 세포 호흡에 이용되는 경로

탈아미노 반응에 의해 떨어져 나온 아미노기($-NH_2$)는 암모니아로 되어 간에서 요소로 전환된 다음 오줌으로 배설된다.

간이나 근육 등에 글리코젠 형태로 저장되어 있던 탄수화물이 거의 소비되면 지방이 사용되고, 지방이 소비되면 단백질이 사용된다.

2. 호흡률 호흡 기질이 세포 호흡을 통해 분해될 때, 소비된 산소의 부피에 대해 발생한 이산화 탄소의 부피 비 ➡ 탄수화물: 1.0, 단백질: 약 0.8, 지방: 약 0.7
  └ 호흡률을 측정하면 세포 호흡에 사용된 호흡 기질의 종류를 추정할 수 있다.

$$호흡률(RQ) = \frac{발생한\ 이산화\ 탄소의\ 부피}{소비된\ 산소의\ 부피}$$
  respiratory quotient

궁금해

호흡 기질의 종류에 따라 호흡률이 다른 까닭은?
호흡 기질의 종류에 따라 탄소, 수소, 산소 원자의 구성비가 달라, 이용되는 호흡 기질에 따라 소비된 산소의 부피에 대해 발생한 이산화 탄소의 부피 비가 다르기 때문이다.

개념 확인 문제

정답친해 41쪽

• 세포 호흡의 ATP 생성량: 최대 (❶   )ATP 생성 ➡ 기질 수준 인산화로 (❷   )ATP, 산화적 인산화로 (❸   )ATP 생성
• 세포 호흡의 에너지 효율: 약 (❹   ) %이며, 나머지의 에너지는 열로 방출되어 체온 유지 등에 사용된다.
• (❺   ): 세포 호흡으로 분해되어 에너지를 방출할 수 있는 유기물 예 탄수화물, 지방, 단백질
• (❻   ): 호흡 기질이 세포 호흡으로 분해될 때, 소비된 산소의 부피에 대해 발생한 이산화 탄소의 부피 비

1 그림은 세포 호흡을 통해 포도당 1분자가 분해될 때 생성되는 ATP의 양을 나타낸 것이다.

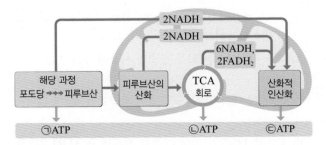

세포 호흡의 각 단계에서 생성되는 ATP의 분자 수 ㉠~㉢을 각각 쓰시오.

2 그림은 여러 가지 호흡 기질이 세포 호흡에 이용되는 경로를 나타낸 것이다. (가)~(다)는 각각 탄수화물, 단백질, 지방 중 하나이다.

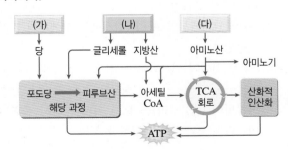

(가)~(다)에 해당하는 호흡 기질을 각각 쓰시오.

대표 자료 분석

🏠 학교 시험에 자주 출제되는 대표 자료와 그 자료에 대한 문제를 통해 자료를 완벽하게 이해할 수 있다.

자료 ① 세포 호흡의 전 과정

기출 Point
• 세포 호흡의 세 단계가 일어나는 장소 알기
• 세포 호흡의 세 단계에서 생성되는 ATP의 양 비교하기

[1~4] 그림은 세포 호흡의 전 과정을 나타낸 것이다.

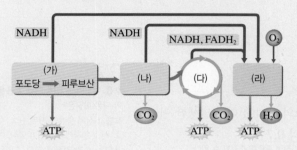

1 (가)~(라) 중 세포질에서 일어나는 단계의 기호를 쓰시오.

2 (가)~(라) 중 산소가 없어도 진행되는 단계의 기호를 쓰시오.

3 (가)~(라) 중 고에너지 전자를 이용하여 ATP를 합성하는 단계의 기호를 쓰시오.

4 빈출 선택지로 완벽 정리!

(1) (가)는 TCA 회로, (다)는 해당 과정이다.　(○ / ×)

(2) (가)~(라)는 모두 효소의 촉매 작용으로 조절되므로 세포 호흡은 온도와 pH의 영향을 받는다.　(○ / ×)

(3) (나), (다), (라)에 관여하는 효소는 모두 미토콘드리아 기질에 존재한다.　(○ / ×)

(4) (가)와 (다)에서의 ATP 합성에는 고에너지 전자가 이용된다.　(○ / ×)

(5) (라)는 산화적 인산화이며, 산소가 있어야 진행된다.　(○ / ×)

(6) 포도당이 (가)~(라)를 모두 거쳐 완전히 산화되면 이산화 탄소와 물이 생성되고 ATP가 합성된다.　(○ / ×)

자료 ② 해당 과정

기출 Point
• 해당 과정이 일어나는 장소 알기
• 해당 과정의 특징 이해하기

[1~4] 그림은 포도당 1분자가 피루브산 2분자로 분해되는 과정을 나타낸 것이다.

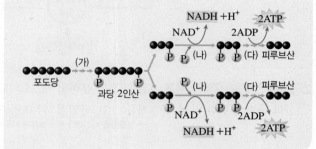

1 (가)~(다) 중 ATP를 소모하는 단계의 기호를 쓰시오.

2 (가)~(다) 중 탈수소 효소가 작용하는 단계의 기호를 있는 대로 쓰시오.

3 (다)에서 효소의 작용으로 기질에 결합해 있던 인산기가 ADP로 전달되어 ATP가 합성되는데, 이를 무엇이라고 하는지 쓰시오.

4 빈출 선택지로 완벽 정리!

(1) 포도당 1분자가 피루브산 2분자로 분해되는 과정을 해당 과정이라고 한다. ········· (○ / ×)

(2) (가)와 (나)는 모두 미토콘드리아에서 일어난다.
········· (○ / ×)

(3) 포도당 1분자가 피루브산 2분자로 분해될 때 이산화 탄소가 방출된다. ········· (○ / ×)

(4) (가)~(다)에서는 모두 산소가 사용되지 않는다.
········· (○ / ×)

(5) 1분자당 에너지양은 포도당이 과당 2인산보다 많다.
········· (○ / ×)

(6) 포도당 1분자가 해당 과정을 거치면 NADH 2분자와 ATP 2분자가 생성된다. ········· (○ / ×)

자료 ③ 피루브산의 산화 및 TCA 회로

기출 Point
- 피루브산의 산화 및 TCA 회로에서 생성되는 물질의 종류와 분자 수 알기
- TCA 회로에서 각 단계의 특징 알기

[1~3] 그림은 세포에서 피루브산 1분자가 아세틸 CoA로 산화된 후 TCA 회로를 거쳐 분해되는 과정을 나타낸 것이다.

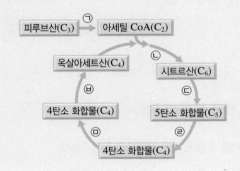

1 ㉠~㉅ 중 (가)NADH가 생성되는 단계와 (나)FADH₂가 생성되는 단계의 기호를 각각 쓰시오.

2 ㉠~㉅ 중 기질 수준 인산화가 일어나는 단계의 기호를 쓰시오.

3 빈출 선택지로 완벽 정리!

(1) 피루브산의 산화 및 TCA 회로는 모두 미토콘드리아 내막에서 일어난다. (○ / ×)

(2) 아세틸 CoA 1분자가 TCA 회로를 거치면 이산화 탄소 3분자가 방출된다. (○ / ×)

(3) 피루브산 1분자가 위 과정을 거쳐 분해되면 NADH 1분자, FADH₂ 4분자, ATP 1분자가 생성된다. (○ / ×)

(4) ㉠, ㉢, ㉣에서 모두 탈탄산 반응이 일어난다. (○ / ×)

(5) ㉡에서 CoA가 방출된다. (○ / ×)

(6) 아세틸 CoA에 저장된 화학 에너지의 일부는 TCA 회로에서 방출되어 NADH와 FADH₂에 저장된다. (○ / ×)

자료 ④ 산화적 인산화

기출 Point
- 전자 전달에 의한 H^+의 농도 기울기 형성 과정 이해하기
- 화학 삼투에 의한 ATP 합성 원리 이해하기

[1~3] 그림은 미토콘드리아에서 일어나는 산화적 인산화 과정을 나타낸 것이다.

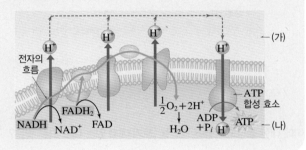

1 (가)와 (나)는 미토콘드리아의 어느 부위인지 각각 쓰시오.

2 NADH나 FADH₂가 전달한 전자(e^-)의 최종 수용체는 무엇인지 쓰시오.

3 빈출 선택지로 완벽 정리!

(1) NADH가 전달한 전자는 전자 전달계를 거치면서 에너지 수준이 점차 낮아진다. (○ / ×)

(2) 전자가 전자 전달계를 거치는 동안 방출한 에너지에 의해 H^+이 (나)에서 (가)로 능동 수송된다. (○ / ×)

(3) (가)의 H^+이 ATP 합성 효소를 통해 (나)로 확산될 때 ATP가 합성된다. (○ / ×)

(4) (나)의 pH가 (가)의 pH보다 낮을 때 화학 삼투에 의해 ATP가 합성된다. (○ / ×)

(5) NADH 1분자가 산화될 때보다 FADH₂ 1분자가 산화될 때 더 많은 양의 ATP가 생성된다. (○ / ×)

내신 만점 문제

A 물질대사와 에너지

01 그림은 식물 세포에서 일어나는 에너지 전환을 나타낸 것이다. (가)와 (나)는 각각 광합성과 세포 호흡 중 하나이다.

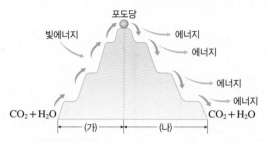

이에 대한 설명으로 옳은 것만을 [보기]에서 있는 대로 고른 것은?

[보기]
ㄱ. (가)의 생성물은 (나)의 반응물로 사용된다.
ㄴ. (가)에서 빛에너지는 화학 에너지로 전환된다.
ㄷ. (나)에서 포도당의 에너지 일부가 ATP의 화학 에너지로 전환되었다가 생명 활동에 사용된다.

① ㄴ   ② ㄱ, ㄴ   ③ ㄱ, ㄷ
④ ㄴ, ㄷ   ⑤ ㄱ, ㄴ, ㄷ

B 미토콘드리아

02 그림은 미토콘드리아의 구조를 나타낸 것이다.

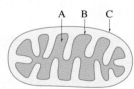

이에 대한 설명으로 옳은 것만을 [보기]에서 있는 대로 고른 것은?

[보기]
ㄱ. A는 막 사이 공간이다.
ㄴ. B에는 전자 전달계가 있다.
ㄷ. C의 주성분은 단백질과 인지질이다.

① ㄱ   ② ㄴ   ③ ㄱ, ㄷ
④ ㄴ, ㄷ   ⑤ ㄱ, ㄴ, ㄷ

03 미토콘드리아에 대한 설명으로 옳지 <u>않은</u> 것은?

① 내막에 전자 전달 효소가 있다.
② 내막에 의해 내부가 막 사이 공간과 기질로 구분된다.
③ 내막 일부가 안쪽으로 접혀 들어가 크리스타를 형성한다.
④ 기질에 DNA, 리보솜, TCA 회로에 관여하는 효소가 있다.
⑤ 외막에 ATP 합성 효소가 있어 산화적 인산화에 의한 ATP 합성이 일어난다.

C 세포 호흡의 개요

04 세포 호흡에 대한 설명으로 옳은 것은?

① 유기물을 환원시켜 에너지를 방출한다.
② 해당 과정은 미토콘드리아에서 일어난다.
③ 세포질에서 포도당이 이산화 탄소와 물로 분해된다.
④ TCA 회로와 산화적 인산화는 산소 없이도 진행된다.
⑤ 해당 과정 → 피루브산의 산화 및 TCA 회로 → 산화적 인산화 순으로 진행된다.

05 다음은 세포 호흡을 화학 반응식으로 나타낸 것이다.

$$C_6H_{12}O_6 + 6O_2 + 6H_2O \longrightarrow 6CO_2 + 12H_2O + \text{에너지}$$
포도당

이에 대한 설명으로 옳은 것만을 [보기]에서 있는 대로 고른 것은?

[보기]
ㄱ. O_2는 H_2O로 환원된다.
ㄴ. 포도당은 CO_2로 산화된다.
ㄷ. 포도당의 에너지는 모두 ATP의 화학 에너지로 전환된다.

① ㄱ   ② ㄷ   ③ ㄱ, ㄴ
④ ㄴ, ㄷ   ⑤ ㄱ, ㄴ, ㄷ

[06~07] 그림은 세포 호흡의 전 과정을 나타낸 것이다.

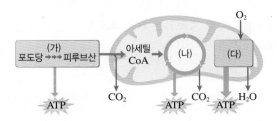

06 (가)~(다)에 해당하는 과정을 옳게 짝 지은 것은?

	(가)	(나)	(다)
①	해당 과정	TCA 회로	산화적 인산화
②	해당 과정	산화적 인산화	TCA 회로
③	TCA 회로	해당 과정	산화적 인산화
④	TCA 회로	산화적 인산화	해당 과정
⑤	산화적 인산화	TCA 회로	해당 과정

07 이에 대한 설명으로 옳은 것만을 [보기]에서 있는 대로 고르시오.

[보기]
ㄱ. (가)에서 탈탄산 효소가 작용한다.
ㄴ. (나)는 미토콘드리아 내막에 있는 효소의 작용에 의해 조절된다.
ㄷ. (가)~(다) 중 ATP를 가장 많이 생성하는 단계는 (다)이다.

Ⓓ 세포 호흡 과정 Ⓔ 세포 호흡의 에너지 효율

08 해당 과정에 대한 설명으로 옳지 <u>않은</u> 것은?

① 산소가 없어도 진행된다.
② 기질 수준 인산화가 일어난다.
③ 포도당 1분자가 해당 과정을 거치면 NADH 4분자가 생성된다.
④ 포도당이 세포 호흡을 통해 산화될 때 TCA 회로보다 먼저 진행되는 과정이다.
⑤ 해당 과정에서 포도당 1분자를 구성하는 탄소는 모두 피루브산 2분자를 구성하는 탄소로 전환된다.

09 그림은 세포 호흡 과정의 일부를 나타낸 것이다.

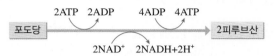

이에 대한 설명으로 옳은 것만을 [보기]에서 있는 대로 고른 것은?

[보기]
ㄱ. 탈수소 효소가 작용한다.
ㄴ. 산소가 있어야 일어난다.
ㄷ. ATP 합성에 효소가 관여한다.

① ㄱ　　　　② ㄴ　　　　③ ㄱ, ㄷ
④ ㄴ, ㄷ　　　⑤ ㄱ, ㄴ, ㄷ

10 그림은 포도당 1분자가 피루브산 2분자로 분해되는 과정을 나타낸 것이다.

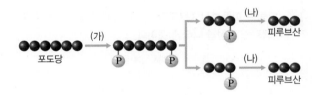

이에 대한 설명으로 옳은 것만을 [보기]에서 있는 대로 고른 것은?

[보기]
ㄱ. (가)에서 ATP 2분자가 소모된다.
ㄴ. (나)에서 이산화 탄소가 방출된다.
ㄷ. (가)와 (나)는 모두 세포질에서 일어난다.

① ㄱ　　　　② ㄴ　　　　③ ㄷ
④ ㄱ, ㄷ　　　⑤ ㄱ, ㄴ, ㄷ

(서술형)
11 그림은 세포 호흡 과정의 일부를 나타낸 것이다.

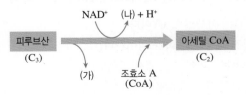

물질 (가)와 (나)의 이름을 각각 쓰고, 세포 호흡 과정에서 물질 (나)의 역할을 서술하시오.

12 피루브산의 산화 및 TCA 회로에 대한 설명으로 옳지 <u>않은</u> 것은?

① 미토콘드리아 기질에서 일어난다.

② 피루브산이 아세틸 CoA가 되는 과정에서 탈탄산 반응이 일어난다.

③ 피루브산 1분자가 산화되어 TCA 회로를 거치면 ATP 2분자가 생성된다.

④ TCA 회로에서는 반응물로부터 H^+과 전자가 방출되는 탈수소 반응이 일어난다.

⑤ TCA 회로에서 아세틸 CoA에 저장된 화학 에너지의 일부는 NADH와 $FADH_2$에 저장된다.

13 그림은 피루브산 1분자가 (가)로 산화된 후 TCA 회로를 거쳐 분해되는 과정을 나타낸 것이다.

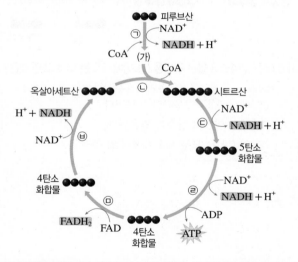

이에 대한 설명으로 옳지 <u>않은</u> 것은?(단, NADH 1분자로부터 2.5ATP가, $FADH_2$ 1분자로부터 1.5ATP가 생성된다.)

① (가)는 아세틸 CoA이다.

② 기질 수준 인산화가 일어난다.

③ 미토콘드리아 기질에서 일어난다.

④ 탈탄산 효소가 작용하는 단계는 ㉠, ㉢, ㉣이다.

⑤ 위 과정에서 생성된 NADH와 $FADH_2$가 모두 산화적 인산화를 거치면 총 28ATP가 생성된다.

14 그림은 TCA 회로의 일부를, 표는 TCA 회로의 ㉠과 ㉡ 과정에서 탈탄산 반응과 탈수소 반응이 일어나는지의 여부를 나타낸 것이다. A와 B는 TCA 회로에서 생성되는 탄소 화합물로, 탄소 수가 다르다.

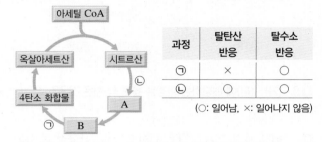

과정	탈탄산 반응	탈수소 반응
㉠	×	○
㉡	○	○

(○: 일어남, ×: 일어나지 않음)

이에 대한 설명으로 옳은 것만을 [보기]에서 있는 대로 고른 것은?

[보기]

ㄱ. A는 5탄소 화합물, B는 4탄소 화합물이다.

ㄴ. ㉠ 과정에서 ATP가 생성된다.

ㄷ. ㉡ 과정에서 $FADH_2$가 생성된다.

① ㄱ   ② ㄴ   ③ ㄱ, ㄷ

④ ㄴ, ㄷ   ⑤ ㄱ, ㄴ, ㄷ

15 그림은 미토콘드리아의 전자 전달계를 나타낸 것이다. ㉠과 ㉡은 각각 FAD와 NAD^+ 중 하나이다.

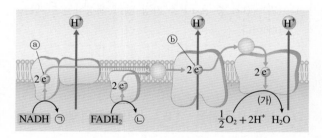

이에 대한 설명으로 옳은 것만을 [보기]에서 있는 대로 고른 것은?

[보기]

ㄱ. ㉠과 ㉡은 모두 탈수소 효소의 조효소이다.

ㄴ. NADH가 전달한 전자는 ⓐ에 있을 때보다 ⓑ에 있을 때 에너지 수준이 더 높다.

ㄷ. (가) 반응이 활발히 진행되면 막 사이 공간과 기질의 pH 차이는 커진다.

① ㄱ   ② ㄴ   ③ ㄷ

④ ㄱ, ㄷ   ⑤ ㄴ, ㄷ

16 그림은 세포 호흡 과정 중 전자가 미토콘드리아 내막에 있는 전자 운반체를 통해 이동할 때의 에너지 변화를 나타낸 것이다. ㉠~㉢은 각각 O_2, NADH, $FADH_2$ 중 하나이다.

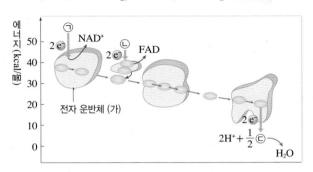

이에 대한 설명으로 옳은 것만을 [보기]에서 있는 대로 고른 것은?

[보기]
ㄱ. TCA 회로에서 ㉠이 생성된다.
ㄴ. 해당 과정에서 ㉡이 생성된다.
ㄷ. 전자에 대한 친화력은 ㉢이 전자 운반체 (가)보다 작다.

① ㄱ   ② ㄴ   ③ ㄷ
④ ㄱ, ㄴ   ⑤ ㄴ, ㄷ

17 그림은 미토콘드리아 내막에서 일어나는 산화적 인산화 과정을 나타낸 것이다.

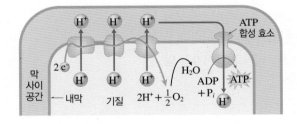

이에 대한 설명으로 옳지 <u>않은</u> 것은?

① 전자의 최종 수용체는 O_2이다.
② ATP 합성 효소를 통해 H^+이 확산된다.
③ 기질에서 막 사이 공간으로 H^+이 능동 수송된다.
④ 막 사이 공간의 pH가 기질의 pH보다 높을 때 ATP가 합성된다.
⑤ 전자 전달계에 전자를 제공하는 물질은 NADH와 $FADH_2$이다.

18 다음은 세포 호흡의 에너지 효율에 대한 설명이다.

• 포도당 1몰이 CO_2와 H_2O로 완전히 분해되면 686 kcal의 에너지가 방출된다.
• 포도당 1몰이 세포 호흡을 통해 CO_2와 H_2O로 완전히 분해되면 최대 [㉠]몰의 ATP가 생성된다.
• 1몰의 ADP가 ATP로 합성될 때 필요한 에너지는 7.3 kcal이다.

이에 대한 설명으로 옳은 것만을 [보기]에서 있는 대로 고르시오.

[보기]
ㄱ. ㉠은 28이다.
ㄴ. 포도당에 저장되어 있는 에너지의 일부가 ATP 합성에 이용된다.
ㄷ. 포도당에 저장되어 있는 에너지의 약 66 %는 세포 호흡 과정에서 열로 방출된다.

F 호흡 기질과 호흡률

19 그림은 여러 가지 영양소가 세포 호흡에 이용되는 경로를 나타낸 것이다.

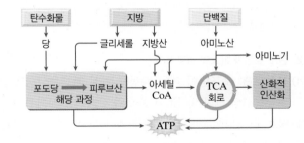

이에 대한 설명으로 옳지 <u>않은</u> 것은?

① 탄수화물, 지방, 단백질은 모두 호흡 기질로 사용된다.
② 지방과 단백질은 모두 해당 과정을 거쳐 산화된다.
③ 아미노산은 탈아미노 반응이 일어난 후 호흡 기질로 사용된다.
④ 탄수화물, 지방, 단백질 중 호흡률이 가장 큰 것은 탄수화물이다.
⑤ 글리세롤은 해당 과정으로 들어가 피루브산으로 전환된 후 산화되고, 지방산은 아세틸 CoA로 전환된 후 산화된다.

02 발효

핵심 포인트
ⓐ 산소 호흡과 발효의 특징 비교 ★★ ⓑ 젖산 발효와 알코올 발효 비교 ★★★
산소 호흡과 발효의 경로 비교 ★★ 알코올 발효 실험과 결과 ★★

Ⓐ 산소 호흡과 발효

1. 산소 호흡과 발효 → 산소 호흡과 발효는 모두 유기물을 분해하여 생명 활동에 필요한 에너지(ATP)를 얻는 과정이다.

(1) **산소 호흡**: 산소를 이용해 유기물을 분해하여 에너지(ATP)를 얻는 과정이다.

(2) **발효**: 산소가 없는 상태에서 전자 전달계를 거치지 않고 해당 과정에서만 에너지(ATP)를 얻는 과정으로, 유기물이 완전히 분해되지 않아 에너지를 포함한 분해 산물(젖산, 에탄올 등)이 생성된다. ➡ 산소 호흡에 비해 적은 양의 ATP 생성

구분	산소 호흡	발효
산소	필요함	필요하지 않음
장소	세포질, 미토콘드리아	세포질
분해 정도	포도당이 이산화 탄소와 물로 완전히 분해됨	포도당이 완전히 분해되지 않음
ATP 생성량	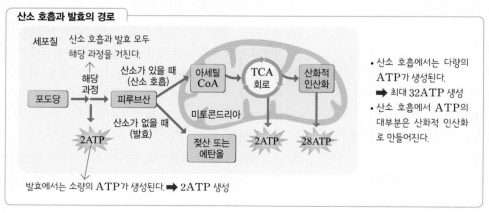	

> **궁금해**
>
> **발효와 부패는 어떻게 다를까?**
> 산소가 없는 상태에서 미생물이 에너지를 얻기 위해 유기물을 분해한 결과 생성된 물질이 인간에게 유용하면 발효, 인간에게 해로우면 부패로 구분하기도 한다.

> 교학사 교과서에서는 호흡을 산소 호흡과 무산소 호흡으로 구분하고, 무산소 호흡에 발효와 부패가 있다고 설명해요.

2. 산소 호흡과 발효의 경로 비교
• 피루브산은 산소가 있을 때는 미토콘드리아에서 산화되고, 산소가 없을 때는 세포질에서 환원된다.

(1) **산소 호흡**: 포도당이 해당 과정을 거쳐 <u>피루브산</u>으로 분해된 후, 미토콘드리아로 들어가 피루브산의 산화 및 TCA 회로와 산화적 인산화를 거쳐 이산화 탄소와 물로 분해된다.

(2) **발효**: 포도당이 해당 과정을 거쳐 피루브산으로 분해된 후, 미토콘드리아로 들어가지 않고 세포질에서 젖산, 에탄올 등을 생성한다.

산소 호흡과 발효의 경로

• 산소 호흡에서는 다량의 ATP가 생성된다.
➡ 최대 32ATP 생성
• 산소 호흡에서 ATP의 대부분은 산화적 인산화로 만들어진다.

> **주의해**
>
> **산소 호흡과 발효의 경로**
> 산소 호흡은 해당 과정 → 피루브산의 산화 및 TCA 회로 → 산화적 인산화를 거치지만, 발효는 세포 호흡 과정 중 해당 과정만 거친다.

1. 발효 과정 → 발효는 여러 미생물에서 일어나며, 산소가 부족할 때 사람의 근육 세포에서도 일어난다.

(1) 해당 과정: 포도당이 피루브산으로 분해될 때 NADH와 ATP가 생성된다.

(2) NAD^+의 재생성: 해당 과정에서 생성된 NADH는 피루브산을 젖산이나 에탄올로 환원시키고 NAD^+로 산화되며, NAD^+는 해당 과정에 공급된다.

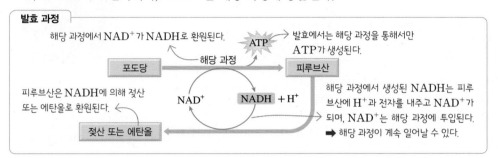

발효 과정

해당 과정에서 NAD^+가 NADH로 환원된다.

발효에서는 해당 과정을 통해서만 ATP가 생성된다.

포도당 →해당 과정→ 피루브산

피루브산은 NADH에 의해 젖산 또는 에탄올로 환원된다.

NAD^+ ← NADH $+ H^+$

해당 과정에서 생성된 NADH는 피루브산에 H^+과 전자를 내주고 NAD^+가 되며, NAD^+는 해당 과정에 투입된다.
➡ 해당 과정이 계속 일어날 수 있다.

젖산 또는 에탄올

2. 발효의 종류 생성되는 물질의 종류에 따라 젖산 발효, 알코올 발효 등으로 구분한다.

(1) 젖산 발효: 산소가 없는 상태에서 포도당을 분해하여 젖산을 생성하는 과정

① *젖산균에 의한 젖산 발효

반응식	$C_6H_{12}O_6 \longrightarrow 2C_3H_6O_3 + 2ATP$ 포도당 젖산
과정	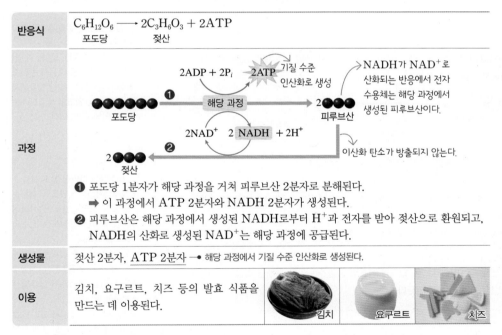 $2ADP + 2P_i$ → $2ATP$ 기질 수준 인산화로 생성 NADH가 NAD^+로 산화되는 반응에서 전자 수용체는 해당 과정에서 생성된 피루브산이다. ❶ ●●●●●● →해당 과정→ 2 ●●● 피루브산 $2NAD^+$ ← 2 NADH $+ 2H^+$ ❷ 2 ●●● 젖산 이산화 탄소가 방출되지 않는다. ❶ 포도당 1분자가 해당 과정을 거쳐 피루브산 2분자로 분해된다. ➡ 이 과정에서 ATP 2분자와 NADH 2분자가 생성된다. ❷ 피루브산은 해당 과정에서 생성된 NADH로부터 H^+과 전자를 받아 젖산으로 환원되고, NADH의 산화로 생성된 NAD^+는 해당 과정에 공급된다.
생성물	젖산 2분자, ATP 2분자 → 해당 과정에서 기질 수준 인산화로 생성된다.
이용	김치, 요구르트, 치즈 등의 발효 식품을 만드는 데 이용된다. 김치 요구르트 치즈

② 사람 *근육 세포에서의 젖산 발효: 근육 세포에서는 산소 공급이 충분한 경우 산소 호흡을 통해, 산소 공급이 부족한 경우 젖산 발효를 통해 ATP를 생성한다.

• 과격한 운동을 하는 경우: 혈액에서 근육 세포로 공급되는 산소의 양이 부족하여 ATP 생성을 위해 젖산 발효가 일어난다. ➡ 젖산이 근육에 축적된다.

• 근육에 축적된 젖산의 이동: 휴식을 취하면 젖산은 혈액을 따라 간으로 운반되어 피루브산으로 전환된 다음, 포도당으로 합성되거나 산소 호흡에 이용된다.

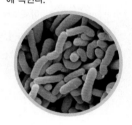

★ **젖산균**
단세포 원핵생물로 진정세균계에 속한다.

주의해

젖산 발효의 생성물
젖산 발효에서는 젖산 2분자와 ATP 2분자가 생성되며, 알코올 발효와 달리 이산화 탄소는 방출되지 않는다.

★ **근육 세포에서의 젖산 발효**
역도와 같이 짧은 시간에 많은 에너지를 소비하는 운동을 하거나 산소가 충분히 공급되지 않는 환경에서 운동할 때 젖산 발효가 일어난다.

(2) 알코올 발효: *효모가 산소가 없는 상태에서 포도당을 분해하여 에탄올을 생성하는 과정

반응식	$C_6H_{12}O_6 \longrightarrow 2C_2H_5OH + 2CO_2 + 2ATP$ 포도당 　　　　 에탄올
과정	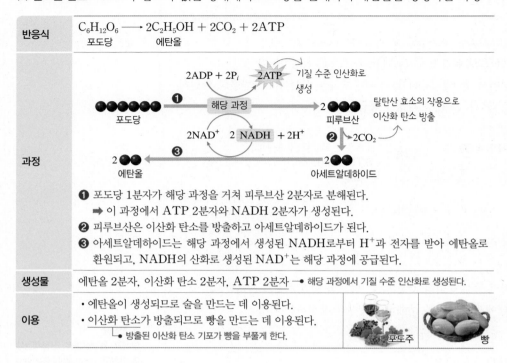 ❶ 포도당 1분자가 해당 과정을 거쳐 피루브산 2분자로 분해된다. 　➡ 이 과정에서 ATP 2분자와 NADH 2분자가 생성된다. ❷ 피루브산은 이산화 탄소를 방출하고 아세트알데하이드가 된다. ❸ 아세트알데하이드는 해당 과정에서 생성된 NADH로부터 H^+과 전자를 받아 에탄올로 환원되고, NADH의 산화로 생성된 NAD^+는 해당 과정에 공급된다.
생성물	에탄올 2분자, 이산화 탄소 2분자, <u>ATP 2분자</u> ➞ 해당 과정에서 기질 수준 인산화로 생성된다.
이용	• 에탄올이 생성되므로 술을 만드는 데 이용된다. • 이산화 탄소가 방출되므로 빵을 만드는 데 이용된다. 　➞ 방출된 이산화 탄소 기포가 빵을 부풀게 한다. 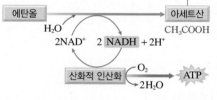

◯+ 확대경　아세트산 발효

❶아세트산균은 산소가 있는 상태에서 에탄올을 아세트산으로 변화시키면서 생명 활동에 필요한 에너지를 얻는데, 이 과정을 아세트산 발효라고 한다.

산화적 인산화가 진행되지만, 최종 분해 산물이 CO_2가 아니라 아세트산이기 때문에 발효로 구분한다.

1. 에탄올이 아세트산으로 되는 과정에서 생성된 2NADH로부터 산화적 인산화로 ATP를 합성한다.
　➡ 젖산 발효나 알코올 발효보다 ATP가 많이 생성된다.
2. 젖산 발효나 알코올 발효와 달리 산소를 이용하며, 에너지 생성 과정에서 포도당 대신 에탄올이 사용된다.
　➞ 막걸리나 포도주가 들어 있는 병의 뚜껑을 열어 두면 며칠 뒤 맛이 시큼해지는데, 이는 막걸리나 포도주에 들어 있는 에탄올을 이용하여 아세트산 발효가 일어났기 때문이다.
3. 현미, 포도, 감 등으로 식초를 만들 때 이용한다. ➡ 알코올 발효로 당을 에탄올로 분해한 다음, 아세트산 발효로 에탄올을 아세트산으로 분해하여 식초를 만든다.

3. 생활 속 발효의 이용

(1) 발효 식품: 채소를 발효하여 김치를, 수산물을 발효하여 젓갈을, 곡류를 발효하여 술과 식초 등을 만든다.

(2) 바이오 에탄올: 옥수수, 사탕수수, 식물의 목질 성분인 셀룰로스 등을 알코올 발효시켜 바이오 에탄올을 생산한다. 바이오 에탄올은 휘발유에 섞어 바로 연료로 사용할 수 있기 때문에 신재생 에너지로 주목받고 있다.

★ 효모
단세포 진핵생물로 균계에 속한다. 산소가 있으면 산소 호흡으로 에너지를 얻지만, 산소가 없으면 알코올 발효를 통해 에너지를 얻는다.

암기해
발효에서 생성되는 ATP의 양
젖산 발효와 알코올 발효에서는 해당 과정에서만 기질 수준 인산화로 포도당 1분자당 ATP 2분자가 생성된다.

★ 산소 호흡과 발효에서의 전자 수용체 비교
NADH가 NAD^+로 될 때 방출된 전자의 최종 수용체는 산소 호흡에서는 산소, 젖산 발효에서는 피루브산, 알코올 발효에서는 아세트알데하이드이다.

📖 미래엔 교과서에만 나와요.
★ 미생물의 다양한 발효 산물
• 김치 젖산균: 비만을 억제하는 물질인 오르니틴을 생성하여 중성 지방을 합성하는 효소의 농도를 낮춘다.
• 고초균: 메주를 감싸는 볏짚에서 옮겨 와 간장, 된장, 청국장 등의 발효 과정에서 글루탐산 함량을 높인다.
• 푸른곰팡이: 블루치즈의 발효 과정에서 대리석 모양의 특이한 무늬와 여러 가지 유기산을 만든다.

｜용어｜
❶ **아세트산균** 에탄올을 직접 산화하여 아세트산을 만드는 산소 세균이다.

알코올 발효 실험

| 과정 | ❶ 비커에 증류수 100 mL와 건조 효모 10 g을 넣고, 유리 막대로 저어 효모액을 만든다.
❷ 발효관 A~D에 스포이트를 이용하여 다음과 같이 여러 종류의 용액과 효모액을 넣는다.

발효관	내용물
A	증류수 15 mL + 효모액 15 mL
B	5 % 포도당 수용액 15 mL + 효모액 15 mL
C	5 % 설탕 수용액 15 mL + 효모액 15 mL
D	5 % 녹말 수용액 15 mL + 효모액 15 mL

효모액
당 수용액
맹관부

❸ 맹관부에 공기가 들어가지 않도록 주의하면서 발효관을 세운 다음, 입구를 솜 마개로 막는다.
❹ ★30 ℃~35 ℃로 맞춘 항온 수조에 발효관 A~D를 넣는다.
❺ 20분~30분 후 발효관 맹관부에 모인 기체의 부피를 측정한 후, 기체가 모인 발효관의 솜 마개를 빼고 냄새를 맡아 본다.
❻ 기체가 모인 발효관 안의 용액 일부를 스포이트로 뽑아낸 후, ★40 % 수산화 칼륨(KOH) 수용액 5 mL를 넣고 발효관을 가볍게 흔들면서 변화를 관찰한다.

| 결과 | 1. **과정 ❺의 결과**
• 발효관 A, D: 맹관부에 기체가 모이지 않는다.
• 발효관 B, C: 시간이 지남에 따라 맹관부에 모이는 기체의 부피가 증가한다. 또, 솜 마개를 빼고 냄새를 맡아 보면 알코올 냄새가 난다.
2. **과정 ❻의 결과**: 맹관부에 모인 기체의 부피가 감소하여 맹관부 용액의 높이가 높아진다.

발효관 B, C

 ▶  KOH 수용액 ▶

| 해석 | 1. **발효관 A는 대조군이다.** ➡ 당을 넣은 발효관에서 발생하는 기체(이산화 탄소)가 효모의 알코올 발효에 의해 당이 분해되어 생성된 것인지를 확인하기 위한 것이다.
2. **과정 ❸에서 발효관 입구를 솜 마개로 막는 까닭**: 발효관 안으로 산소가 유입되는 것을 차단하여 효모가 알코올 발효를 하도록 하기 위해서이다.
3. **발효관 B와 C에서는 기체가 발생하지만, D에서는 기체가 발생하지 않은 까닭**: 효모는 단당류인 포도당과 이당류인 설탕은 호흡 기질로 이용하지만, 다당류인 녹말은 호흡 기질로 이용하지 않기 때문이다. ➡ 효모의 종류에 따라 녹말을 호흡 기질로 이용할 수 있는 것도 있다.
4. **기체가 모인 발효관에서 알코올 냄새가 나는 까닭**: 효모의 알코올 발효 결과 에탄올(알코올)이 생성되었기 때문이다.
5. **과정 ❻의 결과 맹관부에 모인 기체의 부피가 감소한 까닭**: 맹관부에 모인 기체가 수산화 칼륨(KOH) 수용액에 녹기 때문이다. 이를 통해 효모의 알코올 발효 결과 발생한 기체는 이산화 탄소임을 알 수 있다.

확인 문제 **1** 효모는 포도당, 설탕과 같은 당을 ( )로 이용하여 알코올 발효를 한다.
2 효모의 알코올 발효가 일어나면 포도당이 분해되어 ( )과 기체인 ( )가 생성된다.

목표 효모의 알코올 발효 결과 생성되는 물질을 알아볼 수 있다.

교과서에 따라 실험에 이용하는 수용액의 종류가 조금씩 다르니 내 교과서를 확인하고 공부해요.

★ **30 ℃~35 ℃로 맞춘 항온 수조에 발효관을 넣는 까닭**
효모의 발효에 관여하는 효소의 작용이 잘 일어나게 하기 위해서이다.

★ **발효관에 수산화 칼륨(KOH) 수용액을 넣는 까닭**
이산화 탄소는 수산화 칼륨 수용액에 잘 녹으므로 발생한 기체가 이산화 탄소라는 것을 확인할 수 있기 때문이다.
$2KOH + CO_2 \longrightarrow K_2CO_3 + H_2O$

확인 문제 답
1 호흡 기질
2 에탄올, 이산화 탄소(CO_2)

개념 확인 문제

정답친해 46쪽

핵심
체크

- 산소 호흡: (❶   )를 이용해 유기물을 이산화 탄소와 물로 완전히 분해하여 다량의 ATP를 얻는 과정이다.
- (❷   ): 산소가 없는 상태에서 전자 전달계를 거치지 않고 유기물을 불완전 분해하여 소량의 ATP를 얻는 과정으로, 에탄올, 젖산 등이 생성된다.
- 젖산 발효: 산소가 없는 상태에서 젖산균이 포도당을 분해하여 (❸   )을 생성하는 과정으로, 포도당 1분자당 ATP (❹   )분자가 생성된다.
- 알코올 발효: 산소가 없는 상태에서 효모가 포도당을 분해하여 (❺   )과 이산화 탄소를 생성하는 과정으로, 포도당 1분자당 ATP (❻   )분자가 생성된다.

1 산소 호흡과 발효에 대한 설명으로 옳은 것은 ○, 옳지 <u>않은</u> 것은 ×로 표시하시오.

(1) 산소 호흡은 세포질과 미토콘드리아에서 일어나지만, 발효는 세포질에서만 일어난다. ─────────────── (   )

(2) 산소 호흡에서 포도당은 물과 이산화 탄소로 완전히 분해되지만, 발효에서는 포도당이 완전히 분해되지 않는다. ─────────────── (   )

(3) 산소 호흡에서보다 발효에서 더 많은 양의 ATP가 생성된다. ─────────────── (   )

2 그림은 포도당이 산소 호흡과 발효를 통해 분해되는 과정을 나타낸 것이다.

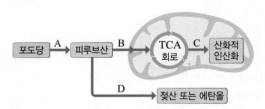

산소 호흡과 발효에서 일어나는 과정을 각각 기호로 쓰시오.

3 다음은 발효 과정에 대한 설명이다.

해당 과정에서 포도당이 피루브산으로 분해될 때 NAD^+가 ㉠(   )로 환원되고 ATP가 생성된다. 산소가 없으면 ㉡(   )은 NADH로부터 H^+과 전자를 받아 환원되고, NADH는 NAD^+로 산화되며, NAD^+는 해당 과정에 공급된다.

(   ) 안에 알맞은 말을 쓰시오.

4 젖산 발효에 대한 설명으로 옳은 것은 ○, 옳지 <u>않은</u> 것은 ×로 표시하시오.

(1) 산소가 없을 때 젖산균에서 일어난다. ─────── (   )

(2) 사람의 근육 세포에서도 일어날 수 있다. ─────── (   )

(3) 포도당 1분자로부터 젖산 1분자가 생성된다. (   )

(4) 탈탄산 효소의 작용으로 이산화 탄소가 방출된다.
─────────────── (   )

(5) 해당 과정에서만 ATP가 생성된다. ─────── (   )

5 그림은 알코올 발효 과정의 일부를 나타낸 것이다.

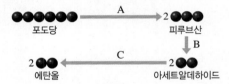

A~C 중 다음과 같은 반응이 일어나는 단계의 기호를 쓰시오.

(1) ATP 생성
(2) NADH의 산화
(3) 이산화 탄소 방출

6 다음의 각 발효를 이용하여 만든 식품을 [보기]에서 있는 대로 고르시오.

┌[보기]──────────────────────
│ ㄱ. 빵   ㄴ. 김치   ㄷ. 치즈
│ ㄹ. 포도주   ㅁ. 요구르트
└──────────────────────────

(1) 젖산 발효
(2) 알코올 발효

대표 자료 분석

자료 ① 산소 호흡과 발효

기출 Point
• 산소 호흡과 발효의 차이점 알기
• 산소 호흡과 발효의 ATP 생성량 비교하기

[1~3] 그림 (가)와 (나)는 산소 호흡과 발효를 순서 없이 나타낸 것이다.

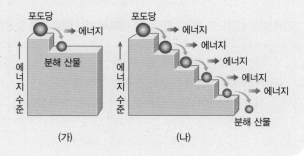

1 (가)와 (나)는 각각 산소 호흡과 발효 중 어떤 과정인지 쓰시오.

2 (가)와 (나) 중 ATP 생성에 산소가 필요한 단계가 있는 과정의 기호를 쓰시오.

3 빈출 선택지로 완벽 정리!

(1) (가)와 (나)에는 모두 효소가 관여한다. ⋯⋯⋯ (○ / ×)
(2) (가)는 세포질에서, (나)는 세포질과 미토콘드리아에서 일어난다. ⋯⋯⋯⋯⋯⋯⋯⋯⋯⋯⋯⋯ (○ / ×)
(3) (가)에서 분해 산물은 물과 이산화 탄소이고, (나)에서 분해 산물은 젖산이나 에탄올이다. ⋯⋯⋯ (○ / ×)
(4) 분해 산물의 에너지양은 (나)에서가 (가)에서보다 많다. ⋯⋯⋯⋯⋯⋯⋯⋯⋯⋯⋯⋯⋯⋯⋯⋯ (○ / ×)
(5) (가)에서는 해당 과정에서만 ATP가 생성된다. ⋯⋯⋯⋯⋯⋯⋯⋯⋯⋯⋯⋯⋯⋯⋯⋯⋯⋯⋯ (○ / ×)
(6) (나)에서 대부분의 ATP는 전자 전달계에서 방출되는 에너지를 이용한 산화적 인산화로 생성된다. ⋯⋯⋯⋯⋯⋯⋯⋯⋯⋯⋯⋯⋯⋯⋯⋯⋯⋯ (○ / ×)
(7) 포도당 1분자로부터 생성되는 ATP의 양은 (가)에서가 (나)에서보다 적다. ⋯⋯⋯⋯ (○ / ×)

자료 ② 젖산 발효와 알코올 발효

기출 Point
• 발효 과정 분석하기
• 젖산 발효와 알코올 발효의 공통점과 차이점 알기

[1~4] 그림은 산소 호흡과 발효에서 피루브산이 여러 물질로 전환되는 과정 (가)~(다)를 나타낸 것이다.

1 (가)~(다) 중 이산화 탄소가 발생하는 과정의 기호를 있는 대로 쓰시오.

2 (가)~(다) 중 NAD^+가 생성되는 과정의 기호를 있는 대로 쓰시오.

3 (가)~(다) 중 세포질에서 진행되는 과정의 기호를 있는 대로 쓰시오.

4 빈출 선택지로 완벽 정리!

(1) (가)는 알코올 발효, (나)는 젖산 발효 과정이다. ⋯⋯⋯⋯⋯⋯⋯⋯⋯⋯⋯⋯⋯⋯⋯⋯ (○ / ×)
(2) 사람의 근육 세포에서 산소가 부족할 때 (나)가 일어난다. ⋯⋯⋯⋯⋯⋯⋯⋯⋯⋯⋯⋯⋯ (○ / ×)
(3) (가)~(다) 과정은 모두 산소가 없어도 일어난다. ⋯⋯⋯⋯⋯⋯⋯⋯⋯⋯⋯⋯⋯⋯⋯⋯ (○ / ×)
(4) 빵을 만들 때 (가)가 이용된다. ⋯⋯ (○ / ×)
(5) NADH가 생성되는 과정은 (다)이다. ⋯⋯ (○ / ×)
(6) (가)와 (나)에서 모두 기질 수준 인산화가 일어난다. ⋯⋯⋯⋯⋯⋯⋯⋯⋯⋯⋯⋯⋯⋯⋯ (○ / ×)
(7) 치즈와 요구르트를 만드는 데 이용되는 과정은 (다)이다. ⋯⋯⋯⋯⋯⋯⋯⋯⋯⋯⋯⋯⋯ (○ / ×)

내신 만점 문제

A 산소 호흡과 발효

01 산소 호흡과 발효를 비교한 것으로 옳지 <u>않은</u> 것은?

	산소 호흡	발효
①	산소가 필요하다.	산소가 필요하지 않다.
②	전자 전달계가 관여한다.	전자 전달계가 관여하지 않는다.
③	기질 수준 인산화가 일어난다.	산화적 인산화가 일어난다.
④	세포질과 미토콘드리아에서 일어난다.	세포질에서 일어난다.
⑤	포도당이 이산화 탄소와 물로 완전히 분해된다.	포도당이 완전히 분해되지 않는다.

02 그림은 사람의 근육 세포에서 일어나는 두 종류의 호흡 경로를 나타낸 것이다.

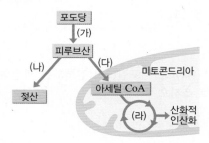

이에 대한 설명으로 옳은 것은?

① 포도당이 (가) → (나)의 경로를 거치면 ATP가 생성되지 않는다.

② (나)에서 이산화 탄소가 방출된다.

③ 산소가 없을 때는 (가)~(다) 중 (나)만 진행된다.

④ (다)에서 NAD^+의 환원이 일어난다.

⑤ 포도당 1분자가 (가) → (다) → (라) → 산화적 인산화의 경로를 거치면 최대 28ATP가 생성된다.

03 ^{서술형} 산소 호흡과 발효를 통해 생성되는 ATP의 양을 비교하고, ATP 생성량에 차이가 나는 까닭을 포도당의 분해 정도와 연관 지어 서술하시오.

04 그림은 어떤 생물에서 포도당이 분해되는 과정을 나타낸 것이다.

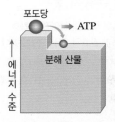

이에 대한 설명으로 옳은 것만을 [보기]에서 있는 대로 고른 것은?

[보기]
ㄱ. 산소가 없는 상태에서 일어난다.
ㄴ. 포도당이 이산화 탄소와 물로 완전히 분해된다.
ㄷ. 전자 전달계와 화학 삼투를 통해 ATP가 생성된다.

① ㄱ ② ㄴ ③ ㄷ
④ ㄱ, ㄷ ⑤ ㄴ, ㄷ

B 발효 과정

[05~06] 그림은 산소 호흡과 발효 과정을 나타낸 것이다.

05 이에 대한 설명으로 옳지 <u>않은</u> 것은?

① 산소가 사용되는 과정은 (라)이다.

② ATP가 생성되는 과정은 (가)와 (라)이다.

③ 세포질에서 일어나는 과정은 (가), (나), (다)이다.

④ 피루브산이 산화되는 과정은 (나), (다), (라)이다.

⑤ 산소 호흡과 발효에서 공통적으로 진행되는 과정은 (가)이다.

06 ^{서술형} (나)와 (다) 과정의 공통점과 차이점을 한 가지씩 서술하시오.

07 다음은 세포 내에서 포도당이 분해되는 여러 가지 반응의 화학 반응식을 나타낸 것이다.

> (가) $C_6H_{12}O_6$(포도당) $\longrightarrow 2C_3H_6O_3$(젖산)
> (나) $C_6H_{12}O_6$(포도당) $\longrightarrow 2C_2H_5OH$(에탄올)$+2CO_2$
> (다) $C_6H_{12}O_6$(포도당)$+6O_2+6H_2O$
> $\longrightarrow 6CO_2+12H_2O$

이에 대한 설명으로 옳지 <u>않은</u> 것은?

① (가)와 (나)는 모두 발효 과정이다.
② (가)는 산소가 없을 때 젖산균에서 일어난다.
③ (나)는 산소가 있을 때 효모에서 일어난다.
④ (가)에서보다 (다)에서 더 많은 양의 ATP가 생성된다.
⑤ (나)와 (다)에서 모두 탈탄산 반응이 일어난다.

09 그림은 젖산 발효와 알코올 발효 과정을 나타낸 것이다.

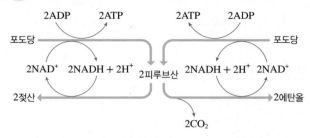

이에 대한 설명으로 옳지 <u>않은</u> 것은?

① 젖산 발효와 알코올 발효에서 모두 NAD^+가 생성된다.
② 젖산 발효와 알코올 발효는 모두 세포질에서 일어난다.
③ 산소가 없는 상태에서 효모는 알코올 발효를, 젖산균은 젖산 발효를 한다.
④ 포도당 1분자로부터 생성되는 ATP의 양은 알코올 발효에서가 젖산 발효에서보다 많다.
⑤ 젖산 발효에서는 탈탄산 효소가 작용하지 않지만, 알코올 발효에서는 탈탄산 효소가 작용한다.

08 그림은 산소 호흡과 발효 과정의 일부를, 표는 (가)~(다)에서 NAD^+와 CO_2의 생성 여부를 나타낸 것이다. ㉠~㉢은 각각 젖산, 에탄올, 아세틸 CoA 중 하나이다.

과정	NAD^+	CO_2
(가)	○	×
(나)	?	○
(다)	○	○

(○: 생성됨, ×: 생성되지 않음)

이에 대한 설명으로 옳은 것만을 [보기]에서 있는 대로 고른 것은?

─[보기]─
ㄱ. ㉡은 아세틸 CoA이다.
ㄴ. (가)에서 피루브산이 산화된다.
ㄷ. (나)와 (다)는 모두 세포질에서 일어난다.

① ㄱ   ② ㄴ   ③ ㄷ
④ ㄱ, ㄴ   ⑤ ㄴ, ㄷ

10 그림은 사람의 근육 세포에서 일어나는 젖산 생성 과정을 나타낸 것이다.

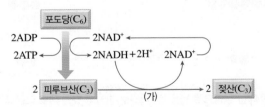

이에 대한 설명으로 옳지 <u>않은</u> 것은?

① (가) 과정에서 피루브산이 젖산으로 환원된다.
② 근육 세포에 산소 공급이 부족할 때 일어난다.
③ 해당 과정에서 기질 수준 인산화로 ATP가 생성된다.
④ 생성된 젖산의 일부는 간으로 이동하여 포도당으로 전환된다.
⑤ NADH는 전자 전달계에 전자를 전달하고 NAD^+로 산화된다.

11 그림은 어떤 생물에서 일어나는 발효 과정을 나타낸 것이다.

포도당 → 2 피루브산 → 2 아세트알데하이드 (가) → 2 에탄올
       2㉠   2㉡

이에 대한 설명으로 옳은 것은?

① CO_2는 ㉠에 해당한다.
② ATP는 ㉡에 해당한다.
③ 젖산균에서 일어나는 발효 과정이다.
④ 치즈를 만들 때 이용되는 발효 과정이다.
⑤ (가)에서 생성된 NAD^+는 해당 과정에 공급된다.

12 효모에서 일어나는 발효에 대한 설명으로 옳지 <u>않은</u> 것은?

① 기질 수준 인산화가 일어난다.
② 탈탄산 반응이 일어나지 않는다.
③ NAD^+가 생성되는 과정이 있다.
④ 아세트알데하이드가 에탄올로 환원된다.
⑤ 산소 호흡에서보다 적은 양의 ATP가 생성된다.

13 그림은 알코올 발효 과정을 나타낸 것이다.

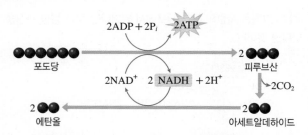

이에 대한 설명으로 옳은 것만을 [보기]에서 있는 대로 고른 것은?

┌─[보기]─────────────────────────────┐
│ ㄱ. 해당 과정이 일어난다.
│ ㄴ. NADH가 NAD^+로 산화되는 반응에서 전자 수용
│   체는 에탄올이다.
│ ㄷ. 피루브산이 아세트알데하이드로 되는 과정에서 탈탄
│   산 효소가 작용한다.
└───────────────────────────────────┘

① ㄱ   ② ㄷ   ③ ㄱ, ㄴ
④ ㄱ, ㄷ   ⑤ ㄴ, ㄷ

14 그림 (가)는 해당 과정을, (나)와 (다)는 2종류의 발효 과정 일부를 나타낸 것이다. ㉠과 ㉡은 각각 젖산과 에탄올 중 하나이다.

(가) 포도당 → 2 피루브산
(나) 피루브산 → 아세트알데하이드 → ㉠
(다) 피루브산 → ㉡

이에 대한 설명으로 옳은 것은?

① 1분자당 탄소 수는 ㉠이 ㉡보다 많다.
② (가)에서 산화 환원 반응이 일어나 NADH가 생성된다.
③ (나)에서 NAD^+의 환원이 일어난다.
④ (가)와 (나)에서 모두 탈탄산 반응이 일어난다.
⑤ (다)에서 ATP가 소모된다.

15 그림은 알코올 발효와 젖산 발효 과정의 일부를 순서 없이 나타낸 것이다. (가)와 (나)는 발효 결과 생성된 최종 분해 산물이며, ㉠과 ㉡은 각각 NAD^+와 NADH 중 하나이다.

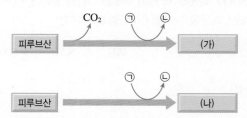

피루브산 ──CO_2→ ㉠ ㉡ → (가)
피루브산 ──㉠ ㉡→ (나)

이에 대한 설명으로 옳은 것만을 [보기]에서 있는 대로 고른 것은?

┌─[보기]─────────────────────────────┐
│ ㄱ. 해당 과정에서 ㉠이 생성된다.
│ ㄴ. (가)는 아세트알데하이드, (나)는 젖산이다.
│ ㄷ. 피루브산 1분자가 (나)로 환원될 때 ATP 2분자가
│   생성된다.
└───────────────────────────────────┘

① ㄱ   ② ㄴ   ③ ㄱ, ㄷ
④ ㄴ, ㄷ   ⑤ ㄱ, ㄴ, ㄷ

16 그림은 포도당에서 젖산이 생성되는 과정과 에탄올이 생성되는 과정을 각각 나타낸 것이다.

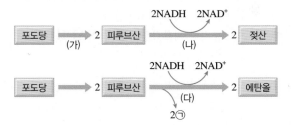

이에 대한 설명으로 옳은 것만을 [보기]에서 있는 대로 고른 것은?

[보기]
ㄱ. ㉠은 ATP이다.
ㄴ. (나)에서 생성된 NAD^+는 (가)에서 환원된다.
ㄷ. (다)에서 전자 전달계를 통한 전자의 이동이 일어난다.

① ㄱ   ② ㄴ   ③ ㄱ, ㄴ
④ ㄱ, ㄷ   ⑤ ㄱ, ㄴ, ㄷ

17 그림은 3종류의 발효에서 일어나는 물질의 전환 과정 Ⅰ~Ⅲ을 나타낸 것이다. ㉠~㉣은 각각 젖산, 에탄올, 아세트산, 피루브산 중 하나이다.

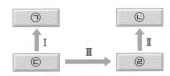

이에 대한 설명으로 옳은 것은?

① Ⅰ과 Ⅱ에서 모두 ATP가 생성된다.
② Ⅲ에서 NADH의 산화가 일어난다.
③ ㉠과 ㉣의 1분자당 탄소 수는 같다.
④ ㉡은 에탄올이다.
⑤ ㉢ 1분자가 산소 호흡을 통해 완전히 분해되면 CO_2 2분자가 생성된다.

[18~19] 그림은 발효관과 효모를 이용한 실험 과정의 일부를 나타낸 것이다.

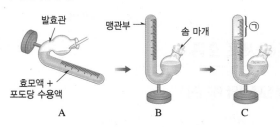

18 이에 대한 설명으로 옳은 것만을 [보기]에서 있는 대로 고른 것은?

[보기]
ㄱ. C의 ㉠ 부분에는 이산화 탄소가 들어 있다.
ㄴ. B → C 과정에서 아세트알데하이드의 환원이 일어난다.
ㄷ. B에서 발효관 입구를 솜 마개로 막지 않으면 맹관부 용액의 높이가 낮아지지 않는다.

① ㄱ   ② ㄷ   ③ ㄱ, ㄴ
④ ㄴ, ㄷ   ⑤ ㄱ, ㄴ, ㄷ

19 《서술형》 C에서 발효관 안의 용액 일부를 뽑아낸 후 수산화 칼륨(KOH) 수용액을 넣어 주면 어떤 결과가 나타날지 예상해 보고, 이를 통해 알 수 있는 사실을 서술하시오.

20 발효를 이용한 사례에 대한 설명으로 옳지 <u>않은</u> 것은?

① 고추장, 된장, 젓갈은 모두 발효 식품이다.
② 감이나 사과로 식초를 만들 때 발효를 이용한다.
③ 빵을 만들 때 효모에 의한 알코올 발효를 이용한다.
④ 식혜는 미생물의 발효를 이용하여 만든 전통 음료이다.
⑤ 요구르트와 치즈는 젖산 발효를 이용하여 만든 식품이다.

01 세포 호흡

1. 물질대사와 에너지

구분	광합성	세포 호흡
물질 변화	유기물 합성	유기물 분해
에너지 전환	태양의 빛에너지 → 유기물의 (❶) 에너지	유기물의 화학 에너지 → ATP의 (❷) 에너지

2. 미토콘드리아
세포 호흡이 일어나는 세포 소기관으로, 2중막 구조이다.

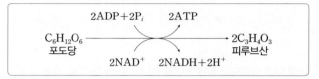

막 사이 공간
크리스타   내막
기질   외막

(1) (❸): 전자 전달계와 ATP 합성 효소가 있어 ATP 합성이 일어난다.
(2) 기질: DNA, 리보솜 등이 있으며, 세포 호흡에 필요한 여러 효소가 있어 TCA 회로가 진행된다.

3. 세포 호흡의 개요

(1) **세포 호흡**: 포도당과 같은 유기물을 산화하여 에너지를 방출하는 과정으로, 반응 결과 이산화 탄소와 물이 생성된다.

$$C_6H_{12}O_6 + 6O_2 + 6H_2O \longrightarrow 6CO_2 + 12H_2O + 에너지$$
포도당

(2) **세포 호흡 장소**: 세포질과 (❹)
(3) **세포 호흡 과정**: 해당 과정 → 피루브산의 산화 및 TCA 회로 → (❺)의 세 단계로 진행된다.

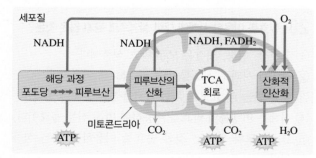

세포질
NADH   NADH   NADH, FADH₂   O₂
해당 과정 포도당 ➡➡➡ 피루브산 → 피루브산의 산화 → TCA 회로 → 산화적 인산화
미토콘드리아
ATP   CO₂   CO₂   ATP   ATP   H₂O

4. 세포 호흡 과정

(1) **해당 과정**: 포도당 1분자가 피루브산 2분자로 분해되는 과정으로, (❻)에서 일어난다.
  ➡ 포도당 1분자당 피루브산 2분자, NADH (❼) 분자, ATP 2분자 생성

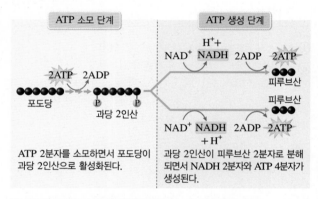

$$C_6H_{12}O_6 2C_3H_4O_3$$
2ADP+2P_i   2ATP
포도당   2NAD⁺   2NADH+2H⁺   피루브산

① 해당 과정의 특징
• 산소가 없어도 진행된다.
• 이산화 탄소가 방출되지 않는다.
② 해당 과정의 경로

ATP 소모 단계   ATP 생성 단계
H⁺+
NAD⁺ NADH 2ADP 2ATP
2ATP 2ADP   피루브산
포도당   피루브산
과당 2인산
NAD⁺ NADH 2ADP 2ATP
+H⁺

ATP 2분자를 소모하면서 포도당이 과당 2인산으로 활성화된다.

과당 2인산이 피루브산 2분자로 분해되면서 NADH 2분자와 ATP 4분자가 생성된다.

(2) **피루브산의 산화 및 TCA 회로**: 피루브산은 (❽)가 있을 때 미토콘드리아 기질로 들어가 아세틸 CoA로 산화된 후 TCA 회로를 거쳐 이산화 탄소로 분해된다.
  ➡ 피루브산 1분자당 이산화 탄소 3분자, (❾) 4분자, FADH₂ 1분자, ATP 1분자 생성

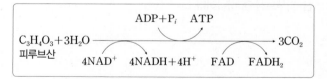

$$C_3H_4O_3 + 3H_2O \longrightarrow 3CO_2$$
ADP+P_i   ATP
피루브산
4NAD⁺ 4NADH+4H⁺   FAD FADH₂

① **피루브산의 산화**: 피루브산이 아세틸 CoA로 산화되면서 이산화 탄소 1분자, NADH 1분자가 생성된다.
② **TCA 회로**
• 아세틸 CoA가 옥살아세트산과 결합하여 시트르산이 되는 반응으로 시작하여 여러 반응을 거쳐 옥살아세트산이 재생되는 반응이 반복된다.
• 이 과정에서 이산화 탄소 (❿)분자, NADH 3분자, FADH₂ 1분자, ATP 1분자가 생성된다.

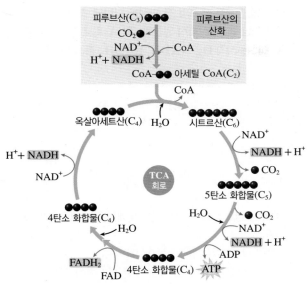

⬆ 피루브산의 산화 및 TCA 회로

(3) **산화적 인산화**: 미토콘드리아 내막의 (❶   )와 화학 삼투를 통해 NADH와 $FADH_2$의 에너지로부터 ATP 를 합성하는 과정이다.

• 과정: NADH와 $FADH_2$가 전달한 고에너지 전자가 전자 전달계를 거치면서 에너지 방출 → 내막을 경계로 H^+ 의 농도 기울기 형성 → (❷   )에 의해 ATP 합성

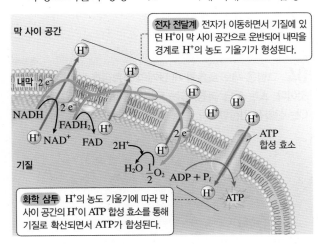

전자 전달계 전자가 이동하면서 기질에 있던 H^+이 막 사이 공간으로 운반되어 내막을 경계로 H^+의 농도 기울기가 형성된다.

화학 삼투 H^+의 농도 기울기에 따라 막 사이 공간의 H^+이 ATP 합성 효소를 통해 기질로 확산되면서 ATP가 합성된다.

5. 세포 호흡의 ATP 생성량과 에너지 효율 포도당 1분 자로부터 최대 (❸   )ATP가 생성된다.

과정	ATP 생성량	에너지 효율
해당 과정	2ATP(기질 수준 인산화)	$\dfrac{32 \times 7.3 \text{ kcal/몰}}{686 \text{ kcal/몰}}$ $\times 100 ≒ 34(\%)$
TCA 회로	2ATP(기질 수준 인산화)	
산화적 인산화	10NADH ⟶ 25ATP $2FADH_2$ ⟶ (❹)ATP	

6. 호흡 기질과 호흡률

(1) **호흡 기질**

호흡 기질	세포 호흡에 이용되는 경로
탄수화물	당으로 분해 → 해당 과정으로 들어간 후 세포 호흡의 나머지 단계를 거친다.
지방	글리세롤과 지방산으로 분해 → 글리세롤은 해당 과정의 중간 단계로 들어가고, 지방산은 아세틸 CoA로 전환되어 TCA 회로로 들어가 산화된다.
단백질	아미노산으로 분해 → (❺)가 떨어진 후 피루브산, 아세틸 CoA, TCA 회로의 중간 산물 등으로 전환되어 산화된다.

(2) **호흡률**: 호흡 기질이 세포 호흡을 통해 분해될 때, 소비된 산소의 부피에 대해 발생한 이산화 탄소의 부피 비
➡ 탄수화물: (❻   ), 단백질: 약 0.8, 지방: 약 0.7

02 발효

1. 산소 호흡과 발효

구분	산소 호흡	발효
산소	필요함	(❼)
장소	세포질, 미토콘드리아	(❽)
분해 정도	포도당이 이산화 탄소와 물로 완전히 분해됨	포도당이 완전히 분해되지 않음
경로	해당 과정 → 피루브산의 산화 및 TCA 회로 → 산화적 인산화	해당 과정 → 피루브산이 젖산 또는 에탄올로 환원
ATP 생성량	다량의 ATP 생성	소량의 ATP 생성

2. 발효의 종류

종류	미생물	포도당 1분자당 생성물	이용되는 예
젖산 발효	젖산균	2젖산, (❾)ATP	김치, 치즈
알코올 발효	효모	2에탄올, 2ATP, 2(⓴)	빵, 술

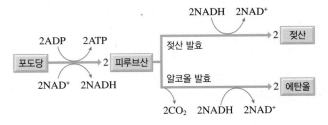

난이도 ●●●

01 그림은 세포 내에서 일어나는 에너지 전환을 나타낸 것이다. (가)와 (나)는 각각 빛에너지와 ATP 중 하나이다.

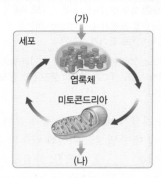

이에 대한 설명으로 옳은 것만을 [보기]에서 있는 대로 고른 것은?

─[보기]─
ㄱ. (가)는 ATP, (나)는 빛에너지이다.
ㄴ. 세포에서 단백질을 합성할 때 (나)가 사용된다.
ㄷ. (나)에 저장되는 에너지의 근원은 (가)이다.

① ㄱ
② ㄴ
③ ㄱ, ㄴ
④ ㄱ, ㄷ
⑤ ㄴ, ㄷ

02 그림은 미토콘드리아의 구조를 나타낸 것이다. ㉠~㉢은 각각 내막, 외막, 기질 중 하나이다.

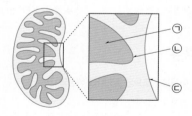

이에 대한 설명으로 옳지 <u>않은</u> 것은?

① ㉠에서 피루브산이 아세틸 CoA로 산화된다.
② ㉡에 전자 전달계가 존재한다.
③ ㉢에 ATP 합성 효소가 존재한다.
④ ㉢보다 ㉡의 표면적이 넓다.
⑤ 미토콘드리아는 인지질 2중층으로 이루어진 두 겹의 막으로 되어 있다.

03 그림은 세포 호흡의 전 과정을 나타낸 것이다. (가)~(다)는 각각 해당 과정, 산화적 인산화, TCA 회로 중 하나이며, 물질 ㉠~㉢은 각각 O_2, NADH, $FADH_2$ 중 하나이다.

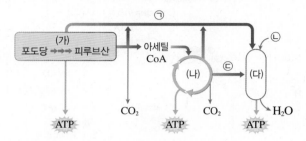

이에 대한 설명으로 옳은 것만을 [보기]에서 있는 대로 고른 것은?

─[보기]─
ㄱ. ㉠은 $FADH_2$, ㉡은 NADH이다.
ㄴ. (가)와 (나)에서 모두 기질 수준 인산화가 일어난다.
ㄷ. (다)는 미토콘드리아 기질에서 일어난다.

① ㄱ
② ㄴ
③ ㄷ
④ ㄱ, ㄷ
⑤ ㄴ, ㄷ

04 그림은 세포 호흡의 세 단계의 공통점과 차이점을 나타낸 것이다. A는 해당 과정, B는 피루브산의 산화 및 TCA 회로, C는 산화적 인산화이다.

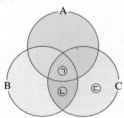

이에 대한 설명으로 옳은 것만을 [보기]에서 있는 대로 고른 것은?

─[보기]─
ㄱ. 'ATP가 생성된다.'는 ㉠에 해당한다.
ㄴ. '미토콘드리아 내막에서 일어난다.'는 ㉡에 해당한다.
ㄷ. '산화 환원 반응이 일어난다.'는 ㉢에 해당한다.

① ㄱ
② ㄷ
③ ㄱ, ㄴ
④ ㄴ, ㄷ
⑤ ㄱ, ㄴ, ㄷ

05 그림은 포도당 1분자가 분해되는 과정의 일부를 나타낸 것이다.

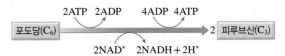

이에 대한 설명으로 옳은 것은?

① 탈탄산 효소가 작용한다.
② 원핵세포에서는 일어나지 않는다.
③ 산소가 없을 때는 진행되지 않는다.
④ ATP 생성이 ATP 소모보다 먼저 일어난다.
⑤ 포도당 1분자가 피루브산 2분자로 분해되면 ATP 2분자가 생성된다.

06 그림은 세포 호흡에서 ATP가 합성되는 과정을 나타낸 것이다.

이에 대한 설명으로 옳은 것만을 [보기]에서 있는 대로 고른 것은?

┌─[보기]─────────────────────────────┐
│ ㄱ. 산화적 인산화 과정이다.   │
│ ㄴ. 해당 과정과 TCA 회로에서 일어난다.   │
│ ㄷ. 효소 A는 탈수소 효소이다.   │
└────────────────────────────────────┘

① ㄴ   ② ㄱ, ㄴ   ③ ㄱ, ㄷ
④ ㄴ, ㄷ   ⑤ ㄱ, ㄴ, ㄷ

07 그림은 TCA 회로를 나타낸 것이다. ㉠은 아세틸 CoA와 결합하는 물질이다.

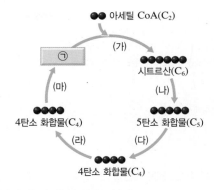

이에 대한 설명으로 옳지 <u>않은</u> 것은?

① (가)에서 조효소 A(CoA)가 방출된다.
② (다)에서 기질 수준 인산화가 일어난다.
③ ㉠은 4탄소 화합물인 옥살아세트산이다.
④ (나)와 (다)에서 이산화 탄소가 방출된다.
⑤ (라)와 (마)에서 일어나는 산화 환원 반응에 관여하는 효소의 조효소는 같다.

08 그림은 미토콘드리아의 전자 전달계와 ATP 합성 과정을 나타낸 것이다.

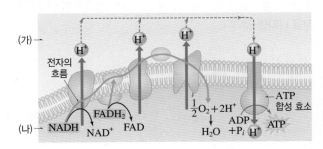

이에 대한 설명으로 옳은 것은?

① (가)에서 시트르산의 산화가 일어난다.
② 전자 전달계에서 전자의 최종 수용체는 O_2이다.
③ ATP 합성 효소를 통해 H^+이 이동할 때 ATP를 소모한다.
④ 전자 운반체 중 일부는 H^+이 확산하는 통로 단백질로 작용한다.
⑤ 전자의 이동이 활발할수록 (가)의 pH는 높아지고, (나)의 pH는 낮아진다.

09 그림은 어떤 미토콘드리아의 전자 전달계에서 전자가 전달되는 과정을 나타낸 것이다. ㉠은 NADH와 $FADH_2$ 중 하나이다.

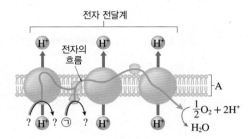

전자 전달계

이에 대한 설명으로 옳은 것만을 [보기]에서 있는 대로 고른 것은?

[보기]
ㄱ. ㉠은 NADH이다.
ㄴ. A는 미토콘드리아 내막이다.
ㄷ. ㉠ 1분자로부터 $\frac{1}{2}O_2$로 전달되는 전자의 수는 2이다.

① ㄱ   ② ㄴ   ③ ㄱ, ㄷ
④ ㄴ, ㄷ   ⑤ ㄱ, ㄴ, ㄷ

10 그림은 동물 세포에서 단백질이 세포 호흡에 이용되는 과정을 나타낸 것이다.

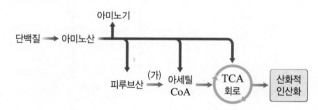

이에 대한 설명으로 옳은 것만을 [보기]에서 있는 대로 고른 것은?

[보기]
ㄱ. 아미노산은 탈아미노 반응을 거친 후 호흡 기질로 사용된다.
ㄴ. (가)에서 탈탄산 반응이 일어난다.
ㄷ. 아세틸 CoA 1분자가 TCA 회로를 거치면 NADH 3분자가 생성된다.

① ㄱ   ② ㄱ, ㄴ   ③ ㄱ, ㄷ
④ ㄴ, ㄷ   ⑤ ㄱ, ㄴ, ㄷ

11 표는 호흡 기질 (가)~(다)가 각각 CO_2와 H_2O로 완전히 분해될 때 소비된 O_2의 부피와 발생한 CO_2의 부피를 나타낸 것이다. (가)~(다)는 각각 단백질, 탄수화물, 지방 중 하나이다.

호흡 기질	소비된 O_2의 부피(mm^3)	발생한 CO_2의 부피(mm^3)
(가)	5.05	5.05
(나)	6.67	4.75
(다)	5.57	4.46

이에 대한 설명으로 옳은 것만을 [보기]에서 있는 대로 고른 것은?

[보기]
ㄱ. 호흡률은 (가)>(다)>(나)이다.
ㄴ. (가)는 지방산과 글리세롤로 분해된 다음 해당 과정을 거쳐 산화된다.
ㄷ. 동일한 부피의 O_2가 소비될 때 발생하는 CO_2의 부피는 (나)가 호흡 기질로 사용될 때보다 (다)가 호흡 기질로 사용될 때 더 크다.

① ㄴ   ② ㄷ   ③ ㄱ, ㄴ
④ ㄱ, ㄷ   ⑤ ㄱ, ㄴ, ㄷ

12 그림은 알코올 발효 과정을 나타낸 것이다.

포도당 —(가)→ 2 피루브산 —(나)→ 2 아세트알데하이드 —(다)→ 2 에탄올

이에 대한 설명으로 옳은 것만을 [보기]에서 있는 대로 고른 것은?

[보기]
ㄱ. (가)에서 ATP가 ADP와 무기 인산으로 분해되는 반응이 일어난다.
ㄴ. (나)에서 탈수소 반응이 일어난다.
ㄷ. (다)에서 탈탄산 반응이 일어난다.

① ㄱ   ② ㄷ   ③ ㄱ, ㄴ
④ ㄴ, ㄷ   ⑤ ㄱ, ㄴ, ㄷ

13 그림은 젖산 발효와 알코올 발효의 공통점과 차이점을 나타낸 것이다. Ⅰ과 Ⅱ는 각각 젖산 발효와 알코올 발효 중 하나이다.

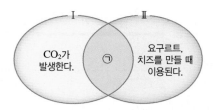

이에 대한 설명으로 옳은 것만을 [보기]에서 있는 대로 고른 것은?

─〈보기〉─
ㄱ. '세포질에서 일어난다.'는 ㉠에 해당한다.
ㄴ. 산소가 없을 때 효모에서는 Ⅰ이 일어난다.
ㄷ. Ⅱ에서는 NAD^+가 생성되지 않는다.

① ㄱ　　　　② ㄴ　　　　③ ㄷ
④ ㄱ, ㄴ　　　⑤ ㄱ, ㄷ

14 그림은 세포 내에서 포도당이 분해되는 과정 Ⅰ~Ⅲ을, 표는 Ⅰ~Ⅲ에서 생성되는 물질 중 ㉠과 ㉡의 유무를 나타낸 것이다. A와 B는 각각 젖산과 에탄올 중 하나이고, ㉠과 ㉡은 각각 CO_2와 NADH 중 하나이다.

구분	Ⅰ	Ⅱ	Ⅲ
㉠	ⓐ	없음	ⓑ
㉡	있음	없음	없음

이에 대한 설명으로 옳은 것은?

① ㉠은 NADH이다.
② ⓐ는 '있음', ⓑ는 '없음'이다.
③ 1분자당 탄소 수는 A가 B보다 많다.
④ 사람의 근육 세포에서 Ⅰ과 Ⅲ이 일어난다.
⑤ Ⅱ에서 탈탄산 반응이 일어난다.

서술형 문제

15 그림은 해당 과정의 반응식을 나타낸 것이다.

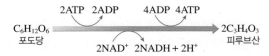

해당 과정에서 CO_2가 방출되는지 방출되지 않는지 판단하고, 이와 같이 판단한 까닭을 서술하시오.

16 그림은 포도당 1분자가 세포 호흡을 통해 완전히 분해될 때 생성되는 ATP 분자 수를 나타낸 것이다. NADH 1분자로부터 2.5ATP, $FADH_2$ 1분자로부터 1.5ATP가 생성된다.

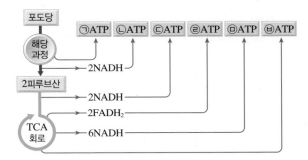

ATP 분자 수 ㉠~㉺을 각각 쓰고, 해당 과정, TCA 회로, NADH와 $FADH_2$로부터 각각 어떤 방법으로 ATP가 생성되는지 서술하시오.

17 그림은 산소가 없을 때 효모에서 일어나는 발효 과정을 나타낸 것이다.

$$2NAD^+ \quad 2NADH + 2H^+ \qquad\qquad 2NADH + 2H^+ \quad 2NAD^+$$

$C_6H_{12}O_6$ 포도당 → $2C_3H_4O_3$ 피루브산 → $2CH_3CHO$ 아세트알데하이드 → $2C_2H_5OH$ 에탄올

2ADP　2ATP　　　CO_2

산소가 없는 상태에서 효모가 ATP를 지속적으로 생성하기 위해서는 피루브산이 에탄올로 전환되는 과정이 꼭 필요하다. 그 까닭을 제시된 그림을 참고하여 서술하시오.

수능 실전 문제

01 그림은 식물의 광합성과 동물의 세포 호흡 사이에서 일어나는 물질과 에너지의 이동을 나타낸 것이다. ㉠과 ㉡은 각각 O_2와 CO_2 중 하나이다.

이에 대한 설명으로 옳은 것만을 [보기]에서 있는 대로 고른 것은?

〔보기〕
ㄱ. ㉠은 세포 호흡의 산화적 인산화에 사용된다.
ㄴ. 식물의 광합성에 의해 빛에너지가 화학 에너지로 전환된다.
ㄷ. 식물의 광합성과 동물의 세포 호흡이 일어나는 세포 소기관은 다르다.

① ㄱ   ② ㄴ   ③ ㄱ, ㄷ
④ ㄴ, ㄷ   ⑤ ㄱ, ㄴ, ㄷ

02 그림은 세포 호흡의 전 과정을 단계별로 나타낸 것이다.

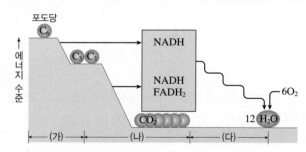

이에 대한 설명으로 옳은 것만을 [보기]에서 있는 대로 고른 것은?

〔보기〕
ㄱ. (가)는 세포질에서 일어난다.
ㄴ. (나)는 O_2가 있어야 일어난다.
ㄷ. (나)와 (다)에서 생성되는 ATP 분자 수는 같다.

① ㄱ   ② ㄷ   ③ ㄱ, ㄴ
④ ㄴ, ㄷ   ⑤ ㄱ, ㄴ, ㄷ

03 그림 (가)는 어떤 세포에서 포도당 1분자가 분해되는 과정의 일부를, (나)는 (가) 과정에서의 에너지 변화를 나타낸 것이다. ㉠은 3탄소 화합물이다.

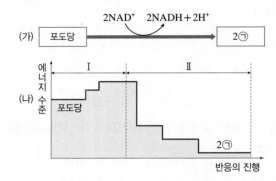

이에 대한 설명으로 옳은 것만을 [보기]에서 있는 대로 고른 것은?

〔보기〕
ㄱ. (가)에서 포도당은 2분자의 ㉠으로 환원된다.
ㄴ. (나)의 Ⅰ에서 탈수소 효소의 작용으로 수소(H)가 방출된다.
ㄷ. (나)의 Ⅰ에서 ATP 2분자가 소모되고, Ⅱ에서 ATP 4분자가 생성된다.

① ㄱ   ② ㄴ   ③ ㄷ
④ ㄱ, ㄴ   ⑤ ㄱ, ㄷ

04 그림은 TCA 회로의 일부를, 표는 물질 ㉠~㉣을 순서 없이 나타낸 것이다.

| 물질(㉠~㉣) |
| 4탄소 화합물, 시트르산, 아세틸 CoA, 옥살아세트산 |

이에 대한 설명으로 옳은 것만을 [보기]에서 있는 대로 고른 것은?

〔보기〕
ㄱ. (가)에서 탈탄산 반응이 일어난다.
ㄴ. (나)에서 탈수소 반응이 일어난다.
ㄷ. ㉣은 6탄소 화합물이다.

① ㄱ   ② ㄴ   ③ ㄷ
④ ㄱ, ㄷ   ⑤ ㄴ, ㄷ

05 그림 (가)는 TCA 회로의 일부를, (나)는 인산화 반응을 나타낸 것이다.

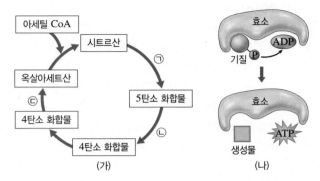

(가)   (나)

이에 대한 설명으로 옳은 것만을 [보기]에서 있는 대로 고른 것은?

[보기]
ㄱ. ㉠에서 (나)의 인산화 반응이 일어난다.
ㄴ. ㉡과 ㉢에서 모두 탈수소 효소가 작용한다.
ㄷ. 아세틸 CoA 1분자가 TCA 회로를 거치면 CO_2 2분자가 방출된다.

① ㄱ   ② ㄴ   ③ ㄱ, ㄷ
④ ㄴ, ㄷ   ⑤ ㄱ, ㄴ, ㄷ

06 표는 TCA 회로에서 ㉠ 1분자와 ㉡ 1분자가 각각 ㉢ 1 분자로 되는 과정에서 생성되는 NADH와 $FADH_2$의 분자 수의 합과 CO_2의 분자 수를 나타낸 것이다. ㉠~㉢은 각각 옥 살아세트산, 시트르산, TCA 회로에서 생성된 5탄소 화합물 중 하나이다.

과정	NADH 분자 수 + $FADH_2$의 분자 수	CO_2의 분자 수
㉠ → ㉢	ⓐ	1
㉡ → ㉢	4	ⓑ

이에 대한 설명으로 옳은 것만을 [보기]에서 있는 대로 고른 것은?

[보기]
ㄱ. ⓐ+ⓑ=5이다.
ㄴ. 1분자당 탄소 수는 ㉠이 ㉡보다 많다.
ㄷ. ㉠이 ㉢으로 되는 과정에서 기질 수준 인산화가 일 어난다.

① ㄱ   ② ㄱ, ㄴ   ③ ㄱ, ㄷ
④ ㄴ, ㄷ   ⑤ ㄱ, ㄴ, ㄷ

07 표는 TCA 회로 또는 발효 과정에서 일어나는 화학 반응 (가)~(다)를 나타낸 것이다.

반응	물질의 탄소 수 변화	생성 물질
(가)	4탄소 화합물(C_4) → 옥살아세트산(C_4)	NADH
(나)	피루브산(C_3) → 젖산(C_3)	㉠
(다)	㉡(C_6) → 5탄소 화합물(C_5)	CO_2, NADH

이에 대한 설명으로 옳은 것만을 [보기]에서 있는 대로 고른 것은?

[보기]
ㄱ. (가)는 미토콘드리아 기질에서 일어난다.
ㄴ. NAD^+는 ㉠에 해당한다.
ㄷ. ㉡은 시트르산이다.

① ㄴ   ② ㄷ   ③ ㄱ, ㄴ
④ ㄱ, ㄷ   ⑤ ㄱ, ㄴ, ㄷ

08 그림은 미토콘드리아에서 일어나는 산화적 인산화 과정 을 나타낸 것이다. ㉠과 ㉡은 각각 NADH와 $FADH_2$ 중 하 나이다.

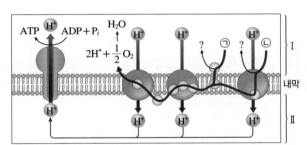

이에 대한 설명으로 옳은 것만을 [보기]에서 있는 대로 고른 것은?

[보기]
ㄱ. ㉠ 1분자와 ㉡ 1분자에서 각각 방출된 전자에 의해 생성되는 H_2O 분자 수는 같다.
ㄴ. 내막을 경계로 형성된 H^+의 농도 기울기에 따라 Ⅰ 에서 Ⅱ로 H^+이 확산된다.
ㄷ. TCA 회로에서 아세틸 CoA 1분자로부터 생성된 ㉡이 모두 전자 전달계에서 산화되려면 O_2 3분자가 필요하다.

① ㄱ   ② ㄷ   ③ ㄱ, ㄴ
④ ㄱ, ㄷ   ⑤ ㄴ, ㄷ

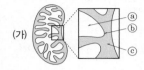

09 그림 (가)는 미토콘드리아의 구조를, (나)는 (가)의 ⓐ에 존재하는 아세틸 CoA가 TCA 회로와 산화적 인산화를 통해 분해되는 반응을 나타낸 것이다.

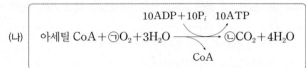

(나) 아세틸 $CoA + \bigcirc O_2 + 3H_2O \longrightarrow \bigcirc CO_2 + 4H_2O$
$10ADP + 10P_i \quad 10ATP$
CoA

이에 대한 설명으로 옳은 것만을 [보기]에서 있는 대로 고른 것은?

[보기]
ㄱ. 세포 호흡이 활발할 때, H^+ 농도는 ⓐ에서가 ⓒ에서보다 낮다.
ㄴ. ⓑ에는 (나)의 산화적 인산화에 필요한 전자 전달계가 존재한다.
ㄷ. (나)에서 $\bigcirc + \bigcirc = 3$이다.

① ㄱ ② ㄴ ③ ㄷ ④ ㄱ, ㄴ ⑤ ㄴ, ㄷ

10 그림은 세포 호흡이 활발하게 일어나는 미토콘드리아에서의 전자 전달 과정을 나타낸 것이다.

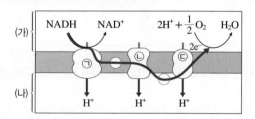

이에 대한 설명으로 옳은 것만을 [보기]에서 있는 대로 고른 것은? (단, $\bigcirc \sim \bigcirc$은 전자 운반체이다.)

[보기]
ㄱ. (가)에서 탈탄산 반응이 일어난다.
ㄴ. 전자에 대한 친화력은 $\bigcirc > \bigcirc > \bigcirc$이다.
ㄷ. $\bigcirc$에서 $\bigcirc$으로의 전자 전달을 차단하면 (나)의 pH는 차단하기 전보다 낮아진다.

① ㄱ ② ㄷ ③ ㄱ, ㄴ ④ ㄱ, ㄷ ⑤ ㄴ, ㄷ

11 다음은 미토콘드리아의 ATP 합성에 대한 실험이다.

(가) 쥐의 간세포로부터 분리한 미토콘드리아를 피루브산과 무기 인산이 충분히 들어 있는 시험관 A와 B에 각각 넣은 후, 시간에 따라 O_2 농도를 측정한다.
(나) t_1 시점에서 A에는 ADP를, B에는 ADP와 물질 X를 첨가한다. X는 미토콘드리아 내막에 있는 인지질을 통해 H^+을 새어 나가게 한다.
(다) 그림은 각 시험관에서 시간에 따른 O_2 농도를, 표는 구간 Ⅱ에서의 ATP 합성 여부를 나타낸 것이다.

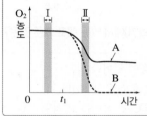

시험관	ATP 합성
A	합성됨
B	합성 안 됨

이에 대한 설명으로 옳은 것만을 [보기]에서 있는 대로 고른 것은?

[보기]
ㄱ. A에서는 구간 Ⅰ에서 산화적 인산화가 일어난다.
ㄴ. B에서 단위 시간당 전자 전달계를 통해 이동하는 전자의 수는 구간 Ⅱ에서가 구간 Ⅰ에서보다 많다.
ㄷ. 구간 Ⅱ에서 미토콘드리아의 $\dfrac{\text{막 사이 공간의 } H^+ \text{ 농도}}{\text{기질의 } H^+ \text{ 농도}}$ 는 A에서가 B에서보다 크다.

① ㄱ ② ㄴ ③ ㄷ ④ ㄱ, ㄷ ⑤ ㄴ, ㄷ

12 그림은 발효에서 포도당이 물질 $\bigcirc \sim \bigcirc$으로 전환되는 과정 Ⅰ~Ⅲ을 나타낸 것이다. $\bigcirc \sim \bigcirc$은 각각 에탄올, 피루브산, 젖산 중 하나이며, 1분자당 탄소 수는 $\bigcirc$이 $\bigcirc$보다 많다.

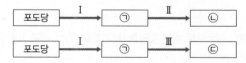

이에 대한 설명으로 옳은 것만을 [보기]에서 있는 대로 고른 것은?

[보기]
ㄱ. Ⅰ에서 기질 수준 인산화가 일어난다.
ㄴ. Ⅱ에서 탈탄산 반응이 일어난다.
ㄷ. Ⅲ에서 $\bigcirc$이 $\bigcirc$으로 산화된다.

① ㄱ ② ㄴ ③ ㄷ ④ ㄱ, ㄷ ⑤ ㄴ, ㄷ

13 그림은 아미노산과 포도당이 세포 호흡에 이용되는 과정의 일부를 나타낸 것이다.

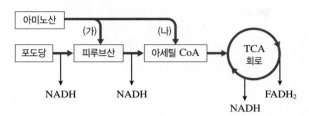

이에 대한 설명으로 옳은 것만을 [보기]에서 있는 대로 고른 것은? (단, NADH 1분자로부터 2.5ATP가, $FADH_2$ 1분자로부터 1.5ATP가 생성된다.)

─[보기]─
ㄱ. 아미노산과 포도당은 모두 해당 과정을 거치지 않는다.
ㄴ. (가)와 (나) 경로에서 모두 아미노기($-NH_2$)가 떨어져 나온다.
ㄷ. 아세틸 CoA 1분자가 TCA 회로와 산화적 인산화를 거쳐 완전히 산화되면 15ATP가 생성된다.

① ㄱ   ② ㄴ   ③ ㄱ, ㄷ
④ ㄴ, ㄷ   ⑤ ㄱ, ㄴ, ㄷ

14 그림은 효모에서 일어나는 산소 호흡과 발효 과정을 나타낸 것이다. 물질 (가)~(라)는 각각 에탄올, 포도당, 피루브산, 아세틸 CoA 중 하나이다.

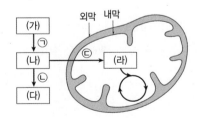

이에 대한 설명으로 옳지 않은 것은?

① ㉠과 ㉡에서 모두 산화 환원 반응이 일어난다.
② ㉢에서 탈탄산 반응이 일어난다.
③ 1분자당 $\dfrac{수소(H) 수}{탄소(C) 수}$ 는 (가)가 (나)보다 작다.
④ (다)는 효모를 이용하여 술을 만들 때 생성된다.
⑤ (라)는 산소가 없을 때는 생성되지 않는다.

15 그림 (가)는 피루브산이 발효 과정을 거쳐 ㉠이나 ㉡으로 전환되는 과정을, (나)는 산소와 포도당이 포함된 배양액에 효모를 넣고 밀폐한 후 시간에 따른 포도당과 ㉠의 양을 나타낸 것이다. ㉠과 ㉡은 각각 젖산과 에탄올 중 하나이다.

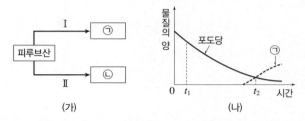

이에 대한 설명으로 옳은 것만을 [보기]에서 있는 대로 고른 것은?

─[보기]─
ㄱ. 1분자당 탄소 수는 ㉠보다 ㉡이 많다.
ㄴ. Ⅰ과 Ⅱ에서 모두 NADH의 산화가 일어난다.
ㄷ. (나)에서 t_1과 t_2일 때 모두 기질 수준 인산화가 일어난다.

① ㄱ   ② ㄴ   ③ ㄱ, ㄷ
④ ㄴ, ㄷ   ⑤ ㄱ, ㄴ, ㄷ

16 표 (가)는 세포 내에서 일어나는 2종류의 발효 Ⅰ과 Ⅱ에서 특징 ㉠~㉢의 유무를, (나)는 ㉠~㉢을 순서 없이 나타낸 것이다. Ⅰ과 Ⅱ는 각각 알코올 발효와 젖산 발효 중 하나이다.

특징＼발효	Ⅰ	Ⅱ
㉠	×	×
㉡	?	○
㉢	○	×

(○: 있음, ×: 없음)

(가)

특징(㉠~㉢)
NADH의 산화가 일어난다.
산화적 인산화가 일어난다.
탈탄산 효소가 작용한다.

(나)

이에 대한 설명으로 옳은 것만을 [보기]에서 있는 대로 고른 것은?

─[보기]─
ㄱ. Ⅰ은 사람의 근육 세포에서 일어날 수 있다.
ㄴ. Ⅱ는 빵을 만들 때 이용된다.
ㄷ. 'NADH의 산화가 일어난다.'는 ㉡에 해당한다.

① ㄱ   ② ㄴ   ③ ㄷ
④ ㄴ, ㄷ   ⑤ ㄱ, ㄴ, ㄷ

2 광합성

이 단원을 공부하기 전에 학습 계획을 세우고, 학습 진도를 스스로 체크해 보자.
학습이 미흡했던 부분은 다시 보기에 체크해 두고, 시험 전까지 꼭 완벽히 학습하자!

소단원	학습 내용	학습 일자	다시 보기
01. 광합성(1)	**ⓐ 엽록체** (탐구) 미토콘드리아와 엽록체의 비교 (탐구) 잎의 색소 분리	/	
	ⓑ 광합성의 개요 (탐구) 벤슨의 실험	/	
02. 광합성(2)	**ⓐ 광합성 과정 – 명반응** (탐구) 힐과 루벤의 실험	/	
	ⓑ 광합성 과정 – 탄소 고정 반응 (탐구) 캘빈 회로의 발견	/	
	ⓒ 광합성과 세포 호흡의 비교 (탐구) 엽록체와 미토콘드리아의 화학 삼투 비교 (특강) 광합성과 관련된 과학사	/	

광합성

① **광합성**: 식물이 빛에너지를 이용하여 물과 **❶**〔　　　〕를 원료로 양분(포도당)을 만드는 과정으로, **❷**〔　　　〕가 함께 만들어진다.

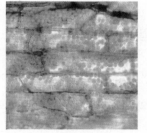
↑ 식물 세포 속의 엽록체

물 + **❸**〔　　　〕 →(빛에너지) 포도당 + 산소

• 광합성에 필요한 물질: 물, 이산화 탄소
• 광합성으로 생성되는 물질: 포도당, 산소 ➡ 포도당은 곧바로 물에 잘 녹지 않는 **❹**〔　　　〕로 바뀌어 엽록체에 일시적으로 저장된다.

② **광합성 장소**: 식물 세포의 **❺**〔　　　〕 ➡ 초록색 색소인 엽록소가 들어 있어 초록색으로 보이며, 엽록소는 광합성에 필요한 빛에너지를 흡수한다.

③ **광합성에 영향을 미치는 환경 요인**: 빛의 세기, **❻**〔　　　〕, 온도

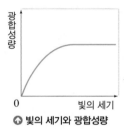
↑ 빛의 세기와 광합성량

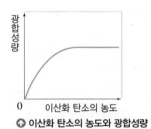
↑ 이산화 탄소의 농도와 광합성량

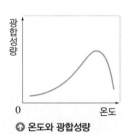
↑ 온도와 광합성량

광합성과 세포 호흡의 관계

① 광합성으로 생성된 물질(포도당, **❼**〔　　　〕)은 세포 호흡에 사용되고, 세포 호흡으로 생성된 물질(물, 이산화 탄소)은 광합성에 사용된다.

② 광합성은 태양의 빛에너지를 양분(포도당)에 저장하는 과정이고, 세포 호흡은 양분(포도당)을 분해하여 생명 활동에 필요한 **❽**〔　　　〕를 얻는 과정이다.

③ 광합성은 엽록체에서 일어나고, 세포 호흡은 세포질과 미토콘드리아에서 일어난다.

↑ 광합성과 세포 호흡의 관계

01 광합성(1)

핵심 포인트
◉ 엽록체의 구조와 기능 ★★　　◉ 광합성의 전 과정 ★★★
　흡수 스펙트럼과 작용 스펙트럼 ★★　　벤슨의 실험 ★★

A 엽록체

1. ***엽록체**　광합성이 일어나는 세포 소기관으로, 잎의 ❶엽육 세포에 많이 들어 있다.

2. **엽록체의 구조와 기능**　엽록체는 외막과 내막의 2중막 구조이며, 내막 안쪽은 그라나와 스트로마로 구성되어 있다.

(1) **그라나**

① 막으로 이루어진 납작한 주머니 모양의 틸라코이드가 여러 개 쌓여 이루어진다.

② 틸라코이드 막에 광합성 색소, 전자 전달계, ATP 합성 효소 등이 있어 빛에너지를 흡수하여 화학 에너지로 전환한다. ➡ 명반응이 일어난다.　틸라코이드 막에서 에너지 ●━전환이 일어난다.

(2) **스트로마**: 틸라코이드를 제외한 기질 부분으로, DNA, 리보솜, 포도당 합성에 관여하는 여러 효소 등이 있으며, 포도당이 합성된다. ➡ 탄소 고정 반응(암반응)이 일어난다.

엽록체의 구조와 기능

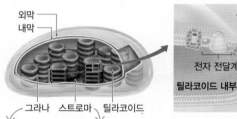

외막 / 내막 / 그라나 / 스트로마 / 틸라코이드 / 스트로마 / 엽록소 / ATP 합성 효소 / 전자 전달계 / 틸라코이드 내부

납작한 주머니 모양의 틸라코이드가 여러 개 쌓여 그라나를 이룬다. ➡ 그라나는 표면적이 넓으며, 서로 연결되어 있다.

기질인 스트로마에는 포도당 합성에 관여하는 효소들이 있어 포도당이 합성되며, DNA와 리보솜이 있어 엽록체는 독자적으로 증식하고 단백질을 합성한다.

틸라코이드 막에는 빛에너지를 흡수하는 광합성 색소, 빛에너지를 화학 에너지로 전환하는 데 관여하는 전자 전달계와 ATP 합성 효소가 있다.

탐구 자료창　미토콘드리아와 엽록체의 비교

미토콘드리아와 엽록체는 서로 다른 *물질대사를 담당하지만, 모두 에너지 전환을 담당하는 세포 소기관이다.

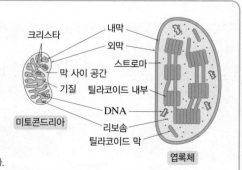

크리스타 / 막 사이 공간 / 기질 / 미토콘드리아 / 내막 / 외막 / 스트로마 / 틸라코이드 내부 / DNA / 리보솜 / 틸라코이드 막 / 엽록체

1. **미토콘드리아 기질과 엽록체 스트로마의 공통점:** DNA와 리보솜이 있으며, 물질대사에 관여하는 효소들이 있다.
2. **미토콘드리아 내막과 엽록체 틸라코이드 막의 공통점:** 전자 전달계와 ATP 합성 효소가 있어 ATP 합성이 일어난다. ●━ 에너지 전환이 일어난다.
3. **막 구조의 공통점:** 2중막 구조이며, 내부에 복잡한 막 구조가 발달되어 있어 표면적을 넓힘으로써 에너지 전환의 효율을 높인다.

★ **엽록체**
원반형의 세포 소기관으로, 식물이나 조류 등에 분포한다. 크기는 3 μm~6 μm 정도로, 보통 미토콘드리아보다 크다.

★ **미토콘드리아와 엽록체에서 일어나는 물질대사**
• 미토콘드리아: 유기물을 분해하여 생명 활동에 필요한 에너지를 얻는 세포 호흡이 일어난다.
• 엽록체: 빛에너지를 이용하여 유기물을 합성하는 광합성이 일어난다.

┃용어┃
❶ **엽육(葉 잎, 肉 살) 세포** 잎의 표피 안쪽에 초록색을 띠는 울타리 조직과 해면 조직을 구성하는 세포

3. 광합성 색소 빛에너지를 흡수하는 *색소로, 엽록체의 틸라코이드 막에 있다.

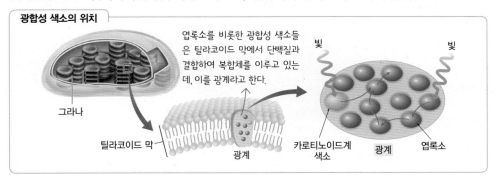

광합성 색소의 위치

엽록소를 비롯한 광합성 색소들은 틸라코이드 막에서 단백질과 결합하여 복합체를 이루고 있는데, 이를 광계라고 한다.

그라나
틸라코이드 막
광계
카로티노이드계 색소
광계
엽록소
빛
빛

(1) *광합성 색소의 종류**: 엽록소와 카로티노이드계 색소 등이 있다.

① 엽록소: 대표적인 광합성 색소로 초록색을 띠며, 엽록소 a, b, c, d가 있다.

• 엽록소 a는 광합성에서 가장 중심적인 역할을 하며, 일부 광합성 세균을 제외한 모든 광합성 생물에 존재한다.

• 모든 식물에는 엽록소 a와 b가 있다.

② 카로티노이드계 색소: 적황색이나 황색을 띠며, 카로틴, 잔토필 등이 있다.

• 엽록소가 흡수하지 못하는 파장대의 빛을 흡수하여 엽록소 a에 전달한다.

• 빛을 분산시켜 과도한 빛에 의해 엽록소가 손상되는 것을 막아 준다.

(2) **빛의 파장과 광합성 색소**: 광합성 색소는 빛의 파장에 따라 빛 흡수율이 다르다.

① 흡수 ❶스펙트럼: 빛의 파장에 따른 광합성 색소의 빛 흡수율을 그래프로 나타낸 것이다.

➡ 엽록소 a와 b는 *가시광선 중 청자색과 적색의 빛을 잘 흡수하고, 초록색 빛은 대부분 반사하거나 통과시킨다. └• 그 결과 식물의 잎이 초록색으로 보인다. •┘

② 작용 스펙트럼: 엽록체 추출액에 여러 파장의 빛을 비추어 빛의 파장에 따른 광합성 속도를 그래프로 나타낸 것이다. ➡ 청자색과 적색의 빛에서 광합성이 가장 활발하게 일어난다.

③ 엽록소의 흡수 스펙트럼과 엽록체의 작용 스펙트럼은 거의 일치한다. ➡ 식물은 주로 엽록소가 잘 흡수하는 청자색과 적색의 빛을 이용하여 광합성을 한다.

흡수 스펙트럼과 작용 스펙트럼 └• 청자색광 └• 적색광

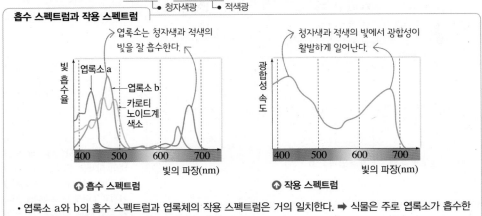

엽록소는 청자색과 적색의 빛을 잘 흡수한다.

빛 흡수율
엽록소 a
엽록소 b
카로티노이드계 색소
400 500 600 700
빛의 파장(nm)
⬆ 흡수 스펙트럼

청자색과 적색의 빛에서 광합성이 활발하게 일어난다.

광합성 속도
400 500 600 700
빛의 파장(nm)
⬆ 작용 스펙트럼

• 엽록소 a와 b의 흡수 스펙트럼과 엽록체의 작용 스펙트럼은 거의 일치한다. ➡ 식물은 주로 엽록소가 흡수한 빛을 이용하여 광합성을 한다.

• 엽록소가 거의 흡수하지 않는 초록색 빛에서도 광합성이 일어난다. ➡ 카로티노이드계 색소가 흡수한 빛에너지도 광합성에 이용되기 때문이다. └• 녹색광 ── 카로티노이드계 색소는 청자색과 초록색의 빛을 흡수하여 엽록소 a에 전달한다.

천재 교과서에만 나와요

★ 식물의 색소

식물에는 엽록소 외에 여러 색소가 있다.

• 카로티노이드계 색소: 가을에 은행나무 잎이 노랗게 단풍이 드는 것은 엽록소가 파괴되고 카로티노이드계 색소의 색깔이 나타나기 때문이다.

• 안토사이아닌: 적색, 자색, 청색 등 여러 가지 색깔로 나타난다. 열매나 꽃에 포함된 것은 곤충을 유인하는 역할을, 잎에 포함된 것은 자외선을 막아 주는 역할을 한다. 또 강력한 항산화제로 노화 방지 효과가 있다고 한다.

교학사 교과서에만 나와요

★ 식물과 조류의 광합성 색소

생물	광합성 색소
식물, 녹조류	엽록소 a와 b, 카로틴, 잔토필
갈조류	엽록소 a와 c, 카로틴, 갈조소
홍조류	엽록소 a와 d, 홍조소, 남조소

★ 광합성 색소와 가시광선

광합성 색소는 가시광선을 흡수한다. 가시광선은 사람의 눈에 보이는 빛으로 파장 범위가 약 380 nm~750 nm이며, 파장에 따라 다양한 색깔로 나타난다.

┃용어┃

❶ 스펙트럼(spectrum) 가시광선이 프리즘을 통과했을 때 파장에 따라 분산되어 배열되는 여러 색깔의 띠

확대경 엥겔만의 실험

독일의 엥겔만은 프리즘을 통과하여 분산된 빛을 [1]해캄에게 비추고, 해캄 주변에 있는 [2]산소 세균의 분포를 관찰하여 어느 파장에서 해캄의 광합성이 활발하게 일어나는지 확인하는 실험을 하였다.

1. **결과**: 산소 세균은 청자색과 적색의 빛이 비치는 부위에 많이 모였다. ➡ 청자색과 적색의 빛에서 해캄의 광합성이 활발하게 일어나 산소가 많이 발생했기 때문이다.

2. **결론**: 해캄은 주로 청자색과 적색의 빛을 흡수하여 광합성을 한다.

그래프 가로축: 빛의 파장(nm) 400 450 500 550 600 650 700
해캄 / 산소 세균

탐구 자료창 잎의 색소 분리

과정

❶ 막자사발에 잘게 자른 시금치 잎과 *아세톤 5 mL를 넣고 잘 갈아서 광합성 색소를 추출한다.

❷ 크로마토그래피용 종이를 눈금실린더 크기에 맞게 자른 후 아래쪽 끝에서 2 cm 정도 되는 곳에 연필로 선을 긋고 원점을 표시한다.

❸ 과정 ❶에서 얻은 광합성 색소 추출액을 모세관으로 원점에 찍고 말리는 과정을 20여 회 반복한다. ┌● 석유 에테르 : 아세톤＝9 : 1

❹ 눈금실린더 바닥에서 1 cm 높이까지 전개액을 넣는다.

❺ 원점이 전개액에 잠기지 않도록 주의하면서 크로마토그래피용 종이를 눈금실린더에 세워 넣고, 눈금실린더 입구를 고무마개로 막는다.

❻ 전개액이 크로마토그래피용 종이의 상단 가까이까지 올라가면, 종이를 꺼내어 전개액이 상승한 상단(용매 전선)과 분리된 색소의 위치를 연필로 표시한다.

❼ 원점에서 용매 전선까지의 거리와 원점에서 각 색소까지의 거리를 측정하여 각 색소의 전개율을 구한다.

$$전개율(Rf) = \frac{원점에서\ 색소까지의\ 거리}{원점에서\ 용매\ 전선까지의\ 거리}$$

 시금치
 추출액
 크로마토그래피용 종이 / 추출액
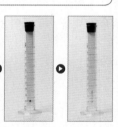

결과

색소의 종류	카로틴	잔토필	엽록소 a	엽록소 b
전개율	약 0.95	약 0.85	약 0.36	약 0.21

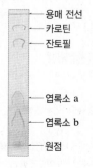
용매 전선 / 카로틴 / 잔토필 / 엽록소 a / 엽록소 b / 원점

➡ 색소의 전개율 비교: 카로틴＞잔토필＞엽록소 a＞엽록소 b

해석

1. 시금치 잎에는 카로틴(적황색), 잔토필(황색), 엽록소 a(청록색), 엽록소 b(황록색)의 4가지 광합성 색소가 존재한다.

2. 색소에 따라 전개액에 대한 용해도와 크로마토그래피용 종이에 대한 흡착력이 달라 전개율이 다르다. ➡ 전개액에 대한 용해도가 클수록, 크로마토그래피용 종이에 대한 흡착력이 약할수록 전개율이 크다.

★ 광합성 색소 추출 시 아세톤을 사용하는 까닭
광합성 색소가 물에는 잘 녹지 않고 아세톤과 같은 유기 용매에 잘 녹기 때문이다.

용어

❶ **해캄** 가늘고 긴 머리카락 형태의 다세포 생물로, 녹조류의 일종이다. 긴 나선상의 엽록체를 가지고 있어 짙은 초록색을 띤다.

❷ **산소 세균** 산소가 있는 곳에서 정상적으로 자라는 세균으로, 산소가 많은 곳으로 모여드는 성질이 있다. 호기성 세균이라고도 한다.

B 광합성의 개요

1. 광합성 *빛에너지를 이용하여 이산화 탄소와 물을 포도당으로 합성하는 과정이다.

$$6CO_2 + 12H_2O \xrightarrow{\text{빛에너지}} C_6H_{12}O_6 + 6O_2 + 6H_2O$$

산화(e^- 잃음)
환원(e^- 얻음)
포도당

2. 광합성 과정 광합성은 명반응과 탄소 고정 반응의 두 단계로 구분한다.
└ 빛이 직접적으로 필요하지 않아 암반응이라고도 한다.

광합성의 전 과정	
1단계 **명반응**	• 빛에너지를 화학 에너지로 전환하는 단계로, 엽록체의 틸라코이드 막에서 일어난다. • 광합성 색소에서 흡수한 빛에너지를 ATP와 NADPH에 화학 에너지 형태로 저장하며, 이 과정에서 물이 분해되어 산소가 발생한다.
2단계 **탄소 고정 반응** **(암반응)**	• 이산화 탄소를 고정하여 포도당을 합성하는 단계로, 엽록체의 스트로마에서 일어난다. • 명반응 산물인 ATP와 NADPH를 이용하여 이산화 탄소를 포도당으로 합성한다.

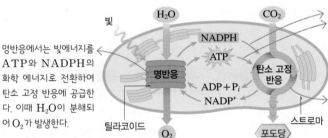

명반응에서는 빛에너지를 ATP와 NADPH의 화학 에너지로 전환하여 탄소 고정 반응에 공급한다. 이때 H_2O이 분해되어 O_2가 발생한다.

빛이 차단되면 명반응이 일어나지 않아 ATP와 NADPH가 공급되지 않으므로 탄소 고정 반응도 중단된다.

탄소 고정 반응에서는 명반응에서 공급된 ATP와 NADPH를 이용해 CO_2를 포도당으로 합성한다.

탐구 자료창 — 벤슨의 실험

그림은 벤슨이 암실에 두었던 식물에 빛과 CO_2를 따로 주거나 함께 주면서 광합성 속도를 측정한 결과이다.

1. **Ⅰ과 Ⅲ에서 광합성 속도가 다른 까닭:** 광합성은 빛을 이용하는 명반응과 CO_2를 포도당으로 합성하는 탄소 고정 반응으로 나누어지며, 명반응이 일어난 후 탄소 고정 반응이 일어나기 때문이다.
   └ Ⅱ에서 탄소 고정 반응에 필요한 물질이 만들어졌고, Ⅲ에서는 Ⅱ에서 만들어진 물질이 모두 소모될 때까지 포도당이 합성되었다.
2. **Ⅲ과 달리 Ⅵ에서 광합성이 계속 일어나는 까닭:** Ⅲ과 달리 Ⅵ에서는 빛이 공급되어 명반응이 일어나므로 탄소 고정 반응도 지속적으로 일어나기 때문이다.
3. **결론:** 광합성 과정은 빛이 필요한 명반응과 CO_2가 필요한 탄소 고정 반응으로 나누어지며, 탄소 고정 반응이 일어나기 위해서는 명반응이 먼저 일어나야 한다.

★ **광합성에서의 산화와 환원**
H_2O이 O_2로 분해되면서 수소($H^+ + e^-$)를 잃어 산화되고, CO_2는 수소($H^+ + e^-$)를 얻어 포도당으로 환원되며, 이 과정에서 필요한 에너지는 빛에너지에서 공급된다.

암기해
명반응과 탄소 고정 반응
• 명반응: 그라나(틸라코이드 막)에서 일어난다. 빛이 필요하며, ATP, NADPH, O_2가 생성된다.
• 탄소 고정 반응: 스트로마에서 일어난다. CO_2가 필요하며, 포도당이 합성된다.

주의해
탄소 고정 반응
탄소 고정 반응에서 빛이 직접 이용되지는 않지만, 명반응의 산물(ATP, NADPH)이 공급되어야 포도당을 합성할 수 있으므로, 탄소 고정 반응은 빛이 계속 공급되어야 지속적으로 일어난다.

개념 확인 문제

핵심
체크

- 엽록체: 외막과 내막의 2중막 구조이며, 내막 안쪽은 (❶　　　　　　)가 겹겹이 쌓여 있는 그라나와 기질 부분인 (❷　　　　　　)로 구성되어 있다.
  - 그라나: 틸라코이드 막에 빛에너지를 흡수하는 (❸　　　　　　), 전자 전달계, ATP 합성 효소 등이 있어 빛에너지 가 (❹　　　　　　) 에너지로 전환된다.
  - 스트로마: DNA, 리보솜, 포도당 합성에 관여하는 효소 등이 있으며, 포도당이 합성된다.
- 광합성 색소: 빛에너지를 흡수하는 색소로, 엽록소와 (❺　　　　　　) 색소 등이 있다.
- 빛의 파장과 광합성 색소: 식물은 주로 (❻　　　　　　)가 잘 흡수하는 청자색과 (❼　　　　　　)의 빛을 이용하여 광합 성을 한다.
- 광합성 과정
  - (❽　　　　　　)반응: 빛에너지를 화학 에너지로 전환하는 단계로 ATP와 (❾　　　　　　)가 생성되며, (❿　　　　　　)이 분해되어 산소가 발생한다.
  - 탄소 고정 반응: 명반응 산물을 이용하여 이산화 탄소를 (⓫　　　　　　)으로 합성하는 단계이다.

---

1 그림은 엽록체의 구조를 나타낸 것이다.

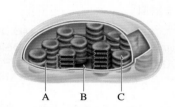

A　B　C

각 설명에 해당하는 부분의 기호와 이름을 쓰시오.

(1) 납작한 주머니 모양이며, 막에 광합성 색소, 전자 전 달계 등이 있다.

(2) 틸라코이드가 여러 개 쌓여 이루어진다.

(3) DNA, 리보솜, 포도당 합성에 관여하는 효소 등이 있 는 기질 부분이다.

2 엽록체와 광합성 색소에 대한 설명으로 옳은 것은 ○, 옳지 않은 것은 ×로 표시하시오.

(1) 엽록체는 외막과 내막의 2중막 구조이며, 스트로마라 고 하는 또 다른 막 구조가 있다. ────── (　　)

(2) 그라나에서 빛에너지가 화학 에너지로 전환되는 반응 이 일어난다. ────── (　　)

(3) 스트로마에서 이산화 탄소가 포도당으로 환원되는 반 응이 일어난다. ────── (　　)

(4) 엽록소 b는 광합성을 하는 모든 식물에 있으며, 광합 성에서 가장 중심적인 역할을 한다. ────── (　　)

3 그림 (가)와 (나)는 흡수 스펙트럼과 작용 스펙트럼을 순서 없이 나타낸 것이다.

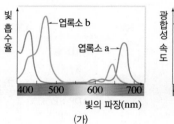
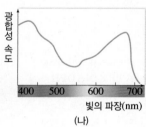

(가)　　　　　　　　(나)

(1) (가)와 (나)는 각각 무엇을 나타낸 것인지 쓰시오.

(2) 엽록소 a와 b가 잘 흡수하여 광합성에 주로 이용하는 빛의 색깔을 쓰시오.

4 다음은 광합성 과정에 대한 설명이다. (　　) 안에 알맞은 말을 고르시오.

(1) 광합성에서는 물이 분해되어 ㉠(산소, 이산화 탄소) 가 발생하고, 이산화 탄소가 ㉡(포도당, 아미노산)으 로 환원된다.

(2) 빛에너지를 ATP와 ㉠(NADH, NADPH)의 화 학 에너지로 전환하는 과정은 ㉡(명반응, 탄소 고정 반응)이다.

(3) ㉠(명반응, 탄소 고정 반응)이 일어난 후 ㉡(명반응, 탄소 고정 반응)이 일어나 포도당이 합성된다.

대표 자료 분석

자료 ① 빛의 파장과 광합성 색소

기출 Point
• 광합성 색소 분리 결과 알기
• 흡수 스펙트럼과 작용 스펙트럼 해석하기

[1~3] 그림 (가)는 시금치 잎의 광합성 색소를 전개시킨 종이 크로마토그래피의 결과를, (나)는 광합성 색소 Ⅰ, Ⅱ의 흡수 스펙트럼과 엽록체의 작용 스펙트럼을 나타낸 것이다.

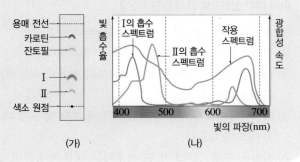

1 광합성 색소 Ⅰ과 Ⅱ는 각각 엽록소 a와 b 중 어느 것에 해당하는지 쓰시오.

2 (   ) 안에 알맞은 말을 고르시오.

(1) 광합성 색소 Ⅰ과 Ⅱ는 청자색과 ㉠(적색, 초록색)의 빛을 잘 흡수하고, ㉡(적색, 초록색) 빛은 거의 흡수하지 않는다.
(2) 식물은 청자색과 (적색, 초록색)의 빛에서 광합성이 가장 활발하게 일어난다.

3 빈출 선택지로 [완벽 정리!]

(1) 광합성 색소의 전개율은 카로틴 < 잔토필 < 엽록소 a < 엽록소 b이다. ──────────── (○ / ×)
(2) 엽록소 a와 b의 흡수 스펙트럼과 엽록체의 작용 스펙트럼은 그래프 모양이 비슷하다. ───── (○ / ×)
(3) 식물은 주로 엽록소에서 흡수한 빛을 이용하여 광합성을 한다. ──────────────────── (○ / ×)
(4) 광합성은 파장이 450 nm인 빛에서보다 550 nm인 빛에서 더 활발하게 일어난다. ────── (○ / ×)

자료 ② 벤슨의 실험

기출 Point
• 벤슨의 실험 결과 해석하기
• 명반응과 탄소 고정 반응(암반응)의 관계 알기

[1~3] 그림은 암실에 하루 동안 두었던 어떤 식물에서 빛과 CO_2의 조건을 달리하면서 시간에 따른 광합성 속도를 측정한 결과를 나타낸 것이다.

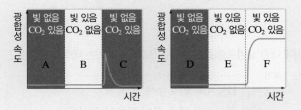

1 A~F 중 명반응이 일어난 구간의 기호를 있는 대로 쓰시오.

2 A~F 중 탄소 고정 반응이 일어난 구간의 기호를 있는 대로 쓰시오.

3 빈출 선택지로 [완벽 정리!]

(1) A와 C 구간을 비교하면 CO_2보다 빛이 먼저 공급되어야 광합성이 일어난다는 것을 알 수 있다. (○ / ×)
(2) A와 D 구간을 비교하면 빛이 없어도 CO_2가 있으면 광합성이 일어난다는 것을 알 수 있다. ─────── (○ / ×)
(3) C 구간에서 광합성이 일어난 것은 명반응 산물과 CO_2가 모두 있기 때문이다. ────────── (○ / ×)
(4) 명반응과 탄소 고정 반응이 모두 일어난 구간은 F이다. ───────────────────────── (○ / ×)
(5) 탄소 고정 반응이 먼저 일어난 후 명반응이 일어난다. ───────────────────────── (○ / ×)
(6) 명반응은 일어나지만 탄소 고정 반응은 일어나지 않는 구간은 B와 E이다. ─────────── (○ / ×)

내신 만점 문제

A 엽록체

01 그림은 어떤 식물의 엽록체 구조를 나타낸 것이다.

이에 대한 설명으로 옳은 것만을 [보기]에서 있는 대로 고른 것은?

〔보기〕
ㄱ. ㉠에는 DNA와 리보솜이 있다.
ㄴ. ㉠에서 광합성의 탄소 고정 반응이 일어난다.
ㄷ. ㉡에는 엽록소 a가 있다.

① ㄱ 　　② ㄷ 　　③ ㄱ, ㄴ
④ ㄴ, ㄷ 　　⑤ ㄱ, ㄴ, ㄷ

02 미토콘드리아와 엽록체에 대한 설명으로 옳지 않은 것은?

① 미토콘드리아와 엽록체에서는 모두 물질대사가 일어난다.
② 미토콘드리아 기질과 엽록체의 스트로마에는 모두 리보솜이 있다.
③ 미토콘드리아와 엽록체는 모두 독자적으로 증식하고 단백질을 합성한다.
④ 미토콘드리아와 엽록체에서 에너지 전환에 관여하는 막단백질은 모두 내막에 있다.
⑤ 미토콘드리아 내막과 엽록체의 틸라코이드 막에는 모두 전자 전달계와 ATP 합성 효소가 있다.

03 그림 (가)는 광합성 색소의 흡수 스펙트럼을, (나)는 엽록체의 작용 스펙트럼을 나타낸 것이다.

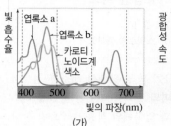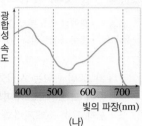

이에 대한 설명으로 옳지 않은 것은?

① 초록색 빛은 광합성에 이용되지 않는다.
② 엽록소는 청자색과 적색의 빛을 잘 흡수한다.
③ 엽록소의 흡수 스펙트럼과 엽록체의 작용 스펙트럼은 거의 일치한다.
④ 카로티노이드계 색소는 빛의 파장에 따라 빛을 흡수하는 정도가 다르다.
⑤ 식물은 주로 엽록소가 잘 흡수하는 빛을 이용하여 광합성을 한다.

04 광합성 색소에 대한 설명으로 옳은 것만을 [보기]에서 있는 대로 고른 것은?

〔보기〕
ㄱ. 틸라코이드 막에 있다.
ㄴ. 엽록소 b는 과도한 빛으로부터 식물을 보호하는 역할을 한다.
ㄷ. 카로티노이드계 색소는 빛에너지를 흡수하여 엽록소 a에 전달하는 역할을 한다.

① ㄱ 　　② ㄴ 　　③ ㄷ
④ ㄱ, ㄷ 　　⑤ ㄴ, ㄷ

05 그림은 어떤 식물 잎의 광합성 색소를 크로마토그래피용 종이를 이용하여 분리한 결과를 나타낸 것이다. ㉠~㉢은 각각 엽록소 a, 엽록소 b, 카로틴, 잔토필 중 하나이다.

색소 추출액 전개액 색소 분리 결과

이에 대한 설명으로 옳은 것만을 [보기]에서 있는 대로 고른 것은?

[보기]
ㄱ. ㉠은 엽록체의 그라나에 존재한다.
ㄴ. 전개율은 엽록소 a보다 카로틴이 크다.
ㄷ. ㉢은 청자색과 초록색의 빛을 잘 흡수한다.

① ㄱ   ② ㄷ   ③ ㄱ, ㄴ
④ ㄴ, ㄷ   ⑤ ㄱ, ㄴ, ㄷ

06 그림은 프리즘을 통과한 빛을 해캄에게 비추고, 해캄 주변에 있는 산소 세균의 분포를 관찰한 엥겔만의 실험을 나타낸 것이다.

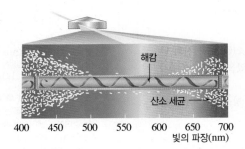

이에 대한 설명으로 옳은 것만을 [보기]에서 있는 대로 고른 것은?

[보기]
ㄱ. 해캄에서 물이 분해되어 산소가 발생한다.
ㄴ. 산소 세균은 청자색과 적색의 빛을 잘 흡수한다.
ㄷ. 해캄은 황색 빛보다 적색 빛에서 광합성이 활발하게 일어난다.

① ㄱ   ② ㄷ   ③ ㄱ, ㄴ
④ ㄱ, ㄷ   ⑤ ㄴ, ㄷ

B 광합성의 개요

07 그림은 엽록체에서 일어나는 광합성의 전 과정을 나타낸 것이다. (가)와 (나)는 각각 명반응과 탄소 고정 반응 중 하나이다.

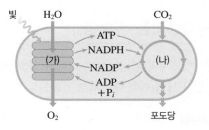

이에 대한 설명으로 옳지 **않은** 것은?

① (가)는 스트로마에서 일어난다.
② (가)에서 빛에너지가 ATP와 NADPH의 화학 에너지로 전환된다.
③ (나)에서 CO_2가 환원된다.
④ (나)에서 포도당이 합성되려면 명반응 산물이 필요하다.
⑤ 빛이 없어도 엽록체에 ATP, NADPH, CO_2를 공급하면 포도당이 합성된다.

[08~09] 그림은 어떤 식물에서 빛과 CO_2의 조건을 달리하면서 시간에 따른 광합성 속도를 측정한 결과를 나타낸 것이다.

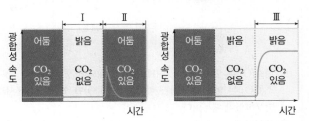

08 이에 대한 설명으로 옳은 것만을 [보기]에서 있는 대로 고르시오.

[보기]
ㄱ. 구간 I에서 탄소 고정 반응이 일어난다.
ㄴ. 구간 II에서 명반응이 일어난다.
ㄷ. 구간 III에서 O_2가 발생하고 포도당이 합성된다.

서술형
09 구간 I, II에서 나타난 광합성 속도의 차이를 통해 알 수 있는 사실을 서술하시오.

02 광합성(2)

핵심
포인트
ⓐ 물의 광분해 ★★
비순환적 전자 흐름과 순환적 전자 흐름 ★★★
광인산화에 의한 ATP 합성 ★★★

ⓑ 캘빈 회로 ★★★
ⓒ 광합성과 세포 호흡의 ATP 합성 비교 ★★

Ⓐ 광합성 과정 - 명반응

1. **명반응** 엽록체의 틸라코이드 막에서 물의 광분해와 광인산화를 거쳐 빛에너지가 ATP 와 NADPH의 화학 에너지로 전환되는 과정이다.
   └ 탄소 고정 반응에 공급된다. ●

2. **물의 광분해** 빛에너지에 의해 물이 분해되어 수소 이온(H^+)과 전자(e^-)가 방출되고, 산소(O_2)가 발생한다.
   └ $NADP^+$에 전달되어 NADPH를 생성한다.

$$H_2O \longrightarrow 2H^+ + 2e^- + \frac{1}{2}O_2$$

탐구 자료창 힐과 루벤의 실험

힐의 실험(1939년)

질경이 잎에서 얻은 엽록체가 함유된 추출액에 *옥살산 철(Ⅲ)을 넣고 시험관 안의 공기를 빼낸 다음 빛을 비추었더니, 산소(O_2)가 발생하고 옥살산 철(Ⅲ)이 옥살산 철(Ⅱ)로 환원되었다.

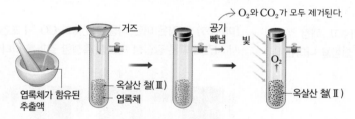

→ O_2와 CO_2가 모두 제거된다.

거즈
공기 빼냄
빛
O_2
엽록체가 함유된 추출액
옥살산 철(Ⅲ)
엽록체
옥살산 철(Ⅱ)

1. 산소(O_2)는 엽록체에서 물(H_2O)이 분해되어 생긴 것이다. ➡ 시험관 안에 산소(O_2)와 이산화 탄소(CO_2)는 없고 엽록체를 함유한 물(H_2O)만 있는 상태에서 빛을 비추어 주었을 때 산소(O_2)가 발생하였기 때문이다.
2. 옥산살 철(Ⅲ)은 전자 수용체로서의 역할을 하였다. ➡ 물(H_2O)이 분해될 때 방출된 전자(e^-)를 옥살산 철(Ⅲ)이 수용하여 옥살산 철(Ⅱ)로 환원되었기 때문이다.

루벤의 실험(1941년)

(가)의 ❶클로렐라 배양액에는 산소의 ❷동위 원소 ^{18}O로 표지된 물($H_2^{18}O$)과 이산화 탄소(CO_2)를, (나)의 클로렐라 배양액에는 물(H_2O)과 ^{18}O로 표지된 이산화 탄소($C^{18}O_2$)를 각각 공급하고 발생하는 산소를 분석하였다.

1. (가)에서는 $^{18}O_2$가, (나)에서는 O_2가 발생하였다. ➡ 광합성 결과 발생한 산소는 물(H_2O)에서 유래한 것이다.
2. **결론**: 엽록체에 빛이 공급되면 물(H_2O)이 분해되어 산소(O_2)가 발생한다.

(가)
$^{18}O_2$
빛
CO_2
$H_2^{18}O$
클로렐라

(나)
O_2
빛
$C^{18}O_2$
H_2O

주의해

물의 광분해
명반응에서 빛에너지가 직접 물을 분해하는 것은 아니다. 명반응에서 물은 효소에 의해 분해된다.

★ **옥살산 철**
옥살산 철(Ⅲ)에는 Fe^{3+}이 있고, 옥살산 철(Ⅱ)에는 Fe^{2+}이 있다. 힐의 실험에서 물(H_2O)은 전자를 내놓고 산화되면서 산소(O_2)를 방출하고, 옥살산 철(Ⅲ)의 Fe^{3+}은 이 전자를 받아 Fe^{2+}으로 환원된다.

$$H_2O \xrightarrow{\text{산화}} 2H^+ + \frac{1}{2}O_2$$
$$\downarrow 2e^-$$
$$2Fe^{3+} \xrightarrow{\text{환원}} 2Fe^{2+}$$
옥살산 철   옥살산 철
(Ⅲ)   (Ⅱ)

힐은 엽록체에 옥살산 철(Ⅲ)처럼 전자 수용체 역할을 하는 물질이 있을 것이라고 생각하였는데, 이후에 이 전자 수용체가 $NADP^+$라는 것이 밝혀졌다.

┃ 용어 ┃

❶ **클로렐라** 민물에 사는 구형 또는 타원형의 단세포성 녹조류이다.

❷ **동위**(同 한 가지, 位 자리) 원소 원자 번호는 같으나 원자량이 다른 원소이다.

3. 광인산화 엽록체의 틸라코이드 막에서 빛에너지를 이용하여 광계와 전자 전달계, 화학
삼투를 통해 ATP를 합성하는 과정이다.

(1) 광계: 엽록소를 비롯한 광합성 색소들이 단백질과 결합하여 이루어진 복합체로, 틸라코이
드 막에 있다. → 광계는 광합성에서 빛을 흡수하는 단위로, 빛에너지를 효율적으로 흡수할 수 있는 구조이다.

구성	*반응 중심 색소(반응 중심 엽록소 a)와 1차 전자 수용체로 구성된 반응 중심, 그리고 이를 둘러싼 *안테나 색소들로 구성되어 있다.	
종류	반응 중심 색소가 주로 흡수하는 빛의 파장에 따라 광계 Ⅰ과 광계 Ⅱ로 구분한다.	
	광계 Ⅰ	반응 중심 색소가 P_{700}(파장이 700 nm인 빛을 가장 잘 흡수하는 엽록소 a)이다.
	광계 Ⅱ	반응 중심 색소가 P_{680}(파장이 680 nm인 빛을 가장 잘 흡수하는 엽록소 a)이다.

★ **반응 중심 색소**
광계에서 가장 중심적인 역할을 하는 색소로, 한 쌍의 엽록소 a로 구성된다.

광계의 빛에너지 흡수와 에너지 전달

❶ 광계의 안테나 색소들은 빛에너지를 흡수하여 반응 중심 색소로 전달한다.

❷ 빛에너지가 반응 중심 색소에 모이면 반응 중심 색소는 고에너지 전자(e^-)를 방출하고 산화된다.
  └ 광계는 빛에너지를 흡수하여 전자의 에너지 수준을 높여 주는 역할을 한다.

❸ 방출된 고에너지 전자는 1차 전자 수용체에 전달된 후 전자 전달계를 따라 이동하면서 에너지를 방출한다.

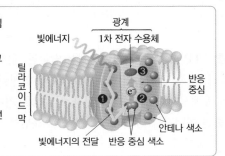

★ **안테나 색소**
광계에서 반응 중심 색소를 제외한 나머지 엽록소 a와 엽록소 b, 카로티노이드계 색소는 빛에너지를 흡수하여 반응 중심 색소로 전달하는 안테나 역할을 하므로 이들 색소를 안테나 색소라고 한다.

(2) 전자 전달계에서의 전자 흐름: 빛에너지를 흡수한 반응 중심 색소에서 방출된 고에너지 전자
는 1차 전자 수용체를 거쳐 틸라코이드 막에 있는 전자 전달계에 전달되어 이동한다.

① **비순환적 전자 흐름:** 광계 Ⅱ에서 방출된 전자가 전자 전달계와 광계 Ⅰ을 거쳐 *$NADP^+$
에 전달되는 과정으로, 반응 중심 색소(P_{680}, P_{700})에서 방출된 전자가 원래의 엽록소로
돌아가지 않는다.

➡ 광계 Ⅰ과 광계 Ⅱ가 모두 관여하고, 에너지를 방출하여 ATP가 합성되도록 하며,
NADPH와 산소(O_2)가 생성된다.

★ **$NADP^+$(Nicotinamide adenine dinucleotide phosphate)**
광합성에서는 $NADP^+$를 이용하여 H^+과 전자를 운반하는데, $NADP^+$도 세포 호흡의 NAD^+와 마찬가지로 탈수소 효소의 조효소이다. 탈수소 효소가 기질에서 2개의 수소 원자($2H^+ + 2e^-$)를 떼어 내면 $NADP^+$는 H^+ 1개와 전자 2개를 받아 NADPH로 환원되고, 나머지 H^+은 방출된다.
$NADP^+ + 2H^+ + 2e^-$
$\longrightarrow NADPH + H^+$

비순환적 전자 흐름

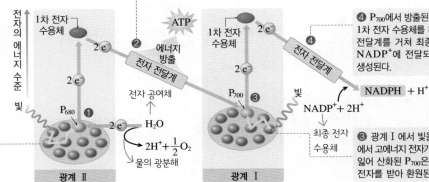

❷ P_{680}에서 방출된 고에너지 전자는 1차 전자 수용체를 환원시킨 후 전자 전달계를 거치면서 에너지를 방출하고, 이 에너지는 ATP 합성에 이용된다.

❶ 광계 Ⅱ에서 빛을 흡수하면 P_{680}에서 고에너지 전자가 방출되어 1차 전자 수용체로 전달되고, 전자를 잃어 산화된 P_{680}은 물의 광분해로 방출된 전자를 받아 환원된다.

❹ P_{700}에서 방출된 고에너지 전자는 1차 전자 수용체를 환원시킨 후 전자 전달계를 거쳐 최종 전자 수용체인 $NADP^+$에 전달되어 NADPH가 생성된다.

❸ 광계 Ⅰ에서 빛을 흡수하면 P_{700}에서 고에너지 전자가 방출되고, 전자를 잃어 산화된 P_{700}은 P_{680}에서 방출된 전자를 받아 환원된다.

물(H_2O)의 광분해로 방출된 전자($2e^-$)는 광계 Ⅱ의 P_{680}과 광계 Ⅰ의 P_{700}을 거쳐 최종적으로 $NADP^+$에 $2H^+$과 함께 전달되어 NADPH가 생성된다. ➡ 비순환적 전자 흐름에서 전자의 최초 공여체는 물(H_2O)이고, 최종 수용체는 $NADP^+$이다.

$$H_2O \longrightarrow 2H^+ + 2e^- + \frac{1}{2}O_2, \quad NADP^+ + 2H^+ + 2e^- \longrightarrow NADPH + H^+$$

② **순환적 전자 흐름**: 광계 I의 P_{700}에서 방출된 전자가 전자 전달계를 거쳐 P_{700}으로 되돌아 오는 과정이다.

➡ 광계 I만 관여하며, 에너지를 방출하여 ATP가 합성되도록 한다.

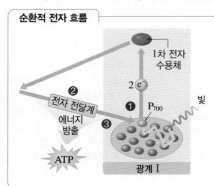

순환적 전자 흐름

1차 전자 수용체
❷ 전자 전달계 에너지 방출
❸
❶ P_{700}
빛
ATP
광계 I

❶ 광계 I에서 빛을 흡수하면 P_{700}은 고에너지 전자를 방출하고 산화된다.

❷ P_{700}에서 방출된 고에너지 전자는 1차 전자 수용체를 환원시킨 후 전자 전달계를 거치면서 에너지를 방출하고, 이 에너지는 ATP 합성에 이용된다.

❸ 전자가 산화된 P_{700}으로 되돌아와 P_{700}을 환원시킨다.
　└ 순환적 전자 흐름에서는 P_{700}에서 방출된 전자가 P_{700}으로 되돌아 오므로 NADPH가 생성되지 않고, 물의 광분해도 일어나지 않아 산소도 방출되지 않는다.

(3) 전자 전달계와 화학 삼투에 의한 ATP 합성: 전자 전달계에서 방출된 에너지를 이용하여 틸라 코이드 막을 경계로 형성된 H^+의 농도 기울기에 의해 ATP가 합성된다.

① **H^+의 농도 기울기 형성**: 광계 II에서 방출된 전자가 전자 전달계를 거쳐 광계 I로 전달되 며, 전자 전달 과정에서 방출된 에너지를 이용하여 일부 전자 운반체가 H^+을 스트로마에 서 틸라코이드 내부로 능동 수송한다.

➡ 틸라코이드 내부의 H^+ 농도가 스트로마보다 높아져 틸라코이드 막을 경계로 H^+의 농도 기울기가 형성된다.
　└ 틸라코이드 내부의 pH < 스트로마의 pH

② **화학 삼투에 의한 ATP 합성**: H^+의 농도 기울기에 따라 틸라코이드 내부에 있는 H^+이 ATP 합성 효소를 통해 스트로마로 확산된다.

➡ H^+의 이동으로 발생하는 에너지를 이용하여 ATP 합성 효소가 ATP를 합성한다.

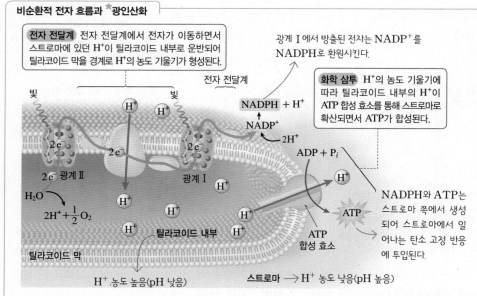

비순환적 전자 흐름과 *광인산화

전자 전달계 전자 전달계에서 전자가 이동하면서 스트로마에 있던 H^+이 틸라코이드 내부로 운반되어 틸라코이드 막을 경계로 H^+의 농도 기울기가 형성된다.

광계 I에서 방출된 전자는 $NADP^+$를 NADPH로 환원시킨다.

화학 삼투 H^+의 농도 기울기에 따라 틸라코이드 내부의 H^+이 ATP 합성 효소를 통해 스트로마로 확산되면서 ATP가 합성된다.

전자 전달계
빛　　　빛
H^+　H^+
$NADPH + H^+$
$NADP^+$
$2H^+$
$2e^-$　　　$2e^-$
$2e^-$ 광계 II　　광계 I
$ADP + P_i$
H_2O
$2H^+ + \frac{1}{2}O_2$
H^+
H^+
H^+
H^+
H^+
H^+
ATP
ATP 합성 효소
틸라코이드 내부

NADPH와 ATP는 스트로마 쪽에서 생성되어 스트로마에서 일어나는 탄소 고정 반응에 투입된다.

틸라코이드 막
H^+ 농도 높음(pH 낮음)
스트로마 → H^+ 농도 낮음(pH 높음)

광합성의 명반응에서 ATP는 세포 호흡에서와 마찬가지로 전자가 이동할 때 방출된 에너지를 이용하여 막을 경 계로 형성된 H^+의 농도 기울기에 따른 화학 삼투로 합성된다.

개념 확인 문제

정답친해 62쪽

핵심 체크

- 명반응: 엽록체의 (❶   ) 막에서 빛에너지를 흡수하여 ATP와 (❷   )를 생성하는 과정이다.
- 물의 광분해: 명반응 과정에서 빛에너지에 의해 물이 분해되어 수소 이온(H^+)과 전자(e^-)가 방출되고, (❸   )가 발생한다.
- 광인산화: 빛에너지를 이용하여 (❹   )를 합성하는 과정이다.
  - (❺   ) 전자 흐름: 반응 중심 색소에서 방출된 전자가 전자 전달계를 거친 다음 원래의 엽록소로 돌아가지 않는다. ➡ 광계 I과 광계 II가 모두 관여하며, (❻   )와 산소(O_2)가 생성된다.
  - (❼   ) 전자 흐름: 반응 중심 색소에서 방출된 전자가 전자 전달계를 거쳐 원래의 엽록소로 되돌아온다. ➡ 광계 (❽   )만 관여하며, NADPH와 산소(O_2)는 생성되지 않는다.
  - 전자 전달계와 화학 삼투에 의한 ATP 합성: 전자가 전자 전달계를 따라 이동할 때 방출된 에너지를 이용하여 막을 경계로 형성된 H^+의 농도 기울기에 따라 틸라코이드 내부의 H^+이 (❾   ) 효소를 통해 스트로마로 확산되면서 ATP가 합성된다.

1 다음은 엽록체에서 일어나는 물(H_2O)의 광분해 반응을 나타낸 것이다. (가)에 해당하는 물질을 쓰시오.

$$H_2O \longrightarrow 2H^+ + 2e^- + \frac{1}{2}(가)$$

2 다음은 엽록체의 광계에 대한 설명이다. (   ) 안에 알맞은 말을 쓰시오.

(1) 광계는 엽록소를 비롯한 광합성 색소가 (   )과 결합하여 이루어진 복합체로, 틸라코이드 막에 있다.

(2) 광계의 반응 중심 색소는 한 쌍의 엽록소 (   )로 구성된다.

(3) 광계에는 반응 중심 색소가 P_{700}인 광계 ㉠(   )과 P_{680}인 광계 ㉡(   )가 있다.

3 엽록체의 광계와 전자 전달계에서 일어나는 전자 흐름에 대한 설명으로 옳은 것은 ○, 옳지 <u>않은</u> 것은 ×로 표시하시오.

(1) 빛에너지를 흡수한 광계에서 방출된 전자가 전자 전달계를 거치면서 에너지를 방출한다. ┄┄┄┄┄ (   )

(2) 비순환적 전자 흐름에는 광계 I과 광계 II가 모두 관여하지만, 순환적 전자 흐름에는 광계 I만 관여한다. ┄┄┄┄┄┄┄┄┄┄┄┄┄┄┄┄┄┄┄┄┄ (   )

(3) 순환적 전자 흐름에서 물(H_2O)이 분해되어 산소(O_2)가 발생한다. ┄┄┄┄┄┄┄┄┄┄┄┄┄┄┄ (   )

4 광합성 명반응의 비순환적 전자 흐름에서 ㉠최초 전자 공여체와 ㉡최종 전자 수용체를 각각 쓰시오.

5 광합성의 명반응에서 생성되어 탄소 고정 반응에 이용되는 물질 <u>두 가지</u>를 쓰시오.

6 그림은 엽록체에서 비순환적 전자 흐름과 화학 삼투에 의해 ATP가 합성되는 과정을 나타낸 것이다.

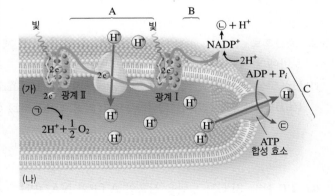

(1) ㉠~㉢에 해당하는 물질을 각각 쓰시오.

(2) 엽록체에서 (가)와 (나)는 각각 어느 부위인지 쓰시오.

(3) A~C 중 화학 삼투에 해당하는 것의 기호를 쓰시오.

(4) ATP 합성 효소가 ATP를 합성하려면 (가)와 (나) 중 어느 곳의 H^+ 농도가 더 높아야 하는지 쓰시오.

B 광합성 과정 – 탄소 고정 반응

이제 명반응에서 생성된 ATP와 NADPH를 이용하여 어떻게 이산화 탄소를 포도당으로 합성하는지 알아보아요.

1. 탄소 고정 반응(암반응) 엽록체의 스트로마에서 명반응 산물인 ATP와 NADPH를 이용하여 *캘빈 회로 등의 연속적인 반응이 일어남으로써 이산화 탄소를 고정하여 포도당을 합성하는 과정이다. → 캘빈 회로에서 ATP는 직접적인 에너지원으로 사용되고, NADPH는 이산화 탄소를 환원하는 데 사용된다.

> **★ 캘빈(Calvin, M.)**
> 미국의 생화학자로, 식물의 광합성에서 이산화 탄소가 고정되어 탄수화물이 합성되는 경로인 캘빈 회로를 발견하여 1961년에 노벨 화학상을 받았다.

탐구 자료창 — 캘빈 회로의 발견

캘빈은 클로렐라를 배양하면서 방사성 동위 원소 ^{14}C로 표지된 $^{14}CO_2$를 공급하고 빛을 비춰 주었다. 그리고 일정 시간마다 클로렐라를 일부 채취하여 광합성을 정지시킨 후, 클로렐라에서 생성된 물질을 추출하여 *크로마토그래피법으로 전개한 다음 X선 필름에 밀착시켰다.

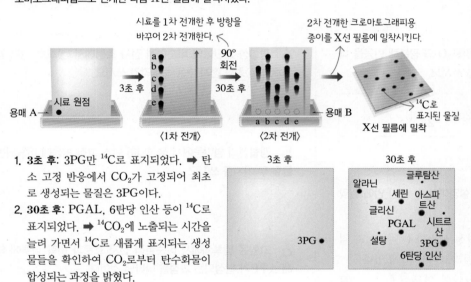

1. **3초 후**: 3PG만 ^{14}C로 표지되었다. ➡ 탄소 고정 반응에서 CO_2가 고정되어 최초로 생성되는 물질은 3PG이다.
2. **30초 후**: PGAL, 6탄당 인산 등이 ^{14}C로 표지되었다. ➡ $^{14}CO_2$에 노출되는 시간을 늘려 가면서 ^{14}C로 새롭게 표지되는 생성 물들을 확인하여 CO_2로부터 탄수화물이 합성되는 과정을 밝혔다.

> **★ 크로마토그래피**
> 흡착제를 이용하여 혼합물을 분리하는 방법이다.

> 교과서에 따라 $^{14}CO_2$에 노출한 시간과 생성되는 물질이 조금씩 다르게 설명되어 있으니 내 교과서를 확인하도록 해요.

2. *캘빈 회로 탄소 고정(3PG 합성), 3PG 환원, RuBP 재생의 세 단계로 진행되며, 스트로마에 있는 여러 효소의 작용으로 일어난다.

(1) 탄소 고정: 이산화 탄소(CO_2) 3분자가 루비스코라는 효소의 작용으로 5탄소 화합물인 RuBP 3분자와 결합하여 3탄소 화합물인 3PG 6분자로 된다. → 3PG는 최초의 CO_2 고정 산물이다.

$$3CO_2 + 3RuBP \xrightarrow{\text{루비스코}} 6\ 3PG$$

(2) 3PG 환원: 3PG가 명반응 산물인 ATP와 NADPH를 사용하여 PGAL로 환원된다.
➡ 3PG가 ATP로부터 인산기를 받아 3탄소 화합물인 DPGA로 되고, DPGA는 NADPH로부터 수소($H^+ + e^-$)를 받고 인산기를 잃어 PGAL로 환원된다. └ 3PG보다 에너지양이 많다.

$$6\ 3PG \xrightarrow[\text{6ATP → 6ADP}]{} 6DPGA \xrightarrow[\text{6NADPH → 6NADP}^+]{} 6PGAL$$

> **★ 캘빈 회로 관련 용어**
> • 루비스코(RuBP 카복실레이스): 기공을 통해 흡수된 CO_2가 RuBP와 결합하는 반응을 촉매하는 효소
> • RuBP(Ribulose $-1, 5-$ bisphosphate): 리불로스2인산
> • 3PG(3$-$phosphoglyceric acid): 3$-$인산글리세르산
> • DPGA(Diphosphoglyceric acid): 1, 3$-$2인산글리세르산
> • PGAL(Phosphoglyceraldehyde): 포스포글리세르알데하이드

(3) RuBP 재생: PGAL 6분자 중 1분자는 캘빈 회로를 빠져나와 포도당을 합성하는 데 쓰이고, 5분자는 ATP를 사용하면서 여러 단계를 거쳐 RuBP 3분자로 전환된다. 재생된 RuBP는 새로운 이산화 탄소(CO_2)와 결합하여 캘빈 회로를 반복한다.

$$6PGAL \xrightarrow{} 5PGAL \xrightarrow[]{3ATP \quad 3ADP} 3RuBP$$
$$\underset{1PGAL}{}$$

암기해

캘빈 회로
· 최초의 CO_2 수용체: RuBP
· 최초의 CO_2 고정 산물(탄소 고정 반응에서 최초로 생성되는 물질): 3PG

★ 캘빈 회로

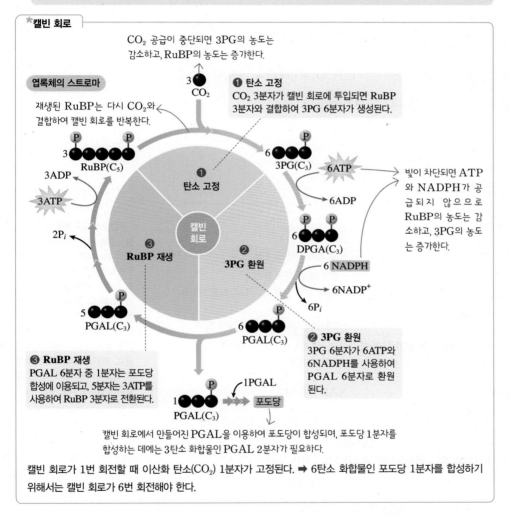

CO_2 공급이 중단되면 3PG의 농도는 감소하고, RuBP의 농도는 증가한다.

❶ 탄소 고정
CO_2 3분자가 캘빈 회로에 투입되면 RuBP 3분자와 결합하여 3PG 6분자가 생성된다.

빛이 차단되면 ATP와 NADPH가 공급되지 않으므로 RuBP의 농도는 감소하고, 3PG의 농도는 증가한다.

❷ 3PG 환원
3PG 6분자가 6ATP와 6NADPH를 사용하여 PGAL 6분자로 환원된다.

❸ RuBP 재생
PGAL 6분자 중 1분자는 포도당 합성에 이용되고, 5분자는 3ATP를 사용하여 RuBP 3분자로 전환된다.

캘빈 회로에서 만들어진 PGAL을 이용하여 포도당이 합성되며, 포도당 1분자를 합성하는 데에는 3탄소 화합물인 PGAL 2분자가 필요하다.

캘빈 회로가 1번 회전할 때 이산화 탄소(CO_2) 1분자가 고정된다. ➡ 6탄소 화합물인 포도당 1분자를 합성하기 위해서는 캘빈 회로가 6번 회전해야 한다.

★ 캘빈 회로와 명반응
캘빈 회로에서 방출된 ADP와 $NADP^+$는 다시 명반응에 공급되고, 명반응에서 ATP와 NADPH가 생성됨으로써 캘빈 회로는 계속된다.

3. 탄소 고정 반응의 전 과정 포도당 합성에 쓰일 PGAL 1분자를 생성하는 데 이산화 탄소(CO_2) 3분자, ATP 9분자, NADPH 6분자가 사용된다.
➡ 포도당 1분자를 합성하려면 PGAL 2분자가 필요하므로 포도당 1분자를 합성하는 데에는 이산화 탄소(CO_2) 6분자, ATP 18분자, NADPH 12분자가 사용된다.

$$6CO_2 + 12NADPH + 12H^+ \xrightarrow[]{18ATP \quad 18ADP} C_6H_{12}O_6 + 6H_2O + 12NADP^+$$

02 광합성(2)

4. 명반응과 *탄소 고정 반응의 관계 탄소 고정 반응에 ATP와 NADPH를 공급하려면 명반응이 일어나 ATP와 NADPH가 생성되어야 하고, 명반응이 일어나려면 탄소 고정 반응으로부터 ADP와 $NADP^+$가 공급되어야 한다.

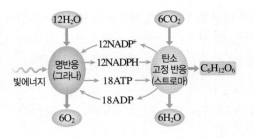

> **★ 빛과 탄소 고정 반응**
> 탄소 고정 반응은 ATP와 NADPH를 공급하면 빛이 없어도 일어난다.

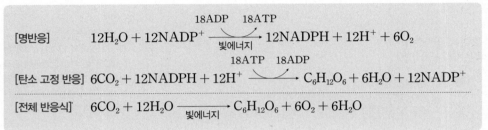

[명반응] $12H_2O + 12NADP^+ \xrightarrow[\text{빛에너지}]{18ADP \quad 18ATP} 12NADPH + 12H^+ + 6O_2$

[탄소 고정 반응] $6CO_2 + 12NADPH + 12H^+ \xrightarrow{18ATP \quad 18ADP} C_6H_{12}O_6 + 6H_2O + 12NADP^+$

[전체 반응식] $6CO_2 + 12H_2O \xrightarrow{\text{빛에너지}} C_6H_{12}O_6 + 6O_2 + 6H_2O$

Ⓒ 광합성과 세포 호흡의 비교

1. *광합성과 세포 호흡의 전 과정 비교

구분		광합성 → 동화 작용	세포 호흡 → 이화 작용
차이점	반응 과정 및 장소	• 명반응: 엽록체의 그라나(틸라코이드 막) • 탄소 고정 반응: 엽록체의 스트로마	• 해당 과정: 세포질 • 피루브산의 산화 및 TCA 회로: 미토콘드리아 기질 • 산화적 인산화: 미토콘드리아 내막
	에너지 전환	빛에너지 → ATP와 NADPH의 화학 에너지 → 포도당의 화학 에너지	유기물(포도당)의 화학 에너지 → ATP의 화학 에너지
	고에너지 전자와 결합하는 조효소	$NADP^+$	NAD^+, FAD
	ATP 합성 과정	광인산화	기질 수준 인산화, 산화적 인산화
공통점		• 효소에 의한 화학 반응이다. → 물질대사이다. • 전자 전달계와 화학 삼투에 의해 ATP가 합성된다.	

> **★ 광합성과 세포 호흡의 관계**
> • 광합성과 세포 호흡에 의해 태양의 빛에너지가 생명 활동에 이용되는 ATP의 화학 에너지로 전환된다. ➡ 생물이 사용하는 에너지의 근원은 태양의 빛에너지이다.
> • 광합성 산물인 산소(O_2)와 포도당은 세포 호흡의 원료로 사용되고, 세포 호흡의 산물인 이산화 탄소(CO_2)와 물(H_2O)은 광합성의 원료로 사용된다.

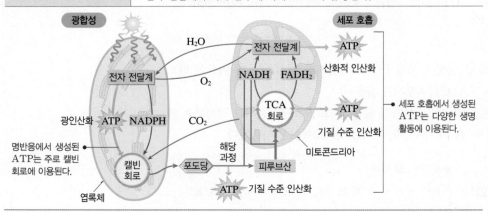

2. *엽록체와 미토콘드리아에서의 ATP 합성 비교 엽록체의 틸라코이드 막과 미토콘드리아 내막에서 전자 전달계를 통해 *전자가 전달되는 과정에서 막을 경계로 H^+의 농도 기울기가 형성되며, H^+이 ATP 합성 효소를 통해 확산되면서 ATP가 합성된다.

★ 엽록체와 미토콘드리아에서의 ATP 합성 과정의 공통점
• 엽록체의 틸라코이드 막과 미토콘드리아 내막에 있는 전자 전달계를 구성하는 단백질과 ATP 합성 효소는 매우 비슷하다.
• 화학 삼투로 ATP가 합성된다.

구분	엽록체에서의 ATP 합성 (광인산화)	미토콘드리아에서의 ATP 합성 (산화적 인산화)
최초 전자 공여체	물(H_2O)	NADH, $FADH_2$
최종 전자 수용체	$NADP^+$	산소(O_2)
전자 전달계에서 H^+의 능동 수송 방향	스트로마 → 틸라코이드 내부 ➡ 틸라코이드 내부의 H^+ 농도가 높아짐	미토콘드리아 기질 → 막 사이 공간 ➡ 막 사이 공간의 H^+ 농도가 높아짐
ATP 합성 효소를 통한 H^+의 확산 방향	틸라코이드 내부 → 스트로마 └ 스트로마에서 ATP가 합성된다.	막 사이 공간 → 미토콘드리아 기질 └ 미토콘드리아 기질에서 ATP가 합성된다.

★ 엽록체와 미토콘드리아의 전자 전달 과정에서의 차이점
• 엽록체의 틸라코이드 막에서 전자는 한 방향으로 흘러 $NADP^+$에 전달되기도 하고, 다시 전자 전달계로 돌아가 순환적으로 흐르기도 한다.
• 미토콘드리아 내막에서 전자는 한 방향으로만 흘러 산소(O_2)에 전달된다.

광인산화와 산화적 인산화에서 ATP 합성 비교

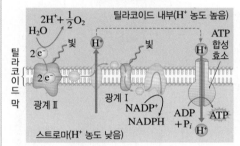

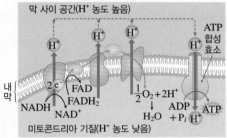

광합성의 광인산화와 세포 호흡의 산화적 인산화에서 ATP가 합성되는 원동력은 막을 경계로 형성된 H^+의 농도 기울기이다.

탐구 자료창 **엽록체와 미토콘드리아의 화학 삼투 비교**

그림은 엽록체와 미토콘드리아에서 일어나는 화학 삼투의 원리를 나타낸 것이다.

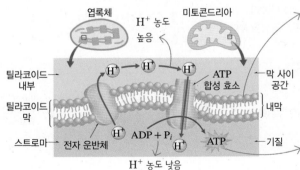

광합성의 광인산화는 엽록체의 틸라코이드 막에서, 세포 호흡의 산화적 인산화는 미토콘드리아 내막에서 일어난다.

엽록체의 틸라코이드 막과 미토콘드리아 내막에서는 모두 H^+이 ATP 합성 효소를 통해 고농도에서 저농도로 확산(화학 삼투)될 때 ATP가 합성된다.

1. **막을 경계로 H^+의 농도 기울기를 형성하게 하는 에너지의 원천**: 엽록체에서는 빛에너지, 미토콘드리아에서는 포도당과 같은 호흡 기질이다.
2. **ATP 합성 효소의 위치**: 엽록체는 틸라코이드 막에, 미토콘드리아는 내막에 있다.
3. **ATP 합성 효소를 통해 H^+이 확산되는 방향**: 엽록체에서는 틸라코이드 내부에서 스트로마로, 미토콘드리아에서는 막 사이 공간에서 기질로 H^+이 확산되면서 ATP가 합성된다.

광합성과 관련된 과학사

18세기 초 이전까지만 해도 사람들은 식물은 생장에 필요한 모든 것을 흙으로부터 얻는다고 생각했습니다. 그러나 중세 이후 많은 과학자들의 노력에 의해 식물이 스스로 양분을 만드는 과정이 밝혀졌습니다. 과학자들의 광합성에 대한 연구는 어떻게 이루어졌는지 알아볼까요?

헬몬트의 실험(1630년 경)

건조한 흙을 화분에 넣고 어린 나무를 심은 뒤, 흙의 윗부분을 판자로 덮고 물만 주며 길렀다. 5년 후 나무의 무게는 74.47 kg이나 증가하였지만, 흙의 무게는 겨우 0.06 kg 줄어들었다.

결론 식물은 흙에서 양분을 얻어 자라는 것이 아니라, 물만으로 자랄 수 있다.

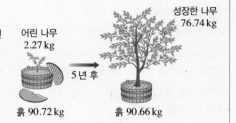

프리스틀리의 실험(1772년)

밀폐된 유리종 속에 쥐만 넣어 두면 쥐가 죽지만, 쥐를 식물과 함께 넣어 두면 쥐가 죽지 않았다.

결론 식물은 동물의 호흡으로 오염된 공기를 정화한다.

잉엔하우스의 실험(1779년)

유리종 속에 쥐와 식물을 함께 넣어 빛이 있는 곳에 두면 쥐가 살지만, 빛이 없는 곳에 두면 쥐가 죽었다.

결론 식물은 빛이 있어야 동물의 호흡으로 오염된 공기를 정화할 수 있다.

소쉬르의 실험(1804년)

일정 비율로 조성된 공기가 든 용기 속에 식물을 넣고 빛을 비추어 주면서 일주일 후 용기 속의 공기 조성 변화와 식물 무게의 증감을 조사하였다. 그 결과 공기의 성분 중 이산화 탄소는 감소하고 산소는 증가하였으며, 식물의 무게가 증가한 양이 줄어든 이산화탄소의 양보다 컸다.

결론 식물의 탄소원은 공기 중의 이산화 탄소이며, 광합성에는 이산화 탄소와 함께 물이 필요하다. └→ 물을 흡수하였기 때문

구분	산소	이산화 탄소
처음의 공기 조성	1.116 L	0.431 L
일주일 후 공기 조성	1.408 L	0 L
성분의 증감	증가	감소

작스의 실험(1864년)

식물의 잎 일부분을 알루미늄박으로 가린 후 빛을 비추어 주었더니 빛을 받은 부분에서만 녹말이 검출되었고, 이 부분에 있는 엽록체의 녹말 알갱이가 커졌다.

결론 식물은 엽록체에서 광합성을 하여 탄수화물(녹말)을 만든다.

아논의 실험(1954년) ──→ 광인산화 실험

엽록체 추출액에 ADP와 무기 인산(P_i)을 넣고 빛을 비추어 주었더니, 무기 인산의 양이 감소하면서 ATP가 합성되었다.

결론 엽록체는 빛을 받으면 ATP를 합성한다.

$$ADP + P_i \xrightarrow{\text{빛에너지}} ATP$$

개념 확인 문제

정답친해 63쪽

핵심 체크

- 탄소 고정 반응: 엽록체의 스트로마에서 명반응 산물인 ATP와 NADPH를 이용해서 이산화 탄소를 고정하여 포도당을 합성하는 과정이다. ➡ 포도당 1분자를 합성하는 데 이산화 탄소 (❶　　　　)분자, ATP (❷　　　　)분자, NADPH (❸　　　　)분자가 사용된다.
- (❹　　　　): 탄소 고정, (❺　　　　) 환원, RuBP 재생의 세 단계로 진행된다.

$$3CO_2 + 3RuBP \longrightarrow 6\ 3PG \xrightarrow[6ADP]{6ATP} 6DPGA \xrightarrow[6NADP^+]{6NADPH} 6PGAL \longrightarrow 5PGAL \xrightarrow[3ADP]{3ATP} 3RuBP$$
$$\searrow 1\ PGAL \to \to 포도당$$

- 광합성과 세포 호흡의 비교

구분	광합성	세포 호흡
장소	엽록체	세포질, (❻　　　　)
에너지 전환	빛 에너지 → (❼　　　　)와 NADPH의 화학 에너지 → 포도당의 화학 에너지	유기물(포도당)의 화학 에너지 → ATP의 화학 에너지
고에너지 전자와 결합하는 조효소	$NADP^+$	(❽　　　　), FAD
ATP 합성의 공통점	전자 전달계와 (❼　　　　)에 의해 ATP가 합성된다.

1 광합성의 탄소 고정 반응에 대한 설명으로 옳은 것은 ○, 옳지 <u>않은</u> 것은 ×로 표시하시오.

(1) 엽록체의 틸라코이드 내부에서 일어난다. ┄┄┄ (　　　)
(2) 명반응 산물인 ATP와 NADPH를 이용하여 이산화 탄소를 포도당으로 합성하는 과정이다. ┄┄┄┄ (　　　)
(3) 이산화 탄소가 산화되는 과정이 포함되며, 한 종류의 효소만 관여한다. ┄┄┄┄┄┄ (　　　)

2 다음은 캘빈 회로에 대한 설명이다. (　　) 안에 알맞은 말을 쓰거나 고르시오.

(1) 이산화 탄소가 고정되어 최초로 생성되는 물질은 (3PG, PGAL)이다.
(2) 3PG가 ㉠(　　　)로 환원될 때 명반응 산물인 ATP와 ㉡(　　　)가 사용된다.
(3) 캘빈 회로에서 만들어지는 물질 중 (3PG, PGAL)가/이 포도당 합성에 이용된다.

3 그림은 광합성의 명반응과 탄소 고정 반응의 관계를 나타낸 것이다.

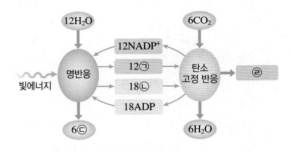

㉠~㉣에 해당하는 물질을 각각 쓰시오.

4 광합성과 세포 호흡의 공통점으로 옳은 것은 ○, 옳지 <u>않은</u> 것은 ×로 표시하시오.

(1) ATP의 합성이 일어난다. ┄┄┄┄┄┄ (　　　)
(2) 전자 전달계가 관여한다. ┄┄┄┄┄┄ (　　　)
(3) 산화 환원 반응이 일어난다. ┄┄┄┄┄ (　　　)
(4) 산화적 인산화가 일어난다. ┄┄┄┄┄ (　　　)
(5) 효소에 의해 조절되는 물질대사이다. ┄┄┄ (　　　)

대표 자료 분석

학교 시험에 자주 출제되는 대표 자료와 그 자료에 대한 문제를 통해 자료를 완벽하게 이해할 수 있다.

자료 ① 비순환적 전자 흐름과 순환적 전자 흐름

기출 Point
• 비순환적 전자 흐름에서 전자의 이동 순서 알기
• 비순환적 전자 흐름과 순환적 전자 흐름의 차이점 알기

[1~3] 그림은 광합성의 명반응 과정에서 일어나는 전자 흐름을 나타낸 것이다. 경로 (가)와 (나)는 각각 순환적 전자 흐름과 비순환적 전자 흐름 중 하나이다.

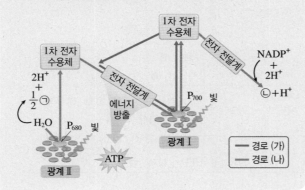

1 ㉠과 ㉡에 해당하는 물질을 각각 쓰시오.

2 경로 (가)와 (나)에 모두 관여하는 광계를 쓰시오.

3 빈출 선택지로 완벽 정리!

(1) 경로 (가)는 비순환적 전자 흐름, 경로 (나)는 순환적 전자 흐름이다. .... (○ / ×)

(2) 비순환적 전자 흐름과 순환적 전자 흐름에서 방출된 에너지는 ATP를 합성하는 데 이용된다. ..... (○ / ×)

(3) NADPH와 O_2는 비순환적 전자 흐름에서만 생성된다. .... (○ / ×)

(4) 비순환적 전자 흐름에서는 P_{700}에서 방출된 전자가 P_{700}으로 되돌아가지 않는다. .... (○ / ×)

(5) 순환적 전자 흐름에 관여하는 광계와 전자 전달계는 모두 틸라코이드 막에 있다. .... (○ / ×)

(6) H_2O의 광분해는 순환적 전자 흐름에서 일어난다. .... (○ / ×)

(7) 물질 ㉠과 ㉡은 모두 탄소 고정 반응에 사용된다. .... (○ / ×)

자료 ② 엽록체에서 화학 삼투에 의한 ATP 합성 과정

기출 Point
• 막을 경계로 한 H^+의 농도 기울기 형성 원리 알기
• ATP 합성 효소를 통해 H^+이 이동하는 방향 알기

[1~3] 그림은 엽록체의 (가) 부분에서 화학 삼투에 의해 ATP가 합성되는 과정을 나타낸 것이다.

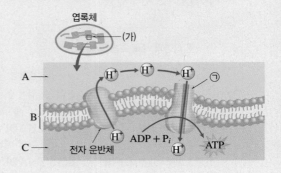

1 엽록체에서 A~C는 각각 어느 부위인지 쓰시오.

2 ㉠의 이름을 쓰시오.

3 빈출 선택지로 완벽 정리!

(1) ㉠을 통해 H^+이 이동할 때 에너지가 필요하다.
.... (○ / ×)

(2) 엽록체가 충분한 시간 동안 빛을 받으면 A의 pH가 C의 pH보다 낮아진다. .... (○ / ×)

(3) ATP 합성이 일어나려면 H^+ 농도는 C에서가 A에서보다 높아야 한다. .... (○ / ×)

(4) 비순환적 전자 흐름과 순환적 전자 흐름에서 전자가 이동하면서 방출된 에너지를 이용하여 전자 운반체를 통한 H^+의 이동이 일어난다. .... (○ / ×)

(5) 엽록체에서 합성된 ATP는 탄소 고정 반응에 사용된다. .... (○ / ×)

(6) 엽록체에서 막을 경계로 H^+의 농도 기울기를 형성하게 하는 에너지의 원천은 빛에너지이다. (○ / ×)

자료 ③ 탄소 고정 반응

기출 Point
- 캘빈 회로의 각 단계의 특징 알기
- 캘빈 회로에서 명반응 산물의 사용 단계 파악하기

[1~3] 그림은 캘빈 회로를 (가)~(다)의 세 단계로 구분하여 나타낸 것이다. ㉠~㉢은 각각 3PG, PGAL, RuBP 중 하나이다.

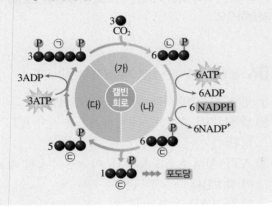

1 (가)~(다) 중 CO_2가 고정되는 단계의 기호를 쓰시오.

2 ㉠~㉢에 해당하는 물질을 각각 쓰시오.

3 빈출 선택지로 완벽 정리!

(1) 캘빈 회로는 엽록체의 틸라코이드 내부에서 진행된다.
—————————————————— (○ / ×)

(2) RuBP가 재생되는 단계는 (가)이다. ——— (○ / ×)

(3) 1분자당 에너지양은 PGAL이 3PG보다 많다.
—————————————————— (○ / ×)

(4) 캘빈 회로에서 ATP와 NADPH의 에너지는 3PG에 저장된다. —————————————— (○ / ×)

(5) 1분자당 탄소 수는 3PG<PGAL<RuBP이다.
—————————————————— (○ / ×)

(6) 포도당 1분자를 합성하기 위해서는 캘빈 회로에서 CO_2 6분자가 고정되어야 한다. ————— (○ / ×)

(7) 엽록체에 CO_2의 공급을 차단하면 3PG의 농도는 증가하고, RuBP의 농도는 감소한다. ——— (○ / ×)

자료 ④ 광합성과 세포 호흡의 비교

기출 Point
- 캘빈 회로와 TCA 회로의 공통점, 차이점 알기
- 엽록체와 미토콘드리아의 전자 전달계에서 최종 전자 수용체 파악하기

[1~3] 그림은 세포 소기관 (가)와 (나)에서 일어나는 물질대사의 일부를 나타낸 것이다. ㉠~㉢은 각각 CO_2, O_2, 포도당 중 하나이다.

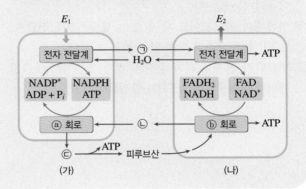

1 ㉠~㉢에 해당하는 물질을 각각 쓰시오.

2 회로 ⓐ와 ⓑ의 이름을 각각 쓰시오.

3 빈출 선택지로 완벽 정리!

(1) 식물 세포에는 (가)와 (나)가 모두 있다. ——— (○ / ×)

(2) (가)에서 흡수되는 E_1의 양과 (나)에서 방출되는 E_2의 양은 같다. ————————————— (○ / ×)

(3) (가)의 전자 전달계에서 최종 전자 수용체는 O_2이다.
—————————————————— (○ / ×)

(4) (가)와 (나)의 전자 전달계에서 전자는 연속적인 산화 환원 반응을 통해 이동한다. ———————— (○ / ×)

(5) (가)에서는 산화적 인산화를 통해, (나)에서는 광인산화를 통해 ATP가 합성된다. ——————— (○ / ×)

(6) ⓐ 회로와 ⓑ 회로는 모두 효소에 의해 조절되는 일련의 화학 반응이다. —————————— (○ / ×)

내신 만점 문제

A 광합성 과정 – 명반응

01 광합성의 명반응에 대한 설명으로 옳지 않은 것은?

① 물의 광분해와 광인산화가 일어난다.
② 빛에너지가 PGAL의 화학 에너지로 전환된다.
③ 명반응에서 생성되는 물질이 모두 탄소 고정 반응에 이용되지는 않는다.
④ 엽록체의 틸라코이드 막에 있는 광계, 전자 전달계, ATP 합성 효소에 의해 일어난다.
⑤ 비순환적 전자 흐름과 순환적 전자 흐름에서 방출된 에너지를 이용하여 ATP가 합성된다.

02 그림은 엽록체가 함유된 추출액과 옥살산 철(Ⅲ)을 이용한 힐의 실험을 나타낸 것이다.

이에 대한 설명으로 옳은 것만을 [보기]에서 있는 대로 고른 것은?

〔보기〕
ㄱ. 빛을 받은 엽록체에서 H_2O의 분해로 O_2가 발생했다.
ㄴ. 광합성 과정에서 옥살산 철(Ⅲ)과 같은 역할을 하는 물질은 $NADP^+$이다.
ㄷ. CO_2가 분해되었고, 이때 나온 전자가 옥살산 철(Ⅱ)을 옥살산 철(Ⅲ)로 환원시켰다.

① ㄱ   ② ㄷ   ③ ㄱ, ㄴ
④ ㄴ, ㄷ   ⑤ ㄱ, ㄴ, ㄷ

03 〔서술형〕 그림은 광합성에 대한 루벤의 실험을 나타낸 것이다. ㉠과 ㉡은 광합성 결과 발생한 기체이다.

㉠과 ㉡은 각각 어떤 기체인지 쓰고, 이와 같이 판단한 까닭을 서술하시오.

04 광인산화에 대한 설명으로 옳지 않은 것은?

① 전자 전달계와 화학 삼투에 의해 일어난다.
② 빛에너지를 흡수하는 광계의 도움을 받아 ATP가 합성된다.
③ ATP 합성 효소를 통해 H^+이 능동 수송될 때 ATP가 합성된다.
④ 막을 경계로 형성된 H^+의 농도 기울기를 이용하여 ATP를 합성하는 과정이다.
⑤ 전자 전달계에서 일어나는 산화 환원 반응 과정에서 방출된 에너지를 이용하여 ATP가 합성된다.

05 그림은 엽록체에서 명반응에 관여하는 광계의 구조와 작용을 나타낸 것이다.

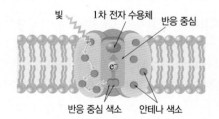

이에 대한 설명으로 옳은 것은?

① 광계는 엽록체의 내막에 존재한다.
② 안테나 색소는 주로 적외선을 흡수한다.
③ 광계의 반응 중심 색소는 엽록소 b이다.
④ 반응 중심 색소에서 방출된 전자는 1차 전자 수용체를 환원시킨다.
⑤ 광계 Ⅰ과 광계 Ⅱ의 반응 중심 색소는 가장 잘 흡수하는 빛의 파장이 같다.

06 그림은 광합성이 활발하게 일어나는 어떤 식물의 명반응에서 전자가 이동하는 경로를 나타낸 것이다. 경로 (가)와 (나)는 각각 순환적 전자 흐름과 비순환적 전자 흐름 중 하나이다.

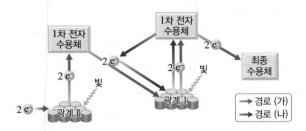

이에 대한 설명으로 옳지 <u>않은</u> 것은?

① 광계 Ⅱ의 반응 중심 색소는 P_{680}이다.
② 경로 (가)에서 전자의 최종 수용체는 $NADP^+$이다.
③ 경로 (나)는 순환적 전자 흐름이다.
④ 경로 (나)에서 물의 광분해가 일어난다.
⑤ 경로 (가)와 (나)에서 모두 틸라코이드 막을 경계로 H^+의 농도 기울기가 형성된다.

07 그림은 엽록체에서 일어나는 전자 흐름의 일부를 나타낸 것이다.

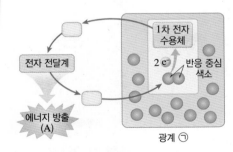

이에 대한 설명으로 옳은 것은?

① 물의 광분해가 일어난다.
② $NADP^+$의 환원이 일어난다.
③ 광계 ㉠의 반응 중심 색소는 P_{680}이다.
④ 광계 ㉠의 반응 중심 색소에서 방출된 전자는 전자 전달계를 거쳐 다시 광계 ㉠으로 돌아온다.
⑤ 전자 전달계에서 방출된 에너지(A)를 이용하여 H^+이 틸라코이드 내부에서 스트로마로 운반된다.

08 그림은 엽록체의 틸라코이드 막에서 일어나는 명반응 과정의 일부를 나타낸 것이다.

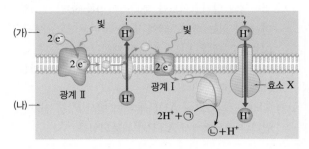

이에 대한 설명으로 옳지 <u>않은</u> 것은?

① 광인산화가 일어난다.
② ㉠은 전자의 최종 수용체이다.
③ ㉡은 스트로마에서 사용된다.
④ 효소 X는 ATP 합성 효소이다.
⑤ (가)는 스트로마, (나)는 틸라코이드 내부이다.

09 그림은 엽록체에서 일어나는 명반응 과정의 일부를 나타낸 것이다.

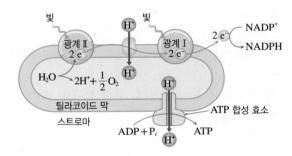

이에 대한 설명으로 옳은 것만을 [보기]에서 있는 대로 고른 것은?

[보기]
ㄱ. H_2O의 분해로 방출된 전자는 산화된 P_{680}을 환원시킨다.
ㄴ. 광계 Ⅰ에서 방출된 전자는 $NADP^+$와 결합하여 $NADPH$를 생성한다.
ㄷ. H^+이 ATP 합성 효소를 통해 스트로마로 이동할 때 에너지가 사용된다.

① ㄱ   ② ㄷ   ③ ㄱ, ㄴ
④ ㄱ, ㄷ   ⑤ ㄴ, ㄷ

10 ^{서술형} 다음은 빛이 차단된 암실에서 수행한 광합성 실험이다.

> (가) 엽록체의 틸라코이드를 분리하여 pH ⓐ인 수용액이 들어 있는 플라스크에 넣고, 틸라코이드 내부의 pH가 수용액의 pH와 같아질 때까지 담가 둔다.
> (나) (가)의 틸라코이드를 pH ⓑ인 수용액이 들어 있는 플라스크로 옮긴다.
> (다) (나)의 플라스크에 ADP와 무기 인산(P_i)을 첨가하였더니 수용액에서 ATP가 검출되었다.

ⓐ와 ⓑ의 크기를 비교하고, 이와 같이 판단한 까닭을 엽록체에서의 ATP 합성 과정과 연관 지어 서술하시오.

Ⓑ 광합성 과정 – 탄소 고정 반응

11 광합성의 탄소 고정 반응에 대한 설명으로 옳지 <u>않은</u> 것은?

① 엽록체의 스트로마에서 일어난다.
② CO_2 고정에 루비스코라는 효소가 관여한다.
③ ATP와 NADPH를 이용하여 포도당을 합성하는 과정이다.
④ 캘빈 회로에서 생성된 3PG 2분자가 결합하여 포도당이 합성된다.
⑤ 캘빈 회로는 탄소 고정, 3PG 환원, RuBP 재생의 세 단계로 구분할 수 있다.

12 ^{서술형} 그림은 광합성이 일어나고 있는 클로렐라에 빛을 차단한 후 시간에 따른 물질 ㉠의 농도를 나타낸 것이다. ㉠은 클로렐라의 엽록체에 존재하며, 3PG와 RuBP 중 하나이다. ㉠이 무엇인지 쓰고, 이와 같이 판단한 까닭을 캘빈 회로와 연관 지어 서술하시오.

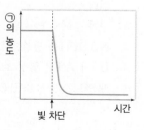

13 그림은 클로렐라 배양액에 $^{14}CO_2$를 공급하고 빛을 비춘 후 5초, 90초, 5분 각 시점에서 얻은 세포 추출물을 각각 크로마토그래피법으로 전개한 결과를 나타낸 것이다. ㉠~㉢은 각각 3PG, RuBP, PGAL 중 하나이다.

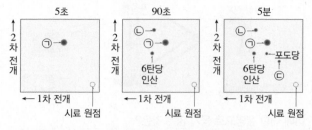

이에 대한 설명으로 옳은 것만을 [보기]에서 있는 대로 고른 것은?

> [보기]
> ㄱ. 1분자당 탄소 수는 ㉠과 ㉡이 같다.
> ㄴ. ㉠ 1분자와 CO_2 1분자가 결합하여 ㉡이 된다.
> ㄷ. 5분 후 결과에서 1차 전개율은 ㉢이 6탄당 인산보다 크다.

① ㄱ ② ㄴ ③ ㄷ
④ ㄴ, ㄷ ⑤ ㄱ, ㄴ, ㄷ

14 그림은 캘빈 회로를 나타낸 것이다.

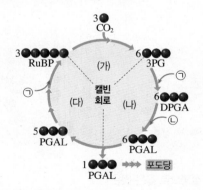

이에 대한 설명으로 옳지 <u>않은</u> 것은?

① ㉠과 ㉡은 모두 명반응에서 생성된 물질이다.
② 1분자당 에너지양은 3PG보다 PGAL이 많다.
③ (가)~(다)는 모두 효소의 작용에 의해 조절된다.
④ 탄소를 고정하여 최초로 생성되는 물질은 3PG이다.
⑤ 포도당 1분자를 합성하는 데 사용되는 ㉠와 ㉡의 분자 수 비는 2 : 3이다.

15 그림은 광합성이 활발한 어떤 식물의 캘빈 회로에서 물질 전환 과정의 일부를 나타낸 것이다. X~Z는 3PG, RuBP, PGAL을 순서 없이 나타낸 것이다.

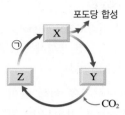

이에 대한 설명으로 옳은 것만을 [보기]에서 있는 대로 고른 것은?

[보기]
ㄱ. 1분자당 탄소 수는 X가 Y보다 많다.
ㄴ. Z는 3PG이다.
ㄷ. 과정 ㉠에서 ATP와 NADPH가 사용된다.

① ㄱ　　② ㄴ　　③ ㄷ　　④ ㄱ, ㄴ　⑤ ㄴ, ㄷ

16 그림은 광합성의 명반응과 탄소 고정 반응의 관계를 나타낸 것이다.

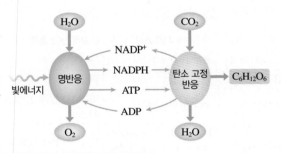

이에 대한 설명으로 옳지 <u>않은</u> 것은?

① 탄소 고정 반응에서 생성된 ADP는 명반응에서 광인산화를 통해 ATP가 된다.
② 탄소 고정 반응에서 포도당 1분자가 합성되려면 명반응에서는 H_2O 12분자가 필요하다.
③ 탄소 고정 반응에서 CO_2가 포도당으로 환원되려면 명반응에서 ATP와 NADPH가 공급되어야 한다.
④ 포도당 1분자가 합성될 때 탄소 고정 반응에 공급되는 ATP의 분자 수는 NADPH의 분자 수보다 적다.
⑤ 탄소 고정 반응에서 $NADP^+$가 계속 생성되어야 비순환적 전자 흐름이 지속적으로 일어날 수 있다.

ⓒ 광합성과 세포 호흡의 비교

17 그림 (가)와 (나)는 세포 호흡 과정과 광합성 과정의 일부를 순서 없이 나타낸 것이다.

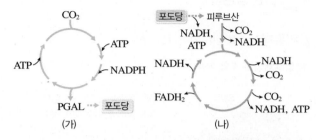

이에 대한 설명으로 옳은 것만을 [보기]에서 있는 대로 고른 것은?

[보기]
ㄱ. (가)는 광합성의 탄소 고정 반응이다.
ㄴ. (가)는 엽록체의 스트로마, (나)는 세포질과 미토콘드리아 기질에서 일어난다.
ㄷ. (가)에서는 탈탄산 반응이, (나)에서는 CO_2가 환원되는 반응이 일어난다.

① ㄱ　　② ㄴ　　③ ㄷ　　④ ㄱ, ㄴ　⑤ ㄴ, ㄷ

18 그림 (가)와 (나)는 식물 세포의 미토콘드리아와 엽록체에서 일어나는 ATP 합성 과정을 순서 없이 나타낸 것이다.

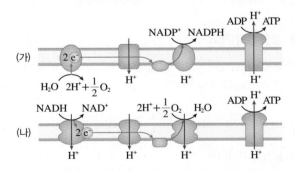

이에 대한 설명으로 옳은 것만을 [보기]에서 있는 대로 고르시오.

[보기]
ㄱ. (가)에서는 H_2O, (나)에서는 NADH가 최종 전자 수용체이다.
ㄴ. (가)는 미토콘드리아 내막, (나)는 엽록체의 틸라코이드 막에서 일어난다.
ㄷ. (가)와 (나)에서 모두 H^+이 ATP 합성 효소를 통해 확산될 때 ATP가 합성된다.

01 광합성(1)

1. 엽록체 광합성이 일어나는 세포 소기관

(1) 엽록체의 구조와 기능

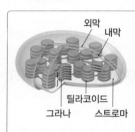

- 외막과 내막의 2중막 구조이다.
- 그라나: 틸라코이드 막에 광합성 색소, 전자 전달계, ATP 합성 효소가 있어 빛에너지가 (**❶**   )로 전환된다.
- (**❷**   ): DNA, 리보솜, 포도당 합성에 관여하는 효소 등이 있으며, 포도당이 합성된다.

(2) 빛의 파장과 광합성 색소: 식물은 주로 엽록소가 잘 흡수하는 (**❸**   )과 적색의 빛을 이용하여 광합성을 한다.

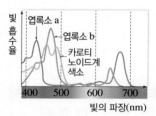

⬆ 흡수 스펙트럼

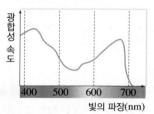

⬆ 작용 스펙트럼

2. 광합성의 개요

(1) 광합성: 빛에너지를 이용하여 (**❹**   )와 물을 포도당으로 합성하는 과정이다.

$$6CO_2 + 12H_2O \xrightarrow{\text{빛에너지}} C_6H_{12}O_6 + 6O_2 + 6H_2O$$

(2) 광합성 과정: (**❺**   ) → 탄소 고정 반응(암반응)

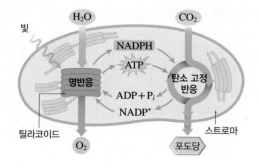

02 광합성(2)

1. 광합성 과정 - 명반응

(1) 명반응: 엽록체의 틸라코이드 막에서 빛에너지를 흡수하여 ATP와 (**❻**   )를 생성하는 과정이다. ➡ 물의 광분해와 광인산화가 일어난다.

(2) 물의 광분해: 빛에너지에 의해 물이 분해되어 H^+과 (**❼**   )가 방출되고, 산소(O_2)가 발생한다.

(3) 광인산화: 빛에너지를 이용하여 광계, 전자 전달계, 화학 삼투를 통해 ATP를 합성하는 과정이다.

① **광계:** 엽록소를 비롯한 광합성 색소가 단백질과 결합하여 이루어진 복합체로, 틸라코이드 막에 있다.

구성	반응 중심 색소(반응 중심 엽록소 a), 1차 전자 수용체, 안테나 색소 등으로 구성	
종류	광계 I	반응 중심 색소가 (**❽**)
	광계 II	반응 중심 색소가 P_{680}
작용	빛에너지를 흡수한 반응 중심 색소는 고에너지 전자를 방출하고 산화된다.	

② **전자 전달계에서의 전자 흐름:** 빛에너지를 흡수한 반응 중심 색소에서 방출된 고에너지 전자는 1차 전자 수용체를 거쳐 전자 전달계에 전달되어 이동한다.

구분	비순환적 전자 흐름	순환적 전자 흐름
관여하는 광계	광계 I, 광계 II	(**❾**)
반응 중심 색소	P_{700}, P_{680}	P_{700}
물의 광분해	일어남(O_2 발생)	일어나지 않음(O_2 발생하지 않음)
전자의 이동	H_2O → P_{680} → 전자 전달계 → P_{700} → 전자 전달계 → (**❿**)	P_{700} → 전자 전달계 → (**⓫**)
NADPH	생성됨	(**⓬**)

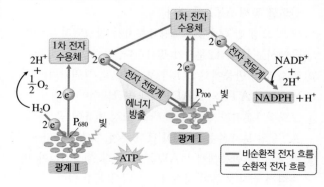

③ 전자 전달계와 (⑬   )에 의한 ATP 합성

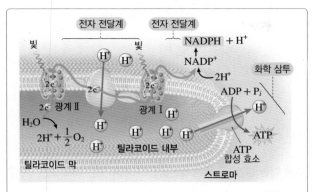

- H^+의 농도 기울기 형성: 광계 Ⅱ에서 방출된 전자가 전자 전달계를 거쳐 광계 Ⅰ에 전달된다. → 이 과정에서 방출된 에너지를 이용하여 H^+이 (⑭   )에서 틸라코이드 내부로 능동 수송된다. → 틸라코이드 막을 경계로 H^+의 농도 기울기가 형성된다(틸라코이드 내부의 H^+ 농도>스트로마의 H^+ 농도).
- 화학 삼투에 의한 ATP 합성: H^+의 농도 기울기에 따라 틸라코이드 내부의 H^+이 (⑮   )를 통해 스트로마로 확산되면서 ATP가 합성된다.

2. 광합성 과정 - 탄소 고정 반응

(1) **탄소 고정 반응(암반응):** 엽록체의 (⑯   )에서 명반응 산물인 ATP와 NADPH를 이용해서 이산화 탄소를 고정하여 포도당을 합성하는 과정이다.

(2) **캘빈 회로:** 탄소 고정, (⑰   ), RuBP 재생의 세 단계로 진행된다.

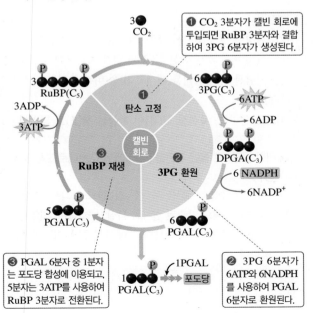

❶ CO_2 3분자가 캘빈 회로에 투입되면 RuBP 3분자와 결합하여 3PG 6분자가 생성된다.

❸ PGAL 6분자 중 1분자는 포도당 합성에 이용되고, 5분자는 3ATP를 사용하여 RuBP 3분자로 전환된다.

❷ 3PG 6분자가 6ATP와 6NADPH를 사용하여 PGAL 6분자로 환원된다.

(3) **탄소 고정 반응의 전 과정:** 포도당 1분자를 합성하는 데에는 이산화 탄소(CO_2) 6분자, ATP (⑱   )분자, NADPH 12분자가 사용된다.

$$6CO_2 \xrightarrow{\quad 18ATP \quad 18ADP \quad 12NADPH \quad 12NADP^+ \quad} C_6H_{12}O_6 + 6H_2O$$

(4) **명반응과 탄소 고정 반응의 관계:** 탄소 고정 반응에 필요한 ATP와 NADPH는 명반응에서 생성되어 공급되고, 탄소 고정 반응에서 생성된 (⑲   )와 $NADP^+$는 명반응에 공급된다.

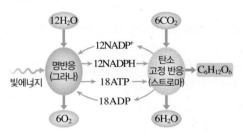

3. 광합성과 세포 호흡의 비교

(1) **광합성과 세포 호흡의 전 과정 비교**

구분	광합성	세포 호흡
에너지 전환	빛에너지 → ATP와 NADPH의 화학 에너지 → 포도당의 화학 에너지	유기물의 화학 에너지 → ATP의 화학 에너지
고에너지 전자와 결합하는 조효소	(⑳)	NAD^+, FAD
ATP 합성 과정	(㉑)	기질 수준 인산화, 산화적 인산화
공통점	광합성의 캘빈 회로와 세포 호흡의 TCA 회로는 모두 효소에 의해 조절되는 단계적, 순환적 화학 반응이다.	

(2) **엽록체와 미토콘드리아에서의 ATP 합성 비교:** 광합성의 광인산화와 세포 호흡의 (㉒   )에서 모두 전자 전달계와 화학 삼투에 의해 ATP가 합성된다.

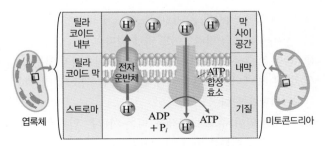

난이도 ●●●

01 그림은 엽록체의 구조를 나타낸 것이다. A~C 중 하나는 단백질과 인지질 2중층으로 구성된 막이다.

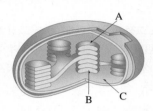

이에 대한 설명으로 옳은 것만을 [보기]에서 있는 대로 고른 것은?

〔보기〕
ㄱ. A는 틸라코이드 막이다.
ㄴ. B에 광합성 색소가 있다.
ㄷ. C에서 이산화 탄소를 포도당으로 환원시키는 반응이 일어난다.

① ㄱ   ② ㄴ   ③ ㄷ
④ ㄱ, ㄷ   ⑤ ㄴ, ㄷ

●●○

02 그림은 광합성 색소의 흡수 스펙트럼을 나타낸 것이다. ㉠과 ㉡은 각각 엽록소 a와 카로티노이드계 색소 중 하나이다.

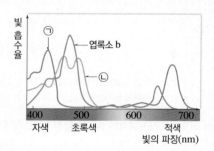

이에 대한 설명으로 옳지 <u>않은</u> 것은?

① ㉠은 엽록소 a, ㉡은 카로티노이드계 색소이다.
② ㉠은 엽록체의 틸라코이드 막에 있다.
③ ㉡이 흡수하는 빛에너지는 광합성에 이용되지 않는다.
④ ㉡은 빛에너지를 흡수하여 반응 중심 색소에 전달하는 역할을 한다.
⑤ 식물의 잎이 주로 초록색을 띠는 까닭은 엽록소가 초록색 빛을 대부분 반사하기 때문이다.

●●●

03 그림은 광합성의 전 과정을 나타낸 것이다. (가)와 (나)는 각각 명반응과 탄소 고정 반응 중 하나이다.

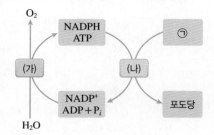

이에 대한 설명으로 옳은 것만을 [보기]에서 있는 대로 고른 것은?

〔보기〕
ㄱ. ㉠이 환원되어 포도당이 합성된다.
ㄴ. 엽록체에서 흡수한 빛에너지의 일부가 (가)에서 ATP의 화학 에너지로 전환된다.
ㄷ. (나)는 엽록체의 그라나에서 일어난다.

① ㄱ   ② ㄷ   ③ ㄱ, ㄴ
④ ㄴ, ㄷ   ⑤ ㄱ, ㄴ, ㄷ

●●●

04 다음은 힐이 수행한 실험 과정과 결과를 나타낸 것이다.

[과정]
(가) 질경이 잎을 찧어서 즙을 걸러 엽록체가 함유된 용액을 준비한 후 옥살산 철(Ⅲ)과 함께 시험관에 넣었다.
(나) 시험관 안의 공기를 빼내고 빛을 비춰 주었다.
[결과]
O_2가 발생하고, 옥살산 철(Ⅲ)이 옥살산 철(Ⅱ)로 되었다.

이에 대한 설명으로 옳은 것만을 [보기]에서 있는 대로 고른 것은?

〔보기〕
ㄱ. O_2는 옥살산 철(Ⅲ)을 옥살산 철(Ⅱ)로 산화시킨다.
ㄴ. H_2O의 분해로 방출된 전자를 옥살산 철(Ⅲ)이 받았다.
ㄷ. 옥살산 철(Ⅱ)은 광합성 과정에서의 $NADP^+$에 해당한다.

① ㄱ   ② ㄴ   ③ ㄷ
④ ㄱ, ㄴ   ⑤ ㄱ, ㄷ

정답친해 68쪽

05 그림은 엽록체의 어떤 광계에서 일어나는 명반응의 일부를 나타낸 것이다.

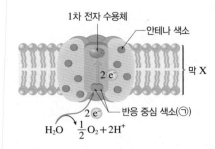

이에 대한 설명으로 옳지 <u>않은</u> 것은?

① ㉠은 엽록소 a이다.
② 이 광계는 광계 Ⅱ이다.
③ 막 X에는 ATP 합성 효소가 있다.
④ ㉠에서 방출된 전자는 P_{700}을 환원시킨다.
⑤ 이 광계는 순환적 전자 흐름과 비순환적 전자 흐름에 모두 관여한다.

06 그림은 광합성의 명반응 과정의 일부를 나타낸 것이다.

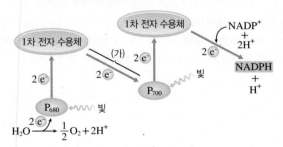

이에 대한 설명으로 옳지 <u>않은</u> 것은?

① P_{680}과 P_{700}은 모두 엽록소 b이다.
② H_2O에서 방출된 전자의 최종 수용체는 $NADP^+$이다.
③ P_{700}과 1차 전자 수용체는 모두 틸라코이드 막에 있다.
④ NADPH는 탄소 고정 반응에서 3PG가 PGAL로 환원되는 과정에 사용된다.
⑤ (가)에서 전자가 이동할 때 방출된 에너지를 이용하여 ATP가 합성된다.

07 그림 (가)는 식물의 엽록체에서 일어나는 전자의 전달 과정을, (나)는 엽록체의 구조를 나타낸 것이다.

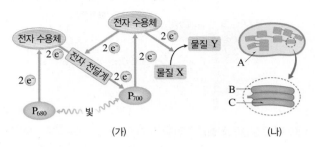

이에 대한 설명으로 옳지 <u>않은</u> 것은?

① (가)의 물질 X는 A에서 생성된다.
② P_{700}은 광계 Ⅰ의 반응 중심 색소이다.
③ (가)의 전자 전달계는 (나)의 B에 있다.
④ (나)에서는 A의 pH가 C의 pH보다 낮을 때 ATP가 합성된다.
⑤ 빛에너지를 흡수하여 전자를 방출한 P_{680}은 물의 분해로 방출된 전자를 받는다.

08 그림 (가)는 어떤 식물 잎의 틸라코이드 막에서 일어나는 과정의 일부를, (나)는 이 잎의 광합성 색소를 전개시킨 종이 크로마토그래피의 결과를 나타낸 것이다. ㉠과 ㉡은 각각 광계 Ⅰ과 광계 Ⅱ 중 하나이고, A는 캘빈 회로에서 이용되는 명반응 산물이다.

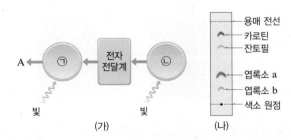

이에 대한 설명으로 옳은 것만을 [보기]에서 있는 대로 고른 것은?

[보기]
ㄱ. ㉠은 순환적 전자 흐름에 관여하지 않는다.
ㄴ. ㉠과 ㉡의 반응 중심 색소는 전개율이 같다.
ㄷ. 캘빈 회로에서 RuBP가 3PG로 전환되는 단계에서 A가 사용된다.

① ㄱ   ② ㄴ   ③ ㄷ   ④ ㄱ, ㄴ   ⑤ ㄱ, ㄷ

09 그림은 엽록체의 틸라코이드 막에서 일어나는 명반응 과정의 일부를 나타낸 것이다.

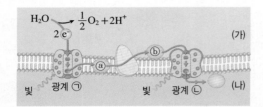

이에 대한 설명으로 옳은 것만을 [보기]에서 있는 대로 고른 것은?

〈보기〉
ㄱ. 광계 ㉠의 반응 중심 색소에서 방출된 전자는 ⓑ에 있을 때보다 ⓐ에 있을 때 에너지양이 더 많다.
ㄴ. 광계 ㉡의 반응 중심 색소는 광계 ㉠의 반응 중심 색소보다 더 짧은 파장의 빛을 잘 흡수한다.
ㄷ. H_2O에서 방출된 전자가 광계 ㉠을 거쳐 광계 ㉡으로 전달되는 동안 H^+은 (나)에서 (가)로 능동 수송된다.

① ㄱ   ② ㄴ   ③ ㄱ, ㄷ
④ ㄴ, ㄷ   ⑤ ㄱ, ㄴ, ㄷ

10 그림은 어떤 식물에서 빛과 CO_2 조건에 따른 포도당 생성 속도와 틸라코이드 내부의 pH 변화를 나타낸 것이다.

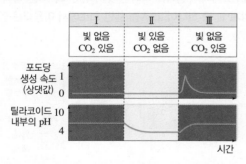

이에 대한 설명으로 옳은 것만을 [보기]에서 있는 대로 고른 것은?

〈보기〉
ㄱ. 구간 Ⅰ에서 탄소 고정 반응이 일어난다.
ㄴ. 구간 Ⅱ에서 틸라코이드 막을 경계로 H^+의 농도 기울기가 형성된다.
ㄷ. 구간 Ⅱ와 Ⅲ에서 모두 포도당이 합성된다.

① ㄴ   ② ㄷ   ③ ㄱ, ㄴ
④ ㄱ, ㄷ   ⑤ ㄴ, ㄷ

11 그림은 캘빈 회로의 일부를 나타낸 것이다. ㉠과 ㉡은 모두 명반응 산물이다.

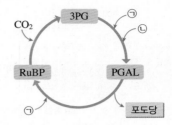

이에 대한 설명으로 옳은 것은?

① ㉠은 NADPH, ㉡은 ATP이다.
② 1분자당 탄소 수는 RuBP > PGAL > 3PG이다.
③ 3PG는 ㉠과 ㉡으로부터 에너지와 전자를 받아 PGAL로 환원된다.
④ 포도당 1분자를 합성하는 데 필요한 분자 수는 ㉠보다 ㉡이 많다.
⑤ CO_2 공급이 중단되면 일시적으로 RuBP의 농도가 감소한다.

12 그림은 캘빈 회로에서 물질 전환 과정의 일부를, 표는 그림에서 CO_2 6분자가 고정될 때 물질 ⓐ~ⓒ의 분자 수와 1분자당 탄소 수를 나타낸 것이다. A~C는 각각 RuBP, 3PG, PGAL 중 하나이며, ⓐ~ⓒ는 각각 A~C 중 하나이다.

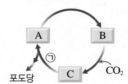

구분	ⓐ	ⓑ	ⓒ
분자 수	?	12	10
1분자당 탄소 수	5	?	3

이에 대한 설명으로 옳은 것만을 [보기]에서 있는 대로 고른 것은?

〈보기〉
ㄱ. A는 ⓒ이다.
ㄴ. 과정 ㉠에서 $NADP^+$가 생성된다.
ㄷ. ⓑ는 CO_2가 고정되어 최초로 생성되는 물질이다.

① ㄱ   ② ㄷ   ③ ㄱ, ㄴ
④ ㄴ, ㄷ   ⑤ ㄱ, ㄴ, ㄷ

13 그림은 광합성의 명반응과 탄소 고정 반응의 관계를 나타낸 것이다. A~C는 각각 3PG, RuBP, PGAL 중 하나이다.

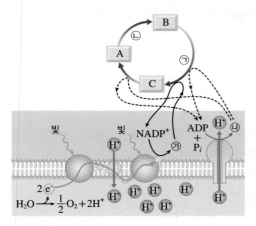

이에 대한 설명으로 옳지 <u>않은</u> 것은?

① 과정 ㉠에서 사용되는 ㉮와 ㉯의 분자 수는 같다.
② 과정 ㉡에서 CO_2가 고정된다.
③ 1분자당 인산기 수는 A가 C보다 많다.
④ 캘빈 회로에서 빠져나와 포도당 합성에 이용되는 물질은 B이다.
⑤ 명반응이 지속적으로 일어나려면 탄소 고정 반응으로부터 ADP와 $NADP^+$가 계속 공급되어야 한다.

14 그림은 광합성과 세포 호흡에서 일어나는 과정의 일부를, 표는 그림의 (가)~(라)를 순서 없이 나타낸 것이다. ㉠~㉢은 각각 O_2, CO_2, H_2O 중 하나이다.

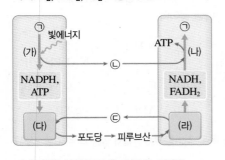

(가)~(라)
명반응
캘빈 회로
TCA 회로
산화적 인산화

이에 대한 설명으로 옳지 <u>않은</u> 것은?

① (가)는 엽록체의 스트로마에서 일어난다.
② (나)는 산화적 인산화이다.
③ (다)와 (라)는 효소에 의해 조절된다.
④ ㉠은 H_2O이다.
⑤ 광합성에서 ㉢은 포도당으로 환원된다.

서술형 문제

15 광합성의 명반응에서 순환적 전자 흐름과 비순환적 전자 흐름의 공통점과 차이점을 <u>한</u> 가지씩 서술하시오.

16 다음은 엽록체의 틸라코이드를 이용한 ATP 합성 실험이다.

> (가) 엽록체의 틸라코이드를 pH 4인 용액과 pH 8인 용액에 각각 넣어 틸라코이드 내부가 각각 pH 4와 pH 8이 되게 한다.
> (나) 암실에서 ADP와 무기 인산(P_i)이 첨가된 pH 8 또는 pH 4인 용액이 들어 있는 플라스크 A와 B에 그림과 같이 (가)의 틸라코이드를 각각 넣는다.

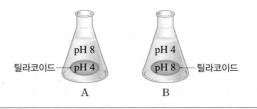

일정 시간이 지난 후 A와 B에서의 ATP 합성 여부를 예상하고, 이와 같이 예상한 까닭을 서술하시오.(단, 제시된 조건 이외의 다른 조건은 동일하다.)

17 그림은 캘빈 회로에서 물질 전환 과정의 일부를 나타낸 것이다. 1분자당 탄소 수는 B가 A보다 많으며, 과정 (가)와 (나)에서 모두 ATP가 소모된다. A~C는 각각 3PG, PGAL, RuBP 중 하나이다.

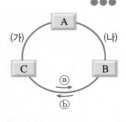

캘빈 회로 반응의 방향은 ⓐ와 ⓑ 중 어느 것인지 쓰고, 이와 같이 판단한 까닭을 서술하시오.

01 그림 (가)와 (나)는 각각 미토콘드리아와 엽록체의 구조를 나타낸 것이다.

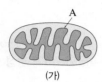 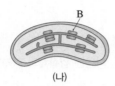

막 A와 B의 공통점에 해당하는 것만을 [보기]에서 있는 대로 고른 것은?

[보기]
ㄱ. 전자 전달이 일어난다.
ㄴ. 산화적 인산화가 일어난다.
ㄷ. ATP 합성 효소가 존재한다.

① ㄱ　　　　② ㄴ　　　　③ ㄱ, ㄷ
④ ㄴ, ㄷ　　　⑤ ㄱ, ㄴ, ㄷ

02 그림 (가)는 시금치에서 엽록소 a와 엽록소 b의 흡수 스펙트럼을, (나)는 이 식물 잎의 광합성 색소를 전개시킨 종이 크로마토그래피의 결과를 나타낸 것이다. X와 Y는 각각 엽록소 a와 엽록소 b 중 하나이고, ㉠과 ㉡은 각각 X와 Y 중 하나이다.

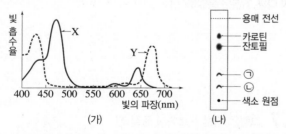

이에 대한 설명으로 옳은 것만을 [보기]에서 있는 대로 고른 것은?

[보기]
ㄱ. ㉠은 틸라코이드 막에 있다.
ㄴ. 광계 Ⅰ의 반응 중심 색소는 X이다.
ㄷ. ㉡은 파장이 550 nm인 빛을 450 nm인 빛보다 잘 흡수한다.

① ㄱ　　　　② ㄴ　　　　③ ㄷ
④ ㄱ, ㄴ　　　⑤ ㄴ, ㄷ

03 그림은 어떤 식물에 A와 B의 조건을 달리했을 때의 시간에 따른 광합성 속도를, 표는 구간 Ⅰ~Ⅲ에서 A와 B의 유무를 나타낸 것이다. A와 B는 각각 빛과 CO_2 중 하나이다.

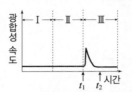

조건＼구간	Ⅰ	Ⅱ	Ⅲ
A	×	?	㉠
B	○	㉡	○

(○: 있음, ×: 없음)

이에 대한 설명으로 옳은 것만을 [보기]에서 있는 대로 고른 것은? (단, 빛과 CO_2 이외의 조건은 같다.)

[보기]
ㄱ. A는 CO_2이다.
ㄴ. ㉠과 ㉡은 모두 '×'이다.
ㄷ. 스트로마에서 ATP의 농도는 t_1일 때가 t_2일 때보다 낮다.

① ㄱ　　　　② ㄴ　　　　③ ㄷ
④ ㄱ, ㄴ　　　⑤ ㄱ, ㄴ, ㄷ

04 그림은 엽록체의 구조를, 표는 광합성 과정에서 일어나는 반응 (가)~(다)를 나타낸 것이다.

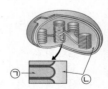

(가)	$NADP^+ + 2H^+ + 2e^- \longrightarrow NADPH + H^+$
(나)	$H_2O \longrightarrow 2H^+ + 2e^- + \frac{1}{2}O_2$
(다)	$ADP + P_i \longrightarrow ATP$

이에 대한 설명으로 옳은 것만을 [보기]에서 있는 대로 고른 것은?

[보기]
ㄱ. (가)는 비순환적 전자 흐름 과정에서 일어난다.
ㄴ. (나)는 ㉡에서 일어난다.
ㄷ. ㉠의 pH가 ㉡의 pH보다 높을 때 (다)가 일어난다.

① ㄱ　　　　② ㄷ　　　　③ ㄱ, ㄴ
④ ㄱ, ㄷ　　　⑤ ㄴ, ㄷ

05 그림은 광합성의 명반응 과정의 일부를 나타낸 것이다.

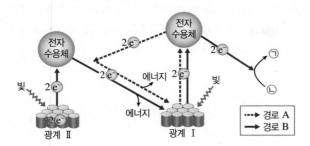

이에 대한 설명으로 옳은 것만을 [보기]에서 있는 대로 고른 것은?

〔보기〕
ㄱ. 캘빈 회로에서 3PG가 PGAL로 환원될 때 ⊙이 사용된다.
ㄴ. 경로 A가 진행되려면 물의 광분해가 일어나야 한다.
ㄷ. 경로 A와 B에서 방출되는 에너지는 공통적으로 ATP를 합성하는 데 이용된다.

① ㄱ   ② ㄴ   ③ ㄱ, ㄷ
④ ㄴ, ㄷ   ⑤ ㄱ, ㄴ, ㄷ

06 그림은 광합성의 명반응 과정 중 광계 Ⅰ과 광계 Ⅱ가 관여하는 전자 전달 과정을 나타낸 것이다. ⊙과 ⊙은 각각 광계 Ⅰ의 반응 중심 색소와 광계 Ⅱ의 반응 중심 색소 중 하나이다.

이에 대한 설명으로 옳은 것만을 [보기]에서 있는 대로 고른 것은?

〔보기〕
ㄱ. ⊙에 공급된 빛에너지는 틸라코이드 막을 경계로 H^+의 농도 기울기를 형성하는 데 이용된다.
ㄴ. ⊙에서 방출된 전자는 최종적으로 탈수소 효소의 조효소인 $NADP^+$에 전달된다.
ㄷ. ⊙에서 ⊙으로의 전자 이동으로 전자를 잃은 ⊙은 주변의 안테나 색소로부터 방출된 전자를 받는다.

① ㄱ   ② ㄷ   ③ ㄱ, ㄴ
④ ㄴ, ㄷ   ⑤ ㄱ, ㄴ, ㄷ

07 그림은 광합성의 명반응에서 비순환적 전자 흐름(A)과 순환적 전자 흐름(B)의 공통점과 차이점을 나타낸 것이다.

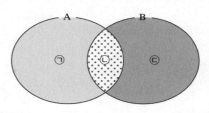

이에 대한 설명으로 옳은 것만을 [보기]에서 있는 대로 고른 것은?

〔보기〕
ㄱ. 'NADPH가 생성된다.'는 ⊙에 해당한다.
ㄴ. 'ATP 합성에 이용되는 에너지를 방출한다.'는 ⊙에 해당한다.
ㄷ. '광계 Ⅱ가 관여한다.'는 ⊙에 해당한다.

① ㄱ   ② ㄷ   ③ ㄱ, ㄴ
④ ㄴ, ㄷ   ⑤ ㄱ, ㄴ, ㄷ

08 그림 (가)는 시금치 잎의 광합성 색소를 전개시킨 종이 크로마토그래피의 결과를, (나)는 이 식물의 엽록체에서 일어나는 전자 전달 과정의 일부를 나타낸 것이다. ⓧ와 ⓨ는 각각 엽록소 a와 엽록소 b 중 하나이다. A는 광계 Ⅰ과 광계 Ⅱ 중 하나이고, ⊙과 ⊙은 각각 틸라코이드 내부와 스트로마 중 하나이다.

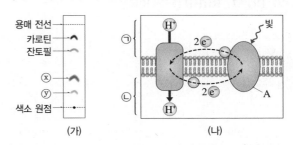

이에 대한 설명으로 옳은 것만을 [보기]에서 있는 대로 고른 것은?

〔보기〕
ㄱ. A의 반응 중심 색소는 ⓨ이다.
ㄴ. 탄소 고정 반응은 ⊙에서 일어난다.
ㄷ. (나)는 비순환적 전자 흐름 과정의 일부이다.

① ㄱ   ② ㄴ   ③ ㄷ
④ ㄱ, ㄷ   ⑤ ㄴ, ㄷ

09 그림 (가)는 광합성이 활발한 어떤 식물의 명반응에서 전자가 이동하는 경로를, (나)는 이 식물의 엽록체 구조를 나타낸 것이다. A와 B는 각각 광계 I과 광계 II 중 하나이고, ㉠과 ㉡은 각각 틸라코이드 내부와 스트로마 중 하나이다.

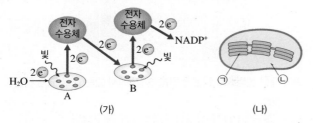

(가)   (나)

이에 대한 설명으로 옳은 것만을 [보기]에서 있는 대로 고른 것은?

―[보기]―
ㄱ. A의 반응 중심 색소는 P_{680}이다.
ㄴ. (가)에서 전자의 최종 수용체는 $NADP^+$이다.
ㄷ. (가)에서의 전자 이동이 활발하면 pH는 ㉠에서가 ㉡에서보다 높다.

① ㄱ   ② ㄴ   ③ ㄷ
④ ㄱ, ㄴ   ⑤ ㄴ, ㄷ

10 그림은 클로렐라 배양액에 $^{14}CO_2$를 공급하고 빛을 비춘 후, 세 시점에서 얻은 세포 추출물을 각각 크로마토그래피법으로 전개한 결과를 순서 없이 나타낸 것이다. ㉠~㉢은 각각 3PG, PGAL, RuBP 중 하나이다.

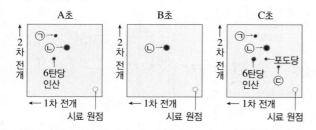

이에 대한 설명으로 옳은 것만을 [보기]에서 있는 대로 고른 것은?

―[보기]―
ㄱ. B초가 C초보다 먼저 얻은 결과이다.
ㄴ. 1분자당 인산기 수는 ㉠과 ㉡이 같다.
ㄷ. 캘빈 회로에서 CO_2와 결합하는 물질은 ㉢이다.

① ㄱ   ② ㄴ   ③ ㄱ, ㄷ
④ ㄴ, ㄷ   ⑤ ㄱ, ㄴ, ㄷ

11 그림은 암실에 두었던 식물 세포에서 빛과 CO_2 조건을 달리했을 때의 시간에 따른 포도당 생성 속도와 엽록체 내 부위 X의 pH를 나타낸 것이다. 구간 I과 II에서는 각각 빛과 CO_2 중 하나만 공급되었다.

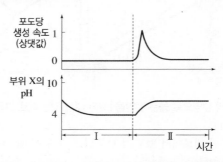

이에 대한 설명으로 옳은 것만을 [보기]에서 있는 대로 고른 것은? (단, 구간 I과 II에서 빛과 CO_2의 공급 여부를 제외한 나머지 조건은 모두 같다.)

―[보기]―
ㄱ. X는 스트로마이다.
ㄴ. 구간 I에서 H^+이 스트로마에서 틸라코이드 내부로 능동 수송된다.
ㄷ. 구간 II에서 3PG의 환원이 일어난다.

① ㄱ   ② ㄴ   ③ ㄱ, ㄴ
④ ㄱ, ㄷ   ⑤ ㄴ, ㄷ

12 그림은 캘빈 회로 반응의 일부를 나타낸 것이다. ⓐ~ⓒ는 각각 ATP, $NADP^+$, CO_2 중 하나이다.

이에 대한 설명으로 옳은 것만을 [보기]에서 있는 대로 고른 것은?

―[보기]―
ㄱ. ⓐ의 분자 수와 ⓒ의 분자 수는 같다.
ㄴ. 과정 ㉠에서 ATP가 ADP와 P_i로 분해된다.
ㄷ. ⓑ는 명반응의 비순환적 전자 흐름에서 전자의 최종 수용체이다.

① ㄱ   ② ㄴ   ③ ㄷ
④ ㄱ, ㄴ   ⑤ ㄴ, ㄷ

13 그림 (가)는 캘빈 회로를, (나)는 광합성이 일어나고 있는 어떤 식물에 CO_2 농도를 변화시켰을 때 시간에 따른 (가)의 X 와 Z 중 한 물질의 농도를 나타낸 것이다. X~Z는 각각 PGAL, 3PG, RuBP 중 하나이고, ⓐ~ⓓ는 분자 수이다.

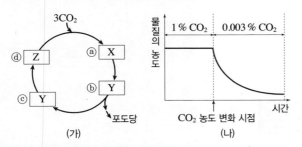

(가)   (나)

이에 대한 설명으로 옳은 것만을 [보기]에서 있는 대로 고른 것은? (단, (나)에서 CO_2 농도 이외의 조건은 일정하다.)

[보기]
ㄱ. ⓐ+ⓒ+ⓓ=15이다.
ㄴ. 1분자당 $\dfrac{탄소\ 수}{인산기\ 수}$ 는 Y보다 Z가 작다.
ㄷ. (나)는 Z의 농도 변화이다.

① ㄱ   ② ㄴ   ③ ㄷ
④ ㄱ, ㄷ   ⑤ ㄴ, ㄷ

14 그림은 캘빈 회로에서 물질 전환 과정의 일부를, 표는 클로렐라 배양액에 $^{14}CO_2$를 공급하고 빛을 비춘 후, 각 시점 5초, 90초, 5분에 얻은 세포 추출물에서 검출된 ^{14}C 함유 물질을 나타낸 것이다. X~Z는 RuBP, 3PG, PGAL을 순서 없이 나타낸 것이다.

시점	5초	90초	5분
^{14}C 함유 물질	Y	Y, Z	X, Y, Z

이에 대한 설명으로 옳은 것만을 [보기]에서 있는 대로 고른 것은?

[보기]
ㄱ. 과정 ㉠에서 NADPH가 산화된다.
ㄴ. 1분자당 탄소 수는 X가 Y보다 많다.
ㄷ. Z의 일부는 포도당 합성에 이용된다.

① ㄱ   ② ㄴ   ③ ㄱ, ㄷ
④ ㄴ, ㄷ   ⑤ ㄱ, ㄴ, ㄷ

15 그림은 미토콘드리아(가)와 엽록체(나)에서 관찰되는 현상을 나타낸 것이다. ㉠~㉣은 각각 틸라코이드 내부, 스트로마, 미토콘드리아 기질, 막 사이 공간 중 하나이고, ⓐ는 H^+의 이동을 나타낸 것이다.

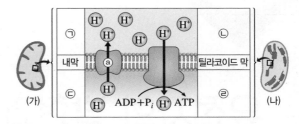

(가)   (나)

이에 대한 설명으로 옳은 것만을 [보기]에서 있는 대로 고른 것은?

[보기]
ㄱ. (가)에서 ㉠의 pH가 ㉢의 pH보다 낮을 때 ATP가 합성된다.
ㄴ. ㉢과 ㉣에서는 모두 단계적으로 순환하는 형태의 화학 반응이 일어난다.
ㄷ. ⓐ는 (가)와 (나)에서 모두 H^+의 농도 기울기에 따른 확산으로 일어난다.

① ㄱ   ② ㄱ, ㄴ   ③ ㄱ, ㄷ
④ ㄴ, ㄷ   ⑤ ㄱ, ㄴ, ㄷ

16 그림 (가)와 (나)는 각각 엽록체와 미토콘드리아에서 일어나는 전자(e^-) 전달 과정을 순서 없이 나타낸 것이다.

(가)

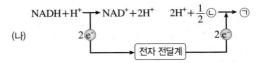

(나)

이에 대한 설명으로 옳은 것만을 [보기]에서 있는 대로 고른 것은?

[보기]
ㄱ. ㉠은 H_2O, ㉡은 O_2이다.
ㄴ. (가)에서 ㉡은 탄소 고정 반응에 사용된다.
ㄷ. (가)와 (나)의 전자 전달계는 모두 생체막에 존재한다.

① ㄴ   ② ㄷ   ③ ㄱ, ㄴ
④ ㄱ, ㄷ   ⑤ ㄱ, ㄴ, ㄷ

유전자의 발현과 조절

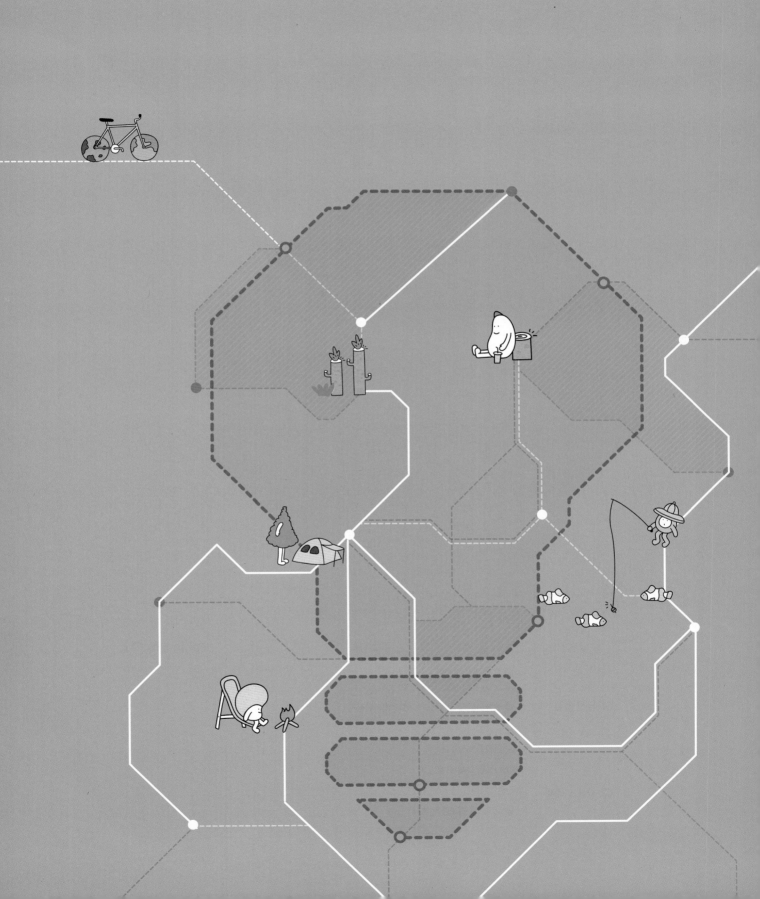

1 유전 물질

- 01. 유전 물질
- 02. DNA 복제

이 단원을 공부하기 전에 학습 계획을 세우고, 학습 진도를 스스로 체크해 보자.
학습이 미흡했던 부분은 다시 보기에 체크해 두고, 시험 전까지 꼭 완벽히 학습하자!

소단원	학습 내용	학습 일자	다시 보기
01. 유전 물질	Ⓐ 유전 물질의 확인	/	
	Ⓑ 원핵세포와 진핵세포의 유전체와 유전자	/	
	Ⓒ DNA 구조 탐구 DNA 추출하기	/	
02. DNA 복제	Ⓐ DNA 복제 모델 탐구 메셀슨과 스탈의 실험	/	
	Ⓑ DNA의 반보존적 복제	/	

이전에 학습한 내용 중 이 단원과 연계된 내용을 다시 한번 떠올려 봅시다.

◆ **핵산**

① **핵산**: 생명체 내에서 유전 정보를 저장하고 전달하는 데 관여하는 물질이며, DNA와 RNA가 있다.

· ❶ [   ]: 유전 정보를 저장한다.

· ❷ [   ]: 유전 정보를 전달하고 단백질을 합성하는 데 관여한다.

② **핵산의 단위체**: ❸ [   ]이며, 인산, 당, 염기가 1 : 1 : 1로 결합되어 있다.

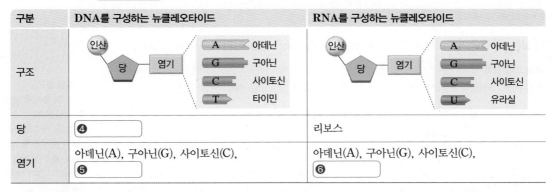

구분	DNA를 구성하는 뉴클레오타이드	RNA를 구성하는 뉴클레오타이드
구조	인산 — 당 — 염기: A 아데닌, G 구아닌, C 사이토신, T 타이민	인산 — 당 — 염기: A 아데닌, G 구아닌, C 사이토신, U 유라실
당	❹ [ ]	리보스
염기	아데닌(A), 구아닌(G), 사이토신(C), ❺ [ ]	아데닌(A), 구아닌(G), 사이토신(C), ❻ [ ]

③ **폴리뉴클레오타이드의 형성**: 한 뉴클레오타이드의 인산이 다른 뉴클레오타이드의 당과 결합하며, 이러한 결합이 반복되어 긴 사슬 모양의 폴리뉴클레오타이드를 형성한다.

◆ **DNA의 구조**

① 두 가닥의 폴리뉴클레오타이드가 서로 꼬인 ❼ [   ] 구조이며, 염기들은 수소 결합으로 연결된다.

② DNA 염기 중 아데닌(A)은 ❽ [   ]과, 구아닌(G)은 ❾ [   ]과 상보적으로 결합한다.

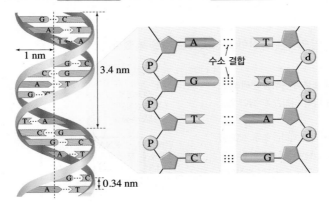

01 유전 물질

핵심 포인트

ⓐ 그리피스의 실험 ★★★
허시와 체이스의 실험 ★★★

ⓑ 원핵세포와 진핵세포의 유전체와
유전자 비교 ★★★

ⓒ DNA의 구성 단위 ★★★
DNA 이중 나선 구조 ★★
DNA의 상보적 염기쌍 ★★★

A 유전 물질의 확인

멘델이 제시한 유전 인자가 염색체에 있다는 것이 확인된 후 염색체가 단백질과 DNA로 구성되어 있다는 것이 밝혀지면서 여러 과학자들은 단백질과 DNA 중에서 어느 것이 유전 물질인지 알아내기 위해 많은 노력을 하였습니다. 과학자들이 어떤 과정을 통해 DNA가 유전 물질임을 밝혀냈는지 알아볼까요?

1. 그리피스의 실험
S형균의 어떤 물질이 R형균을 S형균으로 ❶형질 전환시켰음을 밝혔다.

그리피스의 형질 전환 실험

과정 *폐렴 쌍구균의 S형균과 R형균을 다음과 같이 다양하게 처리하여 살아 있는 쥐에 주입하였다.

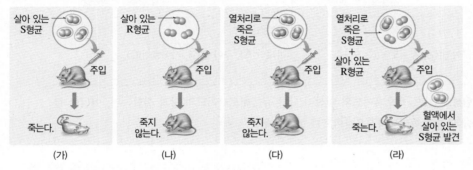

- **(가)**: 쥐가 폐렴에 걸려 죽는다. ➡ S형균은 병원성이 있다.
- **(나)**: 쥐가 죽지 않는다. ➡ R형균은 병원성이 없다.
- **(다)**: 쥐가 죽지 않는다. ➡ 열처리로 S형균이 모두 죽었으므로 폐렴을 유발하지 않는다.
- **(라)**: 쥐가 폐렴에 걸려 죽고, 죽은 쥐의 혈액에서 살아 있는 S형균이 발견된다. ➡ 죽은 S형균에 있던 어떤 물질이 R형균을 S형균으로 형질 전환시켰으며, 이 물질은 열에 강하다.

결론 죽은 S형균에 있던 어떤 물질에 의해 살아 있는 R형균이 S형균으로 형질 전환되었다.
└ 그리피스는 R형균을 S형균으로 형질 전환시킨 물질(유전 물질)이 무엇인지는 밝혀내지 못하였다.

2. 에이버리의 실험
형질 전환을 일으키는 물질이 DNA라는 것을 밝혔다.

에이버리의 형질 전환 실험

과정 열처리로 죽은 S형균의 세포 추출물에 단백질 분해 효소, RNA 분해 효소, DNA 분해 효소를 각각 처리한 후 살아 있는 R형균과 함께 배양하였다.

- 단백질 분해 효소, RNA 분해 효소를 각각 처리한 경우: 살아 있는 S형균이 관찰된다. ➡ 단백질과 RNA는 유전 물질이 아니다.
- DNA 분해 효소를 처리한 경우: 살아 있는 S형균이 관찰되지 않는다. ➡ DNA 분해 효소에 의해 S형균의 DNA가 분해되면 R형균이 S형균으로 형질 전환되지 않는다.

결론 R형균을 S형균으로 형질 전환시킨 물질은 S형균의 DNA이다. → 그러나 여전히 많은 사람들이 DNA가 유전 물질이라고 확신하지 못하였다.

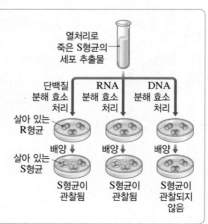

★ 폐렴 쌍구균
사람, 쥐 등에게 폐렴 등을 일으키는 세균이다.
- S형균: 매끄러운(smooth) 형태의 군체를 형성한다. 피막이 있어 숙주의 면역 작용으로 잘 제거되지 않아 폐렴을 유발한다. ➡ 병원성이 있다.
- R형균: 거친(rough) 형태의 군체를 형성한다. 피막이 없어 숙주의 면역 작용으로 쉽게 제거되므로 폐렴을 유발하지 않는다. ➡ 병원성이 없다.

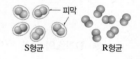

S형균   R형균

|용어|

❶ 형질 전환(形 모양, 質 바탕, 轉 구르다, 換 바꾸다) 한 생물의 유전 형질이 외부에서 들어온 유전 물질에 의해 변하는 현상이다.

3. 허시와 체이스의 실험 DNA가 유전 물질이라는 확실한 증거를 제시하였다.

허시와 체이스의 실험

과정 방사성 동위 원소 ^{35}S으로 단백질을 표지한 *박테리오파지와 방사성 동위 원소 ^{32}P으로 DNA를 표지한
박테리오파지를 각각 대장균에 감염시켜 다음과 같이 실험하였다. 대장균은 크고 무거워 아랫부분에 가라앉고, 파지의
단백질 껍질은 가벼워 윗부분에 뜬다.

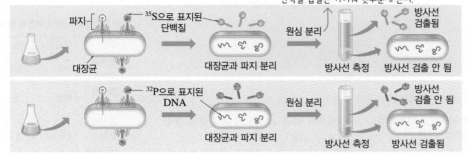

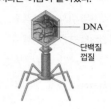

* 박테리오파지(=파지)
세균에 기생하는 바이러스로,
DNA와 단백질 껍질로 이루어
져 있다. 세균 속에 DNA를 주
입한 후 세균의 물질대사 기구를
이용하여 증식하고, 증식 후에는
세균을 파괴하며 밖으로 나온다.
이 때문에 세균(박테리아)을 먹
는다(파지)는 뜻으로 박테리오파
지라는 이름이 붙여졌다.

- ^{35}S으로 단백질을 표지한 파지를 감염시킨 경우: 파지의 단백질 껍질이 있는 상층액에서만 방사선이 검출된다.
- ^{32}P으로 DNA를 표지한 파지를 감염시킨 경우: 대장균이 있는 침전물에서만 방사선이 검출된다.

결론 파지의 DNA만이 대장균 안으로 들어가며, 이 DNA가 다음 세대의 파지를 만드는 유전 물질이다.

개념 확인 문제

핵심
체크

정답친해 77쪽

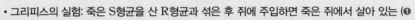

- 그리피스의 실험: 죽은 S형균을 산 R형균과 섞은 후 쥐에 주입하면 죽은 쥐에서 살아 있는 (❶)이 발견된다.
- 에이버리의 실험: 열처리로 죽은 S형균의 추출물에 DNA 분해 효소를 처리한 후 살아 있는 R형균과 함께 배양하면
살아 있는 S형균이 발견되지 않는다. ➡ 형질 전환을 일으키는 물질은 (❷)이다.
- 허시와 체이스의 실험: 대장균에 ^{35}S으로 단백질을 표지한 파지를 감염시키면 대장균에서 방사선이 검출되지 않지만,
^{32}P으로 DNA를 표지한 파지를 감염시키면 대장균에서 방사선이 검출된다. ➡ (❸)가 유전 물질이다.

1 다음은 폐렴 쌍구균 S형균과 R형균을 이용한 실험 결과이다.

구분	쥐에게 주입한 세균	결과
(가)	살아 있는 S형균	쥐가 죽음
(나)	살아 있는 R형균	쥐가 죽지 않음
(다)	열처리로 죽은 S형균	쥐가 죽지 않음
(라)	열처리로 죽은 S형균+살아 있는 R형균	쥐가 죽음(살아 있는 S형균 발견)

이를 통해 알 수 있는 사실로 옳은 것은 ○, 옳지 않은 것은 ×
로 표시하시오.

(1) S형균과 R형균 중 S형균만 병원성이 있다. ( )

(2) S형균의 유전 물질은 열에 약하다. .... ( )

(3) S형균의 유전 물질은 R형균에서 형질을 나타내지 않
는다. .... ( )

2 에이버리가 죽은 S형균의 추출물로 다음과 같이 실험하고
DNA가 유전 물질이라는 결론을 얻었다면 효소 ㉠과 ㉡은 각
각 단백질 분해 효소와 DNA 분해 효소 중 무엇인지 쓰시오.

(가) 추출물+효소 ㉠+R형균 → S형균 발견됨
(나) 추출물+효소 ㉡+R형균 → S형균 발견 안 됨

3 그림은 박테리오파지를 나타낸 것
이다. ㉠과 ㉡ 중 허시와 체이스의 실험
에서 방사성 동위 원소 ^{32}P으로 표지되
며 다음 세대의 파지 DNA를 생성하
는 물질의 기호를 쓰시오.

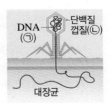

B 원핵세포와 진핵세포의 유전체와 유전자

1. 유전체와 유전자 유전체는 한 개체의 유전 정보가 저장되어 있는 DNA 전체이며, 유전자는 유전 정보를 저장하는 DNA의 특정 염기 서열이다. → 미래엔 교과서에서는 유전체를 생물의 한 세포에 들어 있는 모든 유전 물질로 정의한다.

2. *원핵세포와 진핵세포의 유전체

구분	원핵세포	진핵세포
유전체의 위치	세포질	핵 속
유전체의 크기	원핵세포의 유전체 크기 < 진핵세포의 유전체 크기	
유전체의 구성	• 대부분 하나의 원형 염색체로 구성된다. 　↳ 작은 원형 DNA인 플라스미드를 더 가지기도 한다. • 히스톤이 없어 뉴클레오솜이 형성되지 않는다.	• 생물종에 따라 고유한 개수의 선형 염색체로 구성된다. • DNA가 히스톤을 감아 뉴클레오솜이 형성된다. 세포 분열 시 고도로 응축되어 염색체를 형성한다.

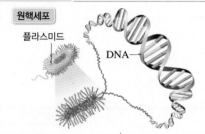

원핵세포 / 플라스미드 / DNA

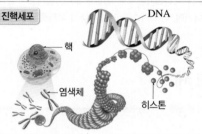

진핵세포 / DNA / 핵 / 염색체 / 히스톤

★ 대장균과 사람의 유전체 비교

구분	대장균	사람
염색체 수(n)	1개	23개
염색체 형태	원형	선형
유전체 크기 (염기쌍)	4.6×10^6	3.2×10^9
유전자 수 (추정치)	4300	21000

3. 원핵세포와 진핵세포의 유전자

구분	원핵세포	진핵세포
유전자의 수	원핵세포의 유전자 수 < 진핵세포의 유전자 수	
유전자의 크기	원핵세포의 유전자 크기 < 진핵세포의 유전자 크기	
유전자의 배열	DNA에 유전자가 매우 조밀하게 배열되어 있다.	DNA의 유전자 사이에 유전 정보를 저장하지 않는 빈 부분이 많다.
유전자의 구조	한 유전자에 빈 부분이 없이 단백질을 암호화하는 부위가 연속적으로 존재한다.	한 유전자에 단백질을 암호화하는 부위(엑손)와 암호화하지 않는 부위(인트론)가 있다.

원핵세포(대장균)와 진핵세포(사람)의 유전자 비율과 유전자 구조

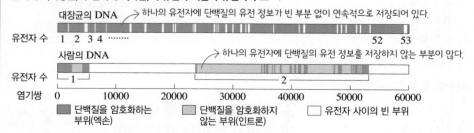

대장균의 DNA → 하나의 유전자에 단백질의 유전 정보가 빈 부분 없이 연속적으로 저장되어 있다.

유전자 수　1　2　3　4　………　52　53

사람의 DNA → 하나의 유전자에 단백질의 유전 정보를 저장하지 않는 부분이 많다.

유전자 수　1　　　2

염기쌍　0　　10000　　20000　　30000　　40000　　50000　　60000

■ 단백질을 암호화하는 부위(엑손)　　■ 단백질을 암호화하지 않는 부위(인트론)　　□ 유전자 사이의 빈 부위

• 대장균의 유전체: 60000 염기쌍 길이의 DNA에 53개의 유전자가 있다.

• 사람의 유전체: 60000 염기쌍 길이의 DNA에 2개의 유전자만 있으며, 하나의 유전자에 단백질을 암호화하지 않는 부위(인트론)가 있어 유전자가 여러 부분으로 나누어져 있다.

궁금해

DNA에서 단백질을 암호화하지 않는 부위는 쓸모가 없을까?
2000년대 초에는 DNA에서 단백질을 암호화하지 않는 부분은 쓸모가 없다고 여겼지만, 최근에는 이러한 부분의 일부가 RNA로 전사되며 유전자의 발현을 조절한다는 것이 밝혀지면서 그 기능에 대해 활발하게 연구하고 있다.

DNA 구조

1. DNA의 구성 DNA는 핵산의 일종으로, 2개의 폴리뉴클레오타이드 가닥으로 구성된다.

(1) DNA의 기본 단위: 뉴클레오타이드 ➡ 인산, 당, 염기가 1 : 1 : 1로 이루어진다.

인산	H_3PO_4로 되어 있다. ― DNA는 인산을 가지고 있어서 수용액에서 산성을 띤다.
당	5탄당인 디옥시리보스이다.
염기	• 탄소(C), 수소(H), 산소(O), 질소(N)로 이루어진 고리 모양의 화합물이다. • *고리가 2개인 염기 A과 G, 고리가 1개인 염기 C과 T의 4종류가 있다.

(2) 폴리뉴클레오타이드의 형성: 한 뉴클레오타이드의 5탄당(3번 탄소)과 다음 뉴클레오타이드의 인산이 공유 결합으로 연결되고, 이 결합이 반복되어 폴리뉴클레오타이드를 형성한다.

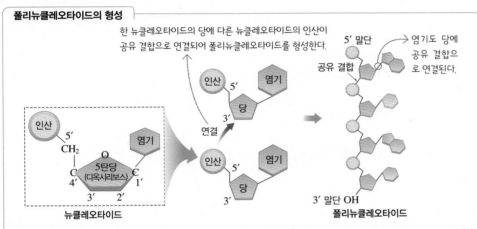
폴리뉴클레오타이드의 형성

• 당의 탄소 번호: 디옥시리보스의 탄소는 염기가 결합되어 있는 것을 1번(1′)으로 하여 순서대로 번호를 부여하며, 5번(5′) 탄소에 인산이 결합되어 있다.
• 폴리뉴클레오타이드의 형성: 당의 3번(3′) 탄소에 결합된 수산기(−OH)에 다른 뉴클레오타이드의 5번(5′) 탄소에 결합된 인산이 공유 결합하여 폴리뉴클레오타이드를 형성한다. ➡ 폴리뉴클레오타이드의 한쪽은 디옥시리보스 당의 5′ 말단(5번 탄소 방향), 다른 끝은 3′ 말단(3번 탄소 방향)으로 가닥 전체가 방향성이 있다.

2. DNA의 입체 구조

(1) DNA의 입체 구조를 밝히기까지의 연구

샤가프의 법칙	1950년 샤가프는 생물종에 따라 DNA를 구성하는 각 *염기의 조성은 다르지만, 한 종의 DNA에서는 항상 염기 A과 T의 양이 거의 같고, G과 C의 양이 거의 같다는 것을 알아냈다. ― 염기 A은 T하고만, G은 C하고만 상보적으로 결합한다는 것을 암시한다.
↓	
X선 회절 사진	1952년 윌킨스와 프랭클린은 *DNA의 X선 회절 사진을 분석하여 DNA가 나선 구조이고, 당 − 인산 골격이 나선 구조의 바깥쪽에 있다는 것을 알아냈다.
↓	
왓슨과 크릭의 DNA 모형	1953년 왓슨과 크릭은 샤가프의 법칙과 DNA의 X선 회절 사진을 토대로 DNA의 입체 구조 모형을 발표하고 DNA가 이중 나선 구조라는 것을 밝혔다.

★ **염기의 구분**
• 퓨린 계열 염기: 2개의 고리 구조이다.

아데닌(A)　　구아닌(G)

• 피리미딘 계열 염기: 1개의 고리 구조이다.

사이토신(C)　타이민(T)

RNA의 구성 염기인 U도 피리미딘 계열 염기이다.

★ **DNA의 염기 조성비**

구분	대장균	밀	사람
A	24.7	28.1	30.4
G	26.0	21.8	19.6
C	25.7	22.7	19.9
T	23.6	27.4	30.1

(단위: %)

생물종에 따라 염기 조성비가 다르며, 생물종에 관계없이 A과 T, G과 C의 비율은 약 1 : 1이다.

★ **DNA의 X선 회절 사진**
중앙의 X자 형태는 DNA가 나선형이라는 것을 나타내며, 위아래의 어두운 부분은 어떤 특정 구조가 반복되고 있다는 것을 나타낸다.

(2) **DNA의 이중 나선 구조**: DNA는 두 가닥의 폴리뉴클레오타이드가 마주 보며 꼬여 있는 이중 나선 구조이며, 당과 인산은 이중 나선의 바깥쪽에, 염기는 이중 나선의 안쪽에 있다.

① **당–인산 골격**: 당과 인산은 공유 결합으로 연결되어 이중 나선의 바깥 골격을 이룬다.

② **상보적 염기쌍 형성**: 두 가닥의 염기는 수소 결합으로 연결되어 안쪽을 향해 배열되며, 이때 A은 항상 T과 2중 수소 결합, G은 항상 C과 3중 수소 결합으로 연결된다.
  └▸ DNA에서 한쪽 가닥의 염기 서열을 알면 다른 쪽 가닥의 염기 서열도 알 수 있다.

③ **폴리뉴클레오타이드 가닥의 방향성(역평행 구조)**: 이중 나선에서 한쪽 가닥의 끝이 5′ 말단이면 다른 쪽 가닥은 3′ 말단이다. ➡ DNA를 이루는 두 가닥의 폴리뉴클레오타이드는 방향이 서로 반대이다.

④ **크기**: DNA 이중 나선은 폭이 약 2 nm, 이웃한 염기쌍 사이의 거리는 0.34 nm이며, 10개의 염기쌍마다 한 바퀴 회전하는 구조이다. ─● 이중 나선 1회전의 길이는 3.4 nm이다.

📖 천재 교과서에만 나와요.

★ **DNA 이중 나선의 분리와 재결합**

수소 결합은 상대적으로 약하여 온도가 높아지면 DNA 염기 사이의 수소 결합이 끊어져 단일 가닥으로 나뉠 수 있다. 그러나 온도가 낮아지면 다시 이중 나선을 형성한다.

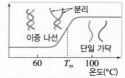

T_m은 DNA 이중 나선이 절반 정도 풀리는 온도이다. DNA의 길이가 길수록, 염기 G과 C 염기쌍이 많을수록 T_m이 높아진다.

DNA의 이중 나선 구조

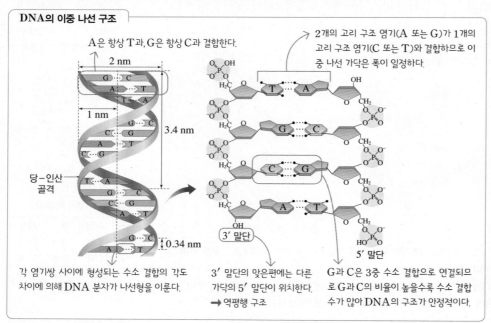

A은 항상 T과, G은 항상 C과 결합한다.

2 nm
1 nm
3.4 nm
0.34 nm

당–인산 골격

2개의 고리 구조 염기(A 또는 G)가 1개의 고리 구조 염기(C 또는 T)와 결합하므로 이중 나선 가닥은 폭이 일정하다.

3′ 말단
5′ 말단

각 염기쌍 사이에 형성되는 수소 결합의 각도 차이에 의해 DNA 분자가 나선형을 이룬다.

3′ 말단의 맞은편에는 다른 가닥의 5′ 말단이 위치한다.
➡ 역평행 구조

G과 C은 3중 수소 결합으로 연결되므로 G과 C의 비율이 높을수록 수소 결합 수가 많아 DNA의 구조가 안정적이다.

비상 교과서에서는 입안 상피 세포, 교학사 교과서에서는 바나나를 사용해요.

탐구 자료창 **DNA 추출하기**

| 과정 |
❶ 증류수 150 mL에 소금 2 g과 주방용 세제 7 mL를 넣고 소금 – 세제액을 만든다.

❷ 막자사발에 넣고 곱게 간 브로콜리 50 g에 소금 – 세제액 100 mL를 넣어 섞은 후 10분 동안 둔다. ➡ 주방용 세제를 넣는 까닭: 인지질을 녹여 세포막과 핵막을 분해하기 위해서이다.

❸ 과정 ❷의 혼합액을 거즈로 걸러 브로콜리 추출액을 얻는다.

❹ 브로콜리 추출액이 들어 있는 비커에 유리 막대를 대고 차가운 에탄올을 천천히 흘려 붓는다. ➡ 차가운 에탄올을 넣는 까닭: DNA가 에탄올에 녹지 않는 성질을 이용하여 DNA를 떠오르게 하기 위해서이며, 에탄올의 온도가 낮을수록 DNA가 잘 응축되기 때문이다.

❺ 가는 실 모양의 물질이 생기면 이를 나무젓가락으로 감아올린다.

| 결과 | 브로콜리 추출액에 에탄올을 넣었을 때 경계 부분에 가는 실 모양의 DNA가 추출된다.

소금-세제액
DNA
에탄올

개념 확인 문제

정답친해 77쪽

핵심 체크

- 진핵세포의 유전체는 원핵세포보다 크기가 (❶)고, DNA가 히스톤과 결합하여 (❷)을 이룬다.
- 진핵세포의 유전자는 원핵세포보다 수가 (❸)고, 하나의 유전자에 단백질을 암호화하는 부위와 암호화하지 않는 부위가 있다.
- DNA의 기본 단위: (❹) ➡ DNA를 이루는 당은 (❺)이고, 염기는 (❻)이다.
- DNA는 두 가닥의 폴리뉴클레오타이드가 서로 마주 보며 꼬여 있는 (❼) 구조이다.
- DNA를 이루는 폴리뉴클레오타이드 두 가닥의 염기는 (❽) 결합으로 연결되며, A은 (❾)과, G은 (❿)과 상보적으로 결합한다.
- 두 가닥의 폴리뉴클레오타이드 사슬에서 5′ 말단 맞은편에는 다른 가닥의 (⓫) 말단이 위치한다.

1 원핵세포와 진핵세포의 유전체에 대한 설명으로 옳은 것은 ○, 옳지 <u>않은</u> 것은 ×로 표시하시오.

(1) 원핵세포는 진핵세포보다 유전체가 크다. ┄┄ ( )

(2) 원핵세포의 유전체는 세포질에 있고, 진핵세포의 유전체는 핵 속에 있다. ┄┄┄┄┄┄┄ ( )

(3) 원핵세포의 염색체는 선형이고, 진핵세포의 염색체는 원형이다. ┄┄┄┄┄┄┄┄┄┄ ( )

(4) 원핵세포의 DNA는 히스톤과 결합하고 있다. ( )

2 다음은 원핵세포와 진핵세포의 유전자에 대한 설명이다. ( ) 안에 알맞은 말을 고르시오.

> 원핵세포는 진핵세포보다 유전자의 수가 ㉠(많고, 적고), 하나의 DNA에서 유전자의 비율이 ㉡(높다, 낮다). 또 ㉢(원핵, 진핵)세포의 유전자는 단백질을 암호화하는 부위가 연속적으로 존재한다.

3 DNA 이중 나선 구조에 대한 설명으로 옳은 것은 ○, 옳지 <u>않은</u> 것은 ×로 표시하시오.

(1) 10개의 염기쌍마다 한 바퀴 회전한다. ┄┄┄┄ ( )

(2) 당과 인산은 이중 나선의 안쪽 골격을 형성한다.
┄┄┄┄┄┄┄┄┄┄┄┄┄┄┄┄ ( )

(3) 염기 A은 T과 2중 수소 결합, G은 C과 3중 수소 결합으로 연결된다. ┄┄┄┄┄┄┄┄┄┄ ( )

(4) 퓨린 계열 염기와 피리미딘 계열 염기의 비율은 1 : 1 이다. ┄┄┄┄┄┄┄┄┄┄┄┄┄┄ ( )

4 그림은 DNA 이중 나선 구조의 일부를 나타낸 것이다. A 와 G는 염기를 나타낸다.

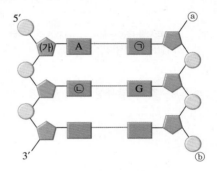

(1) 그림에 나타난 DNA 단위체는 몇 개인지 쓰시오.

(2) (가)에 해당하는 당의 이름을 쓰시오.

(3) 염기 ㉠과 ㉡의 이름을 각각 쓰시오.

(4) ⓐ와 ⓑ에 해당하는 DNA 방향성을 쓰시오.

5 DNA 이중 나선을 이루는 한쪽 가닥의 염기 서열의 일부가 다음과 같을 때 이와 결합하는 다른 쪽 가닥의 염기 서열을 쓰시오.

> … A T C C G A T C G …

6 40쌍의 뉴클레오타이드로 이루어진 DNA 이중 나선에서 염기 A이 24개라면 염기 G은 몇 개인지 쓰시오.

대표 자료 분석

학교 시험에 자주 출제되는 대표 자료와 그 자료에 대한 문제를 통해 자료를 완벽하게 이해할 수 있다.

자료 1 · 박테리오파지 증식 실험

기출 Point
· 방사성 동위 원소로 표지하는 파지의 성분 구분하기
· 파지 증식 실험의 결과를 예측 및 해석하기

[1~3] 그림은 박테리오파지를 이용한 허시와 체이스의 실험을 나타낸 것이다.

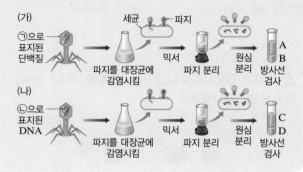

(가) ㉠으로 표지된 단백질 → 파지를 대장균에 감염시킴 → 믹서 → 파지 분리 → 원심 분리 → 방사선 검사 → A, B

(나) ㉡으로 표지된 DNA → 파지를 대장균에 감염시킴 → 믹서 → 파지 분리 → 원심 분리 → 방사선 검사 → C, D

1 ㉠과 ㉡은 각각 방사성 동위 원소인 ^{35}S과 ^{32}P 중 어느 것인지 쓰시오.

2 실험 (가)와 (나)에서 방사선 검사를 하였을 때 A~D 중 방사선이 검출되는 부위의 기호를 있는 대로 쓰시오.

3 빈출 선택지로 완벽 정리!!

(1) 파지의 DNA가 대장균 속으로 들어가 파지가 증식할 수 있다. (○ / ×)

(2) 파지의 DNA가 대장균 속으로 들어가 대장균의 단백질과 DNA를 만든다. (○ / ×)

(3) (가)에서 새로 만들어진 파지의 일부에서 방사선이 검출된다. (○ / ×)

(4) (나)의 C에는 파지의 DNA, D에는 파지의 단백질 껍질이 있다. (○ / ×)

(5) 이 실험 결과 DNA가 유전 물질이라는 것을 알 수 있다. (○ / ×)

자료 2 · DNA의 구조

기출 Point
· DNA의 기본 단위와 성분 알기
· DNA 이중 나선에서 염기의 상보적 결합 관계 알기
· DNA 이중 나선에서 각 가닥의 방향성 알기

[1~3] 그림은 어떤 DNA 이중 나선의 일부를 나타낸 것이다. (가)는 당이고, ⓐ~ⓓ는 DNA를 구성하는 염기이다.

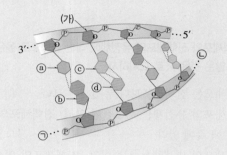

1 (가)의 이름을 쓰시오.

2 염기 ⓐ~ⓓ의 이름을 쓰시오.

3 빈출 선택지로 완벽 정리!!

(1) ㉠은 3′ 말단이고, ㉡은 5′ 말단이다. (○ / ×)

(2) 당과 인산은 수소 결합으로 연결된다. (○ / ×)

(3) ⓐ는 RNA에서는 발견되지 않는다. (○ / ×)

(4) ⓐ와 ⓓ는 퓨린 계열 염기이다. (○ / ×)

(5) ⓐ와 ⓑ는 공유 결합으로 연결된다. (○ / ×)

(6) DNA 이중 나선에서 $\dfrac{ⓐ+ⓑ}{ⓒ+ⓓ}$ 는 항상 1이다. (○ / ×)

(7) 전체 염기에서 ⓒ+ⓓ의 비율이 높을수록 DNA 이중 나선이 안정적이다. (○ / ×)

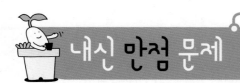

내신 만점 문제

(A) 유전 물질의 확인

01 그림은 그리피스의 실험을 나타낸 것이다.

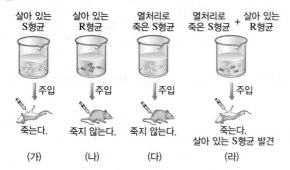

살아 있는 S형균	살아 있는 R형균	열처리로 죽은 S형균	열처리로 죽은 S형균 + 살아 있는 R형균
↓주입	↓주입	↓주입	↓주입
죽는다.	죽지 않는다.	죽지 않는다.	죽는다. 살아 있는 S형균 발견
(가)	(나)	(다)	(라)

이에 대한 설명으로 옳은 것만을 [보기]에서 있는 대로 고른 것은?

[보기]
ㄱ. S형균은 병원성이 있다.
ㄴ. (다)에서 S형균의 유전 물질은 열에 의해 변성되었다.
ㄷ. (라)에서 S형균의 유전 물질에 의해 살아 있는 R형균이 S형균으로 형질 전환되었다.

① ㄱ 　② ㄴ 　③ ㄱ, ㄴ
④ ㄱ, ㄷ 　⑤ ㄴ, ㄷ

02 그림은 에이버리의 실험 일부를 나타낸 것이다. 효소 ㉠과 ㉡은 각각 단백질 분해 효소와 DNA 분해 효소 중 하나이다.

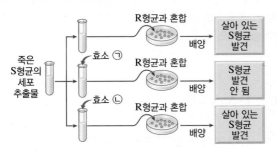

	R형균과 혼합	살아 있는 S형균 발견
죽은 S형균의 세포 추출물	효소 ㉠ → R형균과 혼합	S형균 발견 안 됨
	효소 ㉡ → R형균과 혼합	살아 있는 S형균 발견

이에 대한 설명으로 옳은 것만을 [보기]에서 있는 대로 고르시오.

[보기]
ㄱ. 효소 ㉠은 DNA 분해 효소이다.
ㄴ. 효소 ㉡은 R형균을 S형균으로 형질 전환시킨다.
ㄷ. 죽은 S형균의 추출물에 S형균의 DNA가 들어 있다.

03 그림은 폐렴 쌍구균을 이용한 실험을 나타낸 것이다. 효소 ㉠과 ㉡은 각각 DNA 분해 효소와 단백질 분해 효소 중 하나이다.

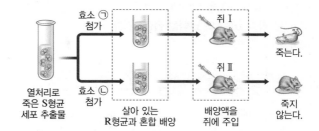

	효소 ㉠ 첨가 →	쥐 I	죽는다.
열처리로 죽은 S형균 세포 추출물	효소 ㉡ 첨가 →	쥐 II	죽지 않는다.
		살아 있는 R형균과 혼합 배양	배양액을 쥐에 주입

이에 대한 설명으로 옳은 것만을 [보기]에서 있는 대로 고른 것은?

[보기]
ㄱ. 쥐 I에서는 살아 있는 S형균이 발견된다.
ㄴ. 쥐 II에 주입한 배양액에는 R형균이 없다.
ㄷ. 형질 전환을 일으키는 물질은 효소 ㉠의 기질이다.

① ㄱ 　② ㄷ 　③ ㄱ, ㄴ
④ ㄱ, ㄷ 　⑤ ㄴ, ㄷ

04 그림은 허시와 체이스의 박테리오파지를 이용한 실험을 나타낸 것이다. ㉠과 ㉡은 각각 방사성 동위 원소 ^{32}P과 ^{35}S 중 하나이다.

(가)
㉠으로 표지된 파지 → 대장균에 감염 → 배양 → 믹서에 넣음 → 원심 분리 → 대장균과 파지 분리 → A 방사선 검출됨 / B 방사선 검출 안 됨

(나)
㉡으로 표지된 파지 → 대장균에 감염 → 배양 → 믹서에 넣음 → 원심 분리 → 대장균과 파지 분리 → C 방사선 검출 안 됨 / D 방사선 검출됨

이에 대한 설명으로 옳은 것만을 [보기]에서 있는 대로 고른 것은?

[보기]
ㄱ. ㉠은 ^{32}P이다.
ㄴ. (가)와 (나) 모두에서 파지의 유전 물질은 대장균 속으로 들어간다.
ㄷ. (나)의 D에 새로운 파지를 합성하는 데 필요한 DNA가 들어 있다.

① ㄱ 　② ㄴ 　③ ㄷ
④ ㄱ, ㄴ 　⑤ ㄴ, ㄷ

05 오른쪽 그림은 박테리오파지의 구조를, 아래의 그림은 박테리오파지를 방사성 동위 원소로 표지하여 DNA가 유전 물질임을 밝힌 실험을 나타낸 것이다. ㉠과 ㉡은 각각 DNA와 단백질 껍질 중 하나이다.

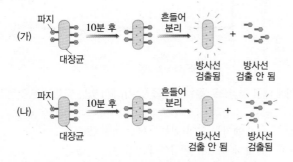

이에 대한 설명으로 옳은 것만을 [보기]에서 있는 대로 고른 것은?

〔보기〕
ㄱ. ^{15}N를 사용하면 ㉠과 ㉡ 중 대장균 속으로 들어가는 것을 구분할 수 있다.
ㄴ. 파지의 ㉠을 방사성 동위 원소 ^{32}P으로 표지하면 (가)와 같은 결과를 얻을 수 있다.
ㄷ. (나)에서 새로 생기는 파지 중에 방사선이 검출되는 것이 있다.

① ㄱ   ② ㄴ   ③ ㄷ
④ ㄱ, ㄴ   ⑤ ㄴ, ㄷ

ⓑ 원핵세포와 진핵세포의 유전체와 유전자

06 원핵세포와 진핵세포의 유전체에 대한 설명으로 옳은 것만을 [보기]에서 있는 대로 고르시오.

〔보기〕
ㄱ. 유전체는 한 개체의 유전 정보가 저장되어 있는 DNA 전체이다.
ㄴ. 원핵세포의 유전체는 진핵세포의 유전체보다 크기가 크다.
ㄷ. 원핵세포의 유전체는 선형으로 된 한 분자의 DNA로 되어 있다.
ㄹ. 진핵세포의 유전체는 뉴클레오솜을 형성하지만, 원핵세포의 유전체는 뉴클레오솜을 형성하지 않는다.

07 그림 (가)와 (나)는 원핵세포와 진핵세포의 유전체를 순서 없이 나타낸 것이다.

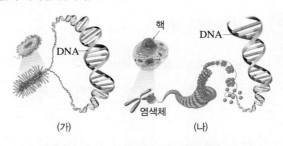

이에 대한 설명으로 옳은 것만을 [보기]에서 있는 대로 고른 것은?

〔보기〕
ㄱ. (가)는 진핵세포의 유전체이다.
ㄴ. (가)의 유전체는 핵막으로 둘러싸여 있다.
ㄷ. (나)에서 DNA는 히스톤과 결합한다.

① ㄱ   ② ㄷ   ③ ㄱ, ㄴ
④ ㄴ, ㄷ   ⑤ ㄱ, ㄴ, ㄷ

〔서술형〕
08 그림은 생물 (가), (나)의 세포에서 추출한 DNA에서 60000 염기쌍 길이에 포함된 유전자의 수를 나타낸 것이다. (가)와 (나)는 각각 사람과 대장균 중 하나이다.

(가)와 (나) 중 사람의 기호를 쓰고, 그렇게 판단한 근거를 두 가지만 서술하시오.

ⓒ DNA 구조

09 DNA에 대한 설명으로 옳은 것은?

① 5탄당인 리보스가 있다.
② 진핵세포의 핵 속에만 존재한다.
③ 유전 정보의 전달과 아미노산 운반에 관여한다.
④ 당, 염기, 인산이 1 : 1 : 4의 비율로 결합한다.
⑤ DNA를 구성하는 염기는 4종류이다.

10 그림은 DNA의 분자 구조를 나타낸 것이다. (가)는 DNA 이중 나선의 1회전이다.

이에 대한 설명으로 옳지 <u>않은</u> 것은?

① ㉠은 5′ 말단이다.

② DNA 이중 나선의 폭은 2 nm이다.

③ (가)의 길이는 1.7 nm이다.

④ (가) 구간에 염기 A이 4개 있다면 G은 6개가 있을 것이다.

⑤ 이중 나선을 이루는 두 가닥은 염기 사이의 수소 결합으로 연결된다.

11 그림은 이중 나선 DNA (가)의 일부 구조를 나타낸 것이다. ㉠~㉣은 염기이고, 가닥 Ⅰ에서 ㉠+㉡의 함량은 60 % 이다.

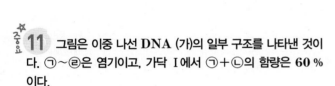

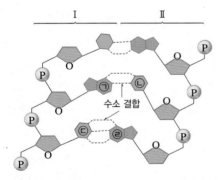

수소 결합

이에 대한 설명으로 옳은 것만을 [보기]에서 있는 대로 고른 것은?

[보기]

ㄱ. ㉢은 RNA에서도 발견된다.

ㄴ. (가)에서 염기 ㉠+㉣과 ㉡+㉢의 개수는 항상 같다.

ㄷ. 가닥 Ⅱ에서 ㉢+㉣의 함량은 60 %이다.

ㄹ. ㉠+㉡의 함량이 높을수록 DNA의 구조가 안정적이다.

① ㄱ, ㄴ   ② ㄱ, ㄷ   ③ ㄴ, ㄷ

④ ㄴ, ㄹ   ⑤ ㄷ, ㄹ

12 표는 5종류 생물의 DNA 염기 조성을 나타낸 것이다.

생물	A	G	C	T
대장균	24.7	26.0	25.7	23.6
밀	28.1	21.8	22.7	27.4
연어	29.7	20.8	20.4	29.1
사람	30.4	19.6	19.9	30.1
소	29.0	21.2	21.2	28.6

(단위: %)

이에 대한 설명으로 옳은 것만을 [보기]에서 있는 대로 고르시오.

[보기]

ㄱ. 생물종에 따라 DNA의 염기 조성 비율이 다르다.

ㄴ. 생물종에 관계없이 DNA의 $\dfrac{A+G}{C+T}$의 값은 비슷하다.

ㄷ. 5종류의 생물 중 사람의 DNA에서 3중 수소 결합하는 염기의 비율이 가장 낮다.

[13~14] 다음은 이중 나선 DNA (가)에 대한 자료이다.

- 총 100개의 염기로 구성되어 있다.
- ㉠ 한 가닥에서 인접한 두 뉴클레오타이드 사이의 거리는 0.34 nm이다.
- $\dfrac{A+T}{G+C}=1.5$이다.

13 이에 대한 설명으로 옳은 것만을 [보기]에서 있는 대로 고른 것은?(단, DNA (가)의 길이에는 인접한 뉴클레오타이드 사이의 거리만 고려한다.)

[보기]

ㄱ. (가)의 길이는 17 nm보다 길다.

ㄴ. ㉠에 당과 인산 사이의 공유 결합이 존재한다.

ㄷ. DNA (가)에는 이중 나선의 회전이 10회 나타난다.

① ㄱ   ② ㄴ   ③ ㄷ

④ ㄱ, ㄴ   ⑤ ㄴ, ㄷ

서술형

14 이중 나선 DNA (가)에서 염기 G의 총 수를 계산 과정을 포함하여 구하시오.

02 DNA 복제

| 핵심 포인트 | ⊙ DNA 복제 모델 ★★
 DNA 반보존적 복제 증명 실험 ★★★ | ⊙ DNA의 반보존적 복제 과정 ★★★
 DNA 복제 방향 및 선도 가닥과 지연 가닥 ★★★ |

A DNA 복제 모델

1. DNA 복제 모델

보존적 복제	• DNA 이중 나선 전체를 주형으로 하여 새로운 DNA 이중 나선이 합성된다. └ 어떤 일정한 형태를 만드는 틀 • 원래의 DNA 두 가닥은 모두 보존되며, 새로 합성된 DNA에는 원래의 가닥이 포함되어 있지 않다.	새로 합성된 DNA 가닥 원래의 DNA 가닥
반보존적 복제	• 원래의 DNA 두 가닥이 분리되고, 각각의 가닥을 주형으로 하여 새로운 DNA 가닥이 합성된다. • 복제된 DNA 이중 나선은 원래의 DNA 한 가닥과 새로 합성된 DNA 한 가닥으로 구성된다.	
분산적 복제	• 원래의 DNA는 작게 잘려 각각 복제된 후 다시 연결된다. • 복제된 DNA 이중 나선은 모두 원래의 DNA 조각들과 새로 합성된 DNA 조각들로 구성된다.	

2. *메셀슨과 스탈의 DNA 복제 실험   DNA가 반보존적으로 복제된다는 것을 밝혔다.

> **탐구 자료창**   메셀슨과 스탈의 실험

메셀슨과 스탈은 대장균을 무거운 질소(^{15}N)가 들어 있는 배지에서 여러 세대 배양하여 ^{15}N로 표지된 DNA를 갖는 대장균(P 세대)을 얻은 후 그림과 같이 실험하였다.

┌ 질소(N)는 염기의 구성 원소이므로 DNA의 염기를 표지하기 위해 사용한다.

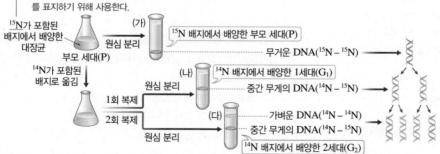

1. **(가)**: 부모 세대(P)에서 DNA를 추출하여 원심 분리하면 DNA 띠가 무거운 DNA($^{15}N-^{15}N$) 위치에 나타난다.
2. **(나)**: 1세대 대장균(G_1)의 DNA를 추출하여 원심 분리하면 DNA 띠가 중간 무게의 DNA($^{14}N-^{15}N$) 위치에 나타난다. ➡ *보존적 복제 모델 배제
3. **(다)**: *2세대 대장균(G_2)의 DNA를 추출하여 원심 분리하면 DNA 띠가 가벼운 DNA($^{14}N-^{14}N$)와 중간 무게의 DNA($^{14}N-^{15}N$) 위치에 1 : 1로 나타난다. ➡ 분산적 복제 모델 배제
4. **결론**: 복제되어 새로 생긴 DNA 두 가닥 중 한 가닥은 원래의 DNA 것이고, 다른 한 가닥은 새로 합성된 것이다. 즉, DNA는 반보존적 복제를 한다.

★ 메셀슨과 스탈이 대장균을 사용한 까닭
대장균은 세포 분열을 통해 증식하므로 세대 구별이 쉽고 여러 세대의 DNA를 빠르게 얻을 수 있다.

★ 보존적 복제와 분산적 복제일 경우 예상 결과
• 보존적 복제 모델이 옳다면 1세대(G_1)와 2세대(G_2) 모두 가벼운 DNA와 무거운 DNA의 위치에 띠가 나타나야 한다.

$^{14}N - ^{14}N$
 $^{14}N - ^{15}N$
 $^{15}N - ^{15}N$
1세대 2세대

2세대(G_2)는 가벼운 DNA : 무거운 DNA = 3 : 1로 나타나야 한다.
• 분산적 복제 모델이 옳다면 2세대(G_2)는 가벼운 DNA와 중간 무게의 DNA의 중간 위치에 띠가 나타나야 한다.

$^{14}N - ^{14}N$
 $^{14}N - ^{15}N$
 $^{15}N - ^{15}N$
1세대 2세대

★ 3세대 대장균(G_3)의 DNA
2세대 대장균(G_2)을 ^{14}N가 포함된 배지에서 1회 분열시켜 3세대 대장균(G_3) DNA를 얻고, 이를 원심 분리하면 DNA 띠는 반보존적 복제 모델에 따라 다음과 같이 나타난다.

$^{14}N - ^{14}N$
 $^{14}N - ^{15}N$
 $^{15}N - ^{15}N$

↓

$^{14}N-^{14}N$: $^{14}N-^{15}N$ = 3 : 1로 나타난다.

B **DNA의 반보존적 복제**

1. *DNA의 복제 과정

DNA 이중 나선 분리	DNA에서 상보적으로 결합하고 있던 염기 사이의 수소 결합이 헬리케이스에 의해 끊어져 DNA 이중 나선이 풀어진다.

↓

RNA **프라이머 합성**	프라이메이스에 의해 주형 가닥에 RNA 프라이머가 합성되어 새로운 뉴클레오타이드가 결합할 3′ 말단을 제공한다. 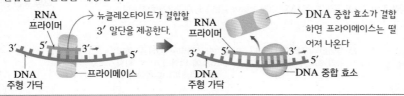

↓

새로운 DNA 뉴클레오타이드의 결합	**DNA 중합 효소의 작용** DNA 중합 효소가 결합하여 주형 가닥에 상보적인 염기를 가진 뉴클레오타이드를 프라이머의 3′ 말단에 결합시킨다. ➡ 뉴클레오타이드의 3′ 말단에 새로운 뉴클레오타이드가 차례로 결합하여 새로운 가닥이 만들어진다. 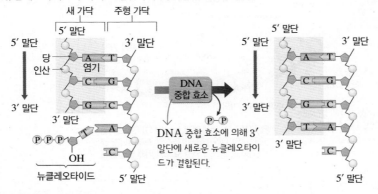 **DNA 두 가닥의 복제** DNA 이중 나선을 이루는 두 가닥은 역평행 구조이지만, 새로운 DNA 가닥의 합성은 항상 5′ → 3′ 방향으로만 일어난다. • 선도 가닥: DNA가 풀어지는 방향과 가닥의 합성 방향(5′ → 3′)이 같아 연속적으로 합성되는 가닥 • 지연 가닥: DNA가 풀어지는 방향으로 가닥이 합성될 수 없어 작은 조각(*오카자키 절편)의 DNA가 반대 방향(5′ → 3′)으로 불연속적으로 합성된 후에 DNA 연결 효소에 의해 연결되는 가닥 └ ● DNA 복제가 불연속적으로 이루어지므로 선도 가닥에 비해 복제 속도가 느려 지연 가닥이라고 한다. 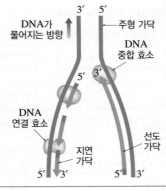

↓

DNA 복제 완료	• 작은 조각의 DNA에서 RNA 프라이머가 제거되고 그 자리에 뉴클레오타이드가 부착되어 틈을 채우며, DNA 연결 효소에 의해 연결되어 새로운 DNA 가닥이 된다. • DNA 복제가 완료되면 원래의 DNA와 염기 서열이 같은 DNA가 2개 생긴다. └ ● 새로 합성되는 DNA 가닥은 주형 DNA 가닥과 결합한 채로 남아 이중 나선 DNA가 만들어진다.

★ **DNA 복제에 관여하는 효소**
• DNA 중합 효소: 뉴클레오타이드의 3′ 말단에 주형 가닥의 염기와 상보적인 염기를 갖는 뉴클레오타이드를 연결한다.
• DNA 연결 효소: 한 DNA 조각의 뉴클레오타이드와 다른 DNA 조각의 뉴클레오타이드를 연결한다.
• 헬리케이스: DNA 이중 나선을 풀어 준다.
• 프라이메이스: 프라이머를 합성한다.

★ **복제 원점**
복제 원점은 DNA가 복제되기 위해 두 가닥의 폴리뉴클레오타이드 사슬이 처음 분리되기 시작하는 특정 부위이다. 사람의 DNA에서는 여러 개의 복제 원점에서 동시에 복제가 시작된다.

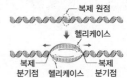

★ **프라이머**
프라이머는 DNA 합성이 시작되기 위해 먼저 주형 가닥에 결합하여 3′ 말단을 제공하는 작은 RNA 또는 DNA 조각이다. DNA가 합성될 때 쓰이는 것은 RNA 프라이머이다.

암기해
DNA 복제는 5′ → 3′ 방향으로만 일어난다.

📖 교학사 교과서에만 나와요.
★ **오카자키 절편**
지연 가닥에서 형성되는 작은 DNA 조각을 발견자의 이름을 따서 오카자키 절편이라고 한다.

02 DNA 복제

2. *DNA의 반보존적 복제 DNA 이중 나선의 각 가닥에 상보적인 뉴클레오타이드가 결합하여 원래의 DNA 한 가닥과 새로운 DNA 한 가닥으로 이루어진 DNA가 2개 생긴다.

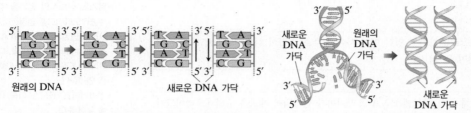

⬆ **DNA의 반보존적 복제** 염기 사이의 수소 결합이 풀어지고, 각 가닥이 주형으로 작용하여 각 가닥의 염기에 상보적인 염기를 가진 뉴클레오타이드가 차례로 연결되어 원래의 DNA와 염기 서열이 같은 DNA가 2개 합성된다.

> ★ **반보존적 복제와 유전 정보**
> 다세포 생물은 체세포 분열을 통해 세포 수를 늘리는데, 이 때 생성된 딸세포의 유전 정보가 모세포와 같으려면 세포가 분열하기 전 간기의 S기에 DNA가 복제되어야 한다. 반보존적 복제를 통해 원래의 DNA와 염기 서열이 같은 DNA가 2개 만들어지고 체세포 분열 과정에서 딸세포로 각각 나뉘어 들어가므로 딸세포의 유전 정보는 모세포와 동일하다.

DNA의 복제 과정

❶ 염기와 염기 사이의 수소 결합이 끊어지면서 이중 나선이 풀어진다.

❷ 풀어진 각 가닥에 DNA 중합 효소가 결합한다.

❸ 선도 가닥은 DNA 중합 효소에 의해 5′ → 3′ 방향으로 연속적으로 합성된다.

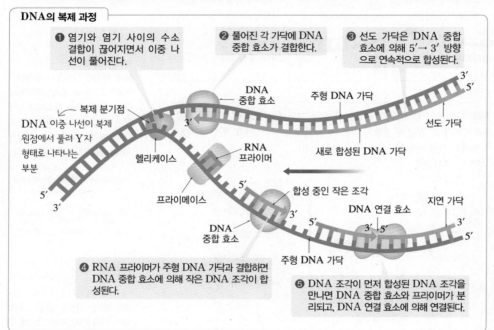

❹ RNA 프라이머가 주형 DNA 가닥과 결합하면 DNA 중합 효소에 의해 작은 DNA 조각이 합성된다.

❺ DNA 조각이 먼저 합성된 DNA 조각을 만나면 DNA 중합 효소와 프라이머가 분리되고, DNA 연결 효소에 의해 연결된다.

🔍 확대경   DNA 양방향 복제의 시작과 불연속적 복제

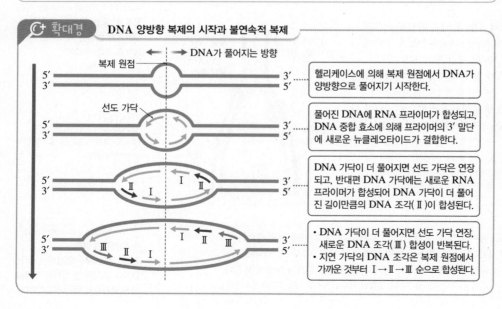

헬리케이스에 의해 복제 원점에서 DNA가 양방향으로 풀어지기 시작한다.

풀어진 DNA에 RNA 프라이머가 합성되고, DNA 중합 효소에 의해 프라이머의 3′ 말단에 새로운 뉴클레오타이드가 결합한다.

DNA 가닥이 더 풀어지면 선도 가닥은 연장되고, 반대편 DNA 가닥에는 새로운 RNA 프라이머가 합성되어 DNA 가닥이 더 풀어진 길이만큼의 DNA 조각(Ⅱ)이 합성된다.

• DNA 가닥이 더 풀어지면 선도 가닥 연장, 새로운 DNA 조각(Ⅲ) 합성이 반복된다.
• 지연 가닥의 DNA 조각은 복제 원점에서 가까운 것부터 Ⅰ→Ⅱ→Ⅲ 순으로 합성된다.

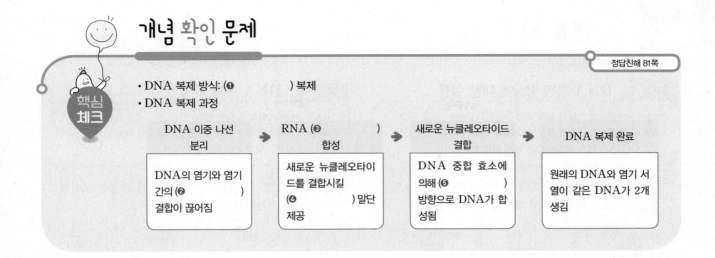

정답친해 81쪽

핵심
체크

• DNA 복제 방식: (❶   ) 복제
• DNA 복제 과정

| DNA 이중 나선 분리 | → | RNA (❸   ) 합성 | → | 새로운 뉴클레오타이드 결합 | → | DNA 복제 완료 |

| DNA의 염기와 염기 간의 (❷   ) 결합이 끊어짐 | 새로운 뉴클레오타이드를 결합시킬 (❹   ) 말단 제공 | DNA 중합 효소에 의해 (❺   ) 방향으로 DNA가 합성됨 | 원래의 DNA와 염기 서열이 같은 DNA가 2개 생김 |

1 그림은 DNA의 복제 모델 세 가지를 나타낸 것이다.

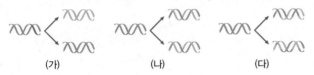

(가)   (나)   (다)

이에 대한 설명으로 옳은 것은 ○, 옳지 <u>않은</u> 것은 ×로 표시하시오.

(1) (가)는 복제가 여러 번 일어나도 원래의 DNA 이중 나선이 보존된다. .... (   )
(2) (나)는 복제가 여러 번 일어나면 새로 합성된 DNA에 원래의 DNA 가닥이 포함되지 않는다. .... (   )
(3) (다)는 반보존적 복제 모델을 나타낸 것이다. (   )

2 그림은 DNA 복제 방식을 확인하기 위해 메셀슨과 스탈이 실시한 실험을 나타낸 것이다.

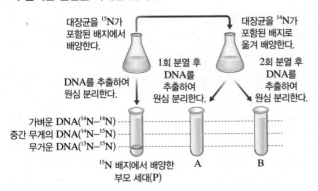

메셀슨과 스탈은 이 실험 결과를 해석하여 'DNA는 반보존적 복제를 한다.'라는 결론을 내렸다. 실험 결과 A와 B를 그림으로 나타내시오.

3 진핵세포에서의 DNA 복제에 대한 설명으로 옳은 것은 ○, 옳지 <u>않은</u> 것은 ×로 표시하시오.

(1) DNA 이중 나선 중 한 가닥만 주형이 된다. (   )
(2) 프라이머의 3′ 말단에 새로운 뉴클레오타이드가 결합하여 새로운 DNA가 합성된다. .... (   )
(3) DNA 중합 효소는 작은 DNA 조각 사이에서 뉴클레오타이드와 뉴클레오타이드를 연결한다. ...... (   )

4 다음은 DNA 복제 과정을 순서 없이 나타낸 것이다.

(가) RNA 프라이머가 합성된다.
(나) DNA 중합 효소가 결합한다.
(다) 원래의 DNA와 똑같은 DNA 2개가 생긴다.
(라) DNA 이중 나선의 염기 사이의 수소 결합이 끊어진다.
(마) 주형 가닥에 상보적인 염기를 가진 뉴클레오타이드가 차례로 결합한다.

순서대로 옳게 나열하시오.

5 그림은 DNA 일부의 복제 과정을 간단히 나타낸 것이다.

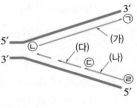

(1) ㉠~㉣의 DNA 방향성을 각각 쓰시오.
(2) (가)~(다) 중 선도 가닥에 해당하는 것의 기호를 쓰시오.
(3) (나)와 (다) 중 먼저 합성된 DNA 조각의 기호를 쓰시오.

대표 자료 분석

정답친해 81쪽

🏠 학교 시험에 자주 출제되는 대표 자료와 그 자료에 대한 문제를 통해 자료를 완벽하게 이해할 수 있다.

자료 ① DNA 복제 방식에 대한 실험

기출 Point
- 메셀슨과 스탈의 실험 과정 이해하기
- 메셀슨과 스탈의 실험 결과 해석 및 예상하기
- DNA 복제 모델에 따른 복제 결과 예상하기

[1~3] 그림은 메셀슨과 스탈이 DNA가 복제되는 방식을 알아보기 위해 실시한 실험을 나타낸 것이다.

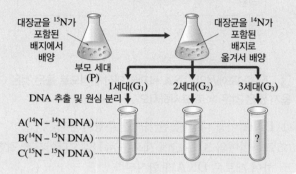

1 이 실험으로 알 수 있는 DNA의 복제 방식을 쓰시오.

2 부모 세대(P)와 3세대(G_3)의 DNA를 원심 분리하였을 때 A, B, C층에 분리되는 비율을 각각 쓰시오.

3 빈출 선택지로 완벽 정리!

(1) ^{15}N는 DNA의 염기를 표지한다. ············ (○ / ×)

(2) 1세대(G_1)의 DNA는 모두 부모 세대(P)의 DNA 가닥을 가진다. ············ (○ / ×)

(3) 4세대(G_4)의 DNA에는 부모 세대(P)의 DNA 가닥이 없을 것이다. ············ (○ / ×)

(4) 세대를 거듭하더라도 $\dfrac{\text{A층의 DNA양}}{\text{B층의 DNA양}}$의 값은 일정하게 유지된다. ············ (○ / ×)

(5) DNA가 보존적 복제를 한다면 1세대(G_1)를 원심 분리하였을 때 DNA 띠가 두 층에서 나타날 것이다. ············ (○ / ×)

자료 ② DNA 복제 과정

기출 Point
- DNA의 복제 방향 알기
- DNA 복제에 관여하는 효소의 종류와 기능 알기
- 선도 가닥과 지연 가닥 구분하기

[1~3] 그림은 진핵세포의 DNA 복제 과정을 모식적으로 나타낸 것이다.

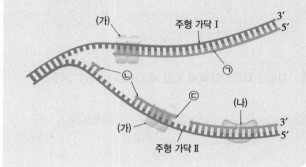

1 ⓒ의 이름을 쓰시오.

2 DNA 복제에 관여하는 효소 (가), (나)의 이름을 각각 쓰시오.

3 빈출 선택지로 완벽 정리!

(1) 이 과정은 세포의 핵 속에서 세포 주기 중 간기의 S기에 일어난다. ············ (○ / ×)

(2) ㉠은 선도 가닥이다. ············ (○ / ×)

(3) ㉠의 염기 서열은 주형 가닥 Ⅰ과 같다. ······ (○ / ×)

(4) ㉠의 복제 방향은 $5' \rightarrow 3'$이고, ㉢의 복제 방향은 $3' \rightarrow 5'$이다. ············ (○ / ×)

(5) ⓒ은 새로운 뉴클레오타이드가 결합할 수 있는 5′ 말단을 제공한다. ············ (○ / ×)

(6) (가)는 DNA 염기 사이의 수소 결합을 끊어 이중 나선을 풀어 준다. ············ (○ / ×)

(7) (나)는 작은 DNA 조각의 끝에 뉴클레오타이드를 1개씩 결합시킨다. ············ (○ / ×)

내신 만점 문제

Ⓐ DNA 복제 모델

01 그림은 DNA 복제 모델을 나타낸 것이다.

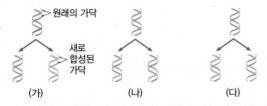

이에 대한 설명으로 옳은 것만을 [보기]에서 있는 대로 고른 것은?

[보기]
ㄱ. (가)는 원래의 DNA 두 가닥이 모두 보존된다.
ㄴ. (나)의 복제된 DNA에는 원래의 DNA 가닥이 있다.
ㄷ. DNA 1회 복제 후 원래 DNA 가닥의 비율은 (다) > (나) > (가) 순으로 많다.

① ㄱ　　　　② ㄴ　　　　③ ㄷ
④ ㄱ, ㄴ　　　⑤ ㄴ, ㄷ

02 서술형 다음은 DNA 복제 방식을 알아보기 위한 실험이다.

[실험 과정]
(가) 대장균을 ^{14}N가 포함된 배지에서 배양하였다.
(나) 대장균을 분리하여 ^{15}N가 포함된 배지로 옮긴 후 3세대(G_3)까지 배양하였다.
(다) (가)와 (나) 과정에서 얻은 각 세대의 대장균에서 DNA를 추출하여 원심 분리한 후 무게에 따라 나타나는 DNA양을 분석하였다.

[실험 결과]

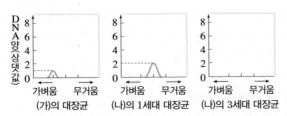

(나)의 3세대 대장균(G_3)의 DNA 상대량 분석 결과를 그리시오.

[03~04] 그림은 메셀슨과 스탈의 실험을 나타낸 것이다.

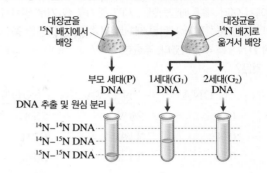

03 이에 대한 설명으로 옳은 것만을 [보기]에서 있는 대로 고른 것은?

[보기]
ㄱ. 1세대(G_1)에서 2세대(G_2)로 될 때 DNA는 보존적 복제를 한다.
ㄴ. 1세대(G_1)의 DNA 이중 나선 중 한 가닥은 ^{15}N를, 나머지 한 가닥은 ^{14}N를 포함한 염기로 되어 있다.
ㄷ. 2세대(G_2)에서 DNA양의 비는 $\frac{^{14}N-^{14}N}{^{14}N-^{15}N}=1$이다.

① ㄱ　　　　② ㄴ　　　　③ ㄷ
④ ㄱ, ㄴ　　　⑤ ㄴ, ㄷ

04 2세대 대장균(G_2)을 ^{14}N 배지에서 1회 분열시켜 3세대(G_3) DNA를 얻고, 이를 원심 분리하였을 때의 결과를 옳게 나타낸 것은?(단, 띠의 두께는 고려하지 않는다.)

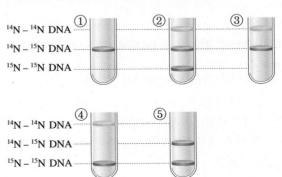

05 세포 주기가 24시간인 어떤 동물 세포를 ^{15}N가 포함된 배지에서 여러 세대 배양하면서 세포 주기를 G_1기로 일치시킨 후 이 세포들을 ^{14}N가 포함된 배지로 옮겨 48시간 동안 증식시킨 뒤 DNA를 추출하였다. 추출한 DNA의 조성비를 옳게 짝지은 것은?

	$^{15}N-^{15}N$ DNA	$^{14}N-^{15}N$ DNA	$^{14}N-^{14}N$ DNA
①	0 %	25 %	75 %
②	0 %	33 %	67 %
③	0 %	50 %	50 %
④	25 %	25 %	50 %
⑤	50 %	25 %	25 %

06 다음은 DNA의 복제 방식을 알아보기 위한 실험이다.

[실험 과정]
(가) 모든 DNA가 ^{15}N로 표지된 대장균(P)을 ^{14}N가 포함된 배지로 옮겨 배양하여 1세대 대장균(G_1)과 2세대 대장균(G_2)을 얻는다.
(나) 2세대 대장균(G_2)을 ^{15}N가 포함된 배지로 옮겨 3세대 대장균(G_3)과 4세대 대장균(G_4)을 얻는다.
(다) P~G_4의 대장균에서 DNA를 추출하고 각각 원심 분리하여 상층, 중층, 하층에 존재하는 이중 나선 DNA양의 상댓값을 확인한다.

[실험 결과]
• P의 DNA를 원심 분리한 결과는 그림과 같았다.

상층($^{14}N-^{14}N$) --------
중층($^{14}N-^{15}N$) --------
하층($^{15}N-^{15}N$) --------

• (다)에서 ㉠층에는 DNA가 없었고, ㉡과 ㉢층에는 DNA양의 비가 5 : 3으로 나타나는 세대가 있었다. ㉠~㉢층은 각각 상층, 중층, 하층 중 하나이다.

이에 대한 설명으로 옳은 것만을 [보기]에서 있는 대로 고르시오.

┌─[보기]
ㄱ. P에서 ^{15}N는 DNA의 5탄당에 존재한다.
ㄴ. (다)에서는 DNA양의 비가 ㉠층 : ㉡층 : ㉢층=1 : 0 : 1로 나타나는 세대가 있다.
ㄷ. ㉢층 이중 나선 DNA의 단일 가닥 각각에는 모두 ^{15}N가 있다.

07 ^{서술형} 모든 DNA가 ^{15}N로 표지된 대장균을 ^{14}N가 포함된 배지로 옮겨 4세대(G_4)까지 배양하여 1600마리의 대장균을 얻었다. 이 중 ^{15}N로 표지된 DNA 가닥을 가지는 대장균은 이론상으로 몇 마리인지 풀이 과정을 포함하여 서술하시오.

B DNA의 반보존적 복제

08 DNA 복제에 대한 설명으로 옳지 않은 것은?

① 세포 주기 중 간기의 S기에 일어난다.
② DNA의 복제는 5′ → 3′ 방향으로 일어난다.
③ DNA 이중 나선 두 가닥이 모두 주형으로 작용한다.
④ DNA 이중 나선의 두 가닥은 모두 연속적으로 복제된다.
⑤ DNA 중합 효소에 의해 주형에 상보적인 염기를 가진 새로운 뉴클레오타이드가 결합한다.

09 다음은 DNA 복제 과정의 일부를 나열한 것이다.

(가) DNA 이중 나선이 풀어진다.
(나) 새로운 DNA가 2개 생긴다.
(다) 선도 가닥을 형성하기 위한 ㉠프라이머가 합성된다.
(라) 새로운 뉴클레오타이드가 결합하여 DNA 가닥이 길어진다.

이에 대한 설명으로 옳은 것은?

① ㉠은 DNA이다.
② (가) 과정에서 염기 사이의 공유 결합이 끊어진다.
③ (나)에서 새로 만들어진 2개의 DNA는 원래의 DNA와 염기 서열이 같다.
④ (라)에서 새로운 뉴클레오타이드는 복제되는 가닥의 5′ 말단에 결합한다.
⑤ DNA 복제는 (다) → (가) → (라) → (나) 순으로 일어난다.

10 그림은 세포 내에서의 **DNA** 복제 과정을 나타낸 것이다.

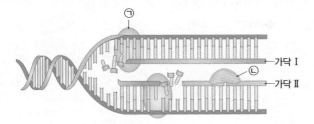

이에 대한 설명으로 옳지 <u>않은</u> 것은?

① ㉠은 DNA 중합 효소, ㉡은 DNA 연결 효소이다.
② 가닥 Ⅰ은 선도 가닥이다.
③ 가닥 Ⅱ의 오른쪽 끝은 3′ 말단이다.
④ 가닥 Ⅰ의 염기 서열은 가닥 Ⅱ의 주형 가닥과 같다.
⑤ ㉡은 뉴클레오타이드를 1개씩 결합시켜 5′ → 3′ 방향으로 DNA를 신장시킨다.

11 다음은 대장균의 **DNA X**가 복제되는 과정의 일부와 **Y**의 특성을 나타낸 것이다. **Y**는 **X**가 **50 %** 복제되었을 때의 **DNA**이다.

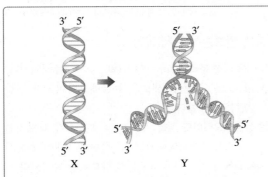

• Y를 구성하는 뉴클레오타이드는 모두 1800개이다.
• Y에서 새로 합성된 DNA 가닥의 염기 G+C 함량은 35 %이고, Y에서 복제되지 않은 부분의 염기 G+C 함량은 45 %이다.

(1) X를 구성하는 뉴클레오타이드는 몇 개인지 쓰시오.

(2) X에서 염기의 비율 $\dfrac{A+T}{G+C}$ 을 쓰시오.

12 그림은 복제 중인 **DNA**의 일부분과 염기 서열을 나타낸 것이다.

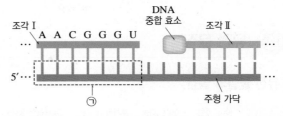

이에 대한 설명으로 옳은 것만을 [보기]에서 있는 대로 고른 것은?

[보기]
ㄱ. 조각 Ⅰ과 조각 Ⅱ는 지연 가닥을 구성한다.
ㄴ. ㉠에서 퓨린 계열 염기 수와 피리미딘 계열 염기 수의 비는 2 : 5이다.
ㄷ. 조각 Ⅰ과 조각 Ⅱ를 연결하는 데 DNA 중합 효소가 관여한다.

① ㄱ   ② ㄴ   ③ ㄷ
④ ㄱ, ㄴ   ⑤ ㄴ, ㄷ

13 다음은 어떤 세포에서 일어나는 **DNA X**의 복제 과정에 대한 자료이다.

• 그림 (가)는 1600개의 염기로 된 DNA X이다.
• 그림 (나)는 X가 복제되는 과정 중 일부이고, ⓐ 부분의 염기 개수는 X의 염기 개수의 40 %이다.
• ⓐ에서 염기 G+C 함량은 60 %이다.

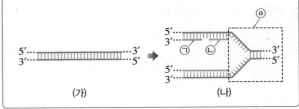

이에 대한 설명으로 옳은 것만을 [보기]에서 있는 대로 고른 것은?

[보기]
ㄱ. ㉠이 ㉡보다 먼저 합성되었다.
ㄴ. ㉡에는 리보스가 포함되어 있다.
ㄷ. ⓐ에 포함된 염기 T의 개수는 128개이다.

① ㄱ   ② ㄴ   ③ ㄱ, ㄷ
④ ㄴ, ㄷ   ⑤ ㄱ, ㄴ, ㄷ

중단원
핵심 정리

01 유전 물질

1. 유전 물질의 발견

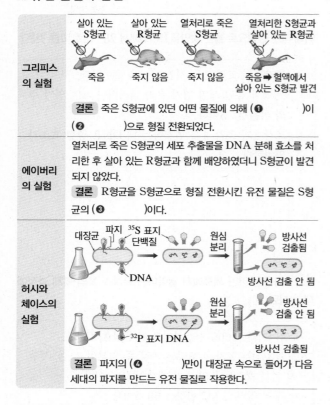

그리피스의 실험	살아 있는 S형균 → 죽음 / 살아 있는 R형균 → 죽지 않음 / 열처리로 죽은 S형균 → 죽지 않음 / 열처리한 S형균과 살아 있는 R형균 → 죽음 ➡ 혈액에서 살아 있는 S형균 발견
	결론 죽은 S형균에 있던 어떤 물질에 의해 (❶)이 (❷)으로 형질 전환되었다.
에이버리의 실험	열처리로 죽은 S형균의 세포 추출물을 DNA 분해 효소를 처리한 후 살아 있는 R형균과 함께 배양하였더니 S형균이 발견되지 않았다.
	결론 R형균을 S형균으로 형질 전환시킨 유전 물질은 S형균의 (❸)이다.
허시와 체이스의 실험	대장균, 파지 ^{35}S 표지 단백질, DNA / 원심 분리 → 방사선 검출 안 됨 / ^{32}P 표지 DNA / 원심 분리 → 방사선 검출됨
	결론 파지의 (❹)만이 대장균 속으로 들어가 다음 세대의 파지를 만드는 유전 물질로 작용한다.

2. 원핵세포와 진핵세포의 유전체 구성

일반적으로 진핵세포의 유전체가 원핵세포의 유전체보다 (❺   )고 유전자 수가 많으며, (❻   )의 유전자는 단백질을 암호화하는 부위와 암호화하지 않는 부위로 구성된다.

3. DNA 구조

(1) **기본 단위**: (❼   ) ➡ 인산 : 당 : 염기가 1 : 1 : 1로 결합되어 있다.

(2) **염기**

① 퓨린 계열 염기(A, G)와 피리미딘 계열 염기(C, T)가 있다.

② A은 (❽   )과, G은 (❾   )과 상보적으로 결합한다(A＝T, G≡C). ➡ A과 T, G과 C의 양이 같다.

(3) 입체 구조

① 두 가닥의 폴리뉴클레오타이드가 마주 보며 꼬여 있는 (❿   ) 구조이다.

② 이중 나선 DNA에서 두 가닥의 방향은 서로 반대이다.

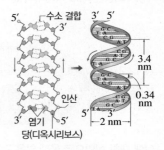

02 DNA 복제

1. DNA 복제 모델

• 메셀슨과 스탈의 DNA 복제 실험: 새로 생긴 DNA 이중 나선에서 하나는 원래의 DNA 가닥이고, 다른 하나는 새로 합성된 가닥이다. ➡ DNA는 (⓫   )으로 복제된다.

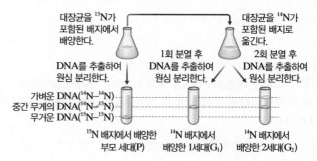

대장균을 ^{15}N가 포함된 배지에서 배양한다. / 대장균을 ^{14}N가 포함된 배지로 옮긴다.

DNA를 추출하여 원심 분리한다. / 1회 분열 후 DNA를 추출하여 원심 분리한다. / 2회 분열 후 DNA를 추출하여 원심 분리한다.

가벼운 DNA(^{14}N–^{14}N) / 중간 무게의 DNA(^{14}N–^{15}N) / 무거운 DNA(^{15}N–^{15}N)

^{15}N 배지에서 배양한 부모 세대(P) / ^{14}N 배지에서 배양한 1세대(G$_1$) / ^{14}N 배지에서 배양한 2세대(G$_2$)

2. DNA의 반보존적 복제 과정

(1) **DNA 이중 나선 분리**: 염기 사이의 (⓬   )이 끊어진다.

(2) **RNA (⓭   ) 합성**: 새로운 뉴클레오타이드가 결합할 3′ 말단을 제공한다.

(3) **새로운 뉴클레오타이드 결합**: (⓮   ) 효소가 상보적인 염기를 가진 뉴클레오타이드를 3′ 말단에 1개씩 결합시킨다. ➡ DNA 가닥은 5′ → 3′ 방향으로만 합성된다.

① (⓯   )은 5′ → 3′ 방향으로 연속적으로 복제된다.

② (⓰   )은 5′ → 3′ 방향으로 작은 조각의 DNA를 만든 후 이 조각들이 연결되면서 불연속적으로 복제된다.

(4) 원래 DNA와 염기 서열이 같은 DNA가 2개 생긴다.

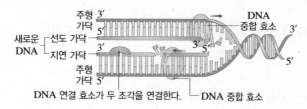

주형 DNA 가닥 / 새로운 DNA ┌ 선도 가닥 / └ 지연 가닥 / 주형 DNA 가닥 / DNA 중합 효소 / DNA 연결 효소가 두 조각을 연결한다. / DNA 중합 효소

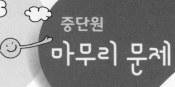
난이도 ●●●

01 그림은 폐렴 쌍구균을 이용한 그리피스의 실험 중 일부를 나타낸 것이다. ⊙과 ⓒ은 각각 R형균과 S형균 중 하나이며, R형균은 병원성이 없고 S형균은 병원성이 있다.

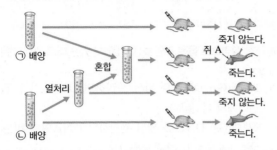

이에 대한 설명으로 옳은 것만을 [보기]에서 있는 대로 고른 것은?

[보기]
ㄱ. ⊙은 폐렴을 유발한다.
ㄴ. 쥐 A에서는 살아 있는 ⓒ이 발견된다.
ㄷ. 이 실험으로 유전 물질이 DNA라는 것을 밝혔다.

① ㄱ　　② ㄴ　　③ ㄷ　　④ ㄱ, ㄷ　⑤ ㄴ, ㄷ

02 다음은 폐렴 쌍구균을 이용한 형질 전환 실험이다. ⓐ와 ⓑ는 각각 R형균과 S형균 중 하나이고, 효소 ⊙과 ⓒ은 각각 단백질 분해 효소와 DNA 분해 효소 중 하나이다.

살아 있는 폐렴 쌍구균 ⓐ를 열처리하여 얻은 세포 추출 물이 들어 있는 시험관 Ⅰ~Ⅲ에 표와 같이 처리하여 배양한 후 폐렴 쌍구균의 종류를 조사한다.

시험관	Ⅰ	Ⅱ	Ⅲ
첨가 효소	⊙	ⓒ	없음
첨가 세균	ⓑ	ⓑ	없음
폐렴 쌍구균 종류	R형균	R형균, S형균	없음

이에 대한 설명으로 옳은 것만을 [보기]에서 있는 대로 고르시오.

[보기]
ㄱ. ⊙은 단백질 분해 효소이다.
ㄴ. 시험관에 첨가한 폐렴 쌍구균 ⓑ는 S형균이다.
ㄷ. 시험관 Ⅱ의 S형균은 R형균이 형질 전환된 것이다.

●●○

03 그림은 허시와 체이스의 실험 중 일부를 나타낸 것이다. 시험관의 상층액과 침전물 중 한 곳에서만 방사선이 검출되었다.

이에 대한 설명으로 옳은 것만을 [보기]에서 있는 대로 고른 것은?

[보기]
ㄱ. 파지 A에서 ^{32}P으로 표지된 것은 단백질이다.
ㄴ. 시험관의 침전물에서 방사선이 검출되었다.
ㄷ. 시험관의 침전물을 방사성 물질이 없는 배지에서 배양하면 새로 생성된 파지 일부에서 방사선이 검출될 것이다.

① ㄱ　　② ㄴ　　③ ㄱ, ㄷ
④ ㄴ, ㄷ　　⑤ ㄱ, ㄴ, ㄷ

●●●

04 표는 다양한 생물의 유전체의 특징을 나타낸 것이다.

생물	염색체 수 (n)	염색체 형태	유전체 크기 (염기쌍)	유전자 수 (추정치)
(가)	1	원형	4.6×10^6	4400
(나)	4	선형	1.8×10^8	14700
(다)	16	선형	1.2×10^7	5800
(라)	20	선형	2.6×10^9	22000

이에 대한 설명으로 옳은 것만을 [보기]에서 있는 대로 고른 것은?

[보기]
ㄱ. 염색체 수가 많을수록 유전체 크기가 크다.
ㄴ. (가)는 (라)보다 유전체의 크기에 대한 유전자의 밀도가 크다.
ㄷ. (나)의 유전체에서는 DNA가 히스톤을 감아 뉴클레오솜을 형성한다.
ㄹ. (다)의 세포에서 염색체는 막으로 둘러싸인 핵 속에 있다.

① ㄱ, ㄴ　　② ㄱ, ㄷ　　③ ㄷ, ㄹ
④ ㄱ, ㄴ, ㄹ　　⑤ ㄴ, ㄷ, ㄹ

05 그림은 DNA의 구조 중 일부를 나타낸 것이다.

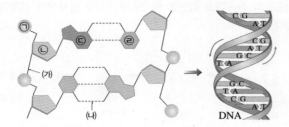

이에 대한 설명으로 옳은 것은?

① (가)는 수소 결합, (나)는 공유 결합이다.
② DNA를 구성하는 단위체는 ㉠+㉡+㉢+㉣이다.
③ ㉢은 염기 G이고, ㉣은 염기 C이다.
④ ㉢은 피리미딘 계열 염기이고, ㉣은 퓨린 계열 염기이다.
⑤ 대장균을 ^{15}N가 포함된 배지에서 배양하면 ㉢과 ㉣이 ^{15}N로 표지된다.

06 표는 염기쌍의 수가 같은 이중 가닥 DNA Ⅰ~Ⅳ의 염기 조성을 나타낸 것이다.

구분	염기 조성(%)				$\dfrac{A+T}{G+C}$
	A	T	G	C	
Ⅰ	28	?	?	㉠	약 1.27
Ⅱ	?	30	㉡	?	1.50
Ⅲ	㉢	?	㉣	?	?
Ⅳ	?	18	?	?	㉤

이에 대한 설명으로 옳은 것만을 [보기]에서 있는 대로 고른 것은?

[보기]
ㄱ. ㉠+㉡의 값은 ㉢+㉣의 값보다 작다.
ㄴ. DNA에서의 수소 결합 수는 Ⅰ이 Ⅳ 보다 많다.
ㄷ. Ⅱ에서 퓨린 계열 염기와 피리미딘 계열 염기의 비는 1 : 1이다.
ㄹ. ㉤의 값은 0.5보다 작다.

① ㄱ, ㄴ   ② ㄱ, ㄷ   ③ ㄴ, ㄷ
④ ㄴ, ㄹ   ⑤ ㄷ, ㄹ

07 그림은 메셀슨과 스탈의 실험을 나타낸 것이다.

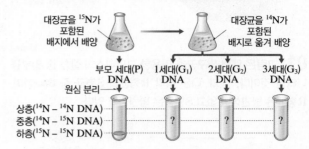

이에 대한 설명으로 옳은 것만을 [보기]에서 있는 대로 고른 것은?

[보기]
ㄱ. 1세대(G_1) DNA를 원심 분리하면 DNA 띠가 두 군데에서 나타난다.
ㄴ. 2세대(G_2) DNA를 원심 분리하면 DNA양의 비는 상층 : 중층=1 : 2로 나타난다.
ㄷ. 3세대(G_3)에서 $\dfrac{^{15}N를\ 포함한\ DNA\ 가닥}{전체\ DNA\ 가닥}=\dfrac{1}{8}$이다.

① ㄱ   ② ㄴ   ③ ㄷ
④ ㄱ, ㄴ   ⑤ ㄴ, ㄷ

08 다음은 DNA 복제 원리를 알아보기 위한 실험이다. ㉠과 ㉡은 각각 ^{14}N와 ^{15}N 중 하나이다.

(가) ㉠을 포함한 배지에서 여러 세대를 배양한 대장균(P)을 ㉡을 포함한 배지로 옮겨 1세대 대장균(G_1), 2세대 대장균(G_2)을 얻었다.
(나) 2세대 대장균(G_2)을 다시 ㉠을 포함한 배지로 옮겨 배양하여 3세대 대장균(G_3)을 얻었다.
(다) 2세대 대장균(G_2)의 DNA를 추출하였더니 조성비가 $^{14}N-^{15}N : ^{15}N-^{15}N=1 : 1$로 나타났다.

이에 대한 설명으로 옳은 것만을 [보기]에서 있는 대로 고르시오.

[보기]
ㄱ. ㉠은 ^{15}N이다.
ㄴ. 3세대 대장균(G_3)의 DNA 조성비는 $^{14}N-^{14}N : ^{14}N-^{15}N=1 : 3$이다.
ㄷ. 3세대 대장균(G_3)을 ㉡을 포함한 배지로 옮겨 배양한 4세대 대장균(G_4)에서는 $^{14}N-^{15}N$ DNA의 비율이 가장 높을 것이다.

09 그림은 어떤 세포에서 일어나는 DNA 복제 과정 중 일부를 나타낸 것이다.

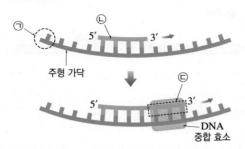

이에 대한 설명으로 옳은 것만을 [보기]에서 있는 대로 고른 것은?

┌─[보기]─────────────────────────────┐
│ ㄱ. ㉠은 3′ 말단이다.   │
│ ㄴ. ㉡을 구성하는 당은 리보스이다.   │
│ ㄷ. ㉢에는 염기 U이 포함될 수 있다.   │
└──────────────────────────────────┘

① ㄱ   ② ㄴ   ③ ㄱ, ㄴ
④ ㄱ, ㄷ   ⑤ ㄴ, ㄷ

10 그림은 32쌍의 염기로 이루어진 어떤 DNA의 복제 과정을 나타낸 것이다. 이 DNA에 있는 염기 A의 수는 20개이며 (가)와 (나)는 새로 합성된 단일 가닥이다.

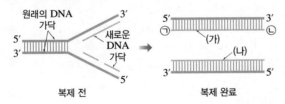

이에 대한 설명으로 옳은 것만을 [보기]에서 있는 대로 고른 것은?

┌─[보기]─────────────────────────────┐
│ ㄱ. 세포 주기의 S기에 일어나는 과정이다. │
│ ㄴ. (가)의 합성 방향은 ㉡ → ㉠이다.   │
│ ㄷ. (나)는 (가)보다 합성 속도가 빠르다. │
│ ㄹ. (가)와 (나)에 있는 염기 G과 C 수의 합은 24개이다. │
└──────────────────────────────────┘

① ㄱ, ㄹ   ② ㄴ, ㄷ   ③ ㄷ, ㄹ
④ ㄱ, ㄴ, ㄷ   ⑤ ㄱ, ㄴ, ㄹ

서술형 문제

11 사람과 닭의 세포에서 DNA를 추출하여 염기의 비율을 조사하면 염기 A의 비율은 사람이 높고, 염기 G의 비율은 닭이 높다. 그러나 사람과 닭 각각의 DNA에서 퓨린 계열 염기와 피리미딘 계열 염기의 비율은 같다. 그 까닭을 DNA 이중 나선의 구조와 관련지어 서술하시오.

_____

_____

12 그림은 DNA 복제 과정의 일부를 나타낸 것이다.

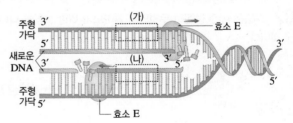

(1) 새로운 DNA 가닥이 한 가닥은 연속적으로, 다른 한 가닥은 불연속적으로 복제되는 까닭을 효소 E의 특성과 관련지어 서술하시오.

_____

_____

(2) (가) 부분의 염기 서열이 3′−ACTTAG−5′일 때 (나) 부분의 염기 서열을 방향과 함께 쓰시오.(단, (나) 부분에는 프라이머가 포함되어 있지 않다.)

_____

_____

수능 실전 문제

01 그림은 에이버리의 형질 전환 실험의 일부를 나타낸 것이다. ⓐ과 ⓑ은 각각 R형균과 S형균 중 하나이고, 효소 Ⅰ과 Ⅱ는 각각 DNA 분해 효소와 단백질 분해 효소 중 하나이다.

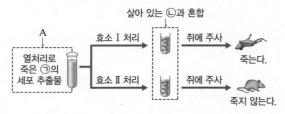

이에 대한 설명으로 옳은 것만을 [보기]에서 있는 대로 고른 것은? (단, R형균은 병원성이 없고, S형균은 병원성이 있다.)

〔보기〕
ㄱ. ⓑ은 S형균이다.
ㄴ. 효소 Ⅱ의 기질은 DNA이다.
ㄷ. 형질 전환을 일으키는 물질은 A에 들어 있다.

① ㄱ　② ㄷ　③ ㄱ, ㄴ　④ ㄱ, ㄷ　⑤ ㄴ, ㄷ

02 그림은 유전 물질이 무엇인지 알아보기 위한 실험을 나타낸 것이다.

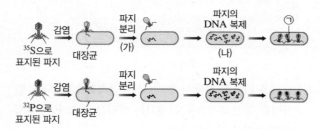

이에 대한 설명으로 옳은 것만을 [보기]에서 있는 대로 고른 것은?

〔보기〕
ㄱ. ⓐ에는 ^{35}S이 포함되어 있다.
ㄴ. (가) 과정에서는 원심 분리를 통해 단백질 껍질을 대장균으로부터 분리한다.
ㄷ. (나)에서 파지의 DNA를 복제하는 데 필요한 효소와 뉴클레오타이드는 대장균에 있던 것이다.

① ㄱ　② ㄷ　③ ㄱ, ㄴ　④ ㄱ, ㄷ　⑤ ㄴ, ㄷ

03 그림은 DNA의 유전 정보로부터 단백질이 합성되는 과정을 나타낸 것이다. (가)와 (나)는 원핵세포와 진핵세포 중 하나이다.

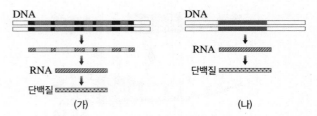

이에 대한 설명으로 옳은 것만을 [보기]에서 있는 대로 고른 것은?

〔보기〕
ㄱ. (가)의 유전자에는 단백질을 암호화하지 않는 부위가 있다.
ㄴ. (가)의 유전체는 대부분 하나의 원형 염색체로 이루어진다.
ㄷ. (나)는 유전체가 세포질에 있다.

① ㄱ　② ㄷ　③ ㄱ, ㄴ　④ ㄱ, ㄷ　⑤ ㄴ, ㄷ

04 다음은 어떤 이중 가닥 DNA X에 대한 자료이다.

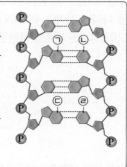

• 염기의 총 개수는 100개이다.
• 그림은 DNA X의 일부를 나타낸 것이다. ⓐ~ⓓ은 각각 DNA를 구성하는 염기 A, G, C, T 중 하나이다.
• DNA X의 염기 조성 비율은 $\dfrac{ⓐ+ⓑ}{ⓒ+ⓓ}=\dfrac{2}{3}$이다.

이에 대한 설명으로 옳은 것만을 [보기]에서 있는 대로 고른 것은?

〔보기〕
ㄱ. ⓑ은 RNA에는 없고 DNA에만 있는 염기이다.
ㄴ. DNA X에서 퓨린 계열 염기와 피리미딘 계열 염기의 비율은 2 : 3이다.
ㄷ. DNA X에서 염기 간 수소 결합은 총 120개이다.

① ㄱ　② ㄷ　③ ㄱ, ㄴ　④ ㄱ, ㄷ　⑤ ㄴ, ㄷ

05 다음은 DNA 복제에 대한 실험이다.

(가) 모든 DNA가 ^{14}N로 표지된 대장균(P)을 ^{15}N가 포함된 배지로 옮겨 배양하여 1세대 대장균(G_1), 2세대 대장균(G_2), 3세대 대장균(G_3)을 얻는다.

(나) (가)의 3세대 대장균(G_3)을 다시 ^{14}N가 들어 있는 배지로 옮겨 배양하여 4세대 대장균(G_4), 5세대 대장균(G_5)을 얻는다.

(다) P~G_5의 DNA를 추출하고 각각 원심 분리하여 상층($^{14}N-^{14}N$), 중층($^{14}N-^{15}N$), 하층($^{15}N-^{15}N$)에 존재하는 이중 나선 DNA의 상대량을 확인한다.

(라) 표는 각 세대에서 전체 DNA 중 특정 DNA가 차지하는 비율을 나타낸 것이다. A~C는 각각 상층($^{14}N-^{14}N$), 중층($^{14}N-^{15}N$), 하층($^{15}N-^{15}N$) 중 하나이다.

세대 구분	P	G_1	G_2	G_3	G_4	G_5
A	0	1	0.5	?	ⓛ	ⓔ
B	0	0	㉠	?	?	ⓜ
C	1	0	?	?	ⓒ	ⓗ

이에 대한 설명으로 옳은 것만을 [보기]에서 있는 대로 고른 것은?

[보기]
ㄱ. ㉠은 0.5이다.
ㄴ. ⓛ과 ⓒ의 합은 1이다.
ㄷ. 5세대 대장균(G_5)의 DNA 상대량은 ⓗ>ⓔ>ⓜ이다.

① ㄱ 　　② ㄴ 　　③ ㄱ, ㄷ
④ ㄴ, ㄷ 　　⑤ ㄱ, ㄴ, ㄷ

06 다음은 어떤 세포에서 복제 중인 이중 가닥 DNA의 일부에 대한 자료이다.

- ㉠과 ⓜ은 주형 가닥이고 서로 상보적이며, ⓛ, ⓒ, ⓔ은 새로 합성된 가닥이다.
- ㉠, ⓔ, ⓜ은 각각 60개의 염기로 구성되며, ⓛ과 ⓒ은 각각 30개의 염기로 구성되고, 프라이머 X와 Y는 각각 동일한 6개의 염기로 구성된다.
- ㉠과 ⓛ 사이의 수소 결합의 총 개수는 ㉠과 ⓒ 사이의 수소 결합의 총 개수와 같다.
- ㉠에서 $\dfrac{A+T}{G+C}=\dfrac{3}{2}$이고, ⓛ에서 $\dfrac{A+T}{G+C}=1$이다.
- ⓜ에서 $\dfrac{T}{A}=1$이고, $\dfrac{C}{G}=\dfrac{7}{5}$이다.

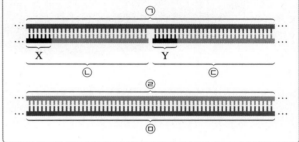

이에 대한 설명으로 옳은 것만을 [보기]에서 있는 대로 고른 것은?

[보기]
ㄱ. 프라이머 X와 ㉠ 사이의 수소 결합의 개수는 18개이다.
ㄴ. $\dfrac{A+T}{G+C}$는 ⓜ에서가 ⓒ에서보다 작다.
ㄷ. ⓔ에서 염기 G의 개수는 14개이다.

① ㄱ 　　② ㄷ 　　③ ㄱ, ㄴ
④ ㄱ, ㄷ 　　⑤ ㄴ, ㄷ

2 유전자 발현

- ● 01. 유전자 발현
- ● 02. 유전자 발현 조절

이 단원을 공부하기 전에 학습 계획을 세우고, 학습 진도를 스스로 체크해 보자.
학습이 미흡했던 부분은 다시 보기에 체크해 두고, 시험 전까지 꼭 완벽히 학습하자!

소단원	학습 내용	학습 일자	다시 보기
	Ⓐ **유전자와 단백질** 탐구 비들과 테이텀의 붉은빵곰팡이 실험	/	
01. 유전자 발현	Ⓑ **유전 정보의 흐름과 유전부호**	/	
	Ⓒ **전사**	/	
	Ⓓ **번역** 특강 유전자 발현의 전 과정	/	
02. 유전자 발현 조절	Ⓐ **원핵생물의 유전자 발현 조절**	/	
	Ⓑ **진핵생물의 유전자 발현 조절**	/	
	Ⓒ **세포 분화와 발생에서의 유전자 발현 조절** 탐구 초파리, 생쥐, 사람의 혹스 유전자 비교	/	

유전자와 단백질

① [**❶**] : DNA에서 생물의 형질을 결정하는 유전 정보가 저장되어 있는 부분이다.

② **유전자와 단백질의 관계**: 생물은 유전자의 유전 정보에 따라 효소를 비롯한 다양한 단백질을 합성하고, 이 단백질에 의해 다양한 형질이 나타난다.

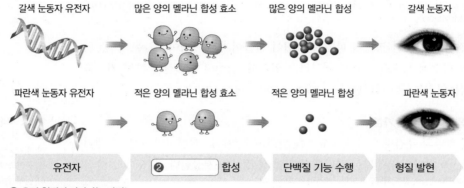

⬆ 유전 형질이 나타나는 과정

유전 정보의 전달과 형질 발현

① **DNA의 유전자**: 단백질의 아미노산 서열은 DNA의 유전자에 의해 지정된다. 이때 DNA에서 하나의 아미노산을 지정하는 연속된 3개의 염기 조합을 [**❸**]이라고 한다.

② [**❹**] : DNA의 염기에 상보적인 염기를 가진 RNA가 합성되는 과정이다. RNA에서 하나의 아미노산을 지정하는 연속된 3개의 염기 조합을 [**❺**]이라고 한다.

③ **번역**: 전사된 RNA가 리보솜과 결합하고, RNA의 코돈이 지정하는 아미노산이 [**❻**] 결합에 의해 순서대로 연결되어 단백질이 합성되는 과정이다.

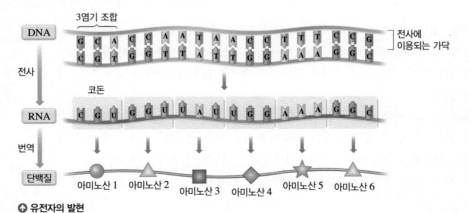

⬆ 유전자의 발현

유전자 발현

핵심 포인트
- 비들과 테이텀의 붉은빵곰팡이 실험 ★★★
- 중심 원리 ★★★
- 유전부호와 코돈 ★★
- 전사 과정과 mRNA의 염기 서열 ★★★
- tRNA와 리보솜의 구조 ★★
- 단백질 합성 과정 ★★★

A 유전자와 단백질

사람의 피부색, 혈액형뿐만 아니라 알캅톤뇨증 같은 유전병도 부모에서 자녀에게 유전되는 유전 형질입니다. 유전자로부터 유전 형질이 나타나기까지의 과정을 함께 알아보아요.

1. 유전자 발현 유전자에 저장된 정보에 따라 단백질이 만들어지는 과정이다. ➡ 대부분의 유전자는 단백질 합성에 필요한 정보를 저장하고 있으며, 합성된 단백질이 특정 기능을 수행함으로써 생물의 ❶형질이 나타난다. ➡ 생물의 형질은 유전자에 의해 결정된다.

2. *유전자와 단백질의 관계에 대한 가설

(1) **1유전자 1효소설**: 하나의 유전자가 하나의 효소를 합성되게 한다는 학설이며, 비들과 테이텀이 제안하였다. ➡ 하나의 유전자는 하나의 효소 합성 정보를 저장한다.
└ 유전자가 단백질 합성에 관여한다는 것을 처음으로 밝혔다는 점에서 의의가 있다.

아르지닌 합성에 관여하는 유전자와 효소의 관계
비들과 테이텀은 붉은빵곰팡이를 이용한 실험으로 아르지닌의 합성 과정과 각 단계에 특정 효소가 관여한다는 것을 알아냈다.

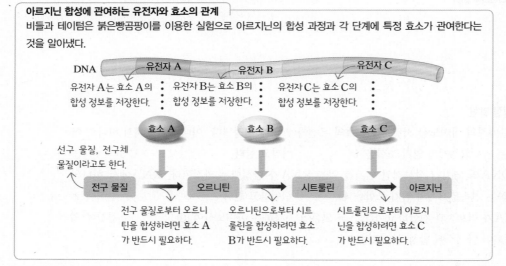

유전자 A는 효소 A의 합성 정보를 저장한다. / 유전자 B는 효소 B의 합성 정보를 저장한다. / 유전자 C는 효소 C의 합성 정보를 저장한다.

선구 물질, 전구체 물질이라고도 한다.

전구 물질 → 오르니틴 → 시트룰린 → 아르지닌

전구 물질로부터 오르니틴을 합성하려면 효소 A가 반드시 필요하다. / 오르니틴으로부터 시트룰린을 합성하려면 효소 B가 반드시 필요하다. / 시트룰린으로부터 아르지닌을 합성하려면 효소 C가 반드시 필요하다.

(2) **1유전자 1단백질설**: 하나의 유전자가 효소뿐만 아니라 인슐린과 같은 호르몬이나 머리카락을 구성하는 케라틴 등 효소로 작용하지 않는 단백질의 합성에도 관여하는 것이 밝혀졌다. ➡ 1유전자 1효소설은 하나의 유전자가 하나의 단백질을 합성되게 한다는 1유전자 1단백질설로 수정되었다.

(3) **1유전자 1폴리펩타이드설**: *헤모글로빈처럼 하나의 단백질이 여러 종류의 폴리펩타이드로 구성된 경우 하나의 단백질을 구성하는 다른 종류의 폴리펩타이드는 서로 다른 유전자에 의해 합성된다는 것이 밝혀졌다. ➡ 1유전자 1단백질설은 하나의 유전자가 하나의 폴리펩타이드를 합성되게 한다는 1유전자 1폴리펩타이드설로 수정되었다.

[1유전자 1폴리펩타이드설의 예외] 천재교과서에만 나와요.
① 하나의 유전자에서 합성된 RNA가 다르게 가공되어 여러 종류의 폴리펩타이드가 합성될 수 있다. 예 진핵생물
② 유전자의 최종 산물이 단백질이 아니라 RNA인 경우도 있다. 예 tRNA, rRNA

★ 유전자와 단백질의 관계 발견
DNA가 유전 물질이라는 사실이 밝혀지기 이전인 1900년대 초에 영국의 의사 개로드는 오줌이 검게 변하는 증상이 나타나는 알캅톤뇨증 환자의 가족 구성원 중에 알캅톤뇨증 환자가 많이 발생하는 것을 발견하였다. 그는 알캅톤뇨증은 유전병이며 알캅톤을 분해하는 효소를 만들지 못해 나타난다고 생각하였고, 이를 토대로 유전자는 효소의 생성과 관련이 있다고 주장하였다.

★ 헤모글로빈
적혈구의 붉은색을 나타내는 색소 단백질이며, 서로 다른 종류의 폴리펩타이드인 α 사슬 2개와 β 사슬 2개로 이루어진다. α 사슬과 β 사슬은 각각 다른 유전자에 의해 합성된다.

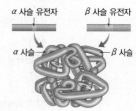

α 사슬 유전자 / β 사슬 유전자

α 사슬 / β 사슬

| 용어 |
❶ **형질**(形 모양, 質 바탕) 눈동자 색깔, 피부색, 혈액형 등과 같이 생물이 나타내는 특성이다.

비들과 테이텀의 붉은빵곰팡이 실험

목표 비들과 테이텀의 붉은빵곰팡이 실험 결과를 분석하여 유전자에 의해 유전 형질이 나타나는 원리를 설명할 수 있다.

| 과정 및 결과 |

1. 최소 배지에서 생장하는 야생형의 붉은빵곰팡이에 X선을 쪼여 최소 배지에서는 생장하지 않고 아르지닌을 첨가하면 생장하는 *영양 요구주를 얻었다.
   생물이 살아가는 데 필요한 최소한의 영양 물질이 들어 있는 배지

2. 최소 배지에 아르지닌 합성 경로의 중간 물질로 생각되는 오르니틴, 시트룰린, 그리고 최종 산물인 아르지닌 중 하나를 첨가한 후 각 배지에서 야생형과 영양 요구주의 생장을 관찰하였다.

구분		최소 배지	최소 배지 +오르니틴	최소 배지 +시트룰린	최소 배지 +아르지닌	
야생형		붉은빵곰팡이 ↗ 생장	생장	생장	생장	어떤 첨가물을 넣거나 넣지 않아도 생장한다.
영양 요 구 주	Ⅰ형	생장 못함	생장	생장	생장	최소 배지에 오르니틴, 시트룰린, 아르지닌 중 한 가지를 첨가하면 생장한다.
	Ⅱ형	생장 못함	생장 못함	생장	생장	최소 배지에 시트룰린, 아르지닌 중 한 가지를 첨가하면 생장한다.
	Ⅲ형	생장 못함	생장 못함	생장 못함	생장	최소 배지에 아르지닌을 첨가해야 생장한다.

| 해석 |

1. 붉은빵곰팡이에서 아르지닌은 '전구 물질 → 오르니틴 → 시트룰린'을 거쳐 합성되며, 붉은빵곰팡이의 생장에 반드시 필요한 물질은 아르지닌이다.

2. 붉은빵곰팡이의 각 영양 요구주는 아르지닌 합성 과정 중 어느 한 단계에 관여하는 효소가 결핍되었으며, 이는 각 효소의 합성 정보를 저장하는 유전자에 이상이 생겼기 때문이다.

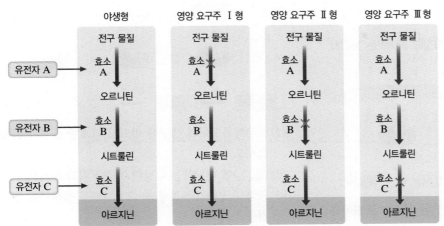

- 영양 요구주 Ⅰ형: 유전자 A의 이상으로 효소 A가 합성되지 않는다. ➡ 오르니틴 합성 못함
- 영양 요구주 Ⅱ형: 유전자 B의 이상으로 효소 B가 합성되지 않는다. ➡ 시트룰린 합성 못함
- 영양 요구주 Ⅲ형: 유전자 C의 이상으로 효소 C가 합성되지 않는다. ➡ 아르지닌 합성 못함

| 결론 | 붉은빵곰팡이의 영양 요구주는 특정 유전자에 이상이 생겨 특정 효소를 만들지 못한다. 이를 통해 하나의 유전자는 하나의 효소를 합성되게 함을 알 수 있다. ➡ 1유전자 1효소설

★ 영양 요구주
유전적 결함으로 생장에 필요한 특정 물질을 합성하지 못해 배양하려면 특정 물질을 최소 배지에 넣어 주어야 하는 돌연변이주이다.

확인 문제

1 영양 요구주 Ⅱ형은 ㉠( )으로부터 ㉡( )이 합성되는 과정에 관여하는 효소가 결핍되었다.

2 비들과 테이텀의 붉은빵곰팡이 실험은 유전자 발현에 관한 1유전자( )을 지지한다.

확인 문제 답
1 ㉠ 오르니틴, ㉡ 시트룰린
2 1효소설

개념 확인 문제

- 유전자 (❶   ): 유전자에 저장된 정보에 따라 단백질이 만들어지는 과정이다.
- 대부분의 유전자는 (❷   ) 합성에 필요한 정보를 저장하고 있다.
- 유전 정보에 따라 합성된 단백질이 특정 기능을 수행함으로써 (❸   )이 나타난다.
- 1유전자 (❹   ): 하나의 유전자가 하나의 효소를 합성되게 한다는 학설이다.
- 1유전자 (❺   ): 하나의 유전자가 효소뿐만 아니라 효소로 작용하지 않는 단백질의 합성에도 관여한다는 학설
  이다.
- 1유전자 (❻   ): 하나의 단백질을 구성하는 다른 종류의 폴리펩타이드는 서로 다른 유전자에 의해 합성된다는
  학설이다.

---

1 유전자와 단백질에 대한 설명으로 옳은 것은 ○, 옳지 않은 것은 ×로 표시하시오.

(1) 유전자에 저장된 정보에 따라 합성된 단백질은 특정 기능을 수행하여 생물의 형질이 나타나게 한다. (   )

(2) 비들과 테이텀은 하나의 유전자가 하나의 효소를 합성되게 한다고 설명하였다. ·················· (   )

(3) 인슐린과 같이 효소로 작용하지 않는 단백질도 하나의 유전자에 의해 합성된다. ·················· (   )

(4) 하나의 단백질을 구성하는 서로 다른 폴리펩타이드는 하나의 유전자에 의해 합성된다. ·················· (   )

2 그림은 어떤 생물에서 물질 합성 과정에 관여하는 유전자와 효소를 나타낸 것이다.

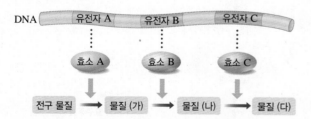

이에 대한 설명으로 옳은 것은 ○, 옳지 않은 것은 ×로 표시하시오.

(1) 1유전자 1효소설을 나타낸 것이다. ·················· (   )

(2) 유전자 A는 효소 A의 유전 정보를 저장하고 있다.
·················· (   )

(3) 유전자 B에 이상이 생겨 효소 B가 정상적으로 합성되지 않으면 물질 (가)가 합성되지 않는다. ········ (   )

3 표는 붉은빵곰팡이를 이용하여 유전자와 효소의 관계를 확인한 비들과 테이텀의 실험 결과를, 그림은 실험 결과를 바탕으로 붉은빵곰팡이에서 아르지닌이 합성되는 과정을 나타낸 것이다.

구분		최소 배지	최소 배지 +오르니틴	최소 배지 +시트룰린	최소 배지 +아르지닌
야생형		생장함	생장함	생장함	생장함
영양 요구 주	I형	생장하지 못함	생장함	생장함	생장함
	II형	생장하지 못함	생장하지 못함	생장함	생장함
	III형	생장하지 못함	생장하지 못함	생장하지 못함	생장함

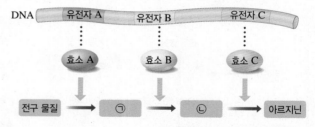

(1) 붉은빵곰팡이의 생장에 반드시 필요한 물질의 이름을 쓰시오.

(2) ㉠, ㉡에 해당하는 물질의 이름을 각각 쓰시오.

(3) 영양 요구주 I∼III형 중 오르니틴을 합성하지 못하는 것을 쓰시오.

(4) 영양 요구주 III형은 효소 A∼C 중 어떤 것이 결핍된 것인지 쓰시오.

(5) 붉은빵곰팡이에서 중간 단계 물질을 거쳐 아르지닌이 합성되는 과정을 쓰시오.

(6) 붉은빵곰팡이의 유전자 B에 이상이 생겼을 때 아르지닌 합성 과정에서 나타나는 현상을 간단히 설명하시오.

유전 정보의 흐름과 유전부호

1. *중심 원리* 유전자 발현 과정에서 DNA의 유전 정보가 RNA로 전달되고, RNA의 유전 정보가 단백질 합성에 이용되는 유전 정보의 흐름을 중심 원리라고 한다.

$$DNA \xrightarrow{\text{전사}} RNA \xrightarrow{\text{번역}} 단백질$$

(1) 전사: DNA의 유전 정보가 RNA로 전달되는 과정이며, 진핵세포에서는 핵 속에서 일어난다.—● 전사는 DNA로부터 RNA가 합성되는 과정이다.

(2) 번역: RNA의 유전 정보에 따라 단백질이 합성되는 과정이며, 세포질의 리보솜에서 일어난다.
┗● 단백질 합성에 관한 유전 정보를 저장하는 mRNA이다.

진핵세포에서의 유전 정보 흐름

· 유전 정보가 저장되어 있는 DNA는 핵 속에 있고, 단백질을 합성하는 리보솜은 세포질에 있다. ➡ 전사는 핵 속에서, 번역은 세포질에서 일어난다.
· DNA는 분자가 커서 핵공을 통해 빠져나갈 수 없으므로 DNA로부터 단백질이 직접 합성될 수 없다. ➡ DNA에 저장되어 있는 유전 정보는 핵 속에서 RNA(mRNA)로 전달되고, RNA가 핵공을 통해 세포질로 나와 단백질 합성(번역)에 관여한다.

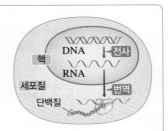

확대경 **원핵세포에서의 유전 정보 흐름**

1. 원핵세포는 진핵세포와 달리 핵막으로 구분된 뚜렷한 핵이 없어 유전 물질인 DNA가 세포질에 퍼져 있다. ➡ 전사와 번역이 모두 세포질에서 일어난다.

2. 원핵세포에서는 DNA로부터 전사되고 있는 RNA에 리보솜이 결합하여 단백질을 합성한다. ➡ 전사와 번역이 동시에 일어난다.

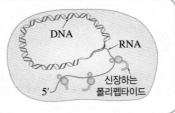

---

2. 유전부호

(1) *DNA의 유전 정보*: DNA를 구성하는 4종류의 염기 아데닌(A), 구아닌(G), 사이토신(C), 타이민(T)의 배열 순서에 따라 유전 정보가 달라진다. ➡ DNA의 염기 서열에 의해 단백질을 구성하는 아미노산 서열이 결정된다.

(2) 3염기 조합(트리플렛 코드): 연속된 3개의 염기로 이루어진 DNA의 유전부호이다.

3염기 조합

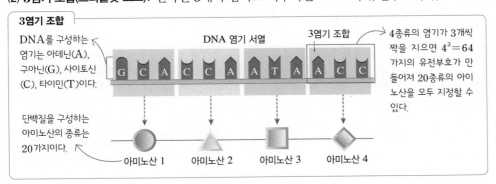

★ 중심 원리의 예외
· 유전 물질로 RNA를 갖는 일부 바이러스는 RNA로부터 DNA를 합성하는데, 이를 역전사라고 한다.
· 프라이온의 경우 유전 정보 없이 형질이 단백질에서 단백질로 전달되기도 한다.
일부 예외가 발견되었음에도 중심 원리는 여전히 생명의 핵심적인 원리로 인정받고 있다.

궁금해
RNA를 유전 정보의 전달자로 사용하면 어떤 장점이 있을까?
유전 정보의 원본이라고 할 수 있는 DNA가 손상되는 것을 막고, 필요한 유전 정보만 RNA로 전달하여 RNA 합성량을 조절함으로써 유전자 발현을 조절할 수 있다.

★ DNA의 염기 서열과 유전 정보
DNA를 구성하는 모든 뉴클레오타이드에서 당과 인산은 동일하다. 따라서 DNA에서 유전 정보를 저장할 수 있는 것은 4종류의 염기 배열 순서(염기 서열)이다.

01 유전자 발현

(3) **코돈**: mRNA의 연속된 3개의 염기로 이루어진 유전부호이다.

① 코돈은 RNA의 염기 아데닌(A), 구아닌(G), 사이토신(C), 유라실(U) 중 3개가 조합된 것으로 64(=4³)종류가 있다.

② 코돈의 구분: 64종류 중 61종류는 *아미노산을 지정하고, 나머지 3종류는 아미노산을 지정하지 않고 종결 코돈으로 사용된다.

- 개시 코돈: 단백질 합성을 시작하게 하는 코돈 ➡ AUG는 메싸이오닌을 지정하는 동시에 개시 코돈으로 작용한다.
- 종결 코돈: 단백질 합성을 끝나게 하는 코돈 ➡ UAA, UAG, UGA의 3종류가 있으며, 지정하는 아미노산이 없다.

첫 번째 염기	U		C		A		G		세 번째 염기
U	UUU UUC	페닐알라닌	UCU UCC	세린	UAU UAC	타이로신	UGU UGC	시스테인	U C
	UUA UUG	류신	UCA UCG		UAA	종결 코돈	UGA	종결 코돈	A
					UAG	종결 코돈	UGG	트립토판	G
C	CUU CUC CUA CUG	류신	CCU CCC CCA CCG	프롤린	CAU CAC	히스티딘	CGU CGC CGA CGG	아르지닌	U C A G
					CAA CAG	글루타민			
A	AUU AUC AUA	아이소류신	ACU ACC ACA ACG	트레오닌	AAU AAC	아스파라진	AGU AGC	세린	U C A G
	AUG	메싸이오닌 (개시 코돈)			AAA AAG	라이신	AGA AGG	아르지닌	
G	GUU GUC GUA GUG	발린	GCU GCC GCA GCG	알라닌	GAU GAC	아스파트산	GGU GGC GGA GGG	글리신	U C A G
					GAA GAG	글루탐산			

두 번째 염기: U, C, A, G

⬆ **코돈표**
> 한 종류의 아미노산을 지정하는 코돈이 2개 이상일 경우에는 3개의 염기 중 앞의 두 염기가 서로 같은 경우가 많은데, 이는 아미노산을 지정할 때 첫 번째 염기와 두 번째 염기가 매우 중요하다는 것을 의미한다.

③ **안티코돈**: mRNA의 특정 코돈과 상보적으로 결합할 수 있는 tRNA의 염기 3개의 조합이다. ➡ tRNA는 안티코돈에 대응하는 특정 아미노산을 결합하여 리보솜으로 운반한다.

확대경 — 유전부호의 해독

니런버그와 동료들은 인공적으로 합성한 mRNA를 단백질 합성에 필요한 물질이 포함된 세포 추출액에 넣어 어떤 폴리펩타이드가 만들어지는지 알아보았다.

1. **유라실(U)로만 이루어진 mRNA를 넣을 경우**: 페닐알라닌으로만 구성된 폴리펩타이드가 만들어졌다. ➡ 코돈 UUU는 페닐알라닌을 지정한다.
2. 같은 방법으로 실험한 결과 AAA는 라이신, CCC는 프롤린을 지정하는 것을 알아냈다.
3. **아데닌(A)과 사이토신(C)으로 구성된 mRNA를 넣은 경우**: 아스파라진, 글루타민, 히스티딘, 트레오닌, 프롤린, 라이신으로 구성된 폴리펩타이드가 만들어졌다. ➡ 염기 두 가지의 결합으로 여섯 가지 아미노산이 지정되었으므로 하나의 유전부호가 작용하려면 최소한 mRNA의 염기 3개가 필요하다는 것을 알아냈다.

mRNA
UUUUUUUUU 코돈 ➡ Phe Phe Phe
AAAAAAAAA ➡ Lys Lys Lys
CCCCCCCCC ➡ Pro Pro Pro

암기해
유전부호
DNA의 유전부호는 3염기 조합, mRNA의 유전부호는 코돈이다.

★ 유전부호와 아미노산
DNA로부터 mRNA가 전사되고, mRNA의 코돈이 지정하는 아미노산이 순서대로 결합하여 폴리펩타이드가 합성된다.

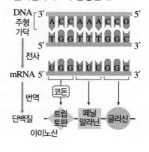

★ 번역틀
mRNA의 유전 정보가 번역될 때는 개시 코돈에서부터 연속된 3개의 염기를 중복하지 않고 차례대로 3개씩 번역한다. 만일 돌연변이가 일어나 하나의 염기가 삽입되거나 결실되면 번역틀이 바뀌어 정상적인 단백질이 합성되지 않을 수 있다.

★ 유전부호의 공통성
세균에서 사람에 이르기까지 지구상의 모든 생명체는 동일한 유전부호를 사용한다. 생명체가 동일한 유전부호를 사용한다는 것은 모든 생명체가 현재와 같은 유전부호를 이용하는 공통 조상으로부터 진화해 왔다는 증거가 되기도 한다.

Ⓒ 전사

1. 전사 DNA 이중 나선의 한쪽 가닥을 주형으로 하여 RNA가 합성되는 과정이다.

2. 전사 과정

❶ 개시	❷ 신장	❸ 종결
*RNA 중합 효소가 *프로모터에 결합하여 DNA 이중 나선의 일부를 풀고 RNA 합성을 시작한다.	RNA 중합 효소가 주형 가닥에 상보적인 염기를 가진 리보뉴클레오타이드를 5′→3′ 방향으로 결합시켜 RNA를 합성한다.	전사가 끝나면 새로 합성된 RNA와 RNA 중합 효소가 DNA에서 분리된다. RNA 합성이 끝난 부분의 DNA는 다시 이중 나선을 형성한다.

전사 과정

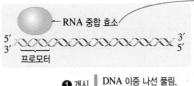

❶ 개시 | DNA 이중 나선 풀림, RNA 합성 시작

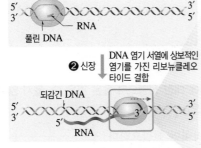

❷ 신장 | DNA 염기 서열에 상보적인 염기를 가진 리보뉴클레오타이드 결합

❸ 종결 | 합성된 RNA와 RNA 중합 효소가 DNA에서 분리

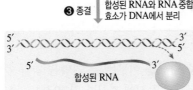

합성된 RNA

→ RNA 중합 효소는 처음부터 주형 가닥에 상보적인 염기를 가진 리보뉴클레오타이드를 결합시킬 수 있으므로 프라이머가 필요하지 않다.

DNA 주형 가닥의 염기 서열이 3′−GTAGGT−5′일 경우 합성되는 RNA 가닥은 주형 가닥과 방향이 반대이고 염기 서열은 5′−CAUCCA−3′이다.

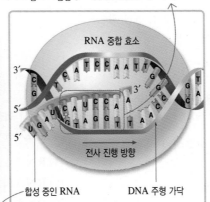

합성 중인 RNA DNA 주형 가닥

→ RNA 중합 효소는 리보뉴클레오타이드를 5′→3′ 방향으로 연결시키므로 새로 합성되는 RNA의 시작 부위는 5′ 말단이다.

3. RNA의 종류 DNA를 주형으로 하여 만들어지며 단백질 합성에 관여하는 RNA에는 mRNA, tRNA, rRNA가 있다.

종류	mRNA(전령 RNA)	tRNA(운반 RNA)	rRNA(리보솜 RNA)
기능	단백질 합성 정보를 리보솜에 전달한다.	아미노산을 리보솜으로 운반한다.	단백질과 결합하여 리보솜을 구성한다.
전사	 mRNA	 tRNA	 rRNA

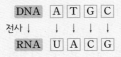

개념 확인 문제

정답친해 89쪽

핵심 체크

- (❶　　　　　): DNA의 유전 정보가 RNA를 거쳐 단백질로 전달된다고 설명하는 원리이다.
- (❷　　　　　): DNA의 유전 정보가 RNA로 전달되는 과정이며, 진핵세포에서는 핵 속에서 일어난다.
- (❸　　　　　): RNA의 유전 정보에 따라 단백질이 합성되는 과정이며, 세포질의 리보솜에서 일어난다.
- 연속된 3개의 염기로 이루어진 DNA의 유전부호는 (❹　　　　　)이고, mRNA의 유전부호는 (❺　　　　　)이다.
- 전사 과정: 개시 → 신장 → 종결
  - 개시: (❻　　　　　)가 프로모터에 결합하여 DNA 이중 나선이 부분적으로 풀린다.
  - 신장: RNA 중합 효소가 DNA의 주형 가닥에 상보적인 염기를 가진 리보뉴클레오타이드를 (❼　　　　) 방향으로 결합시켜 RNA를 합성한다.
  - 종결: 전사가 끝나면 합성된 RNA와 RNA 중합 효소가 DNA에서 분리된다.

1 그림은 세포 내에서 일어나는 유전 정보의 흐름을 나타낸 것이다.

DNA → (가) → RNA → (나) → 단백질

(1) (가) 과정은 ㉠(　　　), (나) 과정은 ㉡(　　　)이다.

(2) 진핵세포에서 (가) 과정은 ㉠(　　　) 속에서, (나) 과정은 세포질의 ㉡(　　　)에서 일어난다.

2 유전부호에 대한 설명으로 옳은 것은 ○, 옳지 <u>않은</u> 것은 ×로 표시하시오.

(1) DNA에서 연속된 3개의 염기로 이루어진 유전부호를 코돈이라고 한다. ·································· (　　　)

(2) 개시 코돈은 지정하는 아미노산이 없다. ········· (　　　)

(3) 여러 개의 코돈이 하나의 아미노산을 지정하기도 한다. ···································· (　　　)

(4) 세균과 사람에서 동일한 코돈은 동일한 아미노산으로 번역된다. ··································· (　　　)

3 그림은 전사 과정을 나타낸 것이다.

효소 A

RNA　　전사 방향

(1) 효소 A의 이름을 쓰시오.

(2) 합성되는 RNA에서 ㉠의 방향을 쓰시오.

4 다음은 어떤 DNA 주형 가닥의 염기 서열 일부이다.

3′-ATCCGATCG-5′

이로부터 전사되는 mRNA의 염기 서열과 방향을 쓰시오.

5 전사 과정에 대한 설명으로 옳은 것은 ○, 옳지 <u>않은</u> 것은 ×로 표시하시오.

(1) RNA 프라이머가 필요하다. ··················· (　　　)

(2) RNA의 합성은 5′→3′ 방향으로 일어난다. (　　　)

(3) RNA 중합 효소가 프로모터에 결합하면서 전사가 시작된다. ····································· (　　　)

(4) DNA 이중 나선을 이루는 두 가닥을 각각 주형으로 하여 양방향으로 동시에 전사가 진행된다. ···· (　　　)

6 다음 설명에 해당하는 RNA의 종류를 쓰시오.

(1) 아미노산을 리보솜으로 운반한다.

(2) 단백질과 결합하여 리보솜을 구성한다.

(3) 단백질 합성 정보를 리보솜에 전달한다.

 **번역** 완자쌤 비법특강 218쪽

지금까지 유전 정보의 흐름과 전사 과정에 대하여 배웠으니 이제부터 DNA 유전 정보로부터 단백질이 합성되는 과정을 알아보아요.

1. 번역 DNA에서 mRNA로 전달된 유전 정보에 따라 단백질이 합성되는 과정이며, tRNA가 운반해 온 아미노산이 펩타이드 결합에 의해 연결되어 단백질이 합성된다.

2. *단백질 합성 기구

(1) tRNA: 단일 가닥으로 이루어진 작은 RNA 분자이다.

① 기능: mRNA의 각 코돈이 지정하는 아미노산을 리보솜으로 운반한다.

② 구조: mRNA의 코돈과 상보적으로 결합하는 3개의 염기 조합인 안티코돈이 있고, 3′ 말단에는 *아미노산이 결합하는 자리가 있다.

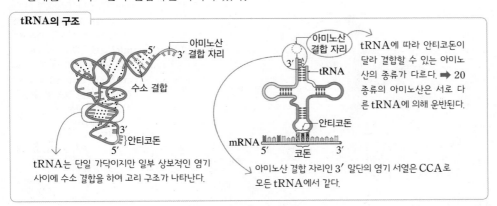

tRNA의 구조

tRNA는 단일 가닥이지만 일부 상보적인 염기 사이에 수소 결합을 하여 고리 구조가 나타난다.

tRNA에 따라 안티코돈이 달라 결합할 수 있는 아미노산의 종류가 다르다. ➡ 20종류의 아미노산은 서로 다른 tRNA에 의해 운반된다.

아미노산 결합 자리인 3′ 말단의 염기 서열은 CCA로 모든 tRNA에서 같다.

(2) 리보솜: 단백질의 합성 장소이다. ➡ 대단위체와 소단위체로 구성되며, 각 단위체는 rRNA와 단백질로 이루어진다. → rRNA는 핵 속에서 전사되어 인에서 단백질과 결합한 후 세포질로 이동한다.

대단위체	A 자리	폴리펩타이드 사슬에 새롭게 추가되는 아미노산이 붙어 있는 tRNA의 결합 자리
	P 자리	펩타이드 결합으로 연결되어 신장되는 폴리펩타이드가 붙어 있는 tRNA의 결합 자리
	E 자리	아미노산이나 폴리펩타이드가 떨어진 tRNA가 리보솜 밖으로 분리되기 전에 잠시 머무는 자리
소단위체		mRNA가 결합하는 자리가 있다.

리보솜의 형성과 단백질 합성

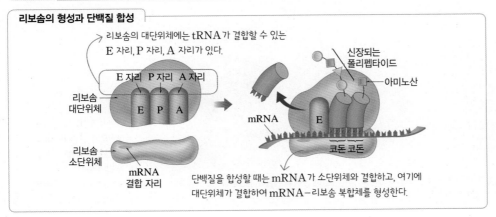

리보솜의 대단위체에는 tRNA가 결합할 수 있는 E 자리, P 자리, A 자리가 있다.

단백질을 합성할 때는 mRNA가 소단위체와 결합하고, 여기에 대단위체가 결합하여 mRNA−리보솜 복합체를 형성한다.

★ 단백질 합성 기구
단백질을 합성하기 위해서는 유전 정보를 전달하는 mRNA뿐만 아니라 아미노산, 아미노산을 운반하는 tRNA, 단백질 합성 장소인 리보솜, 단백질 합성에 필요한 에너지를 제공하는 ATP 등이 필요하다.

★ 아미노산과 tRNA의 결합
아미노산과 tRNA는 세포질에 있는 효소의 작용으로 결합하며, 이 과정에서 ATP가 소모된다.

리보솜의 대단위체에서 A 자리의 A는 아미노산과 관련된 약자이며, P 자리의 P는 펩타이드, E 자리의 E는 출구의 약자입니다. 어떤 단어를 의미하는지 알면 특징을 쉽게 알 수 있답니다.

3. 번역 – 단백질 합성 과정   단백질 합성은 개시, 신장, 종결 단계를 거친다.

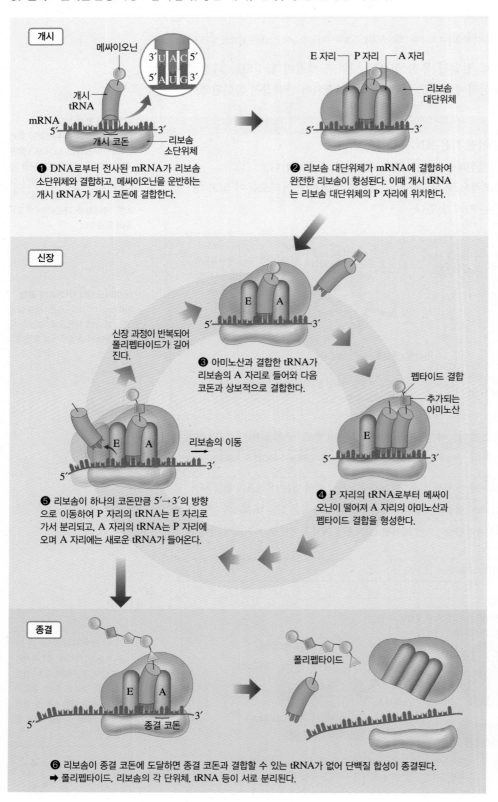

개시

메싸이오닌
3′ U A C 5′
5′ A U G 3′
개시 tRNA
mRNA
5′ ─── 3′
개시 코돈 ─── 리보솜 소단위체

❶ DNA로부터 전사된 mRNA가 리보솜 소단위체와 결합하고, 메싸이오닌을 운반하는 개시 tRNA가 개시 코돈에 결합한다.

E 자리 ── P 자리 ── A 자리
리보솜 대단위체
5′ ─── 3′

❷ 리보솜 대단위체가 mRNA에 결합하여 완전한 리보솜이 형성된다. 이때 개시 tRNA는 리보솜 대단위체의 P 자리에 위치한다.

신장

E A
5′ ─── 3′

신장 과정이 반복되어 폴리펩타이드가 길어진다.

❸ 아미노산과 결합한 tRNA가 리보솜의 A 자리로 들어와 다음 코돈과 상보적으로 결합한다.

펩타이드 결합
추가되는 아미노산
E
5′ ─── 3′

❹ P 자리의 tRNA로부터 메싸이오닌이 떨어져 A 자리의 아미노산과 펩타이드 결합을 형성한다.

E A
리보솜의 이동
5′ ─── 3′

❺ 리보솜이 하나의 코돈만큼 5′→3′의 방향으로 이동하여 P 자리의 tRNA는 E 자리로 가서 분리되고, A 자리의 tRNA는 P 자리에 오며 A 자리에는 새로운 tRNA가 들어온다.

종결

E A
5′ ─── 3′
종결 코돈

폴리펩타이드

❻ 리보솜이 종결 코돈에 도달하면 종결 코돈과 결합할 수 있는 tRNA가 없어 단백질 합성이 종결된다.
➡ 폴리펩타이드, 리보솜의 각 단위체, tRNA 등이 서로 분리된다.

★ **폴리솜**
하나의 mRNA에 여러 개의 리보솜이 결합되어 있는 것을 폴리솜이라고 한다. 단백질이 합성될 때 리보솜이 이동하여 개시 코돈이 드러나면 새로운 리보솜이 mRNA에 결합하여 새롭게 번역이 시작된다. 그 결과 하나의 mRNA에 여러 개의 리보솜이 결합하여 많은 양의 폴리펩타이드가 빠르게 합성된다.

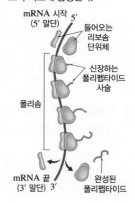

mRNA 시작
(5′ 말단) 5′
들어오는 리보솜 단위체
신장하는 폴리펩타이드 사슬
폴리솜
mRNA 끝
(3′ 말단) 3′
완성된 폴리펩타이드

번역이 종결되어 폴리펩타이드가 완성되면 효소가 작용하여 메싸이오닌을 떨어뜨리고 합성된 사슬은 다양한 입체 구조를 나타낸답니다.

개념 확인 문제

정답친해 90쪽

핵심 체크

- 번역: mRNA의 유전 정보에 따라 (❶)이 합성되는 과정이다.
- tRNA: 아미노산을 리보솜으로 운반하는 RNA이다. ➡ mRNA의 특정 코돈과 상보적으로 결합할 수 있는 3개의 염기 조합인 (❷)이 있고, 3′ 말단에는 (❸)이 결합하는 자리가 있다.
- 리보솜: 단백질의 합성 장소로, 대단위체와 소단위체로 구성된다.
  ┌ 대단위체: 아미노산을 운반해 온 tRNA가 결합하는 (❹) 자리, 신장되는 폴리펩타이드가 붙은 tRNA가 결합하는 (❺) 자리, tRNA가 리보솜을 빠져나가기 전에 잠시 머무는 (❻) 자리가 있다.
  └ 소단위체: 유전 정보를 전달하는 (❼)가 결합하는 자리가 있다.
- 번역-단백질 합성 과정

개시	mRNA가 리보솜 소단위체에 결합 → 개시 tRNA가 (❽)과 상보적으로 결합 → 리보솜 대단위체가 mRNA에 결합, 개시 tRNA는 (❾) 자리에 위치
신장	아미노산과 결합한 tRNA가 A 자리로 들어와 다음 코돈과 결합 → P 자리에 있던 메싸이오닌이 A 자리의 아미노산과 (❿) 결합 형성 → 리보솜이 하나의 코돈만큼 이동 → A 자리에 새로운 tRNA가 들어와 아미노산이 결합되는 과정이 반복되어 폴리펩타이드 사슬이 길어짐
종결	리보솜이 (⓫)에 도달하여 단백질 합성이 종결

1 그림은 tRNA의 구조를 나타낸 것이다.
A~D 중 설명에 해당하는 것의 기호를 쓰시오.

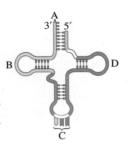

(1) 아미노산이 결합하는 자리이다.
(2) mRNA의 코돈과 상보적으로 결합하는 부위이다.

2 tRNA와 리보솜에 대한 설명으로 옳은 것은 ○, 옳지 않은 것은 ×로 표시하시오.

(1) tRNA는 mRNA의 코돈이 지정하는 아미노산을 운반한다. ·············· ( )
(2) 20종류의 아미노산은 서로 다른 tRNA에 의해 운반된다. ·············· ( )
(3) 리보솜을 구성하는 대단위체와 소단위체는 항상 결합한 상태로 존재한다. ·············· ( )
(4) 리보솜에서 tRNA와 아미노산이 결합한다. ( )
(5) 리보솜 대단위체에는 mRNA의 결합 자리와 tRNA의 결합 자리가 있다. ·············· ( )

3 그림은 단백질 합성 과정의 일부를 나타낸 것이다.

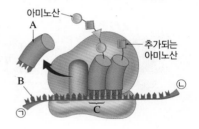

(1) A~C의 이름을 쓰시오.
(2) 번역이 일어나는 방향을 ㉠, ㉡ 및 화살표를 사용하여 나타내시오.

4 다음은 단백질 합성 과정을 순서 없이 나타낸 것이다.

(가) mRNA가 리보솜 소단위체에 결합
(나) 아미노산 사이에 펩타이드 결합 형성
(다) 리보솜이 소단위체와 대단위체로 분리
(라) 리보솜의 A 자리에 mRNA의 종결 코돈이 위치
(마) 아미노산과 결합된 개시 tRNA가 P 자리에 위치
(바) 리보솜의 A 자리에 아미노산과 결합된 두 번째 tRNA가 위치

(가)~(바)를 순서대로 나열하시오.

유전자 발현의 전 과정

○ 정답친해 90쪽

DNA의 유전 정보는 RNA를 거쳐 단백질로 전달됩니다. 세포 내 유전 정보의 흐름은 생명 현상을 이해하는 데 핵심적인 내용이므로 수능에서도 종합적으로 다루어집니다. DNA의 유전자가 전사와 번역 과정을 거쳐 단백질이 합성되는 유전자 발현의 전 과정을 종합적으로 정리해 볼까요?

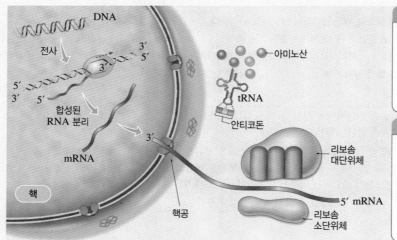

1. DNA의 유전 정보
• DNA의 유전자 부위에는 아미노산의 종류와 배열 순서를 결정하는 유전 정보가 저장되어 있다.
• 연속된 3개의 염기가 1개의 아미노산을 지정하는 유전 암호가 된다. ➡ 3염기 조합

2. 전사
• DNA에 RNA 중합 효소가 결합하여 DNA 이중 나선의 일부가 풀어지고, RNA가 합성된다.
• mRNA는 염기 서열이 DNA의 주형 가닥에 상보적이며, 타이민(T)이 없고 유라실(U)을 가진다.

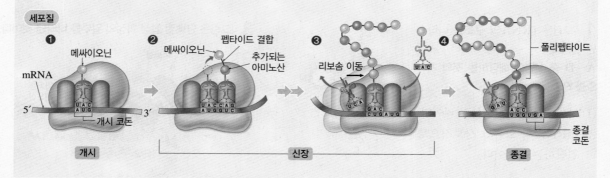

3. 번역

개시
❶ 핵공을 통하여 세포질로 나온 mRNA가 리보솜 소단위체와 결합하면 mRNA의 개시 코돈에 개시 tRNA가 결합하고, 리보솜 대단위체가 결합한다. 이때 개시 tRNA는 P 자리에 위치한다.

신장
❷ 코돈이 지정하는 아미노산과 결합한 tRNA가 리보솜의 A 자리로 들어와 코돈과 결합하고, P 자리에 있던 아미노산이 떨어져 A 자리의 아미노산과 펩타이드 결합으로 연결된다.
❸ 리보솜이 하나의 코돈만큼 5′ → 3′ 방향으로 이동하여 P 자리에 있던 tRNA가 E 자리로 가서 분리되고, A 자리의 tRNA가 P 자리로 이동한다.

종결
❹ 리보솜이 종결 코돈에 도달하면 종결 코돈에 상보적인 안티코돈을 가진 tRNA가 없어 단백질 합성이 종결되고 폴리펩타이드가 방출된다. 이후 mRNA, tRNA, 리보솜 대단위체와 소단위체가 분리된다.

Q1 DNA의 주형 가닥의 염기 서열이 3′–ATGAGC–5′일 때 이로부터 전사된 mRNA의 염기 서열과 방향을 쓰시오.

Q2 단백질 합성 과정에서 새롭게 첨가되는 아미노산과 결합한 tRNA가 리보솜의 어느 자리로 들어오는지 쓰시오.

Q3 단백질 합성 과정에서 개시 tRNA가 결합하는 리보솜의 tRNA 결합 자리를 쓰시오.

대표 자료 분석

자료 ① 붉은빵곰팡이 영양 요구주 실험

기출 Point
• 물질 전환 순서 추론하기
• 돌연변이가 일어난 유전자 알기
• 첨가한 물질에 따른 돌연변이주의 생장 여부 판단하기

[1~3] 그림은 붉은빵곰팡이에서 아르지닌의 합성 과정을, 표는 최소 배지와 최소 배지에 첨가한 물질 ㉠~㉢에 따른 붉은빵곰팡이의 야생형과 영양 요구주 Ⅰ~Ⅲ형의 생장 여부를 나타낸 것이다. ㉠~㉢은 각각 오르니틴, 시트룰린, 아르지닌 중 하나이다.

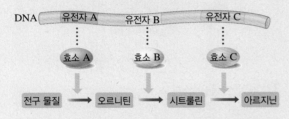

구분	야생형	Ⅰ형	Ⅱ형	Ⅲ형
최소 배지	○	×	×	×
최소 배지+㉠	○	○	×	○
최소 배지+㉡	○	○	○	○
최소 배지+㉢	○	×	×	○

(○: 생장함, ×: 생장 못함)

1 이 자료와 관련지어 하나의 유전자가 하나의 효소를 합성되게 한다는 학설을 무엇이라고 하는지 쓰시오.

2 물질 ㉠~㉢의 이름을 각각 쓰시오.

3 빈출 선택지로 완벽 정리!
(1) 야생형은 효소 A를 합성할 수 있다. ……… (○ / ×)
(2) 물질은 ㉢ → ㉠ → ㉡의 순서로 합성된다. (○ / ×)
(3) Ⅰ형은 효소 C를 합성하지 못한다. …… (○ / ×)
(4) Ⅱ형은 유전자 B에 돌연변이가 생겼다. …… (○ / ×)
(5) Ⅲ형은 오르니틴을 시트룰린으로 전환할 수 있다.
……………………………………………… (○ / ×)

자료 ② 중심 원리와 유전 정보의 전사

기출 Point
• 유전 정보의 흐름 이해하기
• 전사가 일어나는 장소 알기
• 전사 과정 이해하기

[1~3] 그림 (가)는 세포 내에서 일어나는 유전 정보의 흐름이고, (나)는 유전 정보가 전달되는 과정의 일부를 나타낸 것이다. ㉠~㉢은 각각 DNA, RNA, RNA 중합 효소 중 하나이다.

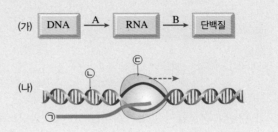

1 (나)는 (가)의 과정 A와 B 중 어느 것을 나타낸 것인지 기호를 쓰시오.

2 ㉢의 이름을 쓰시오.

3 빈출 선택지로 완벽 정리!

(1) 진핵세포에서 과정 A는 핵 속에서 일어난다.
……………………………………………… (○ / ×)
(2) 과정 B에는 tRNA와 아미노산이 관여한다. (○ / ×)
(3) ㉠은 3′→5′ 방향으로 합성된다. ………… (○ / ×)
(4) ㉠에는 염기 유라실(U)이 포함될 수 있다. (○ / ×)
(5) ㉠에는 안티코돈, ㉡에는 코돈이 있다. …… (○ / ×)
(6) ㉡은 당으로 디옥시리보스를 가진다. …… (○ / ×)
(7) ㉢은 프라이머에 결합하여 뉴클레오타이드를 1개씩 결합시킨다. ………………………………… (○ / ×)

자료 ③ 유전 정보의 전사와 번역

기출 Point
- DNA 주형 가닥과 전사된 RNA의 염기 서열 예측하기
- 코돈표를 이용하여 아미노산의 종류 알기

[1~3] 그림은 전사와 번역이 일어나는 과정을, 표는 코돈표의 일부를 나타낸 것이다.

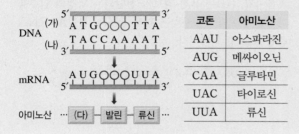

코돈	아미노산
AAU	아스파라진
AUG	메싸이오닌
CAA	글루타민
UAC	타이로신
UUA	류신

1 (가)의 ◯에 들어갈 염기 3개를 5′→3′ 방향으로 순서대로 쓰시오.

2 (다)에 해당하는 아미노산의 이름을 쓰시오.

3 빈출 선택지로 [완벽 정리!]

(1) 합성된 mRNA의 주형 가닥은 (나)이다. (◯ / ×)

(2) DNA에는 연속된 3개의 염기가 1개의 아미노산을 지정하는 형태로 유전 정보가 저장되어 있다. (◯ / ×)

(3) 제시된 유전 정보로부터 합성되는 아미노산을 순서대로 나열하면 류신 – 발린 – (다)이다. ─── (◯ / ×)

(4) 이 mRNA가 번역 과정에서 3개의 tRNA가 사용된다. ─── (◯ / ×)

(5) 이 mRNA의 번역 과정에서 아미노산 사이의 결합은 리보솜에서 일어난다. (◯ / ×)

(6) 주형 가닥 DNA의 염기 3′–AAT–5′는 아스파라진을 지정하는 코돈으로 전사된다. ─── (◯ / ×)

(7) 발린을 지정하는 코돈은 5′–GUU–3′이다. ─── (◯ / ×)

자료 ④ 번역 과정

기출 Point
- 번역 과정과 단백질 합성 기구 알기
- 리보솜의 이동 방향 알기
- 아미노산이 연결되는 순서 알기

[1~3] 그림은 진핵생물의 세포질에서 일어나는 단백질 합성 과정을 나타낸 것이다.

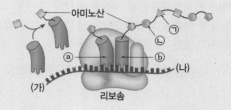

1 ⓐ의 이름을 쓰시오.

2 리보솜을 구성하는 주요 성분 두 가지를 쓰시오.

3 빈출 선택지로 [완벽 정리!]

(1) ⓐ가 ⓑ보다 먼저 리보솜에서 분리된다. ─── (◯ / ×)

(2) ⓑ는 핵 속에서 합성된다. ─────────── (◯ / ×)

(3) ⓑ는 리보솜의 P 자리에 있다. ─────── (◯ / ×)

(4) 개시 코돈은 (나) 방향에 있다. ─────── (◯ / ×)

(5) 리보솜은 (가) → (나) 방향으로 이동한다. (◯ / ×)

(6) ㉠은 ㉡보다 나중에 폴리펩타이드 사슬에 결합된 아미노산이다. ─────────────── (◯ / ×)

(7) ㉠과 ㉡은 펩타이드 결합에 의해 연결되어 있다.

─────────────────── (◯ / ×)

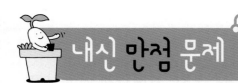

01 그림은 붉은빵곰팡이에서 아르지닌 합성에 관여하는 유전자와 효소의 관계를 나타낸 것이다.

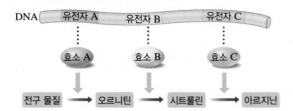

이에 대한 설명으로 옳은 것만을 [보기]에서 있는 대로 고른 것은?

[보기]
ㄱ. 유전자 A는 효소 A에 대한 유전 정보를 가지고 있다.
ㄴ. 효소 B가 합성되지 않으면 시트룰린을 합성할 수 없다.
ㄷ. 유전자 C에 이상이 있는 붉은빵곰팡이는 오르니틴과 시트룰린 중 한 가지만 있어도 생장할 수 있다.

① ㄱ   ② ㄴ   ③ ㄷ
④ ㄱ, ㄴ   ⑤ ㄱ, ㄴ, ㄷ

02 다음은 붉은빵곰팡이의 물질 합성 과정을 나타낸 것이다.

$$전구 물질 \xrightarrow{(가)} A \xrightarrow{(나)} B \xrightarrow{(다)} C$$

붉은빵곰팡이의 어떤 영양 요구주를 최소 배지와 최소 배지에 물질 A, B, C를 각각 첨가한 배지에서 배양하면서 생장 여부를 관찰하였더니 결과가 표와 같았다.

배지	최소 배지	최소 배지+A	최소 배지+B	최소 배지+C
생장	×	×	○	○

(○: 생장함, ×: 생장 못함)

이 영양 요구주의 물질대사 과정 (가)~(다) 중 이상이 생긴 단계를 있는 대로 고른 것은?

① (가)   ② (나)   ③ (다)
④ (가), (다)   ⑤ (나), (다)

03 표는 야생형 붉은빵곰팡이에 X선을 쪼여 최소 배지에서 생장하지 못하는 세 종류의 영양 요구주를 얻은 후, 최소 배지에 물질 A, B, C를 각각 첨가하여 배양한 결과를 나타낸 것이다. 물질 A, B, C는 붉은빵곰팡이의 물질대사 과정에서 생성되는 물질이다.

첨가 물질		A	B	C
영양 요구주	I형	−	+	−
	II형	+	+	+
	III형	+	+	−

(+: 생장함, −: 생장 못함)

이에 대한 설명으로 옳은 것만을 [보기]에서 있는 대로 고른 것은?

[보기]
ㄱ. 물질은 C → A → B 순으로 합성된다.
ㄴ. 영양 요구주 I형은 물질 A를 B로 합성하는 데 필요한 효소가 합성되지 않는다.
ㄷ. 영양 요구주 III형을 최소 배지에 물질 C를 첨가하여 배양하면 물질 A가 축적된다.

① ㄴ   ② ㄷ   ③ ㄱ, ㄴ
④ ㄱ, ㄷ   ⑤ ㄴ, ㄷ

서술형
04 그림은 헤모글로빈의 합성에 관여하는 유전자와 헤모글로빈의 구조를 나타낸 것이다. 헤모글로빈은 α 사슬 2개와 β 사슬 2개로 총 4개의 폴리펩타이드로 이루어져 있으며, α 사슬과 β 사슬은 각각 다른 유전자에 의해 합성된다.

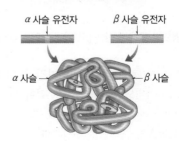

이를 설명하기에 가장 적합한 유전자와 단백질에 대한 가설의 이름을 쓰고, 이 가설에서 주장하는 유전자와 단백질의 관계를 서술하시오.

B 유전 정보의 흐름과 유전부호

05 그림은 사람의 세포에서 일어나는 유전 정보의 흐름을 나타낸 것이다.

$$DNA \xrightarrow{(가)} RNA \xrightarrow{(나)} 단백질$$

이에 대한 설명으로 옳지 <u>않은</u> 것은?

① (가)는 전사이다.
② (가)는 핵 속에서, (나)는 세포질에서 일어난다.
③ DNA 주형 가닥과 (가) 과정을 거친 RNA는 염기 서열이 같다.
④ (나) 과정에서 RNA의 염기 서열에 저장된 정보가 아미노산 서열로 전환된다.
⑤ 유전자 발현 과정에서 RNA는 DNA의 유전 정보를 전달하는 역할을 한다.

06 그림은 어떤 세포에서 유전 정보의 흐름을 나타낸 것이다.

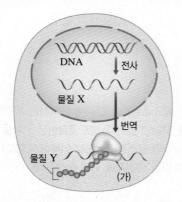

이에 대한 설명으로 옳은 것만을 [보기]에서 있는 대로 고른 것은?

[보기]
ㄱ. 물질 X는 염기로 유라실(U)을 가질 수 있다.
ㄴ. 물질 Y는 아미노산이 펩타이드 결합으로 연결되어 형성된다.
ㄷ. (가)는 RNA와 단백질로 구성된다.

① ㄱ   ② ㄷ   ③ ㄱ, ㄴ
④ ㄴ, ㄷ   ⑤ ㄱ, ㄴ, ㄷ

07 코돈에 대한 설명으로 옳은 것만을 [보기]에서 있는 대로 고른 것은?

ㄱ. tRNA의 유전부호이며, 3개의 염기로 이루어진다.
ㄴ. 총 64종류가 있고, 그 중 61종류만 아미노산을 지정한다.
ㄷ. 모든 코돈은 지정하는 아미노산이 서로 다르다.

① ㄱ   ② ㄴ   ③ ㄷ
④ ㄱ, ㄴ   ⑤ ㄴ, ㄷ

08 그림은 세포에서 유전 정보의 흐름을 나타낸 것이다.

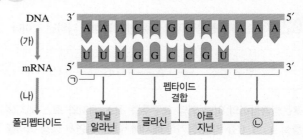

이에 대한 설명으로 옳지 <u>않은</u> 것은?

① ㉠은 3염기 조합이다.
② ㉡은 페닐알라닌이다.
③ (가)에서 RNA 중합 효소가 관여한다.
④ (나) 과정에서 폴리펩타이드의 아미노산 서열이 결정된다.
⑤ DNA 주형 가닥의 3′-GCA-5′에서 전사된 mRNA의 코돈은 아르지닌을 지정한다.

ⓒ 전사

09 다음은 전사에 대한 학생 A~C의 설명이다.

- 학생 A: 전사가 일어날 때는 DNA 이중 나선이 풀리면서 두 가닥이 각각 주형으로 작용해.
- 학생 B: 전사 과정에서는 프라이머가 필요하지 않아.
- 학생 C: 진핵세포의 경우에는 전사가 핵 속에서 일어나고, 원핵세포의 경우에는 전사가 세포질에서 일어나.

옳게 설명한 학생만을 있는 대로 고른 것은?

① A   ② B   ③ A, C
④ B, C   ⑤ A, B, C

10 그림은 유전 정보의 전사 과정을 나타낸 것이다.

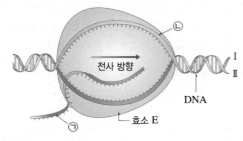

이에 대한 설명으로 옳은 것만을 [보기]에서 있는 대로 고른 것은?

[보기]
ㄱ. Ⅱ는 5′ 말단이다.
ㄴ. 효소 E는 주형 가닥에 상보적인 리보뉴클레오타이드를 5′→3′ 방향으로 결합시킨다.
ㄷ. 새로 만들어진 가닥 ㉠의 염기 서열은 가닥 ㉡의 염기 서열과 상보적이다.

① ㄱ   ② ㄴ   ③ ㄷ
④ ㄱ, ㄴ   ⑤ ㄴ, ㄷ

11 표는 100쌍의 염기가 상보적으로 결합하는 이중 나선 DNA의 가닥 Ⅰ과 Ⅱ, 이 DNA 가닥 Ⅰ과 Ⅱ 중 하나로부터 전사된 mRNA를 구성하는 염기의 조성 비율을 나타낸 것이다.

구분	염기 조성 비율(%)					
	A	G	C	T	U	계
DNA 가닥 Ⅰ	30	?	20	?	?	100
DNA 가닥 Ⅱ	25	㉠	?	㉡	㉢	100
mRNA	㉣	㉤	20	?	?	100

이에 대한 설명으로 옳은 것만을 [보기]에서 있는 대로 고른 것은?

[보기]
ㄱ. mRNA의 주형 가닥은 DNA 가닥 Ⅱ이다.
ㄴ. ㉠+㉡+㉢의 값이 ㉣+㉤의 값보다 크다.
ㄷ. DNA 가닥 Ⅰ에서 퓨린 계열 염기가 피리미딘 계열 염기보다 많다.

① ㄱ   ② ㄴ   ③ ㄱ, ㄷ
④ ㄴ, ㄷ   ⑤ ㄱ, ㄴ, ㄷ

12 표는 세 종류의 RNA ㉠~㉢의 기능을 나타낸 것이다. ㉠~㉢은 각각 mRNA, tRNA, rRNA 중 하나이다.

RNA	기능
㉠	리보솜을 구성한다.
㉡	폴리펩타이드 합성에 필요한 아미노산을 운반한다.
㉢	DNA의 유전 정보를 전달한다.

이에 대한 설명으로 옳은 것만을 [보기]에서 있는 대로 고른 것은?

[보기]
ㄱ. ㉠은 rRNA이다.
ㄴ. ㉡에는 코돈이 있다.
ㄷ. ㉢의 유전 정보에 따라 아미노산이 연결되어 단백질이 합성된다.

① ㄱ   ② ㄴ   ③ ㄱ, ㄷ
④ ㄴ, ㄷ   ⑤ ㄱ, ㄴ, ㄷ

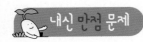

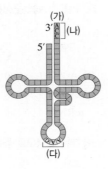

D 번역

13 그림은 tRNA의 구조를 나타낸 것이다.
이에 대한 설명으로 옳은 것만을 [보기]에서 있는 대로 고른 것은?

┌─**보기**─────────────────────
ㄱ. 아미노산은 (가) 자리에 결합한다.
ㄴ. (나) 자리의 염기 서열에 의해 tRNA에 결합하는 아미노산의 종류가 달라진다.
ㄷ. (다) 자리의 염기 서열은 모든 tRNA에서 공통적이다.
└────────────────────────────

① ㄱ   ② ㄴ   ③ ㄱ, ㄷ
④ ㄴ, ㄷ   ⑤ ㄱ, ㄴ, ㄷ

15 리보솜에서 단백질이 합성되는 과정에 대한 설명으로 옳은 것은?

① 리보솜은 mRNA를 따라 코돈 3개씩 이동한다.
② 개시 코돈과 종결 코돈은 모두 지정하는 아미노산이 없다.
③ 폴리펩타이드에 추가되는 아미노산과 결합한 tRNA는 리보솜의 A 자리로 들어온다.
④ 종결 코돈에 tRNA의 안티코돈이 결합하면 단백질 합성이 종결된다.
⑤ 합성된 폴리펩타이드를 구성하는 아미노산의 수는 mRNA의 염기의 수와 같다.

14 그림은 진핵세포의 세포질에서 일어나는 번역 과정을 나타낸 것이다. A와 B는 아미노산이다.

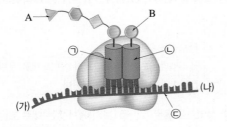

이에 대한 설명으로 옳지 **않은** 것은?

① A는 메싸이오닌이다.
② A는 B와 펩타이드 결합으로 연결된다.
③ ㉠은 리보솜의 P 자리에 있다.
④ ㉡과 ㉢은 뉴클레오타이드로 구성된다.
⑤ 리보솜이 mRNA의 (가)에서 (나) 방향으로 이동하면서 번역이 일어난다.

16 그림은 진핵세포의 핵에 있는 유전자가 발현되는 과정을 나타낸 것이다. A~C는 각각 mRNA, tRNA, rRNA 중 하나이고 ㉠과 ㉡은 각각 전사와 번역 중 하나이다.

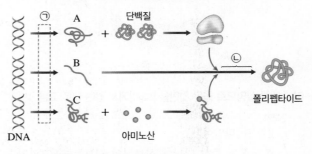

이에 대한 설명으로 옳지 **않은** 것은?

① ㉠은 전사, ㉡은 번역이다.
② A~C는 핵 속에서 합성되어 세포질로 이동한다.
③ B에 개시 코돈이 있다.
④ C는 20종류가 있다.
⑤ C는 코돈이 지정하는 아미노산을 리보솜으로 운반한다.

17 그림은 단백질이 합성되는 과정을 나타낸 것이다.

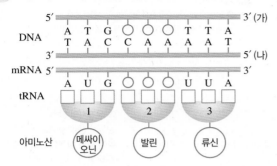

이에 대한 설명으로 옳은 것만을 [보기]에서 있는 대로 고른 것은?

[보기]
ㄱ. mRNA의 전사에 주형으로 사용된 것은 (가)이다.
ㄴ. 발린을 지정하는 코돈은 5′−GUU−3′이다.
ㄷ. 메싸이오닌을 운반하는 tRNA의 안티코돈 염기 서열은 3′−UAC−5′이다.

① ㄱ   ② ㄷ   ③ ㄱ, ㄴ
④ ㄴ, ㄷ   ⑤ ㄱ, ㄴ, ㄷ

18 다음은 적혈구의 헤모글로빈 β 사슬의 정상 mRNA와 돌연변이가 일어난 mRNA의 코돈과 그 코돈이 지정하는 아미노산을 나타낸 것이다.

정상	• mRNA: 5′−CCUGAAGAG−3′ • 아미노산: − 프롤린 − 글루탐산 − 글루탐산 −
돌연변이 Ⅰ	• mRNA: 5′−CCUGUAGAG−3′ • 아미노산: − 프롤린 − 발린 − 글루탐산 −
돌연변이 Ⅱ	• mRNA: 5′−CCUGAGGAG−3′ • 아미노산: − 프롤린 − ㉠ − 글루탐산 −

이에 대한 설명으로 옳은 것만을 [보기]에서 있는 대로 고른 것은? (단, 제시되지 않은 코돈과 아미노산은 모두 일치한다.)

[보기]
ㄱ. ㉠을 지정하는 코돈은 최소 2개이다.
ㄴ. 돌연변이 Ⅰ에서 만들어진 β 사슬의 아미노산 개수는 정상과 같다.
ㄷ. 돌연변이 Ⅱ에서는 돌연변이에 의한 이상 형질이 나타나지 않는다.

① ㄱ   ② ㄷ   ③ ㄱ, ㄴ
④ ㄴ, ㄷ   ⑤ ㄱ, ㄴ, ㄷ

19 다음은 유전자 w와 이 유전자에 돌연변이가 일어난 유전자 x의 발현에 대한 자료이다.

- 유전자 w는 폴리펩타이드 W를 암호화한다.
- 폴리펩타이드 X를 암호화하는 유전자 x는 w의 전사 주형 가닥에서 W의 세 번째 아미노산을 암호화하는 부위에 1개의 염기가 결실된 것이다.
- 폴리펩타이드 W와 X의 합성은 모두 개시 코돈에서 시작하여 종결 코돈에서 끝난다.
- 다음은 유전자 w의 DNA 이중 나선 중 한 가닥의 염기 서열과 코돈표의 일부를 나타낸 것이다.

> 3′−TGTACATACGATCAACGCTCGCGA
CTCATTGTACG−5′

코돈	아미노산	코돈	아미노산	코돈	아미노산
AGU AGC	세린	GUU GUA	발린	UAU UAC	타이로신
AUG	메싸이 오닌(개 시 코돈)	GCU GCA GCG	알라닌	UAA UAG UGA	종결 코돈
AGG CGC	아르지닌	GAA GAG	글루탐산	UGU UGC	시스테인

이에 대한 설명으로 옳은 것만을 [보기]에서 있는 대로 고른 것은? (단, 제시된 돌연변이 이외의 돌연변이는 고려하지 않는다.)

[보기]
ㄱ. W를 암호화하는 mRNA의 종결 코돈은 UGA이다.
ㄴ. X를 구성하는 아미노산 개수는 W보다 1개 적다.
ㄷ. W의 여섯 번째 아미노산과 X의 다섯 번째 아미노산은 같다.

① ㄱ   ② ㄴ   ③ ㄱ, ㄷ
④ ㄴ, ㄷ   ⑤ ㄱ, ㄴ, ㄷ

02 유전자 발현 조절

핵심 포인트
- 🅟 젖당 오페론의 구조와 작동 원리 ★★★
- 🅑 진핵생물의 유전자 발현 조절 과정 ★★★
- 🅒 세포 분화에서의 유전자 동일성과 유전자 발현 ★★
  세포 분화와 발생 과정에서 핵심 조절 유전자의 기능 ★★

A 원핵생물의 *유전자 발현 조절

세포에 있는 유전자 중에는 특정한 시기와 조건에만 발현되는 것이 있습니다. 이는 적절한 시기에 특정한 유전자가 발현되도록 조절함으로써 불필요한 물질을 합성하는 데 에너지가 소모되는 것을 줄이고, 생명 활동을 정상적으로 유지할 수 있기 때문입니다. 지금부터 원핵생물에서 유전자 발현이 조절되는 과정을 알아볼까요?.

┌─● 진핵생물에는 없고 원핵생물에만 있는 유전자 발현 조절 방식이다.

1. 오페론 하나의 프로모터와 작동 부위 아래에 기능적으로 연관된 유전자들이 모여 있어 하나의 단위로 전사가 조절되는 유전자 집단이다.

2. 오페론의 작용에 관련된 유전자

(1) 오페론 구성 유전자

프로모터	RNA 중합 효소가 결합하여 전사가 시작되는 부위이다.
작동 부위	억제 단백질이 결합하는 DNA 부위로, 전사를 조절하는 스위치 역할을 한다.
구조 유전자	단백질 합성에 대한 유전 정보를 암호화하고 있는 DNA 부위이며, mRNA로 전사된다. ➡ 하나의 물질대사 과정에 관련된 여러 효소를 암호화하는 다수의 유전자로 구성된다.

┌─● 조절 유전자는 항상 발현되어 억제 단백질을 합성함으로써 오페론의 유전자 발현 여부를 조절한다.

(2) 조절 유전자: 오페론에는 포함되지 않지만, 작동 부위에 결합하는 억제 단백질을 암호화하며, 항상 발현되어 억제 단백질을 합성한다. ➡ 억제 단백질이 작동 부위에 결합하면 RNA 중합 효소가 프로모터에 결합할 수 없어 구조 유전자의 전사가 억제된다.

오페론의 구조

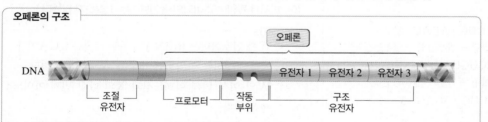

- 오페론은 '프로모터＋작동 부위＋구조 유전자'의 유전자 집단이다.
- 단백질 정보를 암호화하는 유전자 1, 2, 3은 구조 유전자로 하나의 프로모터와 작동 부위에 의해 동시에 발현되거나 발현이 억제된다.
- 조절 유전자는 오페론에 포함되지 않으며, 항상 발현되어 억제 단백질을 합성한다.

3. *젖당 오페론

(1) 젖당 오페론: 대장균이 젖당을 에너지원으로 이용하는 데 필요한 세 가지 효소의 생성에 관여하는 오페론이다. ➡ 대장균이 젖당을 체내로 흡수하여 이용하기 위해서는 세 가지 효소(젖당 분해 효소, 젖당 투과 효소, 아세틸기 전이 효소)가 필요하다. 세 가지 효소를 암호화하는 유전자들이 염색체의 한 부위에 모여 있어 하나의 전사 단위로 동시에 발현되거나 억제된다.

★ 유전자의 발현
생물의 몸을 구성하는 세포의 종류에 따라 발현되는 유전자의 종류와 발현 수준이 다르다.

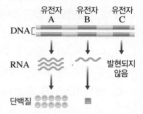

(암기해)

오페론의 구성
오페론＝프로모터＋작동 부위＋구조 유전자

★ 대장균의 젖당 이용과 유전자 발현 조절
대장균은 포도당과 젖당이 모두 있는 환경에서는 포도당을 우선적으로 분해하여 에너지를 얻는다. 하지만 젖당만 있는 환경에서는 젖당을 에너지원으로 이용하므로 젖당 분해에 필요한 효소들은 젖당의 유무에 따라 발현이 조절된다. 젖당을 세포 안으로 수송하는 데 이용되는 젖당 투과 효소와 젖당을 포도당과 갈락토스로 분해하는 젖당 분해 효소는 젖당이 없으면 거의 생성되지 않는다.

(2) 젖당 오페론의 작동 원리

암기해

젖당 오페론의 작동 원리

• 젖당이 없을 때: 억제 단백질이 작동 부위에 결합 → 구조 유전자 전사 안 됨 → 젖당 이용에 필요한 효소 합성 안 됨

• 포도당이 없고 젖당이 있을 때: 억제 단백질에 젖당 유도체 결합 → 억제 단백질 변형 → 구조 유전자 전사 → 젖당 이용에 필요한 효소 합성

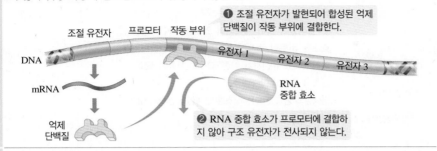

젖당이 없을 때

젖당 오페론이 억제된다. ➡ 억제 단백질이 작동 부위에 결합하여 구조 유전자의 전사가 일어나지 않아 젖당 이용에 필요한 효소가 합성되지 않는다.

❶ 조절 유전자가 발현되어 합성된 억제 단백질이 작동 부위에 결합한다.

조절 유전자 프로모터 작동 부위 유전자 1 유전자 2 유전자 3

DNA

mRNA

RNA 중합 효소

억제 단백질

❷ RNA 중합 효소가 프로모터에 결합하지 않아 구조 유전자가 전사되지 않는다.

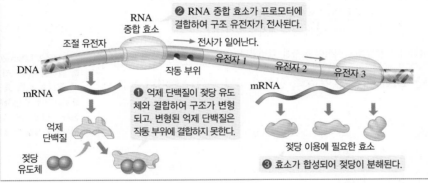

포도당 없음 젖당이 있을 때

젖당 오페론이 활성화된다. ➡ 억제 단백질이 *젖당 유도체와 결합하여 작동 부위에 결합하지 못하므로 RNA 중합 효소가 프로모터에 결합하고 구조 유전자가 전사되어 젖당 이용에 필요한 효소가 합성된다.

❷ RNA 중합 효소가 프로모터에 결합하여 구조 유전자가 전사된다.

RNA 중합 효소

조절 유전자

전사가 일어난다.

DNA 작동 부위 유전자 1 유전자 2 유전자 3

mRNA mRNA

❶ 억제 단백질이 젖당 유도체와 결합하여 구조가 변형되고, 변형된 억제 단백질은 작동 부위에 결합하지 못한다.

억제 단백질

젖당 유도체

젖당 이용에 필요한 효소

❸ 효소가 합성되어 젖당이 분해된다.

★ 젖당 유도체

억제 단백질에 결합하는 젖당 유도체는 젖당의 이성질체인 알로락토스이며, 알로락토스는 젖당이 세포 안으로 들어올 때 만들어진다. 따라서 젖당이 있을 때에만 젖당 유도체가 억제 단백질에 결합하여 젖당 오페론이 활성화된다.

⟳ 확대경 젖당 오페론의 활성화

그림은 *포도당과 젖당이 함께 들어 있는 배지에 대장균을 넣고 시간에 따른 대장균 수와 대장균 내 젖당 분해 효소량을 나타낸 것이다.

1. t_1 시기: 대장균은 포도당을 에너지원으로 이용한다.
   ➡ 젖당 오페론이 작동하지 않는다.

2. t_2 시기: 포도당이 고갈되었고 젖당 분해 효소량이 증가하였으므로 대장균이 젖당을 에너지원으로 이용한다. ➡ 젖당 오페론이 작동한다.

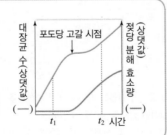

★ 포도당과 젖당이 함께 있을 때 젖당 오페론의 작동

젖당 오페론에서 전사가 활발하게 일어나려면 몇 가지 인자들이 프로모터에 함께 결합해야 한다. 그런데 이러한 인자들은 포도당이 있으면 프로모터에 결합하지 못하기 때문에 젖당과 포도당이 함께 있으면 전사가 매우 낮은 수준으로 일어난다.

ⓑ 진핵생물의 유전자 발현 조절

1. 진핵생물의 유전자 발현 조절

(1) 진핵생물은 원핵생물에 비하여 염색체와 유전자 수가 많으며, 유전자 발현 과정도 복잡하다. ➡ 유전자 발현 과정은 원핵생물보다 매우 복잡하고 정교하게 진행된다.

(2) 진핵생물에서는 전사 전 단계 → 전사 단계 → 전사 후 단계 → 번역 단계 → 번역 후 단계의 유전자 발현 전체 과정에서 조절이 일어난다.

└ • 전사 전에 유전자 발현을 조절하면 불필요한 RNA나 단백질을 합성하지 않아 물질과 에너지를 모두 절약할 수 있다.

2. 진핵생물의 유전자 발현 조절 과정

(1) 전사 전 조절: *염색질의 응축 정도를 변화시켜 유전자 발현을 조절한다.

★ 염색질
DNA가 히스톤 단백질 등과 결합하고 있는 형태이며, 기본 단위는 뉴클레오솜이다.

염색질 응축 정도에 의한 유전자 발현 조절

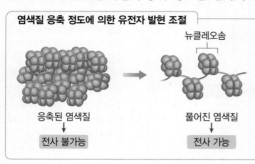

뉴클레오솜

응축된 염색질 → 전사 불가능

풀어진 염색질 → 전사 가능

- 진핵생물에서는 염색질이 응축된 상태로 존재한다.
  ➡ 염색질이 많이 응축되어 있으면 RNA 중합 효소를 비롯한 전사에 필요한 인자가 결합하기 어려우므로 유전자가 발현되려면 먼저 염색질의 응축이 풀려야 한다.
- 염색질의 응축 정도는 히스톤 단백질을 변형시키는 여러 효소의 작용으로 조절된다.

(2) 전사 조절: 전사 조절 부위에 전사 인자가 결합하여 유전자 발현을 조절한다.

① **전사 인자:** 조절 부위에 결합하거나 전사 개시 복합체 구성에 관여하는 단백질이며, 전사 촉진 인자와 전사 억제 인자가 있다.─ 다양한 전사 인자가 RNA 중합 효소와 함께 DNA의 프로모터에 결합하여 전사 개시 복합체를 형성한다.

전사 촉진 인자	*RNA 중합 효소의 결합이나 활성을 자극하여 전사 개시를 촉진한다.
전사 억제 인자	RNA 중합 효소의 결합이나 활성을 방해하여 전사를 억제한다.

★ RNA 중합 효소와 전사 촉진 인자
진핵생물의 DNA에는 유전자마다 각각의 프로모터가 존재하는데, RNA 중합 효소는 스스로 프로모터에 결합하지 못하므로 전사 촉진 인자의 도움을 받아야 전사를 시작할 수 있다.

② **조절 부위:** 전사 인자가 결합하는 DNA의 특정 부위로, 근거리 조절 부위와 원거리 조절 부위가 있다.

전사 개시 복합체에 의한 유전자 발현 조절

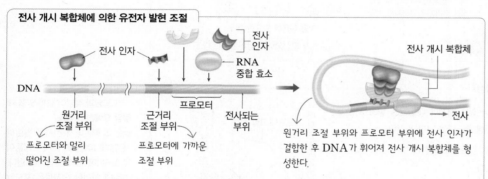

원거리 조절 부위 → 프로모터와 멀리 떨어진 조절 부위

근거리 조절 부위 → 프로모터에 가까운 조절 부위

원거리 조절 부위와 프로모터 부위에 전사 인자가 결합한 후 DNA가 휘어져 전사 개시 복합체를 형성한다.

- 진핵생물은 전사 인자와 RNA 중합 효소가 결합하여 전사 개시 복합체를 형성한다.
- 전사 개시 복합체가 프로모터에 결합하면 전사를 시작할 수 있다.
- 수많은 유전자가 세포의 종류와 시기 등에 따라 선택적으로 발현될 수 있다. ➡ 세포가 가진 전사 인자가 달라지면 여러 조절 부위에 결합하는 전사 인자의 조합이 달라져 유전자의 전사 여부와 전사량이 달라질 수 있다.

(3) 전사 후 조절: RNA를 가공하여 유전자 발현을 조절한다.─ RNA 가공 과정은 진핵생물에서만 나타나며, mRNA의 정확한 번역과 안정성을 위하여 필요하다.

ⓒ 확대경   RNA 가공   비상, 교학사 교과서에만 나와요.

1. **RNA 스플라이싱:** 처음 만들어진 RNA에서 *인트론을 제거하여 엑손끼리 연결된다.

2. 핵막을 통과할 수 있도록 RNA는 양쪽 끝부분이 적절하게 변형되며 가공이 끝나면 성숙한 mRNA가 된다.

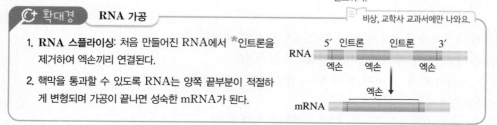

★ 엑손과 인트론
DNA와 처음 만들어진 RNA에서 단백질을 암호화하는 부위가 엑손이고, 단백질을 암호화하지 않는 부위가 인트론이다.

(4) **번역 조절**: mRNA의 분해 속도를 조절하여 합성되는 단백질의 양을 결정하고, 번역의 개시 단계를 조절하여 번역 속도를 조절한다.━● mRNA의 종류에 따라 실제 번역에 이용되는 정도가 다르다.

(5) **번역 후 조절**: 합성된 폴리펩타이드가 입체 구조를 형성하는 단백질 가공 과정을 조절하여 합성되는 단백질의 양을 조절하거나 활성화된 단백질을 분해하여 유전자 발현을 조절한다.

진핵생물의 유전자 발현 조절 과정

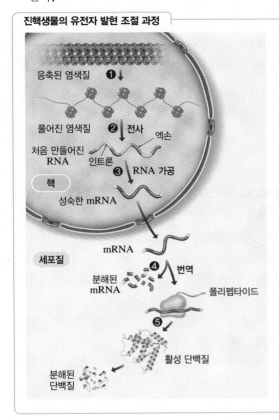

❶ 전사 전 조절 염색질 구조 조절
염색질의 응축된 정도를 조절하여 유전자 발현을 조절한다.

❷ 전사 조절 전사 인자와 조절 부위에 의한 조절
다양한 *전사 인자가 조절 부위에 결합하여 RNA 중합 효소에 의한 전사를 촉진하거나 억제한다.

❸ 전사 후 조절 RNA 가공
단백질을 암호화하지 않는 인트론이 제거되고, 핵막을 통과할 수 있도록 RNA의 양쪽 끝부분이 변형되어 성숙한 mRNA가 된다.

❹ 번역 조절 mRNA 분해 속도와 번역 속도 조절
mRNA의 분해 속도와 번역의 개시 단계를 조절하여 번역을 촉진하거나 억제한다.

❺ 번역 후 조절 단백질 가공과 분해 조절
폴리펩타이드가 입체 구조를 형성하는 과정을 조절하거나 활성화된 단백질을 분해하여 유전자 발현을 조절한다.

📖 천재 교과서에만 나와요

★ 전사 인자와 유전자 발현
진핵생물은 전사 인자를 다양하게 조합하여 많은 유전자 발현을 다양한 수준으로 조절할 수 있다.
• 전사 인자 A, B, C, D를 모두 가진 세포에서는 유전자가 발현된다. 예 알부민 유전자는 간 세포에서 발현된다.

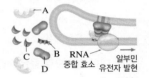

• 전사 인자 A, B, C가 없는 세포에서는 유전자가 발현되지 않는다.

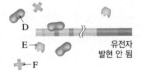

---

3. 원핵생물과 진핵생물의 유전자 발현 조절 비교

구분	원핵생물	진핵생물
유전자 구조	각각의 유전자에 프로모터가 존재하기도 하지만, 기능적으로 연관된 여러 유전자들이 오페론을 이루어 하나의 프로모터에 의해 함께 발현되기도 한다.	각각의 유전자마다 프로모터가 존재한다. ┗● 진핵생물은 오페론이 없다.
전사 조절 단백질	억제 단백질이 작동 부위에 결합하는지에 따라 전사가 조절되며, 전사 조절에 관여하는 조절 단백질의 종류가 적다.	전사 촉진 인자가 결합하여 전사 개시 복합체가 형성되어야 전사가 일어나며, 전사 인자(조절 단백질)의 종류가 다양하다.
전사 조절 단백질의 결합 위치	억제 단백질이 프로모터에 인접한 작동 부위에 결합한다.	전사 인자가 프로모터와 근거리 조절 부위, 원거리 조절 부위에 결합한다.
유전자 발현의 조절 단계	전사와 번역이 세포질에서 거의 동시에 일어나기 때문에 유전자의 발현은 주로 전사 단계에서 조절된다.	전사는 핵 속에서, 번역은 세포질에서 일어나며, 모든 단계에서 유전자 발현이 조절된다.━● 전사 단계에서의 조절이 가장 중요하다.

개념 확인 문제

핵심 체크

- (❶): 원핵생물에서 기능적으로 연관된 유전자들이 프로모터와 작동 부위에 의해 조절되는 유전자 집단
- 젖당 오페론의 작동 원리
  - 젖당이 (❷)을 때: 억제 단백질이 (❸)에 결합 → 구조 유전자의 전사가 일어나지 않아 젖당 이용에 필요한 효소가 생성되지 않는다.
  - 젖당이 (❹)을 때: (❺)가 억제 단백질과 결합 → RNA 중합 효소가 프로모터에 결합하여 전사가 일어나 젖당 이용에 필요한 효소가 생성되어 젖당을 분해한다.
- 진핵생물의 유전자 발현 조절 과정: 모든 단계에서 유전자 발현이 조절된다.

전사 전 조절	전사 조절	전사 후 조절	번역 조절	번역 후 조절
(❻) 응축 정도 조절	DNA의 조절 부위에 (❼)가 결합하여 조절	RNA를 가공하여 조절	mRNA 분해 속도, 번역 속도 조절	단백질 가공, 단백질 분해 조절

1 그림은 오페론의 구조를 나타낸 것이다.

이에 대한 설명으로 옳은 것은 ○, 옳지 <u>않은</u> 것은 ×로 표시하시오.

(1) A는 조절 유전자로 오페론에 속하지 않는다. ( )
(2) B는 작동 부위, C는 구조 유전자이다. ········· ( )
(3) 오페론은 모든 생물에 공통적인 유전자 발현 조절 방식이다. ·· ( )
(4) 여러 개의 유전자가 동시에 발현되거나 발현이 억제된다. ·· ( )

2 포도당이 고갈되고 젖당만 있는 배지에서 대장균을 배양할 경우 대장균의 젖당 오페론에서 일어나는 작용에 대한 설명으로 옳은 것은 ○, 옳지 <u>않은</u> 것은 ×로 표시하시오.

(1) 조절 유전자의 발현이 억제된다. ················· ( )
(2) 억제 단백질이 작동 부위에 결합한다. ········· ( )
(3) RNA 중합 효소가 프로모터에 결합한다. ····· ( )
(4) 젖당 이용에 필요한 효소가 합성된다. ········· ( )

3 진핵생물의 유전자 발현 조절에 대한 설명으로 옳은 것은 ○, 옳지 <u>않은</u> 것은 ×로 표시하시오.

(1) 전사는 세포질에서 일어나고, 번역은 핵 속에서 일어난다. ··· ( )
(2) 유전자가 발현되기까지 각 과정에서 모두 조절이 일어난다. ··· ( )
(3) 전사 촉진 인자는 RNA 중합 효소의 결합이나 활성을 촉진한다. ··· ( )
(4) 전사 후 조절 단계에서는 RNA의 엑손을 제거하여 인트론끼리 연결된다. ·· ( )
(5) 번역 조절 단계에서는 mRNA 분해 속도와 번역 속도를 조절하여 유전자 발현을 조절한다. ··········· ( )

4 그림은 진핵생물에서 전사가 개시되는 모습을 나타낸 것이다.

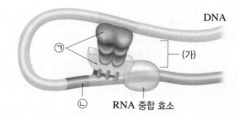

(1) ㉠, ㉡의 이름을 각각 쓰시오.
(2) (가)의 이름을 쓰시오.

C 세포 분화와 발생에서의 유전자 발현 조절

1. 세포 분화와 유전자 발현 조절

(1) **세포 분화**: 하나의 수정란에서 세포 분열로 만들어진 세포들이 발생 과정에서 서로 다른 형태와 기능을 갖게 되는 과정이다.

(2) **세포 분화와 유전자의 동일성**: 세포 분화가 일어나더라도 각 세포의 유전체 구성은 분화되기 전과 동일하다. ➡ 세포 분화 과정에서 유전체의 구성은 변하지 않는다.

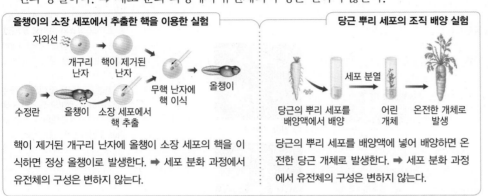

올챙이의 소장 세포에서 추출한 핵을 이용한 실험	당근 뿌리 세포의 조직 배양 실험

핵이 제거된 개구리 난자에 올챙이 소장 세포의 핵을 이식하면 정상 올챙이로 발생한다. ➡ 세포 분화 과정에서 유전체의 구성은 변하지 않는다.

당근의 뿌리 세포를 배양액에 넣어 배양하면 온전한 당근 개체로 발생한다. ➡ 세포 분화 과정에서 유전체의 구성은 변하지 않는다.

2. 유전자의 선택적 발현과 세포 분화
유전자 발현 조절로 서로 다른 단백질이 생성되어 세포의 형태와 기능에 차이가 생긴다. 예 헤모글로빈 유전자와 인슐린 유전자는 모든 세포에 있지만 헤모글로빈 유전자는 적혈구, 인슐린 유전자는 이자 세포에서 주로 발현된다.

(1) **핵심 조절 유전자**: 유전자를 선택적으로 발현시키는 조절 유전자 중 가장 상위 조절 유전자 ➡ 진핵생물에서는 핵심 조절 유전자가 발현되면 하위 조절 유전자들이 연속적으로 발현된다.

(2) **세포의 종류 결정**: 핵심 조절 유전자의 발현으로 생성된 산물을 비롯한 여러 전사 인자들의 조합과 작용에 따라 특정 유전자가 선택적으로 발현되어 세포가 분화함으로써 세포의 종류가 결정된다.

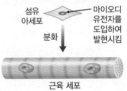

★ **마이오디(*MyoD*) 유전자에 의한 세포 분화**
섬유 아세포는 피부와 같은 결합 조직에 분포하며 정상적으로는 근육 세포로 분화하지 않는다. 그런데 섬유 아세포에 마이오디 (*MyoD*) 유전자를 도입하여 발현시키면 근육 세포로 분화한다.

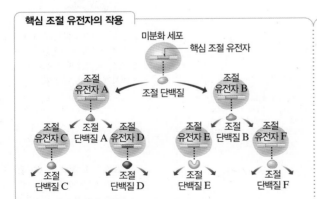

핵심 조절 유전자의 작용

핵심 조절 유전자에서 생성된 조절 단백질(전사 촉진 인자)이 하위 조절 유전자를 발현시키고, 이로부터 생성된 조절 단백질이 다른 여러 조절 유전자를 발현시킨다. ➡ 세포 특성에 맞는 단백질이 생성되어 세포가 분화한다.

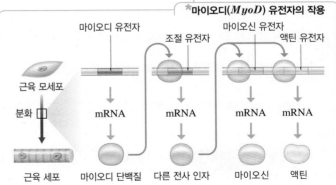

★마이오디(*MyoD*) 유전자의 작용

근육 세포가 분화하는 데 관여하는 핵심 조절 유전자인 마이오디(*MyoD*) 유전자가 발현되어 마이오디(*MyoD*) 단백질이 만들어진다. → 마이오디(*MyoD*) 단백질은 전사 촉진 인자로 작용하여 유전자의 발현을 촉진한다. → 액틴, 마이오신 등의 단백질이 합성되면서 근육 세포로 분화한다.

02 유전자 발현 조절

3. 발생과 유전자 발현 조절

(1) 발생: 수정란에서 세포 분열과 분화 과정을 거쳐 성체로 되는 과정이다. ➡ 발생은 **❶결정,** 분화, 형태 형성, 생장 과정을 모두 포함한다.

(2) 발생 과정에서 핵심 조절 유전자의 역할: 다세포 생물의 발생 초기 배아 단계에서 활성화되어 각 기관 형성에 필요한 여러 하위 유전자의 발현을 총괄적으로 조절한다.

① **혹스 유전자:** 동물 발생 초기 단계에서 각 기관이 정확한 위치에 형성되게 하는 데 관여하는 핵심 조절 유전자이다. → 지학사 교과서에서는 핵심 조절 유전자를 호미오 유전자로, 척추동물에서의 호미오 유전자를 혹스 유전자로 설명한다.

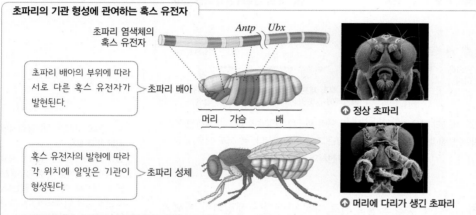

초파리의 기관 형성에 관여하는 혹스 유전자

초파리 염색체의 혹스 유전자 — Antp Ubx

초파리 배아의 부위에 따라 서로 다른 혹스 유전자가 발현된다. ➡ 초파리 배아

혹스 유전자의 발현에 따라 각 위치에 알맞은 기관이 형성된다. ➡ 초파리 성체

머리 가슴 배

⬆ 정상 초파리

⬆ 머리에 다리가 생긴 초파리

- 초파리의 혹스 유전자가 염색체에 배열되어 있는 순서는 각각의 유전자가 기능을 결정할 체절의 순서와 같다.
  ➡ 혹스 유전자로부터 합성된 전사 인자에 의해 유전자 발현이 조절되어 각 위치에 알맞은 기관이 형성된다.
- 초파리의 염색체에 있는 혹스 유전자 중 *Antp* 유전자는 다리 형성에 관여하고, *Ubx* 유전자는 **❷평균곤 형성**에 관여한다. ➡ *Antp* 유전자에 돌연변이가 생기면 더듬이가 형성될 부분에 다리가 생기고, *Ubx* 유전자에 돌연변이가 생기면 평균곤이 형성될 부분에 날개가 생긴다.

② **혹스 유전자의 유사성:** 혹스 유전자는 다양한 동물에서 유사한 방식으로 기관의 형성에 영향을 준다. ➡ 혹스 유전자가 오래 전부터 발생 과정의 핵심 조절 유전자로서 중요한 역할을 해 왔으며, 다양한 동물이 공통 조상에서 진화하였다는 증거가 되기도 한다.

탐구 자료창 초파리, 생쥐, 사람의 혹스 유전자 비교

그림은 초파리, 생쥐, 사람의 혹스 유전자와 발현 부위를 나타낸 것이다.

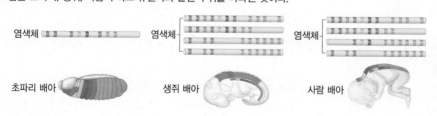

염색체 — 염색체 — 염색체

초파리 배아 — 생쥐 배아 — 사람 배아

1. **공통점:** 동일한 혹스 유전자를 가지고 있으며, 혹스 유전자의 배열 순서가 같다.
2. **차이점:** 초파리는 1개의 염색체에 혹스 유전자가 일정한 순서로 배열되어 있지만, 생쥐와 사람은 4개의 염색체에 혹스 유전자가 반복적으로 배열되어 있다.
3. 초파리, 생쥐, 사람은 같은 종류의 혹스 유전자를 가진 것으로 보아 공통 조상에서 진화하였다.

천재, 지학사 교과서에만 나와요

★ **호미오 박스와 호미오 도메인**
호미오 박스는 혹스 유전자에서 발견되는 공통된 염기 서열이다. 전사 인자에서 호미오 박스 부분이 연결된 부분을 호미오 도메인이라고 하며, 호미오 도메인은 특정 유전자의 프로모터나 조절 부위에 결합하여 전사를 조절한다.

미래엔 교과서에만 나와요

★ **애기장대의 꽃 구조 형성에 관여하는 유전자의 발현**

꽃받침 꽃잎 수술 암술 A B C

암술 수술 꽃잎 꽃받침

A만 발현하면 꽃받침이, A와 B가 발현하면 꽃잎이 형성된다. B와 C가 발현하면 수술이, C만 발현하면 암술이 형성된다.

용어

❶ **결정**(決 결정하다, 定 정하다)
유전자의 작용으로 특정한 세포로 분화하도록 세포의 운명이 정해진 것을 말한다.
❷ **평균곤** 날개가 퇴화한 구조로, 가슴 세 번째 체절 부위에 있으며 비행 시 균형을 잡는 데 이용된다.

개념 확인 문제

정답친해 95쪽

핵심 체크

- (❶   ): 하나의 수정란에서 비롯된 세포들이 발생 과정에서 서로 다른 형태와 기능을 갖게 되는 과정으로, 이 과정에서 유전체의 구성은 변하지 않는다.
- (❷   ): 유전자를 선택적으로 발현시키는 조절 유전자 중 가장 상위의 조절 유전자이다. ➡ 각 기관 형성에 필요한 여러 하위 유전자의 발현을 총괄적으로 조절한다.
- (❸   ): 동물의 발생 초기 단계에서 각 기관이 정확한 위치에 형성되게 하는 데 관여하는 핵심 조절 유전자이다.
- 혹스 유전자의 유사성: 다양한 생물에 같은 종류의 혹스 유전자가 존재하며, 배열 순서가 같다. ➡ 다양한 동물이 (❹   )에서 진화하였다는 증거가 된다.

1 진핵생물의 세포 분화에 대한 설명으로 옳은 것은 ○, 옳지 않은 것은 ×로 표시하시오.

(1) 세포의 분화 과정에서 유전체의 구성이 달라진다.
·· (   )
(2) 유전자 발현 조절로 서로 다른 단백질이 생성되기 때문에 분화된 세포들 사이에 기능 차이가 나타난다. (   )
(3) 세포의 종류는 특정 핵심 조절 유전자의 유무에 의해 결정된다. ···························· (   )
(4) 핵심 조절 유전자는 진핵생물에서 다른 유전자의 발현을 조절하는 가장 상위 조절 유전자이다. ········ (   )

2 그림은 근육 단백질의 생성 과정을 나타낸 것이다.

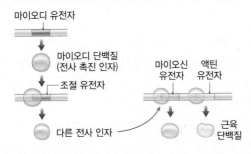

이 과정에서 핵심 조절 유전자로 작용하는 유전자의 이름을 쓰시오.

3 다음은 발생 과정에서 기관을 형성하는 데 관여하는 유전자에 대한 설명이다.

- 동물의 초기 발생 과정에서 각 기관이 정확한 위치에 형성되는 데 관여하는 유전자를 ㉠(   )라고 한다.
- 초파리와 생쥐는 같은 종류의 ㉠을 가져 ㉡(   )에서 진화하였음을 알 수 있다.

(   ) 안에 알맞은 말을 쓰시오.

4 그림은 초파리의 혹스 유전자와 배아 및 성체의 체절을 나타낸 것이다.

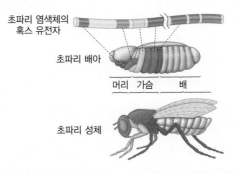

이에 대한 설명으로 옳은 것은 ○, 옳지 않은 것은 ×로 표시하시오.

(1) 초파리의 혹스 유전자는 4개의 염색체에 존재한다.
·· (   )
(2) 혹스 유전자가 배열되는 순서는 각 유전자가 기능을 결정할 체절이 배열되어 있는 순서와 동일하다. (   )
(3) 초파리에 존재하는 혹스 유전자의 종류와 배열 순서는 다른 종의 생물과 크게 다르다. ··············· (   )

대표 자료 분석

정답친해 96쪽

🏫 학교 시험에 자주 출제되는 대표 자료와 그 자료에 대한 문제를 통해 자료를 완벽하게 이해할 수 있다.

자료 ① 젖당 오페론

기출 Point
- 오페론의 구조 알기
- 오페론 작동 원리 알기
- 오페론의 구성 요소 이상에 따른 결과 유추하기

[1~2] 그림은 대장균에서 젖당 오페론의 작동이 조절되는 과정을 나타낸 것이다.

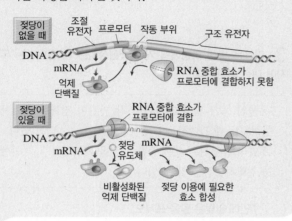

1 다음 설명에 해당하는 부위의 이름을 쓰시오.

(1) 오페론에서 RNA 중합 효소가 결합하는 부위이다.
(2) 오페론에서 억제 단백질이 결합하는 부위이다.
(3) 오페론에 포함되지 않으며, 억제 단백질을 합성하는 부위이다.

2 빈출 선택지로 완벽 정리!

(1) 조절 유전자는 젖당의 유무에 관계없이 항상 발현된다.
　 ·· (○ / ×)
(2) 젖당 오페론은 젖당이 없을 때 활성화된다. (○ / ×)
(3) 젖당 유도체가 있으면 구조 유전자의 전사가 억제된다.
　 ·· (○ / ×)
(4) 조절 유전자가 결실되면 젖당이 없어도 젖당 분해 효소가 합성된다. ·· (○ / ×)
(5) 젖당 이용에 필요한 효소의 유전자 발현은 작동 부위에 의해 조절된다. ······································ (○ / ×)
(6) RNA 중합 효소가 프로모터에 결합하면 구조 유전자의 전사가 억제된다. ······························ (○ / ×)

자료 ② 진핵생물의 유전자 발현 조절

기출 Point
- 진핵생물의 유전자 발현 조절 과정 알기
- 진핵생물에서 유전자 발현 조절이 일어나는 장소 알기
- 진핵생물의 유전자 발현 조절에 관여하는 요소 알기

[1~3] 그림 (가)는 진핵생물에서 유전자가 발현되는 과정을, (나)는 이 과정에서 RNA 중합 효소와 여러 전사 인자가 결합하여 형성한 전사 개시 복합체를 나타낸 것이다.

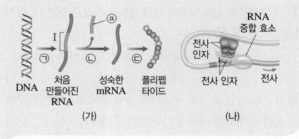

1 세포에서 (가)의 ㉠~㉢ 과정이 일어나는 장소를 각각 쓰시오.

2 전사 인자가 결합하는 DNA의 특정 부위를 무엇이라고 하는지 쓰시오.

3 빈출 선택지로 완벽 정리!

(1) (나)의 전사 개시 복합체는 ㉠ 과정에서 형성된다.
　 ·· (○ / ×)
(2) ㉡ 과정은 전사 조절 단계에서 일어난다.　 (○ / ×)
(3) ㉢ 과정에는 rRNA와 tRNA가 모두 관여한다.
　 ·· (○ / ×)
(4) ⓐ는 Ⅰ로부터 전사된 것이다 ···················· (○ / ×)
(5) ⓐ는 단백질을 암호화하는 부위이다. ·········· (○ / ×)
(6) 전사 인자는 모두 프로모터와 가까운 조절 부위에만 결합한다. ·· (○ / ×)

내신 만점 문제

정답친해 96쪽

A 원핵생물의 유전자 발현 조절

01 오페론과 관련된 설명으로 옳지 <u>않은</u> 것은?

① 오페론은 원핵생물에만 존재한다.
② 구조 유전자는 mRNA로 전사되는 부위이다.
③ 프로모터는 DNA 중합 효소가 결합하는 부위이다.
④ 조절 유전자는 항상 발현되어 억제 단백질을 합성한다.
⑤ 억제 단백질이 작동 부위에 결합하면 전사가 일어나지 않는다.

03 대장균의 젖당 오페론에 대한 설명으로 옳은 것만을 [보기]에서 있는 대로 고른 것은?

〔보기〕
ㄱ. 하나의 프로모터와 작동 부위 아래에 젖당을 이용하는 데 필요한 효소의 유전자들이 모여 있다.
ㄴ. 포도당과 젖당이 모두 있는 배지에서 배양할 때 젖당 오페론이 활발하게 작동한다.
ㄷ. 젖당이 없는 배지에서 배양할 때에도 구조 유전자의 전사가 일어난다.

① ㄱ   ② ㄴ   ③ ㄷ
④ ㄱ, ㄴ   ⑤ ㄱ, ㄷ

04 다음은 대장균의 젖당 오페론 조절에 대한 자료이다.

• 그림은 대장균의 젖당 오페론 구조를 나타낸 것이다.
• 대장균 Ⅰ~Ⅲ은 각각 야생형, ㉠ 부분이 결실된 대장균, ㉡ 부분이 결실된 대장균 중 하나이다.

• 표는 대장균 Ⅰ~Ⅲ을 포도당은 없고 젖당이 있는 배지에서 배양하였을 때의 결과를 나타낸 것이다.

대장균	배양 결과
Ⅰ	젖당 오페론의 구조 유전자가 발현되지 않는다.
Ⅱ	젖당 오페론의 구조 유전자가 발현된다.
Ⅲ	억제 단백질을 생성하지 않는다.

이에 대한 설명으로 옳은 것만을 [보기]에서 있는 대로 고른 것은?

〔보기〕
ㄱ. Ⅰ은 ㉡ 부분이 결실된 대장균이다.
ㄴ. Ⅱ는 젖당 유도체와 결합한 억제 단백질을 가진다.
ㄷ. Ⅲ을 젖당이 없고 포도당이 있는 배지에서 배양해도 젖당 오페론의 구조 유전자가 발현된다.

① ㄱ   ② ㄴ   ③ ㄱ, ㄷ
④ ㄴ, ㄷ   ⑤ ㄱ, ㄴ, ㄷ

02 그림은 젖당 오페론을 나타낸 것이다.

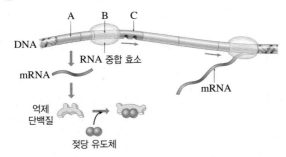

이에 대한 설명으로 옳지 <u>않은</u> 것은?

① A는 조절 유전자이다.
② B는 전사가 시작되는 부위이다.
③ 젖당이 있을 때는 억제 단백질이 C에 결합하지 못한다.
④ 젖당 유도체는 구조 유전자의 전사를 억제한다.
⑤ 억제 단백질이 작동 부위에 결합하면 전사가 억제된다.

05 그림은 포도당과 젖당이 함께 들어 있는 배지에 대장균을 배양하면서 시간에 따른 대장균 수와 대장균 내 젖당 분해 효소량을 조사하여 나타낸 것이다.

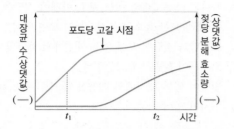

이에 대한 설명으로 옳은 것만을 [보기]에서 있는 대로 고른 것은?

[보기]
ㄱ. t_1에서 대장균은 배지의 포도당을 에너지원으로 이용한다.
ㄴ. t_1에서는 젖당 오페론의 구조 유전자가 활발하게 전사된다.
ㄷ. t_2에서는 억제 단백질이 만들어지지 않는다.

① ㄱ　　　　② ㄴ　　　　③ ㄷ
④ ㄱ, ㄴ　　　⑤ ㄱ, ㄷ

B 진핵생물의 유전자 발현 조절

06 원핵생물과 진핵생물의 유전자 발현 조절에 대한 설명으로 옳은 것은?

① 원핵생물은 전사 인자가 조절 부위에 결합한다.
② 원핵생물은 전사 촉진 인자에 의해 전사가 촉진된다.
③ 원핵생물에서는 전사가 일어난 후 RNA 가공 과정을 거친다.
④ 진핵생물은 각각의 유전자마다 프로모터가 존재한다.
⑤ 진핵생물과 원핵생물에서는 모두 기능적으로 연관된 여러 유전자들이 모여 오페론을 이룬다.

---

07 그림은 진핵생물의 유전자 발현이 조절되는 과정에서 RNA 중합 효소와 전사 인자가 프로모터와 전사 조절 부위에 결합하는 과정을 나타낸 것이다.

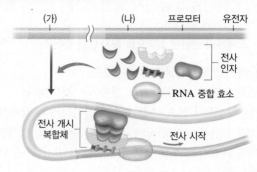

이에 대한 설명으로 옳은 것만을 [보기]에서 있는 대로 고른 것은?

[보기]
ㄱ. (가)와 (나)에 전사 인자가 결합한다.
ㄴ. 전사 인자와 RNA 중합 효소가 결합하여 전사 개시 복합체를 형성한다.
ㄷ. 전사 개시 복합체는 전사 조절 단계에서 형성된다.

① ㄱ　　　　② ㄷ　　　　③ ㄱ, ㄴ
④ ㄴ, ㄷ　　　⑤ ㄱ, ㄴ, ㄷ

서술형
08 사람의 모든 체세포는 유전적으로 동일하지만 알부민은 간세포에서만 발현되고 인슐린은 이자 세포에서만 발현된다. 진핵생물에서 세포의 종류와 시기 등에 따라 유전자가 선택적으로 발현될 수 있는 까닭을 전사 인자와 관련지어 서술하시오.

09 그림은 진핵세포에서 유전자 발현이 조절되는 과정을 나타낸 것이다.

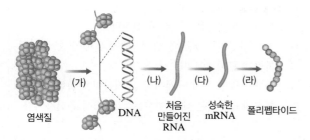

이에 대한 설명으로 옳은 것만을 [보기]에서 있는 대로 고른 것은?

[보기]
ㄱ. (가) 과정에서 전사 인자가 작용한다.
ㄴ. (나) 과정에서 전사된 유전 정보는 모두 (라) 과정에서 아미노산 서열로 번역된다.
ㄷ. (다) 과정에서 RNA는 핵막을 통과할 수 있도록 변형된다.

① ㄱ   ② ㄴ   ③ ㄷ
④ ㄱ, ㄷ   ⑤ ㄴ, ㄷ

10 그림은 진핵생물에서 유전자 발현이 조절되는 과정 중 일부를 나타낸 것이다.

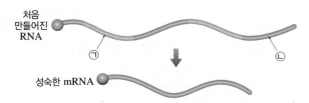

이에 대한 설명으로 옳은 것만을 [보기]에서 있는 대로 고른 것은?

[보기]
ㄱ. ㉠에는 디옥시리보스가 포함된다.
ㄴ. ㉡에는 단백질에 대한 정보가 암호화되어 있다.
ㄷ. 이와 같은 유전자 발현 조절 과정은 원핵세포에서도 관찰된다.

① ㄱ   ② ㄴ   ③ ㄷ
④ ㄱ, ㄴ   ⑤ ㄱ, ㄷ

11 그림 (가)와 (나)는 생쥐의 유전자와 대장균의 젖당 오페론을 순서 없이 나타낸 것이다. A~C는 각각 전사 인자 결합 부위이다.

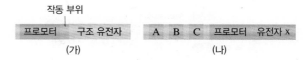

이에 대한 설명으로 옳지 <u>않은</u> 것은?

① (가)는 대장균의 젖당 오페론이다.
② (가)의 작동 부위에는 단백질이 결합할 수 있다.
③ (가)와 (나)의 프로모터에 전사 개시 복합체가 결합한다.
④ (나)에서 전사 인자는 프로모터 상단부의 DNA에 결합한다.
⑤ (가)의 구조 유전자와 (나)의 유전자 x는 RNA로 전사되는 부위이다.

Ⓒ 세포 분화와 발생에서의 유전자 발현 조절

12 그림은 수정란으로부터 여러 세포가 분화되는 과정과 각 세포에서 발현된 특정 유전자를 나타낸 것이다.

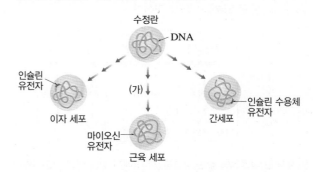

이에 대한 설명으로 옳은 것만을 [보기]에서 있는 대로 고른 것은?

[보기]
ㄱ. (가) 과정에서 인슐린 유전자가 제거된다.
ㄴ. 수정란과 간세포의 유전체는 같다.
ㄷ. 이자 세포에는 인슐린 유전자의 전사 촉진 인자가 있다.

① ㄱ   ② ㄴ   ③ ㄱ, ㄴ
④ ㄱ, ㄷ   ⑤ ㄴ, ㄷ

13 서술형

그림과 같이 핵이 제거된 개구리의 난자에 올챙이의 소장 세포의 핵을 이식하여 발생시켰더니 정상 올챙이로 발생하였다.

이를 통해 알 수 있는 세포 분화와 유전자의 관계를 서술하시오.

14 그림은 사람의 근육 세포가 분화될 때 유전자 발현이 조절되는 과정 중 일부를 나타낸 것이다.

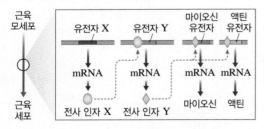

이에 대한 설명으로 옳은 것만을 [보기]에서 있는 대로 고른 것은?

[보기]
ㄱ. 유전자 X는 근육 세포 분화의 핵심 조절 유전자이다.
ㄴ. 마이오신 유전자와 액틴 유전자는 근육 세포에만 있다.
ㄷ. 전사 인자 X와 Y는 DNA의 특정 부위에 결합하여 전사를 촉진한다.

① ㄱ   ② ㄷ   ③ ㄱ, ㄴ
④ ㄱ, ㄷ   ⑤ ㄴ, ㄷ

15 혹스 유전자에 대한 설명으로 옳은 것만을 [보기]에서 있는 대로 고른 것은?

[보기]
ㄱ. 호미오 도메인은 전사를 조절한다.
ㄴ. 혹스 유전자의 종류와 염색체에서의 배열 순서는 생물종에 관계없이 비슷하다.
ㄷ. 동물의 발생 초기 단계에서 각 기관이 정확한 위치에 형성되도록 하는 데 관여하는 핵심 조절 유전자이다.

① ㄱ   ② ㄷ   ③ ㄱ, ㄴ
④ ㄴ, ㄷ   ⑤ ㄱ, ㄴ, ㄷ

16 그림 (가)는 초파리 야생형을, (나)는 혹스 유전자인 Ubx의 기능이 사라진 돌연변이의 표현형을 나타낸 것이다.

(가)   (나)

이에 대한 설명으로 옳은 것만을 [보기]에서 있는 대로 고른 것은?

[보기]
ㄱ. Ubx는 날개 형성을 촉진하는 기능을 한다.
ㄴ. Ubx에서 합성된 단백질은 다른 유전자의 발현을 조절한다.
ㄷ. Ubx는 발생 과정에서 기관의 형성에 핵심적인 역할을 하는 조절 유전자이다.

① ㄱ   ② ㄷ   ③ ㄱ, ㄴ
④ ㄴ, ㄷ   ⑤ ㄱ, ㄴ, ㄷ

17 서술형

초파리, 생쥐, 사람의 혹스 유전자를 비교하면 같은 종류의 혹스 유전자가 같은 순서로 배열되어 있다. 이를 통해 알 수 있는 사실을 진화적 관점에서 서술하시오.

중단원
핵심 정리

01 유전자 발현

1. 유전자와 단백질의 관계에 대한 가설

1유전자 (❶　　　)	하나의 유전자가 하나의 효소를 합성되게 한다는 학설 DNA 유전자 A 유전자 B 유전자 C 효소 A 효소 B 효소 C 전구 물질 → 오르니틴 → 시트룰린 → 아르지닌
1유전자 1단백질설	유전자가 효소뿐만 아니라 효소로 작용하지 않는 다른 단백질의 합성에도 관여한다는 학설
1유전자 1폴리펩타이드설	하나의 단백질을 구성하는 다른 종류의 폴리펩타이드는 서로 다른 유전자에 의해 합성된다는 학설

2. 유전 정보의 흐름과 유전부호

(1) **중심 원리**: 유전자 발현 과정에서 DNA의 유전 정보는 RNA를 거쳐 단백질로 전달된다.

① (❷　　　): DNA의 유전 정보가 RNA로 전달되는 과정

② (❸　　　): RNA의 유전 정보에 따라 단백질이 합성되는 과정

(2) **유전부호**

① (❹　　): 연속된 3개의 염기로 된 DNA의 유전부호

② (❺　　): 연속된 3개의 염기로 된 mRNA의 유전부호

3. 단백질 합성 과정

(1) **전사**

① 전사 과정: (❻　　　)에 의해 DNA 이중 나선의 일부가 풀리고, DNA 주형 가닥에 상보적인 염기를 가진 리보뉴클레오타이드가 하나씩 결합하여 RNA가 5′→3′ 방향으로 합성된다.

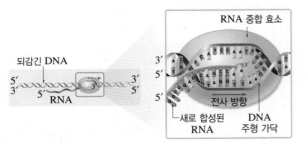

② **RNA의 종류**

• mRNA: 단백질의 합성 정보를 리보솜에 전달한다.

• tRNA: 아미노산을 리보솜으로 운반한다.

• rRNA: 단백질과 결합하여 리보솜을 구성한다.

(2) **번역**

① **단백질 합성 기구**

tRNA	• 단일 가닥으로 이루어진 작은 RNA 분자로 (❼　　　)을 운반한다. • 아미노산 결합 부위: tRNA의 3′ 말단 • 안티코돈: tRNA에 결합하는 아미노산을 지정하며, mRNA의 코돈과 상보적으로 결합한다. • 20종류의 아미노산은 서로 다른 tRNA에 의해 운반된다.
리보솜	• (❽　　　　)와 단백질로 구성된다. • 단백질의 합성 장소로 대단위체와 소단위체로 구성된다. • 대단위체: tRNA가 결합한다. 　┌ A 자리: 폴리펩타이드 사슬에 새로 첨가될 아미노산이 붙어 있는 tRNA의 결합 자리 　├ (❾　　　): 신장되는 폴리펩타이드가 붙어 있는 tRNA의 결합 자리 　└ E 자리: tRNA가 리보솜 밖으로 분리되기 전에 잠시 머무르는 자리 • 소단위체: mRNA가 결합하는 자리가 있다.

② **단백질 합성 과정**

개시	DNA로부터 전사된 mRNA가 리보솜 소단위체와 결합 → 아미노산이 결합된 개시 tRNA가 개시 코돈에 결합 → 리보솜 대단위체가 결합
(❿　　)	tRNA가 A 자리로 들어와 다음 코돈과 상보적으로 결합 → P 자리에 있던 아미노산이 tRNA와 떨어져 A 자리의 아미노산과 (⓫　　　) 결합 형성 → 리보솜이 mRNA의 5′→3′ 방향으로 코돈 하나만큼 이동 → P 자리에 있던 tRNA는 E 자리로 이동한 후 리보솜에서 분리되고, A 자리의 tRNA는 P 자리로 이동 → A 자리에 새로 추가될 아미노산이 결합된 새로운 tRNA가 결합 → 아미노산이 연결되어 (⓬　　　) 사슬이 길어짐
(⓭　　)	리보솜이 종결 코돈에 도달하여 단백질 합성 종료 → 합성된 폴리펩타이드가 리보솜에서 분리됨 → 리보솜 대단위체와 소단위체 분리, mRNA와 tRNA 분리

02 유전자 발현 조절

1. 원핵생물의 유전자 발현 조절

(1) **오페론**: 기능적으로 연관된 유전자들이 모여 전사가 조절되는 유전자 집단이며, 원핵세포에만 있다.

(2) **조절 유전자**: 오페론에 포함되지 않으며, 항상 발현하여 억제 단백질을 합성한다.

(3) **젖당 오페론의 작동 원리**

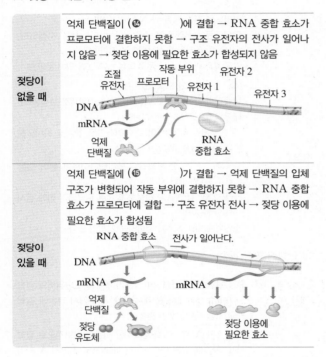

젖당이 없을 때	억제 단백질이 (⑭　　　　)에 결합 → RNA 중합 효소가 프로모터에 결합하지 못함 → 구조 유전자의 전사가 일어나지 않음 → 젖당 이용에 필요한 효소가 합성되지 않음
젖당이 있을 때	억제 단백질에 (⑮　　　　)가 결합 → 억제 단백질의 입체 구조가 변형되어 작동 부위에 결합하지 못함 → RNA 중합 효소가 프로모터에 결합 → 구조 유전자 전사 → 젖당 이용에 필요한 효소가 합성됨

2. 진핵생물의 유전자 발현 조절

전사 전 조절	(⑯　　　　)의 응축 정도를 변화시킨다.
전사 조절	특정 조절 부위에 결합한 다양한 전사 인자와 RNA 중합 효소가 결합하여 (⑰　　　　)를 형성한다. ➡ 전사 개시
전사 후 조절	처음 전사된 RNA에서 인트론을 제거하고 양쪽 끝부분을 변형하여 RNA를 가공한다.
번역 조절	mRNA의 분해 속도를 조절하거나 번역의 개시 단계를 조절하여 번역을 촉진하거나 억제한다.
번역 후 조절	단백질 가공 과정을 조정하여 합성되는 단백질의 양을 조절하거나 단백질을 분해하여 유전자 발현을 조절한다.

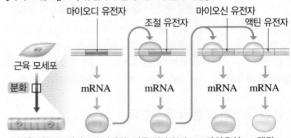

3. 세포 분화와 발생에서의 유전자 발현 조절

(1) **세포 분화와 유전자 발현 조절**

① (⑱　　　　): 하나의 수정란에서 비롯된 세포들이 각각의 구조와 기능을 갖게 되는 과정이며, 이 과정에서 유전체의 구성은 변하지 않는다.

② (⑲　　　　): 세포의 특성에 맞는 유전자를 선택적으로 발현시키는 조절 유전자 중 가장 상위의 조절 유전자 ➡ 조절 유전자가 발현되어 조절 단백질이 만들어지면, 이 조절 단백질이 다른 조절 유전자의 발현을 조절한다.

③ **세포 분화에서의 유전자 발현 조절**: 세포마다 유전자가 선택적으로 발현되어 세포의 종류가 결정된다.

[마이오디(MyoD) 유전자와 근육 세포의 분화 과정]

근육 모세포 / 분화 / 근육 세포 / 마이오디 유전자 / 마이오디 단백질 / 조절 유전자 / 다른 전사 인자 / 마이오신 유전자 / 액틴 유전자 / mRNA / 마이오신 / 액틴

핵심 조절 유전자인 마이오디(MyoD) 유전자 발현 → MyoD 단백질 생성 → 하위 조절 유전자들의 발현 촉진 → 특이적 단백질 합성 → 근육 세포로 분화

(2) **발생과 유전자 발현 조절**

① 동물의 형태가 결정되는 초기 발생 과정에서 기관 형성에 필요한 유전자의 발현을 조절하여 기관이 형성된다.

② (⑳　　　　): 동물의 발생 초기 단계에서 각 기관이 정확한 위치에 형성되는 데 관여하는 핵심 조절 유전자이다.

③ **초파리의 혹스 유전자**: 초파리 배아의 각 위치에서 서로 다른 혹스 유전자가 발현되어 몸의 각 부위에 알맞은 기관이 형성된다.

④ **혹스 유전자의 유사성**: 혹스 유전자의 종류와 염색체에 배열된 순서가 생물종에 관계없이 비슷한 것을 통하여 다양한 생물은 공통 조상에서 진화하였음을 알 수 있다.

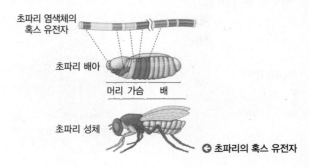

초파리 염색체의 혹스 유전자 / 초파리 배아 / 머리 가슴 배 / 초파리 성체

◀ 초파리의 혹스 유전자

난이도 ●●●

01 다음은 붉은빵곰팡이의 유전자 발현에 대한 자료이다.

- 아르지닌이 합성되는 과정은 그림과 같다.

DNA 유전자 A 유전자 B 유전자 C

효소 A   효소 B   효소 C

전구 물질 → 오르니틴 → 시트룰린 → 아르지닌

- 영양 요구주 I, II, III형은 각각 유전자 A, B, C 중 하나에만 돌연변이가 발생한 것이다.
- 야생형, 영양 요구주 I~III형을 각각 최소 배지, 최소 배지에 물질 ㉠~㉢이 첨가된 배지에서 배양하였을 때의 생장 여부는 표와 같다. 물질 ㉠~㉢은 각각 오르니틴, 시트룰린, 아르지닌 중 하나이다.

구분	최소 배지	최소 배지 +㉠	최소 배지 +㉡	최소 배지 +㉢
야생형	○	○	○	○
I형	×	○	○	○
II형	×	×	×	○
III형	×	○	×	○

(○: 생장함, ×: 생장 못함)

이에 대한 설명으로 옳은 것만을 [보기]에서 있는 대로 고른 것은? (단, 제시된 돌연변이 이외의 돌연변이는 고려하지 않는다.)

[보기]
ㄱ. ㉠은 오르니틴, ㉡은 시트룰린이다.
ㄴ. 영양 요구주 II형은 효소 C가 결핍된 것이다.
ㄷ. 이 자료를 통해 붉은빵곰팡이의 생장에 반드시 필요한 물질은 ㉢임을 알 수 있다.

① ㄴ
② ㄷ
③ ㄱ, ㄴ
④ ㄱ, ㄷ
⑤ ㄴ, ㄷ

●●○

02 그림은 동물 세포의 구조와 유전 정보의 흐름을 나타낸 것이다.

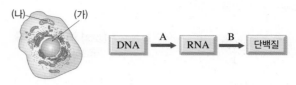

(나)   (가)

DNA —A→ RNA —B→ 단백질

이에 대한 설명으로 옳은 것만을 [보기]에서 있는 대로 고른 것은?

[보기]
ㄱ. 과정 A는 (가)에서 일어난다.
ㄴ. 과정 A에는 RNA 중합 효소가 필요하다.
ㄷ. 과정 B는 (가)에서는 일어나지만, (나)에서는 일어나지 않는다.

① ㄱ
② ㄴ
③ ㄷ
④ ㄱ, ㄴ
⑤ ㄴ, ㄷ

●●●

03 다음은 어떤 이중 나선 DNA와 이로부터 전사된 RNA의 염기 서열 일부를, 표는 DNA 가닥 I을 주형으로 하여 만들어진 이중 나선 DNA의 염기 조성 비율을 나타낸 것이다.

DNA { 가닥 I ···A□T□TAGCGGCCATCACT···
      가닥 II ···T (가) ATCGCCGGTAGTGA···
전사된 RNA 가닥 5'···AU□AUAGCGGCCAUCACU···3'

구분		염기 조성 비율(%)				
		A	G	T	C	계
복제된 DNA	가닥 I	20	㉠	20	25	100
	복제 가닥	20	㉡	20	㉢	100

이에 대한 설명으로 옳지 않은 것은?

① ㉠+㉡=60이다.
② 전사의 주형 가닥은 DNA 가닥 II이다.
③ (가)에 들어갈 DNA 염기 서열은 5'-AAT-3'이다.
④ DNA와 RNA는 모두 ^{15}N로 표지될 수 있다.
⑤ ㉢은 DNA 가닥 II의 염기 C의 비율과 같다.

04 표는 60개의 뉴클레오타이드로 구성된 인공 mRNA Ⅰ~Ⅳ와 이를 시험관에서 번역시켜 얻은 폴리펩타이드를 구성하는 아미노산을 나타낸 것이다.

인공 mRNA		합성된 폴리펩타이드를 구성하는 아미노산
Ⅰ	5′-AU-3′가 반복되는 mRNA	타이로신, 아이소류신
Ⅱ	5′-AUA-3′가 반복되는 mRNA	아스파라진, 아이소류신
Ⅲ	5′-AUCGACUGCA-3′가 반복되는 mRNA	?
Ⅳ	5′-AACGUCUGGU-3′가 반복되는 mRNA	?

이에 대한 설명으로 옳은 것만을 [보기]에서 있는 대로 고른 것은? (단, 개시 코돈은 고려하지 않으며, 종결 코돈은 UAA, UAG, UGA이다.)

〔보기〕
ㄱ. 코돈 UAU는 아이소류신을 지정한다.
ㄴ. Ⅲ에는 아스파라진을 지정하는 코돈이 있다.
ㄷ. Ⅳ로부터 8개의 펩타이드 결합을 가지는 폴리펩타이드가 합성된다.

① ㄱ ② ㄴ ③ ㄷ ④ ㄱ, ㄴ ⑤ ㄴ, ㄷ

05 다음은 이중 가닥 DNA x를 구성하는 단일 가닥 ⊙의 염기 서열 중 일부를 나타낸 것이다. DNA x의 ⊙이 전사되어 mRNA y가 합성되고, y가 번역되어 폴리펩타이드 z가 합성된다.

⊙: 5′-CGGCTAGTCAAAGTTAGGGCCAATCATCGC-3′

이에 대한 설명으로 옳은 것만을 [보기]에서 있는 대로 고른 것은?(단, 개시 코돈은 AUG이고, 종결 코돈은 UAA, UAG, UGA이다.)

〔보기〕
ㄱ. y에는 개시 코돈이 2개 포함된다.
ㄴ. y에서 종결 코돈은 UAG이다.
ㄷ. z는 7개의 아미노산으로 이루어진다.

① ㄱ ② ㄷ ③ ㄱ, ㄴ
④ ㄴ, ㄷ ⑤ ㄱ, ㄴ, ㄷ

06 다음은 정상 유전자와 돌연변이 유전자의 발현에 대한 자료이다.

- x의 이중 나선 DNA 중 한 가닥의 염기 서열과 이로부터 합성된 폴리펩타이드의 아미노산 서열은 다음과 같다.

염기 서열	3′-GGTACAGTTCTAAGTAGTCCATCCATCT-5′
아미노산 서열	메싸이오닌-세린-아르지닌-페닐알라닌-아이소류신-아르지닌

- x^*는 x에서 이웃한 2개의 뉴클레오타이드가 동시에 결실되고, 1개의 뉴클레오타이드가 삽입된 것이다. x^*로부터 합성된 폴리펩타이드의 아미노산 서열은 다음과 같다.

아미노산 서열	메싸이오닌-세린-메싸이오닌-트레오닌-세린-글리신-아르지닌

- 표는 코돈표의 일부를 나타낸 것이다.

코돈	아미노산	코돈	아미노산	코돈	아미노산
AUG	메싸이오닌(개시 코돈)	GUU GUA	발린	UUU UUC	페닐알라닌
AUU AUC	아이소류신	GCU GCA	알라닌	UCU UCA	세린
ACU ACA	트레오닌	GGU GGA	글리신	UGC UGU	시스테인
AGA AGG	아르지닌	GAU GAC	아스파트산	UGA UAG	종결 코돈

이에 대한 설명으로 옳은 것만을 [보기]에서 있는 대로 고른 것은?

〔보기〕
ㄱ. 전사의 주형 가닥에서 결실된 뉴클레오타이드의 염기 서열은 3′-AA-5′이다.
ㄴ. 전사의 주형 가닥에서 삽입된 뉴클레오타이드의 염기는 A(아데닌)이다.
ㄷ. x에서 전사된 mRNA와 x^*에서 전사된 mRNA에서 종결 코돈은 같다.

① ㄱ ② ㄷ ③ ㄱ, ㄴ
④ ㄴ, ㄷ ⑤ ㄱ, ㄴ, ㄷ

07 그림은 유전자 발현에서 번역이 일어나는 과정 중 일부를 나타낸 것이다. 이에 대한 설명으로 옳지 <u>않은</u> 것은?

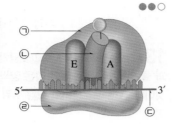

① ㉠에는 단백질이 포함되어 있다.
② ㉡과 ㉢에는 디옥시리보스가 포함되어 있다.
③ ㉢과 결합하는 순서는 ㉣ → ㉡ → ㉠이다.
④ ㉡에는 개시 코돈과 결합하는 3개의 염기 조합이 있다.
⑤ 아미노산과 결합한 새로운 tRNA는 A 자리로 들어온다.

08 그림은 젖당 오페론의 조절 과정을 나타낸 것이다.

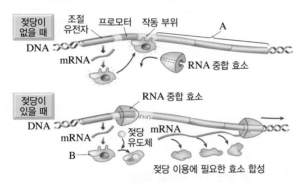

이에 대한 설명으로 옳은 것만을 [보기]에서 있는 대로 고른 것은?

─[보기]─
ㄱ. A는 젖당 이용에 필요한 효소에 대한 유전 정보를 암호화한다.
ㄴ. B의 아미노산 서열 정보는 조절 유전자에 저장되어 있다.
ㄷ. B에 젖당 유도체가 결합하면 B의 입체 구조가 변형되어 DNA에 결합하지 못한다.

① ㄱ   ② ㄷ   ③ ㄱ, ㄴ
④ ㄴ, ㄷ   ⑤ ㄱ, ㄴ, ㄷ

09 그림 (가)는 진핵생물에서 유전자 X가 발현되는 과정을, (나)는 단백질 A에 의해 X의 발현이 조절되는 과정의 일부를 나타낸 것이다. A는 단백질 B와 복합체를 형성하여 X의 발현을 촉진한다.

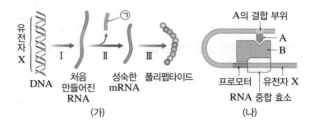

이에 대한 설명으로 옳지 <u>않은</u> 것은?

① ㉠에는 리보스가 있다.
② (나)는 과정 Ⅰ에서 일어난다.
③ A는 DNA와 단백질에 모두 결합한다.
④ 과정 Ⅲ에 tRNA와 rRNA가 모두 관여한다.
⑤ 유전자 X의 DNA 염기 서열은 모두 아미노산 서열로 번역된다.

10 그림은 섬유 아세포에 근육 단백질을 생성하는 유전자와 마이오디 유전자($MyoD$)를 각각 도입하여 발현시킨 결과를 나타낸 것이다.

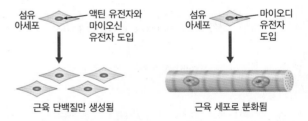

이에 대한 설명으로 옳은 것만을 [보기]에서 있는 대로 고른 것은?

─[보기]─
ㄱ. 세포에 인위적으로 도입된 유전자도 발현될 수 있다.
ㄴ. 전사 인자에 의해 특정 유전자의 전사가 조절되어 세포 분화가 일어난다.
ㄷ. 각 세포에 특이적인 단백질을 생성하게 하면 항상 세포 분화와 기관 형성이 일어난다.

① ㄴ   ② ㄷ   ③ ㄱ, ㄴ
④ ㄱ, ㄷ   ⑤ ㄴ, ㄷ

11 그림은 초파리와 생쥐에서 혹스 유전자가 염색체에 배열된 모습을 나타낸 것이다.

초파리
염색체   생쥐
                        염색체

이에 대한 설명으로 옳은 것만을 [보기]에서 있는 대로 고른 것은?

〔보기〕
ㄱ. 혹스 유전자는 기관이 정확한 위치에 형성되도록 하는 핵심 조절 유전자이다.
ㄴ. 생쥐는 초파리보다 혹스 유전자가 있는 염색체 수가 많다.
ㄷ. 혹스 유전자의 배열 순서에 의해 생물종이 결정된다.

① ㄱ   ② ㄴ   ③ ㄷ
④ ㄱ, ㄴ   ⑤ ㄴ, ㄷ

서술형 문제

12 그림은 진핵생물의 일부 DNA로부터 유전 정보가 발현되는 과정의 일부를 나타낸 것이다. 알라닌을 지정하는 코돈은 GCC, GCA이며 제시된 세 종류의 아미노산 합성만 고려한다.

DNA   5′ ··· T G □ G G C A C A ··· 3′
        3′ ··· A C G C C G T G T ··· 5′

↓ (가)

mRNA

↓ (나)

폴리펩타이드 ··· 알라닌 — 알라닌 — 시스테인 ···

(1) (가), (나) 과정의 이름과 세포에서 각 과정이 일어나는 장소를 쓰시오.

(2) 제시된 DNA로부터 전사되는 mRNA의 염기 서열과 방향을 쓰시오.

13 그림은 포도당이 없고 젖당만 있는 배지에 야생형 대장균과 돌연변이 대장균 A를 같은 양씩 넣고 배양한 결과를 나타낸 것이다. A는 프로모터와 작동 부위 중 한 부위가 결실된 대장균이다.

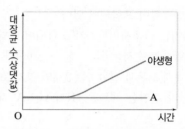

대장균 수(상댓값)

O   시간

대장균 A에서 돌연변이가 일어난 부위를 쓰고, 그렇게 판단한 근거를 서술하시오.

14 그림은 당근 뿌리 세포를 배양한 결과를 나타낸 것이다.

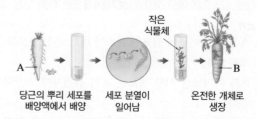

작은 식물체

A

B

당근의 뿌리 세포를   세포 분열이   온전한 개체로
배양액에서 배양   일어남   생장

A와 B의 유전 형질이 일치하는지의 여부를 쓰고, 그렇게 판단한 근거를 서술하시오.

수능 실전 문제

01 그림은 붉은빵곰팡이에서 아르지닌이 합성되는 과정을, 표는 야생형, 영양 요구주 Ⅰ, Ⅱ를 각각 최소 배지, 최소 배지에 물질 ㉠이 첨가된 배지, 최소 배지에 물질 ㉡이 첨가된 배지에서 배양하였을 때, 생장 여부와 물질 ㉢의 합성 여부를 나타낸 것이다. 영양 요구주 Ⅰ은 유전자 A~C 중 어느 하나에만 돌연변이가 일어난 것이고, Ⅱ는 그 나머지 유전자 중 하나에만 돌연변이가 일어난 것이다. ㉠~㉢은 오르니틴, 시트룰린, 아르지닌 중 하나이다.

구분	최소 배지		최소 배지+㉠		최소 배지+㉡	
	생장	㉢ 합성	생장	㉢ 합성	생장	㉢ 합성
야생형	+	○	+	○	+	○
Ⅰ	−	×	+	○	+	×
Ⅱ	−	○	−	○	+	○

(+: 생장함, −: 생장 못함, ○: 합성됨, ×: 합성 안 됨)

이에 대한 설명으로 옳은 것만을 [보기]에서 있는 대로 고른 것은?

┌─[보기]
ㄱ. 효소 B의 기질은 ㉡이다.
ㄴ. ㉢은 시트룰린이다.
ㄷ. Ⅱ는 유전자 C에 돌연변이가 일어난 것이다.
└─

① ㄱ ② ㄴ ③ ㄷ
④ ㄱ, ㄴ ⑤ ㄴ, ㄷ

---

02 다음은 유전부호를 알아내기 위한 실험의 일부이다.

(가) RNA 합성에 사용되는 뉴클레오타이드 중 염기로 사이토신(C)과 유라실(U)을 가지는 리보뉴클레오타이드만을 시험관 Ⅰ~Ⅲ에 표와 같은 구성비로 넣어 충분히 많은 양의 RNA를 인공적으로 합성한다. RNA가 합성될 때 사이토신(C)과 유라실(U)은 무작위로 추가된다.

시험관	Ⅰ	Ⅱ	Ⅲ
구성비(C : U)	1 : 1	3 : ㉠	1 : ㉡

(나) RNA의 번역에 필요한 모든 요소가 포함된 용액을 시험관 Ⅰ~Ⅲ에 첨가하여 충분한 시간 동안 폴리펩타이드를 합성시킨다.

(다) (나)에서 합성된 폴리펩타이드를 구성하는 아미노산 수의 상대적인 비는 표와 같다.

아미노산\시험관	류신	프롤린	페닐알라닌	세린
Ⅰ	1	1	1	1
Ⅱ	6	9	4	?
Ⅲ	6	1	ⓐ	6

(라) 표는 각 아미노산을 지정하는 코돈 일부를 나타낸 것이다.

아미노산	류신	프롤린	페닐알라닌	세린
코돈	CUU, CUC	CCU, CCC	UUU, UUC	UCU, UCC

이에 대한 설명으로 옳은 것만을 [보기]에서 있는 대로 고른 것은? (단, 제시된 코돈만을 고려하며, 개시 코돈과 종결 코돈은 고려하지 않는다.)

┌─[보기]
ㄱ. (가)에서 ㉠+㉡=8이다.
ㄴ. (나)의 용액에는 리보솜, tRNA, 아미노산이 포함되어야 한다.
ㄷ. (다)에서 ⓐ는 12이다.
└─

① ㄱ ② ㄷ ③ ㄱ, ㄴ
④ ㄴ, ㄷ ⑤ ㄱ, ㄴ, ㄷ

03 다음은 DNA X, DNA Y, mRNA Z에 대한 자료이다.

- 이중 나선 DNA X와 Y는 각각 300개의 염기쌍으로 이루어져 있다.
- X와 Y 중 하나로부터 Z가 전사되었고, Z는 300개의 염기로 이루어져 있다.
- X는 단일 가닥 X_1과 X_2로, Y는 단일 가닥 Y_1과 Y_2로 이루어져 있다.
- X에서 $\dfrac{A+T}{G+C} = \dfrac{3}{2}$이고, Y에서 $\dfrac{A+T}{G+C} = \dfrac{3}{7}$이다.
- X_1에서 구아닌(G)의 비율은 16 %이고, 피리미딘 계열 염기의 비율은 52 %이다.
- Y_1에서 사이토신(C)의 비율은 30 %이다.
- Y_2에서 아데닌(A)의 비율은 12 %이다.
- Z에서 구아닌(G)의 비율은 16 %이다.

이에 대한 설명으로 옳은 것만을 [보기]에서 있는 대로 고른 것은?

〔보기〕
ㄱ. 염기 간 수소 결합의 총 개수는 Y가 X보다 90개 더 많다.
ㄴ. Z가 만들어질 때 주형으로 사용된 가닥은 X_1이다.
ㄷ. X_1의 아데닌(A) 개수와 Y_1의 구아닌(G) 개수의 합은 216개이다.

① ㄱ   ② ㄴ   ③ ㄱ, ㄷ
④ ㄴ, ㄷ   ⑤ ㄱ, ㄴ, ㄷ

04 그림은 폴리펩타이드 합성 과정 중 형성되는 복합체를 나타낸 것이다.

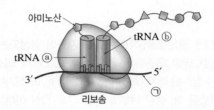

이에 대한 설명으로 옳은 것만을 [보기]에서 있는 대로 고른 것은?

〔보기〕
ㄱ. ㉠에는 코돈이 있다.
ㄴ. tRNA ⓐ, tRNA ⓑ와 ㉠은 단일 가닥으로 이루어진 폴리뉴클레오타이드이다.
ㄷ. 리보솜에서 tRNA ⓐ가 tRNA ⓑ보다 먼저 방출된다.

① ㄱ   ② ㄴ   ③ ㄷ
④ ㄱ, ㄴ   ⑤ ㄴ, ㄷ

05 그림은 유전자가 발현되는 과정을 나타낸 것이다. A~C는 각각 tRNA, rRNA, mRNA 중 하나이다.

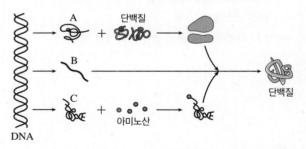

이에 대한 설명으로 옳은 것만을 [보기]에서 있는 대로 고른 것은?

〔보기〕
ㄱ. A에는 코돈, C에는 안티코돈이 있다.
ㄴ. B는 단백질 합성 정보를 전달한다.
ㄷ. A와 C의 존재는 1유전자 1폴리펩타이드설로 설명할 수 있다.

① ㄱ   ② ㄴ   ③ ㄷ
④ ㄱ, ㄷ   ⑤ ㄴ, ㄷ

06 다음은 어떤 진핵생물의 유전자 x와, x에서 돌연변이가 일어난 유전자 y와 z의 발현에 대한 자료이다.

- 유전자 x, y, z로부터 각각 폴리펩타이드 X, Y, Z가 합성된다.
- 폴리펩타이드 X를 구성하는 아미노산과 각 아미노산의 개수는 표와 같다.

아미노산	개수	아미노산	개수	아미노산	개수
메싸이오닌	1	발린	2	알라닌	1
아스파트산	1	류신	1	트레오닌	1
히스티딘	1	프롤린	1		

- 유전자 y는 유전자 x에서 아스파트산을 암호화하는 부위에 1개의 염기쌍이 삽입되고, 발린을 암호화하는 부위에서 ㉠1개의 염기쌍이 결실된 것이다. 유전자 y의 DNA 이중 가닥 염기 서열은 다음과 같고, (가)는 전사 주형 가닥이다.

> 5'-CTATGCTGCATGGACGTTGCGACCGACCATAG-3'
> 3'-GATACGACGTACCTGCAACGCTGGCTGGTATC-5'
> (가)

- 유전자 z는 유전자 x에서 같은 염기가 연속된 2개의 염기쌍이 결실되고, 다른 위치에 ㉡같은 염기가 연속된 2개의 염기쌍이 삽입된 것이다. 결실된 염기와 삽입된 염기는 다르며, 폴리펩타이드 Z의 아미노산 서열은 다음과 같다.

> 메싸이오닌－류신－아스파라진－메싸이오닌－트레오닌－류신－아르지닌－프롤린

- 표는 코돈표의 일부를 나타낸 것이다.

코돈	아미노산	코돈	아미노산	코돈	아미노산
ACU ACC ACA ACG	트레오닌	CGU CGC CGA CGG	아르지닌	GCU GCC GCA GCG	알라닌
AAU AAC	아스파라진	CCA CCG	프롤린	GUU GUC	발린
CAU CAC	히스티딘	GAU GAC	아스파트산	GUA GUG	
CUA CUG UUA UUG	류신	GGA GGG	글리신	AUG	메싸이오닌 (개시 코돈)
		UGU UGC	시스테인	UAA UAG UGA	종결 코돈

이에 대한 설명으로 옳은 것만을 [보기]에서 있는 대로 고른 것은? (단, 제시된 돌연변이 이외의 돌연변이는 고려하지 않는다.)

[보기]
ㄱ. 유전자 x의 전사 주형 가닥에서 ㉠에 있는 염기는 타이민(T)이다.
ㄴ. ㉡ 부분은 전사될 때 염기 유라실(U)로 된다.
ㄷ. X가 합성될 때 사용된 종결 코돈은 UAG이고, Z가 합성될 때 사용된 종결 코돈은 UAA이다.

① ㄱ   ② ㄴ   ③ ㄷ
④ ㄱ, ㄴ   ⑤ ㄴ, ㄷ

07 다음은 어떤 세포에서 일어나는 유전자 x의 발현 과정에 대한 자료이다.

- 유전자 x가 포함된 주형 가닥의 DNA 염기 서열은 다음과 같다.

> 3'-AATACGAGGTGACAAGGTCTCTCGTATTCG-5'

- 유전자 x가 전사되어 1차 mRNA가 합성된다.
- 1차 mRNA로부터 ㉠ 연속된 7개의 뉴클레오타이드가 제거되어 새로운 종결 코돈을 갖는 성숙한 mRNA가 만들어진다.
- 성숙한 mRNA가 번역되어 폴리펩타이드 Y가 생성된다.

이에 대한 설명으로 옳은 것만을 [보기]에서 있는 대로 고른 것은? (단, ㉠의 제거 이외에 핵산의 구조 변화는 없고, 개시 코돈은 AUG, 종결 코돈은 UAA, UAG, UGA이다.)

[보기]
ㄱ. Y에 있는 펩타이드 결합의 수는 2개이다.
ㄴ. ㉠의 3' 말단에 있는 염기는 구아닌(G)이다.
ㄷ. 성숙한 mRNA가 폴리펩타이드 Y로 번역될 때 사용된 종결 코돈은 UGA이다.

① ㄱ   ② ㄷ   ③ ㄱ, ㄴ
④ ㄱ, ㄷ   ⑤ ㄴ, ㄷ

08 다음은 폴리펩타이드 합성에 대한 실험이다.

(가) mRNA와 개시 tRNA를 모두 제외하고, 그 밖의 번역에 필요한 모든 물질이 포함된 용액 X를 준비한다. 개시 tRNA는 개시 코돈에 결합하여 번역을 시작하게 한다.

(나) 시험관 Ⅰ~Ⅴ에 각각 용액 X와 ⓐ 방사성 동위 원소로 표지된 아미노산을 넣는다.

(다) (나)의 각 시험관에 mRNA와 물질 ㉠~㉢을 표와 같이 시점 t_0과 t_1에서 첨가한 후 시간에 따라 합성된 폴리펩타이드에서 ⓐ의 총 수를 측정한다. ㉠~㉢은 각각 개시 tRNA, 리보솜 A 자리에 tRNA가 결합하는 것을 차단하는 물질, mRNA와 리보솜 소단위체의 결합을 차단하는 물질 중 하나이다.

시험관 \ 물질	t_0에 첨가한 물질	t_1에 첨가한 물질
Ⅰ	mRNA	㉠
Ⅱ	mRNA+㉠	㉡
Ⅲ	mRNA+㉠	㉢
Ⅳ	mRNA+㉡	㉠
Ⅴ	mRNA+㉢	㉠

(라) Ⅰ~Ⅳ에서 얻은 결과는 다음과 같다.

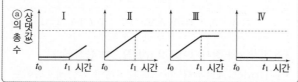

이에 대한 설명으로 옳은 것만을 [보기]에서 있는 대로 고른 것은? (단, Ⅰ~Ⅴ에서 동일한 mRNA를 사용하였으며, 제시된 조건 이외의 다른 조건은 동일하다.)

[보기]
ㄱ. Ⅱ에서 t_1 이후에 mRNA에 새로운 리보솜 소단위체가 결합하지 않는다.
ㄴ. Ⅲ에서 t_1 이후에 세포질에는 아미노산과 결합한 tRNA가 없다.
ㄷ. Ⅴ에서 폴리펩타이드에 포함된 ⓐ의 총 수는 t_0 이후에 계속 증가한다.

① ㄱ 　　② ㄴ 　　③ ㄷ
④ ㄱ, ㄴ 　　⑤ ㄱ, ㄷ

09 표는 야생형 대장균과 돌연변이 대장균 Ⅰ~Ⅲ을 포도당은 없고 젖당이 있는 배지에서 조건을 달리하여 배양한 결과를 나타낸 것이다. 돌연변이 대장균 Ⅰ~Ⅲ은 각각 젖당 오페론의 조절 유전자가 결실된 돌연변이, 젖당 오페론의 프로모터가 결실된 돌연변이, 젖당 오페론의 작동 부위가 결실된 돌연변이 중 하나이고, ㉠~㉢은 각각 억제 단백질과 젖당 유도체의 결합, 젖당 오페론의 프로모터와 RNA 중합 효소의 결합, 억제 단백질과 젖당 오페론의 작동 부위 결합 중 하나이다.

구분	㉠	㉡	㉢	젖당 분해 효소의 생성
야생형	○	×	○	생성됨
Ⅰ	○	×	○	생성됨
Ⅱ	×	ⓐ	○	생성됨
Ⅲ	?	?	ⓑ	생성 안 됨

(○: 결합함, ×: 결합 못함)

이에 대한 설명으로 옳은 것만을 [보기]에서 있는 대로 고른 것은? (단, 제시된 돌연변이 이외의 돌연변이는 고려하지 않는다.)

[보기]
ㄱ. ㉠은 '억제 단백질과 젖당 오페론의 작동 부위 결합'이다.
ㄴ. ⓐ와 ⓑ는 모두 '×'이다.
ㄷ. Ⅱ에서는 억제 단백질이 합성되지 않는다.

① ㄱ 　　② ㄴ 　　③ ㄷ 　　④ ㄱ, ㄴ 　　⑤ ㄴ, ㄷ

10 그림 (가)는 어떤 사람의 간세포 핵 DNA에서 유전자 X 전사 인자 A, B가 각각 결합하는 부위 a, b를, (나)는 유전자 X의 발현이 A, B에 의해 조절되는 단계를 나타낸 것이다. 전사 인자 A, B는 전사 인자 C와 복합체를 형성한다.

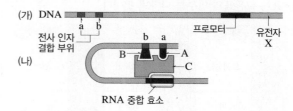

이에 대한 설명으로 옳은 것만을 [보기]에서 있는 대로 고른 것은?

[보기]
ㄱ. a의 염기 서열은 심장 세포의 핵 DNA에도 있다.
ㄴ. a, b, 프로모터, 유전자 X는 오페론을 구성한다.
ㄷ. (나)는 유전자 X의 전사 후에 일어나는 단계이다.

① ㄱ 　　② ㄴ 　　③ ㄷ 　　④ ㄱ, ㄴ 　　⑤ ㄱ, ㄷ

11 다음은 어떤 동물의 세포 I ~ Ⅲ에서 각각 전사 인자 X, Y, Z를 암호화하는 유전자 x, y, z의 전사 조절에 대한 자료이다.

- 유전자 x, y, z의 프로모터와 전사 인자 결합 부위 A, B, C, D는 그림과 같다.

A	B			프로모터	유전자 x
A		C	D	프로모터	유전자 y
	B	C		프로모터	유전자 z

- 유전자 x, y, z의 전사에 관여하는 전사 인자는 ㉠, ㉡, ㉢, ㉣이다. ㉠은 A에만, ㉡은 B에만, ㉢은 C와 D 중 어느 하나에만 결합하고, ㉣은 그 나머지 하나에 결합한다.
- x의 전사는 전사 인자가 A와 B 중 하나에만 결합해도 촉진되고, z의 전사는 전사 인자가 B와 C 중 하나에만 결합해도 촉진된다. y의 전사는 전사 인자가 A에 결합하고 동시에 다른 전사 인자가 C와 D 중 하나에만 결합해도 촉진된다.
- I과 Ⅲ에서는 각각 전사 인자 X~Z 중 두 가지만 발현되고, Ⅱ에서는 전사 인자 X~Z 중 적어도 한 가지가 발현된다.
- Ⅱ에서는 전사 인자 ㉠~㉣ 중 ㉢만 발현된다.
- 전사 인자 ㉡은 I에서 발현되지 않고, ㉠은 Ⅲ에서 발현되지 않는다.

이에 대한 설명으로 옳지 <u>않은</u> 것은?

① ㉣의 결합 부위는 D이다.
② I에서는 ㉢이 발현되지 않는다.
③ I에서는 y가 발현된다.
④ Ⅱ와 Ⅲ에서는 z가 발현된다.
⑤ Ⅲ에서는 x가 발현되지 않는다.

12 그림은 진핵세포에서 유전자 x가 발현되는 과정을 나타낸 것이다. ⓐ는 전사 주형 가닥의 5′ 말단과 3′ 말단 중 하나이다.

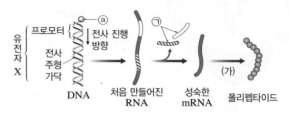

이에 대한 설명으로 옳은 것만을 [보기]에서 있는 대로 고른 것은?

[보기]
ㄱ. ⓐ는 전사 주형 가닥의 3′ 말단이다.
ㄴ. ㉠에는 염기 타이민(T)이 포함될 수 있다.
ㄷ. (가)에 mRNA, rRNA, tRNA가 모두 관여한다.

① ㄱ   ② ㄴ   ③ ㄷ   ④ ㄱ, ㄴ   ⑤ ㄱ, ㄷ

13 다음은 식물에서의 유전자 발현 조절에 대한 설명이다.

- 유전자 A, B, C는 꽃 구조 형성에 관여하는 핵심 조절 유전자이다.
- 유전자 A만 발현되면 꽃받침, 유전자 A와 B가 발현되면 꽃잎, 유전자 B와 C가 발현되면 수술, 유전자 C만 발현되면 암술이 형성된다.
- 야생형과 돌연변이 식물체 (가)~(다)의 꽃에서 형성된 구조는 표와 같다. 돌연변이 (가)~(다)는 각각 유전자 A~C 중 하나 이상이 결실된 것이다.

구분	꽃받침	꽃잎	수술	암술
야생형	형성	형성	형성	형성
(가)	형성	형성	형성 안 됨	형성 안 됨
(나)	형성	형성 안 됨	형성 안 됨	형성
(다)	형성 안 됨	㉠	형성	형성

이에 대한 설명으로 옳은 것만을 [보기]에서 있는 대로 고른 것은? (단, 제시된 돌연변이 이외의 돌연변이는 고려하지 않는다.)

[보기]
ㄱ. (가)에서는 유전자 C가 결실되었다.
ㄴ. ㉠은 '형성'이다.
ㄷ. 야생형의 꽃받침에는 유전자 A와 B가 모두 있다.

① ㄱ   ② ㄴ   ③ ㄷ   ④ ㄱ, ㄴ   ⑤ ㄱ, ㄷ

생물의 진화와 다양성

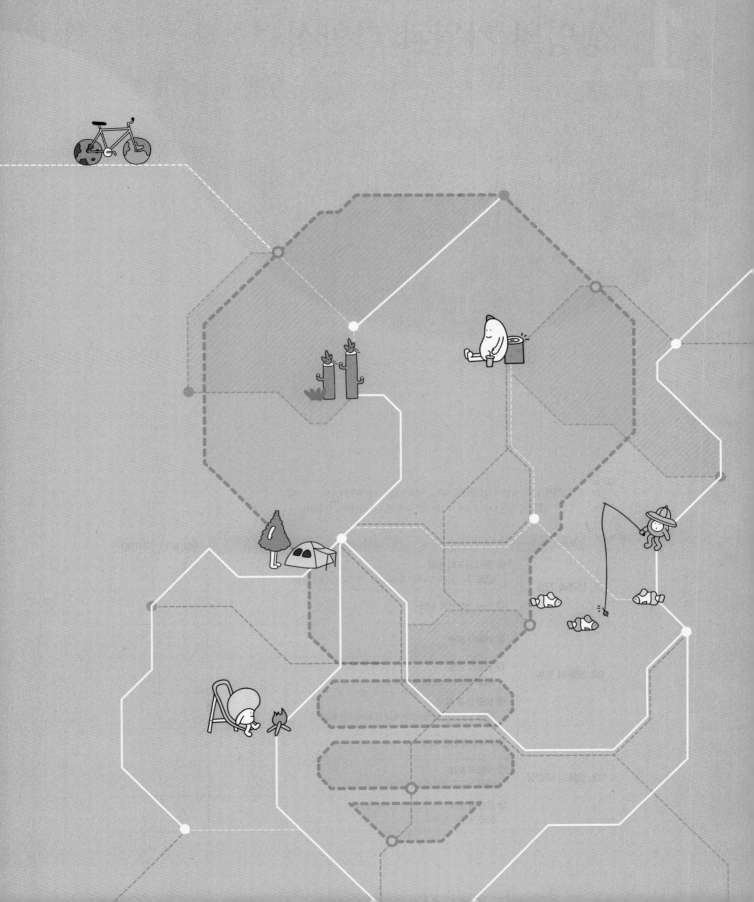

1 생명의 기원과 다양성

- 01. 생명의 기원
- 02. 생물의 분류
- 03. 생물의 다양성

이 단원을 공부하기 전에 학습 계획을 세우고, 학습 진도를 스스로 체크해 보자.
학습이 미흡했던 부분은 다시 보기에 체크해 두고, 시험 전까지 꼭 완벽히 학습하자!

소단원	학습 내용	학습 일자	다시 보기
01. 생명의 기원	**Ⓐ 원시 세포의 탄생** 탐구 원시 지구에서 유기물의 생성-유리와 밀러의 실험	/	
	Ⓑ 원시 생명체의 진화	/	
02. 생물의 분류	**Ⓐ 생물의 분류**	/	
	Ⓑ 생물의 계통 탐구 계통수 작성 및 해석하기	/	
	Ⓒ 생물 분류 체계 탐구 5계 분류 체계와 3역 6계 분류 체계의 비교	/	
03. 생물의 다양성	**Ⓐ 3역 6계 분류 체계**	/	
	Ⓑ 식물의 분류 탐구 식물의 계통수 작성하기	/	
	Ⓒ 동물의 분류 탐구 동물의 검색표	/	

◆ 생물의 분류

① **❶ [   ]**: 일정한 기준에 따라 생물을 비슷한 종류의 무리로 나누는 것

② **생물을 분류하는 기준**: 생물 고유의 특징에 따라 분류한다.

③ **생물을 분류하는 목적**: 생물을 분류하면 생물을 체계적으로 연구할 수 있어 생물 다양성을 이해하는 데 도움이 된다.

④ **생물의 분류 단계**: 생물을 분류하는 기본 단위는 **❷ [   ]**이다.

> 종 < 속 < 과 < 목 < 강 < 문 < 계

⑤ **종**: 자연 상태에서 생식이 가능한 자손을 낳을 수 있는 생물 무리

◆ 분류 체계

• **❸ [   ] 분류 체계**: 생물은 원핵생물계, 원생생물계, 식물계, 균계, 동물계로 분류할 수 있다.

❹ [ ]	• 핵막으로 둘러싸인 핵이 없다. • 몸이 하나의 세포로 이루어진 **❺ [ ]** 생물이다. • 세포벽이 있다. • 대부분 광합성을 하지 않지만, 일부는 광합성을 하여 스스로 양분을 만든다. • **예** 대장균, 젖산균
원생생물계	• 핵막으로 둘러싸인 핵이 있는 생물 중 식물계, 균계, 동물계에 속하지 않는 생물 무리이다. • 대부분 단세포 생물이지만, 다세포 생물도 있다. • **예** 아메바, 미역
식물계	• 핵막으로 둘러싸인 핵이 있다. • 다세포 생물이며, 세포벽이 있다. • **❻ [ ]**을 통해 스스로 양분을 만든다. • **예** 솔이끼, 소나무, 은행나무
균계	• 핵막으로 둘러싸인 핵이 있다. • 대부분 다세포 생물이며, 세포벽이 있다. • 운동성이 없으며, 대부분 죽은 생물의 몸을 분해하여 양분을 얻는다. • **예** 곰팡이, 버섯
❼ [ ]	• 핵막으로 둘러싸인 핵이 있다. • 다세포 생물이며, 세포벽이 없다. • 운동성이 있으며, 다른 생물을 먹이로 삼아 양분을 얻는다. • **예** 달팽이, 호랑이

01. 생명의 기원

핵심 포인트

🅰 원시 세포의 탄생 과정 ★★★
　 유리와 밀러의 실험 ★★★
　 막 구조 형성이 중요한 까닭 ★★

🅑 원핵생물의 출현 과정 ★★
　 단세포 진핵생물의 출현 과정 ★★★

 ## 🅐 원시 세포의 탄생

지구상 최초의 생명체는 어떻게 생겨났을까요? 지금과 환경이 많이 달랐던 원시 지구에서 생명체가 탄생한 과정에 대하여 알아보아요.

1. 원시 지구의 환경 → 원시 지구는 유기물이 합성되기에 적합한 환경이었을 것이라 여겨진다.

(1) **원시 대기**: 수소(H_2), 수증기(H_2O), 메테인(CH_4), 암모니아(NH_3), 이산화 탄소(CO_2), 질소(N_2) 등의 기체로 이루어져 있었을 것이다. → 산소(O_2)는 거의 포함되어 있지 않았다.

(2) **에너지원**: 빈번한 운석 충돌과 대규모 화산 활동으로 많은 열이 발생하였고, 대기에 오존층이 없어 태양의 강한 자외선이 지구 표면에 도달하였으며, 대기가 불안정하여 번개와 같은 방전 현상이 자주 일어났다. ➡ 지구에 에너지가 매우 풍부하였다.

2. *화학적 진화설 오파린과 홀데인이 발표한 학설로, 원시 지구에서 화학 반응으로 유기물이 합성되고, 이러한 유기물이 다시 복잡한 유기물로 변화하는 과정을 거쳐 원시 세포가 나타났다는 가설이다. → 천재 교과서에서는 원시 세포를 원시 생명체로 설명한다.

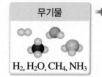  

무기물	→	간단한 유기물 합성	→	복잡한 유기물 합성	→	유기물 복합체 형성	→	원시 세포 출현
H_2, H_2O, CH_4, NH_3		아미노산, 뉴클레오타이드		핵산, 단백질		코아세르베이트, 마이크로스피어		원시 세포

⬆ 화학적 진화설에 따른 원시 세포의 탄생 과정

(1) **간단한 유기물의 합성(원시 지구의 무기물 → 간단한 유기물)**

① 원시 대기를 구성하는 무기물이 아미노산, 뉴클레오타이드와 같은 간단한 유기물로 합성되어 원시 바다에 축적되었다.

② 유리와 밀러의 실험: 무기물에서 간단한 유기물이 합성된다는 오파린의 가설을 입증하였다.

탐구 자료창 원시 지구에서 유기물의 생성 - 유리와 밀러의 실험

그림과 같은 실험 장치의 플라스크 안에 혼합 기체를 넣은 후 1주일 동안 고전압 전류를 이용하여 방전시킨 결과 U자관에 고인 물에서 간단한 유기물에 속하는 일부 아미노산, 사이안화 수소, 알데하이드 등이 검출되었다.

1. 실험 장치와 원시 지구의 관계
• 플라스크 속 혼합 기체: 원시 대기
• 방전: 원시 지구의 풍부한 에너지
• 냉각 장치를 통과한 액체: 비
• U자관에 고인 액체: 원시 바다

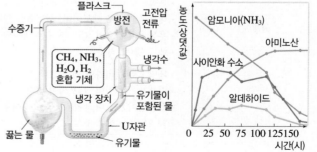

2. U자관에 고인 액체에서 암모니아(NH_3)의 농도는 감소하였고, 아미노산의 농도는 증가한 것으로 보아 혼합 기체의 암모니아(NH_3)로부터 아미노산이 합성되었다. ➡ 원시 지구에서 무기물로부터 간단한 유기물이 합성될 수 있음을 확인하였다.

[옆단]

$H_2, H_2O, CH_4, NH_3, CO_2, N_2$를 넣으면…?

궁금해

왜 원시 지구의 대기에 산소가 거의 없다고 추정하였을까?
원시 지구에 산소가 풍부하였다면 유기물이 합성되어도 빠르게 산화되어 생명체를 탄생시키지 못하였을 것이다. 따라서 원시 지구의 대기는 산소가 거의 없는 상태로 추정된다.

★ 화학적 진화
물질이 화학적으로 변하는 과정을 표현한 말로, 화학 반응에 의한 유기물의 합성과 이로 인한 세포의 탄생을 의미한다.

---

(2) 복잡한 유기물의 합성(간단한 유기물 → 복잡한 유기물)

① 아미노산과 같은 간단한 유기물이 원시 바다에 축적되었고, 축적된 유기물은 원시 지구의 풍부한 에너지에 의해 폴리펩타이드, 핵산 등과 같은 복잡한 유기물로 합성되었다.

② 폭스의 실험: 아미노산에 높은 열을 가해 복잡한 유기물이 만들어질 수 있음을 입증하였다.

(3) 유기물 복합체의 형성(복잡한 유기물 → 유기물 복합체)

① 원시 바다에 축적된 복잡한 유기물들이 모여 막으로 둘러싸인 유기물 복합체가 형성되었다.

② 유기물 복합체의 특징 비교

구분	특징	
코아세르베이트 → 오파린이 주장	• 유기물이 액상의 막으로 둘러싸여 생성된다. • 물질을 선택적으로 흡수하여 커지고, 분열한다. • 간단한 화학 반응이 일어난다.	액상의 막 ↑ 코아세르베이트
마이크로스피어 → 폭스가 주장	• 아미노산을 가열하여 만든 아미노산 중합체를 물에 넣어 만든다. • 물질을 선택적으로 흡수하여 커지고, 분열한다. • 간단한 화학 반응이 일어나며, 구조가 매우 안정적이다.	단백질 2중층의 막 ↑ 마이크로스피어
리포솜	• 인지질을 물속에 넣었을 때 생성된다. • 막에 단백질이 결합할 수 있고, 간단한 화학 반응이 일어난다. • 물질을 선택적으로 흡수하여 커지고, 분열한다. • 유기물 복합체 중 막 구조가 세포막과 가장 유사하다. ➡ 리포솜이 원시 세포로 진화하였을 가능성이 가장 높다.	인지질 2중층의 막 ↑ 리포솜

③ 원시 세포 형성 과정에서 막 구조 형성이 중요한 까닭

• 내부를 외부 환경과 분리시켜 생명 활동(물질대사, 생식)이 일어날 수 있는 공간을 만들어 주기 때문이다.

• 물질을 선택적으로 흡수하여 세포 내 환경을 안정적으로 유지할 수 있도록 해 주기 때문이다.

(4) 원시 세포의 출현

① 원시 세포의 필수 조건: 원시 세포가 되기 위해서는 막 구조와 자기 복제, 물질대사에 필요한 유전 물질과 효소가 있어야 한다. ➡ 이 조건을 만족한 세포가 최초의 생명체로 진화하였을 것이다.

세포막	막으로 둘러싸인 안정된 내부 환경을 가지고 있어야 하며, 막을 경계로 물질 출입을 조절할 수 있어야 한다.
유전 물질(핵산)	유전 물질이 있어 자기 복제를 할 수 있어야 한다. ➡ 유전 물질을 통해 유전 정보를 자손에게 전달해 준다. → 핵산 중 DNA는 효소 기능이 없다.
효소(단백질)	물질대사에 필요한 효소(단백질)를 스스로 합성할 수 있어야 한다. ➡ 물질대사를 통해 세포의 생명 활동에 필요한 물질과 에너지를 얻는다. → 단백질은 유전 정보 저장 및 전달 능력이 없다.

★ 유기물 합성에 대한 또 하나의 가설 – 심해 열수구설

원시 생명체 탄생에 필요한 유기물이 심해 열수구에서 합성되었다고 보는 가설이다. 심해 열수구는 온도와 압력이 높고, 수소, 메테인, 암모니아 등의 기체가 풍부하며, 화산 활동에 의해 지속적으로 에너지가 공급되어 원시 지구와 유사하게 유기물 합성에 적합한 환경이다.

↑ 심해 열수구

궁금해

왜 코아세르베이트, 마이크로스피어, 리포솜은 세포가 아닐까?

코아세르베이트, 마이크로스피어, 리포솜은 막 구조를 가지고 있지만, 유전 물질과 효소가 없어 세포가 아니다.

01 생명의 기원

3. 원시 생명체의 유전 물질

① 최초의 유전 물질: 유전 정보를 저장하는 기능과 효소의 기능을 함께 가지고 있는 *리보자임이 최초의 유전 물질로 추정된다.

② *RNA 우선 가설: 유전 정보는 RNA에 기반하였으나, 단백질이 출현하면서 RNA-단백질을 기반으로 하는 중간 단계를 거쳐, DNA의 출현으로 오늘날과 같은 DNA-RNA-단백질의 유전 정보 체계가 형성되었다.

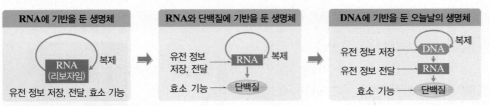

↑ 생명체의 진화와 유전 정보 체계의 변화

★ 리보자임(Ribozyme)
효소(촉매) 기능을 가진 RNA 분자로 미국의 분자생물학자인 체크와 올트먼 두 사람에 의해 처음 발견되었으며, 'RNA (Ribonucleic acid)'와 '효소 (enzyme)'를 합쳐서 만든 이름이다.

★ RNA
RNA는 다양한 입체 구조를 형성할 수 있으며, 이러한 특징은 RNA가 효소 기능을 나타내기에 유리하게 작용한다.

개념 확인 문제

정답친해 107쪽

핵심체크

- 원시 지구의 환경: 대기는 수소, 수증기, 메테인 등의 기체로 이루어져 있었으며, 에너지가 풍부하였다.
- (❶　　　　): 원시 지구에서 유기물이 합성되고, 이를 이용하여 원시 세포가 출현하였다는 가설이다.

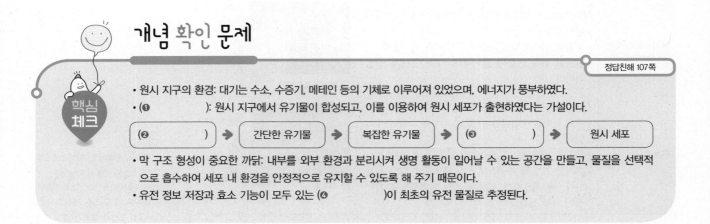

- 막 구조 형성이 중요한 까닭: 내부를 외부 환경과 분리시켜 생명 활동이 일어날 수 있는 공간을 만들고, 물질을 선택적으로 흡수하여 세포 내 환경을 안정적으로 유지할 수 있도록 해 주기 때문이다.
- 유전 정보 저장과 효소 기능이 모두 있는 (❹　　　　)이 최초의 유전 물질로 추정된다.

---

1 원시 지구의 환경과 화학적 진화설에 대한 설명으로 옳은 것은 ○, 옳지 <u>않은</u> 것은 ×로 표시하시오.

(1) 원시 지구의 대기에는 산소가 풍부하였다. ····· (　　)

(2) 원시 지구에는 에너지가 풍부하였다. ········· (　　)

(3) 오존층에 의해 태양의 자외선이 흡수되었다. (　　)

(4) 화학적 진화설에 따르면 '무기물 → 간단한 유기물 → 복잡한 유기물 → 유기물 복합체 → 원시 세포' 순으로 형성되었다. ····················· (　　)

(5) 폭스는 무기물에서 간단한 유기물이 합성된다는 오파린의 가설을 실험으로 입증하였다. ·········· (　　)

(6) 원시 세포가 되기 위해서는 막으로 둘러싸인 안정된 내부 환경을 가지고 있어야 한다. ············· (　　)

2 유기물 복합체와 관련 있는 막 구조를 옳게 연결하시오.

(1) 리포솜 •　　　• ㉠ 액상의 막

(2) 마이크로스피어 •　　• ㉡ 인지질 2중층 막

(3) 코아세르베이트 •　　• ㉢ 단백질 2중층 막

3 리보자임에 대한 설명으로 옳은 것은 ○, 옳지 <u>않은</u> 것은 ×로 표시하시오.

(1) RNA 분자이다. ································· (　　)

(2) 최초의 유전 물질로 추정된다. ················ (　　)

(3) RNA-단백질 기반 체계에서 효소 기능을 담당하였다.
································· (　　)

B 원시 생명체의 진화

원시 지구에 최초의 생명체인 원핵생물이 출현한 이후 생명체는 '단세포 진핵생물 → 다세포 진핵생물 → 육상 생물'의 과정을 거치며 진화하였어요. 그럼 지금부터 원시 생명체의 진화 과정을 자세히 알아볼까요?

1. 원핵생물의 출현 최초의 생명체는 원핵생물이다. → 약 39억 년 전에 출현한 것으로 추정된다.

환경 변화	출현 생물	
대기에는 산소가 거의 없었고, 바다에는 화학적 진화로 합성된 유기물이 풍부하였다. ➡	무산소 호흡을 통해 유기물을 분해하여 에너지를 얻는 원시 생명체가 출현하였다. → 대기로 이산화 탄소를 배출하였다.	무산소 호흡 종속 영양 생물 출현
대기에는 이산화 탄소 농도가 증가하였고, 바다에는 유기물의 양이 감소하였다. ➡	태양의 빛에너지와 대기의 이산화 탄소를 이용하여 유기물을 합성하는 독립 영양 생물이 출현하였다. → 대기로 산소를 배출하였다.	*광합성 독립 영양 생물 출현
대기에는 산소 농도가 증가하였고, 바다에는 유기물의 양이 증가하였다. ➡	산소 호흡을 통해 유기물을 분해하여 에너지를 얻는 종속 영양 생물이 출현하였다. 산소 호흡이 무산소 호흡보다 에너지 효율이 높아 산소 호흡 종속 영양 생물이 빠르게 번성하였다.	산소 호흡 종속 영양 생물 출현

→ 핵막과 막성 세포 소기관이 없다.

2. 단세포 진핵생물의 출현 구조가 단순한 원핵생물(원핵세포)로부터 구조가 복잡한 진핵생물(진핵세포)이 진화하였으며, 최초의 진핵생물은 단세포 생물이다. → 약 21억 년 전에 출현하였다.

• 단세포 진핵생물의 출현을 설명하는 가설: 막 진화설과 세포내 공생설이 있다.

막 진화설	원핵생물의 세포막이 함입되어 핵막, 소포체, 리소좀 등과 같이 막으로 둘러싸인 세포 소기관을 형성하여 원시 진핵생물로 진화하였다는 학설이다.
세포내 공생설	• 원핵생물이 다른 생물에 들어가 공생하면서 미토콘드리아와 엽록체로 분화하였다는 학설이다. • 산소 호흡 세균이 원시 진핵생물 안에 공생하면서 미토콘드리아가 되었고, 산소 호흡이 가능해진 원시 진핵생물 안에 광합성 세균이 공생하면서 엽록체가 되었다. **[세포내 공생설의 근거]** ① 자체 DNA와 리보솜을 가진다. → 자기 복제를 하여 증식한다. ② 원핵생물과 같이 단순한 분열법으로 증식한다. ③ DNA의 모양(원형)과 리보솜이 원핵생물의 것과 유사하다. ④ 2중막 구조이며, 내막의 구조가 원핵생물의 막과 유사하다. → 내막에는 원핵생물의 세포막에서 발견되는 효소 등이 존재한다.

막 진화설과 세포내 공생설에 근거한 진핵생물의 출현 과정

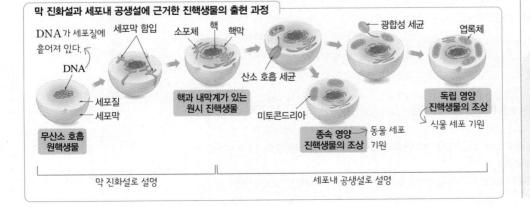

막 진화로 설명 | 세포내 공생설로 설명

천재, 지학사 교과서에만 나와요.
★ **광합성 독립 영양 생물**
• 초기의 광합성 독립 영양 생물: 수소 공급원으로 황화 수소(H_2S)를 이용하였다. ➡ 광합성 결과 산소를 배출하지 않았다.
• 이후 출현한 광합성 독립 영양 생물: 수소 공급원으로 물(H_2O)을 이용하였다. ➡ 광합성 결과 산소를 배출하였다. 예 남세균

★ **스트로마톨라이트**
스트로마톨라이트는 원시 광합성 원핵생물이 모래 입자와 섞여 층층이 만들어진 퇴적 구조이다. 가장 오래된 화석은 약 35억 년 전에 형성된 스트로마톨라이트에서 발견되었으며, 광합성 독립 영양 생물인 남세균과 유사하다. ➡ 독립 영양 생물이 존재하였음을 알 수 있다.

⬆ **스트로마톨라이트에서 발견된 생명체 화석**

궁금해
왜 2중막 구조가 세포내 공생설의 근거가 될까?
2중막 구조 중 내막은 독립된 원핵생물일 때부터 가지고 있었던 것이고, 외막은 공생하게 된 원시 진핵생물 안으로 들어갈 때 이 생물의 세포막으로 싸여 형성된 것이기 때문이다.

01 생명의 기원

3. 다세포 진핵생물의 출현 다세포 진핵생물은 단세포 진핵생물이 모인 *군체로부터 진화하였다. ➡ 이때 출현한 다세포 생물은 원생생물, 식물, 균류, 동물의 조상이 되었다.

└• 약 15억 년 전에 출현하였다.

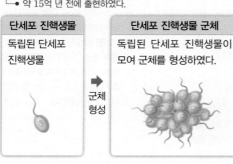

단세포 진핵생물	단세포 진핵생물 군체	초기 다세포 진핵생물
독립된 단세포 진핵생물	독립된 단세포 진핵생물이 모여 군체를 형성하였다.	군체가 환경에 적응하는 과정에서 각 세포의 형태와 기능이 달라져 초기 다세포 생물이 출현하였다.

군체 형성

세포 분화

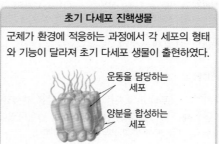

운동을 담당하는 세포

양분을 합성하는 세포

C+ 확대경 다세포 생물의 진화 과정 ─── 미래엔 교과서에만 나와요.

| 편모를 가진 독립된 단세포성 진핵생물 | 독립된 단세포 진핵생물이 모여 군체 형성 | 분화되지 않은 세포들로 구성된 속이 빈 덩어리 | 생식을 담당하는 세포의 분화 | 세포들이 접혀 들어가면서 조직 형성 |

1. 군체를 구성하는 모든 세포는 기능이 동일하다. ➡ 기능적 분화가 일어나지 않았다.
2. 군체로부터 다세포 생물이 진화될 때 세포의 기능적·형태적 분화가 일어났다. ➡ 이후 분화된 세포가 모여 조직이 형성되면서 서로 다른 종류의 조직을 갖는 진정한 다세포 생물이 출현하였다.

4. 육상 생물의 출현 산소 농도의 증가로 오존층이 형성되어 자외선이 차단되면서 식물, 곤충, 척추동물 등 다세포 진핵생물이 육상으로 진출하였고, 건조로부터 몸을 보호할 수 있는 형질을 발달시켰다. ➡ 생물이 육상 환경에 잘 적응하여 번성하였고, 생물 다양성이 빠르게 증가하였다.

└• 예 곤충은 몸 표면이 키틴질로 되어 있고, 파충류는 몸 표면이 비늘로 덮여 있다.

생명체의 진화와 지구 대기 중 산소 농도 변화 ───

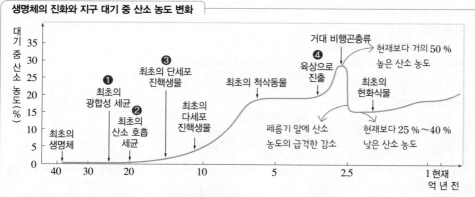

❶ 광합성 세균의 출현과 번성으로 인해 대기 중 산소 농도가 서서히 증가하였다.

❷ 산소 호흡 세균이 출현한 이후 원핵세포로부터 진핵세포가 진화되어 최초의 단세포 진핵생물이 출현하였다.

❸ 단세포 진핵 생물이 출현한 이후 다세포 진핵생물, 척삭동물의 순서로 생물이 출현하였으며, 이 과정에서 대기의 산소 농도는 계속 증가하였다.

❹ 높은 산소 농도로 인해 오존층이 형성되어 생물이 육상으로 진출하였으며, 이후 다양한 생물이 출현하였다.

★ **군체를 형성하는 까닭**

군체는 같은 종의 단세포 생물이 모여 있는 것이다. 단세포 생물이 군체를 형성하는 것은 포식자, 온도, 삼투압 등 환경에 적응하기 유리하기 때문이다.

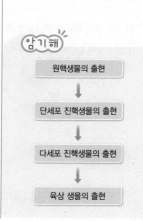

암기해

원핵생물의 출현

단세포 진핵생물의 출현

다세포 진핵생물의 출현

육상 생물의 출현

개념 확인 문제

정답친해 107쪽

핵심 체크

- 원핵생물의 진화: (❶　　　　　) 종속 영양 생물 → (❷　　　　　) 독립 영양 생물 → (❸　　　　　) 종속 영양 생물
- 단세포 진핵생물의 출현을 설명하는 가설
  - 막 진화설: 원생생물의 세포막이 함입되어 (❹　　　　　)으로 둘러싸인 세포 소기관을 형성하였다는 학설이다.
  - 세포내 공생설: 독립적으로 생활하던 원핵생물이 다른 생물 안에 들어가 공생하면서 (❺　　　　　)와 엽록체로 분화하였다는 학설이다.
- 초기 다세포 진핵생물의 출현: 독립된 단세포 진핵생물이 모여 (❻　　　　　)를 형성하였고, 세포의 형태와 기능이 서로 달라지는 분화가 일어나 초기 다세포 진핵생물이 출현하였다.
- 생물의 육상 진출: 대기 중의 (❼　　　　　) 농도가 증가하면서 (❽　　　　　)이 형성되어 태양의 강한 자외선이 차단됨으로써 생물이 육상으로 진출하게 되었다.

---

1 원시 생명체의 진화 과정에 대한 설명으로 옳은 것은 ○, 옳지 않은 것은 ×로 표시하시오.

(1) 최초의 생명체는 원핵생물이다. ·············· (　　　)
(2) 독립 영양 생물이 종속 영양 생물보다 먼저 출현하였다.
　·················· (　　　)
(3) 무산소 호흡 생물이 산소 호흡 생물보다 먼저 출현하였다. ·················· (　　　)
(4) 단세포 진핵생물로부터 다세포 진핵생물이 진화하였다.
　·················· (　　　)

2 그림은 막 진화설과 세포내 공생설에 근거한 진핵생물의 출현 과정을 나타낸 것이다.

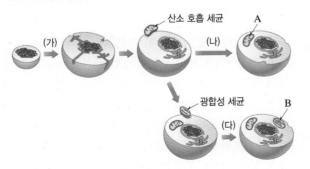

산소 호흡 세균　A
광합성 세균　B

(1) (가)~(다) 중 막 진화설로 설명되는 과정을 있는 대로 쓰시오.
(2) 세포 소기관 A와 B의 이름을 각각 쓰시오.

3 세포내 공생설의 근거에 해당하는 미토콘드리아와 엽록체의 공통점으로 옳지 **않은** 것은?

① 자기 복제　　　　　② 원형 DNA
③ 자체 리보솜　　　　④ 단일막 구조
⑤ 분열법으로 증식

4 다세포 진핵생물의 출현 과정에 대한 설명으로 옳은 것은 ○, 옳지 **않은** 것은 ×로 표시하시오.

(1) 세포 분화가 일어나 군체가 형성되었다. ······· (　　　)
(2) 다세포 진핵생물이 단세포 진핵생물보다 먼저 출현하였다. ·················· (　　　)
(3) 단세포 진핵생물이 모인 군체가 다세포 진핵생물로 진화하였다. ·················· (　　　)

5 다음은 육상 생물의 출현 과정에 대한 설명이다.

대기 중의 산소 농도가 증가하면서 오존층이 형성된 결과 태양의 강한 ㉠(　　　)이 차단되었다. 이로 인해 다세포 진핵생물이 ㉡(　　　)으로 진출할 수 있게 되었다.

(　　　) 안에 알맞은 말을 쓰시오.

대표 자료 분석

자료 1 원시 생명체의 진화 과정

기출 Point
• 생명체의 출현 과정에서 영양 방식의 변화 알기
• 원시 대기의 변화 알기

[1~4] 그림은 지구 대기 변화와 생명체의 출현 과정을
나타낸 것이다. ㉠~㉢은 각각 광합성 독립 영양 생
물, 산소 호흡 종속 영양 생물, 무산소 호흡 종속 영양
생물 중 하나이다.

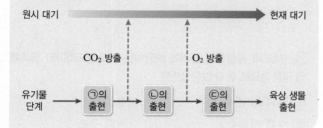

1 ㉠의 이름을 쓰시오.

2 ㉠~㉢ 중 무기물을 이용하여 유기물을 합성하는
생물을 쓰시오.

3 ㉠~㉢ 중 대기의 산소 농도 증가에 가장 큰 영향을
준 생물을 쓰시오.

4 빈출 선택지로 완벽 정리!

(1) ㉠의 출현 이전에 화학적 진화가 일어났다. (○ / ×)
(2) ㉠은 산소 호흡으로 유기물을 분해하여 대기로 CO_2를
방출하였다. ················· (○ / ×)
(3) ㉡의 엽록체에서 광합성이 일어났다. ······· (○ / ×)
(4) 지표에 도달하는 자외선의 세기는 ㉢이 출현하였을
때가 생물이 육상으로 진출하였을 때보다 더 약했다.
························· (○ / ×)

자료 2 진핵생물의 출현

기출 Point
• 막 진화설과 세포내 공생설 알기
• 미토콘드리아와 엽록체의 형성 기원 알기

[1~4] 그림은 막 진화설과 세포내 공생설에 따라 원핵
생물로부터 진핵생물이 출현하는 과정을 나타낸 것이
다. ⓐ와 ⓑ는 각각 광합성 세균과 산소 호흡 세균 중
하나이다.

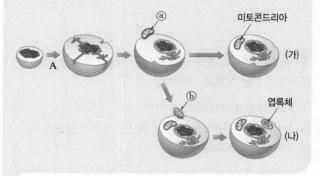

1 ⓐ와 ⓑ 중 광합성 세균을 쓰시오.

2 ⓐ와 ⓑ 중 유전 물질을 가지고 있는 것을 있는 대
로 쓰시오.

3 (가)와 (나) 중 동물 세포의 기원이 된 것을 쓰시오.

4 빈출 선택지로 완벽 정리!

(1) A 과정 이전에 핵막이 형성되었다. ·········· (○ / ×)
(2) A 과정에서 세포막의 함입이 일어났다. ····· (○ / ×)
(3) A 과정에서 세포내 공생이 처음 일어났다. (○ / ×)
(4) ⓐ는 빛에너지를 화학 에너지로 전환한다. (○ / ×)
(5) ⓐ와 ⓑ는 모두 2중막 구조이다. ·········· (○ / ×)
(6) 미토콘드리아와 엽록체는 모두 자체 DNA와 리보솜
이 있어 스스로 복제할 수 있다. ·········· (○ / ×)
(7) 미토콘드리아와 엽록체가 모두 원형 DNA를 갖는 것
은 세포내 공생설을 지지하는 근거가 된다. (○ / ×)

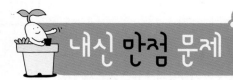

A 원시 세포의 탄생

01 그림은 원시 지구에 대한 학생 A~C의 설명이다.

학생 A: 대기는 많은 양의 수소와 산소로 이루어져 있었을 거야.

학생 B: 운석 충돌과 화산 활동이 자주 일어나 열이 많이 발생하였어.

학생 C: 태양의 강한 자외선이 대부분 대기에서 흡수되어 지구 표면에 도달하지 못하였어.

옳게 설명한 학생만을 있는 대로 고른 것은?

① A   ② B   ③ A, B
④ A, C   ⑤ B, C

02 다음은 화학적 진화와 관련된 물질이다.

> • 핵산   • 메테인   • 아미노산   • 마이크로스피어

이 물질들을 원시 지구에 출현한 순서대로 옳게 나열한 것은?

① 핵산 → 메테인 → 아미노산 → 마이크로스피어
② 메테인 → 핵산 → 아미노산 → 마이크로스피어
③ 메테인 → 아미노산 → 핵산 → 마이크로스피어
④ 아미노산 → 메테인 → 마이크로스피어 → 핵산
⑤ 아미노산 → 핵산 → 마이크로스피어 → 메테인

03 다음은 화학적 진화에 의한 원시 생명체의 출현 과정을 나타낸 것이다. ㉠~㉢은 각각 무기물, 유기물 복합체, 복잡한 유기물 중 하나이다.

> (㉠) → 간단한 유기물 → (㉡) → (㉢) → 원시 세포

이에 대한 설명으로 옳은 것만을 [보기]에서 있는 대로 고른 것은?

[보기]
ㄱ. 암모니아는 ㉠에 포함된다.
ㄴ. ㉡은 주로 원시 대기를 구성하는 물질이다.
ㄷ. ㉢은 유기물 복합체이다.

① ㄴ   ② ㄷ   ③ ㄱ, ㄴ
④ ㄱ, ㄷ   ⑤ ㄴ, ㄷ

04 그림 (가)는 유리와 밀러의 실험을, (나)는 원시 지구에서 일어난 화학적 진화 과정의 일부를 나타낸 것이다.

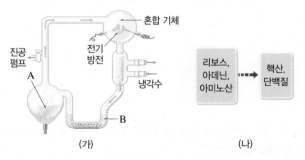

이에 대한 설명으로 옳은 것만을 [보기]에서 있는 대로 고른 것은?

[보기]
ㄱ. 혼합 기체에 암모니아와 메테인이 모두 포함되어 있다.
ㄴ. A와 B 중 원시 바다에 해당하는 것은 A이다.
ㄷ. 이 실험을 통해 (나) 과정이 증명되었다.

① ㄱ   ② ㄴ   ③ ㄱ, ㄷ
④ ㄴ, ㄷ   ⑤ ㄱ, ㄴ

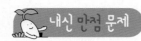

05 그림 (가)와 (나)는 화학적 진화 과정에서 출현한 유기물 복합체를 각각 나타낸 것이다.

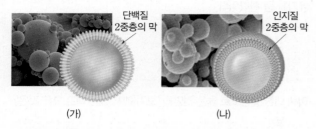

단백질 2중층의 막

인지질 2중층의 막

(가)   (나)

이에 대한 설명으로 옳은 것만을 [보기]에서 있는 대로 고른 것은?

─[보기]─
ㄱ. (가)는 리포솜이다.
ㄴ. (나)는 농축된 아미노산 용액에 열을 가하여 만든다.
ㄷ. (가)와 (나)에서는 모두 간단한 화학 반응이 일어난다.

① ㄴ   ② ㄷ   ③ ㄱ, ㄴ
④ ㄱ, ㄷ   ⑤ ㄴ, ㄷ

06 원시 세포가 되기 위한 조건으로 옳은 것만을 [보기]에서 있는 대로 고른 것은?

─[보기]─
ㄱ. 유전 물질이 있어 자기 복제를 할 수 있어야 한다.
ㄴ. 막으로 둘러싸인 내부 환경을 가지고 있어야 한다.
ㄷ. 물질대사에 필요한 효소를 스스로 합성할 수 있어야 한다.

① ㄴ   ② ㄷ   ③ ㄱ, ㄴ
④ ㄱ, ㄷ   ⑤ ㄱ, ㄴ, ㄷ

07 그림은 RNA 우선 가설에 따른 유전 정보 체계 (가)~(다)를 나타낸 것이다. 물질 ㉠과 ㉡은 각각 DNA와 RNA 중 하나이다.

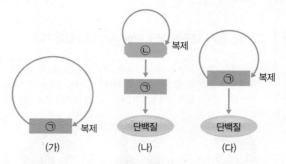

복제   ㉡ 복제   복제
             ↓
㉠ 복제   ㉠   ㉡ 복제
             ↓   ↓
(가)   단백질   단백질

(가)   (나)   (다)

이에 대한 설명으로 옳은 것만을 [보기]에서 있는 대로 고른 것은?

─[보기]─
ㄱ. 리보자임은 ㉡에 해당한다.
ㄴ. 출현한 순서는 (가) → (다) → (나)이다.
ㄷ. (가)와 (나)에서 ㉠은 모두 유전 정보를 저장한다.

① ㄴ   ② ㄷ   ③ ㄱ, ㄴ
④ ㄱ, ㄷ   ⑤ ㄴ, ㄷ

B 원시 생명체의 진화

08 표는 원시 지구에서 출현한 생물 A~C의 특징을 나타낸 것이다. A~C 중 하나는 최초의 원시 생명체이다.

생물	특징
A	최초로 산소를 이용하여 유기물을 분해하였다.
B	최초로 빛에너지를 이용하여 유기물을 합성하였다.
C	무산소 호흡으로 유기물을 분해하였다.

이에 대한 설명으로 옳은 것만을 [보기]에서 있는 대로 고른 것은?

─[보기]─
ㄱ. A는 미토콘드리아를 가진다.
ㄴ. 출현한 순서는 C → A → B이다.
ㄷ. A~C는 모두 원시 바다에서 출현하였다.

① ㄱ   ② ㄴ   ③ ㄷ
④ ㄱ, ㄴ   ⑤ ㄴ, ㄷ

09 그림은 원핵생물 (가)~(다)의 주된 물질대사를 각각 나타낸 것이다. (가)~(다)는 각각 산소 호흡 종속 영양 생물, 광합성 독립 영양 생물, 무산소 호흡 종속 영양 생물 중 하나이다.

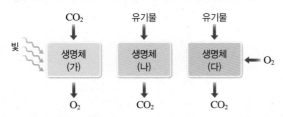

이에 대한 설명으로 옳은 것만을 [보기]에서 있는 대로 고른 것은?

─[보기]─
ㄱ. (가)에 의해 대기의 산소 농도가 증가하였다.
ㄴ. (나)는 막으로 둘러싸인 세포 소기관을 가진다.
ㄷ. 원시 지구에 (다)가 (나)보다 먼저 출현하였다.

① ㄱ   ② ㄴ   ③ ㄷ
④ ㄱ, ㄴ   ⑤ ㄴ, ㄷ

[10~11] 그림은 진핵생물이 출현하는 과정 중 일부를 나타낸 것이다. A와 B는 각각 엽록체와 미토콘드리아 중 하나이다.

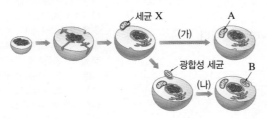

10 이에 대한 설명으로 옳은 것만을 [보기]에서 있는 대로 고른 것은?

─[보기]─
ㄱ. 세균 X는 남세균과 영양 방식이 같다.
ㄴ. A의 내막은 세균 X의 막으로부터 유래하였다.
ㄷ. 세포내 공생설은 (가)와 (나) 과정을 설명하는 가설이다.

① ㄱ   ② ㄴ   ③ ㄷ
④ ㄱ, ㄴ   ⑤ ㄴ, ㄷ

서술형
11 A와 B가 무엇인지 각각 쓰고, 세포내 공생설을 지지하는 근거가 되는 A와 B의 공통점을 두 가지만 서술하시오.

12 그림 (가)~(다)는 다세포 생물의 출현 과정을 나타낸 것이다.

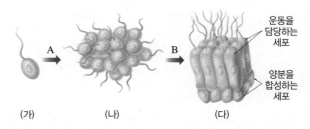

이에 대한 설명으로 옳은 것만을 [보기]에서 있는 대로 고른 것은?

─[보기]─
ㄱ. (가)는 원핵생물이다.
ㄴ. A 과정에서 세포 분화가 일어났다.
ㄷ. (다)는 모양과 기능이 다양한 세포로 구성된다.

① ㄱ   ② ㄴ   ③ ㄷ
④ ㄱ, ㄴ   ⑤ ㄴ, ㄷ

13 그림은 지구의 탄생부터 현재까지 생물 집단 ㉠~㉢이 존재한 기간을 나타낸 것이다. ㉠~㉢은 각각 원핵생물, 단세포 진핵생물, 다세포 진핵생물 중 하나이다.

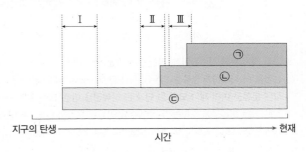

구간 Ⅰ~Ⅲ에 대한 설명으로 옳은 것만을 [보기]에서 있는 대로 고른 것은?

─[보기]─
ㄱ. Ⅰ: 세포내 공생이 일어났다.
ㄴ. Ⅱ: 지구에 산소 호흡을 하는 세균이 존재하였다.
ㄷ. Ⅲ: 대기의 산소 농도가 증가하기 시작하였다.

① ㄱ   ② ㄴ   ③ ㄷ
④ ㄱ, ㄴ   ⑤ ㄴ, ㄷ

02 생물의 분류

- 생물 분류 단계 ★★
- 학명 구조 ★★★
- 생물 계통 의미 ★★
- 계통수 분석 ★★★
- 생물 분류 체계의 변화 ★★
- 3역 6계 분류 체계 특징 ★★★

A 생물의 분류

오늘날 지구상에는 200만 종이 넘는 다양한 생물이 살고 있어요. 이 많은 생물들을 일정한 기준에 따라 분류해 놓으면 생물을 찾고 이해하기 훨씬 더 수월하겠죠? 생물 분류란 무엇인지, 어떤 방법으로 생물을 분류하는지 자세히 알아보아요.

1. 생물 분류 다양한 생물들을 공통된 특징을 가지는 생물끼리 무리 지으며, 생물 사이의 계통을 밝히는 것이다.

(1) **분류군**: 생물을 묶어서 분류한 무리이다. 예 사람, 곰, 코끼리를 묶은 포유류

(2) *종: 생물 분류의 기본 단위이며, 일반적으로 말하는 종은 '생물학적 종'을 의미한다.

형태학적 종 교학사, 천재 교과서에만 나와요!	• 린네에 의해 체계화된 것으로, 외부 형태가 유사한 특징을 갖는 개체들의 집단이다. • 같은 종이라도 계절이나 서식지 등에 따라 외부 형태가 다를 수 있으므로 종을 정의하기 어려울 수 있다. • 예 신갈나무와 떡갈나무, 수원청개구리와 청개구리는 형태학적으로 다른 종이다.
생물학적 종	• 형태적 특징과 생활형이 비슷하고, 자연 상태에서 자유롭게 교배하여 생식 능력이 있는 자손을 낳을 수 있는 개체들의 집단이다. • 다른 집단과 생식적으로 격리되어 있는 집단을 하나의 종으로 구분한다. • 예 진돗개와 치와와, 피부색이 다른 사람들은 생물학적으로 같은 종이다.

(3) **분류 단계**: 분류군을 좁은 범위에서 넓은 범위로 묶어 단계적으로 나타낸 것이다.

분류 단계

아종	아속	아과	아목	아강	아문	아계
종 <	속 <	과 <	목 <	강 <	문 <	계 < 역
예 사람	사람속	사람과	영장목	포유강	척삭동물문	동물계 진핵생물역

- 가장 작은 분류군은 종이고, 가장 큰 분류군은 역이다.
- 생물을 더 자세하게 분류할 경우에는 각 단계 사이에 '아'를 붙인 중간 단계를 둔다. 예 아종, 아속, 아과
- 작은 분류군 여러 개가 모여 한 단계 큰 분류군을 이룬다. 예 여러 속이 모여 하나의 과를 이룬다.
- 같은 작은 분류군에 속하는 두 종일수록 공통된 특징이 많아 유연관계가 가깝다. 예 사람속에 속하는 두 종의 생물은 영장목에 속하는 두 종의 생물보다 일반적으로 유연관계가 더 가깝다.

2. 학명 국제적으로 통용되는 생물의 이름으로, 린네가 제안한 이명법을 사용하여 표기한다.

(1) **이명법**: *속명과 종소명으로 표기하며, 종소명 뒤에 명명자를 쓴다.

학명(이명법) :	속명	+	종소명	+	명명자
예 사람 :	*Homo*		*sapiens*		Linné

(2) **학명과 생물의 분류**: 학명에는 속명이 포함되어 있으므로 학명을 통해 생물의 유연관계를 파악할 수 있다. ─● 속명이 같으면 상위 단계의 분류군인 과, 목, 강, 문, 계, 역이 같다.

★ **종간 잡종**
서로 다른 종의 개체들이 교배하여 태어난 개체로 생식 능력이 없어 독립된 종으로 분류하지 않는다. 예 종키(얼룩말＋당나귀), 노새(암말＋수탕나귀)

암기해

분류 계급
종 < 속 < 과 < 목 < 강 < 문 < 계 < 역

★ **속명과 종소명, 명명자**
- 속명과 종소명: 라틴어 또는 라틴어화된 로마자를 사용하여 이탤릭체로 표기하거나, 밑줄을 그어 표시한다. 속명의 첫 글자는 대문자, 종소명의 첫 글자는 소문자로 표기한다.
- 명명자: 해당 생물을 처음 발견한 사람의 이름을 표기하며, 이름의 첫 대문자만 쓰거나 때에 따라 생략할 수도 있다.

궁금해

왜 학명을 만들었을까?
같은 생물종이라도 나라마다 부르는 이름이 달라 학문을 연구하는 데 불편함이 있었고, 이를 해소하기 위해 국제적으로 통용되는 이름이 필요하였다. 이에 라틴어 또는 라틴어화된 로마자로 이름을 부여한 학명을 만들었다.

264 V-1. 생명의 기원과 다양성

B 생물의 계통

족보를 확인해 보면 나의 조상을 알 수 있고, 어떤 친척이 나와 얼마나 가까운 사이인지를 알 수 있어요. 다른 생물들도 마찬가지랍니다. 가깝고 먼 정도를 확인하기 위해서는 생물들의 족보인 계통수를 작성해 보면 된답니다. 그럼 계통수를 어떻게 작성하고 해석하는지 알아볼까요?

1. 계통 다양한 생물들 간의 진화적 [●]유연관계이다.

2. 계통수 계통을 밝혀 생물의 진화 과정을 나무의 형태로 표현한 것이다. ➡ 하나의 계통수로 표현한다는 것은 해당 생물들이 공통 조상에서 유래되었음을 의미한다.

> **계통수 해석하기**
>
>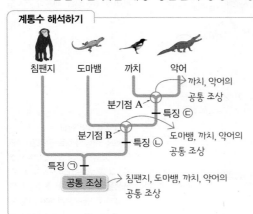
>
> - 계통수의 가장 아래에는 공통 조상이 위치한다.
> - 각 생물종은 공통 조상으로부터 자신에게까지 이르는 경로에 위치한 모든 특징을 가진다.
>
> | 생물종 | 특징 | 생물종 | 특징 |
> |---|---|---|---|
> | 침팬지 | ㉠ | 도마뱀 | ㉠, ㉡ |
> | 까치 | ㉠, ㉡, ㉢ | 악어 | ㉠, ㉡, ㉢ |
>
> - [*]분기점에는 해당 분기점에서 갈라진 모든 생물종의 공통 조상이 위치한다.
> - 최근의 공통 조상을 공유할수록 유연관계가 가깝다.
> ➡ 까치는 악어와 유연관계가 가장 가깝다.

★ **분기점**
계통수에서 가지가 나뉘는 곳으로, 서로 다른 특징을 가져 공통 조상으로부터 서로 다른 두 생물종이 분화되는 지점이다.

주의해
계통수와 유연관계
계통수에서 두 생물종의 가지가 가까울수록 유연관계가 가까운 것이 아니라, 분기점이 가까울수록 유연관계가 가깝다.

탐구 자료창 ★**계통수 작성 및 해석하기**

다음은 생물종 (가)~(마)에 대한 계통수를 작성하기 위해 각 개체군의 특징 A~D를 조사한 후 공통된 특징을 갖는 생물종을 같은 무리로 묶은 것이다. 이를 바탕으로 계통수를 작성해 보자.

구분	(가)	(나)	(다)	(라)	(마)
A	있음	있음	없음	있음	없음
B	있음	있음	있음	있음	있음
C	없음	없음	있음	없음	있음
D	있음	없음	없음	있음	없음

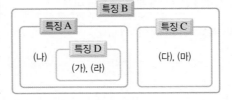

║ 계통수 작성 ║

1. 맨 아래쪽에 공통 조상의 줄기를 그린 후 생물종 (가)~(마)의 공통 특징을 줄기 옆에 쓴다.
2. 공통 조상의 줄기로부터 분화된 두 개의 가지를 그린 후 두 생물종을 공통된 특징이 많을수록 분기점에 가깝게 계통수를 그린다.

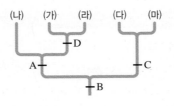

║ 계통수 해석 ║

1. (가)는 (라)와 유연관계가 가장 가깝고, (다)는 (마)와 유연관계가 가장 가깝다.
2. (라)는 (다)보다 (나)와 유연관계가 더 가깝다.
3. (가), (나), (라)의 공통 조상에는 특징 A와 B가 모두 있다.
4. (다)와 (마)의 공통 조상에는 특징 B와 C가 모두 있다.

★ **계통수를 작성할 때 사용하는 특징(형질)**
· 생물의 형태, 발생 과정, 지리적 분포, DNA 염기 서열 등 다양한 특징을 사용한다.
· 가급적 환경이나 계절 등에 따라 변하지 않으면서 관찰하기 쉬운 특징을 사용한다.

║ 용어 ║
● **유연(類 무리, 緣 인연)관계**
생물종 사이의 멀고 가까운 정도이다.

C 생물 분류 체계

1. 분류 체계 생물을 유연관계가 가까운 종끼리 묶어 나누어 놓은 것이다.

2. 분류 체계의 변화 분류 체계는 '2계 → 3계 → (*4계) → 5계 → 3역 6계'로 변화해 왔다.

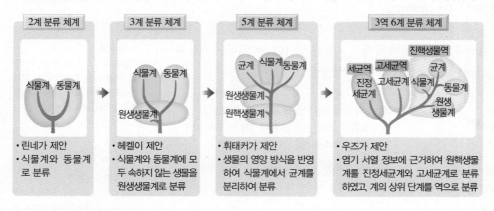

2계 분류 체계	3계 분류 체계	5계 분류 체계	3역 6계 분류 체계
• 린네가 제안 • 식물계와 동물계로 분류	• 헤켈이 제안 • 식물계와 동물계에 모두 속하지 않는 생물을 원생생물계로 분류	• 휘태커가 제안 • 생물의 영양 방식을 반영하여 식물계에서 균계를 분리하여 분류	• 우즈가 제안 • 염기 서열 정보에 근거하여 원핵생물계를 진정세균계와 고세균계로 분류하였고, 계의 상위 단계를 역으로 분류

3. *3역 6계 분류 체계의 특징

특징	세균역	*고세균역	진핵생물역
핵막	없다.	없다.	있다.
막성 세포 소기관 → • 엽록체, 미토콘드리아 등	없다.	없다.	있다.
세포벽의 ❶펩티도글리칸	있다.	없다.	없다.
히스톤과 결합한 DNA	없다.	일부 있다.	있다.
염색체(DNA) 모양	원형(1개)	원형(1개)	선형(여러 개)

탐구 자료창 **5계 분류 체계와 3역 6계 분류 체계의 비교**

5계 분류 체계와 3역 6계 분류 체계의 공통점과 차이점을 비교해 보자.

1. 5계 분류 체계와 3역 6계 분류 체계 비교

구분	5계	3역 6계
공통점	핵막이 있는 진핵생물을 원생생물계, 식물계, 균계, 동물계로 분류하였다.	
차이점	• 핵막이 없는 원핵생물을 모두 원핵생물계에 포함시켰다. • 계가 가장 상위 분류군이다.	• 원핵생물을 진정세균계와 고세균계로 분류하였다. • 계보다 상위 분류군으로 3역(세균역, 고세균역, 진핵생물역)이 있다.

2. 5계 분류 체계에서 3역 6계 분류 체계로 변하게 된 까닭: 형태 형질 이외에도 RNA 염기 서열을 이용하여 다양한 정보를 추가한 통합 계통수를 작성할 수 있게 되었기 때문이다.

★ 4계 분류 체계
전자 현미경의 발달로 핵막이 없는 생물이 발견되면서 기존의 원생생물계가 원핵생물계와 원생생물계로 나누어져 식물계, 동물계, 원생생물계, 원핵생물계로 이루어진 4계 분류 체계가 제시되었다.

★ 3역 6계의 진화
단세포 원핵생물로 구성된 세균역과 고세균역이 먼저 나누어졌고, 그 후 고세균역 가지에서 진핵생물역이 나왔다. 진핵생물역의 4계 중 원생생물계가 가장 먼저 출현하였고 이후 식물계, 균계, 동물계 순으로 출현하였다.

★ 고세균역
고세균역은 rRNA의 염기 서열, 세포벽의 성분, DNA 복제 및 단백질 합성 과정 등이 세균역보다 진핵생물역과 더 유사하다.
➡ 고세균역은 세균역보다 진핵생물역과 유연관계가 더 가깝다.

│용어│

❶ 펩티도글리칸(peptidoglycan)
세균 세포벽의 주요 구성 물질로, 당과 아미노산으로 이루어진 중합체이다.

개념 확인 문제

핵심 체크

- (❶　　　　　): 자연 상태에서 자유롭게 교배하여 생식 능력이 있는 자손을 낳을 수 있는 무리이다.
- 분류 단계: 종 < (❷　　　　　) < 과 < 목 < 강 < 문 < 계 < (❸　　　　　)
- 학명: 국제적으로 통용되는 생물의 이름으로, 린네가 제안한 (❹　　　　　)을 사용하여 표기한다.
- 계통: 다양한 생물들 간의 진화적 (❺　　　　　)이다.
- (❻　　　　　): 생물의 진화 과정을 나무의 형태로 표현한 것이다.
- 생물 분류 체계의 변화: 2계 → 3계 → (4계) → 5계 → (❼　　　　　)
- 3역 6계 분류 체계: 세균역(진정세균계), 고세균역(고세균계), (❽　　　　　)역(원생생물계, 식물계, 균계, 동물계)

---

1 다음은 분류 계급에 대한 설명이다. (　　) 안에 알맞은 말을 고르시오.

(1) 가장 큰 분류군은 (종, 역)이다.

(2) 여러 과가 모여 하나의 (속, 목)을 이룬다.

(3) 같은 목에 속한 두 생물종은 (같은 , 다른) 강에 속한다.

(4) 두 개체가 같은 종인지 다른 종인지 판정하는 가장 중요한 기준은 (지리적, 생식적) 격리 여부이다.

2 사람의 학명을 옳게 표시한 것은?

① *homo sapiens* linné　② *homo sapiens* Linné

③ *homo Sapiens* Linné　④ *Homo sapiens* Linné

⑤ *Homo Sapiens* Linné

3 그림은 생물의 계통수를 나타낸 것이다. 이에 대한 설명으로 옳은 것은 ○, 옳지 않은 것은 ×로 표시하시오.

(1) 침팬지는 특징 ㉠, ㉢, ㉤을 모두 가진다. ┈┈ (　　)

(2) 까치는 악어보다 개와 유연관계가 더 가깝다. (　　)

(3) 도마뱀과 악어의 공통 조상은 분기점 C에 위치한다.
┈┈┈┈┈┈┈┈┈┈┈┈┈┈┈┈┈┈ (　　)

(4) 개와 도마뱀은 개와 침팬지보다 공통 조상으로부터 갈라진 시기가 더 오래되었다. ┈┈┈┈┈ (　　)

4 생물 분류 체계에 대한 설명으로 옳은 것은 ○, 옳지 않은 것은 ×로 표시하시오.

(1) 2계 분류 체계에서 3계 분류 체계로 변하면서 균계가 새롭게 분류되었다. ┈┈┈┈┈┈┈┈ (　　)

(2) 5계 분류 체계에서는 생물을 세균계, 고세균계, 균계, 식물계, 동물계로 분류한다. ┈┈┈┈ (　　)

(3) 3역 6계 분류 체계에서 진핵생물은 모두 진핵생물역으로 분류한다. ┈┈┈┈┈┈┈┈┈┈ (　　)

(4) 3역 6계 분류 체계에서 원핵생물은 진정세균계와 고세균계로 분류한다. ┈┈┈┈┈┈┈┈┈ (　　)

(5) 5계 분류 체계와 3역 6계 분류 체계의 공통점은 핵막이 있는 진핵생물을 4개의 계로 분류한 것이다. (　　)

5 그림은 5계 분류 체계와 3역 6계 분류 체계를 비교하여 나타낸 것이다.

(1) A~D에 해당하는 분류군을 각각 쓰시오.

(2) A~D 중 펩티도글리칸 성분의 세포벽을 가진 분류군을 쓰시오.

대표 자료 분석

🏠 학교 시험에 자주 출제되는 대표 자료와 그 자료에 대한 문제를 통해 자료를 완벽하게 이해할 수 있다.

자료 ① 계통수

기출 Point
· 계통수 작성하기
· 계통수를 통해 생물 간 유연관계 알기

[1~3] 그림 (가)는 생물종 ㉠~㉤을 특징 A~D에 따라 분류한 것이고, (나)는 이를 근거로 작성한 계통수이다.

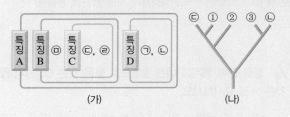

(가)   (나)

1 생물종 ㉠, ㉣, ㉤ 중 (나)의 ①~③에 해당하는 생물종을 각각 쓰시오.

2 생물종 ㉠, ㉢, ㉣, ㉤ 중 ㉡과 유연관계가 가장 가까운 생물종을 쓰시오.

3 빈출 선택지로 완벽 정리!

(1) ①에 해당하는 생물종은 ㉢과 유연관계가 가장 가깝다.
·· (○ / ×)

(2) ②에 해당하는 생물종은 특징 A, B, C를 모두 가진다.
·· (○ / ×)

(3) ③에 해당하는 생물종은 특징 A와 D를 모두 가진다.
·· (○ / ×)

(4) 특징 A는 생물종 ㉠~㉤의 공통된 특징이다. (○ / ×)

(5) 특징 B는 C보다 먼저 나타났다. ········· (○ / ×)

(6) ㉢은 ㉣보다 ㉤과 유연관계가 더 가깝다. (○ / ×)

(7) ㉢과 ①의 분화는 ㉢과 ②의 분화보다 먼저 이루어졌다. ······································· (○ / ×)

(8) ㉢, ①, ②는 공통적으로 특징 A와 B를 모두 가지고 있다. ····································· (○ / ×)

자료 ② 5계 분류 체제와 3역 6계 분류 체계 비교

기출 Point
· 두 분류 체계의 공통점과 차이점 알기
· 생물의 분류 체계가 5계에서 3역 6계로 바뀌게 된 근거 알기

[1~3] 그림 (가)와 (나)는 서로 다른 두 분류 체계를 나타낸 것이다.

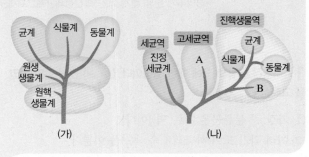

(가)   (나)

1 (가)와 (나)에 해당하는 분류 체계를 각각 쓰시오.

2 A와 B에 해당하는 분류군을 각각 쓰시오.

3 빈출 선택지로 완벽 정리!

(1) (가)는 (나)보다 먼저 제시되었다. ········ (○ / ×)

(2) (가)에서 원핵생물계를 제외한 4계는 모두 (나)의 진핵생물역에 속한다. ························· (○ / ×)

(3) (나)에서 고세균역은 진핵생물역보다 세균역과 유연관계가 더 가깝다. ······················· (○ / ×)

(4) (가)와 (나)의 공통점은 진핵생물을 4계로 분류한 것이다. ······································· (○ / ×)

(5) (가)와 (나)의 차이점은 원핵생물계의 유무이다.
·· (○ / ×)

(6) rRNA의 염기 서열 분석을 토대로 계통수를 작성할 수 있게 되었기 때문에 (가)에서 (나)로 변하게 되었다.
·· (○ / ×)

Ⓐ 생물의 분류

01 종에 대한 설명으로 옳은 것만을 [보기]에서 있는 대로 고른 것은?

〔보기〕
ㄱ. 종은 생물을 분류하는 가장 큰 분류군이다.
ㄴ. 생식적 격리는 종을 판정하는 중요한 기준이다.
ㄷ. 같은 생물종인 두 개체 사이에서 태어난 자손은 생식 능력이 있다.

① ㄱ   ② ㄴ   ③ ㄱ, ㄴ
④ ㄱ, ㄷ   ⑤ ㄴ, ㄷ

02 다음은 라이거에 대한 자료이다.

라이거는 수컷 사자(*Panthera leo*)와 암컷 호랑이 (*Panthera tigris*) 사이에서 태어나며, 사자보다 몸집이 약간 크고 호랑이처럼 갈색 줄무늬가 있는데 뚜렷하지 않다. 또한 생식 능력이 없어 자손을 낳지 못한다.

이에 대한 설명으로 옳은 것만을 [보기]에서 있는 대로 고른 것은?

〔보기〕
ㄱ. 사자와 호랑이는 같은 과에 속한다.
ㄴ. 사자와 호랑이는 생식적으로 격리되어 있다.
ㄷ. 이 자료에 제시된 생물학적 종은 세 가지이다.

① ㄱ   ② ㄷ   ③ ㄱ, ㄴ
④ ㄴ, ㄷ   ⑤ ㄱ, ㄴ, ㄷ

03 다음은 동물 A~C에 대한 자료이다. ㉠과 ㉡은 각각 과와 속 중 하나이다.

• A와 B는 같은 ㉠에 속한다.
• A~C는 모두 같은 ㉡에 속한다.
• B와 C는 서로 다른 ㉠에 속한다.

이에 대한 설명으로 옳은 것은?

① A~C는 모두 같은 종이다.
② A와 B는 서로 다른 목에 속한다.
③ B와 C는 서로 다른 강에 속한다.
④ A는 C보다 B와 유연관계가 더 가깝다.
⑤ B와 C 사이에서 생식 능력을 가진 자손이 태어난다.

04 표는 동물 A와 B의 학명을 나타낸 것이다. (서술형)

동물	학명
A	*Panthera tigris* Linné
B	*Panthera pardus* Schlegel

A와 B 사이에서 생식 능력을 가지는 자손이 태어나는지 태어나지 않는지 쓰고, 그 근거를 학명과 관련지어 서술하시오.

05 다음은 식물 (가)~(다)의 학명을 나타낸 것이다.

(가) *Camellia japonica*
(나) *Styrax japonica* Mires
(다) *Styrax obassia* Siebold & Zucc.

이에 대한 설명으로 옳은 것만을 [보기]에서 있는 대로 고른 것은?

〔보기〕
ㄱ. (가)와 (나)는 종소명이 같다.
ㄴ. (가)~(다)의 학명은 모두 이명법을 사용하였다.
ㄷ. (가)와 (나)의 유연관계보다 (나)와 (다)의 유연관계가 더 가깝다.

① ㄱ   ② ㄷ   ③ ㄱ, ㄴ
④ ㄴ, ㄷ   ⑤ ㄱ, ㄴ, ㄷ

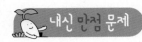

B 생물의 계통

06 그림은 생물 A~F의 계통수를 나타낸 것이다.

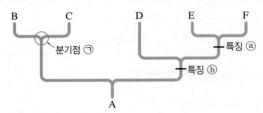

이에 대한 설명으로 옳지 **않은** 것은?

① A는 B~F의 공통 조상이다.
② D는 E보다 C와 유연관계가 더 가깝다.
③ E와 F는 모두 특징 ⓐ를 가진다.
④ 특징 ⓑ를 이용하여 C와 F를 구분할 수 있다.
⑤ 분기점 ㉠에는 B와 C의 공통 조상이 위치한다.

07 그림은 생물종 (가)~(마)를 특징 A~D에 따라 분류한 것이다.

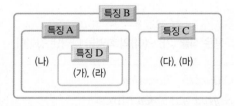

위 자료를 근거로 작성한 (가)~(마)의 계통수에 대한 설명으로 옳은 것만을 [보기]에서 있는 대로 고른 것은?(단, 계통수는 아래에서 위로 가면서 가지가 갈라지는 형태로 작성한다.)

┌─[보기]
ㄱ. (가)~(마)의 공통 조상이 가장 아래에 위치한다.
ㄴ. (가)와 (나)의 분기점은 (가)와 (라)의 분기점보다 위에 있다.
ㄷ. (다)와 (라)의 분기점이 가장 위에 있다.
└─

① ㄱ   ② ㄴ   ③ ㄷ
④ ㄱ, ㄴ   ⑤ ㄴ, ㄷ

08 표는 식물 A~E의 특징을 나타낸 것이다.

식물	수술 수	암술 수	꽃잎 수	꽃 색깔	잎 모양
A	4	1	5	빨강	타원형
B	4	2	5	빨강	타원형
C	4	2	5	노랑	선형
D	2	1	4	노랑	선형
E	2	2	4	노랑	선형

식물 종 A~E의 계통수로 가장 적절한 것은?

09 표는 생물종 A~D의 특징을, 그림은 생물종 A와 ㉠~㉢의 계통수를 나타낸 것이다. ㉠~㉢은 각각 B~D 중 하나이다.

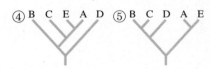

구분	A	B	C	D
특징 1	○	×	×	×
특징 2	×	○	×	×
특징 3	○	×	○	×
특징 4	○	○	○	○

(○: 있음, ×: 없음)

이에 대한 설명으로 옳은 것만을 [보기]에서 있는 대로 고른 것은?

┌─[보기]
ㄱ. ㉡은 C이다.
ㄴ. B는 D보다 A와 유연관계가 더 가깝다.
ㄷ. ㉠과 ㉢의 공통 조상은 특징 4를 가진다.
└─

① ㄱ   ② ㄴ   ③ ㄷ
④ ㄱ, ㄴ   ⑤ ㄴ, ㄷ

C 생물 분류 체계

10 그림은 생물 분류 체계 (가)~(다)를 비교하여 나타낸 것이다. (가)~(다)는 각각 2계, 5계, 3역 6계 분류 체계 중 하나이다.

이에 대한 설명으로 옳지 <u>않은</u> 것은?(단, A~C는 분류군이며, 제시된 분류군만 고려한다.)

① A는 원핵생물계이다.
② B는 진핵생물역으로, (다)에서 핵막이 있는 생물은 모두 B에 속한다.
③ C는 원생생물계이다.
④ 생물 분류 체계는 (나)에서 (다)로 변하였다.
⑤ (가)~(다) 중 대장균과 호염성 고세균이 같은 분류군에 속하는 분류 체계는 (가)뿐이다.

11 그림 (가)와 (나)는 서로 다른 두 분류 체계를 나타낸 것이다.

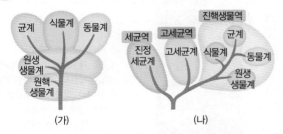

이에 대한 설명으로 옳은 것만을 [보기]에서 있는 대로 고른 것은?

[보기]
ㄱ. (가)는 5계 분류 체계, (나)는 3역 6계 분류 체계이다.
ㄴ. (가)의 원핵생물계가 (나)에서는 진정세균계와 고세균계로 분류되었다.
ㄷ. (가)는 계가 가장 상위 분류군이지만, (나)는 역이 가장 상위 분류군이다.

① ㄱ   ② ㄷ   ③ ㄱ, ㄴ
④ ㄴ, ㄷ   ⑤ ㄱ, ㄴ, ㄷ

12 3역 6계 분류 체계에 대한 설명으로 옳지 <u>않은</u> 것은?

① 3역은 세균역, 고세균역, 진핵생물역이다.
② 진핵생물역의 4계 중 원생생물계가 가장 먼저 출현하였다.
③ 6계는 진정세균계, 고세균계, 원생생물계, 식물계, 균계, 동물계이다.
④ 세균역과 진핵생물역이 먼저 나누어졌고, 진핵생물역 가지에서 고세균역이 나왔다.
⑤ 3역 6계 분류 체계가 나타난 까닭은 다양한 분자 생물학적 정보를 추가한 통합 계통수가 작성되었기 때문이다.

13 그림은 3역 분류 체계를 나타낸 것이다.

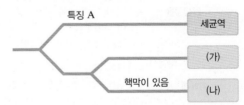

이에 대한 설명으로 옳은 것만을 [보기]에서 있는 대로 고른 것은?

[보기]
ㄱ. '1개의 원형 DNA를 가진다.'는 특징 A에 해당한다.
ㄴ. (가)에는 히스톤과 결합한 DNA를 가진 생물이 일부 포함되어 있다.
ㄷ. (나)는 모두 펩티도글리칸 성분의 세포벽을 가진다.

① ㄴ   ② ㄷ   ③ ㄱ, ㄴ
④ ㄱ, ㄷ   ⑤ ㄴ, ㄷ

03 생물의 다양성

핵심
포인트
- 3역 6계 분류 체계에서 각 분류군의 특징 ★★
- 식물 분류군의 특징 ★★★
  식물 분류군의 유연관계를 계통수로 표현하기 ★★
- 동물 분류군의 특징 ★★★
  동물 분류군의 유연관계를 계통수로 표현하기 ★★

Ⓐ 3역 6계 분류 체계

지금까지는 생물의 분류 체계가 어떻게 변화되어 왔는지 배웠어요. 이제 오늘날 널리 쓰이고 있는 3역 6계 분류 체계에서 각 분류군의 특징을 알아보아요.

1. 3역 6계 분류 체계 세균역(진정세균계), 고세균역(고세균계), 진핵생물역(원생생물계, 식물계, 균계, 동물계)으로 분류한다.

세균역	진정세균계	• 단세포 *원핵생물로, 대부분 종속 영양 생물이지만 일부는 독립 영양 생활을 한다. • 펩티도글리칸으로 이루어진 세포벽이 있다. • 모양에 따라 구균, 간균, 나선균으로 분류한다. • 호흡 방법에 따라 산소 호흡 세균과 무산소 호흡 세균으로 분류한다. • 대부분 분열법으로 증식하며, 한 세대가 짧아 돌연변이가 잘 생긴다. • 환경이 나빠지면 증식을 멈추고 포자를 생성한다. • 예 대장균, 젖산균, 남세균, 포도상구균, 매독균
고세균역	고세균계	• 단세포 원핵생물로, 종속 영양 생물이다. • 일반 생물이 생존하기 어려운 극한 환경에 서식한다. • 예 온도가 높은 곳에 사는 호열성 고세균, 염분 농도가 높은 곳에 사는 호염성 고세균, 산소가 결핍된 곳에 사는 메테인 생성균
진핵생물역	*원생생물계	• 대부분 단세포 진핵생물이지만, 군체를 형성하거나 다세포 생물도 있다. • 종에 따라 형태와 기능, 영양 방식, 생식 방법, 운동 방식이 다양하다. • 예 짚신벌레, 미역, 아메바, 유글레나, 다시마
	식물계	• 다세포 진핵생물로, 광합성을 하는 독립 영양 생물이다. • 셀룰로스로 이루어진 세포벽이 있다. • 예 솔이끼, 고사리, 소나무, 목련, 감나무
	균계	• 대부분 다세포 진핵생물로, 종속 영양 생물이다. • 주로 키틴질로 이루어진 세포벽이 있으며, 포자로 번식한다. • 몸이 균사로 이루어져 있으며, 분해자 역할을 한다. • 다른 생명체나 동물의 사체에 붙어 기생 및 공생을 한다. • 예 곰팡이, 버섯류
	동물계	• 다세포 진핵생물로, 종속 영양 생물이다. • 여러 운동 기관을 이용하여 장소를 이동할 수 있다. • 신경과 근육이 발달하여 주위 환경 변화에 반응한다. • 예 벌, 고래, 개구리, 불가사리, 침팬지, 늑대

구균(포도상구균)

간균(대장균)

나선균(매독균)

메테인 생성균

짚신벌레

솔이끼

표고버섯

침팬지

★ **원핵생물과 진핵생물**
원핵생물은 세포에 핵막이 없어 염색체(DNA)가 세포질에 분포하는 생물이고, 진핵생물은 세포에 핵막이 있어 염색체(DNA)가 핵 속에 있는 생물이다.

★ **원생생물계의 계통**
최근의 계통수에 따르면 원생생물계는 계통적으로 하나의 무리가 아니다. 따라서 진핵생물 중 식물계, 균계, 동물계에 속하지 않는 모든 생물을 말한다.

궁금해
균계는 동물계와 식물계 중 어느 것과 유연관계가 가까울까?
균계와 식물계에 속한 생물은 모두 이동성이 없어 균계는 동물계보다 식물계와 유연관계가 가까울 것 같지만, 영양 방식이나 분류학적 증거 등을 통해 균계는 식물계보다 동물계와 유연관계가 가까운 것으로 보고 있다.

B 식물의 분류

우리가 흔히 볼 수 있는 식물은 수중 생활을 하던 광합성 원생생물인 녹조류가 약 4억 7천만 년 전에 육상으로 진출하면서 처음 등장한 것으로 알려져 있어요. 식물은 어떤 분류군으로 나눌 수 있는지 알아보고, 이들의 유연관계를 계통수를 이용하여 표현해 보아요.

1. *식물의 일반적인 특징

(1) 진핵생물역, 식물계에 속하는 다세포 진핵생물로, 엽록소 a, 엽록소 b, 카로티노이드 등의 광합성 색소를 가지며, 세포벽은 셀룰로스로 이루어져 있다.

(2) 광합성을 하여 스스로 유기물을 합성하는 독립 영양 생물이다.

(3) 뿌리, 줄기, 잎 등의 기관이 분화되었고, 관다발 조직, 큐티클층, 기공이 발달하였다.
└ 식물이 육상으로 진출하면서 건조한 육상 환경에서 수분 손실을 줄여 몸 안의 수분을 보존하도록 적응하였기 때문이다.

(4) 육상 생태계의 다른 생물들과 서로 의존하며 살아간다.
└ 식물은 균류와 동물의 호흡에 필요한 산소와 유기물을 공급한다.
　수많은 식물은 생식을 위해 동물이 필요하며, 일부는 양분의 흡수를 위해 뿌리에 공생하는 균류가 필요하다.

2. 식물의 분류 기준
관다발의 유무, 종자 형성의 유무, ❶씨방의 유무 등에 따라 분류한다.

① 관다발의 유무: 관다발이 없는 식물(비관다발 식물)과 관다발이 있는 식물(관다발 식물)로 분류한다.

② 종자 형성의 유무: 관다발이 있는 식물은 종자를 형성 하지 않는 식물(비종자 관다발 식물)과 종자를 형성하는 식물(종자식물)로 분류한다.

③ 씨방의 유무: 종자식물은 씨방이 없는 식물(겉씨식물)과 씨방이 있는 식물(속씨식물)로 분류한다.

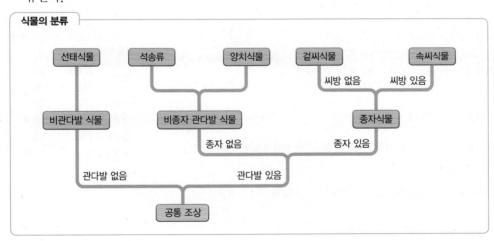

식물의 분류

3. 식물 분류군의 특징

(1) **비관다발 식물(선태식물)** → 최초의 육상 식물

① 수중 생활에서 육상 생활로 옮겨 가는 중간 단계의 식물이다.

② 관다발이 발달하지 않았고, 기관(뿌리, 줄기, 잎)이 분화되지 않았으나 *헛뿌리를 가진다.

③ 주로 습한 지역에 서식하며, 포자로 번식한다.
└ 관다발을 통한 물과 양분의 이동이 잘 일어나지 않기 때문이다.

④ 예 솔이끼, 우산이끼, 뿔이끼

⬆ 솔이끼

★ **헛뿌리**
일반적인 식물의 뿌리처럼 보이지만 관다발이 없는 미분화된 뿌리로, 물과 양분을 잘 흡수하지 못하고 주로 몸체를 지탱하는 역할을 한다. 조류(원생생물)와 선태식물이 가지고 있다.

│ 용어 │
❶ **씨방** 속씨식물에서 밑씨가 들어 있는 곳이다.

(2) 비종자 관다발 식물(석송류, 양치식물) → 고생대에 번성하였으며, 이들의 사체가 오늘날 석탄의 기원이 되었다.

① 뿌리, 줄기, 잎의 구별이 뚜렷하며, 체관과 *헛물관으로 이루어진 관다발이 있다.

② 그늘지고 습한 곳에 서식하며, 포자로 번식한다.

③ 예 ┌ 석송류: 석송, 물부추, 곤봉이끼 ← 석송류는 하나의 잎맥을 가진 바늘 모양의 소엽을 가진다.
   └ 양치식물: 고사리, 솔잎란, 고비, 관중, 속새, 쇠뜨기
      └ 양치식물은 다양한 잎맥을 가진 대엽과 복잡하게 난 뿌리를 가진다.

↑ 고사리

(3) 종자식물(겉씨식물, 속씨식물)

① 육상 생활에 가장 잘 적응한 무리로, 종자로 번식한다.
   └ 수정에 물이 필요하지 않고, 종자는 단단한 껍질에 둘러싸여 있어 생존율이 높아 자손을 널리 퍼뜨릴 수 있다.

② 뿌리, 줄기, 잎의 구별이 뚜렷하며, 관다발이 체계적으로 발달하였다.

③ 씨방의 유무에 따라 겉씨식물과 속씨식물로 분류한다.

↑ 은행나무

구분	특징	
겉씨식물	• ❶밑씨가 씨방에 싸여 있지 않고 겉으로 드러나 있다. • 꽃잎과 꽃받침이 발달하지 않고, 암수 생식 기관이 따로 형성된다. • 관다발은 체관과 헛물관으로 이루어져 있다. • 예 은행나무, 소철, 소나무, 향나무, 전나무, 가문비나무	밑씨 ↑ 겉씨식물의 밑씨

속씨식물
오늘날 가장 번성한 식물 무리
	• 밑씨가 씨방에 싸여 있다. ← 씨방 속 밑씨가 수정된 후 종자로 발달한다.
	• 꽃잎이나 꽃받침이 발달한 꽃이 핀다.
	• 관다발은 물관과 체관으로 이루어져 있으며, 단단하고 체계적으로 발달되어 있다.
	• 떡잎의 수에 따라 *외떡잎식물과 쌍떡잎식물로 분류한다.
	  ┌ 외떡잎식물의 예 벼, 보리, 옥수수, 백합, 강아지풀, 붓꽃
	  └ 쌍떡잎식물의 예 해바라기, 무궁화, 장미, 국화, 배추, 호박, 콩
		씨방
		밑씨
		↑ 속씨식물의 씨방과 밑씨

탐구 자료창 **식물의 계통수 작성하기**

백합, 소나무, 솔이끼, 고사리, 나팔꽃, 무궁화의 주요 분류 형질을 조사한 후 조사한 분류 형질을 바탕으로 계통수를 작성해 보자.

구분	백합	소나무	솔이끼	고사리	나팔꽃	무궁화
관다발 유무	있음	있음	없음	있음	있음	있음
종자 유무	있음	있음	없음	없음	있음	있음
씨방 유무	있음	없음	없음	없음	있음	있음
떡잎의 수	1개	없음	없음	없음	2개	2개

1. 나팔꽃(쌍떡잎식물)은 무궁화(쌍떡잎식물)와 유연관계가 가장 가깝다.
2. 백합(속씨식물)은 소나무(겉씨식물)보다 무궁화(속씨식물)와 유연관계가 더 가깝다.
3. 고사리(비종자 관다발 식물)는 솔이끼(비관다발 식물)보다 소나무(종자식물)와 유연관계가 더 가깝다.

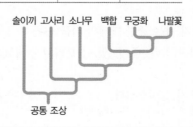
솔이끼 고사리 소나무 백합 무궁화 나팔꽃 / 공통 조상

★ 헛물관
물관과 달리 관을 이루는 위와 아래 세포 사이에 막이 있고 구멍이 뚫려 있지 않다. 대신 측면에 난 구멍(벽공)을 통해 물이 이동한다.

벽공

물관 헛물관

📖 비상 교과서에만 나와요.
★ **외떡잎식물과 쌍떡잎식물의 특징 비교**

구분	외떡잎식물	쌍떡잎식물
떡잎 수	1장	2장
잎맥	나란히맥	그물맥
형성층	없음	있음
관다발	불규칙적	규칙적

┃용어┃
❶ 밑씨 종자식물의 생식 기관에서 수정 후 종자가 될 부분이다.

개념 확인 문제

정답친해 114쪽

핵심 체크

- 3역 6계 분류 체계: 세균역(진정세균계), 고세균역(고세균계), (❶　　　　　)역(원생생물계, 식물계, 균계, 동물계)
- 식물의 일반적인 특징: 다세포 진핵생물, (❷　　　　　)로 이루어진 세포벽, (❸　　　　　) 영양 생물 등
- 비관다발 식물: (❹　　　　　)식물, 관다발 발달하지 않음, (❺　　　　　)로 번식
- 비종자 관다발 식물: 석송류와 (❻　　　　　)식물, 뿌리, 줄기, 잎의 구별이 뚜렷함, 체관과 (❼　　　　　)으로 이루어진 관다발 있음, (❽　　　　　)로 번식
- 종자식물: 뿌리, 줄기, 잎의 구별이 뚜렷함, 관다발 발달, (❾　　　　　)로 번식, 겉씨식물과 속씨식물로 분류
    - 겉씨식물: (❿　　　　　)가 겉으로 드러나 있음, 관다발은 체관과 헛물관으로 이루어짐
    - 속씨식물: 밑씨가 (⓫　　　　　)에 싸여 있음, 관다발은 물관과 체관으로 이루어짐, 외떡잎식물과 쌍떡잎식물로 분류

---

1 다음 분류군과 각 분류군에 속하는 생물을 옳게 연결하시오.

(1) 진정세균계 •　　　　　• ㉠ 곰팡이
(2) 고세균계 •　　　　　• ㉡ 대장균
(3) 원생생물계 •　　　　　• ㉢ 솔이끼
(4) 식물계 •　　　　　• ㉣ 침팬지
(5) 균계 •　　　　　• ㉤ 짚신벌레
(6) 동물계 •　　　　　• ㉥ 메테인 생성균

2 다음은 3역 6계 분류 체계에서 각 분류군의 특징에 대한 설명이다. (　　) 안에 알맞은 말을 쓰시오.

(1) 진정세균계와 (　　　　)는 모두 단세포 원핵생물이다.
(2) 식물은 ㉠(　　　　) 영양 생물이며, 균류와 동물은 모두 ㉡(　　　　) 영양 생물이다.
(3) 균류는 대부분 다세포 ㉠(　　　　)생물로 ㉡(　　　　)로 번식하고, 분해자 역할을 한다.

3 식물의 일반적인 특징에 대한 설명으로 옳은 것은 ○, 옳지 않은 것은 ✕로 표시하시오.

(1) 원핵생물역, 식물계에 속한다. ┄┄┄┄┄ (　　　)
(2) 엽록소 a, 엽록소 b, 카로티노이드 등의 광합성 색소를 가진다. ┄┄┄┄┄ (　　　)
(3) 녹조류는 뿌리와 몸체로 구분되지만, 식물은 뿌리, 줄기, 잎으로 구분된다. ┄┄┄┄┄ (　　　)

4 그림은 식물의 계통수를 나타낸 것이다.

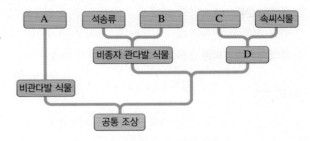

(1) A~C 중 씨방이 없는 분류군을 있는 대로 쓰시오.
(2) A~D 중 뿌리, 줄기, 잎의 구별이 뚜렷한 분류군을 있는 대로 쓰시오.

5 식물 분류군의 특징에 대한 설명으로 옳은 것은 ○, 옳지 않은 것은 ✕로 표시하시오.

(1) 비관다발 식물과 비종자 관다발 식물은 모두 기관이 분화되지 않았다. ┄┄┄┄┄ (　　　)
(2) 양치식물과 겉씨식물은 모두 종자로 번식한다. (　　　)
(3) 외떡잎식물과 쌍떡잎식물은 모두 속씨식물에 속한다. ┄┄┄┄┄ (　　　)

6 다음은 여러 식물을 나타낸 것이다.

> • 석송　• 백합　• 솔이끼　• 무궁화　• 은행나무

(1) 헛물관을 가지는 식물을 있는 대로 쓰시오.
(2) 꽃잎이나 꽃받침이 발달한 꽃이 피는 식물을 있는 대로 쓰시오.

03 생물의 다양성

ⓒ 동물의 분류

사람을 비롯하여 메뚜기, 오징어, 지렁이, 호랑이 등 동물계에 속한 생물은 몸의 구조가 복잡할뿐만 아니라 종류도 매우 다양합니다. 동물은 어떤 분류군으로 나눌 수 있는지 알아보고, 이들의 유연관계를 계통수를 이용하여 표현해 보아요.

1. *동물의 일반적인 특징 → 엽록체와 세포벽이 없다.

① 진핵생물역, 동물계에 속하는 다세포 진핵생물로, 원생생물의 한 계통으로부터 진화하였다.

② 먹이를 섭취한 후 영양소를 소화·흡수하여 살아가는 종속 영양 생물이다.

③ 대부분 감각 기관이 있어 환경 변화에 빠르게 반응하며, 운동 기관이 발달하여 장소를 이동할 수 있다.

④ 대부분 유성 생식을 한다. ➡ ❶생활사의 대부분은 이배체($2n$)이며, 반수체 배우자(n)가 수정을 통하여 수정란($2n$)을 형성한다.
<u>정자와 난자</u>

2. 동물의 분류 기준 몸의 대칭성, *배엽의 수, ❷원구의 발생 차이, DNA의 염기 서열 등에 따라 분류한다. → 조직의 유무, 체절의 유무, 탈피 여부, 척삭의 유무 등도 동물의 분류 기준이 될 수 있다.
┌ 미래엔 교과서에서는 초기 발생 과정의 차이로 설명한다.

(1) 몸의 대칭성에 따른 분류: 무대칭 동물, 방사 대칭 동물, 좌우 대칭 동물로 분류한다.

무대칭 동물	• 대칭성이 없는 동물이다. • 예 해면동물
방사 대칭 동물	• 몸을 절반으로 나눌 수 있는 평면이 두 개 이상 존재한다. • 몸이 위, 아래 구분만 있다. • 모든 방향에서 오는 환경 자극에 대하여 반응할 수 있다. • 주로 고착 생활을 하거나 유영 생활을 한다. • 예 자포동물
좌우 대칭 동물	• 몸을 절반으로 나눌 수 있는 평면이 한 개만 존재한다. • 앞뒤, 좌우, 머리와 꼬리, 등과 배의 방향성이 있다. • 몸의 앞쪽에 감각 기관이 집중되어 있다. • 능동적으로 움직이며 생활한다. • 예 해면동물과 자포동물을 제외한 대부분의 동물

(2) 배엽의 수에 따른 분류: 무배엽성 동물, 2배엽성 동물, 3배엽성 동물로 분류한다.

무배엽성 동물	포배 단계에서 발생이 끝나는 동물로 배엽을 형성하지 않는다. 예 해면동물
2배엽성 동물	낭배 단계에서 발생이 끝나 외배엽과 내배엽을 갖는 동물이다. 예 자포동물
3배엽성 동물	낭배 단계에서 발생이 더 진행되어 외배엽, 내배엽, 중배엽을 갖는 동물이다. 예 해면동물과 자포동물을 제외한 대부분의 동물

동물의 발생과 배엽 형성

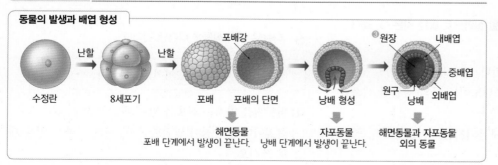

수정란 → (난할) → 8세포기 → (난할) → 포배 → 포배의 단면 → 낭배 형성 → 낭배

포배강 / ❸원장 / 내배엽 / 중배엽 / 원구 / 외배엽

해면동물 (포배 단계에서 발생이 끝난다.) / 자포동물 (낭배 단계에서 발생이 끝난다.) / 해면동물과 자포동물 외의 동물

★ 동물의 출현 시기
동물의 화석은 대부분 약 5억 4천만 년 전의 캄브리아기 화석으로 발견되므로 동물의 출현은 이보다 전에 일어난 것으로 추정한다.

★ 배엽
동물의 낭배 시기에 형성되는 세포층으로, 발생이 진행되면서 몸의 다양한 조직과 기관을 형성한다. 외배엽은 피부, 감각 기관 등을 형성하고, 중배엽은 순환계, 생식계, 근육, 뼈 등을 형성하며, 내배엽은 소화계, 호흡계, 내분비계 등을 형성한다.

주의해
무배엽성 동물
무배엽성 동물인 해면동물에서는 발생 과정에서 낭배 시기와 원구가 나타나지 않는다.

용어
❶ 생활사(生 나다, 活 살다, 史 역사) 생물이 발생을 시작하고 성체가 되어 죽을 때까지의 일생을 말한다.
❷ 원구(原 근원, 口 입) 다세포 동물의 발생 과정 중 낭배 형성 과정에서 세포 함입이 일어나는 부위이다.
❸ 원장(原 근원, 腸 창자) 낭배 때 내배엽에 둘러싸인 빈공간으로, 소화관이 되는 곳이다.

(3) 원구의 발생 차이에 따른 분류: 3배엽성 동물을 선구동물과 후구동물로 분류한다.

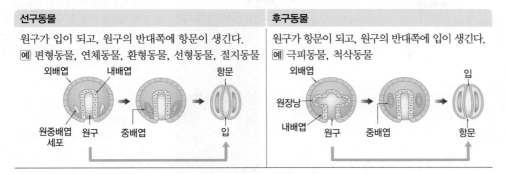

선구동물	후구동물
원구가 입이 되고, 원구의 반대쪽에 항문이 생긴다. 예 편형동물, 연체동물, 환형동물, 선형동물, 절지동물	원구가 항문이 되고, 원구의 반대쪽에 입이 생긴다. 예 극피동물, 척삭동물

(4) DNA 염기 서열에 따른 분류: 선구동물을 촉수담륜동물과 탈피동물로 분류한다.

① 촉수담륜동물: 먹이 포획에 쓰이는 촉수관을 가지거나 발생 과정에서 *담륜자 유생 시기를 거치는 동물이다. 예 편형동물, 연체동물, 환형동물

② 탈피동물: 성장을 위해 탈피한다. 예 선형동물, 절지동물

3. 동물의 분류

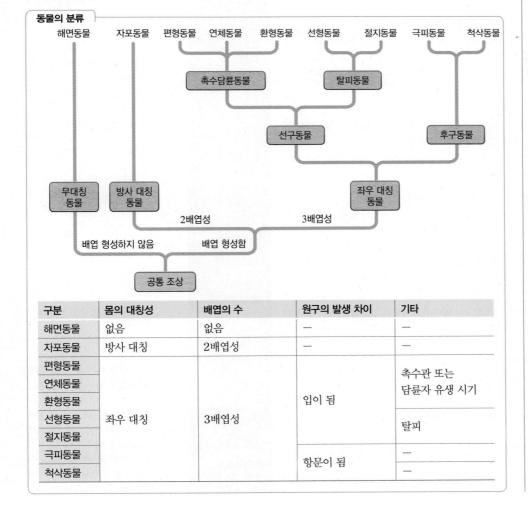

구분	몸의 대칭성	배엽의 수	원구의 발생 차이	기타
해면동물	없음	없음	—	—
자포동물	방사 대칭	2배엽성	—	—
편형동물	좌우 대칭	3배엽성	입이 됨	촉수관 또는 담륜자 유생 시기
연체동물				
환형동물				
선형동물				탈피
절지동물				
극피동물			항문이 됨	—
척삭동물				—

★ 담륜자 유생
일부 환형동물과 연체동물에서 관찰되는 공 모양 또는 팽이 모양의 유생이다. 몇 줄의 섬모띠가 몸을 둘러싸고 있으며, 섬모 운동으로 몸을 회전시키면서 물 속을 헤엄쳐 다닌다.

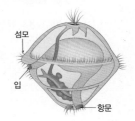

4. 동물 분류군의 특징

해면동물	• 무대칭 동물이며, 무배엽성 동물로 진정한 조직이 발달하지 않는다. • 대부분 바다에 서식하며 고착 생활을 한다. • 동정 세포의 편모 운동으로 위강으로 물이 들어오고 나가게 하여 물속의 먹이를 잡아먹는다. • 예 해로동굴해면, 주황해변해면	해면
자포동물	• 방사 대칭 동물이며, 몸 안에 속이 빈 ❶강장이 있는 2배엽성 동물이다. • *자세포가 있는 촉수를 이용하여 먹이를 잡아먹거나 몸을 보호한다. • 예 해파리, 산호, 말미잘, 히드라	해파리
편형동물	• 좌우 대칭 동물이며, 납작한 몸을 가진 3배엽성 선구동물이다. • 대부분 기생 생활을 하지만, 일부 생물은 자유 생활을 한다. • 입은 있지만 항문이 없으며, 체표면에서 기체 교환을 한다. • 예 디스토마(간흡충), 촌충, 플라나리아	플라나리아
환형동물	• 좌우 대칭 동물이며, 원통형의 몸을 가진 3배엽성 선구동물이다. • 피부로 호흡하기 때문에 습기가 많은 환경에서 주로 서식한다. • ❷체절이 있으며, 소화관이 길게 발달하였고, 폐쇄 혈관계를 가지며, 담륜자 유생 시기를 거친다. 혈액이 혈관 안에서만 흐른다. • 예 지렁이, 갯지렁이, 거머리	지렁이
연체동물	• 좌우 대칭 동물이며, 3배엽성 선구동물이다. • 몸이 부드럽고 유연하며, 대부분 단단한 패각이 있어 몸을 보호한다. • 주로 아가미 호흡을 하지만 육상에 진출한 달팽이 등은 폐호흡을 한다. • 소화계와 순환계가 발달하였고, 개방 혈관계를 가지며, 담륜자 유생 시기를 거친다. 혈액이 혈관 밖으로 나와 흐르기도 한다. • 예 문어, 오징어, 대합, 꼬막, 홍합, 다슬기, 달팽이, 소라	달팽이 오징어
선형동물	• 좌우 대칭 동물이며, 가늘고 긴 원통형의 몸을 가진 3배엽성 선구동물이다. • 질긴 큐티클층이 몸을 감싸고 있으며, 탈피를 한다. • 대부분 동물에 기생하지만, 토양과 물속에서 자유 생활을 하는 것도 있다. • 예 회충, 요충, 예쁜꼬마선충	예쁜꼬마선충
절지동물 ↆ 동물의 대부분을 차지한다.	• 좌우 대칭 동물이며, 3배엽성 선구동물이다. • 몸은 키틴질의 단단한 외골격으로 덮여 있고, 탈피를 한다. ➡ 다리에는 관절, 몸에는 기능에 맞게 변형된 체절이 있다. 　└ 외골격은 건조를 막아 육상 생활에 도움을 준다. • 아가미나 기관으로 기체 교환을 하며, 개방 혈관계를 가진다. • 예 곤충류(잠자리, 메뚜기 등), 갑각류(가재, 새우 등), 다지류(지네, 노래기 등), 거미류(산왕거미, 호랑거미 등)	메뚜기 새우
극피동물	• 유생은 좌우 대칭성이지만 성체는 방사 대칭성이며, 3배엽성 후구동물이다. • 순환, 호흡, 운동의 복합적인 역할을 하는 수관계를 가진다. ➡ 수관계에 연결된 관족을 움직여 이동하고 먹이를 섭취한다. • 몸의 표면에는 작은 돌기가 있고 단단한 석회질의 내골격 성분이 있으며, 조직의 재생력이 뛰어나다. • 예 불가사리, 성게, 해삼, 바다나리	불가사리
척삭동물	• 좌우 대칭 동물이고, 3배엽성 후구동물이며, 발생 과정에서 ❸척삭이 나타난다. • 배 발생 초기에 등 쪽의 속이 빈 신경 다발, 아가미 틈, 항문 뒤 근육성 꼬리 등이 공통으로 나타난다. • 예 미삭동물(우렁쉥이, 미더덕 등), 두삭동물(창고기 등), 척추동물	창고기

★ **자세포**
촉수에 존재하는 특수한 세포로, 날카롭게 꼬인 실 모양을 하고 있다. 접촉에 의해 안에 들어 있는 독침이 빠져나와 다른 동물의 체내로 뚫고 들어간다.

★ **연체동물(조개)의 구조**
몸은 근육으로 된 발, 대부분의 기관이 포함되어 있는 내장낭, 패각을 분비하는 외투막(내장낭을 덮는 근육질 막) 등으로 이루어져 있다.

천재 교과서에만 나와요.
★ **극피동물(불가사리)의 구조**
• 수관계: 입(식도)과 연결된 관들의 모임으로, 빨아들인 해수가 순환한다.
• 관족: 수관계에 붙어 있는 가느다란 관으로, 맨 끝에 흡반이 있어 다른 것에 흡착할 수 있다.

ᐅ **용어**
❶ **강장**(腔 속이 비다, 腸 창자) 자포동물에 있는 몸 속 빈 공간이다.
❷ **체절**(體 몸, 節 마디) 동물의 몸에서 앞뒤 축을 따라 반복적으로 나타나는 마디 구조이다.
❸ **척삭**(脊 등마루, 索 노끈) 등 쪽에서 몸의 앞뒤를 따라 뻗어 있는 막대 모양의 구조이다.

척추동물의 분류와 특징

• 발생 초기에는 척삭이 나타나지만, 성장하면서 척삭이 퇴화되고 척추가 발달한다.
• 턱이 없는 종류(칠성장어)와 턱이 있는 종류(어류, 양서류, 파충류, 조류, 포유류)로 구분한다.
• 턱이 있는 종류(어류, 양서류, 파충류, 조류, 포유류)는 다음과 같은 특징을 가진다. ➡ 파충류, 조류, 포유류는 모두 건조한 육상에 적응한 여러 특징을 가진다.

구분	몸의 표면	호흡 기관	수정 방법	*번식 방법	생물 예
어류	비늘	아가미	체외	난생	붕어, 상어
양서류	피부	아가미, 피부, 폐	체외	난생	개구리, 도롱뇽
파충류	비늘	폐	체내	난생	도마뱀, 악어
조류	깃털	폐	체내	난생	참새, 비둘기
포유류	피부	폐	체내	태생	곰, 개

★ 난생과 태생
난생은 모체가 낳은 알에서 새끼가 부화하는 것이고, 태생은 모체 속에서 발생한 후 새끼가 태어나는 것이다.

★ 검색표
어떤 생물이 속하는 생물군을 쉽게 찾기 위해 분류 기준이 되는 특징을 단계적으로 배열해 놓은 표이다.

탐구 자료창 **동물의 검색표**

맛조개가 *검색표에 제시된 특징을 가지고 있는지 조사한 후 조사한 특징과 검색표를 이용하여 맛조개가 속한 분류군을 찾는다.

```
1. 척삭이 나타나지 않는다.                                                    2로
  2. 무배엽성 동물이다. ……………………………………………………     해면동물
  2. 2배엽성 동물이다. ……………………………………………………     자포동물
  2. 3배엽성 동물이다.                                                       3으로
    3. 선구동물이다.                                                         4로
      4. 탈피를 한다.                                                        5로
        5. 가늘고 긴 원통형의 몸을 가진다. ……………………………     선형동물
        5. 몸이 단단한 외골격으로 덮여 있다. ……………………………     절지동물
      4. 탈피를 하지 않는다.                                                 6으로
        6. 납작한 몸을 가진다. ………………………………………………     편형동물
        6. 원통형의 몸을 가진다. ……………………………………………     환형동물
        6. 몸이 부드럽고 유연하며, 단단한 패각이 있다. …………………     연체동물
    3. 후구동물이다. ……………………………………………………………     극피동물
1. 척삭이 나타난다. ……………………………………………………………     척삭동물
```

• 맛조개 분류군 찾기

1단계	척삭 유무 확인	맛조개는 척삭이 나타나지 않는다. ➡ 2로 이동
2단계	배엽의 수 확인	맛조개는 3배엽성 동물이다. ➡ 3으로 이동
3단계	선구동물인지 후구동물인지 확인	맛조개는 선구동물이다. ➡ 4로 이동
4단계	탈피 여부 확인	맛조개는 탈피를 하지 않는다. ➡ 6으로 이동
5단계	납작한 몸을 가지는지, 원통형의 몸을 가지는지, 몸이 부드럽고 유연하며 단단한 패각이 있는지 확인	맛조개는 몸이 부드럽고 유연하며, 단단한 패각이 있다. ➡ 맛조개는 연체동물이다.

개념 확인 문제

핵심 체크

- 동물의 일반적인 특징: 다세포 진핵생물, (❶　　　) 영양 생물, 감각 기관과 (❷　　　) 기관이 발달
- 동물의 분류

구분	해면동물	자포동물		편형동물	환형동물	연체동물	선형동물	절지동물	극피동물	척삭동물
대칭성	없음	(❸　　　) 대칭		(❹　　　) 대칭						
배엽	없음	(❺　　　)배엽		(❻　　　)배엽						
원구	—			(❼　　　)이 됨					(❽　　　)이 됨	
기타	—			촉수관 또는 (❾　　　) 유생 시기			탈피		—	

- (❿　　　)의 분류: 턱이 없는 종류(칠성장어)와 턱이 있는 종류(어류, 양서류, 파충류, 조류, 포유류)로 구분한다.

1 동물의 분류 형질에 대한 설명으로 옳은 것은 ○, 옳지 않은 것은 ✕로 표시하시오.

(1) 몸의 대칭성에 따라 무대칭 동물, 방사 대칭 동물, 좌우 대칭 동물로 분류한다. ─────── (　　)

(2) 2배엽성 동물은 외배엽과 중배엽을 형성한다.(　　)

(3) 선구동물은 원구가 항문이 되고, 원구의 반대쪽에 입이 생긴다. ───────────── (　　)

(4) 후구동물은 DNA 염기 서열에 따라 촉수담륜동물과 탈피동물로 분류한다. ─────── (　　)

2 그림은 동물의 계통수를 나타낸 것이다. A~F는 각각 연체동물, 자포동물, 극피동물, 선구동물, 후구동물, 방사 대칭 동물 중 하나이다.

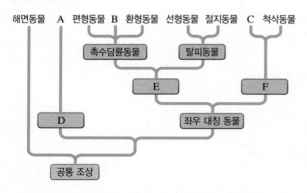

(1) A~C 중 중배엽이 형성되는 분류군을 있는 대로 쓰시오.

(2) D~F 중 원구가 입이 되는 분류군을 있는 대로 쓰시오.

3 다음 분류군과 각 분류군에 속하는 동물을 옳게 연결하시오.

(1) 편형동물 •　　　　• ㉠ 회충
(2) 환형동물 •　　　　• ㉡ 촌충
(3) 선형동물 •　　　　• ㉢ 가재
(4) 절지동물 •　　　　• ㉣ 지렁이
(5) 극피동물 •　　　　• ㉤ 우렁쉥이
(6) 척삭동물 •　　　　• ㉥ 불가사리

4 동물 분류군의 특징에 대한 설명으로 옳은 것은 ○, 옳지 않은 것은 ✕로 표시하시오.

(1) 해면동물과 자포동물은 모두 발생 과정에서 낭배 시기가 나타난다. ──────────── (　　)

(2) 환형동물은 개방 혈관계를 가진다. ────── (　　)

(3) 연체동물은 패각을 분비하는 외투막을 가진다.(　　)

(4) 절지동물은 외골격을 가진다. ──────── (　　)

(5) 극피동물은 순환, 호흡, 운동의 복합적인 역할을 하는 수관계를 가진다. ──────────── (　　)

5 다음은 여러 동물을 나타낸 것이다.

• 붕어　　• 개구리　　• 비둘기　　• 토끼　　• 도마뱀

(1) 체외 수정을 하는 동물을 있는 대로 쓰시오.

(2) 건조한 육상 환경에 적응한 동물을 있는 대로 쓰시오.

대표 자료 분석

자료 ① 식물의 분류

기출 Point
• 주요 분류 형질에 따라 식물 분류하기
• 각 식물 분류군의 특징과 대표적인 식물 알기

[1~4] 표는 식물 분류군 Ⅰ~Ⅳ의 특징을, 그림은 이 특징을 토대로 작성한 식물의 계통수를 나타낸 것이다. (가)~(라)는 Ⅰ~Ⅳ를 순서 없이 나타낸 것이며, (나)와 (다) 중 하나는 Ⅳ이다. Ⅰ~Ⅳ는 각각 겉씨식물, 선태식물, 속씨식물, 양치식물 중 하나이다.

구분	엽록체	관다발	종자	씨방
Ⅰ	○	×	×	×
Ⅱ	ⓐ	○	○	○
Ⅲ	○	ⓑ	ⓒ	×
Ⅳ	○	○	○	ⓓ

(○: 있음, ×: 없음)

1 Ⅰ~Ⅳ 중 (나)에 해당하는 것을 쓰시오.

2 ⓐ~ⓓ를 각각 ○, ×로 표시하시오.

3 '번식 방법'과 '관다발 유무' 중에서 A에 해당하는 분류 기준을 쓰시오.

4 빈출 선택지로 완벽 정리!

(1) Ⅰ은 선태식물이다. ──────── (○ / ×)

(2) Ⅱ는 Ⅲ보다 Ⅳ와 유연관계가 더 가깝다. ── (○ / ×)

(3) Ⅲ은 종자식물이다. ──────── (○ / ×)

(4) 쌍떡잎식물과 외떡잎식물은 모두 Ⅳ에 속한다.
──────────────── (○ / ×)

(5) (가)와 (나)는 모두 포자로 번식한다. ── (○ / ×)

(6) (가)~(라)의 공통 조상은 엽록체를 가진다. (○ / ×)

(7) 고사리는 (나)에, 소나무는 (다)에 각각 속한다.
──────────────── (○ / ×)

(8) '밑씨의 유무'는 (다)와 (라)를 구분하는 기준이다.
──────────────── (○ / ×)

자료 ② 동물의 분류

기출 Point
• 주요 분류 형질에 따라 동물 분류하기
• 각 동물 분류군의 특징과 대표적인 동물 알기

[1~4] 표 (가)는 생물 A~D에서 특징 ㉠~㉣의 여부를, (나)는 ㉠~㉣을 순서 없이 나타낸 것이다. A~D는 각각 뱀, 해파리, 갯지렁이, 해삼 중 하나이다.

구분	A	B	C	D	특징 ㉠~㉣
㉠	○	○	×	×	• 3배엽성이다.
㉡	×	×	○	×	• 척추를 가진다.
㉢	×	○	×	×	• 방사 대칭성이다.
㉣	○	○	×	○	• 원구가 항문이 된다.

(○: 그렇다, ×: 그렇지 않다)

(가)　　　　　　　　　　(나)

1 A~D 중 좌우 대칭성인 동물을 있는 대로 쓰시오.

2 ㉠~㉣ 중 '3배엽성이다.'를 쓰시오.

3 A~D 중 선구동물을 있는 대로 쓰시오.

4 빈출 선택지로 완벽 정리!

(1) A는 극피동물에 속한다. ──────── (○ / ×)

(2) B는 체내 수정을 한다. ──────── (○ / ×)

(3) C는 2배엽성 동물이다. ──────── (○ / ×)

(4) D는 촉수담륜동물에 속한다. ───── (○ / ×)

(5) A~D 중 오징어와 유연관계가 가장 가까운 동물은 C이다. ──────────────── (○ / ×)

(6) '발생 과정에서 중배엽의 형성 여부'는 B와 D를 구분하는 기준이 된다. ──────── (○ / ×)

(7) ㉡은 '원구가 항문이 된다.'이다. ───── (○ / ×)

내신 만점 문제

Ⓐ 3역 6계 분류 체계

01 진정세균계에 속하는 생물의 특징으로 옳지 않은 것은?

① 다세포 원핵생물이다.
② 대부분 분열법으로 증식한다.
③ 한 세대가 짧아 돌연변이가 잘 생긴다.
④ 포도상구균, 매독균, 젖산균, 남세균이 있다.
⑤ 호흡 방법에 따라 산소 호흡 세균과 무산소 호흡 세균으로 분류한다.

02 그림은 원핵생물을 분류하여 나타낸 것이다.

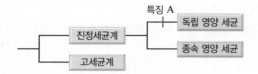

이에 대한 설명으로 옳은 것만을 [보기]에서 있는 대로 고른 것은?

〔보기〕
ㄱ. 진정세균계와 고세균계는 같은 역에 속한다.
ㄴ. 포도상구균과 메테인 생성균은 고세균계에 속한다.
ㄷ. '무기물을 이용하여 유기물을 합성한다.'는 특징 A에 해당한다.

① ㄱ   ② ㄴ   ③ ㄷ
④ ㄱ, ㄴ   ⑤ ㄴ, ㄷ

03 원생생물계에 대한 설명으로 옳은 것만을 [보기]에서 있는 대로 고른 것은?

〔보기〕
ㄱ. 대부분 단세포 진핵생물이다.
ㄴ. 짚신벌레, 남세균, 아메바가 모두 속한다.
ㄷ. 진핵생물 중 식물계, 균계, 동물계에 속하지 않는 모든 생물을 말한다.

① ㄱ   ② ㄴ   ③ ㄱ, ㄴ
④ ㄱ, ㄷ   ⑤ ㄴ, ㄷ

04 표는 3역 6계 분류 체계로 분류한 분류군 A∼F에 속하는 생물을 나타낸 것이다.

분류군	생물
A	호열성 고세균, 호염성 고세균
B	대장균, 젖산균
C	버섯, 곰팡이
D	우산이끼, 소나무
E	불가사리, 침팬지
F	유글레나, 다시마

이에 대한 설명으로 옳은 것만을 [보기]에서 있는 대로 고른 것은?

〔보기〕
ㄱ. A와 B의 생물은 단세포 원핵생물이다.
ㄴ. C의 생물은 키틴질로 이루어진 세포벽을 가진다.
ㄷ. D는 식물계로, 종속 영양을 한다.
ㄹ. E와 F의 생물은 다세포 진핵생물이다.

① ㄱ, ㄴ   ② ㄱ, ㄷ   ③ ㄴ, ㄷ
④ ㄷ, ㄹ   ⑤ ㄱ, ㄴ, ㄹ

Ⓑ 식물의 분류

05 식물의 특징에 대한 설명으로 옳은 것만을 [보기]에서 있는 대로 고른 것은?

〔보기〕
ㄱ. 진핵생물역에 속하는 다세포 생물이다.
ㄴ. 세포벽이 펩티도글리칸으로 이루어져 있다.
ㄷ. 엽록소와 카로티노이드 등의 색소를 이용하여 광합성을 한다.

① ㄱ   ② ㄴ   ③ ㄷ
④ ㄱ, ㄷ   ⑤ ㄴ, ㄷ

06 표는 식물 분류군 A∼D에 구조 ㉠∼㉢이 있는지 여부를 나타낸 것이다. A∼D는 각각 겉씨식물, 선태식물, 속씨식물, 양치식물 중 하나이고, ㉠∼㉢은 각각 관다발, 씨방, 종자 중 하나이다.

구조	A	B	C	D
㉠	없음		있음	
㉡	없음			있음
㉢	없음		있음	

이에 대한 설명으로 옳은 것만을 [보기]에서 있는 대로 고른 것은?

〔보기〕
ㄱ. ㉠은 종자이다.
ㄴ. A는 비종자 관다발 식물에 해당한다.
ㄷ. 석송류는 B보다 C와 유연관계가 더 가깝다.

① ㄱ ② ㄷ ③ ㄱ, ㄴ
④ ㄱ, ㄷ ⑤ ㄴ, ㄷ

07 그림 (가)와 (나)는 솔이끼와 고사리를 순서 없이 나타낸 것이다.

(가)　　　　　　(나)

이에 대한 설명으로 옳은 것만을 [보기]에서 있는 대로 고른 것은?

〔보기〕
ㄱ. (가)는 기관이 분화되지 않았다.
ㄴ. (나)는 관다발이 있다.
ㄷ. (가)와 (나)는 모두 포자로 번식한다.

① ㄱ ② ㄴ ③ ㄱ, ㄷ
④ ㄴ, ㄷ ⑤ ㄱ, ㄴ, ㄷ

08 그림은 식물 (가)와 (나)에 존재하는 어떤 구조를 나타낸 것이다. (가)와 (나)는 각각 겉씨식물과 속씨식물 중 하나이다.

(가)　　　　　　(나)

이에 대한 설명으로 옳은 것만을 [보기]에서 있는 대로 고른 것은?

〔보기〕
ㄱ. (가)는 대부분 꽃잎과 꽃받침이 발달하지 않는다.
ㄴ. (나)는 체관과 헛물관을 가진다.
ㄷ. (가)와 (나)는 육상 생활에 잘 적응하여 식물 중 가장 번성한 무리이다.

① ㄴ ② ㄷ ③ ㄱ, ㄴ
④ ㄱ, ㄷ ⑤ ㄴ, ㄷ

09 그림은 식물의 계통수를 나타낸 것이다. A∼C는 각각 겉씨식물, 양치식물, 선태식물 중 하나이며, ㉠과 ㉡은 식물의 분류 기준이다.

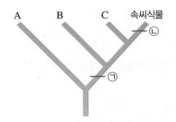

이에 대한 설명으로 옳은 것만을 [보기]에서 있는 대로 고른 것은?

〔보기〕
ㄱ. 쇠뜨기는 A에 속한다.
ㄴ. '관다발 있음'은 ㉠에 해당한다.
ㄷ. '종자 있음'은 ㉡에 해당한다.

① ㄱ ② ㄴ ③ ㄱ, ㄴ
④ ㄱ, ㄷ ⑤ ㄴ, ㄷ

동물의 분류

10 동물의 특징에 대한 설명으로 옳지 <u>않은</u> 것은?

① 엽록체와 세포벽이 없다.
② 진핵생물역에 속하는 다세포 생물이다.
③ 대부분은 정자와 난자에 의해 유성 생식을 한다.
④ 대부분은 운동 기관이 발달해 있어 장소를 이동할 수 있다.
⑤ 먹이를 섭취한 후 영양소를 소화·흡수하여 살아가는 독립 영양 생물이다.

11 표는 동물 분류군 (가)~(다)에 속하는 동물의 특징을 나타낸 것이다. (가)~(다)는 각각 해면동물, 자포동물, 환형동물 중 하나이다.

분류군	몸의 대칭성	배엽의 수
(가)	없음	무배엽
(나)	방사 대칭	2배엽
(다)	㉠	3배엽

이에 대한 설명으로 옳은 것만을 [보기]에서 있는 대로 고른 것은?

[보기]
ㄱ. (가)는 진정한 의미의 조직을 가진다.
ㄴ. ㉠은 '좌우 대칭'이다.
ㄷ. 지렁이는 (다)에 속한다.

① ㄴ ② ㄷ ③ ㄱ, ㄴ
④ ㄱ, ㄷ ⑤ ㄴ, ㄷ

12 그림은 어떤 동물의 초기 발생 과정 중 일부를 나타낸 것이다.

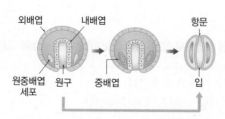

이와 같은 발생 단계를 거치는 생물이 <u>아닌</u> 것은?

① 촌충 ② 달팽이 ③ 지렁이
④ 미더덕 ⑤ 잠자리

13 다음은 어떤 동물 분류군의 특징을 나타낸 것이다.

• 외배엽, 중배엽, 내배엽을 갖는다.
• 발생 과정에서 원구가 항문이 된다.

이에 해당하는 동물로 옳은 것은?

① 해파리 ② 지렁이 ③ 예쁜꼬마선충
④ 메뚜기 ⑤ 성게

14 그림은 세 가지 동물 분류군의 진화적 유연관계에 따른 계통수를 나타낸 것이다. (가)와 (나)는 각각 절지동물과 환형동물 중 하나이다.

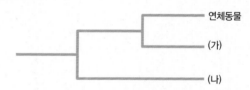

이에 대한 설명으로 옳은 것만을 [보기]에서 있는 대로 고른 것은?

[보기]
ㄱ. (가)는 폐쇄 혈관계를 가진다.
ㄴ. 거미와 새우는 모두 (나)에 속한다.
ㄷ. (가)와 (나)는 모두 체절이 있다.

① ㄱ ② ㄷ ③ ㄱ, ㄴ
④ ㄴ, ㄷ ⑤ ㄱ, ㄴ, ㄷ

15 (서술형) 다음은 여러 동물을 나타낸 것이다.

• 사람 • 창고기 • 미더덕 • 우렁쉥이

발생 과정에서 나타나는 이 동물들의 공통적인 분류 특징을 한 가지만 서술하시오.

16 표는 5종의 동물에서 특징 (가)~(마)의 유무를 나타낸 것이다.

구분	(가)	(나)	(다)	(라)	(마)
말미잘	○	×	×	×	×
메뚜기	○	○	×	×	×
조개	○	○	○	×	×
성게	○	×	×	○	×
우렁쉥이	○	×	×	○	○

(○: 있음, ×: 없음)

(가)~(마)에 해당하는 특징으로 옳지 않은 것은?

① (가): 내배엽이 형성된다.
② (나): 원구의 반대편에서 항문이 형성된다.
③ (다): 담륜자 유생 시기를 거친다.
④ (라): 진정한 의미의 조직이 있다.
⑤ (마): 발생 과정에서 척삭을 갖는 시기가 나타난다.

17 그림은 동물 A~E의 진화적 유연관계에 따른 계통수를 나타낸 것이다. A~E는 각각 예쁜꼬마선충, 개구리, 도마뱀, 창고기, 플라나리아 중 하나이고, ㉠과 ㉡은 모두 동물의 분류 기준이다.

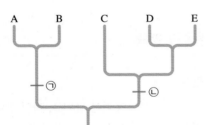

이에 대한 설명으로 옳은 것만을 [보기]에서 있는 대로 고른 것은?

[보기]
ㄱ. '탈피를 한다.'는 ㉠에 해당한다.
ㄴ. '턱이 있는 척추동물이다.'는 ㉡에 해당한다.
ㄷ. 해삼은 B보다 C와 유연관계가 더 가깝다.

① ㄱ   ② ㄴ   ③ ㄷ
④ ㄱ, ㄴ   ⑤ ㄴ, ㄷ

18 그림은 몇 가지 동물 분류군을 구분하는 과정을 나타낸 것이다. ㉠~㉢은 동물의 분류 기준이다.

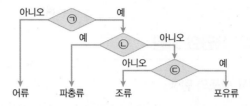

㉠~㉢으로 옳은 것만을 [보기]에서 있는 대로 고른 것은?

[보기]
ㄱ. ㉠: 폐로 호흡하는가?
ㄴ. ㉡: 체내 수정을 하는가?
ㄷ. ㉢: 번식 방법이 태생인가?

① ㄱ   ② ㄴ   ③ ㄱ, ㄷ
④ ㄴ, ㄷ   ⑤ ㄱ, ㄴ, ㄷ

19 다음은 동물의 검색표를 나타낸 것이다.

```
1. (가)                                    2로
  2. 무배엽성 동물이다. ──────────── 해면동물
  2. 2배엽성 동물이다. ──────────── 자포동물
  2. (나)                                  3으로
    3. 선구동물이다.                        4로
      4. 탈피를 한다.                        5로
        5. 가늘고 긴 몸을 가진다. ────── (다)
        5. 몸이 외골격으로 덮여 있다. ──── 절지동물
      4. 탈피를 하지 않는다.                6으로
        6. 납작한 몸을 가진다. ──────── 편형동물
        6. (라) ──────────────── 환형동물
        6. 몸이 부드럽고 유연하다. ──── 연체동물
    3. 후구동물이다. ──────────── 극피동물
1. (바) ──────────────────── 척삭동물
```

이에 대한 설명으로 옳지 않은 것은?

① (가)와 (바)의 분류 기준은 척삭의 유무이다.
② '3배엽성 동물이다.'는 (나)에 해당한다.
③ (다)는 선형동물이다.
④ 촌충은 (다)에 속하는 생물이다.
⑤ '원통형의 몸을 가진다'는 (라)에 해당한다.

01 생명의 기원

1. 원시 세포의 탄생

(1) 화학 진화설: 원시 지구에서 화학 반응으로 유기물이 합성되고, 이러한 유기물이 다시 복잡한 유기물로 변화하는 과정을 거쳐 원시 세포가 출현하였다는 가설이다.

| (❶   ) | 수소, 수증기, 메테인, 암모니아 등 |
| | 대기는 수소, 수증기, 메테인, 암모니아 등의 기체로 이루어져 있었으며, (❷   )가 풍부하였다. |

↓ 밀러와 유리의 실험

| 간단한 (❸   ) 합성 | 아미노산, 뉴클레오타이드 |
| | 원시 대기를 구성하는 무기물이 아미노산, 뉴클레오타이드와 같은 간단한 (❸   )로 합성되어 원시 바다에 축적되었다. |

↓ 폭스의 실험

| 복잡한 (❹   ) 합성 | 폴리펩타이드(단백질), 핵산 |
| | 간단한 유기물이 원시 바다에 축적되었고, 원시 지구의 풍부한 에너지에 의해 복잡한 (❹   )로 합성되었다. |

↓

| 유기물 복합체 형성 | 코아세르베이트, 마이크로스피어, 리포솜 |
| | 원시 바다에 축적된 복잡한 유기물들이 모여 막으로 둘러싸인 유기물 복합체가 형성되었다. |

↓

| 원시 세포 출현 | 원시 세포는 막 구조를 가지며, 자기 복제를 하고, 물질대사를 수행할 수 있다. |

(2) 최초의 유전 물질: 유전 정보 저장과 효소 기능이 모두 있는 (❺   )이 최초의 유전 물질로 추정된다.

2. 원시 생명체의 진화

(1) 원핵생물의 출현: (❻   ) 호흡 종속 영양 생물 → (❼   ) 독립 영양 생물 → (❽   ) 호흡 종속 영양 생물로 진화하였다.

(2) 단세포 진핵생물의 출현: 원핵생물로부터 구조가 복잡한 진핵생물이 진화하였다.

• 단세포 진핵생물의 출현을 설명하는 가설

| 막 진화설 | • 원핵생물의 세포막이 함입되어 막으로 둘러싸인 세포 소기관을 형성하여 원시 진핵생물로 진화하였다는 학설이다. |
| 세포내 공생설 | • 독립적으로 생활하던 원핵생물이 다른 생물 안에 들어가 공생하면서 미토콘드리아와 엽록체로 진화하였다는 학설이다.
 • 산소 호흡 세균이 원시 진핵생물 안에 공생하면서 (❾   )가 되었고, 산소 호흡이 가능해진 원시 진핵생물 안에 광합성 세균이 공생하면서 (❿   )가 되었다. |

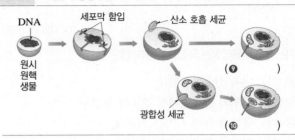

(3) (⓫   ) 진핵생물의 출현: 단세포 진핵생물이 모여 군체를 형성한 후, 세포의 형태와 기능이 서로 달라지는 분화가 일어나 (⓫   ) 진핵생물이 출현하였다.

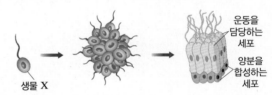

(4) 육상 생물의 출현: 대기 중의 (⓬   ) 농도가 증가하면서 (⓭   )이 형성된 결과 태양의 강한 자외선이 차단되어 다세포 진핵생물이 육상으로 진출하였다.

02 생물의 분류

1. 생물의 분류

(1) (⓮   ): 생물 분류의 기본 단위로, 자연 상태에서 자유롭게 교배하여 생식 능력이 있는 자손을 낳을 수 있는 무리이다.

(2) 분류 계급: 생물을 공통적인 특징을 기준으로 묶어 단계적으로 나타낸 것이다.

> 종 < 속 < (⓯   ) < 목 < 강 < 문 < (⓰   ) < 역

(3) 학명: 국제적으로 통용되는 생물의 이름으로, 린네가 제안한 이명법(속명＋종소명)을 사용하여 표기한다.

2. 생물의 계통 생물들 간의 유연관계를 계통이라고 하며, 이를 나무 형태로 표현한 것을 계통수라고 한다.

[계통수 해석]
· 분기점에는 해당 분기점에서 갈라진 모든 생물종의 공통 조상이 위치한다.
· 분기점이 가까이 있는 두 생물종일수록 유연관계가 가깝다.

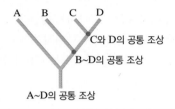

C와 D의 공통 조상
B~D의 공통 조상
A~D의 공통 조상

3. 생물 분류 체계

(1) 분류 체계의 변화: 2계, 3계, 5계 분류 체계를 거쳐 오늘날에는 주로 3역 6계 분류 체계로 생물을 분류한다.

(2) 3역 6계 분류 체계의 특징

특징	세균역	고세균역	진핵생물역
핵막	없음	(⓱)	있음
막성 세포 소기관	없음	없음	(⓲)
세포벽의 펩티도글리칸	있음	(⓳)	없음
히스톤과 결합한 DNA	(⓴)	일부 있음	있음
염색체(DNA) 모양	원형	원형	(㉑)

 생물의 다양성

1. 3역 6계 분류 체계

(㉒)	단세포 원핵생물로, 대부분 종속 영양 생물이지만 일부는 독립 영양 생활을 한다. 예 대장균, 젖산균
고세균계	단세포 원핵생물로, 일반적으로 생물이 생존하기 어려운 극한 환경에 서식한다. 예 호열성 고세균
(㉓)	대부분 단세포 진핵생물이지만, 군체를 형성하거나 다세포 생물도 있다. 예 짚신벌레, 아메바
식물계	다세포 진핵생물로, 광합성을 하는 독립 영양 생물이며, 셀룰로스 성분의 세포벽을 가진다. 예 솔이끼
균계	대부분 다세포 진핵생물이며, 키틴질로 이루어진 세포벽이 있고, 포자로 번식한다. 예 곰팡이, 버섯
동물계	다세포 진핵생물로, 먹이를 섭취한 후 소화·흡수하여 살아가는 종속 영양 생물이다. 예 불가사리, 개구리

2. 식물의 분류

(1) 식물의 일반적인 특징
① 진핵생물역, 식물계에 속하는 다세포 진핵생물이다.
② 광합성을 통해 유기물을 생산하는 독립 영양 생물이다.
③ 세포벽은 셀룰로스로 이루어져 있다.

(2) 식물의 분류 기준: 식물은 관다발의 유무, 종자 형성의 유무, 씨방의 유무 등에 따라 비관다발 식물, 비종자 관다발 식물, 종자식물로 분류한다.

구분	비관다발 식물	비종자 관다발 식물	종자식물	
분류군	선태식물	석송류, 양치식물	겉씨식물	속씨식물
관다발	(㉔)	(㉕)		
종자	(㉖)		(㉗)	
씨방	없음			있음

(3) 종자식물의 분류

겉씨식물	· 씨방이 없어 밑씨가 겉으로 드러나 있다. · 관다발은 체관과 (㉘)으로 이루어져 있다.
속씨식물	· 밑씨가 (㉙)에 싸여 있다. · 관다발은 물관과 체관으로 이루어져 있다. · 떡잎의 수에 따라 외떡잎식물(1개)과 쌍떡잎식물(2개)로 분류한다.

3. 동물의 분류

(1) 동물의 일반적인 특징
① 진핵생물역, 동물계에 속하는 다세포 진핵생물이다.
② 먹이를 섭취하며 살아가는 종속 영양 생물이다.
③ 감각 기관과 운동 기관이 발달해 있으며, 대부분 유성 생식을 한다.

(2) 동물의 분류 기준: 동물은 몸의 대칭성, 배엽의 수, 원구의 발생 차이, DNA 염기 서열 등에 따라 분류한다.

구분	해면 동물	자포 동물	편형 동물	환형 동물	연체 동물	선형 동물	절지 동물	극피 동물	척삭 동물
대칭성	없음	방사	(㉚)						
배엽	없음	2배엽	(㉛)						
원구	–		입이 됨					항문이 됨	
척삭	없음								있음

(3) 척추동물의 분류: 턱이 없는 종류(칠성장어류)와 턱이 있는 종류로 구분하며, 턱이 있는 종류는 어류, 양서류, 파충류, 조류, 포유류로 분류한다.

난이도 ●●●

01 다음은 화학적 진화설에 대한 설명이다.

●○○

> ⊙ 원시 지구의 풍부한 에너지에 의해 ⓒ 원시 대기 성분으로부터 간단한 유기물이 생성되었고, 이 간단한 유기물이 복잡한 유기물로 변화하는 과정을 거쳐 ⓒ 원시 세포가 탄생하였을 것이라는 가설을 제시하였다.

이에 대한 설명으로 옳은 것만을 [보기]에서 있는 대로 고른 것은?

〔보기〕
ㄱ. ⊙의 일부는 자외선으로부터 공급되었다.
ㄴ. ⓒ 과정에서 화학 반응이 일어났다.
ㄷ. 코아세르베이트는 ⓒ에 해당한다.

① ㄱ　　　　　② ㄴ　　　　　③ ㄷ
④ ㄱ, ㄴ　　　　⑤ ㄱ, ㄴ, ㄷ

02 그림은 유리와 밀러의 실험 장치를 나타낸 것이다. (가)와 (나)는 각각 U자관과 혼합 기체가 들어 있는 플라스크 중 하나이며, (가)와 (나) 중 하나에 전기 방전 장치가 연결된다.

●●○

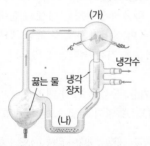

이에 대한 설명으로 옳은 것만을 [보기]에서 있는 대로 고른 것은?

〔보기〕
ㄱ. (가)에 방전 장치가 연결된다.
ㄴ. 실험 결과 (가)에서 $2H_2 + O_2 \rightarrow 2H_2O$의 반응이 일어났다.
ㄷ. 실험 결과 (나)에서 단백질이 검출되었다.

① ㄱ　　　　　② ㄴ　　　　　③ ㄷ
④ ㄱ, ㄴ　　　　⑤ ㄱ, ㄷ

03 다음은 원시 지구의 화학적 진화 과정과 관련된 물질 (가)~(다)를 나타낸 것이다.

●●○

> (가) 메테인　　　(나) 단백질　　　(다) 아미노산

이에 대한 설명으로 옳은 것만을 [보기]에서 있는 대로 고른 것은?

〔보기〕
ㄱ. (가)는 심해 열수구에 존재하지 않는다.
ㄴ. (나)와 (다)의 합성에 모두 에너지가 사용되었다.
ㄷ. 유리와 밀러의 실험에서 (가)는 (다)의 합성에 사용되었다.

① ㄱ　　　　　② ㄷ　　　　　③ ㄱ, ㄴ
④ ㄴ, ㄷ　　　　⑤ ㄱ, ㄴ, ㄷ

04 그림은 화학적 진화 과정에서 형성된 구조 (가)~(다)를 나타낸 것이다. (가)~(다)는 각각 리포솜, 마이크로스피어, 코아세르베이트 중 하나이다.

●●○

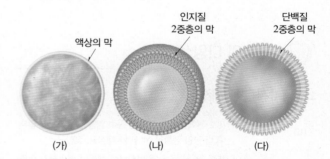

이에 대한 설명으로 옳은 것만을 [보기]에서 있는 대로 고른 것은?

〔보기〕
ㄱ. (나)는 마이크로스피어이다.
ㄴ. (가)~(다)는 모두 생장과 분열을 한다.
ㄷ. (가)~(다) 중 세포막과 가장 유사한 막을 가지는 것은 (다)이다.

① ㄴ　　　　　② ㄷ　　　　　③ ㄱ, ㄴ
④ ㄱ, ㄷ　　　　⑤ ㄴ, ㄷ

05 그림 (가)는 세포내 공생설을, (나)는 지구의 탄생부터 현재까지 생물이 존재한 기간을 나타낸 것이다. (가)에서 미토콘드리아의 기원은 생물 ⓐ이고, 세포 소기관 ⓑ의 기원은 광합성 세균이며, (나)의 ㉠과 ㉡은 각각 원핵생물과 다세포 진핵생물 중 하나이다.

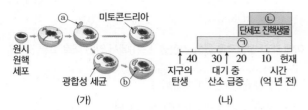

(가)   (나)

이에 대한 설명으로 옳은 것만을 [보기]에서 있는 대로 고른 것은?

[보기]
ㄱ. ⓐ는 ㉡에 속한다.
ㄴ. ⓐ는 산소 호흡 세균이고, ⓑ는 엽록체이다.
ㄷ. 원시 지구에 나타난 최초의 생명체는 ㉠에 속한다.

① ㄱ   ② ㄴ   ③ ㄷ
④ ㄱ, ㄴ   ⑤ ㄴ, ㄷ

06 그림은 어떤 생물의 진화 과정을 나타낸 것이다.

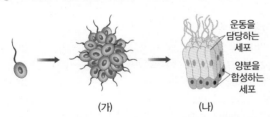

(가)   (나)

이에 대한 설명으로 옳은 것만을 [보기]에서 있는 대로 고른 것은?

[보기]
ㄱ. (가)는 유전 정보가 다른 단세포 생물들이 모인 것이다.
ㄴ. (나)는 초기 다세포 진핵생물이다.
ㄷ. (나)에서 운동을 담당하는 세포와 양분을 합성하는 세포는 구조와 기능이 서로 다르다.

① ㄱ   ② ㄴ   ③ ㄱ, ㄷ
④ ㄴ, ㄷ   ⑤ ㄱ, ㄴ, ㄷ

07 그림은 지구 대기의 변화와 생물의 출현 과정을 나타낸 것이다. A와 B는 각각 광합성 세균과 산소 호흡 세균 중 하나이고, ㉠과 ㉡은 각각 산소와 이산화 탄소 중 하나이다.

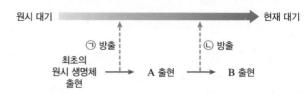

이에 대한 설명으로 옳은 것만을 [보기]에서 있는 대로 고른 것은?

[보기]
ㄱ. A는 독립 영양을 한다.
ㄴ. ㉠은 산소이고, ㉡은 이산화 탄소이다.
ㄷ. A와 B 중 스트로마톨라이트에서 발견된 생명체 화석은 B에 해당한다.

① ㄱ   ② ㄴ   ③ ㄷ
④ ㄱ, ㄴ   ⑤ ㄴ, ㄷ

08 다음은 어떤 과학자가 외부 형태가 비슷한 동물 A, B, C가 동일한 종인지 알아보기 위해 여러 가지로 교배 실험을 한 결과를 나타낸 것이다.(단, 자손 중에 기형은 없었고, 돌연변이는 일어나지 않는 것으로 가정한다.)

(가) A와 B를 교배하여 성별이 다른 자손 L과 M을 얻었다.
(나) B와 C를 교배하여 성별이 다른 자손 P와 Q를 얻었다.
(다) L과 M을 교배하여 성별이 다른 자손 X와 Y를 얻었다.
(라) P와 Q 간의 교배에서는 자손을 얻을 수 없었다.

이에 대한 해석이나 추론으로 타당한 것만을 [보기]에서 있는 대로 고른 것은?

[보기]
ㄱ. A와 B는 같은 종이다.
ㄴ. B와 C는 다른 종이다.
ㄷ. X와 Y 간의 교배에서는 자손이 태어난다.
ㄹ. P와 Q는 생물학적으로 독립된 종이라고 볼 수 없다.

① ㄱ, ㄴ, ㄷ   ② ㄱ, ㄴ, ㄹ   ③ ㄱ, ㄷ, ㄹ
④ ㄴ, ㄷ, ㄹ   ⑤ ㄱ, ㄴ, ㄷ, ㄹ

09 다음은 식육목에 속하는 동물 A~E의 과명과 학명을 나타낸 것이다.

종	과명	학명
A	고양이과	*Panthera tigris*
B	곰과	*Ursus arctos*
C	고양이과	*Lynx lynx*
D	곰과	*Ursus maritimus*
E	고양이과	*Panthera onca*

A~E의 계통수로 가장 적절한 것은?

①  ②

③  ④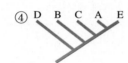

⑤

10 표는 생물 A~E의 특징을, 그림은 이 특징을 토대로 작성한 계통수를 나타낸 것이다. ㉠은 특징 1~4 중 하나이다.

구분	A	B	C	D	E
특징 1	×	○	×	×	○
특징 2	×	○	×	×	○
특징 3	○	×	×	○	×
특징 4	○	○	○	○	○

(○: 있음, ×: 없음)

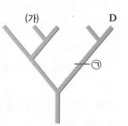

이에 대한 설명으로 옳은 것만을 [보기]에서 있는 대로 고른 것은?

[보기]
ㄱ. ㉠은 특징 3이다.
ㄴ. (가)는 특징 1, 2, 4를 모두 갖는다.
ㄷ. C와 B의 유연관계가 C와 A의 유연관계보다 멀다.

① ㄱ ② ㄴ ③ ㄱ, ㄴ
④ ㄱ, ㄷ ⑤ ㄴ, ㄷ

11 표는 3역을 몇 가지 특징에 따라 분류군 (가)~(다)로 구분한 것이다.

구분	(가)	(나)	(다)
핵막과 막성 소기관	없음	없음	있음
세포벽의 펩티도글리칸	있음	없음	없음
염색체(DNA) 모양	원형	원형	선형

이에 대한 설명으로 옳은 것만을 [보기]에서 있는 대로 고른 것은?

[보기]
ㄱ. 동물계는 (가)에 포함된다.
ㄴ. 호염성 고세균은 (나)에 포함된다.
ㄷ. (나)는 (가)보다 (다)와 유연관계가 더 가깝다.

① ㄱ ② ㄴ ③ ㄷ
④ ㄱ, ㄴ ⑤ ㄴ, ㄷ

12 그림은 식물의 계통수를, 자료는 식물의 검색표를 나타낸 것이다. 분류군 A~D는 각각 ㉠~㉣ 중 하나이다.

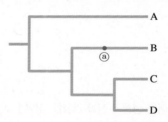

1. 관다발이 없다. ─────── ㉠
1. 관다발이 있다. ─────── 2로
　2. 포자로 번식한다. ─────── ㉡
　2. 종자로 번식한다. ─────── 3으로
　　3. 씨방이 없다. ─────── ㉢
　　3. 씨방이 있다. ─────── ㉣

이에 대한 설명으로 옳은 것만을 [보기]에서 있는 대로 고른 것은?

[보기]
ㄱ. B는 ㉢이다.
ㄴ. ㉠은 헛뿌리를 가진다.
ㄷ. ⓐ 시기에 기관의 분화가 처음 일어났다.

① ㄱ ② ㄴ ③ ㄷ
④ ㄱ, ㄴ ⑤ ㄴ, ㄷ

13 그림 (가)는 일부 동물의 계통수를, (나)는 발생 중 형성되는 서로 다른 종류의 배엽 ㉠~㉢을 나타낸 것이다.

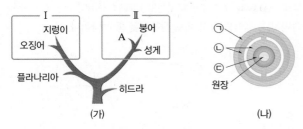

(가)　　　　　　　(나)

이에 대한 설명으로 옳은 것만을 [보기]에서 있는 대로 고른 것은?

〔보기〕
ㄱ. 미더덕은 A에 해당한다.
ㄴ. I은 후구동물, II는 선구동물이다.
ㄷ. (가)에 제시된 동물은 모두 ㉢을 가진다.

① ㄱ　　　　② ㄴ　　　　③ ㄱ, ㄴ
④ ㄱ, ㄷ　　　⑤ ㄴ, ㄷ

14 표는 동물의 분류 특징 I~IV를, 그림은 동물 4종의 계통수를 나타낸 것이다. ㉠은 입과 항문 중 하나이고, ⓐ~ⓒ는 각각 I~IV 중 하나이다.

구분	특징
I	척삭이 있다.
II	중배엽이 없다.
III	?
IV	원구가 ㉠이 된다.

말미잘　지렁이　(가)　성게
(계통수 그림)

이에 대한 설명으로 옳은 것만을 [보기]에서 있는 대로 고른 것은?

〔보기〕
ㄱ. (가)는 I과 IV를 모두 가진다.
ㄴ. '담륜자 유생 시기를 거친다.'는 III에 해당한다.
ㄷ. 해파리와 가재는 II와 IV를 이용해 구분할 수 있다.

① ㄱ　　　　② ㄴ　　　　③ ㄷ
④ ㄱ, ㄴ　　　⑤ ㄴ, ㄷ

서술형 문제

15 최초의 유전 물질을 쓰고, 그 근거를 서술하시오.

....

....

16 그림은 식물 (가)~(라)의 진화적 유연관계에 의한 계통수를 나타낸 것이다. (가)~(라)는 각각 콩, 고비, 뿔이끼, 향나무 중 하나이다.

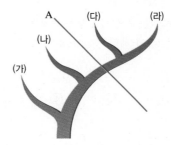

(나)는 어떤 식물인지 쓰고, (가)~(라)를 A와 같이 나누는 분류 특징을 서술하시오.

....

....

17 그림은 일부 척추동물을 나타낸 것이다.

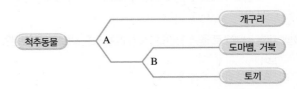

분류 기준 A와 B가 무엇인지 각각 서술하시오.

....

....

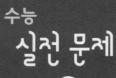

01 그림 (가)는 원시 지구에서 원시 세포가 탄생하기까지의 과정을, (나)는 세포막의 구조를 나타낸 것이다.

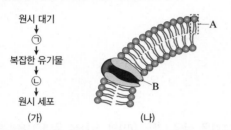

원시 대기
↓ ㉠
복잡한 유기물
↓ ㉡
원시 세포
(가)　　　　(나)

이에 대한 설명으로 옳은 것만을 [보기]에서 있는 대로 고른 것은?

[보기]
ㄱ. B는 ㉠에 해당한다.
ㄴ. 원시 세포에는 A와 B가 모두 존재한다.
ㄷ. 리포솜은 ㉡에 해당하며, A로 이루어진 막 구조를 가진다.

① ㄱ　　② ㄴ　　③ ㄷ　　④ ㄱ, ㄴ　⑤ ㄴ, ㄷ

02 그림 (가)는 세포 A가 진화되는 과정을, (나)는 지구의 탄생 이후 현재까지 지구 대기의 조성비 변화를 나타낸 것이다. ㉠과 ㉡은 각각 산소와 이산화 탄소 중 하나이고, @는 세포 소기관이다.

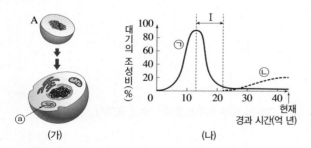

(가)　　　　　　(나)

이에 대한 설명으로 옳은 것만을 [보기]에서 있는 대로 고른 것은?

[보기]
ㄱ. A는 무산소 호흡을 한다.
ㄴ. @는 ㉠을 흡수하고, ㉡을 방출한다.
ㄷ. (가) 과정은 모두 (나)의 I 시기에 일어난다.

① ㄱ　　② ㄴ　　③ ㄷ　　④ ㄱ, ㄴ　⑤ ㄴ, ㄷ

03 그림 (가)는 지구의 탄생 이후 시간에 따른 대기의 산소 농도 변화와 생물 A~C가 지구에 처음 출현한 시점을, (나)는 생물 A~C의 공통점과 차이점을 나타낸 것이다. A~C는 각각 속씨식물, 척삭동물, 단세포 진핵생물 중 하나이다.

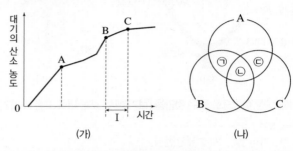

(가)　　　　　　(나)

이에 대한 설명으로 옳은 것만을 [보기]에서 있는 대로 고른 것은?

[보기]
ㄱ. B가 출현한 이후에 미토콘드리아가 형성되었다.
ㄴ. I 시기에 생물이 육상으로 진출하였다.
ㄷ. '다세포 생물이다.'는 ㉠~㉢ 중 하나에 해당한다.

① ㄴ　　　② ㄷ　　　③ ㄱ, ㄴ
④ ㄱ, ㄷ　　⑤ ㄴ, ㄷ

04 그림 (가)는 생물종 A~D의 계통수를, (나)는 생물종 B~E의 계통수를 나타낸 것이다. A~E는 2과 3속으로 이루어져 있다.

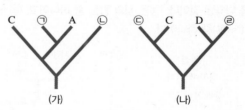

(가)　　　　　　(나)

이에 대한 설명으로 옳은 것만을 [보기]에서 있는 대로 고른 것은?(단, 제시된 계통수만을 고려한다.)

[보기]
ㄱ. ㉠과 ㉢은 모두 B이다.
ㄴ. A와 B는 같은 과, 서로 다른 속에 속한다.
ㄷ. C와 D의 공통 조상보다 B와 E의 공통 조상이 먼저 출현하였다.

① ㄱ　　　② ㄴ　　　③ ㄷ
④ ㄱ, ㄴ　　⑤ ㄴ, ㄷ

05 자료는 생물 (가)와 (나)에 대한 설명을, 그림은 3역 6계 분류 체계를 나타낸 것이다. A~C는 역이고, ⊙과 ⓒ은 계이다.

- (가)는 다세포 생물이다.
- (가)와 (나)는 서로 다른 역에 속한다.
- (가)와 (나)는 모두 엽록소 a를 가진다.

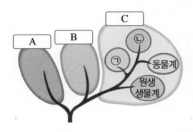

이에 대한 설명으로 옳은 것만을 [보기]에서 있는 대로 고른 것은?

[보기]
ㄱ. (나)는 ⊙에 속한다.
ㄴ. ⓒ은 산화적 인산화가 일어나는 세포 소기관을 가진다.
ㄷ. A와 B에 속하는 생물은 모두 세포벽과 리보솜을 가진다.

① ㄱ   ② ㄷ   ③ ㄱ, ㄴ
④ ㄴ, ㄷ   ⑤ ㄱ, ㄴ, ㄷ

06 그림 (가)는 3역 6계 분류 체계에 따른 생물종 A~D의 계통수를, (나)는 생물종 ⊙~ⓒ의 공통점과 차이점을 나타낸 것이다. A~D는 각각 남세균, 메뚜기, 푸른곰팡이, 호열성 고세균 중 하나이고, ⊙~ⓒ은 B~D 중 하나이다. ⓐ와 ⓑ는 분류 특징이다.

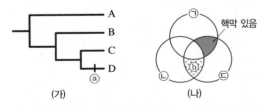

(가)   (나)

이에 대한 설명으로 옳은 것만을 [보기]에서 있는 대로 고른 것은?

[보기]
ㄱ. B와 ⓒ은 모두 호열성 고세균이다.
ㄴ. '종속 영양을 함'은 ⓐ에 해당한다.
ㄷ. '세포벽에 펩티도글리칸이 없음'은 ⓑ에 해당한다.

① ㄱ   ② ㄴ   ③ ㄷ
④ ㄱ, ㄴ   ⑤ ㄴ, ㄷ

07 표는 식물 A~D의 특징을, 그림은 A의 생활사를 나타낸 것이다. A~D는 각각 고사리, 무궁화, 소나무, 솔이끼 중 하나이고, ⊙과 ⓒ은 각각 씨방과 관다발 중 하나이다.

구분	A	B	C	D
⊙	○	○	?	?
ⓒ	×	?	×	○
종자로 번식함	?	?	×	○

(○: 있음, ×: 없음)

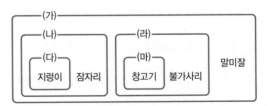

이에 대한 설명으로 옳은 것만을 [보기]에서 있는 대로 고른 것은?

[보기]
ㄱ. ⓐ는 종자이다.
ㄴ. B는 A보다 D와 유연관계가 가깝다.
ㄷ. '뿌리, 줄기, 잎의 구별이 뚜렷한가?'를 이용하여 C와 D를 구분할 수 있다.

① ㄱ   ② ㄴ   ③ ㄱ, ㄴ
④ ㄱ, ㄷ   ⑤ ㄴ, ㄷ

08 그림은 5종의 동물을 분류 특징 (가)~(마)에 따라 분류한 것이다.

```
(가)
  (나)              (라)
   (다)              (마)
  지렁이  잠자리    창고기  불가사리    말미잘
```

이에 대한 설명으로 옳은 것만을 [보기]에서 있는 대로 고른 것은?

[보기]
ㄱ. '중배엽이 형성된다.'는 (가)에 해당한다.
ㄴ. (나)는 후구동물이다.
ㄷ. '담륜자 유생 시기를 거친다.'는 (다)에 해당한다.

① ㄱ   ② ㄷ   ③ ㄱ, ㄴ
④ ㄴ, ㄷ   ⑤ ㄱ, ㄴ, ㄷ

2 생물의 진화

- 01. 진화의 증거
- 02. 진화의 원리

이 단원을 공부하기 전에 학습 계획을 세우고, 학습 진도를 스스로 체크해 보자.
학습이 미흡했던 부분은 다시 보기에 체크해 두고, 시험 전까지 꼭 완벽히 학습하자!

◆ **화석**

① [**❶**]: 지질 시대에 살았던 생물의 유해나 흔적이 지층 속에 남아 있는 것이다.

② **화석의 종류**

표준 화석	• 지층의 생성 시대를 알려주는 화석이다. • 생존 기간이 짧고, 분포 면적이 넓어야 한다.	예 삼엽충(고생대), 공룡(중생대), 화폐석(신생대)
시상 화석	• 지층의 생성 환경을 알려주는 화석이다. • 생존 기간이 길고, 분포 면적이 좁아야 한다.	예 산호(따뜻하고 얕은 바다), 조개(얕은 바다)

◆ **진화와 자연 선택설**

① **생물의 진화**: 생물이 오랜 시간 동안 환경에 적응하면서 몸의 구조나 특성이 변하는 현상이다. ➡ 진화의 결과 지구에 다양한 생물이 나타나게 되었다.

② **다윈의 [❷]**: 다양한 변이가 있는 개체들 중에서 환경에 잘 적응한 개체가 살아남아 자손을 남기게 되고, 이러한 자연 선택이 오랜 세월 동안 누적되면서 생물이 점차 변하고 다양해지는 진화가 일어난다. ➡ 생물의 진화에 대한 과학적 이론의 핵심 원리이다.

과잉 생산과 변이 → [**❸**] → [**❹**] → 진화

③ [**❺**]**의 한계점**: 당시에는 유전의 원리가 알려지지 않았기 때문에 변이가 나타나는 원인과 부모의 형질이 자손에게 유전되는 원리를 명확하게 설명하지 못하였다.

◆ **변이와 자연 선택에 의한 생물의 진화**

① [**❻**]: 같은 종의 개체들 사이에서 나타나는 형태, 기능, 습성 등의 형질의 차이이다. ➡ 진화가 일어나는 원동력이 된다.

② **변이와 자연 선택에 의한 생물의 진화**

핀치 부리의 자연 선택	핀치 조상 무리에는 다양한 부리 모양의 변이가 있었고, 핀치는 갈라파고스 각 섬에 흩어져 살게 되었다. → 섬마다 먹이 환경이 달라서 각 섬의 먹이 환경에 적합한 부리를 가진 핀치가 살아남아 자손을 남겼다. → 각 섬의 먹이 환경에 적합한 부리 모양을 가진 핀치가 자연 선택됨에 따라 오늘날 부리 모양이 다른 여러 종의 핀치로 진화하였다.
항생제 내성 세균의 자연 선택	세균 집단 내에 [**❼**] 변이 등으로 인해 일부 세균이 항생제 내성을 가지게 되었다. → 항생제를 지속적으로 사용하는 환경에서는 항생제 내성 세균이 [**❽**]되어 그 비율이 점점 증가하였다. → 항생제 내성 세균 집단이 형성되었다.

진화의 증거

핵심 포인트
Ⓐ 화석상의 증거의 예-고래의 진화 ★★
Ⓑ 비교해부학적 증거의 예-상동 기관, 상사 기관 ★★★
Ⓒ 생물지리학적 증거의 예-월리스선, 갈라파고스 군도의 핀치 ★
Ⓓ 분자진화학적 증거의 예-DNA 염기 서열 ★★
Ⓔ 진화발생학적 증거의 예-척추동물의 초기 배아의 유사성 ★

Ⓐ 화석상의 증거

생물은 아주 오랜 시간에 걸쳐 조금씩 진화해 왔기 때문에 생물이 진화한다는 사실을 인식하기는 매우 어려워요. 19세기 이후 진화에 대한 주장이 일반화되면서 진화의 증거로 화석이 제시되었어요. 화석을 통해 알 수 있는 진화의 증거를 알아볼까요?

1. 화석상의 증거 화석 연구를 통해 당시에 살았던 생물의 종류와 특징, 당시의 서식 환경 등을 알 수 있다. ➡ 화석을 시간 순으로 배열하면 생물의 변화 과정을 알 수 있으며, 화석 형성 연대와 새로운 형질 등장 순서에 따른 생물 계통이 일관되면 진화의 중요한 증거가 된다.
┗ 화석은 환경 변화와 생물의 진화를 보여주는 가장 직접적인 증거이다.

★ **지층의 연대 측정**
화석이 포함된 퇴적암이나 화석에 있는 동위 원소를 분석하여 지층의 연대를 추정할 수 있다.

2. 화석상의 증거의 예 ➡ 연속적으로 퇴적된 퇴적암층의 화석을 조사하면 생물이 점진적으로 변화하였음을 알 수 있다.

고래 화석	오늘날의 고래는 뒷다리가 흔적으로만 남아있지만, 고래의 조상 화석에서는 뒷다리가 발견되었다. ➡ 수중 생활을 하는 포유류는 육상 생활을 하는 포유류에서 진화하였다. 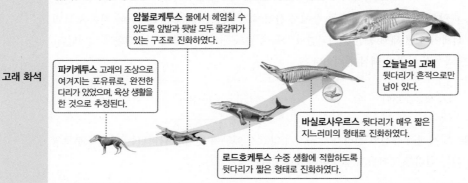 **암불로케투스** 물에서 헤엄칠 수 있도록 앞발과 뒷발 모두 물갈퀴가 있는 구조로 진화하였다. **파키케투스** 고래의 조상으로 여겨지는 포유류로, 완전한 다리가 있었으며, 육상 생활을 한 것으로 추정된다. **오늘날의 고래** 뒷다리가 흔적으로만 남아 있다. **바실로사우루스** 뒷다리가 매우 짧은 지느러미의 형태로 진화하였다. **로드호케투스** 수중 생활에 적합하도록 뒷다리가 짧은 형태로 진화하였다.
말 화석	말은 몸집이 점점 커지고, 발가락 수가 점점 줄어들었으며, 어금니의 크기가 커지고 주름이 많아졌다. ➡ 초원에 살기에 적합하도록 진화하였다. ┗ 말의 발가락 수가 점점 줄어든 것은 초원을 달리기에 적합하게 변한 것이며, 어금니의 크기가 커지고 주름이 많아진 것은 초원의 풀을 먹기에 적합하게 변한 것이다. 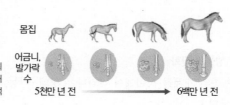 몸집 어금니, 발가락 수 5천만 년 전 ➡ 6백만 년 전

🔍 **확대경** **중간 단계에 해당하는 생물 화석** 📖 천재, 교학사 교과서에만 나와요.

진화 과정에서 중간 단계에 해당하는 화석은 진화의 중요한 증거가 된다.
• 깃털 달린 육식 공룡 화석: 공룡과 조류의 특징을 모두 나타낸다. ➡ 조류가 공룡에서 진화하였다.
• 종자고사리 화석: 양치식물과 종자식물의 특징을 모두 나타낸다. ➡ 종자식물이 양치식물에서 진화하였다.
• 틱타알릭 화석: 어류와 양서류의 특징을 모두 나타낸다. ➡ 육상 동물이 어류에서 진화하였다.

종자고사리 화석   틱타알릭 화석

B 비교해부학적 증거 → 지학사 교과서에서는 '해부학적 증거'로 설명한다.

1. ＊비교해부학적 증거 다양한 생물의 해부학적 특성을 비교해 보면 이들이 공통 조상을 갖는지, 각각의 생물이 공통 조상으로부터 얼마나 분화하였는지를 알 수 있다.

2. 비교해부학적 증거의 예

相 서로 同 같다. **상동 기관** ＝상동 형질	생김새와 기능은 다르지만 해부학적 구조나 발생 기원이 같은 기관이다. ➡ 공통 조상으로부터 기원하였지만 각기 다른 환경에 적응하면서 다른 기능을 수행하도록 진화하였다. [예] 척추동물의 앞다리, 사람의 폐와 어류의 부레, 사람의 닭살과 포유류가 털을 곧추세우는 것 모두 소화 기관의 일부에서 발생하였다. 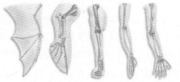 박쥐 바다사자 사자 침팬지 사람 **⬆ 척추동물의 앞다리**
相 서로 似 닮다. **상사 기관** ＝상사 형질	발생 기원은 다르지만 생김새와 기능이 비슷한 기관이다. ➡ 발생 기원이 다른 생물들이 환경에 적응하면서 유사한 형질을 갖도록 진화하였다. [예] 새의 날개와 곤충의 날개 새(독수리) 곤충(잠자리)
흔적 기관 ＝흔적 형질	기능을 더 이상 수행하지 않고 흔적만 남거나 쓰임새가 처음의 목적과 많이 달라진 기관이다. ➡ 생물 사이의 유연관계를 밝히는 데 중요한 단서가 된다. [예] 사람의 꼬리뼈, 귀를 움직이는 근육(동이근), 사람의 닭살

★ 비교해부학적 증거
생물은 공통 조상으로부터 유래한 형태적 유사성을 공유하기 때문에 형태적 특징 중 공통 조상에서 물려받은 특징은 생물 진화와 유연관계를 밝히는 데 도움이 된다.

◁ 척추동물의 앞다리는 생김새와 기능이 다르지만, 해부학적 구조와 발생 기원이 같다.

◁ 새와 곤충의 날개는 형태와 기능이 비슷하지만 새의 날개는 앞다리가 변한 것이고, 곤충의 날개는 표피가 변한 것이다.

주의해
사람의 닭살을 단독으로 봤을 때는 흔적 기관으로 볼 수 있지만, 사람이 춥거나 놀랐을 때 갑자기 닭살이 돋는 것은 다른 포유류가 춥거나 놀랐을 때 털을 곧추세우는 것과 상동인 형질이다.

C 생물지리학적 증거

1. 생물지리학적 증거 생물의 분포 양상은 대륙의 이동, 산맥 등과 같은 물리적 장벽에 따라 달라지므로 지역에 따라 생물이 다르게 진화한다는 것을 알 수 있다.

2. 생물지리학적 증거의 예

월리스선 월리스가 제안한 가상의 생물 분포 경계선	• 월리스선을 기준으로 동쪽은 곤드와나 대륙에서 유래한 오스트레일리아구, 서쪽은 로라시아 대륙에서 유래한 동남아시아구로 나뉜다. • 캥거루와 같은 ＊유대류는 오스트레일리아구에서만 서식한다. ➡ 오스트레일리아구가 곤드와나 대륙으로부터 분리되면서 유대류가 원시 포유류에서 독자적으로 진화하였다. 대한민국 동남아시아구 오스트레일리아구 **월리스선** 오스트레일리아
갈라파고스 군도의 핀치 천재, 지학사 교과서에만 나와요!	갈라파고스 군도의 각 섬에 사는 핀치는 먹이의 종류가 달라 각 섬의 먹이를 먹기에 적합하게 부리의 모양이 다르게 진화하였다. **갈라파고스 군도의 핀치 ➡**  곤충을 먹는 새 선인장을 먹는 새 나뭇잎을 먹는 새 씨를 먹는 새 열매를 먹는 새

★ 유대류
배아 상태로 태어나 모체의 바깥쪽에 있는 주머니에서 발생을 하는 포유류로, 캥거루와 코알라 등이 있다.

D 분자진화학적 증거

1. 분자진화학적 증거 서로 다른 종의 DNA 염기 서열이나 단백질의 아미노산 서열을 비교해 보면 생물 간의 유연관계를 알 수 있다.⟶ DNA 염기 서열이나 단백질의 아미노산 서열 차이가 클수록 오래전에 공통 조상에서 분화한 것이므로 유연관계가 멀다.

2. 분자진화학적 증거의 예

DNA 염기 서열	공통 조상에서 물려받은 DNA 염기 서열은 생물이 진화하는 동안 돌연변이 등을 통하여 달라지므로 유연관계가 가까운 종일수록 종 간 DNA 염기 서열이 유사하다. 예 사람과 침팬지의 DNA 염기 서열은 약 97 % 일치하고, 사람과 생쥐의 DNA 염기 서열은 약 85 % 일치한다. ➡ 사람은 생쥐보다 침팬지와 유연관계가 더 가깝다.
단백질의 아미노산 서열	① 사람의 *글로빈 단백질과 차이 나는 아미노산 서열 비교: 공통된 아미노산의 비율이 높을수록 최근에 공통 조상에서 분화한 것이므로 유연관계가 가깝다. 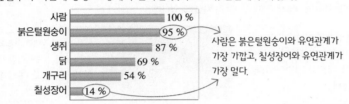 사람 100 %, 붉은털원숭이 95 %, 생쥐 87 %, 닭 69 %, 개구리 54 %, 칠성장어 14 % 사람은 붉은털원숭이와 유연관계가 가장 가깝고, 칠성장어와 유연관계가 가장 멀다. ② 사람의 *사이토크롬 c 단백질과 차이 나는 아미노산 서열 비교

생물	침팬지	붉은털 원숭이	개	닭	뱀	거북	효모
사람과 차이 나는 아미노산 수(개)	0	1	13	18	20	31	56

➡ 사람은 침팬지와 유연관계가 가장 가깝고, 효모와 유연관계가 가장 멀다.

E 진화발생학적 증거

1. 진화발생학적 증거 발생 과정에서의 유사성을 통하여 생물이 공통 조상에서 진화하였음을 알 수 있다.⟶ 유연관계가 가까운 생물들은 가까운 공통 조상을 공유한다.

2. 진화발생학적 증거의 예

척추동물의 초기 배아의 유사성	척추동물의 발생 초기 배아에서는 근육성 꼬리, 척삭, 아가미 틈 등이 공통적으로 나타난다. ➡ 육상 척추동물은 수중 생활을 하던 조상 척추동물로부터 진화하였다. └ 어류의 경우에는 아가미 틈이 아가미가 되지만, 육상 척추동물의 경우에는 아가미 틈이 변형되어 다른 기관의 일부가 된다.	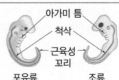 아가미 틈 척삭 근육성 꼬리 포유류 조류
담륜자 유생	무척추동물인 조개(연체동물)와 갯지렁이(환형동물)는 담륜자라는 유생 시기를 거친다. ➡ 연체동물과 환형동물은 공통 조상에서 진화하였다.	
혹스 유전자 (hox gene)	동물의 초기 발생 과정에서 기관 형성에 관여하는 혹스 유전자는 여러 동물에서 공통적으로 발견되며, 발현하는 부위와 기능이 비슷하다.⟶ 교학사 교과서에만 나와요!	

지학사 교과서에만 나와요.

★ 난황 단백질 유전자
과거 조상이 가지고 있었으나 현재는 사용하지 않는 유전자의 염기 서열이 흔적으로 남아 있다. 사람은 난황 단백질을 생산하지 않지만, 사람을 비롯한 여러 포유류에서 난황 단백질 유전자의 염기 서열이 발견되었다. ➡ 포유류, 파충류, 조류의 공통 조상이 알을 낳는 척추동물이었다는 사실을 뒷받침한다.

★ 글로빈(globin) 단백질
척추동물에 공통으로 있는 단백질로, 헤모글로빈 형성에 관여하기 때문에 헤모글로빈 단백질이라고 불리기도 한다.

★ 사이토크롬 c
미토콘드리아의 전자 전달계를 구성하는 효소 중 하나이다. 사이토크롬 c는 산소 호흡을 하는 대부분의 진핵생물에 존재하며, 유전자가 잘 보존되어 있어 변이가 적고, 크기가 크지 않아 연구에 많이 사용된다.

🔍확대경 지학사 교과서에만 나와요.

분류학적 증거
서로 다른 두 분류군의 특징이 섞여 있는 생물이 관찰되면 두 분류군이 공통 조상에서 기원하였음을 추론할 수 있다.
• 실러캔스와 폐어: 어류이지만 뼈와 근육으로 된 지느러미를 가진다. ➡ 육상 척추동물과 어류가 공통 조상에서 기원하였다.
• 오리너구리: 포유류와 파충류의 특징을 모두 가진다. ➡ 포유류와 파충류가 공통 조상에서 기원하였다.
오리너구리는 오스트레일리아구에서만 서식하는 생물지리학적 증거의 예이기도 하다.

개념 확인 문제

정답친해 124쪽

핵심 체크

- 화석상의 증거: 화석 연구를 통하여 당시에 살았던 생물의 종류, 특징, 서식 환경 등을 알 수 있다. 예 고래의 진화
- (❶   ) 증거: 다양한 생물의 해부학적 특성을 비교해 보면 이들이 공통 조상을 갖는지, 각각의 생물이 공통 조상으로부터 얼마나 분화하였는지를 알 수 있다.
  - (❷   ) 기관: 생김새와 기능은 다르지만 발생 기원이 같은 기관 예 척추동물의 앞다리
  - (❸   ) 기관: 발생 기원은 다르지만 생김새와 기능이 비슷한 기관 예 새의 날개와 곤충의 날개
  - (❹   ) 기관: 흔적만 남거나 쓰임새가 처음의 목적과 많이 달라진 기관 예 사람의 꼬리뼈
- 생물지리학적 증거: 생물의 분포 양상은 물리적 장벽에 따라 달라지므로 생물이 특정 환경에서 다르게 진화한다는 것을 알 수 있다. 예 갈라파고스 군도의 핀치
- 분자진화학적 증거: 서로 다른 종의 DNA 염기 서열이나 단백질의 아미노산 서열을 비교해 보면 생물 간의 (❺   )를 알 수 있다.
- 진화발생학적 증거: (❻   ) 과정에서의 유사성을 통하여 생물이 공통 조상으로부터 진화하였음을 알 수 있다.
  예 척추동물 초기 배아의 유사성

1 고래의 진화 과정에 대한 설명이다. (   ) 안에 알맞은 말을 고르시오.

(1) 오늘날의 고래는 ㉠(앞다리, 뒷다리)가 흔적으로 남아 있지만, 고래의 조상 화석에서는 ㉡(앞다리, 뒷다리)가 발견되었다.

(2) 고래 화석은 ㉠(수중, 육상) 생활을 하는 포유류가 ㉡(수중, 육상) 생활을 하는 포유류에서 진화하였음을 보여준다.

(3) 고래의 진화 과정은 (화석상의, 생물지리학적) 증거를 통해 알 수 있다.

2 표는 비교해부학적 증거의 예를 나타낸 것이다.

구분	예
(가)	척추동물의 앞다리는 생김새와 기능이 다르지만 해부학적 구조가 같다.
(나)	사람의 꼬리뼈는 퇴화되었다.
(다)	독수리와 잠자리의 날개는 생김새와 기능이 비슷하지만 독수리의 날개는 앞다리가 변한 것이고, 잠자리의 날개는 표피가 변한 것이다.

(가)~(다)에 해당하는 비교해부학적 증거의 예를 각각 쓰시오.

3 다음 설명에 해당하는 진화의 증거를 쓰시오.

- 생물의 분포 양상을 통해 생물의 진화 과정을 알 수 있다.
- 유대류는 오스트레일리아구에서만 서식한다.

4 그림은 사람을 기준으로 여러 동물의 글로빈 단백질 아미노산 서열의 유사성을 비교하여 나타낸 것이다.

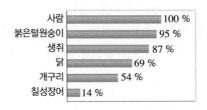

사람	100 %
붉은털원숭이	95 %
생쥐	87 %
닭	69 %
개구리	54 %
칠성장어	14 %

이 중 사람과 유연관계가 가장 가까운 동물과 가장 먼 동물을 순서대로 쓰시오.

5 진화발생학적 증거에 대한 설명으로 옳은 것은 ○, 옳지 않은 것은 ×로 표시하시오.

(1) 성체 모습의 유사성을 통하여 생물이 공통 조상으로부터 진화하였음을 알 수 있다. ──────── (   )

(2) 조류와 포유류 모두 발생 초기에 근육성 꼬리와 아가미 틈이 나타난다. ──────── (   )

(3) 조개와 갯지렁이는 담륜자 유생 시기를 거치므로 공통 조상에서 진화하였다. ──────── (   )

대표 자료 분석

정답친해 124쪽

🏠 학교 시험에 자주 출제되는 대표 자료와 그 자료에 대한
문제를 통해 자료를 완벽하게 이해할 수 있다.

자료 ① 여러 가지 진화의 증거

기출 Point
• 여러 가지 진화의 증거와 대표적인 예 알기
• 상동 기관과 상사 기관의 특징과 예 알기

[1~3] 그림 (가)~(다)는 진화의 증거가 되는 예를 나
타낸 것이다.

고래의 가슴 고양이의 곤충의   박쥐의   닭의   사람의
지느러미   앞다리   날개   날개   어린 배   어린 배
   (가)   (나)   (다)

아가미 틈
근육성 꼬리

1 (가)~(다)는 각각 어떤 진화의 증거에 해당하는지
쓰시오.

2 (가)~(다) 중 다음 설명과 관련있는 것을 쓰시오.
(1) 발생 기원이 다른 생물들이 환경에 적응하면서 유사
한 형질을 갖도록 진화하였다.
(2) 공통 조상으로부터 기원하였지만 각기 다른 환경에
적응하면서 다른 기능을 수행하도록 진화하였다.

3 빈출 선택지로 [완벽 정리!]
(1) (가)는 상동인 골격 구조를 가진다. .... (○ / ×)
(2) (가)와 같은 예로는 사람의 폐와 어류의 부레가 있다.
.... (○ / ×)
(3) (가)를 통하여 고래와 고양이가 공통 조상에서 유래
하였음을 알 수 있다. .... (○ / ×)
(4) (나)를 통하여 곤충과 박쥐가 공통 조상으로부터 날
개 형질을 물려받았음을 알 수 있다. .... (○ / ×)
(5) (다)를 통하여 닭과 사람의 공통 조상이 수중 생활을
하였음을 알 수 있다. .... (○ / ×)

자료 ② 분자진화학적 증거와 계통

기출 Point
• 분자진화학적 증거를 통한 유연관계 파악하기

[1~2] 그림은 여러 동물의 글로빈 단백질 아미노산 서
열을 사람의 글로빈 단백질 아미노산 서열과 비교하여
차이 나는 아미노산의 비율을 나타낸 것이다.(단, 제시
된 자료에 의해서만 유연관계를 파악한다.)

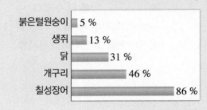

붉은털원숭이	5 %
생쥐	13 %
닭	31 %
개구리	46 %
칠성장어	86 %

1 다음 ( ) 안에 공통으로 들어갈 말을 쓰시오.

• 서로 다른 종의 DNA 염기 서열이나 단백질의 아미
노산 서열을 비교해 보면 생물종 간의 ( )를 알
수 있다.
• 생물 간의 ( )가 가까울수록 같은 기능을 가진
단백질을 구성하는 아미노산의 서열이 비슷하다.

2 빈출 선택지로 [완벽 정리!]
(1) 이 자료는 분자진화학적 증거에 해당한다. (○ / ×)
(2) 사람의 글로빈 단백질과 차이 나는 아미노산 비율이
낮은 생물일수록 사람과 유연관계가 가깝다.(○ / ×)
(3) 아미노산 서열의 차이가 클수록 최근에 공통 조상에
서 분화한 것이다. .... (○ / ×)
(4) 사람과 유연관계가 가장 가까운 동물은 칠성장어이다.
.... (○ / ×)
(5) 붉은털원숭이는 닭보다 더 오래전에 사람과의 공통
조상에서 분화되었다. .... (○ / ×)
(6) 닭과 개구리는 글로빈 단백질 아미노산의 차이가 크
지 않은 것으로 보아 유연관계가 가깝다. -- (○ / ×)

내신 만점 문제

Ⓐ 화석상의 증거

01 다음은 진화의 증거에 대한 학생들의 대화이다.

> 학생 A: 화석을 연구하면 생물의 형태가 변해 온 과정을 알 수 있어.
>
> 학생 B: 진화발생학적 증거에는 상동 기관, 상사 기관, 흔적 기관이 있어.
>
> 학생 C: 월리스선을 경계로 한 생물의 분류는 생물지리학적 증거의 예 중 하나야.

옳게 설명한 학생만을 있는 대로 고른 것은?

① B   ② C   ③ A, B
④ A, C   ⑤ B, C

02 다음은 생물 진화의 증거로 이용되는 예이다.

> (가) 캥거루와 코알라는 오스트레일리아에만 서식한다.
> (나) 종자고사리는 양치식물과 종자식물의 중간 단계에 해당한다.

(가)~(나)가 해당되는 진화의 증거로 옳은 것은?

	(가)	(나)
①	생물지리학적 증거	화석상의 증거
②	생물지리학적 증거	비교해부학적 증거
③	화석상의 증거	생물지리학적 증거
④	비교해부학적 증거	생물지리학적 증거
⑤	비교해부학적 증거	화석상의 증거

03 그림은 고래의 진화 과정 중 일부를 나타낸 것이다.

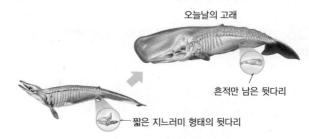

오늘날의 고래
흔적만 남은 뒷다리
짧은 지느러미 형태의 뒷다리

이에 대한 설명으로 옳은 것만을 [보기]에서 있는 대로 고른 것은?

〔보기〕
ㄱ. 진화의 비교해부학적 증거에 해당한다.
ㄴ. 고래의 조상에는 뒷다리가 있을 것으로 추정된다.
ㄷ. 고래의 조상이 육상 포유류였음을 뒷받침하는 증거이다.

① ㄱ   ② ㄷ   ③ ㄱ, ㄴ
④ ㄴ, ㄷ   ⑤ ㄱ, ㄴ, ㄷ

04 그림은 말의 진화 과정을 나타낸 것이다.

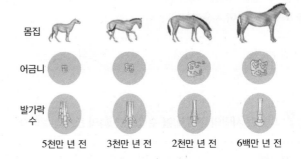

몸집
어금니
발가락 수
5천만 년 전   3천만 년 전   2천만 년 전   6백만 년 전

이에 대한 설명으로 옳은 것만을 [보기]에서 있는 대로 고른 것은?

〔보기〕
ㄱ. 몸집의 크기가 커지는 방향으로 진화하였다.
ㄴ. 발가락의 수가 늘어나는 방향으로 진화하였다.
ㄷ. 초원에서 살기에 적합한 모습으로 진화하였다.

① ㄱ   ② ㄴ   ③ ㄱ, ㄷ
④ ㄴ, ㄷ   ⑤ ㄱ, ㄴ, ㄷ

B 비교해부학적 증거

05 그림은 다양한 척추동물의 앞다리 골격 구조를 나타낸 것이다.

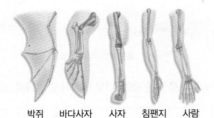

박쥐　바다사자　사자　침팬지　사람

이에 대한 설명으로 옳은 것만을 [보기]에서 있는 대로 고른 것은?

[보기]
ㄱ. 상사 기관이다.
ㄴ. 박쥐의 날개와 사자의 앞다리는 발생 기원이 다르다.
ㄷ. 바다사자, 침팬지, 사람은 공통 조상에서 유래하였다.

① ㄱ　　　　　② ㄷ　　　　　③ ㄱ, ㄴ
④ ㄱ, ㄷ　　　　⑤ ㄴ, ㄷ

서술형
06 그림은 나비의 날개와 박쥐의 날개를 나타낸 것이다.
비교해부학적 증거의 예 중 어느 것에 해당하는지 쓰고, 이를 통하여 알 수 있는 사실을 다음 용어를 모두 사용하여 서술하시오.

나비의 날개　　박쥐의 날개

• 발생 기원　　• 환경　　• 진화

07 다음은 사람의 몸에서 볼 수 있는 진화의 증거의 예이다.

• 꼬리뼈　　　　　• 귀를 움직이는 근육

이 예가 해당하는 진화의 증거를 옳게 짝 지은 것은?

① 진화발생학적 증거 — 상동 기관
② 진화발생학적 증거 — 흔적 기관
③ 비교해부학적 증거 — 상동 기관
④ 비교해부학적 증거 — 상사 기관
⑤ 비교해부학적 증거 — 흔적 기관

C 생물지리학적 증거

08 그림을 월리스선을 나타낸 것이다. 이에 대한 설명으로 옳은 것만을 [보기]에서 있는 대로 고른 것은?

[보기]
ㄱ. 유대류는 A 지역에서만 서식하고 있다.
ㄴ. 월리스선은 생물의 분포 양상을 기준으로 A 지역과 B 지역으로 나뉜다.
ㄷ. 유대류는 원시 포유류에서 독자적으로 진화하였음을 보여준다.

① ㄱ　　　　　② ㄴ　　　　　③ ㄱ, ㄷ
④ ㄴ, ㄷ　　　　⑤ ㄱ, ㄴ, ㄷ

09 그림은 갈라파고스 군도의 서로 다른 섬에 서식하는 핀치의 부리 모양과 먹이를 나타낸 것이다.

부리가 길고 뾰족한 핀치　　부리가 크고 두꺼운 핀치

갈라파고스 군도의 핀치가 보여주는 진화의 증거와 가장 관련이 깊은 것은?

① 척추동물은 초기 발생 형태가 유사하다.
② 생물의 구조를 비교하여 진화 과정을 예상할 수 있다.
③ 화석을 통하여 생물의 점진적인 변화 과정을 알 수 있다.
④ 진화적으로 가까운 생물일수록 유전자나 단백질이 유사하다.
⑤ 같은 생물종이라도 지리적으로 다른 환경에서 서식하면 다양한 생물종으로 진화할 수 있다.

ⓓ 분자진화학적 증거

10 표는 생물종 A~D에서 동일한 기능을 수행하는 단백질의 아미노산 서열 중 일부를 나타낸 것이다.

생물종	아미노산 서열
A	아이소류신 － 트레오닌 － 세린 － 아르지닌
B	아이소류신 － 아르지닌 － 세린 － 아르지닌
C	트레오닌 － 트레오닌 － 메싸이오닌 － 세린
D	아이소류신 － 트레오닌 － 류신 － 아르지닌

이에 대한 설명으로 옳은 것만을 [보기]에서 있는 대로 고른 것은?
(단, 제시된 부위 이외의 아미노산 서열은 동일하다.)

─〔보기〕─
ㄱ. 분자진화학적 증거에 해당한다.
ㄴ. D와 유연관계가 가장 먼 종은 C이다.
ㄷ. B는 D보다 A와 유연관계가 더 가깝다.

① ㄱ   ② ㄴ   ③ ㄱ, ㄷ
④ ㄴ, ㄷ   ⑤ ㄱ, ㄴ, ㄷ

11 그림은 여러 동물의 사이토크롬 c의 아미노산 서열을 사람과 비교하여 차이 나는 아미노산의 수를 나타낸 것이다.

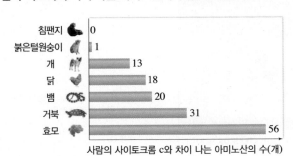

사람의 사이토크롬 c와 차이 나는 아미노산의 수(개)

이에 대한 설명으로 옳은 것만을 [보기]에서 있는 대로 고른 것은?

─〔보기〕─
ㄱ. 개는 사람보다 닭과 유연관계가 더 가깝다.
ㄴ. 사람과 여러 동물의 유연관계를 알 수 있다.
ㄷ. 단백질의 아미노산 서열의 차이가 클수록 공통 조상으로부터 분화된 지 오래되었다.

① ㄱ   ② ㄴ   ③ ㄱ, ㄷ
④ ㄴ, ㄷ   ⑤ ㄱ, ㄴ, ㄷ

12 표는 공통 조상과 생물종 (가)~(라)의 유연관계를 알아보기 위하여 DNA의 특정 부위 염기 서열을 비교하여 나타낸 것이다. 유연관계를 판단할 때에는 주어진 DNA 염기 서열의 유사성만을 고려한다.

생물종	DNA 염기 서열										
공통 조상	T	G	A	G	C	C	T	T	C	G	T	A
(가)	T	G	A	C	T	C	T	T	C	G	T	A
(나)	T	G	A	G	C	C	T	T	C	G	C	A
(다)	T	G	A	T	G	C	T	T	A	G	T	A
(라)	A	G	A	T	G	C	T	T	G	G	T	A

이 자료를 근거로 생물종 (가)~(라)를 공통 조상과 유연관계가 가까운 것부터 순서대로 쓰시오.

ⓔ 진화발생학적 증거

[13~14] 그림은 여러 척추동물의 발생 초기 배아를 나타낸 것이다.

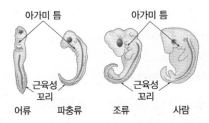

어류   파충류   조류   사람

13 이에 대한 설명으로 옳은 것만을 [보기]에서 있는 대로 고른 것은?

─〔보기〕─
ㄱ. 진화발생학적 증거에 해당한다.
ㄴ. 발생 과정에서의 차이점을 통하여 생물이 공통 조상에서 진화하였음을 알 수 있다.
ㄷ. 무척추동물이 담륜자 유생 시기를 거치는 것도 이와 같은 진화의 증거에 해당한다.

① ㄱ   ② ㄴ   ③ ㄱ, ㄷ
④ ㄴ, ㄷ   ⑤ ㄱ, ㄴ, ㄷ

서술형
14 진화와 관련하여 이 자료가 뒷받침하는 내용을 그 까닭과 함께 서술하시오.

02 진화의 원리

| 핵심 포인트 | ⓐ 다윈의 자연 선택설에 의한 생물 집단의 진화 과정 ★ | ⓑ 유전적 평형 ★★★ | ⓒ 유전자풀의 변화 요인 ★★ 유전적 부동 ★ | ⓓ 종분화 ★★★ 고리종 ★★ |

Ⓐ 진화의 원리

1. *변이 한 집단(개체군)에서 나타나는 형질(몸의 형태, 습성, 기능 등)의 차이이다.

2. 변이와 *자연 선택 자연 선택된 개체의 변이는 자손에게 전달될 수 있다.

3. 다윈의 자연 선택설 → 다윈은 진화가 변이와 자연 선택의 과정에서 일어난다고 설명하였다.

(1) 자연 선택설에 의한 생물 집단의 진화 과정

과잉 생산과 변이	생물은 주어진 환경에서 살아남을 수 있는 수보다 더 많은 수의 자손을 생산하며, 생산된 개체들 사이에는 유전되는 다양한 변이가 있다.
생존 경쟁	과잉 생산된 개체 사이에는 생존 경쟁이 일어난다.
자연 선택	생존에 유리한 형질을 가진 개체는 더 많은 자손을 남겨 개체군에서의 비율이 높아진다.
진화	자연 선택 과정이 오랫동안 누적되어 새로운 생물 집단이 형성된다.

(2) 한계점: 다윈이 살던 시대에는 유전의 원리가 알려지지 않았기 때문에 변이의 원인을 명확하게 설명하지 못하였다.

(3) 자연 선택과 진화

① 자연 선택과 기린 목의 진화 🔖 비상 교과서에만 나와요.

| 기린 집단에서 기린의 목 길이는 다양하였다. | 목이 짧은 기린은 생존에 불리하여 죽고, 목이 긴 기린이 살아남아 자손을 남겼다. | 이 과정이 오랫동안 누적되어 기린의 목이 지금처럼 길어졌다. |

② 자연 선택과 핀치 부리의 진화: 갈라파고스 군도의 각 섬에는 먹이의 종류에 따라 부리의 모양과 크기가 다양한 핀치가 살고 있다.

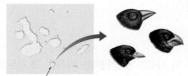  

크고 단단한 씨앗

갈라파고스 군도의 한 섬 　 부리 모양 변이 　 먹이에 대한 경쟁 　 자연 선택 　 크고 두꺼운 부리를 갖는 종으로 진화

★ 변이
유전자의 차이로 인해 나타나는 변이는 자손에게 전달되며, 특정한 형질의 차이는 개체의 환경 적응 능력에 영향을 미쳐 개체의 생존율이 달라질 수 있다. 예 유럽정원달팽이의 껍데기의 변이, 앵무의 깃털 차이

★ 자연 선택
주어진 환경에 보다 잘 적응한 개체가 살아남아 그 형질을 가진 자손을 많이 남기는 것으로, 이러한 과정이 오랫 동안 누적되어 생물이 진화한다.

🔖 비상 교과서에만 나와요.

★ 핀치 부리의 진화

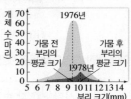

• 가뭄 전에는 작고 연한 씨앗이 많았으나 가뭄 후에는 크고 딱딱한 씨앗이 많아졌다. ➡ 가뭄 후에는 큰 부리를 가진 개체가 생존에 유리해졌으며, 큰 부리 형질에 대한 자연 선택이 일어났다.
• 부리의 평균 크기가 증가하였다.

③ 자연 선택과 *낮 모양 적혈구 빈혈증: 말라리아 발병률이 높은 지역에서는 다른 지역에 비하여 낮 모양 적혈구 빈혈증 유전자가 자연 선택되어 낮 모양 적혈구 빈혈증의 발생 빈도가 높게 나타난다.

★ 낮 모양 적혈구의 형성
정상 헤모글로빈 대립유전자의 염기 1개가 바뀌면서 아미노산의 차이를 유발하여 낮 모양 적혈구가 만들어진다.

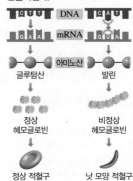

낮 모양 적혈구 빈혈증과 말라리아의 관계

• 낮 모양 적혈구는 말라리아병원충이 침입하였을 때 쉽게 파괴되어 말라리아병원충의 증식을 막아 말라리아에 저항성을 나타낸다.
• Hb^{S}는 말라리아가 자주 발생하는 지역에서 생존에 유리하게 작용하여 자연 선택된다. ➡ 말라리아가 발생하지 않는 지역보다 말라리아가 자주 발생하는 지역에서 Hb^{S}를 가진 사람의 비율이 높다.

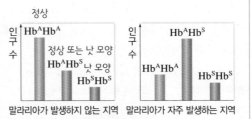

• Hb^A: 정상 헤모글로빈 대립유전자
• Hb^S: 낮 모양 적혈구 헤모글로빈 대립유전자

개념 확인 문제

정답친해 126쪽

핵심 체크

• (**❶**   ): 한 집단을 구성하는 개체 간에 나타나는 형질의 차이이다.
• 자연 선택설에 의한 생물 집단의 진화 과정
  (**❷**   ): 생물은 주어진 환경에서 살아남을 수 있는 수보다 많은 수의 자손을 낳음 ➡ 생산된 개체들 사이에는 다양한 변이가 있다.
  (**❸**   ): 과잉 생산된 개체 사이에는 먹이나 서식지 등에 대한 생존 경쟁이 일어난다.
  (**❹**   ): 생존에 유리한 형질을 가진 개체는 더 많은 자손을 남겨 개체군에서의 비율이 (**❺**   )진다.
  (**❻**   ): 자연 선택 과정이 오랫동안 누적되어 새로운 종이 출현한다.

1 변이에 대한 설명으로 옳은 것은 ○, 옳지 <u>않은</u> 것은 ×로 표시하시오.

(1) 변이는 자연 선택에 영향을 준다. ──────── (   )
(2) 한 집단을 구성하는 개체 간에 나타난다. ─── (   )
(3) 개체의 생존율에 영향을 주지 않는다. ────── (   )

2 (   ) 안에 알맞은 말을 쓰시오.

변이가 있는 집단에서 생존에 유리한 형질을 가진 개체가 (   )되고, 그 형질이 자손에게 전달되는 과정이 누적되면 생물의 진화가 일어난다.

3 다음은 자연 선택설에 따른 기린 목의 진화 과정을 순서 없이 나타낸 것이다.

(가) 과잉 생산과 변이   (나) 목이 긴 기린 집단 형성
(다) 자연 선택   (라) 생존 경쟁

진화가 일어나는 과정을 순서대로 나열하시오.

4 (   ) 안에 알맞은 말을 고르시오.

낮 모양 적혈구 헤모글로빈 대립유전자(Hb^S)는 말라리아가 자주 발생하는 지역에서 생존에 ㉠(유리, 불리)하게 작용하여 자연 선택된다. 따라서 말라리아가 자주 발생하는 지역에서는 Hb^{S}를 가진 사람의 비율이 ㉡(높다, 낮다).

B 유전적 평형

1. ⭐집단의 진화 진화는 한 개체의 변화가 아니라 집단이 변화하는 것이다.
└ 집단의 대립유전자 변화를 조사하고 분석하여 생물의 진화를 연구한다.

2. ⭐유전자풀과 대립유전자 빈도

(1) **유전자풀**: 한 집단을 구성하는 모든 개체가 가지고 있는 대립유전자 전체를 의미한다.

➡ 진화는 집단에서 일어나는 유전자풀의 변화이다.

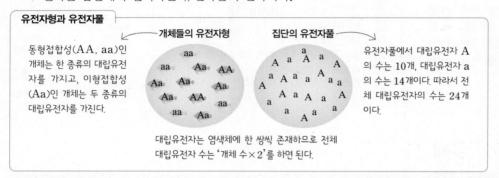

유전자형과 유전자풀

개체들의 유전자형 / **집단의 유전자풀**

동형접합성(AA, aa)인 개체는 한 종류의 대립유전자를 가지고, 이형접합성(Aa)인 개체는 두 종류의 대립유전자를 가진다.

유전자풀에서 대립유전자 A의 수는 10개, 대립유전자 a의 수는 14개이다. 따라서 전체 대립유전자의 수는 24개이다.

대립유전자는 염색체에 한 쌍씩 존재하므로 전체 대립유전자 수는 '개체 수×2'를 하면 된다.

(2) **대립유전자 ⭐빈도**: 한 집단에서 특정 대립유전자의 상대적인 빈도를 의미한다. ➡ 집단의 진화는 유전자풀을 구성하는 대립유전자 빈도의 변화를 통해 알 수 있다.

$$특정\ 대립유전자의\ 빈도 = \frac{특정\ 대립유전자의\ 수}{집단\ 내\ 특정\ 형질에\ 대한\ 대립유전자의\ 총\ 수}$$

① 집단에서 대립유전자 빈도가 변하면 진화가 일어난다.

② 어떤 형질에 대한 대립유전자 빈도의 합은 항상 1이다.

⭐대립유전자 빈도 구하기

❶ 고양이 집단의 털색 형질에 대한 표현형, 유전자형, 개체 수는 다음과 같다.

표현형(털색)	검은색	검은색	흰색
유전자형	BB	Bb	bb
개체 수	18	24	8

❷ 유전자형과 개체 수를 이용하여 집단에 존재하는 각 대립유전자(B, b)의 수를 구한다.

유전자형	개체 수	대립유전자 B의 수	대립유전자 b의 수
BB	18	36 =18×2	0
Bb	24	24 =24×1	24 =24×1
bb	8	0	16 =8×2
합계	50	60	40

└ 전체 대립유전자 수는 100개이다.

❸ 각 대립유전자의 수를 이용하여 대립유전자 빈도를 계산한다.

➡ • 대립유전자 B의 빈도(p)$=\dfrac{60}{100}=0.6$ • 대립유전자 b의 빈도(q)$=\dfrac{40}{100}=0.4$

⭐ **집단의 진화**
개체는 수명이 다하면 죽지만, 집단은 세대를 거치며 계속 이어진다. 따라서 한 생물종의 개체가 다른 생물종의 개체로 변하는 것이 아니라, 오랜 시간에 걸쳐 한 집단이 다른 집단으로 변하는 것이다.

⭐ **유전자풀**
유전자풀은 집단의 유전적 특성을 나타내는 것으로, 한 집단의 유전자풀은 다른 집단의 유전자풀과 구분되며, 환경 변화에 적응하여 집단이 진화할 수 있는 밑바탕이 된다.

주의해
유전자풀은 모든 형질에 대한 대립유전자 전체가 아니라, 특정 형질에 대한 대립유전자 전체이다.

⭐ **빈도**
같은 일이 반복되는 횟수를 빈도라고 한다. 여기에서는 집단 전체에서 특정 유전자가 차지하는 비율을 의미한다. 즉, 전체 유전자에서 특정 유전자가 차지하는 비율이 곧 상대적인 빈도이다.

⭐ **대립유전자 빈도와 진화**
유전자풀에서 대립유전자 빈도가 변하면 집단의 유전적 특성이 달라지고, 그 결과가 자손에게 전달된다. 환경 적응력이 뛰어난 형질을 나타내는 대립유전자는 자연 선택되어 세대를 거듭할수록 그 빈도가 높아지지만, 환경 적응력이 낮은 형질을 나타내는 대립유전자는 도태되어 사라질 수 있다.

3. 유전적 평형과 하디·바인베르크 법칙 _{308쪽}

(1) **유전적 평형**: 세대를 거듭해도 대립유전자의 종류와 빈도가 변하지 않는 상태이다. ➡ 유전적 평형이 유지되는 집단은 진화가 일어나지 않는다.

(2) **하디·바인베르크 법칙**: 유전적 평형 상태를 수식으로 정리한 것으로, 특정 조건에서는 세대를 거듭해도 유전적 평형이 유지된다.

(3) **멘델 집단**: 하디·바인베르크 법칙이 적용되는 유전적 평형 상태의 가상 집단이다. └● 자연계에 존재하지 않는다.

[멘델 집단의 조건]
① 집단의 크기가 충분히 커야 한다. ─● 확률적으로 통계 처리가 가능해야 한다.
② 돌연변이가 일어나지 않아야 한다. ─● 대립유전자가 생기지 않아야 한다.
③ 다른 집단과 유전자 흐름이 없어야 한다. ─● 새로운 대립유전자가 들어오거나 나가지 않아야 한다.
④ 개체들 간에 자유로운 교배가 일어나야 한다.
⑤ 자연 선택이 일어나지 않아야 하며, 집단에서 개체들의 생존력이 같아야 한다.

＊하디·바인베르크 법칙

· 어떤 멘델 집단에서 특정 형질을 결정하는 대립유전자로 A와 a가 있고, 이 집단에서 대립유전자 A의 빈도를 p, 대립유전자 a의 빈도를 q라고 하면, $p+q=1$이다.
· 이 집단에서 자유로운 교배가 일어나면 자손 세대에서 유전자형의 빈도는 다음과 같이 나타난다.

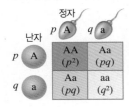

정자
난자

	p A	q a
p A	AA (p^2)	Aa (pq)
q a	Aa (pq)	aa (q^2)

$$\underbrace{(p+q)}_{정자}\times\underbrace{(p+q)}_{난자}=(p+q)^2=\underbrace{p^2}_{\substack{AA의\\빈도}}+\underbrace{2pq}_{Aa의\ 빈도}+\underbrace{q^2}_{\substack{aa의\\빈도}}$$

멘델 집단에서 대립유전자 A와 a를 가진 생식세포의 비율은 대립유전자 A와 a의 빈도인 p, q와 같다.

· 자손 세대에서 모든 대립유전자 빈도 합 $=p^2+2pq+q^2=(p+q)^2=1$
  – 대립유전자 A의 빈도: $p^2+pq=p(p+q)=p$ – 대립유전자 a의 빈도: $q^2+pq=q(p+q)=q$
· 하디·바인베르크 법칙이 적용되는 집단에서는 세대가 거듭되어도 대립유전자 빈도가 같다.

[예제] 표는 500마리의 푸른발부비새로 구성된 멘델 집단에서 부모 세대와 자손 세대의 유전자형을 나타낸 것이다. └● '물갈퀴가 없는 발가락 형질'은 가상의 형질이다.

[부모 세대]

구분	표현형	유전자형	개체 수
	물갈퀴 없는 발가락	WW	320
	물갈퀴 없는 발가락	Ww	160
	물갈퀴 있는 발가락	ww	20

[자손 세대]

정자 ＼ 난자	W	w
W	WW	Ww
w	Ww	ww

· 부모 세대의 대립유전자 빈도: 부모 세대에서 대립유전자의 총 수는 1000개이고, 대립유전자 W의 개수는 800개, w의 개수는 200개이다. ➡ 대립유전자 W의 빈도 $p=0.8$, w의 빈도 $q=0.2$이다.
· 자손 세대의 대립유전자 빈도: 대립유전자 W의 빈도 $p^2+pq=p(p+q)=0.8$이고, w의 빈도는 $q^2+pq=q(p+q)=0.2$이다. ➡ $p+q=0.8+0.2=1$
· 멘델 집단에서는 대립유전자 빈도가 세대를 거듭하여도 변하지 않는 유전적 평형 상태가 유지된다.

(궁금해)
멘델 집단의 조건을 하나라도 만족하지 못하면 어떻게 될까?
시간이 흐름에 따라 집단의 대립유전자 빈도가 변하여 유전적 평형이 깨지고, 집단은 진화하게 된다.

★ 하디·바인베르크 법칙 모의 실험

바둑알이 들어 있는 2개의 상자는 각각 부계와 모계를 의미한다.

흰색 바둑알 40개와 검은색 바둑알 60개가 들어 있는 상자 2개를 준비한 후 각 상자에서 한 번에 1개씩 바둑알을 꺼내는 과정을 50회 반복하여 자손의 유전자형을 기록한다. 꺼낸 바둑알은 다시 상자에 집어넣는다.

유전자형	AA	Aa	aa
출현 수	8	24	18

· 대립유전자 A의 빈도(p)
$=\dfrac{(8\times2)+24}{50\times2}=0.4$
· 대립유전자 a의 빈도(q)
$=\dfrac{24+(18\times2)}{50\times2}=0.6$

정자 ＼ 난자	W $(p=0.8)$	w $(q=0.2)$
W $(p=0.8)$	WW $(p^2=0.64)$	Ww $(pq=0.16)$
w $(q=0.2)$	Ww $(pq=0.16)$	ww $(q^2=0.04)$

완자쌤 비법특강

하디·바인베르크 법칙

○ 정답친해 126쪽

하디·바인베르크 법칙은 진화가 일어나지 않는 가상의 멘델 집단을 도입함으로써 실제 생물 집단에서 진화의 요인과 과정 등을 연구할 수 있게 해 준 법칙입니다. 여기에서는 이 법칙을 응용하여 대립유전자 빈도, 특정 표현형을 가진 자손이 태어날 확률 등을 계산하는 방법을 연습해 보아요.

1 상염색체에 의한 유전이고, 특정 표현형의 개체 비율이 주어진 경우

집단 ㉃에서는 열성 개체의 출현 빈도 q^2으로부터 q를 구한 후, $1-q$를 통하여 p를 구한다.

> 어떤 동물의 털색에는 흰색과 회색이 있으며, 털색을 결정하는 대립유전자는 A와 a이다. 대립유전자 a의 빈도가 0.5인 멘델 집단 ㉠에서 회색 털 개체의 비율은 75 %이다. 5000개체로 구성되고, 이 중 흰색 털을 가진 개체 수가 800개체인 멘델 집단 ㉃에서 유전자형이 Aa인 개체 수는 얼마인가? (단, 대립유전자 A는 a에 대해 완전 우성이고, 상염색체에 존재한다.)
>
> [1단계] 멘델 집단 ㉠에서 대립유전자 A의 빈도를 p, a의 빈도를 q라고 하면, ㉠에서 $q=0.5$이므로 $p=1-q=0.5$이다.
> [2단계] A가 a에 대해 우성이므로 ㉠에서 형질이 A인 개체의 비율은 $p^2+2pq=0.75$이고, 형질이 a인 개체의 비율은 $q^2=0.25$이므로 회색 털이 우성, 흰색 털이 열성이다.
> [3단계] ㉃에서 흰색 털 개체의 비율 $q^2=\dfrac{800}{5000}=0.16=(0.4)^2$이므로 a의 빈도 $q=0.4$이다.
> [4단계] ㉃에서 A의 빈도 $p=1-q=0.6$이다.
> [5단계] ㉃에서 유전자형이 Aa인 개체의 비율 $2pq=2\times0.6\times0.4=0.48$이므로 개체 수는 $5000\times0.48=2400$이다.
>
> 圕 2400 개체

Q1 ㉃에서 회색 털의 암수 개체로부터 자손이 태어날 때, 이 자손이 흰색 털일 확률은 얼마인가?

2 X 염색체에 의한 유전이고, 특정 표현형의 개체 수가 주어진 경우

남녀에 따라 발현되는 비율은 다르지만, 대립유전자의 빈도는 동일하다.

> 적록 색맹을 결정하는 대립유전자는 A와 a이며, A가 a에 대해 완전 우성이다. 남녀 각각 5000명으로 구성된 어떤 멘델 집단에서 적록 색맹인 사람은 모두 550명이다. (단, 적록 색맹은 정상에 대해 열성이며, A와 a는 모두 X 염색체에 존재한다.)
>
> (1) 이 집단에서 적록 색맹인 남자는 몇 명인가?
>
> [1단계] A의 빈도를 p, a의 빈도를 q라고 하면, $p+q=1$이다.
> [2단계] 적록 색맹인 남자(X^aY)의 빈도는 q, 적록 색맹인 여자(X^aX^a)의 빈도는 q^2이므로 $5000q+5000q^2=550$이다. 이 식을 풀면 $q=0.1$이므로 $p=1-q=0.9$이다.
> [3단계] 적록 색맹인 남자(X^aY)의 빈도는 q이므로 적록 색맹인 남자의 수는 $5000q=5000\times0.1=500$명이다.　　圕 500명
>
> (2) 이 집단에서 정상인 남자와 임의의 여자 사이에서 아이가 태어날 때, 이 아이가 적록 색맹일 확률은 얼마인가?
>
> [1단계] 정상인 남자(X^AY)의 아이가 적록 색맹이기 위해서는 여자의 유전자형이 X^AX^a 또는 X^aX^a이어야 한다.
> [2단계] 여자의 유전자형이 X^AX^a일 확률은 $2pq=0.18$이고, X^aX^a일 확률은 $q^2=0.01$이다.
> [3단계] 아이가 적록 색맹일 확률은 여자의 유전자형이 X^AX^a인 경우에는 $\dfrac{1}{4}$이고, 여자의 유전자형이 X^aX^a인 경우에는 $\dfrac{1}{2}$이다.
>
> 　따라서 이 아이가 적록 색맹일 확률은 $(0.18\times\dfrac{1}{4})+(0.01\times\dfrac{1}{2})=0.05(5\,\%)$이다.　　圕 0.05(5 %)

Q2 이 집단에서 정상인 남자와 정상인 여자 사이에서 아이가 태어날 때, 이 아이가 정상일 확률은 얼마인가?

개념 확인 문제

정답친해 127쪽

핵심 체크

- 진화는 한 개체가 변하는 것이 아니라 (❶　　　　)이 변하는 것이다.
- (❷　　　　): 한 집단을 구성하는 모든 개체가 가지고 있는 대립유전자 전체이다.
- (❸　　　　): 세대를 거듭해도 대립유전자의 종류와 빈도가 변하지 않는 상태로, 이 상태의 집단은 (❹　　　　) 가 일어나지 않는다.
- 하디·바인베르크 법칙

  > 특정 형질을 결정하는 대립유전자 A의 빈도를 p, a의 빈도를 q라고 하면, 자손 세대에서 유전자형이 AA인 개체의 빈도는 (❺　　　　), Aa인 개체의 빈도는 (❻　　　　), aa인 개체의 빈도는 (❼　　　　)이므로 자손 세대에서 A의 빈도는 (❽　　　　), a의 빈도는 (❾　　　　)가 되어 대립유전자의 빈도가 변하지 않는다.

- (❿　　　　)이 되기 위한 조건: 집단의 크기가 충분히 크고, 교배가 자유롭게 일어나야 하며, 돌연변이, 집단 사이의 유전자 흐름, 자연 선택 등이 일어나지 않아야 한다.

---

1 생물의 진화와 유전자풀에 대한 설명으로 옳은 것은 ○, 옳지 않은 것은 ×로 표시하시오.

(1) 진화는 개체 수준에서 관찰된다. ···········(　)

(2) 진화는 집단에서 일어나는 유전자풀의 변화이다.

 ······································(　)

(3) 자연 선택이 일어나면 유전자풀이 변한다. ···(　)

2 표는 어떤 집단의 특정 형질에 대한 유전자형과 개체 수를 나타낸 것이다.

유전자형	RR	Rr	rr
개체 수	64	32	4

대립유전자 R와 r의 빈도를 각각 구하시오.

3 다음 설명에 해당하는 용어를 쓰시오.

(1) 한 집단을 구성하는 모든 개체가 가지고 있는 대립유전자 전체이다.

(2) 세대를 거듭해도 대립유전자의 종류와 빈도가 변하지 않는 상태이다.

(3) 하디·바인베르크 법칙이 적용되는 가상의 집단이다.

4 멘델 집단에 대한 설명으로 옳은 것은 ○, 옳지 않은 것은 ×로 표시하시오.

(1) 집단의 크기가 작아야 한다. ···············(　)

(2) 돌연변이가 일어나지 않아야 한다. ·········(　)

(3) 집단 내에서 자유로운 교배가 일어나야 한다. (　)

(4) 특정 대립유전자가 생존에 유리하게 작용해야 한다.

 ······································(　)

(5) 집단 내에 새로운 대립유전자가 들어와야 한다. (　)

5 다음은 하디·바인베르크 법칙에 대한 모의실험을 나타낸 것이다.

> 흰색 바둑알(대립유전자 A) 80개와 검은색 바둑알(대립유전자 a) 20개가 들어 있는 상자 2개를 준비한 후 각 상자에서 한 번에 1개씩 바둑알을 꺼내는 과정을 50회 반복한 후 자손의 유전자형을 기록한다. 꺼낸 바둑알은 상자에 다시 집어넣는다.
>
> | 유전자형 | AA | Aa | aa | 합계 |
> |---|---|---|---|---|
> | 개체 수 | ㉠ | ㉡ | ㉢ | 50 |

(1) ㉠~㉢의 이론값을 각각 구하시오.

(2) 대립유전자 빈도 p와 q의 합을 구하시오.

C 유전자풀의 변화 요인

암기해

유전자풀의 변화 요인
돌연변이, 자연 선택, 유전적 부동, 유전자 흐름

1. 돌연변이 유전 물질인 DNA의 염기 서열에 변화가 일어나 새로운 대립유전자가 나타나는 현상이다. → 방사선, 화학 물질, 바이러스 등이 돌연변이를 일으킨다.

특징	• 생식세포에서 일어난 돌연변이는 자손에게 유전된다. └ 체세포에서 일어난 돌연변이는 대부분 자손에게 유전되지 않고 사라진다. • 돌연변이는 일반적으로 발생할 확률이 매우 낮으며 생존에 불리하게 작용하여 대부분 사라지지만, 일부는 생존에 유리하게 작용하여 유전자풀에서 대립유전자 빈도를 변화시킨다.

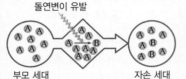
돌연변이 유발
부모 세대   자손 세대

구분	부모 세대		자손 세대	
대립유전자	A	B	A	B
빈도	1	0	0.75	0.25

↑ 돌연변이에 의한 유전자풀의 변화 – 돌연변이로 대립유전자 B가 나타난 경우

예	*눈 색깔을 결정하는 대립유전자, 낫 모양 적혈구 빈혈증, 항생제 내성 세균, *옥수수의 진화

★ 눈 색깔을 결정하는 다양한 돌연변이와 대립유전자
눈 색깔을 결정하는 유전자에서 돌연변이가 일어나 다양한 종류의 대립유전자가 만들어진다.

검은색 눈 [···GATATTCGTACGGACT···]
갈색 눈 [···GATGTTCGTACTGAAT···]
파란색 눈 [···GATATTCGTACGGAAT···]

DNA ∿∿∿∿∿∿∿∿∿∿∿

2. 자연 선택 집단 내에서 변이가 발생하고, 생존과 번식에 유리한 개체가 다른 개체보다 더 많은 자손을 남기는 현상이다. ➡ 집단의 유전자풀이 변한다.

특징	생존과 번식에 유리한 특정 대립유전자를 가진 개체가 살아남아 더 많은 자손을 남긴다. ➡ 세대가 거듭될수록 집단에서 이 특정 대립유전자 빈도가 높아진다.

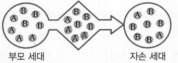
부모 세대   자손 세대

구분	부모 세대		자손 세대	
대립유전자	A	B	A	B
빈도	0.5	0.5	0.25	0.75

↑ 자연 선택에 의한 유전자풀의 변화 – 대립유전자 B가 자연 선택된 경우

예	바퀴벌레 집단에서의 자연 선택, 포켓쥐 집단에서의 자연 선택

📖 지학사 교과서에만 나와요.
★ 옥수수의 진화
야생 잡초인 테오신테의 특정 유전자에 돌연변이가 일어나 겉가지가 사라지고 암꽃과 열매가 형성되면서 옥수수로 진화하였다.

↑ 테오신테   ↑ 옥수수

바퀴벌레 집단에서의 자연 선택

바퀴벌레 집단에는 다양한 변이가 있다.

생존

살충제의 지속적인 살포

번식

살충제 내성 개체(붉은색 대립유전자)가 자연 선택된다.

포켓쥐 집단에서의 자연 선택

❶ 밝은색을 띠는 모래와 암석 환경인 지역에 밝은색 털을 가진 포켓쥐가 살고 있었다.

❷ 화산 폭발로 어두운 용암 지대가 생겼고, 밝은색 털을 가진 포켓쥐는 포식자에게 쉽게 잡아먹혔다. 이때 돌연변이로 털 색깔이 진한 포켓쥐가 나타났다.

❸ 털 색깔이 진한 포켓쥐는 포식자의 눈에 잘 띄지 않아 생존에 유리하여 자연 선택된 결과 그 수가 증가하였다.

📖 지학사 교과서에만 나와요.
★ 개체의 적응도
적응도란 자신의 유전자를 다음 세대로 전달할 수 있는 능력을 의미한다. 대부분의 돌연변이는 생존에 불리하게 작용하거나 아무런 영향이 없지만, 개체의 적응도를 높이는 돌연변이도 낮은 빈도로 일어난다.

3. 유전적 ^❶부동 천재지변이나 질병 및 이주 등 우연한 사건에 의해 대립유전자 빈도가 변하는 현상으로, *병목 효과와 창시자 효과가 있다. →유전적 부동에 의해 특정 대립유전자의 빈도가 높아질 수 있지만, 이것은 자연 선택과 무관하게 일어난다.

→유전적 부동에 의해 특정 대립유전자의 빈도가 높아질 수 있지만, 이것은 자연 선택과 무관하게 일어난다.

| 특징 | • *집단의 크기가 작을수록 대립유전자 빈도 변화가 크게 일어나므로 유전적 부동의 효과가 크다.
• 특정 대립유전자 빈도가 변하여 집단의 유전적 다양성이 감소할 수 있다.

↑ 유전적 부동에 의한 유전자풀의 변화 |||||

구분	부모 세대		자손 세대	
대립유전자	A	B	A	B
빈도	0.5	0.5	1	0

병목 효과	특징	질병이나 가뭄, 홍수, 산불, 지진 등과 같은 자연 재해에 의하여 집단의 크기가 급격히 줄어드는 현상으로, 병목 효과가 일어난 후의 대립유전자 빈도는 기존 집단(모집단)과 달라진다.
	예	• 개구리 개체군: 가뭄으로 개체군의 크기가 줄어들면서 초록색 개구리가 사라졌고, 이후 개체군의 크기가 회복되었지만 초록색 개구리는 나타나지 않았다. • 북방코끼리바다표범(북방코끼리물범) 개체군: 남획으로 개체 수가 급감한 후 보호종으로 관리되면서 개체 수가 다시 늘어났지만, 24개의 유전자를 분석한 결과 24개 모두 각각 한 종류의 대립유전자만 있었다. • 큰초원뇌조 개체군: 농경지 확장에 따른 서식지 감소로 집단의 크기가 급감한 후 보전 정책으로 다시 집단의 크기가 커졌지만, 유전적 다양성이 낮아졌고, 해로운 돌연변이 대립유전자 빈도가 증가하여 생장과 번식 능력이 줄어들었다.  ↑ 큰초원뇌조

창시자 효과	특징	원래의 집단에서 일부 개체가 떨어져 나와 새로운 집단을 형성할 때 나타나는 현상으로, 대립유전자 빈도가 기존 집단(모집단)과 달라진다.
	예	• 딱정벌레 개체군: 다양한 형질이 있는 딱정벌레 개체군에서 일부 개체가 우연히 다른 지역으로 떨어져 나오면 새로운 딱정벌레 개체군이 형성된다. • 아메리카 인디언의 ABO식 혈액형: 아메리카 인디언은 B형이나 AB형이 거의 없고, O형이 대부분이다. 이는 오래전 아시아에서 이주한 창시자 집단에 O형 대립유전자 빈도가 높았기 때문이라고 추측된다. 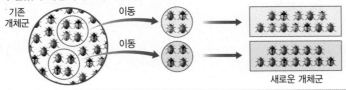 새로운 개체군

4. 유전자 흐름 집단 사이에서 개체의 이주 등으로 인하여 두 집단의 유전자풀이 섞이는 현상이다. ➡ 유전자 흐름이 일어나면 대립유전자의 구성 및 빈도가 달라진다. →생식적으로 격리된 집단 사이에서는 일어나지 않는다.

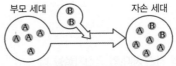
↑ 유전자 흐름에 의한 유전자풀의 변화

예	• 생태 통로: 도로 건설로 단절된 집단을 연결해 줌으로써 유전자 흐름을 증가시킨다. • 사슴 개체군: 지리적으로 분리된 두 사슴 개체군에서 일부 사슴 개체가 다른 개체군으로 이동하면 유전자 흐름이 생기고, 두 개체군 모두 대립유전자 빈도가 변하게 된다.	 사슴 집단 A 산맥 사슴 집단 B 이동

★ 병목 효과
넓었던 통로가 병의 목처럼 갑자기 좁아져 정체되는 효과로, 기존 개체군에는 많았던 특정 형질의 개체 수가 우연한 사건에 의하여 급격하게 감소하여 나타나는 효과를 말한다.

처음 집단의   우연한 사건으로 인한
대립유전자   집단의 크기 감소
빈도
기존 개체군   병목 효과 발생

★ 집단의 크기와 유전적 부동의 효과
대규모 집단에서는 개체 수가 줄어들더라도 유전적 부동에 의하여 대립유전자 빈도가 크게 달라지지 않지만, 소규모 집단에서는 유전적 부동에 의하여 대립유전자 빈도가 크게 달라질 수 있다.

┃용어┃
❶ 부동(浮 뜰, 動 움직이다) 물이나 공기 중에 떠서 움직인다는 뜻으로, 무작위적인 움직임을 의미한다.

개념 확인 문제

정답친해 127쪽

핵심 체크

- (❶): 유전 물질인 DNA의 염기 서열에 변화가 일어나 새로운 대립유전자가 나타나는 현상이다.
- (❷): 생존과 번식에 유리한 개체가 다른 개체보다 더 많은 자손을 남겨 집단의 유전자풀이 변하는 현상이다.
- 유전적 부동: 우연한 사건에 의해 대립유전자 빈도가 무작위로 변하는 현상으로, (❸) 효과와 창시자 효과가 있다.
- (❹): 집단 사이에 개체의 이주 등으로 인하여 두 집단의 유전자풀이 섞이는 현상으로, 대립유전자의 구성 및 빈도가 달라진다.
- 유전자풀의 변화는 집단의 (❺) 빈도를 변하게 하므로 집단은 (❻)하게 된다.

1 유전자풀의 변화 요인에 대한 설명으로 옳은 것은 ○, 옳지 않은 것은 ×로 표시하시오.

(1) 멘델 집단에서만 작용하는 요인이다. ┈┈┈┈ ( )
(2) 크기가 작은 집단에서는 작용하지 않는다. ┈ ( )
(3) 유전자풀의 변화 요인에는 돌연변이, 자연 선택, 유전적 부동, 유전자 흐름이 있다. ┈┈┈┈┈ ( )

2 그림은 어떤 집단에서 유전자풀이 변화되는 과정을 나타낸 것이다.

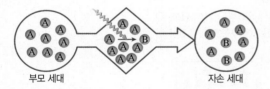

부모 세대　　　　　　　　　　　자손 세대

이와 가장 관련 깊은 유전자풀의 변화 요인을 쓰시오.

3 표는 어떤 집단의 부모 세대와 자손 세대의 유전자풀을 나타낸 것이다.

구분	부모 세대		자손 세대	
대립유전자	A	B	A	B
빈도	0.5	0.5	0.75	0.25

이 집단에서 자연 선택된 대립유전자를 쓰시오.

4 그림은 포켓쥐 집단의 진화 과정을 나타낸 것이다.

(가) 밝은색 털을 가진 포켓쥐가 살았다.
(나) 화산 폭발로 어두운 용암 지대가 생겼고, 털 색깔이 진한 포켓쥐가 생겼다.
(다) 털 색깔이 진한 포켓쥐는 생존에 유리해 그 수가 증가하였다.

(다)에서 유전자풀을 변화시킨 요인을 쓰시오.

5 다음은 유전자풀이 변한 예이다.

> 북방코끼리바다표범 집단은 남획으로 개체 수가 급감한 후, 보호종으로 지정되면서 개체 수가 증가하였다. 하지만 24개의 유전자를 분석한 결과 모두 한 종류의 대립유전자만 있었다.
> 이는 ㉠( ) 효과로 유전자풀이 변화된 ㉡( )의 예이다.

( ) 안에 알맞은 말을 쓰시오

6 유전자 흐름에 대한 설명으로 옳은 것은 ○, 옳지 않은 것은 ×로 표시하시오.

(1) 두 집단 사이에 유전자 흐름이 활발하게 일어나면 집단 간 유전적 차이가 작아진다. ┈┈┈┈┈┈ ( )
(2) 이입과 이출의 개체 수가 같아 집단의 개체 수 변화가 없을 때는 유전자풀이 변하지 않는다. ┈┈┈┈ ( )

D 종분화

1. 종분화 기존의 생물종에서 새로운 생물종이 출현하는 과정이다.

(1) 지리적 격리에 의한 종분화: 하나의 생물 집단이 지리적으로 격리되어 다른 집단과 유전자 교류가 일어나지 않아 *생식적으로 격리될 때 종분화가 나타난다.

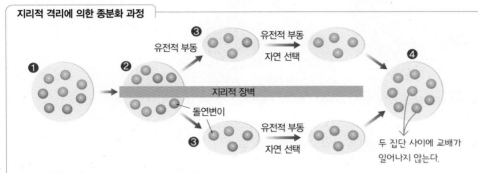

지리적 격리에 의한 종분화 과정

❶ 처음에는 한 집단이 넓은 지역에 서식한다.

❷ *지리적 장벽에 의하여 집단이 분리된다.

❸ 분리된 두 집단은 각각 독자적인 진화 과정을 겪는다. ➡ 유전자풀이 달라진다.

❹ 이후 지리적 장벽이 제거되어 두 집단이 다시 만나도 생식적 격리가 일어나 두 집단 사이에는 교배가 일어나지 않는다. ➡ 다른 생물종으로 분화되었다.

(2) 지리적 격리에 의한 종분화의 예

그랜드 캐니언에서의 다람쥐 종분화	큰 ❶협곡이 형성되면서 지리적 격리가 일어난 결과 협곡 남쪽에 사는 해리스영양다람쥐와 협곡 북쪽에 사는 흰꼬리영양다람쥐로 종분화되었다.  해리스영양다람쥐 / 흰꼬리영양다람쥐
파나마 ❷지협에서의 포크피시 종분화	대륙이 융기하여 파나마 지협이 형성되면서 지리적 격리가 일어난 결과 대서양에 사는 파나마 포크피시와 태평양에 사는 포크피시로 종분화되었다. └● 교학사 교과서에서는 코르테즈 무지개 놀래기와 파란머리 놀래기로 설명한다.
갈라파고스 군도의 고유종	남아메리카 대륙으로부터 격리되어 독자적으로 진화한 결과 큰군함조, 푸른발부비새, 코끼리거북, 바다이구아나 등이 갈라파고스 군도에만 서식하고 있다.

2. 고리종 한 생물종으로부터 분화된 여러 집단들이 고리 모양으로 연속적으로 분포하고 있을 때, 인접한 집단 사이에는 교배하여 생식 능력이 있는 자손이 태어날 수 있지만 고리의 양 끝에 있는 두 집단은 생식적으로 격리되어 있다. 이러한 생물 집단을 고리종이라고 한다.

고리종과 종분화

↑ 고리종 모식도

교배 불가능 A E B D C

• A~E는 같은 생물종으로부터 분화된 여러 집단이다.
　분화된 집단은 아종으로, 생물 분류에서 종의 하위 단계이다.

• 인접한 두 집단인 A와 B, B와 C, C와 D, D와 E 사이에는 각각 교배가 가능하다.

• 고리의 양 끝에 있는 두 집단인 A와 E 사이에는 교배가 불가능하다. ➡ A와 E는 생식적 격리가 일어났다.

★ **생식적 격리와 종분화**
종은 자연 상태에서 교배가 가능한 개체들의 무리이므로 서로 다른 생물종 사이에서는 교배가 일어나지 않거나, 교배가 일어나도 태어난 자손에게 생식 능력이 없다. 따라서 종분화가 일어나기 위해서는 생식적 격리가 일어나야 한다.

★ **지리적 장벽**
종분화를 일으키는 지리적 장벽에는 산맥의 융기, 협곡의 형성, 가뭄으로 하나의 호수가 여러 개의 작은 호수로 나누어지는 경우, 강의 물길이 바뀌는 경우 등이 있다.

궁금해
지리적 격리에 의한 종분화 가능성은 모든 생물에서 같을까?
생물의 이동 능력에 따라 지리적 격리에 의한 종분화 가능성이 달라진다. 강이나 협곡을 건너갈 만큼 이동성이 크지 않은 다람쥐, 호수와 같이 고립된 환경에 서식하는 어류 등은 지리적 격리에 따른 종분화 가능성이 크다.

┃ **용어** ┃
❶ **협곡(峽 골짜기, 谷 골)** 하천 하부가 심하게 침식되어 생긴 좁고 깊은 골짜기이다.
❷ **지협(地 땅, 峽 골짜기)** 두 대양 사이에서 두 개의 육지를 연결하는 좁고 잘록한 땅이다.

(1) 고리종의 예

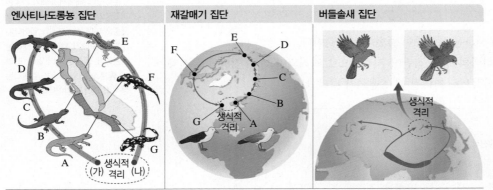

| 엔사티나도롱뇽 집단 | 재갈매기 집단 | 버들솔새 집단 |

엔사티나도롱뇽 집단, 재갈매기 집단, 버들솔새 집단에서는 인접한 집단 사이에는 생식이 가능하지만, 고리의 양 끝에 있는 두 집단은 생식적으로 격리되어 있다.

(2) 고리종의 의의: 종분화는 연속적이고 점진적인 과정임을 보여 주는 증거가 된다.

개념 확인 문제

정답친해 128쪽

핵심 체크

• (❶　　　　　): 기존의 생물종에서 새로운 종이 출현하는 과정이다.

• 지리적 격리에 의한 종분화 과정

| 넓은 지역에 살던 생물 집단이 지리적 장벽으로 인해 분리된다. | → | 분리된 두 집단은 독자적인 진화 과정을 겪어 (❷　　　　　)이 서로 달라진다. | → | 분리된 두 집단은 (❸　　　　　) 격리가 일어나 서로 다른 생물종으로 분화된다. |

• (❹　　　　　): 한 생물종으로부터 분화된 여러 집단들이 고리 모양으로 분포하고 있을 때, 인접한 집단 사이에는 교배가 (❺　　　　　)하지만, 고리 양 끝에 있는 두 집단은 교배가 (❻　　　　　)한 생물 집단이다.

---

1 종분화에 대한 설명으로 옳은 것은 ○, 옳지 <u>않은</u> 것은 ×로 표시하시오.

(1) 산맥 형성으로 종분화가 일어날 수 있다. ┄┄┄ (　　)

(2) 종분화된 두 집단은 유전자풀이 서로 같다. (　　)

(3) 지리적 장벽에 의하여 분리된 두 집단에서는 돌연변이와 자연 선택이 일어날 수 있다. ┄┄┄┄┄ (　　)

(4) 종분화가 일어난 두 집단이 만나 교배하면 생식 능력이 있는 자손이 태어날 수 있다. ┄┄┄┄ (　　)

2 그림은 고리종을 모식적으로 나타낸 것이다. A~E는 각각 고리종에 속하는 집단이다.
이에 대한 설명으로 옳은 것은 ○, 옳지 <u>않은</u> 것은 ×로 표시하시오.

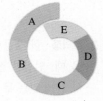

(1) A~E 중 종분화 가능성이 가장 높은 집단은 A와 E이다. ┄┄┄┄┄┄┄┄┄┄┄┄┄┄ (　　)

(2) B와 C에 속하는 생물 사이에서는 생식적 격리가 일어난다. ┄┄┄┄┄┄┄┄┄┄┄┄┄┄ (　　)

(3) 종분화가 연속적이고 점진적으로 일어난다는 것을 보여 준다. ┄┄┄┄┄┄┄┄┄┄┄┄┄ (　　)

대표 자료 분석

자료 ① 하디·바인베르크 법칙

> **기출 Point**
> • 대립유전자 빈도와 특정 유전자형의 개체 수 계산하기
> • 멘델 집단과 하디·바인베르크 법칙 이해하기

[1~4] 표는 같은 종이고, 1000개체로 구성된 동물 집단에서 동물의 몸 색을 조사하여 나타낸 것이다. 이 동물 집단은 멘델 집단이며, 동물의 몸 색은 한 쌍의 대립유전자에 의해 결정된다.

표현형	검은색	검은색	회색
유전자형	AA	Aa	aa
개체 수	490	420	90

1 이 집단에서 대립유전자 A와 a의 빈도는 각각 얼마인지 쓰시오.

2 이 집단에서 유전자형이 Aa인 개체의 빈도를 쓰시오.

3 멘델 집단의 조건으로 옳은 것만을 [보기]에서 있는 대로 고르시오.

> **보기**
> ㄱ. 집단의 크기가 충분히 커야 한다.
> ㄴ. 돌연변이가 일어나지 않아야 한다.
> ㄷ. 다른 집단과 유전자 흐름이 있어야 한다.
> ㄹ. 자연 선택이 일어나지 않아야 한다.

4 빈출 선택지로 **완벽 정리!**

(1) 대립유전자 A와 a의 빈도 합은 1이다. ⋯⋯⋯ (○ / ×)

(2) 이 집단은 하디·바인베르크 법칙이 적용된다. (○ / ×)

(3) 자손 세대(F_1)에서 유전자형이 AA인 개체가 나타날 확률은 0.49이다. ⋯⋯⋯⋯⋯⋯⋯ (○ / ×)

(4) 세대가 거듭될수록 집단에서 회색 몸 대립유전자의 빈도는 감소한다. ⋯⋯⋯⋯⋯⋯⋯ (○ / ×)

자료 ② 종분화와 생물의 유연관계

> **기출 Point**
> • 지리적 격리에 의한 종분화 과정 이해하기
> • 종분화 순서에 따른 생물의 유연관계 파악하기

[1~3] 그림 (가)는 어떤 집단의 종 A가 종분화 과정 ⓐ~ⓒ를 통해 종 B와 C로 분화하는 과정을, (나)는 A~C의 계통수를 나타낸 것이다. (나)의 ㉠~㉢은 A~C를 순서 없이 나타낸 것이며, 종분화 과정에서 지리적 격리는 1회 일어났고, 이입과 이출은 없다.

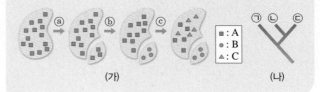

(가)　　　　　　　　　　　(나)

1 ⓐ~ⓒ 중 지리적 격리가 일어난 시기를 쓰시오.

2 ㉠~㉢ 중 B에 해당하는 것을 쓰시오.

3 빈출 선택지로 **완벽 정리!**

(1) ⓑ에서 유전자풀의 변화가 일어났다. ⋯⋯⋯ (○ / ×)

(2) A로 구성된 집단은 ⓒ가 일어나는 동안 계속 멘델 집단이었다. ⋯⋯⋯⋯⋯⋯⋯⋯⋯ (○ / ×)

(3) 지리적 격리는 B의 분화에 영향을 주었다. (○ / ×)

(4) A와 B는 서로 다른 종이므로 생식적으로 격리되어 있다. ⋯⋯⋯⋯⋯⋯⋯⋯⋯⋯⋯ (○ / ×)

(5) C는 B보다 A와 유연관계가 더 가깝다. ⋯ (○ / ×)

(6) ㉠과 ㉡으로 각각 구성된 두 집단은 유전자풀이 서로 다르다. ⋯⋯⋯⋯⋯⋯⋯⋯⋯⋯ (○ / ×)

(7) ㉡과 ㉢을 교배하면 생식 능력이 있는 자손이 태어난다. ⋯⋯⋯⋯⋯⋯⋯⋯⋯⋯⋯ (○ / ×)

A 진화의 원리

01 변이와 자연 선택에 대한 설명으로 옳지 <u>않은</u> 것은?

① 변이에 따라 개체의 생존율이 달라질 수 있다.
② 생존에 유리한 변이를 가진 개체가 자연 선택된다.
③ 자연 선택된 개체의 변이는 자손에게 유전될 수 있다.
④ 집단 내에서 자연 선택된 형질의 대립유전자 빈도는 감소한다.
⑤ 자연 선택 과정이 오랫동안 반복되면 생물의 진화가 일어난다.

02 그림은 다윈의 자연 선택설에 따른 기린 목의 진화 과정을 나타낸 것이다.

(가)

이에 대한 설명으로 옳은 것만을 [보기]에서 있는 대로 고른 것은?

[보기]
ㄱ. (가)에서 기린은 목 길이의 변이가 있다.
ㄴ. ㉠ 과정에서 생존 경쟁이 일어났다.
ㄷ. ㉡ 과정을 통해 변이의 원인을 명확하게 설명하였다.

① ㄴ   ② ㄷ   ③ ㄱ, ㄴ
④ ㄱ, ㄷ   ⑤ ㄱ, ㄴ, ㄷ

03 그림은 갈라파고스 군도의 한 섬에서 일어난 핀치의 진화 과정을 나타낸 것이다. 이 섬에서 핀치의 먹이는 작고 연한 씨앗과 크고 단단한 씨앗 중 하나이다.

크고 두꺼운 부리

이에 대한 설명으로 옳은 것만을 [보기]에서 있는 대로 고른 것은?

[보기]
ㄱ. 이 섬에서 핀치의 먹이는 작고 연한 씨앗이다.
ㄴ. A 과정에서 자연 선택이 일어났다.
ㄷ. A 과정 이전에 이 섬에 살았던 핀치들은 모두 유전자 구성이 동일하다.

① ㄱ   ② ㄴ   ③ ㄷ
④ ㄱ, ㄴ   ⑤ ㄴ, ㄷ

B 유전적 평형

04 생물 집단의 진화에 대한 설명으로 옳은 것만을 [보기]에서 있는 대로 고른 것은?

[보기]
ㄱ. 진화는 집단의 대립유전자 빈도 변화를 통해 알 수 있다.
ㄴ. 진화하는 집단에서는 하디·바인베르크 법칙이 적용된다.
ㄷ. 자연 상태의 집단은 모두 유전적 평형 상태에 놓여 있다.

① ㄱ   ② ㄴ   ③ ㄷ
④ ㄱ, ㄴ   ⑤ ㄴ, ㄷ

05 표는 어떤 멘델 집단에서 유전자형에 따른 개체 수를 나타낸 것이다.

유전자형	AA	Aa	aa
개체 수	360	480	160

이에 대한 설명으로 옳은 것만을 [보기]에서 있는 대로 고른 것은?

〔보기〕
ㄱ. 대립유전자 a의 빈도는 0.4이다.
ㄴ. 대립유전자 A의 개수는 1200이다.
ㄷ. 다음 세대에서 유전자형이 AA인 개체가 태어날 확률은 0.6이다.

① ㄱ   ② ㄴ   ③ ㄷ
④ ㄱ, ㄴ   ⑤ ㄴ, ㄷ

06 다음은 유전병 (가)와 멘델 집단 ㉠에 대한 설명이다.

• 유전병 (가)는 상염색체에 있는 한 쌍의 대립유전자 A와 a에 의해 결정되며, 정상에 대해 열성이다.
• 멘델 집단 ㉠에서 남녀의 비율은 같다.
• 멘델 집단 ㉠에서 유전병 (가)를 나타내는 신생아는 100명당 9명의 비율로 태어난다.

멘델 집단 ㉠에 속한 유전병 (가)를 나타내는 어떤 남자(aa)와 정상 여자 사이에서 아이가 태어날 때, 이 아이에게 유전병 (가)가 나타날 확률은?

① $\dfrac{1}{4}$ ② $\dfrac{3}{10}$ ③ $\dfrac{3}{13}$

④ $\dfrac{21}{50}$ ⑤ $\dfrac{9}{100}$

07 다음은 어떤 동물의 몸 색과 이 동물로 구성된 멘델 집단 (가)~(라)에 대한 자료이다.

• 이 동물의 몸 색은 검은색과 흰색이 있으며, 대립유전자 A와 A*에 의해 결정된다.
• A와 A*는 상염색체에 존재하며, 우열 관계가 분명하다.
• 표는 멘델 집단 (가)~(다)에서 A의 빈도와 검은색 몸 개체의 비율을 나타낸 것이다. ㉠은 ㉡보다 크다.

멘델 집단	(가)	(나)	(다)
A의 빈도	0.3	0.5	0.8
검은색 몸 개체의 비율	㉠	0.75	㉡

• (라)에서 $\dfrac{\text{흰색 몸 개체의 비율}}{\text{유전자형이 AA}^*\text{인 개체의 비율}} = \dfrac{1}{3}$ 이다.

이에 대한 설명으로 옳은 것만을 [보기]에서 있는 대로 고른 것은?

〔보기〕
ㄱ. A는 A*에 대해 열성이다.
ㄴ. ㉠과 ㉡의 합은 1.5보다 크다.
ㄷ. (라)에서 A의 빈도는 A*의 빈도보다 크다.

① ㄱ   ② ㄴ   ③ ㄷ
④ ㄱ, ㄷ   ⑤ ㄱ, ㄴ, ㄷ

08 남녀가 각각 1000명씩 있는 멘델 집단에서 적록 색맹인 남자의 수가 100명일 때 이 집단에서 적록 색맹인 여자의 수는?

① 5명   ② 10명   ③ 50명
④ 100명   ⑤ 500명

C 유전자풀의 변화 요인

09 유전자풀이 변하는 경우가 <u>아닌</u> 것은?

① 어떤 형질이 자연 선택되었다.
② 개체들 간에 자유로운 교배가 일어났다.
③ 가뭄으로 집단의 크기가 급격히 줄어들었다.
④ 어떤 형질을 결정하는 유전자에서 돌연변이가 일어났다.
⑤ 원래의 집단에서 일부 개체가 떨어져 나와 새로운 집단을 형성하였다.

10 그림은 어떤 집단에서 시간에 따른 유전자풀의 변화 과정을 나타낸 것이다. A와 a는 대립유전자이고, ㉠~㉢은 진화의 요인으로 각각 자연 선택, 돌연변이, 유전적 부동을 순서 없이 나타낸 것이다.

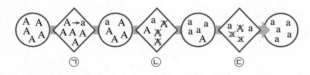

이에 대한 설명으로 옳은 것만을 [보기]에서 있는 대로 고른 것은? (단, 제시된 자료만 고려한다.)

[보기]
ㄱ. ㉠은 돌연변이이다.
ㄴ. 이 집단에서 ㉡이 일어나 집단의 변이가 감소하였다.
ㄷ. ㉢에 의한 유전자풀의 변화는 집단의 크기가 작으면 일어나지 않는다.

① ㄱ   ② ㄴ   ③ ㄷ
④ ㄱ, ㄴ   ⑤ ㄴ, ㄷ

11 그림은 어떤 생물 모집단에서 다양한 크기의 소집단이 만들어질 때 대립유전자 A와 a의 빈도 변화를 나타낸 것이다. (가)와 (나)는 모두 소집단이다.

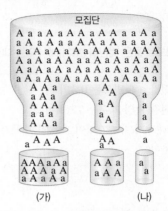

이에 대한 설명으로 옳은 것만을 [보기]에서 있는 대로 고른 것은?

[보기]
ㄱ. 모집단은 멘델 집단이다.
ㄴ. 유전적 부동에 의한 유전자풀의 변화에 해당한다.
ㄷ. (나)의 유전자풀은 (가)보다 모집단과 더 유사하다.

① ㄴ   ② ㄷ   ③ ㄱ, ㄴ
④ ㄱ, ㄷ   ⑤ ㄴ, ㄷ

서술형
12 다음은 유전자풀이 변화된 두 가지 예를 나타낸 것이다.

• 갈색, 초록색, 노란색 개구리가 살던 지역에 가뭄이 일어나면서 개구리의 개체 수가 급감하였다. 이후 개구리의 개체 수는 다시 증가하였지만 갈색, 노란색의 개구리만 남았다.

• 큰초원뇌조는 농경지 확장에 따른 서식지 감소로 집단의 크기가 급감하였다. 이후 보전 정책으로 집단의 크기가 다시 커졌지만, 유전적 다양성이 매우 낮아졌다.

두 예의 공통점을 대립유전자 빈도와 관련지어 서술하시오.

13 그림은 유전자풀의 변화 요인 (가)와 (나)를 나타낸 것이다. (가)와 (나)는 각각 유전적 부동과 유전자 흐름 중 하나이다.

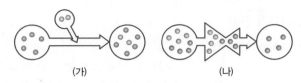

이에 대한 설명으로 옳지 <u>않은</u> 것은?

① (가)는 유전자 흐름이다.
② 개체의 이입에 의해 (가)가 일어난다.
③ 생식적으로 격리된 두 집단 사이에서 (가)가 일어난다.
④ 병목 효과는 (나)에 해당한다.
⑤ 자연재해에 의해 (나)가 일어날 수 있다.

D 종분화

14 그림은 어떤 집단에서 일어난 종분화 과정을 나타낸 것이다. A~C는 진화의 요인으로 각각 돌연변이, 자연 선택, 지리적 격리를 순서 없이 나타낸 것이다.

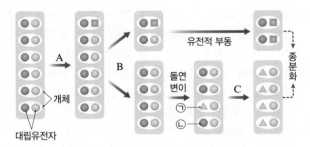

이에 대한 설명으로 옳은 것만을 [보기]에서 있는 대로 고른 것은? (단, 유전자 흐름은 고려하지 않는다.)

─〔보기〕─
ㄱ. A는 돌연변이이다.
ㄴ. B는 지리적 격리이다.
ㄷ. ㉠보다 ㉡에 의해 나타난 형질이 생존에 유리하게 작용하였다.

① ㄴ   ② ㄷ   ③ ㄱ, ㄴ
④ ㄱ, ㄷ   ⑤ ㄴ, ㄷ

15 그림 (가)는 종 A로부터 서로 다른 종 B~D가 분화되는 과정을, (나)는 (가)의 종분화 과정을 바탕으로 작성한 계통수를 나타낸 것이다. ㉠과 ㉡은 각각 C와 D 중 하나이다.

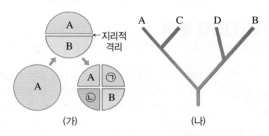

이에 대한 설명으로 옳은 것만을 [보기]에서 있는 대로 고른 것은?

─〔보기〕─
ㄱ. ㉠은 C이다.
ㄴ. A와 B는 유전자풀이 서로 다르다.
ㄷ. B와 D는 모두 지리적 격리에 의한 종분화로 출현하였다.

① ㄴ   ② ㄷ   ③ ㄱ, ㄴ
④ ㄱ, ㄷ   ⑤ ㄱ, ㄴ, ㄷ

16 그림은 고리종인 어떤 도롱뇽 집단 A~G의 분포를 나타낸 것이다.

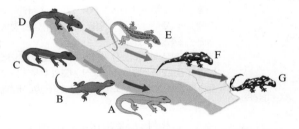

A~G에 대한 설명으로 옳은 것만을 [보기]에서 있는 대로 고른 것은?

─〔보기〕─
ㄱ. 한 생물종으로부터 분화된 것이다.
ㄴ. A와 B는 유전자풀이 서로 다르다.
ㄷ. A와 G 사이에서 생식 능력이 있는 자손이 태어날 수 있다.

① ㄱ   ② ㄷ   ③ ㄱ, ㄴ
④ ㄴ, ㄷ   ⑤ ㄱ, ㄴ, ㄷ

01 진화의 증거

화석상의 증거	• (❶) 연구를 통하여 당시에 살았던 생물의 특징과 종류, 당시 생물의 서식 환경 등을 알 수 있다. • 고래의 진화: 고래 조상 화석에서 뒷다리가 발견되었다. ➡ 수중 생활을 하는 포유류는 육상 포유류에서 진화하였다.
비교해부학적 증거	• 다양한 생물의 해부학적 특성을 비교해 보면 이들이 공통 조상으로부터 진화하였는지, 각각의 생물이 공통 조상에서 얼마나 다양하게 분화되었는지를 알 수 있다. • (❷): 생김새와 기능은 다르지만 해부학적 구조나 발생 기원이 같은 기관이다. 예 척추동물의 앞다리, 사람의 폐와 어류의 부레 • (❸): 발생 기원은 다르지만 생김새와 기능이 비슷한 기관이다. 예 새의 날개와 곤충의 날개 • 흔적 기관: 현재는 흔적만 남거나 쓰임새가 처음 목적과 많이 달라진 기관이다. 예 사람의 꼬리뼈, 귀를 움직이는 근육
생물지리학적 증거	• 생물의 (❹) 분포를 통하여 생물이 특정 환경에서 다르게 진화한다는 것을 알 수 있다. • (❺): 생물 분포 경계선인 (❺)을 기준으로 동쪽은 오스트레일리아구, 서쪽은 동남아시아구로 나눈다. ➡ 유대류는 오스트레일리아구에만 서식하는데, 이는 유대류가 원시 포유류에서 독자적으로 진화하였음을 보여 준다.
분자진화학적 증거	• 서로 다른 생물종의 DNA (❻) 서열이나 단백질의 (❼) 서열을 비교하여 생물 간의 유연관계를 알 수 있다. • 글로빈 단백질의 아미노산 서열 비교: 사람을 기준으로 사람의 글로빈 단백질과 아미노산 서열의 유사도가 낮을수록 오래 전에 공통 조상으로부터 분화하여 사람과 (❽)가 멀다. 사람 ▇▇▇▇▇▇▇ 100 % 붉은털원숭이 ▇▇▇▇▇▇ 95 % 생쥐 ▇▇▇▇▇ 87 % 닭 ▇▇▇▇ 69 % 개구리 ▇▇▇ 54 % 칠성장어 ▇ 14 %
진화발생학적 증거	• 발생 초기에 나타나는 배아의 형태를 비교하여 동물이 하나의 (❾)으로부터 진화하였음을 알 수 있다. • (❿)의 초기 배아: 근육성 꼬리, 아가미 틈, 척삭 등이 공통적으로 나타난다. ➡ 육상 척추동물은 수중 생활을 하던 조상 척추동물로부터 진화하였다.

02 진화의 원리

1. 진화의 원리

(1) 변이와 자연 선택

① (⓫): 한 집단을 구성하는 개체 간의 형질 차이이다.
➡ 유전자의 차이로 인한 변이는 자손에게 전달되며, 개체의 환경 적응력에 영향을 준다.

② (⓬): 변이가 있는 집단에서 생존에 유리한 특정 형질을 가진 개체가 살아남아 자손을 많이 남기는 것으로, 이 과정이 오랫동안 누적되어 생물이 진화한다.

(2) 다윈의 자연 선택설에 따른 생물 집단의 진화 과정

과잉 생산과 변이	생물은 살아남을 수 있는 수보다 많은 수의 자손을 낳으며, 과잉 생산된 생물 집단에는 유전되는 다양한 변이가 존재한다.
↓ 생존 경쟁	과잉 생산된 개체 사이에는 생존 경쟁이 일어난다.
↓ (⓭)	생존에 유리한 형질을 가진 개체는 생존 경쟁에서 더 많이 살아남아 그 형질을 자손에게 전달한다.
↓ 진화	자연 선택이 오랫동안 누적되어 생물 집단이 진화한다.

2. 유전적 평형

(1) 집단의 진화: 한 개체의 변화가 아니라 (⓮)이 변화하는 것이다.

(2) 유전자풀과 대립유전자 빈도: 한 집단에 속하는 모든 개체들이 가지고 있는 대립유전자 전체를 유전자풀이라고 하며, 진화는 대립유전자 빈도 변화로 알 수 있다.

(3) 유전적 평형: 세대를 거듭해도 대립유전자의 종류와 빈도가 변하지 않는 상태이다. ➡ 유전적 평형이 일어나는 집단은 진화가 일어나지 않는다.

(4) 하디·바인베르크 법칙: (⓯)이 나타나는 원리를 수식으로 정리한 것으로, 특정 조건에서는 세대를 거듭해도 유전적 평형이 유지된다.

(5) (⓰) 집단: 하디·바인베르크 법칙이 적용되는 가상 집단이며, 대립유전자 빈도가 변하지 않는다.

[멘델 집단의 조건]
① 집단의 크기가 충분히 커야 한다.
② (⓱)가 일어나지 않아야 한다.
③ 다른 집단과 유전자 흐름이 없어야 한다.
④ 개체들 간에 (⓲)가 자유롭게 일어나야 한다.
⑤ 특정 대립유전자에 대한 자연 선택이 일어나지 않아야 한다.

3. 유전자풀의 변화 요인

돌연변이	• 유전 물질인 DNA의 염기 서열에 변화가 일어나 새로운 (⓱)가 나타나는 현상이다. • 생식세포에 돌연변이가 발생하면 자손에게 유전되어 집단의 유전자풀이 변한다. • 돌연변이는 일반적으로 발생할 확률이 매우 낮으며, 생존에 불리하게 작용하여 대부분 사라진다. 돌연변이 유발 • 예 눈 색깔을 결정하는 다양한 대립유전자, 낫 모양 적혈구 빈혈증, 항생제 내성 세균, 옥수수의 진화
자연 선택	• 집단 내에 존재하는 변이 중 생존에 유리한 대립유전자를 가진 개체가 생존과 번식에 유리하여 더 많은 자손을 남기는 현상이다. • 자손 세대에서 생존에 유리한 대립유전자 빈도가 높아져 유전자풀이 변한다. • 예 바퀴벌레 집단에서의 자연 선택, 포켓쥐 집단에서의 자연 선택
(⓴)	• 우연한 사건에 의해 대립유전자 빈도가 변하는 현상으로, 병목 효과와 창시자 효과가 있다. • 집단의 크기가 작을수록 대립유전자 빈도 변화가 크게 일어나므로 유전적 부동의 효과가 크게 나타난다. • (㉑) 효과: 질병이나 가뭄, 홍수 등과 같은 자연재해로 인해 집단의 크기가 급격히 줄어들면서 나타나는 현상으로, 병목 효과가 일어난 후의 대립유전자 빈도가 기존 집단과 달라진다. 　예 북방코끼리바다표범, 큰초원뇌조 • (㉒) 효과: 원래의 집단에서 일부 개체가 떨어져 나와 새로운 집단을 형성할 때 나타나는 현상으로 대립유전자 빈도가 처음과 달라진다.
유전자 흐름	집단 사이에서 개체의 이주 등으로 인해 대립유전자의 이입 또는 이출이 일어나 두 집단의 유전자풀이 섞이는 현상이다. 유전자 흐름이 일어나면 대립유전자 빈도가 달라진다.

4. 종분화

(1) 지리적 격리에 의한 종분화 과정

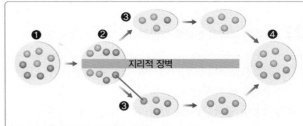

❶ 처음에는 한 집단이 넓은 지역에 서식한다.
❷ 지리적 격리에 의해 두 집단으로 분리된다.
❸ 분리된 두 집단은 각각 독자적인 진화 과정을 겪어 유전자풀이 달라진다.
❹ 이후 두 집단 사이에 지리적 장벽이 제거되어 다시 만나도 두 집단 사이에 (㉓   ) 격리가 일어나 교배가 일어나지 않는다. ➡ 다른 생물종으로 분화된다.

(2) 지리적 격리에 의한 종분화의 예

그랜드 캐니언에서의 다람쥐 종분화	큰 협곡의 형성으로 지리적 격리가 일어난 결과 해리스영양다람쥐와 흰꼬리영양다람쥐로 종분화가 일어났다.
파나마 지협에서의 포크피시 종분화	대륙이 융기해 파나마 지협이 형성되면서 지리적 격리가 일어난 결과 파나마포크피시와 포크피시로 종분화가 일어났다.
갈라파고스 군도의 고유종	남아메리카 대륙으로부터 지리적 격리가 일어나 독자적으로 진화한 결과 갈라파고스 군도에만 서식하는 생물종이 있다. 예 큰군함조, 푸른발부비새, 코끼리거북, 바다이구아나

(3) 고리종: 한 생물종으로부터 분화된 여러 집단들이 고리 모양으로 연속적으로 분포할 때, 분포한 인접 집단 사이에는 교배가 가능하지만, 고리의 양 끝에 있는 집단 사이에는 교배가 불가능하다.

고리종의 예	엔사티나도롱뇽의 집단(A~G)들이 고리 형태로 분포한다. ➡ 인접한 집단 사이에는 생식이 (㉔)하지만, 고리 양 끝의 두 집단(A와 G)은 생식적으로 (㉕)되어 있다. D E C F B G A
고리종의 의의	• 집단들 사이에 생식적 격리가 생겨 종분화가 일어날 수 있음을 보여 준다. • 종분화가 연속적이고 점진적인 과정이라는 것을 보여 준다.

난이도 ●●●

01 다음은 생물의 진화를 뒷받침하는 여러 증거의 예이다.

> (가) 오스트레일리아에는 아시아 대륙에서는 볼 수 없는 유대류가 서식한다.
> (나) 사람의 팔과 사자의 앞다리는 서로 다른 환경에 적응하면서 그 생김새와 기능이 달라졌다.
> (다) 글로빈 단백질을 이루는 아미노산 서열 차이가 적을수록 유연관계가 가깝다.

이에 대한 설명으로 옳지 <u>않은</u> 것은?

① (가)는 생물지리학적 증거에 해당한다.
② 갈라파고스 군도의 핀치도 (가)와 같은 증거에 해당한다.
③ (나)와 같은 예에는 고래의 진화가 있다.
④ (나)에서 사람의 팔과 사자의 앞다리는 발생 기원이 같은 기관이다.
⑤ (다)에서 글로빈 단백질을 이루는 아미노산 서열 차이가 적을수록 최근에 공통 조상으로부터 분화한 것이다.

●●●
02 그림 (가)는 서로 다른 생물종 A~F의 사이토크롬 c 단백질의 일부 아미노산 서열을 비교하여 같은 아미노산의 개수를 나타낸 것이고, (나)는 이를 바탕으로 작성한 계통수이다.

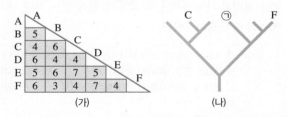

(가)   (나)

이에 대한 설명으로 옳은 것만을 [보기]에서 있는 대로 고른 것은?

[보기]
ㄱ. ⊙은 A이다.
ㄴ. C와 E는 생식적으로 격리되어 있다.
ㄷ. B는 C보다 D와 유연관계가 더 가깝다.

① ㄱ   ② ㄴ   ③ ㄷ
④ ㄱ, ㄴ   ⑤ ㄴ, ㄷ

●●○
03 그림 (가)와 (나)는 생물 진화에 대한 증거의 예이다.

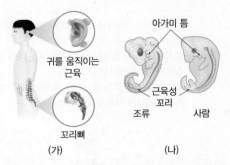

(가)   (나)

이에 대한 설명으로 옳은 것만을 [보기]에서 있는 대로 고른 것은?

[보기]
ㄱ. (가)는 사람에서 볼 수 있는 흔적 기관이다.
ㄴ. (가)와 (나)는 모두 비교해부학적 증거에 해당한다.
ㄷ. (나)는 조류와 사람이 수중 척추동물로부터 진화하였음을 뒷받침한다.

① ㄱ   ② ㄴ   ③ ㄱ, ㄴ
④ ㄱ, ㄷ   ⑤ ㄴ, ㄷ

●●○
04 그림은 말라리아 발생 빈도가 서로 다른 두 지역 (가)와 (나)에서 낫 모양 적혈구 빈혈증 유전자형에 따른 인구 수를 나타낸 것이다. Hb^A는 정상 헤모글로빈 대립유전자, Hb^S는 낫 모양 적혈구 헤모글로빈 대립유전자이고, 낫 모양 적혈구는 말라리아에 저항성을 나타낸다.

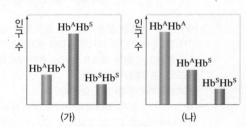

(가)   (나)

이에 대한 설명으로 옳은 것만을 [보기]에서 있는 대로 고른 것은?

[보기]
ㄱ. 대립유전자 Hb^S는 (가)에서 생존에 유리하게 작용한다.
ㄴ. (나)에서 대립유전자 Hb^A의 빈도는 Hb^S의 빈도보다 높다.
ㄷ. 말라리아의 발생 빈도는 (가)보다 (나)에서 높다.

① ㄴ   ② ㄷ   ③ ㄱ, ㄴ
④ ㄱ, ㄷ   ⑤ ㄴ, ㄷ

05 그림은 배양 중인 어떤 세균 집단에서 항생제에 내성이 없는 세균 A와 항생제 내성 세균 B의 비율 변화를 나타낸 것이다.

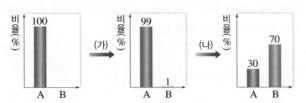

이에 대한 설명으로 옳은 것만을 [보기]에서 있는 대로 고른 것은? (단, 이 집단은 격리되어 있다.)

┌─[보기]─────────────────────────────────┐
│ ㄱ. 과정 (가)에서 변이가 나타났다. │
│ ㄴ. 과정 (나)는 항생제가 사용되지 않는 환경에서 일어 │
│   났다. │
│ ㄷ. 과정 (가)와 과정 (나)에서 모두 집단의 유전자풀을 │
│   변화시키는 요인이 작용하였다. │
└──┘

① ㄱ   ② ㄴ   ③ ㄱ, ㄴ
④ ㄱ, ㄷ   ⑤ ㄴ, ㄷ

06 그림은 어떤 격리된 나비 집단에서 부모 세대와 자손 세대를 구성하는 나비들의 날개 색과 유전자형에 따른 개체 수를 나타낸 것이다.

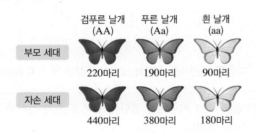

이 집단에 대한 설명으로 옳은 것만을 [보기]에서 있는 대로 고른 것은?(단, 돌연변이는 고려하지 않는다.)

┌─[보기]─────────────────────────────────┐
│ ㄱ. 유전적 평형 상태에 있다. │
│ ㄴ. 부모 세대와 자손 세대에서 대립유전자 A의 빈도는 │
│   같다. │
│ ㄷ. 자손 세대의 푸른 날개 두 개체가 교배하여 자손이 │
│   태어날 때, 이 자손이 흰 날개일 확률은 $\frac{1}{4}$이다. │
└──┘

① ㄱ   ② ㄴ   ③ ㄷ
④ ㄱ, ㄴ   ⑤ ㄴ, ㄷ

07 표는 각각 1000명으로 구성된 집단 (가)와 (나)의 어떤 유전병 유전자형에 대한 개체 수를 나타낸 것이다. (가)와 (나) 중 하나는 멘델 집단이며, ⓐ<ⓑ이다.

	유전자형	AA	Aa	aa
(가)	개체 수	ⓐ	ⓑ	160

	유전자형	AA	Aa	aa
(나)	개체 수	ⓑ	ⓐ	160

이에 대한 설명으로 옳은 것만을 [보기]에서 있는 대로 고른 것은?

┌─[보기]─────────────────────────────────┐
│ ㄱ. ⓑ-ⓐ=120이다. │
│ ㄴ. 멘델 집단은 (나)이다. │
│ ㄷ. 대립유전자 A의 빈도는 (가)에서보다 (나)에서 낮다. │
└──┘

① ㄱ   ② ㄴ   ③ ㄷ
④ ㄱ, ㄴ   ⑤ ㄴ, ㄷ

08 다음은 어떤 동물로 구성된 멘델 집단에 대한 자료이다.

┌──┐
│ • 이 동물의 몸 색은 우열 관계가 분명   비 1 │
│   한 대립유전자 A와 A*에 의해 결정   율 │
│   된다.   0.5 │
│ • 검은색 몸 개체 수 : 회색 몸 개체 수   │
│   = 3 : 1이다.   0 0.5 1 │
│   A*의 빈도 │
│ • 그림은 A*의 빈도에 따른 회색 몸 개체의 비율을 나타 │
│   낸 것이다. │
└──┘

이에 대한 설명으로 옳은 것만을 [보기]에서 있는 대로 고른 것은?

┌─[보기]─────────────────────────────────┐
│ ㄱ. 대립유전자 A*는 A에 대해 우성이다. │
│ ㄴ. A의 빈도가 A*의 빈도의 2배인 집단에서 회색 몸 │
│   개체 중 절반은 유전자형이 AA*이다. │
│ ㄷ. A*의 빈도가 각각 0.1, 0.3, 0.5인 세 집단에서 각 │
│   집단의 검은색 몸 개체의 비율을 모두 더하면 0.5보 │
│   다 크다. │
└──┘

① ㄱ   ② ㄴ   ③ ㄷ
④ ㄱ, ㄴ   ⑤ ㄴ, ㄷ

09 다음은 하디·바인베르크 법칙을 알아보는 실험 과정과 결과이다.

흰색 바둑알(대립유전자 A) 40개와 검은색 바둑알(대립유전자 a) 60개가 들어 있는 상자 2개를 준비한 후 각 상자에서 한 번에 1개씩 바둑알을 꺼내어 자손의 유전자형을 기록한 다음, 꺼낸 바둑알을 원래의 상자에 다시 집어넣는 과정을 50회 반복한다.

유전자형	AA	Aa	aa	합계
출현 수	8	24	18	50

이에 대한 설명으로 옳은 것만을 [보기]에서 있는 대로 고른 것은?

[보기]
ㄱ. 부모 집단에서 A의 빈도는 0.4이다.
ㄴ. 자손 집단에서 a의 빈도는 0.6이다.
ㄷ. 세대를 거듭해도 대립유전자의 빈도는 변하지 않는다.

① ㄱ　　　② ㄴ　　　③ ㄷ
④ ㄴ, ㄷ　　　⑤ ㄱ, ㄴ, ㄷ

10 그림은 어떤 지역에서 특정 형질에 따른 개체 빈도와 요인 X가 작용하기 전과 작용한 후의 개체 빈도 변화를 나타낸 것이다. X에 의해 생존에 유리한 형질을 가진 개체의 빈도가 증가하였다.

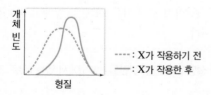

이에 대한 설명으로 옳은 것만을 [보기]에서 있는 대로 고른 것은?

[보기]
ㄱ. 자연 선택은 X에 해당한다.
ㄴ. X는 집단의 유전자풀에 영향을 주지 않았다.
ㄷ. X는 환경 변화에 대한 개체의 적응 능력과 무관하게 일어난다.

① ㄱ　　　② ㄷ　　　③ ㄱ, ㄴ
④ ㄱ, ㄷ　　　⑤ ㄴ, ㄷ

11 표는 육지에 서식하는 어떤 집단의 일부 개체가 섬으로 이주하여 새로운 집단을 형성하였을 때 이주 전과 이주 직후 집단의 유전자형에 따른 개체 수를 나타낸 것이다. 이주 직후부터 섬에 서식하는 집단은 멘델 집단이 되었다.

(단위: 천)

유전자형 \ 집단	이주 전			이주 직후		
	AA	Aa	aa	AA	Aa	aa
육지에 서식하는 집단(㉠)	40	120	40	36	116	38
섬에 서식하는 집단(㉡)	0	0	0	4	4	2

이에 대한 설명으로 옳은 것만을 [보기]에서 있는 대로 고른 것은?

[보기]
ㄱ. 이주 전 ㉠은 유전적 평형 상태에 있다.
ㄴ. 창시자 효과는 이주 직후 ㉡의 유전자풀이 이주 전 ㉠과 달라지게 한 요인에 해당한다.
ㄷ. 이주 직후 ㉡에서 다음 세대에 유전자형이 aa인 개체가 태어날 확률은 0.16이다.

① ㄱ　　　② ㄴ　　　③ ㄷ
④ ㄱ, ㄴ　　　⑤ ㄴ, ㄷ

12 다음은 유전자풀의 변화 요인이 관찰된 몇 가지 예이다.

(가) 흰 토끼로 이루어진 집단에 검은 토끼가 들어와 자손을 남겼다.
(나) 살충제를 지속적으로 살포하였더니 집단에 없던 살충제 내성 해충이 출현하였다.
(다) 무분별한 사냥 결과 살아남은 북방코끼리바다표범은 그 수가 적어 대립유전자 구성이 단순하다.

각 예에서 작용한 유전자풀의 변화 요인을 그림에서 고르시오.

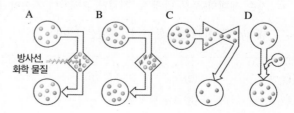

13 그림은 어떤 집단에서 종분화가 일어나는 과정을 나타낸 것이다. A∼C는 서로 다른 생물학적 종이다.

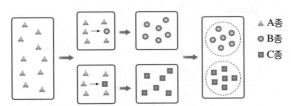

이에 대한 설명으로 옳은 것만을 [보기]에서 있는 대로 고른 것은?

보기
ㄱ. 지리적 격리로 종분화가 일어났다.
ㄴ. 격리된 각 집단에서 돌연변이와 자연선택이 일어났다.
ㄷ. B종과 C종은 교배하여 생식 능력이 있는 자손을 낳을 수 있다.

① ㄱ ② ㄴ ③ ㄷ
④ ㄱ, ㄴ ⑤ ㄴ, ㄷ

14 그림은 육지와 그 주변 섬에 서식하는 4종의 새(A∼D)의 이주 및 종분화 과정을 나타낸 것이다.

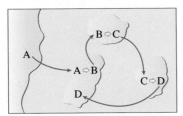

이에 대한 설명으로 옳은 것만을 [보기]에서 있는 대로 고른 것은? (단, 같은 섬 안에서의 지리적 격리는 없으며 A∼D 이외의 생물종은 고려하지 않는다.)

보기
ㄱ. A와 C는 생식적으로 격리되어 있다.
ㄴ. 지리적 격리는 B의 종분화에 영향을 준 요인이다.
ㄷ. D가 분화될 때 유전자풀의 변화는 일어나지 않았다.

① ㄱ ② ㄷ ③ ㄱ, ㄴ
④ ㄱ, ㄷ ⑤ ㄴ, ㄷ

서술형 문제

15 그림은 여러 동물의 헤모글로빈을 구성하는 아미노산 서열을 조사하여 사람과 차이 나는 아미노산의 비율을 나타낸 것이다.

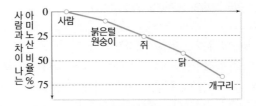

제시된 동물 중 사람과 유연관계가 가장 먼 동물을 쓰고, 그 근거를 서술하시오.

16 그림은 어떤 달팽이 집단에서 껍데기 색깔(흰색, 회색)과 이를 결정하는 유전자형을 나타낸 것이다.

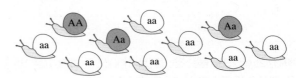

이 집단이 멘델 집단이라면, 이들의 교배로 400마리의 자손이 생겼을 때, 흰색 달팽이는 총 몇 마리인지 풀이 과정과 함께 서술하시오.

17 그림은 고리종인 어떤 생물 집단 A∼G의 분포를 나타낸 것이다. 집단 A−B, F−G, A−G 사이에서 일어나는 교배에 대해 서술하시오.

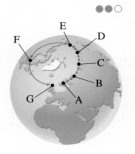

01 다음은 사람의 질병 (가)와 (나)에 대한 자료이다. (가)와 (나)는 모두 개체의 생존율을 감소시킨다.

- (가)를 결정하는 대립유전자는 A와 A*이다.
- (가)는 유전자형이 AA인 사람에서는 나타나지 않으며, 유전자형이 AA*인 사람에서는 약하게 나타나고, A*A*인 사람에서는 심하게 나타난다.
- A와 A* 중 하나를 가진 사람은 (나)에 대한 저항성을 나타낸다.
- 그림은 (나)의 발생 빈도가 높은 지역 ㉠과 (나)가 발생하지 않는 지역 ㉡에서 (가)의 유전자형에 따른 인구 수를 나타낸 것이다. ⓐ~ⓒ는 각각 AA, AA*, A*A*이다.

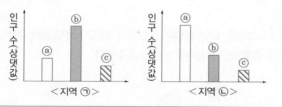

이에 대한 설명으로 옳은 것만을 [보기]에서 있는 대로 고른 것은? (단, 제시된 자료만 고려하며, 유전자 흐름은 없다.)

[보기]
ㄱ. A를 가진 사람이 (나)에 대한 저항성을 나타낸다.
ㄴ. 유전자형이 AA*인 사람의 빈도는 ㉠보다 ㉡에서 높다.
ㄷ. 자연 선택에 의해 ㉠과 ㉡에서 A*의 빈도가 서로 다르다.

① ㄴ ② ㄷ ③ ㄱ, ㄴ
④ ㄱ, ㄷ ⑤ ㄴ, ㄷ

02 다음은 초파리의 몸 색깔과 날개 길이의 유전에 대한 자료이다.

- 초파리의 성염색체는 수컷이 XY, 암컷이 XX이다.
- 초파리의 몸 색과 날개 길이를 결정하는 대립유전자는 각각 두 가지이며, 우열 관계가 분명하다.
- 표는 ㉠회색 몸·긴 날개 암컷 개체와 회색 몸·긴 날개 수컷 개체를 교배하여 얻은 자손에서 특정 표현형의 개체 비율을 나타낸 것이다.

표현형	노란색 몸 수컷	짧은 날개 수컷
비율	$\frac{1}{4}$	$\frac{1}{8}$

- P는 10000마리의 초파리로 구성된 멘델 집단이다.
- P에서 수컷과 암컷의 비율은 같으며, 노란색 몸 암컷의 개체 수는 3200, 긴 날개 수컷의 개체 수는 3750이다.

㉠이 P에 속한 임의의 긴 날개 수컷과 교배하여 자손이 태어날 때, 이 자손이 노란색 몸·짧은 날개 암컷일 확률은?

① $\frac{1}{15}$ ② $\frac{1}{30}$ ③ $\frac{1}{32}$
④ $\frac{1}{45}$ ⑤ $\frac{1}{64}$

03 유전자풀의 변화 요인에 대한 설명으로 옳은 것만을 [보기]에서 있는 대로 고른 것은?

[보기]
ㄱ. 병목 효과는 유전적 부동의 한 현상이다.
ㄴ. 자연 선택은 개체 간 변이의 원인 중 하나이다.
ㄷ. 유전자 흐름은 환경 변화에 의해 집단의 크기가 줄어들면서 그 집단의 대립유전자 빈도가 변하는 것이다.

① ㄱ ② ㄴ ③ ㄷ
④ ㄱ, ㄴ ⑤ ㄴ, ㄷ

04 다음은 어떤 지역과 이 지역에 살고 있는 핀치 집단 X에 대한 자료이다.

- 습지가 형성되기 전에는 핀치의 먹이가 풍부하고 다양하였으나, 습지가 형성된 후에는 핀치의 먹이가 딱딱하거나 부드러운 씨앗만 존재하였다.
- 핀치는 부리가 클수록 부드러운 씨앗보다 딱딱한 씨앗을 더 잘 먹는다.
- 그림 (가)와 (나)는 각각 이 핀치 집단에서 습지가 형성되기 전과 후의 부리 크기에 따른 개체 수 중 하나를 나타낸 것이다.

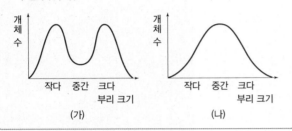

이에 대한 설명으로 옳은 것만을 [보기]에서 있는 대로 고른 것은?

[보기]
ㄱ. 습지가 형성되면서 종분화 가능성이 낮아졌다.
ㄴ. 유전자풀의 변화 요인으로 자연 선택이 작용하였다.
ㄷ. 습지가 형성되면서 중간 크기 부리를 나타나게 하는 대립유전자 빈도가 감소하였다.

① ㄱ   ② ㄴ   ③ ㄷ
④ ㄱ, ㄴ   ⑤ ㄴ, ㄷ

05 그림은 서로 다른 동물 종 Ⅰ~Ⅲ의 분포를, 표는 Ⅰ~Ⅲ의 유연관계를 알 수 있게 하는 어떤 유전자의 일부 염기 서열을 나타낸 것이다. Ⅱ와 Ⅲ은 모두 섬이 분리되면서 Ⅰ로부터 분화되었으며, Ⅱ와 Ⅲ 사이에서 자손이 태어난다.

동물 종	염기 서열
Ⅰ	GTTAAAC
Ⅱ	GTGAAAG
Ⅲ	GTGTAGC

□ : Ⅰ
● : Ⅱ
▲ : Ⅲ

이에 대한 설명으로 옳은 것만을 [보기]에서 있는 대로 고른 것은? (단, 이입과 이출은 없으며, 제시된 자료만 고려한다.)

[보기]
ㄱ. Ⅱ의 분화가 Ⅲ의 분화보다 먼저 일어났다.
ㄴ. Ⅱ는 지리적 격리에 의한 종분화로 출현하였다.
ㄷ. Ⅱ와 Ⅲ 사이에서 태어나는 자손은 생식 능력이 있다.

① ㄴ   ② ㄷ   ③ ㄱ, ㄴ
④ ㄱ, ㄷ   ⑤ ㄴ, ㄷ

06 그림은 종 A로부터 종 B와 C가 분화되는 과정을 나타낸 것이다. A~C는 서로 다른 생물학적 종이며, 이입과 이출은 없다.

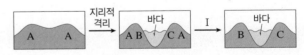

이에 대한 설명으로 옳은 것만을 [보기]에서 있는 대로 고른 것은?

[보기]
ㄱ. 과정 Ⅰ에서 창시자 효과가 일어났다.
ㄴ. A와 B의 유연관계보다 A와 C의 유연관계가 가깝다.
ㄷ. B와 C는 생식적으로 격리되어 있다.

① ㄴ   ② ㄷ   ③ ㄱ, ㄴ
④ ㄱ, ㄷ   ⑤ ㄴ, ㄷ

VI

생명 공학 기술과
인간 생활

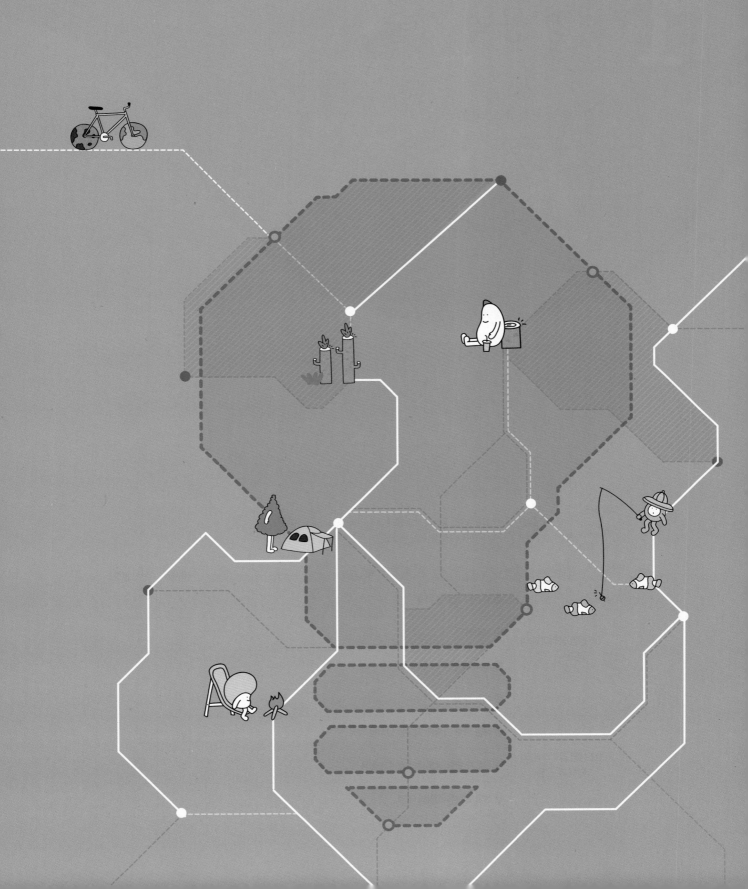

1 생명 공학 기술

- **01.** 생명 공학 기술의 원리
- **02.** 생명 공학 기술의 활용과 전망

이 단원을 공부하기 전에 학습 계획을 세우고, 학습 진도를 스스로 체크해 보자.
학습이 미흡했던 부분은 다시 보기에 체크해 두고, 시험 전까지 꼭 완벽히 학습하자!

소단원	학습 내용	학습 일자	다시 보기
01. 생명 공학 기술의 원리	Ⓐ 유전자 재조합 기술	/	
	Ⓑ 핵치환	/	
	Ⓒ 조직 배양	/	
	Ⓓ 세포 융합	/	
02. 생명 공학 기술의 활용과 전망	Ⓐ 생명 공학 기술을 활용한 난치병 치료	/	
	Ⓑ 유전자 변형 생물체의 개발과 활용	/	
	Ⓒ 생명 공학의 전망과 과제	/	

◆ **DNA와 유전자**

① **❶ [   ]**: 유전 정보를 저장하고 있으며, 부모로부터 자손에게 전달되어 유전 현상을 일으키는 유전 물질이다.

② **❷ [   ]**: 유전 정보가 저장되어 있는 DNA의 특정 부위이다.

③ **유전 정보**: 유전 형질을 결정하며, 유전자를 이루는 DNA의 **❸ [   ]**에 저장되어 있다.

④ [   ]   **⑤ [   ]**

히스톤 — DNA

↑ **염색체, DNA, 유전자의 관계**

◆ **항원 항체 반응**

항원	외부에서 체내로 침입한 이물질로, 병원체, 먼지, 꽃가루 등이 해당한다.	항원 A 항원 결합 부위 항원 B
❻ [ ]	항원을 제거하기 위해 체내에서 만들어진 단백질로, 항원과 결합하여 항원의 기능을 무력화한다.	짧은 사슬
항원 항체 반응의 ❼ [ ]	항체는 항원 결합 부위에 맞는 입체 구조를 가진 특정 항원하고만 결합한다.	긴 사슬 ↑ 항체의 구조

01 생명 공학 기술의 원리

핵심
포인트
◯ 유전자 재조합에 필요한 요소와 과정 ★★★
　　형질 전환 대장균의 선별 ★★★
　　중합 효소 연쇄 반응 과정 ★★
◯ 핵치환 과정과 활용 사례 ★★
◯ 조직 배양 과정과 활용 사례 ★★
◯ 세포 융합 과정과 활용 사례 ★★

A 유전자 재조합 기술

유용한 생명체나 생산물을 얻기 위해 생명체의 기능과 특성을 이용하는 생명 공학 기술은 식량 생산, 질병 치료 등 우리 생활과 밀접하게 연관되어 있습니다. 생명 공학 기술 중 가장 핵심이 되는 유전자 재조합 기술에 대해 알아볼까요?

　●─ 비상, 교학사 교과서에서는 DNA 재조합 기술이라고 한다.

1. 유전자 재조합 기술 DNA를 인위적으로 자르고 연결하여 새로운 유전자 조합을 가진
　　　　　　　　　　　　　　　　　　　　　　　　　　　　└● =재조합 DNA
DNA를 만드는 생명 공학 기술이다.

2. 유전자 재조합에 필요한 요소

유용한 유전자	유용한 물질을 만드는 유전자이다. 예 사람의 인슐린 유전자
DNA 운반체 벡터(vector) 라고도 부른다.	• 유용한 유전자를 숙주 세포로 운반하는 역할을 하는 DNA로, 세균의 ❶플라스미드가 주로 사용된다. ─● 플라스미드 외에도 바이러스의 DNA, 효모의 인공 염색체 등이 사용된다. • DNA 운반체로 플라스미드를 주로 사용하는 까닭 　– 숙주의 염색체와는 독립적으로 복제된다. 　– 크기가 작아 세균에서 분리하여 조작하기 쉽다. 　– 세포 안으로 쉽게 도입될 수 있다. 　– 항생제 내성 유전자 등이 있어 형질 전환 세포의 선별이 쉽다. 　　　　　　　　　　　　　染色體 플라스미드 　　　　　　　　　　　　　△ 세균 속 플라스미드
제한 효소	┌● 제한 효소 자리 • DNA의 특정 염기 서열을 인식하여 자르는 효소로, ★제한 효소의 종류에 따라 인식하는 염기 서열이 다르다. ➡ 적절한 제한 효소를 사용하면 DNA에서 원하는 부위를 자를 수 있다. • 제한 효소로 잘린 DNA 양쪽 말단 부위는 상보적 염기 서열을 가진 다른 DNA 말단과 결합할 수 있다. 　└● 서로 상보적 염기쌍을 형성해 쉽게 붙을 수 있어 점착성 말단이라고 한다.
DNA 연결 효소	제한 효소가 자른 DNA 조각을 연결하는 효소로, 유용한 유전자와 DNA 운반체를 연결하여 재조합 DNA를 만든다.
숙주 세포	재조합 DNA를 도입 받는 세포로, 대장균이 주로 사용된다.

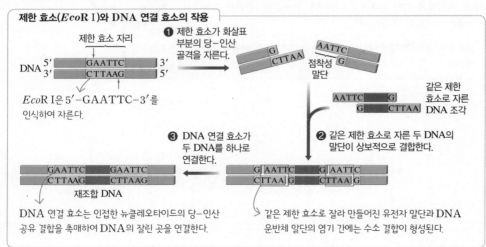

제한 효소(EcoR I)와 DNA 연결 효소의 작용

제한 효소 자리

DNA 5′ [GAATTC] 3′
　　 3′ [CTTAAG] 5′

EcoR I은 5′-GAATTC-3′를 인식하여 자른다.

❶ 제한 효소가 화살표 부분의 당-인산 골격을 자른다.

G / CTTAA　　AATTC / G
　　　　　점착성 말단

AATTC / G　　같은 제한 효소로 자른
G / CTTAA　　DNA 조각

❷ 같은 제한 효소로 자른 두 DNA의 말단이 상보적으로 결합한다.

❸ DNA 연결 효소가 두 DNA를 하나로 연결한다.

G AATTC　 G AATTC
CTTAA G　 CTTAA G

GAATTC　GAATTC
CTTAAG　CTTAAG
　　재조합 DNA

DNA 연결 효소는 인접한 뉴클레오타이드의 당-인산 공유 결합을 촉매하여 DNA의 잘린 곳을 연결한다.

같은 제한 효소로 잘라 만들어진 유전자 말단과 DNA 운반체 말단의 염기 간에는 수소 결합이 형성된다.

★ 제한 효소의 종류에 따른 절단 부위의 염기 서열(제한 효소 자리)

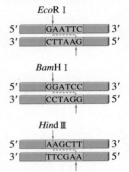

EcoR I

5′ [GAATTC] 3′
3′ [CTTAAG] 5′

BamH I

5′ [GGATCC] 3′
3′ [CCTAGG] 5′

Hind Ⅲ

5′ [AAGCTT] 3′
3′ [TTCGAA] 5′

제한 효소가 인식하여 자르는 부위의 DNA 염기 서열은 각 가닥을 5′→3′ 방향으로 읽으면 서로 같다.

(궁금해)

유전자 재조합 기술에서 대장균을 주로 사용하는 까닭은?

배양이 쉽고, 빠르게 증식하며, 플라스미드를 이용하여 쉽게 형질 전환이 가능하다. 또한 분자 생물학적 정보가 충분히 밝혀져 있어 유전자를 조작하여 물질 대사를 조절하기 쉽기 때문이다.

(암기해)

유전자 재조합 관련 효소

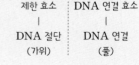

제한 효소	DNA 연결 효소
DNA 절단	DNA 연결
(가위)	(풀)

| 용어 |

❶ **플라스미드(plasmid)** 세균의 염색체와는 별도로 존재하는 작은 원형의 DNA이다.

3. 유전자 재조합 기술을 활용한 *형질 전환 과정

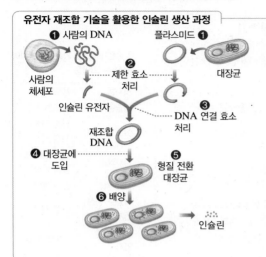

유전자 재조합 기술을 활용한 인슐린 생산 과정

❶ 사람의 DNA   플라스미드 ❶
사람의 체세포   대장균
제한 효소 처리 ❷
인슐린 유전자
DNA 연결 효소 처리 ❸
재조합 DNA
❹ 대장균에 도입
형질 전환 대장균 ❺
❻ 배양
인슐린

❶ 사람의 체세포에서 DNA를, 대장균에서 플라스미드를 각각 분리한다.

❷ 사람의 DNA와 플라스미드를 같은 제한 효소로 자른다.

❸ DNA 연결 효소를 이용하여 인슐린 유전자와 플라스미드를 연결한 재조합 DNA를 만든다.

❹ 재조합 DNA를 대장균(숙주 세포)에 도입하여 형질 전환 대장균을 만든다.

❺ 재조합 DNA를 가진 형질 전환 대장균을 선별한다.

❻ 형질 전환 대장균이 증식하면서 재조합 DNA를 복제하며, 인슐린 유전자가 발현되어 인슐린이 대량으로 생산된다.

4. 형질 전환 대장균의 선별

유전자 재조합 기술을 활용하여 형질 전환 대장균을 만드는 과정에서 일부 플라스미드는 재조합되지 않거나 재조합되어도 대장균으로 들어가지 않을 수 있다. ➡ 재조합 플라스미드가 도입된 대장균(형질 전환 대장균)만을 선별해야 한다.

항생제 내성과 군체의 색깔을 이용한 형질 전환 대장균의 선별

❶ 유용한 유전자를 플라스미드의 젖당 분해 효소 유전자 부위에 삽입한다. ➡ 재조합 플라스미드와 재조합되지 않은 플라스미드가 생성된다.

❷ 플라스미드를 앰피실린 내성이 없고 젖당 분해 효소를 합성하지 못하는 대장균에 도입한다. ➡ 플라스미드가 도입되지 않은 대장균(A), 재조합되지 않은 플라스미드가 도입된 대장균(B), 재조합 플라스미드가 도입된 대장균(C)이 생성된다.

❸ 대장균을 ❶앰피실린과 ❷X-gal이 포함된 배지에서 배양한다.

플라스미드 유용한 유전자 숙주 대장균
앰피실린 내성 유전자
젖당 분해 효소 유전자
❶ ❷ ❸
대장균 A 대장균 B 대장균 C
재조합 플라스미드
B는 푸른색 군체 형성
A는 죽음 C는 흰색 군체 형성
앰피실린과 X-gal이 포함된 배지

• A: 앰피실린 내성이 없고, 젖당 분해 효소를 합성하지 못한다. ➡ 죽는다.
• B: 앰피실린 내성이 있고, 젖당 분해 효소를 합성한다. ➡ 푸른색 군체 형성 젖당 분해 효소를 이용하여 X-gal을 분해하였기 때문이다.
• C(형질 전환 대장균): 앰피실린 내성이 있고, 젖당 분해 효소를 합성하지 못한다(유용한 유전자 산물을 합성). ➡ 흰색 군체 형성 ➡ 선별 젖당 분해 효소가 없어 X-gal을 분해하지 못하였기 때문이다.

*복제평판을 이용한 형질 전환 대장균의 선별

❶ 유용한 유전자를 플라스미드의 항생제 Y 내성 유전자 부위에 삽입한다. ➡ 재조합 플라스미드와 재조합되지 않은 플라스미드가 생성된다.

❷ 플라스미드를 항생제 X와 Y에 모두 내성이 없는 대장균에 도입한다. ➡ 플라스미드가 도입되지 않은 대장균(A), 재조합되지 않은 플라스미드가 도입된 대장균(B), 재조합 플라스미드가 도입된 대장균(C)이 생성된다.

❸ 대장균을 항생제가 없는 배지에서 배양한 후, 복제평판을 이용하여 항생제 X가 포함된 배지와 Y가 포함된 배지로 각각 옮겨 배양한다.

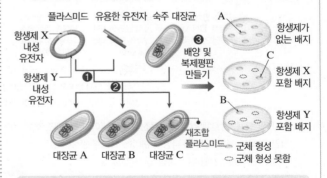

플라스미드 유용한 유전자 숙주 대장균
항생제 X 내성 유전자
항생제 Y 내성 유전자
❶ ❷ ❸ 배양 및 복제평판 만들기
대장균 A 대장균 B 대장균 C
재조합 플라스미드
A 항생제가 없는 배지
C 항생제 X 포함 배지
B 항생제 Y 포함 배지
● 군체 형성
○ 군체 형성 못함

• A: 항생제 X와 Y에 모두 내성이 없다. ➡ 항생제가 없는 배지에서만 군체 형성
• B: 항생제 X와 Y에 모두 내성이 있다. ➡ 모든 배지에서 군체 형성
• C(형질 전환 대장균): 항생제 X에는 내성이 있고, Y에는 내성이 없다(유용한 유전자 산물을 합성). ➡ 항생제가 없는 배지와 항생제 X 포함 배지에서만 군체 형성 ➡ 선별

01 생명 공학 기술의 원리

5. 유전자 재조합 기술의 활용

(1) 기초 생명 과학 연구: 유용한 유전자와 단백질을 대량 생산하여 기초 연구 등에 활용한다.
➡ 생명 공학의 발달에 도움을 준다.

(2) *의약품 생산: 인슐린, 생장 호르몬, 인터페론, 빈혈 치료제 등의 의약품을 대량 생산한다.
➡ 평균 수명 연장과 질병 치료에 도움을 준다.

(3) 형질 전환 생물의 개발: 제초제 저항성 콩, 병충해에 강한 옥수수, 기름을 분해하는 세균 등을 생산한다. ➡ 인류의 식량 문제, 환경 문제 등의 해결에 도움을 준다.

★ 유전자 재조합 기술을 활용하여 생산하는 의약품

의약품	용도
인슐린	당뇨병 치료
생장 호르몬	생장 결함 치료
인터페론	암, 바이러스 감염 치료
간염 백신	간염 예방
적혈구 생성 인자	빈혈 치료
혈액 응고 인자	혈우병 치료

⊕ 확대경 중합 효소 연쇄 반응(PCR)

1. 중합 효소 연쇄 반응(PCR; Polymerase Chain Reaction): DNA의 특정 부분을 반복적으로 복제하여 적은 양의 DNA로부터 짧은 시간 안에 다량의 DNA를 얻는 기술이다. ➡ 특정한 염기 서열의 *프라이머를 이용하면 여러 종류의 DNA가 섞여 있어도 원하는 DNA 부위(표적 서열)만 증폭시킬 수 있다.

2. 중합 효소 연쇄 반응 과정

❶ DNA 변성	90 ℃~95 ℃로 DNA를 가열하여 이중 나선을 풀고 두 가닥을 각각의 단일 가닥으로 분리한다. ➡ 분리된 단일 가닥은 새로운 DNA를 합성하는 주형 역할을 한다.
❷ 프라이머 결합	50 ℃~65 ℃로 온도를 낮추어 프라이머가 단일 가닥에 결합하게 한다.
❸ DNA 합성	약 72 ℃에서 DNA 중합 효소에 의해 주형 DNA 가닥에 상보적인 새로운 DNA 가닥이 합성된다.

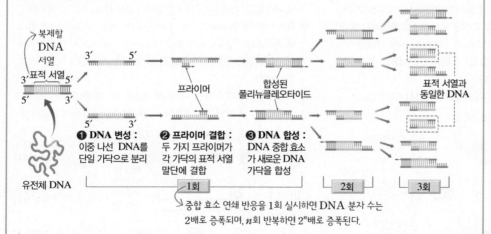

중합 효소 연쇄 반응을 1회 실시하면 DNA 분자 수는 2배로 증폭되며, n회 반복하면 2^n배로 증폭된다.

3. PCR의 활용: 병원체 감염이나 유전자 돌연변이 여부 진단, 범인 검거(법의학), 혈연 관계나 사망자 신원 확인, 생물의 계통 분석 등 다양한 분야에 폭넓게 활용된다.

예 **DNA 지문:** 사람마다 특정 염기 서열의 반복 횟수가 달라 여러 종류의 반복 서열 DNA를 PCR로 증폭한 후 제한 효소로 자르면 사람마다 크기가 다른 DNA 조각이 형성되는데, 이를 *전기 영동으로 분리하여 나타낸 것이다. 사람마다 DNA 지문이 다르므로 개인을 식별하는 데 활용된다.

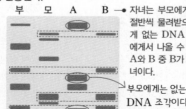

부 모 A B ➡ 자녀는 부모에게서 DNA를 절반씩 물려받으므로 부모에게 없는 DNA 조각이 자녀에게서 나올 수 없다. 따라서 A와 B 중 B가 이 부모의 자녀이다.

부모에게는 없는 DNA 조각이다.

⊙ DNA 지문 검사를 통한 친자 확인

★ 프라이머
DNA 합성 과정에서 출발점 역할을 하는 짧은 단일 가닥의 RNA 또는 DNA로, 주형 가닥에서 복제 시작 부위와 상보적인 염기 서열을 가진다.

★ DNA 전기 영동
DNA에는 인산기가 있어 수용액에서 음(−)전하를 띠므로 전기장 속에서 양(+)극으로 이동한다. 여러 크기의 DNA 조각들이 전기장 속에서 젤을 통과하여 이동할 때 길이가 긴 DNA는 길이가 짧은 DNA보다 많은 저항을 받아 이동 속도가 느리므로 DNA 분자를 크기에 따라 분리할 수 있다.

개념 확인 문제

정답친해 136쪽

핵심 체크

- (**①**) 기술: DNA를 인위적으로 자르고 연결하여 새로운 유전자 조합을 가진 DNA를 만드는 생명 공학 기술
- 유전자 재조합에 필요한 요소: 유용한 유전자, DNA 운반체, 제한 효소, DNA 연결 효소, 숙주 세포
- 유전자 재조합 기술을 활용한 인슐린 생산 과정

> 사람의 DNA와 대장균의 (**②**)를 각각 분리 → (**③**)로 사람의 DNA와 대장균의 플라스미드를 자름 → (**④**)로 인슐린 유전자와 플라스미드를 연결한 재조합 DNA 제작 → 재조합 DNA를 (**⑤**)에 도입 → 형질 전환 대장균에 의한 인슐린 생산

- 형질 전환 대장균의 선별: 유전자 재조합 과정에서 (**⑥**)가 도입된 형질 전환 대장균을 선별해야 한다.
- 유전자 재조합 기술의 활용: 기초 생명 과학 연구, 의약품 생산, 형질 전환 생물의 개발

1 유전자 재조합 기술에 대한 설명으로 옳은 것은 ○, 옳지 않은 것은 ×로 표시하시오.

(1) 재조합 DNA는 DNA 운반체에 유용한 유전자가 삽입된 것이다. ⋯⋯⋯⋯⋯⋯⋯⋯⋯⋯⋯⋯ (   )

(2) 같은 생물종의 다른 개체가 가진 유전자만 재조합될 수 있다. ⋯⋯⋯⋯⋯⋯⋯⋯⋯⋯⋯⋯⋯ (   )

(3) 특정 유전자나 유용한 단백질을 대량으로 얻기 위해 활용할 수 있다. ⋯⋯⋯⋯⋯⋯⋯⋯⋯⋯ (   )

2 다음 설명에 해당하는 유전자 재조합에 필요한 요소로 옳은 것만을 [보기]에서 고르시오.

┌─[보기]─────────────────────┐
ㄱ. 제한 효소   ㄴ. 숙주 세포
ㄷ. DNA 운반체   ㄹ. DNA 연결 효소
└───────────────────────────┘

(1) DNA 조각을 연결하는 효소이다.

(2) 재조합 DNA를 도입 받는 세포이다.

(3) 유용한 유전자를 숙주 세포로 운반하는 DNA이다.

(4) DNA의 특정 염기 서열을 인식하여 자르는 효소이다.

3 다음에서 설명하는 물질의 이름을 쓰시오.

┌───────────────────────────┐
- 일부 세균에 존재하는 작은 원형의 DNA이다.
- 숙주의 염색체와는 독립적으로 증식한다.
- 세포 안으로 쉽게 도입될 수 있다.
- 유전자 재조합 과정에서 DNA 운반체로 사용된다.
└───────────────────────────┘

4 다음은 유전자 재조합 기술을 활용하여 유용한 단백질을 생산하는 과정을 순서 없이 나타낸 것이다.

┌───────────────────────────┐
(가) 재조합 DNA를 대장균에 도입한다.
(나) 대장균을 배양하여 유용한 단백질을 대량 생산한다.
(다) 재조합 DNA를 가진 대장균을 선별한다.
(라) DNA 연결 효소로 유용한 유전자와 플라스미드를 연결한다.
(마) 제한 효소로 사람의 유용한 유전자와 대장균의 플라스미드를 자른다.
└───────────────────────────┘

순서대로 옳게 나열하시오.

B 핵치환 → 핵이식이라고도 한다.

1. **핵치환** 어떤 세포에서 핵을 꺼내어 핵을 제거한 다른 세포에 이식하는 기술이다. ➡ 핵을 제공한 개체와 유전적으로 같은 복제 동물을 만들 수 있다. → 체세포의 핵에는 개체를 형성할 수 있는 모든 유전 정보가 저장되어 있기 때문이다.

2. **핵치환 기술의 활용** 멸종 위기 동물의 보존, 우수한 형질을 가진 동물의 보존과 번식, 장기 이식용 동물의 생산 등에 활용된다.

핵치환 기술을 활용한 복제 동물의 생산 과정

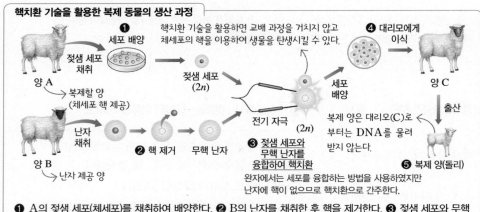

❶ A의 젖샘 세포(체세포)를 채취하여 배양한다. ❷ B의 난자를 채취한 후 핵을 제거한다. ❸ 젖샘 세포와 무핵 난자를 융합하여 핵치환을 한다. ❹ 융합된 세포를 일정 단계까지 배양한 후 C의 자궁에 이식한다. ❺ A와 유전적으로 같은 복제 양이 태어난다.

C 조직 배양

1. **조직 배양** 생물의 세포나 조직의 일부를 영양분이 첨가된 인공 배지에서 배양하고 증식 시키는 기술이다. ➡ 유전적으로 같은 세포를 대량으로 얻을 수 있다. 특히 식물은 하나의 체세포로부터 완전한 식물체를 만들 수 있으므로 조직 배양 기술을 활용하여 복제 식물을 만들 수 있다.

2. **조직 배양 기술의 활용** 형질이 우수한 식물의 대량 생산, 멸종 위기 식물의 보존, 유전자 재조합 기술이나 핵치환 기술로 만들어진 세포나 조직의 배양에 활용된다.

조직 배양 기술을 활용한 복제 식물의 생산 과정

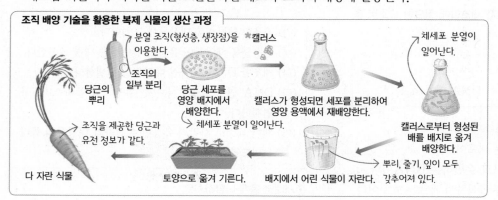

암기해

핵치환으로 태어난 개체는 핵을 제공한 개체와 유전적으로 같다.

주의해

복제 동물의 핵에 들어 있는 DNA는 체세포 핵을 제공한 개체의 DNA와 같지만, 미토콘드리아에 들어 있는 DNA는 난자(세포질)를 제공한 개체의 DNA와 같다.

★ **동물의 조직 배양**
동물은 식물과 달리 하나의 세포가 분화하는 데 한계가 있어 동물 세포는 조직 배양을 하더라도 완전한 개체로 만들 수 없다. 따라서 동물의 조직 배양은 연구에 필요한 동물 세포의 배양, 유용한 물질(예 항체, 호르몬)을 생산하는 동물 세포의 배양에 활용된다.
└ 동물 복제에는 핵치환 기술이 활용된다.

★ **캘러스**
식물의 분열 조직에서 얻은 분화되지 않은 상태의 세포 덩어리로, 모든 기관으로 분화할 수 있다. 따라서 적절한 조건에서 계속 분열시키거나 호르몬을 처리하면 새로운 식물체로 발생한다.

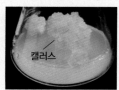
캘러스

D 세포 융합

1. 세포 융합 서로 다른 두 종류의 세포를 융합하여 새로운 잡종 세포를 만드는 기술이다.
➡ 두 세포의 특성을 모두 가진 잡종 세포를 만들 수 있다.

2. 세포 융합 기술의 활용 병의 진단이나 치료에 이용되는 단일 클론 항체(B 림프구＋암세포)
의 생산, 잡종 식물(예 포마토, *무추)의 생산 등에 활용된다.
└ 교배가 불가능한 두 식물의 세포를 융합하여 만들 수 있다.

세포 융합 기술을 활용한 잡종 식물(포마토)의 생산 과정

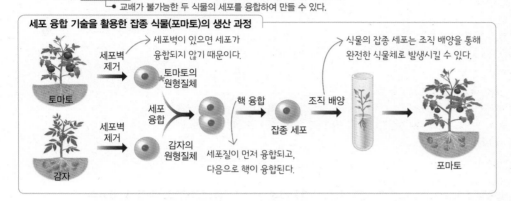

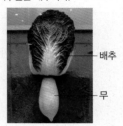

★ **무추**
무의 세포와 배추의 세포를 융합
시켜 만든 잡종 식물로, 뿌리는
무, 잎은 배추이다.

배추
무

★ **원형질체**
세포벽이 제거된 식물 세포를 말
한다.

개념 확인 문제

핵심 체크

정답친해 136쪽

- (❶ 　　　): 어떤 세포에서 핵을 꺼내어 핵을 제거한 다른 세포에 이식하는 기술이다.
- (❷ 　　　): 생물의 세포나 조직의 일부를 영양분이 첨가된 인공 배지에서 배양하고 증식시키는 기술이다.
- (❸ 　　　): 서로 다른 두 종류의 세포를 융합하여 새로운 잡종 세포를 만드는 기술이다.

1 그림은 복제 동물을 만드는 과정 중 일부를 나타낸 것이다.

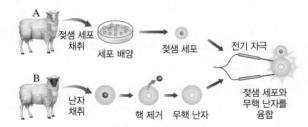

이에 대한 설명으로 옳은 것은 ○, 옳지 <u>않은</u> 것은 ×로 표시하
시오.

(1) 복제 동물의 핵 DNA는 A와 같다. ┄┄┄┄┄ (　　　)

(2) 젖샘 세포는 생식세포이다. ┄┄┄┄┄┄┄┄ (　　　)

(3) 복제 동물을 만드는 데 유전자 재조합 기술이 활용되
었다. ┄┄┄┄┄┄┄┄┄┄┄┄┄┄┄┄┄┄ (　　　)

2 핵치환, 조직 배양, 세포 융합에 대한 설명으로 옳은 것은
○, 옳지 <u>않은</u> 것은 ×로 표시하시오.

(1) 핵치환 기술을 통해 태어난 개체는 난자를 제공한 개체
와 유전적으로 같다. ┄┄┄┄┄┄┄┄┄┄┄ (　　　)

(2) 식물 세포와 동물 세포 모두 조직 배양을 통해 완전한
개체를 만들 수 있다. ┄┄┄┄┄┄┄┄┄┄┄ (　　　)

(3) 조직 배양 기술을 활용하여 유전적으로 같은 식물을
다량으로 만들 수 있다. ┄┄┄┄┄┄┄┄┄┄ (　　　)

(4) 단일 클론 항체, 무추는 모두 세포 융합 기술을 활용한
예이다. ┄┄┄┄┄┄┄┄┄┄┄┄┄┄┄┄┄ (　　　)

대표 자료 분석

자료 ① 유전자 재조합 기술

기출 Point
• 유전자 재조합에 필요한 요소와 과정 알기
• 형질 전환 대장균의 특성 알기

[1~3] 그림은 유전자 재조합 기술을 활용하여 사람의 인슐린을 생산하는 과정을 나타낸 것이다.

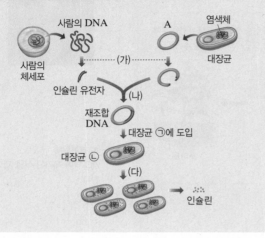

1 (가)와 (나) 과정에 사용되는 효소의 이름을 각각 쓰시오.

2 대장균에서 분리한 A의 이름을 쓰시오.

3 빈출 선택지로 완벽 정리!

(1) A는 인슐린 유전자를 대장균으로 운반하는 역할을 한다. ·· (○ / ×)

(2) 인슐린 유전자와 플라스미드를 자를 때는 같은 제한 효소를 사용한다. ······················· (○ / ×)

(3) ㉠에는 대장균 염색체가 없다. ············· (○ / ×)

(4) ㉡은 사람의 인슐린 유전자를 가진다. ····· (○ / ×)

(5) (다) 과정에는 조직 배양 기술이 활용된다. (○ / ×)

(6) (다) 과정에서 재조합 DNA가 복제된다. (○ / ×)

(7) 이와 같은 방법을 활용하여 복제 동물을 만들 수 있다. ································· (○ / ×)

자료 ② 핵치환

기출 Point
• 핵치환 기술을 활용한 복제 동물의 생산 과정 알기
• 핵치환 기술을 활용하여 태어난 개체의 유전적 특성 알기

[1~3] 그림은 생명 공학 기술을 활용하여 복제 양을 만드는 과정을 나타낸 것이다.

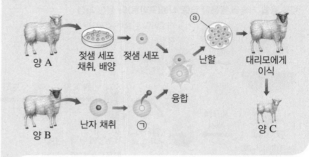

1 다음 ( ) 안에 알맞은 말을 쓰시오.

> C를 만드는 과정에서 A의 젖샘 세포와 B의 무핵 난자를 융합하는 ( ) 기술이 활용되었다.

2 C의 핵에 존재하는 DNA는 A와 B 중 누구의 것과 같은지 쓰시오.

3 빈출 선택지로 완벽 정리!

(1) C는 B를 복제한 것이다. ····················· (○ / ×)

(2) A와 C의 성별은 다르다. ····················· (○ / ×)

(3) ㉠ 과정에서 난자의 핵이 제거되었다. ······· (○ / ×)

(4) 세포 ⓐ의 핵상은 n이다. ···················· (○ / ×)

(5) C의 체세포에는 B에서 유래된 DNA가 없다. ··· (○ / ×)

(6) C는 대리모로부터 DNA를 물려받지 않았다. ··· (○ / ×)

(7) C를 만드는 과정에서 조직 배양 기술이 활용되었다. ··· (○ / ×)

(8) C를 만드는 데 활용된 핵심 생명 공학 기술은 멸종 위기 동물을 보존하는 데에도 활용될 수 있다. (○ / ×)

정답친해 137쪽

내신 만점 문제

A 유전자 재조합 기술

01 그림은 유전자 재조합 기술에 대한 학생들의 설명이다.

> 학생 A: 유용한 유전자와 DNA 운반체를 연결하여 재조합 DNA를 만들지.
>
> 학생 B: 사람의 유전자가 재조합된 DNA는 사람의 세포에만 도입될 수 있어.
>
> 학생 C: 이 기술을 활용하면 형질 전환 생물을 만들 수 있어.

옳게 설명한 학생만을 있는 대로 고른 것은?

① A   ② B   ③ A, B
④ A, C   ⑤ B, C

02 그림은 재조합 DNA를 만드는 과정을 나타낸 것이다. (가) 과정에 효소 X, (나) 과정에 효소 Y가 사용되었으며, X와 Y는 각각 제한 효소와 DNA 연결 효소 중 하나이다.

이에 대한 설명으로 옳은 것만을 [보기]에서 있는 대로 고른 것은?

[보기]
ㄱ. ㉠ 부위의 염기 서열은 5′-GAATTC-3′이다.
ㄴ. X는 다양한 염기 서열 부위를 인식해 DNA를 자른다.
ㄷ. Y는 두 DNA의 말단에서 5′-인산기와 3′-OH기 사이의 공유 결합 형성을 촉매한다.

① ㄱ   ② ㄴ   ③ ㄷ
④ ㄱ, ㄴ   ⑤ ㄴ, ㄷ

03 그림은 인슐린을 생산하는 대장균 X를 만드는 과정이다.

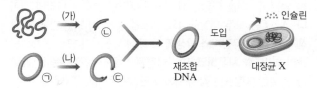

이에 대한 설명으로 옳은 것만을 [보기]에서 있는 대로 고른 것은?

[보기]
ㄱ. (가)와 (나) 과정에는 각기 다른 제한 효소가 사용된다.
ㄴ. ㉠은 플라스미드이며, DNA 운반체로 사용된다.
ㄷ. ㉡과 ㉢ 중 인슐린 유전자는 ㉢이다.
ㄹ. X는 형질 전환 대장균이다.

① ㄱ, ㄴ   ② ㄱ, ㄷ   ③ ㄴ, ㄷ   ④ ㄴ, ㄹ   ⑤ ㄷ, ㄹ

[04~05] 그림은 형질 전환 대장균을 만들어 선별하는 과정을 나타낸 것이다. 플라스미드에는 앰피실린 내성 유전자와 젖당 분해 효소 유전자가 있고, A~C는 대장균이다. X-gal은 젖당 분해 효소에 의해 푸른색을 띠는 물질로 분해된다.

04 이에 대한 설명으로 옳은 것만을 [보기]에서 있는 대로 고른 것은?

[보기]
ㄱ. 숙주 대장균은 젖당 분해 효소를 합성한다.
ㄴ. 선별하여 증식시키고자 하는 대장균은 C이다.
ㄷ. 유용한 유전자는 플라스미드의 앰피실린 내성 유전자 내부에 삽입된다.

① ㄱ   ② ㄴ   ③ ㄷ   ④ ㄱ, ㄴ   ⑤ ㄴ, ㄷ

05 (서술형) A~C 중 재조합되지 않은 플라스미드가 도입된 대장균은 어느 것인지 쓰고, 그렇게 판단한 근거를 한 가지만 서술하시오.

06 그림은 유전자 재조합 기술을 활용하여 형질 전환 대장균을 얻은 후, 이를 다양한 배지에서 배양한 결과를 나타낸 것이다. A~C는 모두 대장균이고, 재조합 플라스미드를 만들 때 항생제 X 내성 유전자와 항생제 Y 내성 유전자가 모두 존재하는 플라스미드를 사용하였으며, 삽입된 유용한 유전자는 한 개이다. 동일한 대장균은 각 배지에서 동일한 위치에 존재한다.

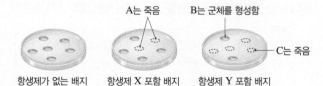

항생제가 없는 배지   항생제 X 포함 배지   항생제 Y 포함 배지

이에 대한 설명으로 옳은 것만을 [보기]에서 있는 대로 고른 것은?

[보기]
ㄱ. 형질 전환 대장균은 B이다.
ㄴ. C는 항생제 X와 Y가 모두 포함된 배지에서 생존하지 못한다.
ㄷ. 재조합 플라스미드에서 유용한 유전자는 항생제 X 내성 유전자 내부에 삽입되었다.

① ㄱ   ② ㄴ   ③ ㄷ
④ ㄱ, ㄴ   ⑤ ㄴ, ㄷ

07 그림은 중합 효소 연쇄 반응(PCR)을 활용하여 DNA를 증폭시키는 과정을 나타낸 것이다.

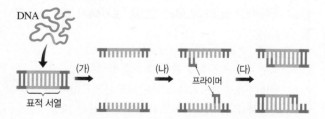

이에 대한 설명으로 옳은 것만을 [보기]에서 있는 대로 고른 것은?

[보기]
ㄱ. (가)에서 DNA 변성이 일어난다.
ㄴ. (가)보다 (나)에서의 온도가 높다.
ㄷ. (다)에서 DNA 중합 효소가 사용된다.

① ㄴ   ② ㄷ   ③ ㄱ, ㄴ
④ ㄱ, ㄷ   ⑤ ㄱ, ㄴ, ㄷ

B 핵치환

08 그림은 체세포를 이용하여 개를 만드는 과정을 나타낸 것이다.

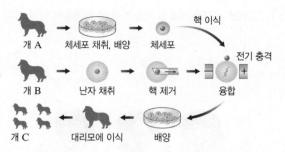

이에 대한 설명으로 옳은 것만을 [보기]에서 있는 대로 고른 것은?

[보기]
ㄱ. A와 C는 핵 DNA의 유전 정보가 같다.
ㄴ. C를 만드는 데 핵치환 기술이 활용되었다.
ㄷ. C는 미토콘드리아 DNA를 A와 B로부터 모두 물려받았다.

① ㄴ   ② ㄷ   ③ ㄱ, ㄴ
④ ㄱ, ㄷ   ⑤ ㄱ, ㄴ, ㄷ

09 그림은 생명 공학 기술을 활용하여 멸종 위기에 처한 동물 X를 복제하기 위한 과정 중 일부를 나타낸 것이다.

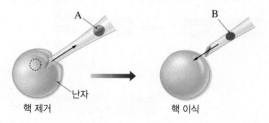

이에 대한 설명으로 옳은 것만을 [보기]에서 있는 대로 고른 것은?

[보기]
ㄱ. A와 B의 핵상은 같다.
ㄴ. B는 동물 X로부터 채취한 체세포의 핵이다.
ㄷ. 이 기술을 활용하면 교배 과정을 거치지 않고 생물을 탄생시킬 수 있다.

① ㄱ   ② ㄴ   ③ ㄷ
④ ㄱ, ㄴ   ⑤ ㄴ, ㄷ

C 조직 배양

10 그림은 당근의 뿌리에서 추출한 세포를 이용한 어떤 생명 공학 기술을 나타낸 것이다.

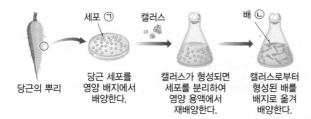

이에 대한 설명으로 옳은 것만을 [보기]에서 있는 대로 고른 것은?

[보기]
ㄱ. 조직 배양 기술이 활용되었다.
ㄴ. ㉠은 분열 조직의 세포이다.
ㄷ. ㉡은 적절한 배양 조건에서 완전한 식물체로 발생할 수 있다.

① ㄱ   ② ㄴ   ③ ㄱ, ㄷ
④ ㄴ, ㄷ   ⑤ ㄱ, ㄴ, ㄷ

11 다음은 생명 공학 기술을 이용한 실험 과정이다.

(가) 식물 X의 뿌리에서 세포 ㉠을 채취한다.
(나) ㉠을 배양하여 ㉡미분화된 조직을 형성하게 한다.
(다) 미분화된 조직의 세포를 분리·배양하여 배가 되게 한다.
(라) 배를 다른 배지로 옮겨 개체가 될 때까지 배양한다.

이에 대한 설명으로 옳은 것만을 [보기]에서 있는 대로 고른 것은?

[보기]
ㄱ. 뿌리의 물관을 구성하는 세포는 형성층을 구성하는 세포보다 ㉠으로 적합하다.
ㄴ. ㉡을 구성하는 세포에는 개체를 형성하는 데 필요한 모든 유전 정보가 들어 있다.
ㄷ. (라)의 결과 식물 X와 유전적으로 동일한 개체를 얻을 수 있다.

① ㄱ   ② ㄴ   ③ ㄱ, ㄴ
④ ㄱ, ㄷ   ⑤ ㄴ, ㄷ

D 세포 융합

12 그림은 포마토를 만드는 과정을 나타낸 것이다.

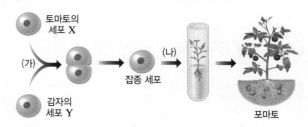

이에 대한 설명으로 옳은 것만을 [보기]에서 있는 대로 고른 것은?

[보기]
ㄱ. 세포 X와 Y는 모두 원형질체이다.
ㄴ. (가)에서는 핵치환 기술, (나)에서는 조직 배양 기술이 활용된다.
ㄷ. 포마토는 토마토와 감자의 특성을 모두 가진다.

① ㄱ   ② ㄷ   ③ ㄱ, ㄴ
④ ㄱ, ㄷ   ⑤ ㄴ, ㄷ

13 표는 생명 공학 기술 (가)~(다)에 대해 설명한 것이다. (가)~(다)는 각각 핵치환 기술, 세포 융합 기술, 조직 배양 기술 중 하나이다.

(가)	어떤 세포에서 핵을 제거한 후, 이 세포에 다른 세포의 핵을 이식한다.
(나)	생물의 세포를 떼어 내어 영양분이 첨가된 인공 배지에서 배양하고 증식시킨다.
(다)	서로 다른 두 종류의 세포를 융합하여 두 세포의 특성을 모두 갖는 새로운 잡종 세포를 만든다.

이에 대한 설명으로 옳은 것만을 [보기]에서 있는 대로 고른 것은?

[보기]
ㄱ. (가)는 핵치환 기술이다.
ㄴ. (나)를 활용하여 식물 복제가 가능하다.
ㄷ. 무추를 만드는 데 (다)가 활용된다.

① ㄱ   ② ㄷ   ③ ㄱ, ㄴ
④ ㄴ, ㄷ   ⑤ ㄱ, ㄴ, ㄷ

02 생명 공학 기술의 활용과 전망

핵심 포인트
Ⓐ 단일 클론 항체의 생산 과정과 활용 ★★★
유전자 치료 과정 ★★
줄기세포의 종류와 특성 ★★
Ⓑ 유전자 변형 생물체의 정의와 활용 사례 ★★
Ⓒ 생명 공학 기술의 활용에 따른 문제점 ★

Ⓐ 생명 공학 기술을 활용한 난치병 치료

우리 몸에 병원체가 침입하면 면역 세포는 항체를 만들어 우리 몸을 방어합니다. 보통 토끼나 쥐와 같은 동물에 항원을 주입한 후 혈청을 채취해 항체를 얻는데, 이 방법은 많은 양의 항체를 얻지 못하며 다양한 항체가 섞여 있어서 특정 항체만 선별하기 어렵다는 단점이 있습니다. 이를 해결하기 위해 하나의 항원만을 인식하는 단일 클론 항체를 생산합니다. 단일 클론 항체에 대해 자세히 알아볼까요?

1. 단일 클론 항체 하나의 ❶클론에서 만들어지는 한 종류의 항체로, 모두 구조가 동일하여 한 가지 항원 결정기에만 특이적으로 결합한다.

(1) 단일 클론 항체의 생산: B 림프구와 암세포를 융합하여 잡종 세포를 만든 후, 이 잡종 세포를 분리 배양하면 단일 클론 항체를 얻을 수 있다.

★ **hCG(human Chorionic Gonadotropin)**
임신한 여성의 태반에서 분비되는 호르몬이다. 난소 안에 있는 황체의 퇴화를 억제해 임신 상태를 유지시킨다.

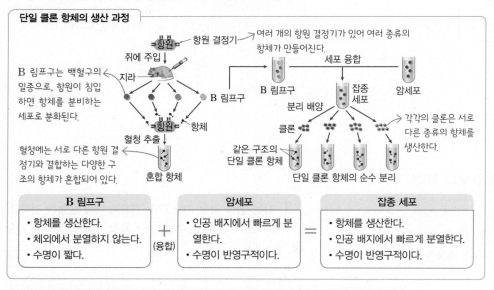

단일 클론 항체의 생산 과정

B 림프구		암세포		잡종 세포
• 항체를 생산한다. • 체외에서 분열하지 않는다. • 수명이 짧다.	+ (융합)	• 인공 배지에서 빠르게 분열한다. • 수명이 반영구적이다.	=	• 항체를 생산한다. • 인공 배지에서 빠르게 분열한다. • 수명이 반영구적이다.

용어
❶ **클론(clone)** 세포 하나에서 유래되어 유전 정보가 같은 세포 집단이다.
❷ **표적 항암제(標 표할, 的 과녁, 抗 겨룰, 癌 암, 劑 약제)** 기존의 항암제와 달리 정상 세포에는 영향을 미치지 않으면서 암세포에만 결합해 암세포만 선택적으로 제거하는 약제이다.

(2) 단일 클론 항체의 활용: 질병의 진단과 치료, 임신 진단 키트 등에 활용된다.
└ 간염, 후천성 면역 결핍증(AIDS), 말라리아, 각종 암 등을 진단할 수 있다.

단일 클론 항체를 활용한 암 치료
특정 암세포에만 결합하는 단일 클론 항체에 항암제를 부착하여 ❷표적 항암제를 만든 후 환자에게 투여한다. ➡ 표적 항암제가 특정 암세포만 파괴하여 정상 세포의 손상을 최소화한다.

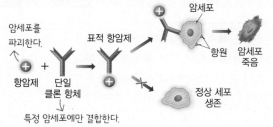

천재, 지학사 교과서에만 나와요.

단일 클론 항체를 활용한 임신 진단 키트
임신 초기에 오줌에 섞여 배설되는 호르몬인 ★hCG와 결합하는 단일 클론 항체를 이용한다. ➡ 임신이 된 경우에는 hCG−hCG 항체 복합체의 hCG가 키트의 특정 부위에 결합하여 띠가 나타나지만, 임신이 되지 않은 경우에는 띠가 나타나지 않는다.

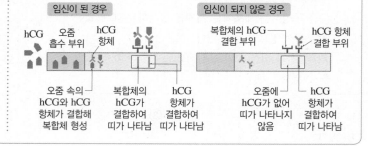

2. *유전자 치료

유전적으로 결함이 있는 사람에게 정상 유전자를 넣어 이상이 있는 유전자를 대체하거나 정상 단백질이 합성되게 함으로써 질병을 치료하는 방법이다.

(1) 유전자 치료 과정

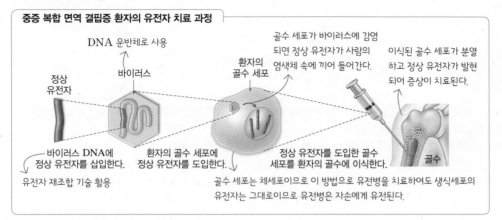

중증 복합 면역 결핍증 환자의 유전자 치료 과정

정상 유전자 → 바이러스 (DNA 운반체로 사용)

바이러스 DNA에 정상 유전자를 삽입한다.
└ 유전자 재조합 기술 활용

환자의 골수 세포에 정상 유전자를 도입한다.

환자의 골수 세포

골수 세포가 바이러스에 감염되면 정상 유전자가 사람의 염색체 속에 끼어 들어간다.

정상 유전자를 도입한 골수 세포를 환자의 골수에 이식한다.

이식된 골수 세포가 분열하고 정상 유전자가 발현되어 증상이 치료된다.

골수

골수 세포는 체세포이므로 이 방법으로 유전병을 치료하여도 생식세포의 유전자는 그대로이므로 유전병은 자손에게 유전된다.

(2) 유전자 치료의 활용: 암, 유전병과 같은 난치병을 유전자 수준에서 치료할 수 있다.

3. 줄기세포

몸을 구성하는 다양한 종류의 세포로 분화할 수 있는 미분화 세포이다.

(1) 줄기세포의 종류와 특성
└ 근육 세포, 신경 세포, 혈구, 간세포 등

구분	*배아 줄기세포	성체 줄기세포	유도 만능 줄기세포
생성 방법	발생 초기의 배아에서 얻는다.	탯줄의 혈액이나 성체의 골수 등에서 얻는다.	성체의 체세포를 역분화시켜 얻는다. 역분화 줄기세포라고도 한다.
장점	• 인체를 구성하는 모든 세포로 분화할 수 있다. • *복제 배아 줄기세포를 만들 수 있다.	환자 자신의 세포를 사용하므로 생명 윤리적인 문제가 없고, 면역 거부 반응이 없다.	• 다양한 세포로 분화할 수 있다. • 환자 자신의 세포를 사용하므로 생명 윤리적인 문제가 없고, 면역 거부 반응이 없다.
단점	발생 중인 배아를 희생시켜야 하고, 난자를 사용해야 하므로 생명 윤리적인 문제가 발생한다.	배아 줄기세포에 비해 증식이 어렵고, 분화될 수 있는 세포의 종류가 제한적이다.	체세포를 역분화시키는 과정에서 유전자 변이가 일어날 수 있다.

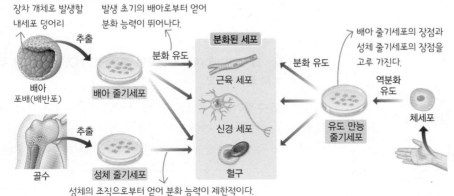

장차 개체로 발생할 내세포 덩어리 / 발생 초기의 배아로부터 얻어 분화 능력이 뛰어나다.

추출 → 배아 줄기세포 → (분화 유도) → **분화된 세포** (근육 세포, 신경 세포, 혈구)

배아 포배(배반포)

골수 → 추출 → 성체 줄기세포
성체의 조직으로부터 얻어 분화 능력이 제한적이다.

배아 줄기세포의 장점과 성체 줄기세포의 장점을 고루 가진다.

분화 유도 → 유도 만능 줄기세포 ← 역분화 유도 ← 체세포

(2) 줄기세포의 활용: 줄기세포를 특정한 세포로 분화시켜 손상된 조직이나 기관을 회복시킴으로써 난치병을 치료할 수 있다.
└ 성체 줄기세포는 척수 손상, 관절염 등과 같은 질환의 치료에 활용하고 있으며, 배아 줄기세포나 유도 만능 줄기세포는 종양이 발생할 가능성이 있어 연구가 진행 중이다.

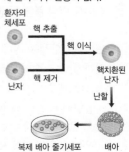

개념 확인 문제

정답친해 140쪽

핵심 체크

- (❶   ): 하나의 클론에서 만들어지는 한 종류의 항체로, 모두 구조가 동일하여 한 가지 항원 결정기에만 특이적으로 결합한다.
- 단일 클론 항체의 생산

B 림프구		(❸)		잡종 세포
• (❷)를 생산한다. • 체외에서는 분열하지 않는다. • 수명이 짧다.	+ (융합)	• 인공 배지에서 빠르게 분열한다. • 수명이 반영구적이다.	=	• (❹)를 생산한다. • 인공 배지에서 빠르게 분열한다. • 수명이 반영구적이다.

- (❺   ): 유전적으로 결함이 있는 사람에게 정상 유전자를 넣어 이상이 있는 유전자를 대체하거나 정상 단백질을 생산하게 함으로써 질병을 치료하는 방법이다.
- 줄기세포: 몸을 구성하는 다양한 종류의 세포로 분화할 수 있는 능력을 가진 미분화 세포이다.
  - (❻   ) 줄기세포: 발생 초기의 배아에서 얻으며, 인체를 구성하는 모든 세포로 분화할 수 있다.
  - (❼   ) 줄기세포: 탯줄의 혈액이나 성체의 골수 등에서 얻으며, 분화될 수 있는 세포의 종류가 제한적이다.
  - (❽   ) 줄기세포: 성체의 체세포를 역분화시켜 얻으며, 면역 거부 반응이 일어나지 않는다.

1 단일 클론 항체에 대한 설명으로 옳은 것은 ○, 옳지 않은 것은 ×로 표시하시오.

(1) 하나의 잡종 세포가 증식하여 형성된 집단에서 만들어지는 항체이다. ────────────── (   )

(2) 서로 다른 항원 결정기에 결합하는 다양한 구조의 항체로 구성된다. ──────────── (   )

(3) 세포 융합 기술을 활용하여 B 림프구와 항원을 융합시켜 만든다. ──────────── (   )

(4) 이를 활용하면 암, 간염, 말라리아 등의 질병을 신속하고 정확하게 진단할 수 있다. ────────── (   )

2 다음은 단일 클론 항체의 생산에 대한 설명이다.

> 단일 클론 항체는 항체를 생산하지만 생명체 밖에서는 분열하지 않고 수명이 짧은 ㉠(   )와(과) 인공 배지에서 빠르게 분열하며 수명이 반영구적인 ㉡(   )을(를) 융합시켜 만든 잡종 세포로부터 얻는다.

(   ) 안에 알맞은 말을 쓰시오.

3 다음은 어떤 질병을 치료하는 과정을 나타낸 것이다.

> (가) 정상 유전자를 DNA 운반체인 바이러스의 DNA에 삽입한다.
> (나) 정상 유전자를 가진 바이러스를 환자의 골수 세포에 감염시킨다.
> (다) 정상 유전자가 도입된 골수 세포를 환자의 골수에 이식한다.

이러한 질병 치료 방법의 이름을 쓰시오.

4 줄기세포에 대한 설명으로 옳은 것은 ○, 옳지 않은 것은 ×로 표시하시오.

(1) 수정란으로부터 얻은 배아 줄기세포는 환자에게 이식하였을 때 면역 거부 반응이 없다. ────────── (   )

(2) 복제 배아 줄기세포를 만들 때 핵치환 기술이 활용된다. ──────────────────── (   )

(3) 모든 줄기세포는 인체의 모든 세포로 분화할 수 있는 능력이 있다. ──────────── (   )

(4) 유도 만능 줄기세포를 만드는 과정에는 난자가 필요하다. ────────────────── (   )

B 유전자 변형 생물체의 개발과 활용

○─→ 주로 유전자 재조합 기술이 활용된다.

1. 유전자 변형 생물체(LMO) 생명 공학 기술을 활용하여 만들어진 새로운 조합의 유전 물질을 가진 생물체(동물, 식물, 미생물)이다. ➡ 기존의 번식 방법으로는 나타날 수 없는 형질이나 유전자를 가지도록 개발되어 식량, 의약, 환경, 에너지, 축산, 바이오 산업 등에서 폭넓게 활용될 것으로 기대된다.

> **LMO와 GMO**
> · LMO(Living Modified Organisms): 유전자 변형 생물체로서, 생식과 번식이 가능한 생물 그 자체를 말한다.─→ 살아 있는 생물체임을 강조하는 용어이다.
> · GMO(Genetically Modified Organisms): LMO뿐 아니라 LMO로 만든 식품이나 가공물까지 모두 포함한다. ➡ LMO는 GMO의 한 부분이다.─→ 우리나라에서는 LMO와 GMO를 구분 없이 사용하고 있다.

2. 유전자 변형 생물체(LMO)를 만드는 일반적인 방법

형질 전환 식물	형질 전환 동물
특정 세균을 DNA 운반체로 사용하거나 *유전자총을 사용하여 식물 세포에 유용한 유전자를 도입하고 조직 배양하여 만든다.	유용한 유전자를 난자나 수정란에 직접 주입하여 동물의 유전체에 유용한 유전자를 도입하고 포배까지 발생시킨 후 자궁에 착상시켜 만든다.

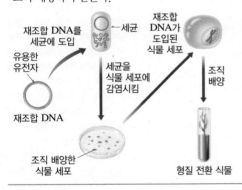

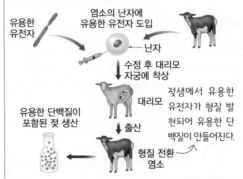

3. 유전자 변형 생물체(LMO)의 활용 사례

(1) 생산성이 높고 품질이 향상된 식량 자원을 개발한다. 예 잘 무르지 않는 토마토, 제초제 저항성 콩, 병충해에 강한 옥수수, 비타민 A 강화 황금쌀, 생장 속도가 빠른 슈퍼 연어

(2) 의학적으로 유용한 물질을 대량으로 생산하는 생물을 개발한다. 예 사람의 인슐린이나 생장 호르몬을 생산하는 세균, 사람의 혈액 응고 단백질을 젖으로 분비하는 염소

(3) 폐기물의 오염을 줄이고 오염 물질을 분해하는 생물을 개발한다. 예 카드뮴이나 납 등의 중금속을 흡수하는 식물, 기름이나 독성 유기 화합물을 분해하는 세균

(4) 화석 연료를 대체할 수 있는 바이오 연료나 신재생 에너지를 생산한다. 예 *바이오 연료를 생산하기 위한 바이오 에탄올용 고구마, 세포벽이 쉽게 분해되는 작물, 당을 에탄올로 바꾸는 데 필요한 효소를 대량 생산하는 미생물

★ 유전자총
유용한 유전자를 미세한 텅스텐 또는 금 입자에 바른 후 세포에 발사하여 유전자를 세포 안으로 도입시키는 기구이다.

★ 바이오 연료
동식물이나 미생물이 생산한 유기물로부터 얻는 연료로, 바이오 에탄올, 바이오 디젤, 메테인 가스 등이 있다.

4. 유전자 변형 생물체(LMO)의 양면성

긍정적인 면	구분	부정적인 면
병충해에 강하고 수확량이 많은 품종을 얻을 수 있어 식량 문제를 해결할 수 있다.	식량	LMO로 만든 식품의 인체에 대한 안전성이 충분히 검증되지 않아 독성이나 알레르기를 유발할 가능성이 있다.
제초제, 살충제 등의 사용을 감소시켜 환경 오염을 줄일 수 있다.	환경	LMO에 도입된 유전자가 다른 생물에게 전이되어 의도하지 않은 형질을 가진 생물이 출현할 경우 생태계가 교란될 수 있다. └ 예 제초제 저항성을 가진 슈퍼 잡초
생산비를 절감하고 적은 노동력으로 수확량을 늘릴 수 있어 농가 소득이 향상된다.	농업	• 단일 품종의 LMO 작물을 대규모로 재배하면 생물 다양성이 감소할 수 있다. • 해충을 죽이는 독소 유전자가 재조합된 작물에 의해 다른 곤충이 피해를 입을 수 있다.
사람에게 유용한 의약품(호르몬, 항체 등)을 대량으로 생산할 수 있다.	의료	LMO가 특허 대상이 되면 이에 대한 권리를 소수 기업이 독점하여 질병 치료에 많은 비용을 지불해야 하는 문제가 발생할 수 있다.

C 생명 공학의 전망과 과제

1. 생명 공학의 전망 생명 공학 기술의 발달은 여러 학문 분야와의 관계 속에서 인류의 생활 향상에 크게 기여하였으며, 기술의 활용에 따른 문제점을 최소화한다면 인간의 난치병 치료뿐만 아니라 수명 연장 및 건강한 노후 생활을 가능하게 할 것으로 기대된다.

2. 생명 공학 기술의 활용에 따른 문제점

생태학적 문제	• LMO로 만든 식품의 안정성이 충분히 검증되지 않아 인류의 건강을 위협할 수 있다. • LMO에 도입된 유전자의 전이로 새로운 변형 생물체가 나타나면 생태계가 교란될 수 있다. • 단일 품종의 LMO 작물을 대규모로 재배하면 생물 다양성이 감소하여 생태계 평형이 파괴될 가능성이 있다.
법적 문제	특정 유전자나 LMO가 특허 대상이 되어 이를 소수 기업이 독점하게 될 경우 유전자 사용에 대한 법적 분쟁이 생길 수 있다.
사회적 문제	• LMO에 대한 특허가 인정되어 소수 기업에 의해 LMO가 공급되면 질병 치료나 식량 구입에 많은 비용을 지불하게 되어 빈부 계층 간의 갈등이 심화될 수 있다. • 생명 공학 기술의 무분별한 활용은 생명을 목적이 아닌 수단으로 여기게 되어 생명 경시 풍조가 만연해질 수 있다.
윤리적 문제	• 핵치환 기술의 발달로 인한 장기 이식용 복제 동물의 생산은 생명의 존엄성을 훼손할 수 있고, 인간 복제로 이어질 가능성이 있다. • 배아 줄기세포의 생산을 위한 배아와 난자의 사용은 생명을 경시하고 인간의 존엄성을 훼손하며, 인간 복제의 가능성을 높인다. • 유전자 가위를 활용한 맞춤형 아기를 탄생시킬 수 있어 생명 윤리 논쟁을 불러일으킨다.

3. 생명 공학 기술의 과제

(1) *생명 공학의 연구 범위와 생명 윤리를 규정하는 법적·제도적 장치들을 통해 생명 공학 기술을 올바르게 활용하도록 지속적으로 규제하고 관리해야 한다.

(2) *올바른 생명 윤리를 바탕으로 공동체 구성원의 생명 공학 기술에 대한 인식을 높이고, 생명 공학 기술의 활용 범위를 사회적으로 합의하는 것이 필요하다.

LMO의 안전성은 어떻게 관리되고 있나요?
2000년 LMO 안전성에 관한 국제적 협약인 '바이오 안전성 의정서'를 체결하여 LMO를 철저하게 관리하고 있다. 또한 LMO로 만든 식품들은 까다로운 검증 절차를 거쳐서 독성과 알레르기 반응, 유전자적 안정성, 영양학적 변화, 유전자 이식에 따른 예기치 못한 위해성 등을 과학적으로 검증하고 있다.

★ **생명 공학의 연구 범위와 생명 윤리를 규정하는 법률과 협약**
• 생명 윤리법(생명 윤리 및 안전에 관한 법률): 인간, 배아, 유전자 등을 연구할 때 인간의 존엄과 가치를 침해하거나 인체에 해를 끼치는 것을 막고, 생명 공학 기술이 인간의 질병 예방 및 치료에 한해 이용되도록 규정하여 생명 윤리 및 안전을 확보하고자 제정된 법률이다.
• 아실로마 합의: 유전자 재조합 실험의 기준을 마련하였다. (예 실험실 밖에서는 생존할 수 없는 생명체에 대해서만 실험한다. 인간에게 들어와 활동할 가능성이 있는 유전자는 실험하지 않는다.)
• 바이오 안전성 의정서: 유전자 변형 생물체의 국가 간 이동을 규제하는 국제 협약이다.

★ **올바른 생명 윤리의 확립**
모든 생명은 존귀하며 수단이 아닌 그 자체로서의 목적성을 가진다는 것을 인식하고, 인간과 자연의 동반자적 관계가 바탕이 된 올바른 생명 윤리가 확립되어야 한다.

개념 확인 문제

정답친해 140쪽

핵심 체크

- (❶): 생명 공학 기술을 활용하여 만들어진 새로운 조합의 유전 물질을 가진 생물체
  예 병충해에 강한 옥수수, 제초제 저항성 콩, 사람의 인슐린을 생산하는 세균, 기름을 분해하는 세균
- 유전자 변형 생물체의 양면성
  - 긍정적인 면: 식량 문제 해결, 환경 문제 해결, 농가 소득 향상, 질병 치료 등
  - 부정적인 면: LMO 식품의 인체에 대한 (❷)이 충분히 검증되지 않음, LMO에 도입된 유전자가 다른 생물에게 전달될 가능성, 단일 품종 LMO의 대규모 재배로 인한 생물 다양성 감소 등
- 생명 공학 기술의 활용에 따른 문제점: LMO의 재배로 인한 생태계 파괴 가능성, 소수 기업에 의한 특정 유전자나 LMO에 대한 권리 독점, 동물 복제가 (❸)로 이어질 가능성, (❹)의 사용으로 인한 생명 경시 및 인간의 존엄성 훼손, 맞춤형 아기의 탄생 가능성 등
- 생명 공학 기술의 과제: 생명 윤리법 등을 통한 생명 공학의 연구 범위와 생명 윤리의 제도적 규정, 올바른 생명 윤리의 확립, 생명 공학 기술에 대한 인식 확대, 생명 공학 기술의 활용 범위에 대한 사회적 합의 등

1 유전자 변형 생물체(LMO)에 대한 설명으로 옳은 것은 ○, 옳지 않은 것은 ×로 표시하시오.

(1) 세포 융합 기술을 활용하여 만들어진 생물체만을 의미한다. ──────────── ( )
(2) 다른 생물종의 유용한 유전자를 가지며, 생물체 내에서 이 유전자가 발현된다. ──────────── ( )
(3) 환경 문제와 에너지 문제를 해결하는 데에는 활용되지 못한다. ──────────── ( )
(4) 유전자 변형 옥수수로 만든 통조림은 LMO에 해당한다. ──────────── ( )

2 활용 사례에 해당하는 유전자 변형 생물체로 옳은 것만을 [보기]에서 고르시오.

[보기]
ㄱ. 독성 물질을 분해하는 세균
ㄴ. 생장 속도가 빠르고 크게 자라는 연어
ㄷ. 사람의 혈액 응고 단백질을 젖으로 분비하는 염소

(1) 생산성이 높은 식량 자원을 개발한다.
(2) 환경 오염 물질을 분해하는 생물을 개발한다.
(3) 의학적으로 유용한 물질을 대량으로 생산하는 생물을 개발한다.

3 생명 공학 기술의 활용에 따른 문제점에 대한 설명으로 옳은 것은 ○, 옳지 않은 것은 ×로 표시하시오.

(1) 질병 치료, 식량 증산을 통한 기아 문제 해결 등에 활용될 수 있다. ──────────── ( )
(2) 동물 복제가 인간 복제로 이어지면 인간의 존엄성이 훼손될 수 있다. ──────────── ( )
(3) LMO로 만든 식품은 모두 안전성이 충분히 검증되어 건강 증진에 도움을 준다. ──────────── ( )
(4) 특정 유전자나 LMO가 특허 대상이 되면 유전자 사용에 대한 법적 분쟁이 생길 수 있다. ──── ( )

4 다음은 생명 공학 기술의 올바른 활용을 위한 과제에 대한 설명이다.

- 우리나라에서는 인간, 배아, 유전자 등을 연구할 때 인간의 존엄과 가치를 침해하거나 인체에 위해를 끼치는 것을 방지하기 위해 ㉠( )이 제정되어 있다.
- 모든 생명은 존귀하며 수단이 아닌 그 자체로서의 목적성을 가진다는 것을 인식하고, 인간과 자연의 동반자적 관계가 바탕이 된 올바른 ㉡( )가 확립되어야 한다.

( ) 안에 알맞은 말을 쓰시오.

대표 자료 분석

학교 시험에 자주 출제되는 대표 자료와 그 자료에 대한 문제를 통해 자료를 완벽하게 이해할 수 있다.

자료 1 단일 클론 항체

기출 Point
- 단일 클론 항체의 생산 과정 알기
- B 림프구, 암세포, 잡종 세포의 특성 알기
- 단일 클론 항체의 생산에 활용되는 생명 공학 기술 알기

[1~3] 그림은 단일 클론 항체를 만드는 과정을 나타낸 것이다.

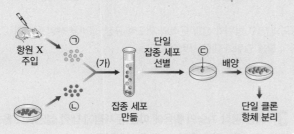

1 ㉠~㉢ 중 항체를 생산하는 세포를 있는 대로 쓰시오.

2 (가) 과정에서 활용된 생명 공학 기술의 이름을 쓰시오.

3 빈출 선택지로 완벽 정리!

(1) 인공 배지에서의 세포 분열 속도는 ㉠보다 ㉢이 빠르다. ······ (○ / ×)

(2) ㉡과 ㉢에 각각 존재하는 DNA에 저장된 유전 정보는 모두 같다. ······ (○ / ×)

(3) (가) 과정에서 활용된 생명 공학 기술은 토마토와 감자의 특성을 모두 갖는 식물을 만드는 데에도 활용된다. ······ (○ / ×)

(4) 단일 클론 항체를 만들 때 조직 배양 기술은 활용되지 않는다. ······ (○ / ×)

(5) 이 방법으로 만든 단일 클론 항체는 항원 X에 특이적으로 결합한다. ······ (○ / ×)

자료 2 유전자 치료

기출 Point
- 유전자 치료의 과정과 방법 알기
- 유전자 치료의 효과 알기

[1~3] 그림은 정상 유전자를 환자의 골수 세포에 도입하는 방법으로 유전병을 치료하는 과정을 나타낸 것이다.

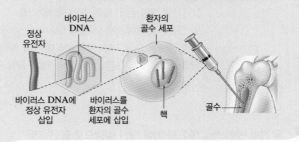

1 정상 유전자를 바이러스 DNA에 삽입하는 데 활용된 생명 공학 기술의 이름을 쓰시오.

2 이와 같은 유전자 치료 방법은 체내 유전자 치료, 체외 유전자 치료, 유전자 가위 중 어느 것에 해당하는지 쓰시오.

3 빈출 선택지로 완벽 정리!

(1) 바이러스는 정상 유전자의 운반체이다. ······ (○ / ×)

(2) 바이러스 DNA에 삽입하는 유전자는 환자에게서 추출한다. ······ (○ / ×)

(3) 바이러스가 삽입된 골수 세포를 환자의 골수에 이식하면 면역 거부 반응이 일어날 수 있다. ······ (○ / ×)

(4) 바이러스가 삽입된 골수 세포는 정상 유전자를 가진다. ······ (○ / ×)

(5) 환자의 체내에서 정상 유전자가 발현되면 치료 효과가 나타난다. ······ (○ / ×)

(6) 이 방법으로 치료한 환자는 자손에게 유전병을 물려주지 않는다. ······ (○ / ×)

348   Ⅵ-1. 생명 공학 기술

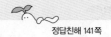
정답친해 141쪽

자료 3 줄기세포

기출 Point
• 줄기세포의 종류와 생산 과정 알기
• 각 줄기세포의 특성과 문제점 알기

[1~3] 그림은 줄기세포 A~D를 얻는 과정을 각각 나타낸 것이다.

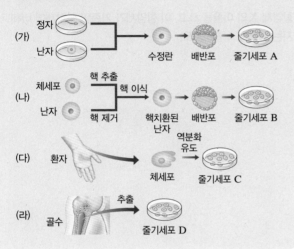

(가) 정자, 난자 → 수정란 → 배반포 → 줄기세포 A

(나) 체세포 핵 추출, 난자 핵 제거 → 핵 이식 → 핵치환된 난자 → 배반포 → 줄기세포 B

(다) 환자 → 체세포 → 역분화 유도 → 줄기세포 C

(라) 골수 추출 → 줄기세포 D

1 A~D의 이름을 각각 쓰시오.

2 A~D를 이용하여 만든 장기를 환자에게 이식하였을 때 면역 반응이 일어나지 않는 줄기세포의 기호를 있는 대로 쓰시오.

3 빈출 선택지로 [완벽 정리!]

(1) A는 인체의 모든 세포로 분화할 수 있다. (○ / ×)
(2) B를 만드는 데 유전자 재조합 기술이 활용된다. .... (○ / ×)
(3) B를 개체로 발생시키면 인간 복제가 가능하다. .... (○ / ×)
(4) C의 핵상은 n이다. .... (○ / ×)
(5) D는 특정 세포로만 분화할 수 있다는 한계가 있다. .... (○ / ×)
(6) C와 D의 활용은 생명 윤리적인 문제가 발생한다. .... (○ / ×)

자료 4 유전자 변형 생물체(LMO)

기출 Point
• 유전자 변형 생물체의 생산 과정 알기
• 유전자 변형 생물체의 생산에 활용되는 생명 공학 기술 알기

[1~3] 무른 토마토는 토마토의 껍질을 연하게 만드는 효소 X를 가지고 있다. 그림은 효소 X 유전자의 발현을 억제하는 유전자 A를 활용하여 무르지 않는 토마토를 만드는 과정을 나타낸 것이다.

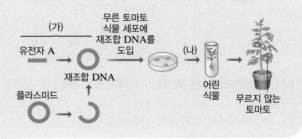

유전자 A, 플라스미드 (가) → 재조합 DNA → 무른 토마토 식물 세포에 재조합 DNA를 도입 → (나) → 어린 식물 → 무르지 않는 토마토

1 무른 토마토와 무르지 않는 토마토 중 유전자 변형 생물체를 쓰시오.

2 (가)와 (나) 과정에서 활용된 생명 공학 기술의 이름을 각각 쓰시오.

3 빈출 선택지로 [완벽 정리!]

(1) 단위 무게당 효소 X의 양은 무르지 않는 토마토가 무른 토마토보다 많다. .... (○ / ×)
(2) (가) 과정에서 제한 효소와 DNA 연결 효소가 모두 사용된다. .... (○ / ×)
(3) (가) 과정에서 플라스미드는 DNA 운반체로 사용된다. .... (○ / ×)
(4) (가) 과정에서 유전자 A와 플라스미드는 서로 다른 종류의 제한 효소에 의해 잘려야 한다. ..... (○ / ×)
(5) (나) 과정에서 형질 전환 세포가 배양된다. .... (○ / ×)
(6) (나) 과정에서 생식세포 분열이 일어난다. (○ / ×)
(7) 어린 식물은 LMO에 해당한다. .... (○ / ×)

A 생명 공학 기술을 활용한 난치병 치료

01 그림은 단일 클론 항체의 생산 과정을 나타낸 것이다.

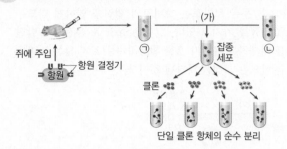

쥐에 주입 ↑ 항원 결정기
항원
(가)
㉠
잡종 세포
㉡
클론
단일 클론 항체의 순수 분리

이에 대한 설명으로 옳은 것만을 [보기]에서 있는 대로 고른 것은?

[보기]
ㄱ. (가) 과정에서 세포 융합 기술이 활용된다.
ㄴ. ㉠은 항체를 생산한다.
ㄷ. ㉡과 잡종 세포는 모두 수명이 반영구적이다.

① ㄱ   ② ㄷ   ③ ㄱ, ㄴ
④ ㄴ, ㄷ   ⑤ ㄱ, ㄴ, ㄷ

02 그림은 임신한 여성의 오줌에 포함된 호르몬인 hCG를 검출하여 임신 여부를 진단해 주는 키트를 나타낸 것이다. (가)와 (나)는 각각 임신이 된 경우와 되지 않은 경우 중 하나이며, 단일 클론 항체를 활용한다.

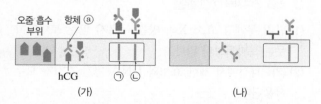

오줌 흡수 부위   항체 ⓐ
hCG   ㉠ ㉡
(가)   (나)

이에 대한 설명으로 옳은 것만을 [보기]에서 있는 대로 고른 것은?

[보기]
ㄱ. ⓐ는 hCG에 대한 단일 클론 항체이다.
ㄴ. ㉠의 띠는 임신한 여성에서만 나타난다.
ㄷ. ㉡의 띠는 hCG가 ⓐ와 결합한 경우에만 나타난다.

① ㄱ   ② ㄷ   ③ ㄱ, ㄴ
④ ㄴ, ㄷ   ⑤ ㄱ, ㄴ, ㄷ

03 그림은 단일 클론 항체를 활용하여 만든 항암제 X의 작용을 나타낸 것이다.

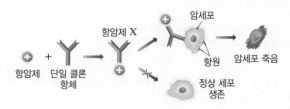

항암제 단일 클론 항체
항암제 X
암세포
항원
암세포 죽음
정상 세포 생존

항암제 X의 이름을 쓰고, 이 항암제가 기존의 항암제에 비해 가지는 장점을 서술하시오.

04 그림은 유전자 X가 결핍된 유전병 환자를 대상으로 한 유전자 치료 과정을 나타낸 것이다.

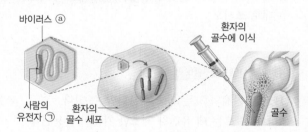

바이러스 ⓐ
사람의 유전자 ㉠
환자의 골수 세포
환자의 골수에 이식
골수

이에 대한 설명으로 옳은 것만을 [보기]에서 있는 대로 고른 것은?

[보기]
ㄱ. ⓐ는 DNA 운반체로 사용된다.
ㄴ. ㉠은 이 환자의 자녀에게 전달된다.
ㄷ. ㉠은 골수 세포 안에서 유전자 X의 발현을 억제하는 기능을 한다.

① ㄱ   ② ㄴ   ③ ㄷ
④ ㄱ, ㄴ   ⑤ ㄴ, ㄷ

05 표는 유전자 치료 방법 (가)~(다)에 대해 설명한 것이다. (가)~(다)는 각각 체내 유전자 치료, 체외 유전자 치료, 유전자 가위 중 하나이다.

(가)	정상 유전자가 포함된 DNA 운반체를 환자에게 직접 투여한다.
(나)	DNA에서 이상이 있는 부위를 잘라 내고 정상 유전자가 포함된 새로운 부위로 교체한다.
(다)	환자로부터 세포 X를 추출하여 여기에 정상 유전자를 도입한 후 이 세포를 환자에게 다시 투여한다.

이에 대한 설명으로 옳은 것만을 [보기]에서 있는 대로 고른 것은?

[보기]
ㄱ. (가)는 체외 유전자 치료이다.
ㄴ. 재조합 DNA를 만드는 데 (나)가 활용될 수 있다.
ㄷ. (다)에서 X는 비정상 세포이다.

① ㄱ ② ㄴ ③ ㄱ, ㄴ
④ ㄱ, ㄷ ⑤ ㄴ, ㄷ

06 그림은 줄기세포 A와 B를 얻는 과정을 각각 나타낸 것이다. A와 B은 각각 성체 줄기세포와 유도 만능 줄기세포 중 하나이다.

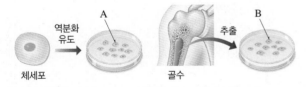

이에 대한 설명으로 옳은 것만을 [보기]에서 있는 대로 고른 것은?

[보기]
ㄱ. A는 환자에게 이식할 경우 면역 거부 반응이 일어난다.
ㄴ. A와 B는 모두 분화되지 않은 상태로 배지에서 증식할 수 있다.
ㄷ. A보다 B가 인체를 구성하는 더 다양한 종류의 세포로 분화될 수 있다.

① ㄱ ② ㄴ ③ ㄱ, ㄴ
④ ㄱ, ㄷ ⑤ ㄴ, ㄷ

07 서술형 그림은 어떤 줄기세포를 얻는 과정을 나타낸 것이다.

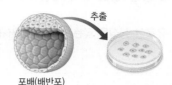

포배(배반포)

이 줄기세포의 이름을 쓰고, 이 줄기세포를 활용할 경우 나타날 수 있는 문제점을 그 까닭을 포함하여 한 가지만 서술하시오.

08 그림은 A와 B 두 사람으로부터 추출한 세포를 이용하여 줄기세포를 만드는 과정을 나타낸 것이다.

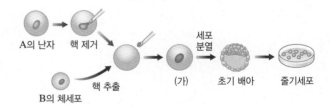

이에 대한 설명으로 옳은 것만을 [보기]에서 있는 대로 고른 것은?

[보기]
ㄱ. (가)는 유전자 재조합 기술에 의해 만들어졌다.
ㄴ. 복제 배아 줄기세포를 만드는 과정이다.
ㄷ. 이 줄기세포로부터 만들어진 장기를 B에게 이식하면 면역 거부 반응이 일어나지 않는다.

① ㄱ ② ㄷ ③ ㄱ, ㄴ
④ ㄱ, ㄷ ⑤ ㄴ, ㄷ

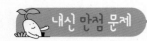

B 유전자 변형 생물체의 개발과 활용

09 다음은 유용한 형질을 갖는 생물체 (가)~(다)를 나타낸 것이다.

> (가) 비타민 A가 강화된 황금쌀
> (나) 사람의 혈액 응고 단백질을 젖으로 분비하는 염소
> (다) 독성 유기 화합물을 분해하는 세균

이에 대한 설명으로 옳은 것만을 [보기]에서 있는 대로 고른 것은?

┌─[보기]─────────────────────────
│ ㄱ. (가)~(다)는 모두 LMO에 해당한다.
│ ㄴ. (나)는 다른 생물종의 유전자를 가지지 않는다.
│ ㄷ. (다)는 환경 문제를 해결하는 데 활용할 수 있다.
└───────────────────────────

① ㄴ   ② ㄷ   ③ ㄱ, ㄴ
④ ㄱ, ㄷ   ⑤ ㄴ, ㄷ

10 그림은 LMO와 GMO 사이의 관계를 나타낸 것이다. (가)와 (나)는 각각 LMO와 GMO 중 하나이고, A와 B는 각각 유전자 변형 옥수수와 유전자 변형 옥수수 통조림 중 하나이다.

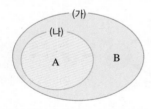

이에 대한 설명으로 옳은 것만을 [보기]에서 있는 대로 고른 것은?

┌─[보기]─────────────────────────
│ ㄱ. (가)는 LMO이다.
│ ㄴ. A는 유전자 변형 옥수수이다.
│ ㄷ. (가)와 (나) 중 살아 있는 생물체임을 강조한 용어는
│   (나)이다.
└───────────────────────────

① ㄴ   ② ㄷ   ③ ㄱ, ㄴ
④ ㄱ, ㄷ   ⑤ ㄴ, ㄷ

11 그림은 어떤 생물체를 만드는 과정을 나타낸 것이다. 이 생물체는 동물과 식물 중 하나이다.

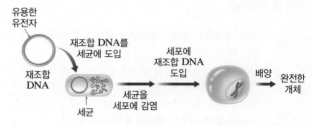

이에 대한 설명으로 옳은 것만을 [보기]에서 있는 대로 고른 것은?

┌─[보기]─────────────────────────
│ ㄱ. 형질 전환 동물을 만드는 과정이다.
│ ㄴ. 세균은 유용한 유전자의 운반체로 사용되었다.
│ ㄷ. 유전자 재조합 기술과 조직 배양 기술이 활용된다.
└───────────────────────────

① ㄱ   ② ㄷ   ③ ㄱ, ㄴ
④ ㄱ, ㄷ   ⑤ ㄴ, ㄷ

12 그림은 생명 공학 기술을 이용하여 어떤 염소를 만드는 과정을 나타낸 것이다.

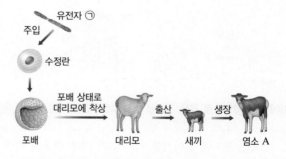

이에 대한 설명으로 옳은 것만을 [보기]에서 있는 대로 고른 것은?

┌─[보기]─────────────────────────
│ ㄱ. LMO를 만드는 과정이다.
│ ㄴ. 염소가 아닌 생물종의 유전자는 ㉠이 될 수 없다.
│ ㄷ. A에서는 유전자 ㉠의 형질이 발현된다.
└───────────────────────────

① ㄱ   ② ㄴ   ③ ㄱ, ㄴ
④ ㄱ, ㄷ   ⑤ ㄴ, ㄷ

13 LMO가 생태계와 인간의 생활에 미치는 영향에 대한 설명으로 옳지 <u>않은</u> 것은?

① LMO의 장기간 재배는 생태계의 평형을 가져온다.
② 병충해에 강하고 생산성이 높은 품종의 개발로 식량 문제를 해결할 수 있다.
③ 호르몬이나 항체 등의 의약품을 대량으로 생산하여 질병 치료에 도움을 준다.
④ 바이오 에탄올 등의 바이오 연료를 이용하여 에너지 문제를 해결할 수 있다.
⑤ 기름이나 독성 유기 화합물을 분해하는 세균을 이용하여 환경 오염 물질을 제거할 수 있다.

ⓒ 생명 공학의 전망과 과제

14 그림은 생명 공학의 전망에 대한 학생들의 설명이다.

학생 A: 생명 공학은 다른 학문 분야와는 독립적으로 인류의 생활 향상에 기여했어.

학생 B: 생명 공학은 인류가 당면한 여러 문제를 해결해 줄 수 있어.

학생 C: 생명 공학을 활용하는 과정에서 윤리적인 문제가 생길 수 있어.

옳게 설명한 학생만을 있는 대로 고른 것은?

① A   ② B   ③ A, B
④ A, C   ⑤ B, C

15 표는 생명 공학 기술 (가)~(다)를 활용하는 과정에서 생기는 문제점을 나타낸 것이다. (가)~(다)는 각각 핵치환 기술, 배아 줄기세포 기술, 유전자 재조합 기술 중 하나이다.

구분	문제점
(가)	LMO에 도입된 유전자의 전이로 새로운 변형 생물체가 나타날 경우 생태계가 교란될 수 있다.
(나)	동물 복제가 인간 복제로 이어질 가능성이 있다.
(다)	난자와 배아의 무분별한 사용은 생명을 경시하고 인간의 존엄성을 훼손할 수 있다.

이에 대한 설명으로 옳은 것만을 [보기]에서 있는 대로 고른 것은?

─〔보기〕─
ㄱ. (가)는 유전자 재조합 기술이다.
ㄴ. (나)는 멸종 위기 동물을 보존하는 데 활용할 수 있다.
ㄷ. (다)는 손상된 조직이나 장기를 회복시켜 난치병을 치료하는 데 활용할 수 있다.

① ㄱ   ② ㄷ   ③ ㄱ, ㄴ
④ ㄴ, ㄷ   ⑤ ㄱ, ㄴ, ㄷ

16 다음은 생명 공학과 관련된 국제 협약과 법률이다.

• 아실로마 합의
• 바이오 안전성 의정서
• 생명 윤리 및 안전에 관한 법률

이들 협약과 법률의 공통점을 서술하시오.

01 생명 공학 기술의 원리

1. 유전자 재조합 기술 (❶　　　)를 인위적으로 자르고 연결하여 새로운 유전자 조합을 가진 DNA를 만드는 기술이다.

(1) 유전자 재조합에 필요한 요소

DNA 운반체	유용한 유전자를 숙주 세포로 운반하는 DNA이다.
(❷　　　)	DNA의 특정 염기 서열을 인식하여 자르는 효소이다.
(❸　　　)	제한 효소에 의해 잘린 두 DNA를 연결하는 효소이다.
숙주 세포	재조합 DNA를 도입 받는 세포이다.

(2) 유전자 재조합 기술을 활용한 인슐린 생산 과정

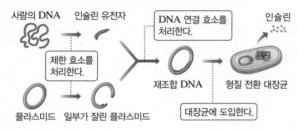

(3) 형질 전환 대장균의 선별: 재조합 DNA가 도입된 형질 전환 대장균을 선별한다.

2. 핵치환 어떤 세포에서 핵을 꺼내어 핵을 제거한 다른 세포에 이식하는 기술이다. ➡ (❹　　　)을 제공한 개체와 유전적으로 같은 복제 동물을 만들 수 있다.

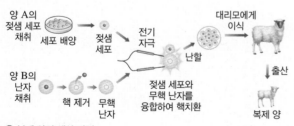

⬆ 복제 양의 생산 과정

3. 조직 배양 생물의 세포나 조직의 일부를 떼어 내어 인공 배지에서 배양하는 기술이다. 예 복제 식물 생산

4. 세포 융합 서로 다른 두 종류의 세포를 융합하여 새로운 잡종 세포를 만드는 기술이다. 예 무추

02 생명 공학 기술의 활용과 전망

1. 생명 공학 기술을 활용한 난치병 치료

(1) (❺　　　): B 림프구와 암세포를 융합하여 만든 잡종 세포에서 얻은 한 종류의 항체이다.

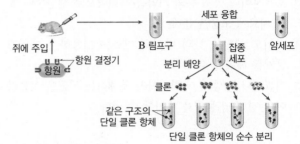

⬆ 단일 클론 항체의 생산 과정

(2) (❻　　　): 유전적으로 결함이 있는 사람에게 정상 유전자를 넣어 질병을 치료하는 방법이다.

(3) 줄기세포: 몸을 구성하는 다양한 종류의 세포로 분화할 수 있는 미분화 세포이다.

(❼　　　) 줄기세포	발생 초기의 배아에서 얻으며, 인체를 구성하는 모든 세포로 분화할 수 있다.
(❽　　　) 줄기세포	탯줄의 혈액이나 성체의 골수 등에서 얻으며, 분화될 수 있는 세포의 종류가 제한적이다.
유도 만능 줄기세포	성체의 체세포를 역분화시켜 얻으며, 면역 거부 반응이 일어나지 않는다.

2. 유전자 변형 생물체의 개발과 활용

(1) 유전자 변형 생물체(LMO): 생명 공학 기술을 활용하여 새롭게 재조합된 유전 물질을 가진 생물체이다.

(2) 유전자 변형 생물체의 양면성

긍정적인 면	식량 문제 해결, 농가 소득 향상, 질병 치료, 환경 문제 해결
부정적인 면	LMO 식품의 안전성 미검증, LMO에 도입된 유전자의 전이 가능성, 생물 다양성 감소 등

3. 생명 공학의 전망과 과제

(1) 생명 공학 기술의 활용에 따른 문제점: 특정 유전자나 LMO에 대한 권리 독점, 인간 복제 가능성, 생명 경시 및 인간의 존엄성 훼손, 맞춤형 아기의 탄생 가능성 등

(2) 생명 공학 기술의 과제: (❾　　　) 등의 법률을 통한 생명 공학의 연구 범위와 생명 윤리의 제도적 규정, 올바른 생명 윤리의 확립 등

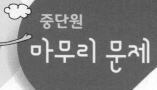
난이도 ●●●

01 그림은 제한 효소에 의해 잘린 DNA 조각 (가)~(다)와 이를 이용하여 만든 재조합 DNA를 나타낸 것이다.

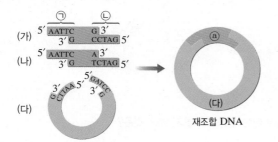

재조합 DNA

이에 대한 설명으로 옳은 것만을 [보기]에서 있는 대로 고른 것은?

[보기]
ㄱ. ㉠과 ㉡은 동일한 제한 효소에 의해 잘린 부위이다.
ㄴ. ⓐ는 (가)와 (나)가 연결된 것이다.
ㄷ. (다)를 만들 때 두 가지 제한 효소가 사용되었다.

① ㄱ   ② ㄴ   ③ ㄷ
④ ㄱ, ㄴ   ⑤ ㄴ, ㄷ

●●○

02 그림은 형질 전환 대장균 (가)를 만드는 과정의 일부를 나타낸 것이다. 사용된 제한 효소는 한 가지이며, 대장균이 젖당 분해 효소로 물질 S를 분해하면 군체가 푸른색을 띤다.

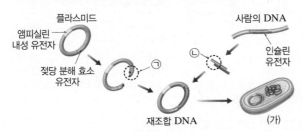

이에 대한 설명으로 옳지 <u>않은</u> 것은?

① 재조합 DNA를 만들 때 DNA 연결 효소가 사용된다.
② (가)를 만들 때 유전자 재조합 기술이 활용된다.
③ ㉠과 ㉡에는 상보적인 염기 서열이 존재한다.
④ (가)는 S가 첨가된 배지에서 푸른색 군체를 형성한다.
⑤ (가)를 선별하기 위해서는 앰피실린과 물질 S가 포함된 배지를 이용해야 한다.

●●●

03 그림은 DNA에서 중합 효소 연쇄 반응(PCR)으로 증폭시키고자 하는 부위 중 한 가닥의 염기 서열을, 표는 이 부위를 증폭시키기 위한 PCR의 세 단계를 나타낸 것이다.

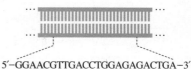

단계 Ⅰ~Ⅲ
Ⅰ: DNA 변성
Ⅱ: 프라이머 결합
Ⅲ: DNA 합성

5′-GGAACGTTGACCTGGAGAGACTGA-3′

이에 대한 설명으로 옳은 것만을 [보기]에서 있는 대로 고른 것은? (단, 프라이머는 5개의 뉴클레오타이드로 이루어져 있다.)

[보기]
ㄱ. 각 단계의 온도는 Ⅰ > Ⅱ > Ⅲ 이다.
ㄴ. Ⅱ 단계에서 염기 서열이 5′-ACTGA-3′인 프라이머가 사용된다.
ㄷ. Ⅲ 단계에서 DNA 중합 효소가 프라이머의 3′ 말단에 새로운 뉴클레오타이드를 첨가한다.

① ㄴ   ② ㄷ   ③ ㄱ, ㄴ
④ ㄱ, ㄷ   ⑤ ㄴ, ㄷ

●●○

04 다음은 어떤 동물 개체 A~C를 이용하여 개체 D를 만드는 과정의 일부를 나타낸 것이다. A~D는 모두 같은 종의 서로 다른 개체이며, A와 C는 암컷, B는 수컷이다.

(가) A의 난자를 채취한 후 핵을 제거한다.
(나) B의 세포 ㉠을 배양한 후 핵을 채취한다.
(다) A의 무핵 난자에 ㉠의 핵을 이식한다.
(라) 핵이 이식된 난자의 난할을 유도하여 일정 단계까지 발생시킨 후 C의 자궁에 착상시킨다.
(마) 일정 기간 후 C로부터 D가 태어난다.

이에 대한 설명으로 옳은 것만을 [보기]에서 있는 대로 고른 것은?

[보기]
ㄱ. ㉠은 B의 정자이다.
ㄴ. D는 A로부터 DNA를 물려받는다.
ㄷ. D를 만들 때 조직 배양 기술이 활용된다.

① ㄱ   ② ㄷ   ③ ㄱ, ㄴ
④ ㄴ, ㄷ   ⑤ ㄱ, ㄴ, ㄷ

05 그림은 복제 올챙이를 만드는 과정을 나타낸 것이다.

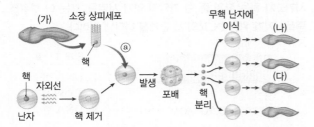

이에 대한 설명으로 옳은 것만을 [보기]에서 있는 대로 고른 것은? (단, 돌연변이는 고려하지 않으며, 사용된 모든 무핵 난자는 각기 다른 개구리로부터 제공되었다.)

[보기]
ㄱ. ⓐ 과정에서 핵치환 기술이 활용된다.
ㄴ. (가)와 (나)의 핵 DNA는 같다.
ㄷ. (나)와 (다)의 미토콘드리아 DNA는 같다.

① ㄱ　　　　　② ㄷ　　　　　③ ㄱ, ㄴ
④ ㄴ, ㄷ　　　　⑤ ㄱ, ㄴ, ㄷ

06 그림은 당근의 뿌리 세포를 이용하여 식물을 생산하는 과정을 나타낸 것이다.

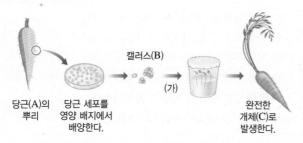

이에 대한 설명으로 옳은 것만을 [보기]에서 있는 대로 고른 것은?

[보기]
ㄱ. A, B, C는 모두 유전적으로 동일하다.
ㄴ. (가) 과정에서 세포 융합 기술이 활용된다.
ㄷ. B는 모든 기관으로 분화할 수 있는 특성을 가진다.

① ㄴ　　　　　② ㄷ　　　　　③ ㄱ, ㄴ
④ ㄱ, ㄷ　　　　⑤ ㄱ, ㄴ, ㄷ

07 그림은 단일 클론 항체를 만드는 과정을 나타낸 것이다. ㉠은 원하는 B 림프구를 얻기 위해 쥐의 체내에 주입한 물질이고, ⓐ와 ⓑ는 항체이다.

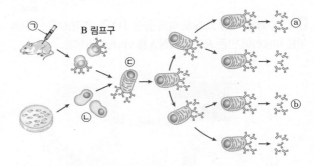

이에 대한 설명으로 옳지 **않은** 것은?

① ㉠은 항원이다.
② 세포 융합 기술이 활용되었다.
③ ⓐ와 ⓑ는 동일한 항원과 결합한다.
④ ⓒ은 체외에서 반영구적으로 증식이 가능하다.
⑤ ⓒ은 B 림프구와 ⓛ의 유전자를 절반씩 가지고 있다.

08 그림 (가)는 줄기세포 X를 만드는 과정을, (나)는 철수의 체세포, 영희의 체세포, X의 1번 염색체 DNA와 미토콘드리아 DNA를 각각 동일한 제한 효소로 자른 후 전기 영동으로 분리한 결과를 순서 없이 나타낸 것이다.

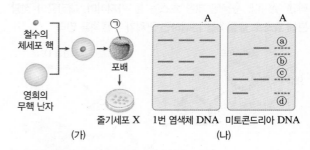

이에 대한 설명으로 옳지 **않은** 것은?

① X는 ㉠을 채취하여 배양한 것이다.
② X를 만들 때 핵치환 기술이 활용되었다.
③ X를 철수의 체내에 이식하면 면역 거부 반응이 일어나지 않는다.
④ A는 영희의 전기 영동 결과이다.
⑤ A의 미토콘드리아 DNA 전기 영동 결과 ⓐ~ⓓ에서 모두 띠가 나타난다.

09 그림은 사람의 항응고 단백질을 생산하는 염소 D를 만드는 과정을 나타낸 것이다.

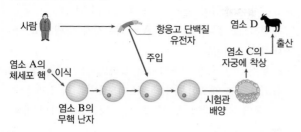

이에 대한 설명으로 옳은 것만을 [보기]에서 있는 대로 고른 것은?

[보기]

ㄱ. D는 A와 유전적으로 동일하다.

ㄴ. D는 미토콘드리아를 B와 C로부터 모두 물려받았다.

ㄷ. D의 체내에서는 사람의 항응고 단백질이 만들어진다.

ㄹ. D를 만드는 데 핵치환 기술이 활용되었다.

① ㄱ, ㄴ   ② ㄱ, ㄷ   ③ ㄴ, ㄷ

④ ㄴ, ㄹ   ⑤ ㄷ, ㄹ

10 다음은 유용한 형질을 가진 생물체의 예를 나타낸 것이다.

- 중금속을 흡수하는 식물
- 바이오 에탄올용 고구마
- 비타민 A가 강화된 황금쌀
- 사람의 인슐린을 생산하는 세균

이에 대한 설명으로 옳은 것만을 [보기]에서 있는 대로 고른 것은?

[보기]

ㄱ. 다른 생물종의 유전자를 가지지 않는다.

ㄴ. 생명 공학 기술을 활용하여 만들어진다.

ㄷ. 식량, 의약, 환경, 에너지 등 여러 분야에 폭넓게 활용된다.

① ㄱ   ② ㄷ   ③ ㄱ, ㄴ

④ ㄴ, ㄷ   ⑤ ㄱ, ㄴ, ㄷ

서술형 문제

11 그림은 유전자 치료 기술을 활용하여 유전자 X가 결핍된 환자를 치료하는 과정을 나타낸 것이다.

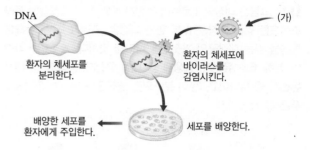

(가)에서 수행해야 하는 과정을 서술하시오.

_____

_____

12 그림은 (가)와 (나)를 이용하여 줄기세포를 만들어 어떤 환자를 치료하는 과정을 나타낸 것이다.

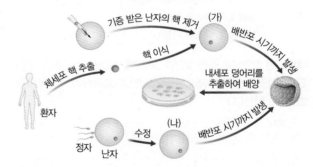

(가)와 (나) 중 어떤 것을 이용하여 만든 줄기세포가 이 환자에게 이식하였을 때 면역 거부 반응을 일으키지 않는지 쓰고, 그 까닭을 서술하시오.

_____

_____

13 유전자 변형 생물체(LMO)가 인간 생활과 생태계에 미치는 부정적인 영향을 각각 한 가지씩 서술하시오.

_____

_____

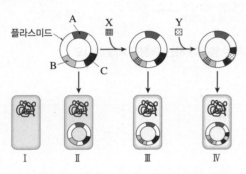

수능
실전 문제

01 그림은 대장균 I로부터 유전자 X와 Y가 재조합된 플라스미드를 갖는 대장균 IV를 얻는 과정을, 표는 I~IV 중 해당 특성을 갖는 대장균의 가짓수를 나타낸 것이다. A~C는 각각 ㉠ 분해 효소 유전자, 항생제 ㉡ 내성 유전자, 항생제 ㉢ 내성 유전자 중 하나이고, ㉠이 분해되면 대장균의 군체가 흰색에서 푸른색으로 변한다.

특성	대장균의 가짓수
㉠ 포함 배지에서 푸른색 군체를 형성함	두 가지
항생제 ㉡ 내성을 가짐	한 가지
항생제 ㉢ 내성을 가짐	세 가지

이에 대한 설명으로 옳은 것만을 [보기]에서 있는 대로 고른 것은? (단, 대장균 I~IV와 제시된 유전자만을 고려하며, 돌연변이는 고려하지 않는다.)

[보기]
ㄱ. A는 ㉠ 분해 효소 유전자이다.
ㄴ. 항생제 ㉡ 내성을 가지는 대장균은 항생제 ㉢ 내성도 가진다.
ㄷ. ㉠과 항생제 ㉢이 모두 포함된 배지에서 증식하여 흰색 군체를 형성하는 대장균은 IV 뿐이다.

① ㄱ   ② ㄷ   ③ ㄱ, ㄴ
④ ㄱ, ㄷ   ⑤ ㄴ, ㄷ

02 다음은 형질 전환 대장균을 만드는 과정에 대한 자료이다.

• 유전자 재조합에 플라스미드 P가 사용되었다. P에는 유전자 A~C가 있으며, A~C는 각각 항생제 α~γ 내성 유전자이다.
• P에 유전자 X를 재조합시켜 플라스미드 P*를, P*에 유전자 Y를 재조합시켜 플라스미드 P**를 각각 만들었다. X와 Y는 각각 A~C 중 서로 다른 유전자의 내부에 삽입되었다.
• 그림은 숙주 대장균 배양액에 P, P*, P**를 모두 첨가하여 플라스미드를 도입시키는 과정에서 얻은 모든 대장균을 각각 α~γ가 첨가된 배지에서 배양한 결과를 나타낸 것이다.

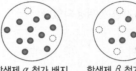

항생제 α 첨가 배지   항생제 β 첨가 배지   항생제 γ 첨가 배지

이에 대한 설명으로 옳은 것만을 [보기]에서 있는 대로 고른 것은? (단, 숙주 대장균은 α~γ에 대한 내성이 모두 없으며, 각 배지에서 대장균의 위치는 변하지 않았다.)

[보기]
ㄱ. P*에서 X는 B의 내부에 삽입되었다.
ㄴ. 대장균 ㉠과 ㉡에서는 모두 X가 발현된다.
ㄷ. ㉠은 P, P*, P**가 모두 도입된 대장균에 해당한다.

① ㄱ   ② ㄴ   ③ ㄱ, ㄴ
④ ㄱ, ㄷ   ⑤ ㄴ, ㄷ

03 다음은 특정 DNA를 중합 효소 연쇄 반응(PCR)으로 증폭시킬 때 단계 (가)~(다)의 반응 속도와 각 단계에서 일어나는 반응을 나타낸 것이다.

구분	반응 온도	반응
(가)	⊙	이중 나선 DNA를 2개의 단일 가닥으로 분리한다.
(나)	⊙	프라이머가 단일 가닥에 결합한다.
(다)	72 ℃	주형 DNA 가닥에 상보적인 새로운 DNA 가닥이 합성된다.

이에 대한 설명으로 옳은 것만을 [보기]에서 있는 대로 고른 것은? (단, PCR을 통해 DNA 가닥 전체가 증폭된다고 가정한다.)

[보기]

ㄱ. 반응 온도는 ⊙<ⓒ이다.

ㄴ. (나)에서 프라이머는 단일 가닥 DNA의 3′ 말단 부위에 결합한다.

ㄷ. (가)~(다)를 반복하여 이중 나선 DNA 1분자를 8분자로 증폭시켰을 때, (나)의 반응에서 사용된 프라이머는 14분자이다.

① ㄱ   ② ㄷ   ③ ㄱ, ㄴ

④ ㄴ, ㄷ   ⑤ ㄱ, ㄴ, ㄷ

04 그림은 핵치환 기술을 활용하여 수컷 양 (가)로부터 양 (다)와 줄기세포를 만드는 과정을 나타낸 것이다.

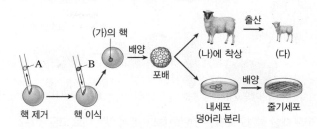

이에 대한 설명으로 옳지 <u>않은</u> 것은?

① 염색체 수는 B가 A의 두 배이다.

② 성염색체 구성은 (다)와 줄기세포가 같다.

③ 배양된 줄기세포는 모두 유전적으로 같다.

④ (다)의 미토콘드리아 DNA는 (가)와 같다.

⑤ 줄기세포를 (나)에 이식하면 면역 거부 반응이 일어날 수 있다.

05 그림은 단일 클론 항체를 활용하여 표적 항암제를 만드는 과정을 나타낸 것이다.

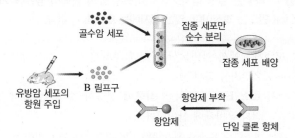

이에 대한 설명으로 옳은 것만을 [보기]에서 있는 대로 고른 것은?

[보기]

ㄱ. 유방암 세포의 항원은 잡종 세포가 빠르게 분열할 수 있도록 한다.

ㄴ. 잡종 세포의 항체 생산 능력은 B 림프구에서 유래한 것이다.

ㄷ. 단일 클론 항체는 항암제가 암세포에 작용하게 하는 역할을 한다.

ㄹ. 표적 항암제는 골수암 치료에 사용된다.

① ㄱ, ㄴ   ② ㄱ, ㄷ   ③ ㄴ, ㄷ

④ ㄴ, ㄹ   ⑤ ㄷ, ㄹ

06 그림은 유전자 X를 갖는 줄기세포를 만드는 과정이다.

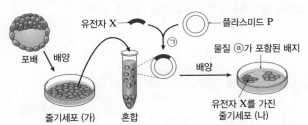

이에 대한 설명으로 옳은 것만을 [보기]에서 있는 대로 고른 것은? (단, (가)는 물질 ⓐ에 노출되면 죽으며, 유전자 X는 물질 ⓐ에 대한 내성과는 관련이 없다.)

〔보기〕
ㄱ. (가)는 배아 줄기세포이다.
ㄴ. 플라스미드 P에 물질 ⓐ 내성 유전자가 존재한다.
ㄷ. (나)를 만드는 과정에 세포 융합 기술과 유전자 재조합 기술이 모두 활용된다.

① ㄱ   ② ㄷ   ③ ㄱ, ㄴ
④ ㄱ, ㄷ   ⑤ ㄴ, ㄷ

07 다음은 일반 감자보다 아미노산 X의 함량이 높은 감자 ㉠을 만드는 과정이다. 일반 감자에는 효소 E가 없다.

(가) 세균에서 아미노산 X를 합성하게 하는 효소 E의 유전자를 분리한다.
(나) 효소 E의 유전자를 식물에 전달할 수 있는 ⓐ유전자 운반체에 삽입한다.
(다) 재조합된 유전자 운반체를 일반 감자 세포에 도입한다.
(라) 　　　　　　?　　　　　　
(마) 감자 ㉠에서 아미노산 X의 양을 측정한다.

이에 대한 설명으로 옳은 것만을 [보기]에서 있는 대로 고른 것은?

〔보기〕
ㄱ. ⓐ로 세균의 플라스미드가 사용될 수 있다.
ㄴ. 감자 ㉠으로 만든 식품은 LMO에 해당한다.
ㄷ. 형질 전환 세포를 선별하고 배양하는 과정은 (라)에 해당한다.

① ㄱ   ② ㄷ   ③ ㄱ, ㄴ
④ ㄱ, ㄷ   ⑤ ㄴ, ㄷ

08 다음은 사람의 생장 호르몬을 생산하는 염소 ㉠을 이용한 실험이다.

[과정]
(가) 염소 ㉠의 젖샘 세포를 채취하여 배양한다.
(나) 염소 ㉡으로부터 난자를 채취한 후, 핵을 제거한다.
(다) 무핵 난자에 배양한 ㉠의 젖샘 세포 핵을 이식한 후, 염소 ㉢의 자궁에 착상시킨다.
(라) 염소 ㉠~㉢과 새롭게 태어난 염소 ㉣의 체세포 핵에서 DNA를 추출한다.
(마) ㉠~㉣의 DNA를 제한 효소로 자른 후 전기 영동으로 분리한다.

[결과]
염소 A~D의 DNA 지문이 그림과 같이 나타났다. A~D는 각각 ㉠~㉣ 중 하나이다.

이에 대한 설명으로 옳은 것만을 [보기]에서 있는 대로 고른 것은?

〔보기〕
ㄱ. ㉠과 ㉣은 모두 사람의 생장 호르몬을 생산하는 LMO이다.
ㄴ. ㉡과 ㉢은 같은 개체이다.
ㄷ. (마)에서 ㉠~㉣의 DNA는 서로 다른 제한 효소로 자른다.

① ㄱ   ② ㄷ   ③ ㄱ, ㄴ
④ ㄱ, ㄷ   ⑤ ㄴ, ㄷ

· 완벽한 자율학습서 ·

완자

완자네 새주소

자율학습시 비상구

정확한 답과 친절한 해설

정답친해로

53

정답친해로
오삼~

생명과학 II

visang

ABOVE IMAGINATION

우리는 남다른 상상과 혁신으로
교육 문화의 새로운 전형을 만들어
모든 이의 행복한 경험과 성장에 기여한다

완벽한 자율학습서
완자

자율학습시
비상구
정답친해로
53

정확한 답과 친절한 해설

생명과학 II

I. 생명 과학의 역사

생명 과학의 역사

01 생명 과학의 발달과 연구 방법

개념 확인 문제

❶ 생명 과학 ❷ 세포 ❸ 다윈 ❹ 멘델

1 ㉠ 자연 발생설, ㉡ 생물 속생설 **2** (1) ○ (2) ○ (3) ×
(4) × (5) × **3** (1) ㄷ, ㄹ (2) ㄴ (3) ㄱ (4) ㅁ, ㅂ **4** (1) ㉡
(2) ㉠ (3) ㉢

1 고대부터 사람들은 생물이 흙, 공기와 같은 무기물로부터 저절로 발생한다는 자연 발생설을 믿었으나, 파스퇴르가 백조목(S자형) 플라스크를 이용하여 생물이 기존의 생물에서 생긴다는 것을 입증함으로써 생물 속생설을 확립하였다.

2 (1) 17세기에 현미경이 발명되면서 세포와 미생물을 관찰할 수 있게 되었다.
(2) 플레밍은 푸른곰팡이에서 최초의 항생 물질인 페니실린을 발견하였다.
(3) 환경에 적응한 생물이 살아남아 자손을 남기며 진화한다는 학설은 다윈이 주장한 자연 선택설이다.
(4) 멘델은 유전의 기본 원리를 발견하였으며, 에이버리에 의해 DNA가 유전 물질이라는 것이 증명되었다.
(5) 인체를 해부하여 해부학의 발달에 영향을 준 것은 베살리우스이다. 하비는 혈액 순환의 원리를 발견하였다.

3 (1) DNA가 이중 나선 구조로 되어 있다는 것은 왓슨과 크릭에 의해 밝혀졌다.
(2) 린네는 식물과 동물을 체계적으로 분류하는 생물 분류 방법을 제안하고, 종의 개념을 명확히 하였다.
(3) 훅은 자신이 제작한 현미경으로 코르크 조각을 관찰하고, 이때 발견한 구조가 작은 방과 같다고 하여 이를 세포라고 명명하였다.
(4) 호지킨과 헉슬리는 동물에서 발생하는 전기적 현상을 측정하는 기술을 이용하여 신경 세포에서 막전위의 변화를 측정하고 이를 통해 신경 전도의 원리를 발견하였다.

4 (1) 파스퇴르는 탄저병 등의 백신을 개발하여 감염성 질병을 예방할 수 있는 방법을 제안하였다.
(2) 란트슈타이너가 혈액형을 발견함으로써 수혈의 부작용과 위험성을 줄일 수 있게 되었다.
(3) 멀리스가 DNA 증폭 기술을 개발하여 DNA의 특정 부분을 대량으로 복제하고 사람 간의 DNA 염기 서열 차이를 비교하여 개인을 식별할 수 있게 되었다.

대표 자료 분석

자료 ① **1** ㉠ 멘델, ㉡ 모건 **2** (나) → (마) → (라) → (가) →
(다) **3** (1) × (2) × (3) × (4) ○ (5) ○ (6) ×

자료 ② **1** 연역적 **2** 백신을 발견하고 효과를 입증하여 감염성
질병을 예방하는 데 기여하였다. **3** (1) ○ (2) ○
(3) × (4) ×

①-1 멘델은 완두를 이용한 실험으로 유전의 기본 원리를 발견하였으며, 모건은 초파리의 교배 실험으로 유전자와 염색체의 관계를 밝혔다.

①-2 근대 유전학은 (나) 유전의 기본 원리 발견으로부터 시작되었으며, (마) 유전자가 염색체에 있다는 것이 밝혀진 후 DNA가 유전 물질이라는 것이 규명되었다. 이후 (라) DNA 이중 나선 구조가 밝혀지고, (가) 유전부호가 해독되었으며 (다) DNA 재조합 기술이 개발되어 생명 공학의 발달에 영향을 주었다.

①-3 (1) 유전부호 해독은 DNA와 RNA의 3개 염기 조합이 어떤 아미노산을 지정하는지를 밝히는 것이다. 사람의 DNA 염기 서열은 2000년대에 밝혀졌다.
(2) 멘델은 유전의 기본 원리를 밝혔지만 형질을 결정하는 유전자가 무엇이며 세포의 어디에 어떤 형태로 존재하는지는 알지 못하였다.
(3) DNA를 대량으로 복제할 수 있는 DNA 증폭 기술은 DNA 재조합 기술 개발 이후에 개발되었다.
(4) 왓슨과 크릭은 염기 조성 비율의 특징, X선 회절 사진 등의 자료를 분석하여 DNA 이중 나선 구조를 밝혔으므로 귀납적 탐구 방법을 사용하였다.
(5) 유전자가 염색체에 있다는 것이 알려진 이후에 DNA가 유전 물질임이 입증되었다.
(6) 사람의 유전체 분석으로 세포에 있는 DNA 염기 서열을 모두 밝혔지만 유전자의 기능은 모두 알아내지 못했다.

②-1 파스퇴르는 가설을 세우고 이를 실험으로 검증하는 연역적 탐구 방법을 사용하였다.

②-2 파스퇴르는 백신을 발견하여 감염성 질병을 예방하는 데 크게 기여하였다.

②-3 (1) 파스퇴르는 백조목 플라스크를 이용한 실험에서 미생물이 이미 존재하는 미생물로부터 생긴다는 것을 증명하였다.
(2) 파스퇴르는 '백신이 질병을 예방하는 데 효과가 있을 것이다.'라는 가설을 세우고 이를 실험을 통해 증명하였다.
(3) 백신은 세균의 독성을 없애거나 약화시킨 것이다.
(4) 세균이 감염병의 원인이라는 것은 코흐에 의해 밝혀졌다.

내신 만점 문제
17쪽~19쪽

01 ⑤	02 ④	03 ③	04 ⑤	05 ②	06 ⑤
07 ①	08 ⑤	09 ②	10 ④		11 해설 참조
12 ⑤	13 ⑤	14 ④			

01 ㄱ. 생명 과학은 생명 현상의 특성과 생명의 본질을 밝히고, 생물학적 지식을 다양한 분야에 응용하는 종합적인 학문이다.
ㄴ. 인류는 생명 과학에 대한 지식이 없을 때부터 의식주와 같은 인간의 생활에 생물을 이용하였다.
ㄷ. 아리스토텔레스는 생물의 특징을 바탕으로 생물을 분류하였고, 이는 생명 과학이 탄생하는 계기가 되었다.

02 ① 훅은 자신이 만든 현미경으로 코르크를 관찰한 후 발견한 구조를 세포라고 명명하였으며, ② 모건은 유전자가 염색체의 일정한 위치에 있다는 유전자설을 발표하였다. ③ 레이우엔훅은 현미경으로 미생물을 발견하였으며, ⑤ 호지킨과 헉슬리는 오징어의 신경을 연구하여 신경 전도 원리를 발견하였다.
┃**바로알기**┃ ④ 파스퇴르는 생물 속생설을 입증하고, 백신을 발견하였다. 감염병의 원인이 세균이라는 것을 규명한 사람은 코흐이다.

03 ㄱ. 현미경의 발명으로 다양한 세포를 관찰할 수 있게 되었다.
ㄷ. 슐라이덴과 슈반은 세포설의 확립에 기여하였다.
┃**바로알기**┃ ㄴ. 코흐는 결핵균을 발견하였다. 하지만 항생 물질인 페니실린을 발견하여 항생 물질을 이용한 치료법의 개발에 기여한 생명 과학자는 플레밍이다.

04 ㄴ. 호지킨과 헉슬리는 동물에서 발생하는 전기적 현상을 측정하는 기술을 이용하여 신경 세포에서 막전위의 변화를 측정하고 이를 통해 신경 전도의 원리를 발견하였다.
ㄷ. 서덜랜드는 호르몬 작용 기작을 밝혀내면서 내분비 생리학 발달에 기여하였다.
┃**바로알기**┃ ㄱ. (가)는 하비, (나)는 베살리우스, (다)는 호지킨과 헉슬리, (라)는 서덜랜드의 업적이다.

05 〔꼼꼼〕 **문제 분석**
(가) 린네가 생물 분류 체계를 정립하였다.
 ↳ 1750년대 ─ 생물 분류 방법을 제안하고 분류 체계 정립
(나) 다윈이 자연 선택에 의한 진화론을 확립하였다.
 ↳ 1850년대 ─ 자연 선택에 기반한 진화론 확립
(다) 라마르크가 용불용설로 생물의 진화를 설명하였다.
 ↳ 1800년대 ─ 용불용설에 의한 진화론 주장
(라) 진화의 다양한 요인을 연구하여 종합적인 진화론이 제시되었다.
 ↳ 1920년대 ─ 종합적인 진화론 등장

(가) 린네에 의해 생물 분류 체계가 정립되었고, 이후 (다) 라마르크의 용불용설, (나) 다윈의 자연 선택설이 제안되었으며, (라) 현재는 다양한 요인에 의한 종합적인 진화론이 등장하였다.

06 ㄴ. 왓슨과 크릭이 DNA 이중 나선 구조를 규명한 후에 유전부호가 해독되었다.
ㄷ. 에이버리는 폐렴 쌍구균에서 형질 전환을 일으키는 물질이 무엇인지를 연구하여 DNA가 유전 물질임을 입증하였다.
┃**바로알기**┃ ㄱ. 멘델은 완두의 교배 실험으로 유전의 기본 원리인 분리의 법칙과 독립의 법칙을 밝혔다. 염색체의 일정한 위치에 유전자가 있다는 유전자설을 주장한 것은 모건이다.

07 코헨과 보이어는 DNA 조각을 플라스미드에 삽입하여 새로운 재조합 플라스미드를 만들고 이를 대장균에 도입하는 DNA 재조합 기술을 개발하였다.

08 ㄱ. 세포 연구는 세포 수준에서 다양한 생명 현상을 규명하는 데 기초가 된다. 세포 분열에 대한 지식은 노화나 암과 같은 질병 연구에 활용되고, 세포 연구는 줄기세포 연구의 기초가 된다.
ㄴ. 생리학이 발달하여 생물의 기능이 나타나는 원리를 규명함에 따라 질병을 진단하고 치료할 수 있게 되었다. 또한 생리학적 지식은 건강과 운동 분야의 과학적 관리에 응용된다.
ㄷ. 진화학은 생명 과학뿐 아니라 철학, 사회학, 심리학과 같은 다양한 학문에 영향을 주었다.

09 ㄱ, ㄹ. 자손은 부모로부터 유전자를 물려받으므로 DNA에서 일부 반복되는 염기 서열을 증폭시켜 얼마나 일치하는지를 비교하면 친자 여부를 확인할 수 있다. 이와 같은 DNA 지문 검사는 유전의 원리를 알아내고, 유전 물질을 분자 수준에서 규명하는 유전학과 분자 생물학의 발달로 가능해졌다.

|바로알기| ㄴ. 생리학은 심장 박동과 혈액 순환 원리, 신경 전도 원리, 호르몬의 작용 기작 등과 같은 생리 작용을 연구하는 분야이다.

ㄷ. 미생물학은 미생물을 연구하는 분야이다.

10 DNA 재조합 기술을 이용하여 해충 저항성 작물 또는 사람 인슐린을 생산하거나 오염 물질을 분해하는 형질 전환 미생물을 만들 수 있다. 또한 DNA 재조합 기술은 정상 유전자를 도입하여 유전병을 치료하는 데에도 이용된다.

|바로알기| ④ DNA의 특정 부분을 대량으로 복제하는 DNA 증폭 기술을 이용하여 서로 다른 두 사람의 DNA 일치 정도를 알 수 있다.

11 플레밍은 푸른곰팡이에서 분비하는 물질이 세균의 증식을 억제하였을 것이라 생각하고, 이를 실험으로 검증하였다.

모범답안 푸른곰팡이는 세균의 증식을 억제하는 물질을 만들 것이다.

채점 기준	배점
푸른곰팡이가 세균 증식 억제 물질을 생성한다는 것을 가설로 서술한 경우	100 %
푸른곰팡이가 세균과 경쟁적으로 증식한다는 것을 가설로 서술한 경우	50 %

12 ㄴ. 플레밍은 푸른곰팡이를 접종하였을 때 세균의 증식이 억제된다는 것을 보여줌으로써 푸른곰팡이에서 생성된 물질(페니실린)이 세균의 증식을 억제한다는 것을 실험적으로 입증하였다.

ㄷ. 플레밍은 페니실린의 발견으로 항생제를 이용한 세균 감염성 질병의 치료 방법을 개발하는 데 기여하였다.

|바로알기| ㄱ. 세균 배양 접시 A에만 푸른곰팡이를 접종하였고, 푸른곰팡이는 세균의 증식을 억제한다는 결론을 얻었다. 따라서 푸른곰팡이를 접종한 세균 배양 접시 A에서는 세균이 증식하지 않고, 세균 배양 접시 B에서만 세균이 증식하였을 것이다.

13 ㄱ. 생물 정보학은 생명 과학에 컴퓨터 과학과 통계학이 접목되어 특정 질병에 걸릴 확률 등을 계산할 수 있는 학문이다.

ㄴ. 방사성 동위 원소는 세포 내에서 물질의 변화나 위치를 추적하는 데 이용될 수 있다.

ㄷ. 전자 현미경이 발명되어 세포의 내부 구조 및 세포 소기관을 관찰할 수 있게 되었고, 세균보다 작은 바이러스도 관찰할 수 있게 되었다.

14 ㄱ. (가)에서는 방사성 동위 원소와 같은 화학적 표지를 사용하여 생명체 내에서의 물질 이동과 전환을 추적한다.

ㄴ. (나)에서는 현미경으로 관찰하여 축적된 다양한 자료를 종합하고 분석하여 결론을 도출하였다.

|바로알기| ㄷ. 밴팅은 문헌 조사를 통해 의문을 갖고 이를 해결하기 위한 가설을 세운 후 반복적인 실험으로 이를 입증하였으므로 (다)에서는 연역적 탐구 방법이 사용되었다.

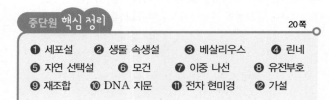

중단원 핵심 정리   20쪽

❶ 세포설   ❷ 생물 속생설   ❸ 베살리우스   ❹ 린네
❺ 자연 선택설   ❻ 모건   ❼ 이중 나선   ❽ 유전부호
❾ 재조합   ❿ DNA 지문   ⓫ 전자 현미경   ⓬ 가설

중단원 마무리 문제   21쪽~22쪽

01 ③   **02** ①   **03** ①   **04** ②   **05** ④   **06** ⑤
07 ④   **08** 해설 참조   **09** 해설 참조   **10** 해설 참조

01 ③ 슐라이덴과 슈반은 여러 관찰 결과를 종합하여 세포설을 주장하였으므로 세포설을 주장하기까지 귀납적 탐구 방법을 사용하였다.

|바로알기| ① 세포를 처음 명명한 사람은 훅이다.

② 세포는 광학 현미경을 발명한 이후에 발견되었으며, 광학 현미경의 발달에 따라 다양한 세포를 관찰할 수 있게 되어 세포설이 제안되었다.

④, ⑤ 슈반은 동물체가, 슐라이덴은 식물체가 세포로 이루어져 있다고 주장하였다.

02 ② 코흐가 감염병의 원인이 세균이라는 것을 규명함으로써 감염병의 예방과 치료 방법이 발달하게 되었다.

③ 다윈의 진화설은 생물종이 고정 불변하는 것이 아니라 환경에 적응하고 변화하며 진화한다는 생각을 가지도록 하였다.

④ 최근에 생물의 진화는 다양한 요인에 의해 일어난다고 여겨진다.

⑤ 유전 현상은 부모에게서 물려받은 DNA의 유전 정보가 발현되어 나타나는 것이다.

|바로알기| ① 1800년대 이전까지 사람들은 자연 발생설을 믿고 있었으나 파스퇴르의 실험에 의해 생물은 생물에서 비롯된다는 생물 속생설이 입증되었다.

03 ② 니런버그와 마테이는 인공 RNA로 단백질을 합성하여 유전부호를 해독하였다.

③ 밴팅은 이자에서 분비되는 물질이 당뇨병과 관계있다는 논문을 읽은 후 개의 이자에서 인슐린을 추출하였다.

④ 란트슈타이너는 혈액 응집 반응이 서로 다른 종류의 혈액을 섞어서 나타나는 것이라고 생각하고, 다양한 사람의 혈액을 섞는 실험을 하여 혈액형의 종류를 밝혀냈다.

⑤ 허시와 체이스는 방사성 동위 원소로 표지된 박테리오파지를 대장균에 감염시키는 실험을 통해 DNA가 유전 물질임을 증명하였다.

┃바로알기┃ ① DNA 재조합 기술은 코헨과 보이어에 의해 완성되었다. 멀리스는 중합 효소 연쇄 반응(PCR)을 이용하여 DNA 증폭 기술을 개발하였다.

04 ㄷ. (나) 멘델이 완두를 이용한 실험 결과를 해석하는 과정에서 유전의 기본 원리를 발견한 후 (가) 모건이 유전자가 염색체에 있다는 것을 밝혔다. 이후 (다) 에이버리는 폐렴 쌍구균의 형질 전환을 일으키는 물질이 DNA라는 것을 밝힘으로써 DNA가 유전 물질이라는 것을 증명하였다.

┃바로알기┃ ㄱ. 모건은 유전자가 염색체의 특정 위치에 있다는 유전자설을 제안하였지만, 유전자를 직접 관찰한 것은 아니다. 또 전자 현미경은 유전자설이 발표된 이후에 발명되었다.

ㄴ. DNA가 유전 물질이라는 것이 밝혀진 후 DNA 이중 나선 구조가 규명되었다.

05 학생 A: 린네는 생물 분류 체계를 정립하였고, 종의 개념을 명확히 제시하였다.

학생 C: 진화론은 생명 과학뿐 아니라 정치, 경제 등 다양한 분야에 영향을 주었다.

┃바로알기┃ 학생 B: 라마르크는 척추의 유무로 생물을 구분하고 용불용설로 진화를 설명하였다. 자연 선택설은 다윈이 주장한 진화론이다.

06 ㄱ, ㄴ. DNA 재조합 기술을 활용하여 인슐린과 같은 의약품을 대량 생산하고, 작물의 DNA에 병충해에 저항성이 있는 유전자를 재조합하여 생산량을 증대시킬 수 있다.

ㄷ. DNA 증폭 기술로 소량의 혈액이나 머리카락의 모낭 세포 등에 있는 소량의 DNA를 증폭시켜 개인을 식별할 수 있게 됨으로써 DNA 증폭 기술이 친자 감별이나 범인 식별에 활용된다.

07 ㄱ. 세포는 현미경 발명 이후에 발견되었다. 따라서 세포설도 현미경 발명 이후에 수많은 관찰 자료가 축적된 이후 제안되었다.

ㄴ. 다윈의 자연 선택설에서 생존 경쟁과 적자생존은 자본주의의 발달에 영향을 주었다.

┃바로알기┃ ㄷ. 세포설을 발표하기까지 다양한 자료를 종합 및 분석하여 생물이 세포로 이루어져 있다는 결론을 내렸고, 다윈이 자연 선택설을 제안하기까지 다양한 자료를 수집하고 분석하여 결론을 도출하였으므로 두 경우에는 모두 귀납적 탐구 방법이 사용되었다.

08 (가)는 생물 속생설, (나)는 자연 발생설에 대한 설명이다. 1800년대 이전까지는 생물은 우연히 자연에서 생길 수 있다고 여겨졌으나 파스퇴르의 백조목 플라스크를 이용한 실험을 통해 생물 속생설이 확립되었다.

모범답안 (나) → (가), 파스퇴르가 백조목 플라스크를 이용하여 실험한 결과 생물 속생설이 입증되었다.

채점 기준	배점
생물의 발생에 대한 생각 변화를 기호를 사용하여 옳게 쓰고, 파스퇴르가 생물 속생설을 확립하게 된 과정을 옳게 서술한 경우	100 %
생물 속생설의 확립 과정만 옳게 서술한 경우	60 %
생물의 발생에 대한 생각 변화만 기호를 사용하여 옳게 쓴 경우	40 %

09 1860년대에 멘델이 유전의 기본 원리를 발견하였으며, 1920년대에 모건이 유전자와 염색체의 관계를 밝히는 유전자설을 발표하였다. 이후 1940년대에 에이버리는 DNA가 유전 물질임을 증명하였으며, 1950년대에 왓슨과 크릭은 DNA 이중 나선 구조를 규명하였다.

모범답안 (가) 멘델 (나) 왓슨과 크릭 (다) 에이버리 (라) 모건, (가) → (라) → (다) → (나)

채점 기준	배점
과학자의 이름을 옳게 쓰고 업적을 오래된 순서대로 옳게 나열한 경우	100 %
과학자의 이름 또는 업적의 순서 중 한 가지만 옳게 쓴 경우	50 %

10 플레밍은 푸른곰팡이에서 항생 물질인 페니실린을 발견하였고, 왁스먼은 토양 미생물의 일종인 방선균에서 결핵균의 생장을 억제하는 항생 물질인 스트렙토마이신을 발견하였다. 항생 물질을 추출하여 만든 항생제는 세균성 질병을 치료하는 데 효과적이다.

모범답안 세균성 질병을 치료하여 인류가 건강한 삶을 영위할 수 있도록 하였다.

채점 기준	배점
세균성 질병을 치료할 수 있게 되었다고 서술한 경우	100 %
항생 물질을 발견하여 항생제를 만들 수 있게 되었다고만 서술한 경우	70 %
질병을 치료할 수 있게 되었다고만 서술한 경우	30 %

01 ④   02 ①   03 ①   04 ⑤

01 꼼꼼 문제 분석

고기즙을 끓이면 고기즙에 있던 기존의 미생물이 모두 제거된다.

고기즙을 충분히 끓인 후 공기 중에 2일~3일 동안 방치한다. → A 미생물이 생긴다.

고기즙을 플라스크에 넣는다.

고기즙에는 미생물이 생장하는 데 필요한 양분이 풍부하다.

플라스크의 목을 가열하여 백조목을 만든다.

고기즙을 충분히 끓인 후 공기 중에 2일~3일 동안 방치한다. → B 미생물이 생기지 않는다.

백조목을 통해 기체는 이동할 수 있지만, 공기 중의 미생물은 들어갈 수 없다.

| 선택지 분석 |

ㄱ 이 실험을 통해 생물 속생설을 입증하였다.

ㄴ A의 미생물은 고기즙 속의 미생물이 증식한 것이다.
　　　　　공기 중의 미생물이 증식한 것이다.

ㄷ B에 미생물이 생기지 않은 것은 공기 중의 미생물이 플라스크 안으로 들어가지 못하였기 때문이다.

ㄱ. 파스퇴르는 미생물도 이전의 미생물로부터 생길 것이라는 가설을 세우고, 이를 실험으로 검증하였다.

ㄷ. 백조목으로 인해 공기 중의 미생물이 플라스크 안으로 들어가지 못하여 B에는 미생물이 생기지 않는다.

| 바로알기 | ㄴ. 고기즙을 끓이면 기존의 미생물이 모두 제거되므로 A의 미생물은 공기 중의 미생물이 들어가 증식한 것이다.

02 꼼꼼 문제 분석

• 열처리를 하여 죽은 S형균의 추출물을 섞은 배지에 살아 있는 R형균을 배양하면 살아 있는 S형균이 발견된다.
  → 죽은 S형균에 들어 있는 어떤 물질이 살아 있는 R형균을 S형균으로 형질 전환시켰으며, 이 물질은 열에 강하다.

• 열처리를 하여 죽은 S형균의 추출물에 DNA 분해 효소를 처리한 후 배지에 섞어 살아 있는 R형균을 배양하면 살아 있는 S형균이 발견되지 않는다.
  → DNA 분해 효소에 의해 DNA가 분해되면 R형균이 S형균으로 형질 전환되지 않는 것은 DNA가 유전 물질이라는 것을 의미한다.

| 선택지 분석 |

ㄱ DNA가 폐렴 쌍구균의 형질을 결정한다.

ㄴ 열처리를 하면 S형균의 유전 물질이 파괴된다.　파괴되지
　　　　　　　　　　　　　　　　　　　　　　　않는다.

ㄷ 이 실험은 DNA의 구조와 기능이 밝혀진 이후에 이루어진 것이다.　　　이전

ㄱ. S형균의 DNA를 섞어 배양한 R형균의 배지에서 R형균이 S형균으로 형질 전환되지만, DNA 분해 효소를 S형균의 추출물에 처리하여 DNA가 분해되면 R형균이 S형균으로 형질 전환되지 않는다. 따라서 폐렴 쌍구균의 형질을 결정하는 유전 물질은 DNA라는 것을 알 수 있다.

| 바로알기 | ㄴ. 열처리한 S형균의 추출물을 R형균의 배지에 섞었을 때 S형균이 발견되었으므로 S형균의 어떤 물질(유전 물질)이 R형균을 S형균으로 형질 전환시켰고, 이 물질은 열에 강하다는 것을 알 수 있다.

ㄷ. 이 실험을 통해 DNA가 유전 물질이라는 것이 밝혀진 후 DNA의 구조와 기능에 대한 연구가 활발해졌다.

03

| 선택지 분석 |

ㄱ 자연 선택이 진화의 원동력이라고 설명한다.

ㄴ 생물의 진화를 직접 관찰하고 실험으로 증명하였다.
　　　　　　직접 관찰하지 못하고 자료를 수집하여 추론하였다.

ㄷ 철학, 사회학, 심리학 등 다양한 분야의 영향을 받아 탄생한 학설이다.　　진화론은 다양한 다른 분야에 영향을 주었다.

ㄱ. 제시된 자료는 다윈의 진화설이다. 다윈은 진화의 원동력을 환경에 대한 적응 과정에서 일어나는 자연 선택이라고 설명한다.

| 바로알기 | ㄴ. 다윈은 탐험 과정에서 수집한 자료를 토대로 진화론을 주장하였다.

ㄷ. 생물이 진화한다는 관점은 철학, 사회학, 심리학, 정치학 등에 영향을 주었다.

04

| 선택지 분석 |

ㄱ 집단 A는 실험군이고, 집단 B는 대조군이다.

ㄴ 이 실험에는 연역적 탐구 방법이 사용되었다.

ㄷ '백신은 탄저병을 예방할 수 있다.'는 이 실험의 결론에 해당한다.

ㄱ. 집단 A에만 백신을 주사하였으므로 백신의 주사 여부는 가설 검증을 위해 의도적으로 변화시키는 조작 변인이다. 따라서 집단 A는 실험군이고, 백신을 주사하지 않은 집단 B는 대조군이다.

ㄴ. 파스퇴르는 백신은 탄저병을 예방하는 효과가 있을 것이라는 가설을 세운 후 이를 실험으로 검증하는 연역적 탐구 방법을 사용하였다.

ㄷ. 백신을 주사한 집단의 양만 탄저병에 걸리지 않았으므로 이 실험을 통해 백신이 탄저병을 예방할 수 있다는 결론을 도출할 수 있다.

Ⅱ. 세포의 특성

1 세포의 특성

01 생명체의 구성

1 (1) 식물체의 구성 단계에는 여러 조직이 모여 일정한 기능을 수행하는 조직계(A)가 있지만 동물체에는 없다. 또 동물체의 구성 단계에는 기능적으로 연관이 있는 여러 기관이 모여 구성된 기관계(B)가 있지만 식물체에는 없다.
(2) 세포는 생명체를 구성하는 구조적 단위이며, 자체적으로 생명 활동이 일어나는 기능적 단위이다.
(3) 다세포 생물에서는 형태와 기능이 비슷한 세포들이 모여 조직을 이룬다.
(4) 다세포 생물에서 서로 연관된 여러 조직이 모여 고유한 형태를 갖추고 특정 기능을 수행하는 기관을 이룬다. 기관은 동물체와 식물체의 구성 단계에 모두 있으며, 동물체의 기관에는 위, 폐, 심장, 콩팥, 뇌 등이 있고, 식물체의 기관에는 잎, 꽃, 줄기, 뿌리 등이 있다.

2 (1) 동물체에서 몸 바깥을 덮어 몸을 보호하는 조직은 상피 조직이다. 표피 조직은 식물체의 바깥 표면을 덮어 식물체를 보호한다.
(2) 뇌, 심장, 콩팥은 모두 동물체에서 여러 조직이 모여 특정 기능을 수행하는 기관의 예에 해당한다.
(3) 적혈구, 백혈구, 난자는 모두 동물체를 구성하는 구조적·기능적 단위인 세포이다.

3 대부분 울타리 조직, 해면 조직 등의 유조직으로 구성된 것은 기본 조직계이다. 기본 조직계는 표피 조직계와 관다발 조직계를 제외한 나머지 부분이며, 광합성, 양분 저장, 지지 작용 등의 기능을 한다.

1 (1) 단백질(ㄹ)은 효소, 호르몬의 성분으로 물질대사와 생리 작용 조절에 관여하고, 항체의 성분으로 방어 작용을 담당한다.
(2) 생명체에서 주된 에너지원으로 이용되는 물질은 탄수화물(ㅁ)의 단당류이다.
(3) 유전 정보를 저장하거나 전달하며, 단백질 합성에 관여하는 물질은 핵산(ㄷ)이다.
(4) 지질(ㄴ), 핵산(ㄷ), 단백질(ㄹ), 탄수화물(ㅁ)은 공통적으로 탄소(C), 수소(H), 산소(O)를 가지는 탄소 화합물이다.
(5) 생명체에서 가장 많은 양을 차지하는 물질은 물(ㄱ)이다.

2 (1) 엿당, 젖당, 설탕은 모두 단당류 2개가 결합한 이당류이다. 탄수화물의 가장 단순한 형태는 포도당, 과당, 갈락토스 등과 같은 단당류이다.
(2) 포도당과 같은 단당류는 세포의 주된 에너지원으로 이용된다.
(3) 셀룰로스는 다당류이며, 식물의 세포벽을 구성한다.

3 생명체를 구성하는 물질 중 물에 잘 녹지 않고 유기 용매에 잘 녹는 물질은 지질이며, 지질 중 1분자의 글리세롤과 3분자의 지방산으로 구성되고 단열의 역할을 하여 체온 유지에 중요한 역할을 하는 물질은 중성 지방이다.

4 (1) 단백질은 많은 수의 아미노산이 펩타이드 결합으로 연결되어 형성된다.
(2) 단백질을 구성하는 아미노산의 종류와 배열 순서에 따라 단백질의 입체 구조가 달라지며, 입체 구조에 따라 단백질의 고유한 기능이 결정된다.
(3) 단백질은 효소와 호르몬의 주성분이어서 생명체 내의 화학 반응과 생리 작용에 관여한다. 생명체의 주요 에너지 저장 물질은 중성 지방이다.

5 (1) 핵산의 단위체는 뉴클레오타이드이며, 뉴클레오타이드는 당, 인산, 염기가 1 : 1 : 1로 결합되어 있다.
(2) DNA를 구성하는 당은 디옥시리보스이고, RNA를 구성하는 당은 리보스이다.

(3) DNA를 구성하는 염기는 아데닌(A), 구아닌(G), 사이토신(C), 타이민(T)이고, RNA를 구성하는 염기는 아데닌(A), 구아닌(G), 사이토신(C), 유라실(U)이다.

(4) DNA는 유전 정보를 저장하고, RNA는 유전 정보를 전달하거나 단백질 합성 과정에 관여한다.

자료 ① **1** A: 조직, B: 기관, C: 기관계, D: 조직, E: 조직계, F: 기관   **2** C, E   **3** A, D   **4** (1) ○ (2) × (3) × (4) ○ (5) ○ (6) ○ (7) × (8) ○

자료 ② **1** (가) 글리코젠 (나) DNA (다) 단백질   **2** (가) 단당류(포도당) (나) 뉴클레오타이드 (다) 아미노산   **3** 펩타이드 결합   **4** (1) × (2) × (3) ○ (4) × (5) × (6) ○

①-1 동물체(가)의 구성 단계는 세포 → 조직(A) → 기관(B) → 기관계(C) → 개체이고, 식물체(나)의 구성 단계는 세포 → 조직(D) → 조직계(E) → 기관(F) → 개체이다.

①-2 식물체에는 없고 동물체에만 있는 구성 단계는 기관계(C)이고, 동물체에는 없고 식물체에만 있는 구성 단계는 조직계(E)이다.

①-3 동물체(가)와 식물체(나)에서 형태와 기능이 비슷한 세포들의 모임은 조직(A, D)이다.

①-4 (1) 신경 조직은 신경 세포(뉴런)와 이를 지지하는 세포로 구성되는 조직(A)이다.

(2) 기관(B)은 여러 조직들로 이루어져 있으며, 조직마다 구성하는 세포들이 다르다. 소화계와 배설계는 모두 여러 기관으로 이루어진 기관계(C)이다.

(3) 간과 콩팥은 동물의 기관(B)에 해당한다.

(4) 표피 조직은 식물에서 표피 세포, 공변세포 등으로 이루어진 조직(D)이다.

(5) 해면 조직, 울타리 조직과 같은 유조직이 모여 조직계(E) 중 하나인 기본 조직계를 이룬다.

(6) 조직계(E)는 표피 조직계, 관다발 조직계, 기본 조직계로 구분된다.

(7) 생장점과 형성층은 세포 분열이 왕성하게 일어나는 분열 조직이므로 조직(D)에 해당한다.

(8) 개체는 여러 기관이 모여 독립적으로 생명 활동이 가능한 생명체이다.

②-1 (가)는 동일한 모양의 단위체(단당류)가 결합하여 사슬을 이룬 형태이므로 글리코젠이며, (나)는 이중 나선 구조이므로 DNA, (다)는 모양이 다른 단위체(아미노산)가 결합한 형태이므로 단백질이다.

②-2 글리코젠(가)의 단위체는 단당류(포도당), DNA(나)의 단위체는 뉴클레오타이드, 단백질(다)의 단위체는 아미노산이다.

②-3 단백질(다)은 많은 수의 아미노산이 펩타이드 결합으로 연결된 형태의 화합물이다.

②-4 (1) 식물의 뿌리, 열매, 줄기 등에 저장되는 다당류는 녹말이다. 글리코젠은 동물 세포에 저장되는 다당류이다.

(2) DNA(나)를 구성하는 단위체는 뉴클레오타이드이며, 뉴클레오타이드는 인산, 당, 염기가 1 : 1 : 1로 구성되어 있다.

(3) DNA(나)는 유전 정보를 저장하며, RNA와 함께 핵산의 한 종류이다.

(4) 생명체에서 에너지원으로 가장 많이 사용되는 물질은 탄수화물이다.

(5) 단백질(다)은 하나의 폴리펩타이드가 구부러지고 접혀 특정한 형태의 입체 구조를 나타내지만, 헤모글로빈과 같이 2개 이상의 폴리펩타이드가 모여 기능을 나타내는 것도 있다.

(6) 글리코젠(가), DNA(나), 단백질(다)은 모두 탄소(C)들 간의 결합을 기본 골격으로 하는 탄소 화합물이다.

01 ①   **02** ①   **03** ⑤   **04** ⑤   **05** ③   **06** ③
07 ①   **08** ④   **09** 해설 참조   **10** ④   **11** 해설 참조

01 ㄱ. 식물에서 꽃, 열매, 잎, 줄기, 뿌리는 모두 기관에 해당한다.

┃바로알기┃ ㄴ. 소장은 기관에, 혈액은 조직에 해당한다. 따라서 소장과 혈액은 동물체의 구성 단계에서 서로 다른 구성 단계에 해당한다.

ㄷ. 상피 조직, 결합 조직, 근육 조직, 신경 조직은 모두 동물체에 있는 조직들이며, 이들이 모여 기관을 이룬다. 조직계는 동물체의 구성 단계에는 없고, 식물체의 구성 단계에만 있다.

02 A는 조직, B는 기관, C는 조직계, D는 기관이다.
② 동물체(가)의 구성 단계에서 B, 식물체(나)의 구성 단계에서 D는 모두 기관이다.

③ 심장과 폐는 모두 동물체(가)의 기관(B)이다.
④ 식물체(나)의 구성 단계에서 C는 여러 조직이 모여 일정한 기능을 수행하는 조직계이다.
⑤ 물관과 체관은 모두 통도 조직이며, 이들이 모여 조직계(C) 중 관다발 조직계를 이룬다.
┃**바로알기**┃ ① A는 조직이며, 조직(A)은 비슷한 기능과 형태를 가진 세포들의 모임이다.

03 꼼꼼 문제 분석

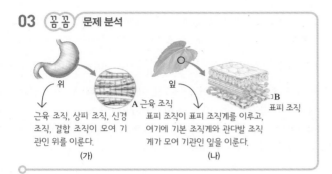

위
근육 조직, 상피 조직, 신경 조직, 결합 조직이 모여 기관인 위를 이룬다.
(가)

잎
A 근육 조직
B 표피 조직
표피 조직이 표피 조직계를 이루고, 여기에 기본 조직계와 관다발 조직계가 모여 기관인 잎을 이룬다.
(나)

① 근육 조직은 동물체에, 표피 조직은 식물체에 존재하는 조직이므로 A는 근육 조직이다.
②, ③ B는 표피 조직이며, 표피 조직은 잎, 줄기, 뿌리까지 식물체 전체에 연속적으로 분포하여 조직계를 이룬다.
④ 위는 여러 조직으로 구성되어 고유한 형태와 기능을 가지는 기관이다. 잎은 조직계가 모여 이루어진 기관이다.
┃**바로알기**┃ ⑤ 위는 상피 조직, 결합 조직, 근육 조직, 신경 조직의 여러 조직으로 이루어져 있다.

04 ① 핵산은 핵이나 세포질에 존재하며, 유전 정보를 저장 및 전달하는 물질이다.
② 단백질은 생명체를 구성하는 주성분이며, 대부분의 생명 활동에 관여한다.
③ 중성 지방은 같은 양의 탄수화물보다 2배 이상의 에너지를 저장할 수 있어 에너지 저장 물질로 이용된다.
④ 물은 분자 사이의 수소 결합으로 강한 응집력이 생겨 기화열과 비열이 커서 체온을 일정하게 유지하는 데 도움을 준다.
┃**바로알기**┃ ⑤ 셀룰로스, 글리코젠은 다당류이지만, 콜레스테롤은 지질의 한 종류인 스테로이드이다.

05 (가)는 다당류인 셀룰로스, (나)는 단당류인 포도당, (다)는 이당류인 엿당이다.
③ 포도당(나)의 화학 에너지는 세포 호흡에 의해 생명 활동에 필요한 에너지 형태로 전환된다. 따라서 포도당은 생명체에서 주된 에너지원으로 사용된다.
┃**바로알기**┃ ① 셀룰로스(가)의 구성 원소는 탄소(C), 수소(H), 산소(O)이며, 질소(N)는 포함되어 있지 않다.

② 셀룰로스(가)는 식물 세포에서 세포벽을 구성하는 물질이다. 식물 세포에서 에너지를 저장하는 물질은 녹말이다.
④ 젖당, 설탕은 모두 엿당(다)과 같은 이당류이다.
⑤ 탄수화물의 가장 단순한 형태는 포도당(나)과 같은 단당류이다.

06 ① 지질은 물에 잘 녹지 않고 유기 용매에 잘 녹는 화합물이다.
② 인지질은 글리세롤 1분자에 지방산 2분자와 인산기를 포함한 화합물이 결합한 것으로, 세포막, 핵막과 같은 생체막의 주성분이다.
④ 중성 지방은 동물체에서 피부 밑의 지방층을 구성하여 단열 기능을 함으로써 체온 유지에 관여한다.
⑤ 중성 지방은 1분자의 글리세롤과 3분자의 지방산이 결합된 화합물이다.
┃**바로알기**┃ ③ 스테로이드는 탄소(C)로 구성된 고리 화합물 4개가 연결된 구조이다. 지질 중 친수성 머리와 소수성 꼬리로 구성된 것은 인지질이다.

07 ② 단백질은 1개 이상의 폴리펩타이드로 구성되며, 폴리펩타이드가 접히거나 꼬여 입체 구조를 형성하여 단백질이 된다.
③ 단백질은 근육과 같은 몸을 구성하는 주성분이며, 아미노산으로 분해되어 세포 호흡에 필요한 에너지원으로 쓰이기도 한다.
④ 단백질의 단위체는 아미노산이며, 많은 수의 아미노산이 펩타이드 결합으로 연결되어 폴리펩타이드가 만들어진다.
⑤ 폴리펩타이드는 구성하는 아미노산 사이의 상호 작용으로 꼬이고 접혀서 특정한 형태의 입체 구조를 갖는다. 따라서 아미노산의 종류와 배열에 따라 입체 구조가 달라지고, 단백질의 기능은 입체 구조에 따라 결정된다.
┃**바로알기**┃ ① 사람 성호르몬의 주성분은 스테로이드이다.

08 꼼꼼 문제 분석

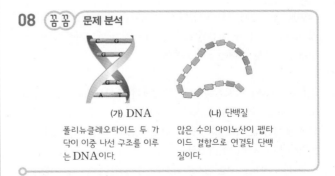

(가) DNA
폴리뉴클레오타이드 두 가닥이 이중 나선 구조를 이루는 DNA이다.

(나) 단백질
많은 수의 아미노산이 펩타이드 결합으로 연결된 단백질이다.

① DNA(가)는 유전 정보를 저장하는 물질이다.
② 단백질(나)은 근육, 머리카락 등을 구성한다.
③ 단백질은 입체 구조가 온도, pH의 영향을 받기 때문에 온도, pH가 적절하지 않으면 변성되어 제 기능을 할 수 없다.
⑤ DNA(가)의 단위체는 뉴클레오타이드이다.

바로알기 ④ 핵산, 단백질, 지질, 탄수화물과 같은 탄소 화합물 중에서 사람의 몸을 구성하는 비율이 가장 높은 것은 단백질(나)이다.

09 DNA와 RNA는 모두 핵산으로, 단위체가 뉴클레오타이드이다. DNA는 이중 나선 구조를 이루고 있으며, RNA는 단일 가닥 구조이다. DNA를 구성하는 당은 디옥시리보스이며, 구성하는 염기는 아데닌(A), 구아닌(G), 사이토신(C), 타이민(T)이다. RNA를 구성하는 당은 리보스이며, 구성하는 염기는 아데닌(A), 구아닌(G), 사이토신(C), 유라실(U)이다.

모범답안 DNA의 당은 디옥시리보스이고, RNA의 당은 리보스이다. DNA는 염기로 아데닌(A), 구아닌(G), 사이토신(C), 타이민(T)을 가지고, RNA는 염기로 아데닌(A), 구아닌(G), 사이토신(C), 유라실(U)을 가진다.

채점 기준	배점
DNA와 RNA를 구성하는 물질의 차이점을 두 가지 모두 옳게 서술한 경우	100 %
DNA와 RNA를 구성하는 물질의 차이점을 한 가지만 옳게 서술한 경우	50 %

10 **꼼꼼** 문제 분석

물질	(가) 핵산	(나) 지질	(다) 탄수화물
예	RNA	중성 지방	녹말

• RNA의 단위체는 뉴클레오타이드, 녹말의 단위체는 포도당이다.
• 중성 지방은 지방산과 글리세롤로 구성된다.

ㄱ. 핵산(가)의 단위체는 뉴클레오타이드이다. 뉴클레오타이드는 인산 : 당 : 염기가 1 : 1 : 1로 결합되어 있다.
ㄴ. 지질(나)에는 중성 지방, 인지질, 스테로이드 등이 있다.
ㄹ. 핵산(가), 지질(나), 탄수화물(다)은 모두 탄소(C)를 포함하는 탄소 화합물이다.

바로알기 ㄷ. 탄수화물(다)의 예인 녹말은 주로 식물의 뿌리, 열매, 줄기, 잎 등에 저장된다. 동물 세포에서 에너지를 저장하는 주된 탄수화물 형태는 글리코젠이다.

11 단백질과 인지질은 모두 세포막의 주성분이며, 구성 원소로 탄소(C), 수소(H), 산소(O)를 가진다. 인지질과 중성 지방은 모두 물에는 잘 녹지 않고 유기 용매에 잘 녹으며, 구성 성분으로 글리세롤과 지방산을 가진다.

모범답안 ㉠에는 '구성 원소로 탄소(C), 수소(H), 산소(O)를 가진다.'가 있다. ㉡에는 '물에 잘 녹지 않고 유기 용매에 잘 녹는다.', '글리세롤과 지방산을 가진다.'가 있다.

채점 기준	배점
㉠과 ㉡을 모두 한 가지씩 옳게 서술한 경우	100 %
㉠과 ㉡ 중 하나만 옳게 서술한 경우	50 %

02 세포의 연구 방법

38쪽

완자쌤 비법특강 **Q1** ㄱ, ㄴ, ㄷ

Q1 ㄱ. 눈금에 숫자가 표시된 A가 접안 마이크로미터이고, B는 대물 마이크로미터이다.
ㄴ. (가)에서 접안 마이크로미터(A) 40(10)눈금과 대물 마이크로미터(B) 20(5)눈금이 일치하므로, (가)에서 측정한 접안 마이크로미터 눈금 한 칸의 길이는 $\frac{20}{40}\left(\frac{5}{10}\right)\times10\ \mu m=5\ \mu m$이다.

ㄷ. (나)에서 세포의 길이 l은 접안 마이크로미터(A) 20눈금과 일치한다. 따라서 l은 $20\times5\ \mu m=100\ \mu m$이다.

바로알기 ㄹ. 대물렌즈의 배율과 관계없이 대물 마이크로미터 눈금 한 칸의 길이는 $10\ \mu m$로 일정하다.

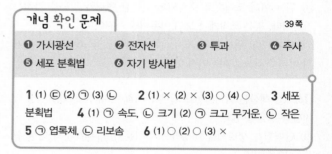

개념 확인 문제

39쪽

❶ 가시광선   ❷ 전자선   ❸ 투과   ❹ 주사
❺ 세포 분획법   ❻ 자기 방사법

1 (1) ㉢ (2) ㉠ (3) ㉡   **2** (1) × (2) × (3) ○ (4) ○   **3** 세포 분획법   **4** (1) ㉠ 속도, ㉡ 크기 (2) ㉠ 크고 무거운, ㉡ 작은   **5** ㉠ 엽록체, ㉡ 리보솜   **6** (1) ○ (2) ○ (3) ×

1 (1) 광학 현미경으로 가시광선을 굴절시켜 살아 있는 세포를 확대하여 관찰할 수 있다.
(2) 투과 전자 현미경은 전자선을 시료의 얇은 단면에 투과하여 화면에 시료 단면의 영상을 형성한다.
(3) 주사 전자 현미경은 금속으로 코팅한 시료 표면에 전자선을 주사하여 화면에 시료 표면의 입체 영상을 형성한다.

2 (1) 위상차 현미경과 형광 현미경은 모두 광학 현미경에 속하므로 가시광선을 이용한다.
(2) 주사 전자 현미경은 전자선을 시료 표면에 주사하여 관찰하므로 세포의 표면이나 외부 형태의 관찰에 적합하다. 세포 내부의 미세 구조 관찰에 적합한 것은 투과 전자 현미경이다.
(3) 투과 전자 현미경은 전자선을 시료의 얇은 단면에 투과하여 관찰하므로 세포의 단면을 영상으로 관찰할 수 있다.

(4) 광학 현미경은 전자 현미경에 비해 배율과 해상력이 낮아 세포 소기관의 구조를 상세히 관찰할 수 없지만, 세포에 다른 처리를 하지 않아도 관찰할 수 있어 살아 있는 세포의 관찰이 가능하다.

3 세포 분획법을 이용하면 구조나 기능을 연구하는 데 필요한 특정 세포 소기관을 대량으로 얻을 수 있다.

4 (1) 세포 분획법은 세포 파쇄액을 속도와 시간을 다르게 원심 분리하여 세포 내의 구성 물질이나 세포 소기관을 크기와 밀도에 따라 단계적으로 분리하는 방법이다.
(2) 원심 분리 시 느린 회전 속도에서는 핵과 같이 크고 무거운 세포 소기관이 먼저 가라앉아 분리되고, 회전 속도를 증가시키면 점차 작은 세포 소기관이 가라앉아 분리된다.

5 세포벽을 제거한 식물 세포를 세포 분획하면 가장 먼저 핵이 분리되고 이후에 엽록체, 미토콘드리아, 세포막과 내부 막 조각, 리보솜의 순서로 분리된다.

6 (1), (2) 자기 방사법은 방사성 물질인 방사성 동위 원소로 표지한 물질이 방출하는 방사선을 추적하여 물질의 이동과 변화를 알아보는 방법이다. 방사성 동위 원소 ^{35}S으로 표지된 아미노산을 세포에 주입하고 이를 추적하면 세포에서 단백질이 합성되어 이동하는 경로를 알 수 있다.
(3) 식물 세포에서 자기 방사법으로 광합성의 과정과 생성물을 알아볼 때에는 방사성 동위 원소 ^{14}C로 표지된 이산화 탄소를 사용한다.

대표 자료 분석　　　　　　　　　　　40쪽

자료 ①　**1** A: 광학 현미경, B: 주사 전자 현미경, C: 투과 전자 현미경　**2** A: 가시광선, B: 전자선, C: 전자선　**3** A
4 (1) ○ (2) × (3) × (4) ○ (5) ×

자료 ②　**1** A: 핵, B: 미토콘드리아, C: 세포막, D: 리보솜　**2** (1) A
(2) C, D　**3** (1) ○ (2) × (3) × (4) × (5) ○ (6) ○

①-1 B는 짚신벌레의 표면을 입체적으로 상세하게 관찰하였으므로 주사 전자 현미경이고, C는 짚신벌레의 내부 단면을 상세하게 관찰하였으므로 투과 전자 현미경이다. 따라서 A는 광학 현미경이다.

①-2 광학 현미경(A)은 가시광선을, 전자 현미경(B, C)은 전자선을 이용한다.

①-3 배율과 해상력은 가시광선을 이용하는 광학 현미경(A)이 가장 낮다.

①-4 (1) 홈이 파인 받침 유리에 짚신벌레가 담긴 연못 물을 떨어뜨리고 덮개 유리를 덮어 광학 현미경(A)으로 관찰하면 살아 있는 짚신벌레를 관찰할 수 있다.
(2), (3) 주사 전자 현미경(B)은 짚신벌레의 표면에 전자선을 주사하여 입체 영상을 형성하므로 표면이나 외부 형태를 관찰하는 데 적합하다.
(4) 투과 전자 현미경(C)은 짚신벌레의 단면에 전자선을 투과하여 화면에 짚신벌레 단면의 영상을 형성한다.
(5) 짚신벌레의 외부 형태를 자세히 관찰하는 데에는 주사 전자 현미경(B)이 적합하다.

②-1 동물 세포를 균질기로 파쇄한 후 파쇄액을 원심 분리기에 속도와 시간을 다르게 하여 세포 분획하면 비교적 크고 무거운 핵이 가장 먼저 분리되고, 회전 속도를 빨리할수록 점차 작은 세포 소기관이 가라앉는다. 따라서 A에는 핵, B에는 미토콘드리아, C에는 세포막, D에는 리보솜이 있다.

②-2 (1) 세포 분획에서 원심 분리기의 회전 속도가 느릴 때에는 무겁고 큰 것이 먼저 가라앉는다. 세포 구조 중 가장 무거운 것은 핵이므로 침전물 A에는 핵이 있다.
(2) 침전물 B가 분리되어 가라앉은 시험관의 상층액에는 침전물 B에 포함된 것보다 가벼운 세포 구조가 들어 있으므로 침전물 C와 D에 포함된 세포 구조가 들어 있다.

②-3 (1) 세포 분획법은 세포 소기관을 크기와 밀도에 따라 단계적으로 분리하는 방법이다.
(2) 설탕 용액은 세포 소기관의 손상을 막기 위해 동물 세포액과 농도가 같은 것을 사용한다.
(3) 세포 소기관 중 DNA를 가장 많이 포함하는 것은 핵이므로 핵이 포함된 침전물 A는 DNA 함량이 가장 많다.
(4) 2중막 구조를 가지며 ATP를 합성하는 세포 소기관은 미토콘드리아이며, 미토콘드리아는 침전물 B에 포함되어 있다.
(5) 초반에 원심 분리기의 속도가 느릴 때에는 크고 무거운 세포 소기관부터 가라앉고 이후 속도가 빨라지면 점차 작은 세포 소기관이 가라앉는다.
(6) 동물 세포를 균질기로 파쇄할 때 얼음을 넣는 것은 세포가 파괴되어 세포로부터 나오는 가수 분해 효소의 작용을 억제하고, 파쇄 시 발생하는 열에 의해 세포가 손상되는 것을 방지하기 위해서이다.

01 ㄴ. 자기 방사법(나)은 방사성 동위 원소가 포함된 화합물을 세포에 주입하여 시간 경과에 따라 방사성 동위 원소에서 방출되는 방사선을 추적하는 방법이므로, 세포 안에서의 물질 이동 경로를 파악하는 데 이용된다.

ㄷ. 세포 분획법(다)은 세포 소기관을 크기와 밀도에 따라 분리하는 방법이므로 특정 세포 소기관의 구조와 기능을 연구하는 데 이용된다.

바로알기 ㄱ. (가)는 현미경 관찰, (나)는 자기 방사법, (다)는 세포 분획법이다.

02 꼼꼼 **문제 분석**

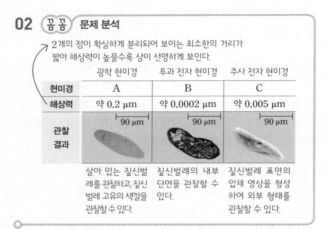

2개의 점이 확실하게 분리되어 보이는 최소한의 거리가 짧아 해상력이 높을수록 상이 선명하게 보인다.

현미경	광학 현미경	투과 전자 현미경	주사 전자 현미경
	A	B	C
해상력	약 0.2 μm	약 0.0002 μm	약 0.005 μm
관찰 결과	90 μm / 살아 있는 짚신벌레를 관찰하고, 짚신벌레 고유의 색깔을 관찰할 수 있다.	90 μm / 짚신벌레의 내부 단면을 관찰할 수 있다.	90 μm / 짚신벌레 표면의 입체 영상을 형성하여 외부 형태를 관찰할 수 있다.

A는 광학 현미경, B는 투과 전자 현미경, C는 주사 전자 현미경이다.

⑤ 광학 현미경(A)을 사용하면 살아 있는 짚신벌레의 움직임을 관찰할 수 있지만, 전자 현미경을 사용하면 현미경 표본을 만드는 과정에서 짚신벌레를 탈수 및 건조해야 하고 금속으로 코팅하기도 하므로 살아 있는 짚신벌레를 관찰할 수 없다.

바로알기 ① A는 광학 현미경이다.

② 시료의 표면을 금속으로 코팅한 후 전자선을 주사하여 표면의 입체 영상을 형성하는 전자 현미경은 주사 전자 현미경(C)이다.

③ 짚신벌레 고유의 몸 색깔을 구분할 수 있는 것은 광학 현미경(A)이다. 전자 현미경은 시료에서 튀어나온 전자에 의해 형성된 화면을 관찰하므로 짚신벌레 고유의 몸 색깔을 관찰할 수 없다. 주사 전자 현미경(C)의 관찰 결과는 결과 영상을 얻은 후 채색한 것이다.

④ 광학 현미경(A)의 해상력은 0.2 μm이고, 투과 전자 현미경(B)은 해상력이 0.0002 μm이므로 광학 현미경(A)은 투과 전자 현미경(B)보다 2개의 점을 구별할 수 있는 최소한의 거리가 길어 해상력이 낮다.

[03~04] 꼼꼼 **문제 분석**

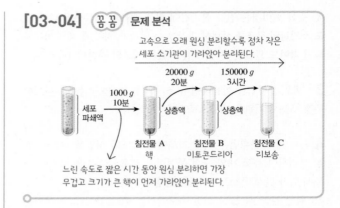

고속으로 오래 원심 분리할수록 점차 작은 세포 소기관이 가라앉아 분리된다.

세포 파쇄액 → 1000 g 10분 → 침전물 A 핵 / 상층액 → 20000 g 20분 → 침전물 B 미토콘드리아 / 상층액 → 150000 g 3시간 → 침전물 C 리보솜

느린 속도로 짧은 시간 동안 원심 분리하면 가장 무겁고 크기가 큰 핵이 먼저 가라앉아 분리된다.

03 세포 분획법은 세포 파쇄액을 원심 분리할 때 회전 속도를 점차 빠르게 하여 크기와 밀도에 따라 세포 소기관을 단계적으로 분리하는 방법으로, 가장 크고 무거운 세포 소기관부터 작은 세포 소기관 순으로 분리된다.

모범답안 A: 핵, B: 미토콘드리아, C: 리보솜, 처음에는 원심 분리기의 회전 속도가 느려 크고 무거운 핵이 먼저 가라앉고, 이후 점차 회전 속도가 빨라질수록 작은 세포 소기관이 가라앉기 때문이다.

채점 기준	배점
A~C에 있는 세포 소기관을 쓰고, 이와 같이 판단한 까닭을 옳게 서술한 경우	100 %
A~C에 있는 세포 소기관 중 일부만 옳게 쓰고, 이와 같이 판단한 까닭을 옳게 서술한 경우	70 %
A~C에 있는 세포 소기관만 옳게 쓴 경우	30 %

04 ㄱ. 핵, 리보솜, 미토콘드리아 중 DNA 함량이 가장 많은 것은 핵이고, 핵은 가장 먼저 가라앉으므로 침전물 A에 포함된다.

ㄴ. 세포 파쇄액을 원심 분리하면 느린 회전 속도에서는 비교적 크고 무거운 세포 소기관인 핵이 먼저 가라앉으므로 침전물 A의 상층액에는 리보솜, 미토콘드리아 등의 세포 소기관이 포함되어 있다.

ㄷ. 산소는 세포 호흡에 이용되며, 세포 호흡은 미토콘드리아에서 일어난다. 미토콘드리아는 침전물 B에 포함되어 있다.

05 ㄱ. 자기 방사법에서 X선 필름을 방사성 동위 원소로 표지된 물질에 밀착시키면 방사성 동위 원소에서 방출하는 방사선에 의해 검은색 점이 나타나 세포 내 물질의 이동이나 변화 과정을 알 수 있다.

ㄴ. ^{14}C로 표지한 이산화 탄소를 식물 세포에 주입하고 이를 추적하면 광합성 과정에서 생성되는 물질의 종류와 이동 경로를 알 수 있다.

바로알기 ㄷ. 세포 소기관을 크기나 밀도 차에 의해 대량으로 분리하여 구조나 기능을 연구하는 데 쓰이는 것은 세포 분획법이다. 자기 방사법은 세포 내 물질 이동이나 세포 분열, 유전을 연구하는 데 쓰인다.

🥚03 세포 소기관의 구조와 기능

개념 확인 문제

47쪽

❶ 원핵 ❷ 진핵 ❸ 핵 ❹ 리보솜 ❺ 골지체
❻ 엽록체 ❼ 미토콘드리아 ❽ 리소좀 ❾ 액포
❿ 세포 골격

1 (1) × (2) ○ (3) × (4) × **2** B: 세포벽, E: 엽록체 **3** (1) ㄱ,
ㄴ, ㅁ (2) ㄷ, ㄹ (3) ㄴ, ㅁ **4** (1) × (2) ○ (3) ○ (4) × (5) ○
(6) ○ (7) × **5** ④

1 (1) 진핵세포는 핵 속에 유전 물질로 여러 개의 선형 DNA
를 가진다.
(2) 진핵세포의 리보솜은 원핵세포의 리보솜보다 크기가 크고,
리보솜을 구성하는 단백질, RNA 등도 원핵세포의 리보솜과 다
르다.
(3) 원핵세포 중 세균은 펩티도글리칸으로 구성된 세포벽을 가지
고 있고, 진핵세포 중 식물을 이루는 세포의 세포벽은 셀룰로스,
버섯과 곰팡이를 이루는 세포의 세포벽은 키틴이 주성분이다.
(4) 원핵세포에는 진핵세포와 달리 핵막과 막으로 둘러싸인 세포
소기관이 없다.

2 A는 세포질, B는 세포벽, C는 세포막, D는 핵, E는 엽록체,
F는 미토콘드리아이다. 세포벽(B)과 엽록체(E)는 동물 세포에
는 없고 식물 세포에만 있다.

3 (1) 핵, 엽록체, 미토콘드리아는 외막과 내막의 2중막 구조
로 되어 있다.
(2) 단일막 구조로, 물질 수송의 통로 역할을 하는 세포 소기관은
소포체이고, 소포체에서 수송한 단백질을 세포의 다른 곳으로 운
반하는 세포 소기관은 골지체이다.
(3) 엽록체는 빛에너지를 포도당의 화학 에너지로 전환하고, 미
토콘드리아는 포도당의 화학 에너지를 ATP의 화학 에너지로
전환한다. 엽록체와 미토콘드리아는 모두 자체 DNA와 리보솜
이 있어 스스로 복제하고 증식할 수 있다.

4 (1) 인지질을 합성하고 독성 물질을 해독하는 세포 소기관은
표면에 리보솜이 붙어 있지 않은 매끈면 소포체이다.
(2) 시스터나가 층층이 쌓인 구조로, 분비 작용이 활발한 세포에
발달해 있는 세포 소기관은 골지체이다.
(3) 엽록체는 자체 DNA와 리보솜을 가지고 있어 스스로 복제하
고 증식할 수 있다.

(4) 미토콘드리아는 포도당의 화학 에너지를 ATP의 화학 에너
지로 전환한다.
(5) 리소좀은 단백질, 탄수화물 등을 분해하는 여러 가지 가수 분
해 효소를 가지고 있어 세포 밖에서 들어온 물질이나 세포 내 물
질을 분해한다.
(6) 액포는 식물 세포의 형태 유지에 관여하며, 식물 세포 내부의
수분량과 삼투압을 조절한다.
(7) 세포 골격을 이루는 단백질 섬유 중 세포막 바로 아래에 퍼져
있으며 근육 수축과 세포질 분열에 관여하는 것은 미세 섬유이다.

5 리보솜에서 합성된 단백질은 소포체에서 가공되어 골지체로
이동하고, 골지체에서는 단백질을 가공 및 포장한 후 세포 밖으
로 분비하거나 세포의 다른 부분으로 이동시킨다.

대표 자료 분석

48쪽~49쪽

자료① **1** (가) 세균 (나) 식물 세포 **2** (가) 원핵세포 (나) 진핵
세포 **3** (가)의 리보솜은 (나)의 리보솜보다 크기가 작
다. (가)의 리보솜은 (나)의 리보솜과 구성하는 단백질과
RNA 등이 다르다. 중 한 가지 **4** (1) × (2) ○ (3) ○
(4) × (5) ○

자료② **1** A: 중심체, B: 미토콘드리아, C: 리보솜, D: 핵, E: 골
지체, F: 엽록체, G 세포벽 **2** (나) **3** (1) ○ (2) ○
(3) ○ (4) ○ (5) ○ (6) × (7) ×

자료③ **1** A: 핵, B: 거친면 소포체, C: 골지체 **2** A **3** (1) ×
(2) ○ (3) ○ (4) ○ (5) ○

자료④ **1** A: 거친면 소포체, B: 골지체, C: 리소좀 **2** A
3 세포내 소화 **4** (1) ○ (2) × (3) ○ (4) × (5) ×

①-1 (가)는 핵이 없으므로 세균이고, (나)는 핵, 엽록체가 있
으므로 식물 세포이다.

①-2 (가)는 핵막이 없어 유전 물질이 세포질에 존재하므로 원
핵세포이고, (나)는 막으로 둘러싸인 핵과 막으로 둘러싸인 여러
세포 소기관이 존재하므로 진핵세포이다.

①-3 원핵세포(가)에 존재하는 리보솜은 진핵세포(나)에 존재
하는 리보솜보다 크기가 작고, 구성하는 단백질과 RNA의 종류
가 진핵세포(나)의 리보솜과 다르다.

①-4 (1) 세균(가)은 유전 물질로 원형의 DNA를 하나만 가지고, 식물 세포(나)는 유전 물질로 핵 속에 선형의 DNA를 여러 개 가진다.

(2) 식물 세포(나)는 진핵세포이므로 미토콘드리아, 엽록체, 소포체, 액포 등 막으로 둘러싸인 세포 소기관을 가진다.

(3) 세균(가)과 식물 세포(나)를 비롯한 모든 세포는 세포막으로 둘러싸여 있다.

(4) 세균(가)은 핵막이 없는 원핵세포이므로 유전 물질이 세포질에 있다.

(5) 세균(가)은 주로 펩티도글리칸으로 구성된 세포벽을 가지고 있으며, 식물 세포(나)는 셀룰로스가 주성분인 세포벽을 가지고 있다.

②-1 A는 핵 근처에 위치한 중심체, B는 세포 호흡의 장소인 미토콘드리아, C는 단백질 합성 장소인 리보솜, D는 유전 물질을 가지는 핵, E는 단백질의 분비에 관여하는 골지체, F는 광합성 장소인 엽록체, G는 식물 세포의 세포막 바깥쪽을 둘러싼 세포벽이다.

②-2 (나)는 동물 세포에는 없고 식물 세포에는 있는 엽록체(F)와 세포벽(G)을 가지므로 식물 세포이다. 따라서 (가)는 동물 세포이다.

②-3 (1) 중심립 2개가 직각으로 배열된 중심체(A)는 주로 동물 세포에서 관찰된다.

(2) 미토콘드리아(B)는 유기물을 분해하여 세포에 필요한 에너지를 생성하므로, 근육 세포와 같이 에너지를 많이 사용하는 세포에 많이 존재한다.

(3) 미토콘드리아(B)와 엽록체(F)는 모두 외막과 내막의 2중막 구조로 되어 있다.

(4) 리보솜(C)에서 세포의 생명 활동에 필요한 단백질이 합성된다.

(5) 유전 물질인 DNA는 핵(D) 안에서 단백질인 히스톤을 감아 뉴클레오솜을 형성하며, 세포가 분열할 때 고도로 응축되어 염색체가 된다.

(6) 리보솜(C)은 막으로 둘러싸여 있지 않다. 핵(D)은 외막과 내막의 2중막으로 둘러싸여 있으며, 골지체(E)는 단일막으로 둘러싸여 있다.

(7) 유기물(포도당)의 화학 에너지가 ATP의 화학 에너지로 전환되는 장소는 세포 호흡이 일어나는 미토콘드리아(B)이며, 엽록체(F)에서는 광합성이 일어나 빛에너지가 유기물(포도당)의 화학 에너지로 전환된다.

③-1 A는 유전 물질인 DNA가 들어 있는 핵, B는 리보솜이 표면에 붙어 있는 거친면 소포체, C는 소포체에서 수송한 단백질을 가공하고, 세포 밖으로 분비하는 골지체이다.

③-2 핵(A)에는 유전 물질인 DNA가 있으며, DNA에 저장된 유전 정보에 따라 리보솜에서 단백질이 합성된다.

③-3 (1) 핵(A)과 거친면 소포체(B)의 내부는 연결되어 있지만, 골지체(C)와는 연결되어 있지 않다.

(2) 거친면 소포체(B)는 합성된 단백질을 운반 소낭(㉠)을 이용하여 이동시키므로 이자 세포와 같이 분비 작용이 활발한 세포에 발달해 있다.

(3) 골지체(C)는 거친면 소포체(B)로부터 운반된 단백질을 가공 및 분류하여 분비 소낭(㉡)을 만들어 세포 밖으로 분비하거나 세포의 다른 곳으로 이동시킨다.

(4) ㉠은 소포체의 막 일부로 단백질을 둘러싸서 만든 운반 소낭이다.

(5) ㉡은 골지체에서 떨어져 나온 분비 소낭이다. 분비 소낭(㉡)의 막이 세포막과 융합되면서 소낭 속에 담긴 단백질이 세포 밖으로 분비된다.

④-1 A는 표면에 리보솜이 붙어 있는 거친면 소포체, B는 소포체에서 온 운반 소낭과 융합하는 골지체, C는 골지체의 일부가 떨어져 나와서 만들어진 리소좀이다.

④-2 거친면 소포체(A)에서는 리보솜에서 합성된 단백질을 가공하여 소포체 막의 일부로 둘러싸 운반 소낭을 만들어 운반한다.

④-3 D는 식균 작용으로 병원체를 끌어들여 형성된 식포와 가수 분해 효소를 포함하는 리소좀이 융합된 것이다. D에서는 리소좀에 포함된 가수 분해 효소에 의해 병원체가 분해되는데, 이를 세포내 소화라고 한다.

④-4 (1) 거친면 소포체(A), 골지체(B), 리소좀(C)은 모두 단일막 구조를 가진다.

(2) 거친면 소포체(A)의 내부는 연결되어 있지만, 골지체(B)는 납작한 주머니 모양인 시스터나가 쌓여 있는 구조로 내부가 서로 연결되어 있지 않다.

(3) 리소좀(C)은 작은 주머니 모양의 세포 소기관으로, 골지체(B)의 일부가 떨어져 나와 만들어진 것이다.

(4) 골지체(B)는 단백질의 가공 및 분비를 담당하며, 손상된 세포 소기관을 분해하는 것은 리소좀(C)이다.

(5) 리소좀(C)에는 단백질, 탄수화물, 지질, 핵산 등의 가수 분해 효소가 들어 있다.

01 ⑤	02 ⑤	03 ②	04 ⑤	05 ①	06 해설 참조
07 해설 참조	08 ②	09 ①	10 ④	11 ①	
12 ②	13 ①	14 ②	15 ③	16 ①	17 ④
18 ③					

01 ① (가)는 핵막이 없으므로 원핵세포이고, (나)는 핵막과 막으로 둘러싸인 세포 소기관이 있으므로 진핵세포이다.

② (가)는 원핵세포로, 엽록체, 미토콘드리아, 소포체 등 막으로 둘러싸인 세포 소기관이 없다.

③ (나)는 진핵세포 중 식물 세포이므로 셀룰로스를 포함하는 세포벽을 가진다.

④ (가)와 (나)를 비롯한 모든 세포는 세포막으로 둘러싸여 있고, 단백질 합성 장소인 리보솜을 가진다.

∥**바로알기**∥ ⑤ (가)의 유전 물질은 원형 DNA이고, (나)의 유전 물질은 선형 DNA이다.

02 ⑤ 원핵세포의 리보솜은 진핵세포의 리보솜보다 크기가 작다.

∥**바로알기**∥ ① 원핵세포는 핵막이 없어 유전 물질이 세포질에 존재한다.

② 원핵세포는 핵막은 가지지 않지만 세포벽을 가지며, 세균은 당단백질인 펩티도글리칸을 포함하는 세포벽을 가진다.

③ 원핵세포는 막으로 둘러싸인 세포 소기관이 없다.

④ 원핵세포의 DNA도 단백질과 결합되어 있지만, 히스톤이 없어 뉴클레오솜을 형성하지 못한다.

03 막으로 둘러싸인 세포 소기관을 가진 생물은 진핵생물이며, 곰팡이, 소나무, 아메바, 초파리는 모두 진핵생물이다.

∥**바로알기**∥ ② 대장균은 핵막과 막으로 둘러싸인 세포 소기관이 없는 원핵생물이다.

04 ㄷ. 원핵세포는 보통 진핵세포보다 유전 물질의 양이 적다.

ㄹ. 원핵세포는 세포막 바깥에 세포벽이 있지만, 진핵세포 중 동물 세포는 세포벽이 없다.

∥**바로알기**∥ ㄱ. 원핵세포의 크기는 보통 1 μm~10 μm이다. 진핵세포의 크기는 보통 10 μm ~100 μm로 원핵세포보다 크다.

ㄴ. 원핵세포는 핵막이 없지만, 진핵세포는 핵막이 있다.

05 사람의 상피 세포와 양파의 표피 세포는 진핵세포이므로 핵막과 리보솜이 있고, 양파의 표피 세포와 대장균은 세포벽이 있다. 따라서 A는 핵막, B는 리보솜, C는 세포벽이다.

∥**바로알기**∥ 미토콘드리아는 진핵세포인 사람의 상피 세포와 양파의 표피 세포에 있다.

06 동물 세포(가)는 핵막과 막으로 둘러싸인 세포 소기관이 있는 진핵세포이고, 세균(나)은 핵막과 막으로 둘러싸인 세포 소기관이 없는 원핵세포이다. 진핵세포와 원핵세포는 모두 유전 물질과 세포질을 둘러싼 세포막을 가지며, 원핵세포는 진핵세포보다 크기가 작은 리보솜을 가진다.

모범답안 유전 물질을 가진다. 세포막을 가진다. 리보솜을 가진다. 중 두 가지

채점 기준	배점
(가)와 (나)의 공통점을 두 가지 모두 옳게 서술한 경우	100 %
(가)와 (나)의 공통점을 한 가지만 옳게 서술한 경우	50 %

07 **꼼꼼** 문제 분석

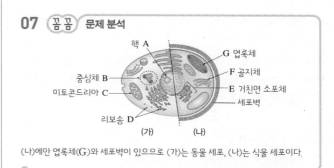

(나)에만 엽록체(G)와 세포벽이 있으므로 (가)는 동물 세포, (나)는 식물 세포이다.

식물 세포는 동물 세포와 달리 엽록체와 세포벽을 가진다.

모범답안 (나), 식물 세포에만 있는 엽록체(G)와 세포벽이 있기 때문이다.

채점 기준	배점
(나)라고 쓰고, 그렇게 판단한 까닭을 엽록체와 세포벽을 들어 옳게 서술한 경우	100 %
(나)라고 쓰고, 그렇게 판단한 까닭을 엽록체와 세포벽 중 한 가지만 들어 서술한 경우	70 %
(나)라고만 쓴 경우	30 %

08 ① 핵(A) 속의 인에서 rRNA(리보솜 RNA)가 합성되며, 인에서 합성된 rRNA가 단백질과 함께 리보솜(D) 단위체를 구성한다.

③ 미토콘드리아(C)에서는 유기물(포도당)의 화학 에너지가 ATP의 화학 에너지로, 엽록체(G)에서는 빛에너지가 유기물(포도당)의 화학 에너지로 전환된다.

④ 거친면 소포체(E)는 단백질을 가공 및 운반하므로 이자 세포와 같이 분비 작용이 활발한 세포에 발달한다.

⑤ 엽록체(G)는 광합성이 활발한 세포에 많이 존재한다.

∥**바로알기**∥ ② 골지체(F)는 단일막으로 둘러싸여 있지만, 중심체(B)는 미세 소관으로 구성되며 막으로 둘러싸여 있지 않다.

09 A는 중심체, B는 골지체, C는 미토콘드리아, D는 매끈면 소포체, E는 핵이다.

② 골지체(B)는 단백질과 지질을 가공한 후 세포의 다른 곳으로 수송하거나 세포 밖으로 분비한다.

③ 미토콘드리아(C)는 동물 세포와 식물 세포에 모두 존재한다.

④ D는 표면에 리보솜이 붙어 있지 않은 매끈면 소포체이다.

⑤ 핵(E) 속에는 DNA가 있으며, DNA에 저장된 유전 정보에 의해 생물의 형질이 결정된다.

┃바로알기┃ ① 독성 물질 해독과 칼슘 이온 저장에 관여하는 것은 매끈면 소포체(D)이다. 중심체(A)는 세포 분열 시 염색체 이동에 관여한다.

10 ㄱ. A는 핵 속의 인이며, 인(A)은 rRNA의 합성 장소이다.

ㄷ. C는 핵막이다. 핵막(C)은 2중막으로, 일부는 소포체 막과 연결되어 있다.

ㄹ. 핵 속에는 유전 물질인 DNA가 단백질인 히스톤과 결합하고 있다.

┃바로알기┃ ㄴ. B는 핵공이다. 단백질, RNA 등과 같은 물질이 핵공(B)을 통해 세포질과 핵 사이를 이동하며, DNA는 세포질로 이동하지 않는다.

11 꼼꼼 **문제 분석**

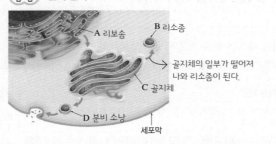

골지체에서 가공 및 분류된 단백질이나 지질이 분비 소낭에 포함되어 세포막 쪽으로 이동한다. → 분비 소낭의 막이 세포막과 융합되면서 물질이 세포 밖으로 분비된다.

② 리보솜(A)에서 단백질이 합성되며, 단백질에 대한 유전 정보는 핵 속의 DNA에 있다.

③ 리소좀(B)은 가수 분해 효소가 들어 있어 손상된 세포 소기관을 분해하는 데 관여한다.

④ 골지체(C)는 단백질의 분비에 관여하므로 내분비샘과 같이 분비 작용이 활발한 세포에 발달되어 있다.

⑤ 리보솜(A) → 골지체(C) → 분비 소낭(D)으로의 물질 이동 과정은 방사성 동위 원소를 함유한 물질을 이용한 자기 방사법으로 추적할 수 있다.

┃바로알기┃ ① 리보솜(A)은 막으로 둘러싸여 있지 않으며, 리소좀(B), 골지체(C)는 모두 단일막 구조이다.

12 (가)는 엽록체, (나)는 미토콘드리아이다.

① 엽록체(가)는 동물 세포에는 없고 식물 세포에만 있는 세포 소기관이다.

③ 미토콘드리아(나)는 유기물을 분해하여 에너지를 방출하는 세포 호흡이 일어나는 장소이므로 근육 세포와 같이 에너지를 많이 사용하는 세포에 많다.

④ 엽록체(가)는 내막 안쪽의 스트로마에, 미토콘드리아(나)는 내막 안쪽의 기질에 DNA와 리보솜이 존재한다.

⑤ 엽록체(가)와 미토콘드리아(나)는 모두 외막과 내막의 2중막으로 둘러싸여 있다.

┃바로알기┃ ② 엽록체(가)에서는 광합성이 일어나 빛에너지가 화학 에너지로 전환된다. 미토콘드리아(나)에서는 세포 호흡이 일어나 유기물의 화학 에너지가 ATP의 화학 에너지로 전환된다.

13 ㄱ. A는 막의 일부가 핵막과 연결되어 있으며 표면에 리보솜이 붙어 있으므로 거친면 소포체이다.

ㄴ. B는 거친면 소포체의 표면에 붙어 있는 리보솜이다. 리보솜(B)에서 생성된 단백질은 소포체에서 가공된 후 운반 소낭에 담겨 골지체(C)로 운반된다.

┃바로알기┃ ㄷ. C는 골지체이며, 세포내 소화는 리소좀(D)에서 일어난다.

ㄹ. D는 골지체에서 떨어져 나와 이물질이 포함된 소낭과 결합하여 이물질을 분해하므로 리소좀이다. 리소좀(D)에는 단백질, 탄수화물, 지질, 핵산 등을 분해하는 다양한 가수 분해 효소가 들어 있다.

14 A는 2차 세포벽, B는 1차 세포벽이다.

ㄴ. 1차 세포벽(B)을 구성하는 주성분은 셀룰로스이다.

┃바로알기┃ ㄱ. 세포벽은 물과 용질을 모두 통과시킨다. 세포 안팎으로의 물질 출입 조절은 세포막이 담당한다.

ㄷ. 1차 세포벽(B)이 형성된 후 1차 세포벽(B)과 세포막 사이에 2차 세포벽(A)이 형성되며, 2차 세포벽(A)이 1차 세포벽(B)보다 두께가 두껍다.

15 ① (가)는 구형의 액틴 단백질이 결합하여 만들어진 액틴 필라멘트 두 가닥이 서로 꼬인 모양이므로 미세 섬유이다. (나)는 단백질 여러 가닥이 두껍게 꼬여 있는 모양이므로 중간 섬유이고, (다)는 원통형 관 모양이므로 미세 소관이다.

② 미세 섬유(가)는 세포막 바로 아래에 퍼져 있으며, 근육 수축, 세포질 분열 등에 관여한다.

④ 세포 골격을 구성하는 (가)~(다)는 모두 단백질 섬유이다.

⑤ (가)~(다) 중 굵기가 가장 굵은 것은 미세 소관(다)이다.

┃바로알기┃ ③ 중간 섬유(나)는 세포의 형태, 핵막의 유지에 관여한다. 염색체의 이동에 관여하는 것은 미세 소관(다)이다.

16 ㄱ. 섬모를 구성하는 단백질 섬유 A는 미세 소관이다.

∥바로알기∥ ㄴ. 섬모의 횡단면을 보면 미세 소관(A) 2개로 이루어진 미세 소관 다발 9개가 일정한 간격으로 둥글게 배열되고, 가운데에 미세 소관(A) 2개가 있다. 중심립의 횡단면을 보면 미세 소관 3개로 이루어진 미세 소관 다발 9개가 일정한 간격으로 둥글게 배열되어 있다.

ㄷ. 섬모는 사람의 기관지에서 관찰되며, 사람의 정자에서는 편모가 관찰된다.

17 A는 골지체, B는 리소좀, C는 리보솜이다.

④ 리소좀(B)은 세포 안으로 들어온 세균과 같은 이물질을 분해하는 세포내 소화를 담당한다.

∥바로알기∥ ① 골지체(A)는 납작한 주머니 모양의 시스터나가 쌓여 있는 구조로 내부가 서로 연결되어 있지 않다.

② 골지체(A)는 세포 외 분비를 담당하며 항체를 분비하는 세포와 같이 분비 작용이 활발한 세포에 많이 존재한다.

③ 리소좀(B)은 골지체(A)의 일부가 떨어져 나와서 형성된다.

⑤ 거친면 소포체의 표면에만 리보솜(C)이 붙어 있다.

18 ㄷ. 광합성은 엽록체에서만 일어나므로 '광합성이 일어난다.'는 C에 해당한다.

∥바로알기∥ ㄱ. 2중막 구조인 세포 구조에는 핵, 엽록체, 미토콘드리아가 있으므로 '2중막 구조이다.'는 그림에서 핵과 엽록체의 공통점이다.

ㄴ. 핵과 리보솜은 동물 세포와 식물 세포에 모두 있지만, 엽록체는 식물 세포에만 있다. 따라서 '동물 세포에 있다.'는 핵과 리보솜의 공통점이다.

중단원 핵심 정리 54쪽~55쪽

❶ 기관계 ❷ 조직계 ❸ 이당류 ❹ 인지질
❺ 펩타이드 결합 ❻ 뉴클레오타이드 ❼ 디옥시리보스
❽ 투과 ❾ 세포 분획법 ❿ 원핵 ⓫ 진핵 ⓬ 있음
⓭ 엽록체 ⓮ 인 ⓯ 리보솜 ⓰ 거친면 ⓱ 매끈면
⓲ 광합성 ⓳ 세포 호흡 ⓴ 리소좀 ㉑ 미세 소관
㉒ 미세 섬유

중단원 마무리 문제 56쪽~59쪽

| 01 ① | 02 ② | 03 ⑤ | 04 ④ | 05 ③ | 06 ③ |
| 07 ④ | 08 ① | 09 ③ | 10 ② | 11 A: 엽록체, B: |

액포, C: 미세 소관 **12** ④ **13** ③ **14** ④ **15** ④

16 해설 참조 **17** 해설 참조 **18** 해설 참조

---

01 ㄱ. A는 조직, B는 기관, C는 기관계이다. 인대와 혈액은 결합 조직이므로 조직(A)의 구성 단계에 해당한다.

∥바로알기∥ ㄴ. 독립된 구조와 기능을 가지는 구성 단계는 개체이다.

ㄷ. 형태와 기능이 비슷한 세포들의 모임은 조직(A)이고, 기관(B)은 여러 조직이 모여 고유한 기능을 수행하는 단계이므로 연관된 기능을 하는 기관(B)들이 모여 구성된 기관계(C)는 형태와 기능이 다양한 세포들로 구성된다.

02 ② 소화계(가)는 연관된 기능을 하는 여러 기관들로 구성된 기관계이다.

∥바로알기∥ ① 심장은 순환계에, 콩팥은 배설계에 속한다.

③ (나)는 줄기이므로, 기관에 속한다.

④ 동물의 근육은 조직에 속한다.

⑤ 동물체의 구성 단계에는 조직계가 없다.

03 ㄴ. (나)는 탄수화물이다. 식물 세포벽의 주성분인 셀룰로스는 탄수화물(나)에 해당한다.

ㄷ. (다)는 핵산이며, 핵산의 단위체는 뉴클레오타이드이다. 뉴클레오타이드는 인산, 당, 염기로 이루어져 있으며, 인산에 인(P)이 포함된다.

∥바로알기∥ ㄱ. (가)는 단백질이며, 성호르몬의 주성분은 지질에 속하는 스테로이드이다.

04 (가)는 단백질의 단위체인 아미노산, (나)는 녹말의 단위체인 포도당, (다)는 핵산의 단위체인 뉴클레오타이드이다.

ㄴ. 포도당(나)은 동물의 간에서 다당류인 글리코젠 형태로 저장되며, 저장된 글리코젠은 필요 시 포도당으로 분해되어 쓰인다.

ㄷ. 핵산의 단위체인 뉴클레오타이드는 인산, 당, 염기가 $1:1:1$로 결합된 구조이다.

∥바로알기∥ ㄱ. 아미노산(가)의 종류는 곁사슬(R)의 종류에 따라 달라지는데, 생명체에는 20종류의 아미노산이 있다.

05 (가)는 폴리뉴클레오타이드 두 가닥이 이중 나선 구조를 이루므로 DNA이고, (나)는 단일 가닥의 폴리뉴클레오타이드로 되어 있으므로 RNA이다.

① DNA(가)는 히스톤과 함께 염색체를 구성한다.

② RNA(나)는 리보솜을 이루므로 미토콘드리아의 기질, 엽록체의 스트로마에서 모두 발견된다.

④ DNA(가)의 당은 디옥시리보스, RNA(나)의 당은 리보스이다.

⑤ DNA(가)는 유전 정보를 저장하고, RNA(나)는 DNA(가)의 유전 정보를 전달한다.

∥바로알기∥ ③ DNA(가)를 구성하는 염기는 아데닌(A), 구아닌(G), 사이토신(C), 타이민(T)이고, RNA(나)를 구성하는 염기는 아데닌(A), 구아닌(G), 사이토신(C), 유라실(U)이다.

06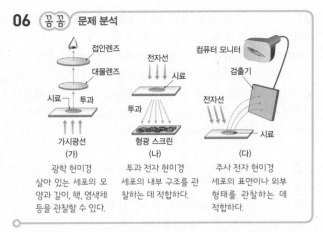

① 광학 현미경(가)의 광원은 가시광선, 투과 전자 현미경(나)의 광원은 전자선이다.

② 광학 현미경(가)으로는 살아 있는 아메바를 관찰할 수 있다.

④ 일반적으로 광학 현미경(가)보다 전자 현미경의 해상력이 높다.

⑤ (다)는 시료 표면에 전자선을 주사하여 화면에 시료 표면의 영상이 형성되므로, 주사 전자 현미경이다.

▌바로알기▐ ③ 백혈구의 표면을 입체적으로 관찰할 수 있는 현미경은 주사 전자 현미경(다)이다.

07 A는 DNA와 인이 존재하므로 핵이고, B는 내막이 안쪽으로 주름진 구조인 크리스타가 있으므로 미토콘드리아이다. C는 물질 수송의 통로 역할을 하므로 소포체이다.

ㄴ. 핵(A)이 소포체(C)보다 크기가 크고 무거워 먼저 침전된다.

ㄷ. 미토콘드리아(B)는 고유의 DNA와 리보솜이 있어 스스로 복제하여 증식할 수 있다.

▌바로알기▐ ㄱ. 침전물 I, II, III에는 크고 무거운 세포 소기관에서 작은 세포 소기관 순으로 들어 있다. 이는 세포 분획 시 원심 분리 속도를 느리게 시작하여 점차 빠른 속도로 하였기 때문이다. 따라서 원심 분리 속도는 ㉠<㉡<㉢이다.

08 세균은 원핵세포이고, 식물 세포는 진핵세포이다.

ㄱ. 세균은 펩티도글리칸을 포함하는 세포벽을 가지고, 식물 세포는 셀룰로스가 주성분인 세포벽을 가진다.

ㄴ. 세균과 식물 세포는 모두 효소가 있어 물질대사를 할 수 있다. 세균은 세포 분열을 통해 증식하며, 식물은 세포 분열을 통해 생장, 재생 등을 한다.

▌바로알기▐ ㄷ. 세균은 유전 물질로 원형 DNA를 가지며, 식물 세포는 유전 물질로 선형 DNA를 가진다.

ㄹ. 세균은 막으로 둘러싸인 세포 소기관이 없지만, 식물 세포는 막으로 둘러싸인 세포 소기관이 있다.

09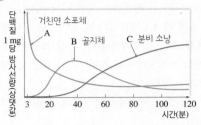

• A: 방사선이 가장 먼저 검출되었으므로 단백질이 처음 가공되는 거친면 소포체이다.

• B: 거친면 소포체에서 가공된 단백질은 운반 소낭을 통해 골지체로 운반되므로 골지체이다.

• C: 골지체에서 가공 및 분류된 단백질을 운반하는 분비 소낭이다.

ㄱ, ㄴ. 방사성 동위 원소 ^{35}S으로 표지된 아미노산을 세포에 주입하여 시간의 경과에 따라 세포 소기관의 방사선 검출량을 측정함으로써 단백질 합성 및 이동 경로를 파악하는 것은 자기 방사법을 이용한 연구이다. 거친면 소포체(A) 표면에 붙은 리보솜에서 합성된 단백질은 소포체에서 가공된 후 골지체(B), 분비 소낭(C)을 거쳐 세포 밖으로 분비된다.

▌바로알기▐ ㄷ. 합성된 단백질이 거친면 소포체(A)에서 가공된 후 골지체(B)로 전달되면, 골지체(B)에서 단백질을 가공 및 분류하여 막으로 둘러싸 분비 소낭(C)을 만든다. 따라서 합성된 단백질은 A → B → C의 경로로 이동한다.

10 세포 호흡이 일어나는 장소는 미토콘드리아이므로 A는 미토콘드리아이다. 세포내 소화를 담당하는 것은 리소좀이므로 B는 리소좀, C는 엽록체이다.

① 식물 세포에는 미토콘드리아(A)와 엽록체(C)가 모두 있다.

③, ④ 리소좀(B)은 여러 종류의 가수 분해 효소가 있어 세포내 소화를 담당한다.

⑤ 엽록체(C)는 외막과 내막의 2중막으로 둘러싸여 있다.

▌바로알기▐ ② 미토콘드리아(A)와 엽록체(C)는 자체 유전 물질인 DNA를 가지지만, 리소좀(B)은 유전 물질을 가지지 않는다.

11 엽록체(A)의 내막 안쪽은 틸라코이드가 쌓여 층을 이룬 그라나와 기질로 채워진 스트로마로 구성되며, 액포(B)는 식물 세포 내의 수분량을 조절하여 삼투압을 조절한다. 동물 세포의 운동 기관인 섬모와 편모는 모두 미세 소관(C)으로 이루어져 있다.

12 ① (가)는 핵, (나)는 미토콘드리아이며, 핵과 미토콘드리아는 모두 2중막 구조를 가진다.

② 핵(가)은 세포의 구조와 기능을 결정하고, 물질대사, 증식, 유전 등 세포의 생명 활동의 중심이다.

③ 미토콘드리아(나)는 에너지를 생성하는 세포 소기관으로, 에너지를 많이 사용하는 세포에 발달해 있다.

⑤ 핵(가), 미토콘드리아(나), 중심립(다)은 모두 동물 세포에 존재한다.

‖바로알기‖ ④ (다)는 미세 소관으로 이루어진 중심립이다.

13 (꼼꼼) 문제 분석

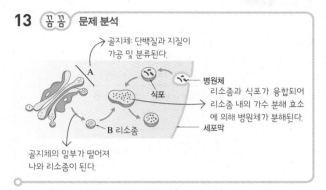

골지체: 단백질과 지질이 가공 및 분류된다.

병원체
리소좀과 식포가 융합되어 리소좀 내의 가수 분해 효소에 의해 병원체가 분해된다.

식포

세포막

B 리소좀

골지체의 일부가 떨어져 나와 리소좀이 된다.

ㄱ. 납작한 주머니 모양의 구조물을 시스터나라고 한다. A는 시스터나가 쌓여 있는 세포 소기관인 골지체이다.

ㄴ. B는 골지체에서 떨어져 나온 세포 소기관으로, 병원체가 들어 있는 식포와 융합하여 병원체를 분해한다. 따라서 B는 리소좀이다.

‖바로알기‖ ㄷ. 리소좀(B)에 있는 가수 분해 효소의 주성분은 단백질이므로 리보솜에서 합성된다.

14 엽록체, 리보솜, 리소좀 중 2중막 구조를 가지는 세포 소기관은 엽록체이고, 구성 물질에 RNA가 있는 세포 소기관은 엽록체와 리보솜, 세포내 소화가 일어나는 세포 소기관은 리소좀이다.

ㄱ. A는 엽록체, B는 리보솜, C는 리소좀이다.

ㄴ. 리보솜(B)에서 유전 정보에 따라 단백질이 합성된다.

ㄷ. ⓒ은 엽록체(A)와 리보솜(B)의 공통점인 '구성 물질에 RNA가 있다.'이다. 엽록체(A)는 자체 리보솜이 있어 구성 물질에 RNA가 있으며, 리보솜(B)은 RNA와 단백질로 구성된다.

‖바로알기‖ ㄹ. ⓒ은 리소좀만이 가지는 특징인 '세포내 소화가 일어난다.'이다. '2중막 구조를 가진다.'는 ⊙이다.

15 A는 중간 섬유, B는 미세 소관, C는 미세 섬유이다.

ㄱ. 중간 섬유(A)의 두께는 약 8 nm~12 nm, 미세 소관(B)은 약 25 nm, 미세 섬유(C)는 약 7 nm이다. 따라서 A~C 중 미세 소관(B)이 가장 굵다.

ㄷ. 미세 섬유(C)는 세포막 바로 아래에 퍼져 있으며, 세포질 분열, 근육 수축에 관여한다.

‖바로알기‖ ㄴ. 진핵세포의 편모는 미세 소관(B)으로 이루어져 있다.

16 한 아미노산의 카복실기와 다른 아미노산의 아미노기 사이에서 물이 한 분자가 빠져나오면서 펩타이드 결합이 형성된다.

많은 수의 아미노산이 펩타이드 결합으로 연결되어 폴리펩타이드가 만들어지고, 폴리펩타이드는 접히거나 꼬여 입체 구조를 형성하여 단백질이 된다.

(모범답안) 펩타이드 결합, 수많은 아미노산이 펩타이드 결합으로 연결되어 폴리펩타이드가 만들어지며, 폴리펩타이드는 입체 구조를 형성하여 단백질이 된다.

채점 기준	배점
펩타이드 결합이라고 쓰고, 펩타이드 결합으로 단백질이 만들어지는 과정을 옳게 서술한 경우	100 %
펩타이드 결합이라고만 쓴 경우	30 %

17 자기 방사법은 방사성 동위 원소로 표지된 화합물을 세포에 공급하고 시간 경과에 따라 방사성 동위 원소에서 방출되는 방사선을 추적하여 물질의 생성 및 이동 경로를 알아내는 방법이다. ^{14}C로 표지된 이산화 탄소를 식물 세포에 주입하고 추적하면 세포 내 광합성 과정과 생성물을 연구할 수 있다.

(모범답안) 자기 방사법, 이산화 탄소를 ^{14}C로 표지하여 식물 세포에 주입하고 방사선을 추적하면 포도당이 합성되기까지의 경로를 알 수 있다.

채점 기준	배점
자기 방사법이라고 쓰고, 이를 통해 포도당이 합성되기까지의 경로를 추적하는 방법을 옳게 서술한 경우	100 %
자기 방사법이라고만 쓴 경우	30 %

18 (가)는 외막과 내막의 2중막으로 둘러싸여 있으며, 내막이 주름진 구조를 하고 있으므로 미토콘드리아이다. (나)는 외막과 내막의 2중막으로 둘러싸여 있으며, 내막 안쪽에는 원반 모양의 구조물인 틸라코이드가 쌓여 그라나를 형성하므로 엽록체이다.

(모범답안) (가) 미토콘드리아, (나) 엽록체, (가)와 (나)는 모두 2중막 구조를 가지며, 에너지 전환이 일어나는 장소이다.

채점 기준	배점
(가), (나)의 이름을 쓰고, 구조적 공통점과 기능적 공통점을 한 가지씩 옳게 서술한 경우	100 %
(가), (나)의 이름을 쓰고, 구조적 공통점과 기능적 공통점 중 한 가지만 옳게 서술한 경우	70 %
(가), (나)의 이름만 옳게 쓴 경우	30 %

수능 실전 문제   60쪽~61쪽

01 ④   02 ④   03 ⑤   04 ⑤   05 ④   06 ①
07 ③   08 ④

01

‖ 선택지 분석 ‖
ㄱ '조직 단계가 있다.'는 ㉡에 해당한다.
ㄴ (나)를 구성하는 세포에는 세포벽이 있다.
✗ 생쥐의 뇌와 옥수수의 체관은 생명체의 구성 단계에서 같은 단계에 속한다.

기관계는 동물체의 구성 단계에만 있으므로, '기관계가 있다.'는 ㉠이다. 따라서 (가)는 생쥐, (나)는 옥수수이다.

ㄱ. 조직 단계는 식물체와 동물체의 구성 단계에 모두 있으므로, '조직 단계가 있다.'는 ㉡에 해당한다.

ㄴ. 옥수수(나)는 식물이므로 옥수수를 구성하는 세포에는 세포벽이 있다.

‖ 바로알기 ‖ ㄷ. 생쥐(가)의 뇌는 기관이고, 옥수수(나)의 체관은 통도 조직이다.

02

‖ 선택지 분석 ‖
ㄱ 은행나무 잎 세포에는 A~C가 모두 포함되어 있다.
✗ C는 이당류의 한 종류이다. 다당류
ㄷ '펩타이드 결합이 존재하는가?'는 (가)에 해당한다.

셀룰로스는 식물 세포의 세포벽 주성분으로 동물 세포에는 없다. 유전 정보를 가지고 있는 유전 물질은 DNA이다. 따라서 A는 DNA, B는 단백질, C는 셀룰로스이다.

ㄱ. 은행나무 잎 세포는 식물 세포이므로 DNA(A), 단백질(B), 셀룰로스(C)를 모두 포함한다.

ㄷ. 단백질은 많은 수의 아미노산이 펩타이드 결합으로 연결되어 있으므로 '펩타이드 결합이 존재하는가?'는 (가)에 해당한다.

‖ 바로알기 ‖ ㄴ. 셀룰로스(C)는 많은 수의 단당류가 결합한 다당류이다.

03

‖ 선택지 분석 ‖
ㄱ (가)~(다)의 공통적인 구성 원소는 탄소(C), 수소(H), 산소(O)이다.
ㄴ (나)는 친수성 머리와 소수성 꼬리를 가진다.
ㄷ (다)는 효소와 호르몬의 성분이다.

ㄱ. 탄수화물인 녹말(가)과 지질인 인지질(나)은 탄소(C), 수소(H), 산소(O)로 구성되고, 단백질(다)은 탄소(C), 수소(H), 산소(O), 질소(N) 등으로 구성된다.

ㄴ. 인지질(나)은 인산을 포함하여 친수성을 띠는 머리 부분과 지방산을 포함하여 소수성을 띠는 꼬리 부분으로 구성된다.

ㄷ. 단백질(다)은 효소와 호르몬을 구성하여 물질대사와 생리 작용 조절에 관여한다.

04 (꼼꼼) 문제 분석

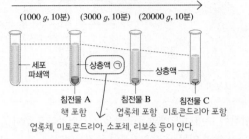

회전 속도가 느릴 때 크고 무거운 핵이 분리되고, 이후 회전 속도가 빨라질수록 점차 작은 세포 소기관이 분리된다.

(1000 g, 10분) (3000 g, 10분) (20000 g, 10분)

세포 파쇄액 — 상층액 ㉠ — 상층액

침전물 A   침전물 B   침전물 C
핵 포함   엽록체 포함   미토콘드리아 포함

엽록체, 미토콘드리아, 소포체, 리보솜 등이 있다.

‖ 선택지 분석 ‖
ㄱ 상층액 ㉠에는 리보솜이 있다.
ㄴ A~C에는 모두 DNA와 단백질이 있다.
ㄷ B에는 엽록체가 있다.

ㄱ. 세포 분획법에서는 세포 소기관이 크고 무거운 것부터 작은 것 순으로 분리되므로 A에는 핵, B에는 엽록체, C에는 미토콘드리아가 포함된다. 상층액 ㉠에는 핵보다 가벼운 세포 소기관이 모두 포함되므로 엽록체, 미토콘드리아, 리보솜 등이 있다.

ㄴ. 핵에는 유전 물질인 DNA가 히스톤과 결합되어 있으며, 엽록체와 미토콘드리아는 모두 자체 DNA와 효소를 가진다.

ㄷ. 세포벽을 제거한 식물 세포를 세포 분획하면 핵 → 엽록체 → 미토콘드리아 순으로 침전되므로 B에는 엽록체가 있다.

05 (꼼꼼) 문제 분석

	사람의 상피 세포	대장균	시금치의 공변세포
세포	A	B	C
핵막	있음	없음	있음
리보솜	? 있음	있음	있음
세포벽	없음	있음	? 있음

핵막이 있으므로 진핵세포이고, 세포벽이 없으므로 동물 세포이다.

핵막이 없으므로 원핵세포이며, 세포벽은 펩티도글리칸을 포함한다.

핵막이 있으므로 진핵세포이며, 세포벽은 셀룰로스를 포함한다.

‖ 선택지 분석 ‖
ㄱ A는 진핵세포이다.
✗ B와 C에는 모두 엽록체가 있다. C에만
ㄷ B는 펩티도글리칸이 포함된 세포벽을 가진다.

ㄱ. A는 핵막이 있으므로 진핵세포이다.

ㄷ. 대장균(B)과 같은 세균은 세포벽에 펩티도글리칸을 포함하고 있다.

| 바로알기 | ㄴ. 원핵세포인 대장균(B)은 막으로 둘러싸인 세포 소기관이 없으므로 엽록체를 가지지 않는다. 시금치의 공변세포(C)는 엽록체를 가진다.

06

| 선택지 분석 |

ⓖ (가)로 구성된 물질은 B에 존재한다.

✗ A의 막은 핵막과 연결되어 있다. C. 거친면 소포체

✗ A~C는 모두 세균에서 관찰된다. 관찰되지 않는다.

(가)는 아미노산이며, A는 골지체, B는 리소좀, C는 거친면 소포체이다.

ㄱ. 리소좀(B)은 단백질이 주성분인 여러 가지 가수 분해 효소를 가진다. 따라서 아미노산(가)으로 구성된 물질인 단백질은 리소좀(B)에 존재한다.

| 바로알기 | ㄴ. 핵막과 연결되어 있는 막을 가진 세포 소기관은 거친면 소포체(C)이다. 골지체(A)의 막은 핵막과 연결되어 있지 않다.

ㄷ. 세균은 핵막과 막으로 둘러싸인 세포 소기관을 가지지 않는 원핵세포이다. 골지체(A), 리소좀(B), 거친면 소포체(C)는 모두 단일막 구조의 세포 소기관이므로 세균에서 관찰되지 않는다.

07

| 선택지 분석 |

ⓖ A는 대장균에 존재한다.

ⓛ ⓛ은 '크리스타 구조를 가진다.'이다.

✗ C에는 핵산이 있다. 없다.

단백질 합성 장소는 리보솜이며, 미토콘드리아의 기질에는 리보솜이 있다. 그리고 크리스타 구조를 가지는 것은 미토콘드리아이다. 따라서 특징 ⓖ은 '단백질이 합성된다.', 특징 ⓛ은 '크리스타 구조를 가진다.'이며, A는 리보솜, B는 미토콘드리아, C는 골지체이다.

ㄱ. 대장균은 원핵세포이며, 원핵세포는 일반적으로 진핵세포보다 작은 리보솜(A)을 가진다.

ㄴ. 특징 ⓛ은 세포 소기관 A~C 중 B에만 해당하는 특징이므로 '크리스타 구조를 가진다.'이다.

| 바로알기 | ㄷ. 골지체(C)에는 DNA, RNA와 같은 핵산이 없다. 핵산은 리보솜(A), 미토콘드리아(B)에 있다.

08 （꼼꼼） 문제 분석

방사선이 모두 검출되었다. ➡ C는 리보솜이다.

구분	방사선 검출 여부			
	A 골지체	B 소포체	C 리보솜	세포 밖
정상 세포	○	○	○	○
세포 Ⅰ	—	—	○	—
세포 Ⅱ	○	○	○	—
세포 Ⅲ	—	○	○	—

(○: 방사선 검출됨, —: 방사선 검출 안 됨)

골지체, 리보솜, 소포체에서 모두 방사선이 검출되었으나 세포 밖에서 방사선이 검출되지 않았다. ➡ 단백질 분비 기능에 이상이 있다.

| 선택지 분석 |

ⓖ 세포 Ⅰ에서는 단백질이 합성된다.

ⓛ 세포 Ⅱ는 골지체에 이상이 생긴 돌연변이이다.

✗ 세포 Ⅲ에서는 합성된 단백질이 들어 있는 분비 소낭이 ~~형성된다.~~
형성되지 않는다.

ⓔ 정상 세포에서 단백질의 합성과 이동은 C → B → A의 경로로 일어난다.

ㄱ. 단백질은 리보솜에서 합성되어 소포체, 골지체를 거쳐 세포 밖으로 분비된다. 세포 Ⅰ~Ⅲ의 C에서 모두 방사선이 검출되었으므로 C는 아미노산의 펩타이드 결합으로 단백질이 합성되는 장소인 리보솜임을 알 수 있다. 세포 Ⅰ에서는 리보솜(C) 이외의 세포 소기관에서 방사선이 검출되지 않았고, 세포 Ⅲ에서는 리보솜(C)과 세포 소기관 B에서 방사선이 검출되었으므로, 세포 Ⅲ에서는 리보솜(C)에서 소포체(B)로 단백질이 이동되었음을 알 수 있다. 세포 Ⅱ에서는 세포 소기관 A에서도 방사선이 검출되었으므로 리보솜(C)에서 생성된 단백질이 소포체(B)를 거쳐 골지체(A)로 이동하였다는 것을 알 수 있다. 따라서 A는 골지체, B는 소포체이다.

ㄴ. 세포 Ⅱ는 리보솜(C), 소포체(B), 골지체(A) 모두에서 방사선이 검출되고, 세포 밖에서는 검출되지 않았다. 이를 통해 세포 Ⅱ는 단백질을 분비하는 골지체(A)에 이상이 생긴 돌연변이라는 것을 알 수 있다.

ㄹ. 정상 세포에서 단백질의 합성과 이동은 리보솜(C) → 소포체(B) → 골지체(A)의 경로로 일어난다.

| 바로알기 | ㄷ. 골지체(A)에서는 단백질을 가공 및 분류하고 막 일부로 둘러싸 분비 소낭을 만든다. 세포 Ⅲ에서는 리보솜(C)에서 합성된 단백질이 소포체(B)로는 이동하였지만 골지체(A)와 세포 밖으로는 이동하지 못하였으므로 분비 소낭이 형성되지 않았음을 알 수 있다.

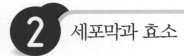

2 세포막과 효소

01 세포막을 통한 물질 이동

개념 확인 문제
65쪽

❶ 친수성 ❷ 소수성 ❸ 막단백질 ❹ 선택적 투과성
❺ 유동 모자이크막

1 (1) ○ (2) × (3) ○ (4) ×   **2** 선택적 투과성   **3** ⑤

1 (1) 세포막의 주성분은 인지질(A)과 단백질(B)이며, 세포막은 인지질 2중층 곳곳에 막단백질이 관통하거나 파묻혀 있거나 표면에 붙어 있는 구조로 되어 있다.
(2) 세포막은 인지질 2중층으로 된 막 구조이다. 2중막은 핵이나 미토콘드리아, 엽록체의 막과 같이 외막과 내막으로 구성된 것이다.
(3) 세포막을 구성하는 인지질(A)과 단백질(B)은 특정 위치에 고정되어 있는 것이 아니라 유동성이 있다. 인지질은 수평, 수직으로 이동할 수 있으며, 인지질 2중층에 박혀 있는 단백질도 인지질을 따라 이동할 수 있다.
(4) 세포의 안과 밖은 물이 풍부한 환경이고, 인지질(A)의 꼬리 부분은 지방산으로 되어 있어 소수성이며, 머리 부분은 인산 등을 포함하고 있어 친수성이다. 따라서 세포막에서 인지질(A)은 친수성인 머리 부분이 바깥쪽으로 배열되고, 소수성인 꼬리 부분이 서로 마주 보며 안쪽으로 배열되어 2중층을 이룬다.

2 세포가 생명 현상을 유지하기 위해서는 물질대사에 필요한 물질은 세포 안으로 들어오고, 그렇지 않은 물질은 세포 밖으로 배출되어야 한다. 물질의 특성에 따라 세포막을 통한 물질의 이동이 선택적으로 일어나는데, 이러한 세포막의 특성을 선택적 투과성이라고 한다.

3 ①, ②, ③, ④ 세포막을 구성하는 막단백질에는 물질 운반에 관여하는 수송 단백질, 세포 밖의 특정 화학 물질을 인식하여 신호 전달에 관여하는 수용체 단백질, 물질대사에 관여하는 효소, 탄수화물이 막단백질에 붙어 있어 세포를 구별하는 데 관여하는 당단백질 등이 있다.
⑤ 세포막의 유동성은 온도에 따라 달라지며, 동물 세포의 경우 인지질 2중층 곳곳에 있는 콜레스테롤에 의해 세포막의 유동성이 조절된다.

개념 확인 문제
69쪽

❶ 단순 확산 ❷ 촉진 확산 ❸ 물 ❹ 용혈 ❺ 저장
❻ 팽윤 ❼ 저장 ❽ 원형질 분리 ❾ 고장 ❿ 삼투압
⓫ 팽압

1 (가) 산소 (나) Na⁺, 포도당, 아미노산   **2** (1) ○ (2) × (3) ×
3 A, 통로 단백질   **4** (1) A는 낮아지고, B는 높아진다. (2) 삼투
5 저장액: (다), 등장액: (나), 고장액: (가)   **6** (1) 고장액 (2) 저장액 (3) ⓐ 증가, ⓑ 감소, ⓒ 감소

1 산소와 같이 크기가 작은 분자는 세포막의 인지질 2중층을 직접 통과한다. Na⁺과 같이 전하를 띠는 이온이나 포도당, 아미노산과 같이 비교적 크기가 큰 분자는 막단백질을 통해 세포막을 통과한다.

2. (1) 단순 확산과 촉진 확산은 모두 세포막을 경계로 세포 안팎의 농도 기울기에 따라 물질이 이동하는 방식이며, 세포가 에너지를 사용하지 않는다.
(2) 폐포와 모세 혈관 사이에서의 기체 교환은 단순 확산에 의해 일어난다. 산소는 모세 혈관보다 폐포에서 농도가 높아 폐포에서 모세 혈관으로 단순 확산하고, 이산화 탄소는 폐포보다 모세 혈관에서 농도가 높아 모세 혈관에서 폐포로 단순 확산한다.
(3) 단순 확산으로 물질이 이동하는 속도는 세포 안팎의 농도 차에 비례하여 증가한다. 촉진 확산은 막단백질이 관여하므로 물질 이동 속도가 세포 안팎의 농도 차에 비례하여 증가하다가 일정 수준 이상에서는 더 이상 증가하지 않는다.

3 A는 물질이 세포막을 통과하는 통로 역할을 하는 통로 단백질이다. B는 자신의 결합 부위의 구조에 들어맞는 물질이 결합하면 구조가 변하여 물질을 운반하는 운반체 단백질이다. 뉴런에서 흥분 전도 시 Na⁺은 통로 단백질(A)을 통해 유입된다.

4 반투과성 막을 경계로 농도가 다른 두 용액이 있으면 물의 농도가 높은 용액(A, 용질의 농도가 낮은 용액)에서 물의 농도가 낮은 용액(B, 용질의 농도가 높은 용액)으로 물이 확산하는데, 이를 삼투라고 한다.

5 (가)에서 적혈구의 모양이 쭈그러든 것은 적혈구를 고장액에 넣어 적혈구 밖으로 물이 빠져나갔기 때문이다. (나)에서 적혈구의 모양이 변하지 않은 것은 적혈구를 등장액에 넣었기 때문이다. (다)에서 적혈구가 부풀다가 터진 것은 적혈구를 저장액에 넣어 적혈구 안으로 물이 들어갔기 때문이다.

6 (1) 식물 세포를 고장액에 넣어 두면 삼투에 의해 세포 안에서 밖으로 물이 빠져나가 세포질의 부피가 작아지다가 세포막이 세포벽에서 떨어지는 원형질 분리가 일어난다.

(2) 식물 세포를 저장액에 넣어 두면 삼투에 의해 세포 밖에서 안으로 물이 들어와 세포의 부피가 커진다.

(3) 팽압은 세포 내부로부터 세포벽이 받는 압력이고, 흡수력은 삼투압에서 팽압을 뺀 값이다. 따라서 식물 세포가 삼투로 물을 흡수하면 팽압은 증가하고, 삼투압은 감소하므로, 흡수력은 작아진다.

개념 확인 문제

72쪽

❶ 능동 수송 ❷ 운반체 단백질 ❸ 밖 ❹ 안 ❺ 세포 내 섭취 ❻ 세포외 배출

1 (1) × (2) ○ (3) ○ **2** ⑤ **3** ㉠ Na^+, ㉡ K^+ **4** (1) ○ (2) × (3) × **5** (1) × (2) ○ (3) × (4) ○

---

1 (1), (2) 능동 수송은 농도 기울기를 거슬러 농도가 낮은 쪽에서 높은 쪽으로 물질을 이동시키는 방식으로, 운반체 단백질을 통해 일어나며, 에너지를 사용한다.

(3) 능동 수송은 에너지를 사용하여 특정 물질을 농도가 낮은 곳에서 높은 곳으로 이동시키므로 특정 물질의 세포 안 농도를 세포 밖보다 높거나 낮게 유지하는 데 관여한다.

2 조직 세포와 모세 혈관 사이에서의 산소 이동은 단순 확산에 의해 일어난다.

3 Na^+-K^+ 펌프에 의해 Na^+은 세포 안에서 밖으로, K^+은 세포 밖에서 안으로 이동한다.

4 (1) 세포내 섭취와 세포외 배출은 모두 에너지를 사용하여 물질을 이동시키는 방식이다.

(2), (3) 음세포 작용과 식세포 작용은 세포 안으로 물질을 이동시키는 방식인 세포내 섭취에 해당한다. 음세포 작용은 액체에 녹아 있는 물질을 세포 안으로 이동시킬 때 일어나고, 식세포 작용은 크기가 큰 고체 물질을 세포 안으로 끌어들일 때 일어난다.

5 소낭이 세포막과 융합하면서 물질을 세포 밖으로 분비하므로 세포외 배출에 의한 물질의 이동이다.

(1) 백혈구의 식균 작용은 세포내 섭취에 의해 일어난다.

(2), (4) 이자 세포에서 인슐린을 분비할 때, 뉴런의 축삭 돌기 말단에서 시냅스 틈으로 신경 전달 물질을 방출할 때 세포외 배출이 일어난다.

(3) 흥분 전도 시 Na^+은 촉진 확산에 의해 뉴런 안으로 유입된다.

대표 자료 분석

73쪽~74쪽

자료 ① **1** A: 인지질, B: 단백질 **2** ㉠ 친수성, ㉡ 소수성 **3** (1) × (2) × (3) × (4) ○ (5) ○ (6) ○

자료 ② **1** A: 촉진 확산, B: 단순 확산 **2** 수송 단백질의 수는 한정되어 있기 때문에 모든 수송 단백질이 운반에 관여하면 물질 A의 이동 속도가 더 이상 증가하지 않기 때문이다. **3** (1) ○ (2) ○ (3) × (4) ○ (5) × (6) ○ (7) ○

자료 ③ **1** 원형질 분리 **2** ㉠ 고장액, ㉡ 저장액 **3** 0 **4** (1) ○ (2) ○ (3) × (4) × (5) ×

자료 ④ **1** (가) 촉진 확산 (나) 능동 수송 (다) 단순 확산 **2** (나) **3** (1) ○ (2) × (3) ○ (4) ○ (5) ○ (6) ×

---

①-1 세포막은 인지질(A) 2중층 곳곳에 단백질(B)이 박혀 있는 구조이다.

①-2 세포의 안쪽과 바깥쪽은 모두 물이 풍부한 환경이므로 인지질에서 친수성인 부분이 바깥을 향하고, 소수성인 부분이 안쪽으로 마주 보며 2중층을 이룬다. 따라서 ㉠은 친수성 부분이고, ㉡은 소수성 부분이다.

①-3 (1) 세포 안과 밖에는 물이 풍부하여 인지질은 친수성인 머리 부분이 양쪽 바깥으로 배열하여 물과 접하고, 소수성인 꼬리 부분이 서로 마주 보며 배열하여 2중층을 이룬다.

(2) 인지질의 머리 부분(㉠)은 인산 등을 포함하고 있고, 꼬리 부분(㉡)은 지방산으로 되어 있다.

(3) 세포막에서 인지질(A)과 단백질(B)은 모두 유동성이 있어 이동할 수 있다.

(4) 크기가 작고 극성이 없는 물질은 인지질(A) 2중층을 직접 통과할 수 있다.

(5) 세포막에서 인지질(A)은 막의 기본 구조를 형성하고, 단백질(B)은 물질 운반, 세포 인식, 신호 전달, 효소 작용 등 막의 기능을 결정한다.

(6) 세포막의 단백질(B) 중 운반체 단백질은 능동 수송으로 농도 기울기를 거슬러 물질을 이동시킬 수 있다.

②-1 (가)는 물질 A의 이동 속도가 세포 안팎의 농도 차에 따라 증가하다가 일정해지므로 촉진 확산이고, (나)는 물질 B의 이동 속도가 세포 안팎의 농도 차에 비례하여 증가하므로 단순 확산이다.

②-2 물질 A를 운반하는 수송 단백질의 수는 한정되어 있기 때문에 모든 수송 단백질이 운반에 관여하는 최대 속도에 도달하면 물질 A의 이동 속도가 일정해진다.

②-3 (1) 물질 A와 B는 모두 확산에 의해 세포막을 통과하므로 세포는 물질 A와 B를 이동시키는 데 에너지를 사용하지 않는다.
(2) 물질 A와 B는 세포막을 경계로 세포 안팎의 농도 기울기에 따라 확산하므로 농도가 높은 쪽에서 낮은 쪽으로 세포막을 통해 이동한다.
(3) 세포 안팎의 농도 차를 '세포 밖 농도 − 세포 안 농도'로 구하였으므로 두 물질 모두 세포 밖 농도가 세포 안 농도보다 높다. 따라서 물질 A와 B는 모두 세포 바깥쪽에서 안쪽으로 이동한다.
(4) 물질 A는 촉진 확산에 의해 세포막을 통과하므로 물질 A가 세포막을 통과하는 데 막단백질인 수송 단백질이 관여한다.
(5) 세포막을 통한 산소의 이동 방식은 단순 확산이므로 물질 B의 이동 방식과 같다.
(6), (7) 물질 B는 단순 확산을 통해 이동하므로 인지질 2중층을 직접 통과하며, 이동 속도는 세포 안팎의 농도 차에 비례하여 증가한다.

③-1 세포질의 부피가 줄어들어 세포막이 세포벽에서 떨어지는 현상을 원형질 분리라고 한다.

③-2 (가)에서 식물 세포에서 밖으로 물이 빠져나가 원형질 분리가 일어났으므로 용액 ㉠은 고장액이다. (나)에서 세포의 부피가 1.0 이상으로 증가하므로 용액 ㉡은 저장액이다.

③-3 흡수력은 삼투압에서 팽압을 뺀 값이다. 세포의 부피가 1.3일 때 삼투압과 팽압은 모두 5이므로 흡수력은 0이다.

③-4 (1) 용액 ㉠은 고장액, 용액 ㉡은 저장액이므로, 용액 ㉠의 농도는 용액 ㉡보다 높다.
(2) 용액 ㉠은 고장액이므로 등장액에 있던 식물 세포를 용액 ㉠에 넣으면 삼투에 의해 세포 안의 물이 밖으로 빠져나간다. 이는 세포 밖으로 물이 빠져나가는 속도가 안으로 들어오는 속도보다 빨라서이며, 그 결과 원형질 분리가 일어난다.
(3) 최대 팽윤 상태는 팽압이 최대일 때이므로 세포의 부피가 1.3일 때이다.
(4) 흡수력은 삼투압에서 팽압을 뺀 값이므로 삼투압이 높을수록, 팽압이 낮을수록 커진다.
(5) 용혈은 세포가 터지는 현상이다. 식물 세포는 세포벽이 있어 팽압이 증가하여도 세포가 일정 부피 이상으로 커지지 않으므로 식물 세포에서는 용혈이 일어나지 않는다.

④-1 (가)는 물질이 농도 기울기를 따라 막단백질을 통해 세포막을 통과하므로 촉진 확산이다. (나)는 농도 기울기를 거슬러 에너지를 사용하면서 물질이 막단백질을 통해 세포막을 통과하므로 능동 수송이다. (다)는 농도 기울기를 따라 물질이 인지질 2중층을 직접 통과하므로 단순 확산이다.

④-2 세포막을 통한 물질 이동 시 ATP를 사용하는 (나)가 에너지를 사용하는 물질 이동 방식이다.

④-3 (1) 촉진 확산(가)과 능동 수송(나)에는 모두 막단백질이 관여하지만, 단순 확산(다)에는 막단백질이 관여하지 않는다.
(2) 에너지를 사용하는 능동 수송(나)은 세포 호흡이 일어나는 세포에서만 일어난다.
(3) 농도 기울기를 거슬러 저농도에서 고농도로 물질을 이동시키는 방식은 능동 수송(나)이다.
(4) 인슐린의 작용으로 혈액의 포도당이 세포막을 통해 세포 내로 이동할 때 농도 기울기를 따라 운반체 단백질을 통해 이동한다.
(5) Na^+-K^+ 펌프는 능동 수송(나)의 예이다.
(6) 적혈구를 증류수에 일정 시간 넣어 두면 삼투가 일어나 적혈구 안으로 물이 들어와 세포막이 터지는 용혈 현상이 일어난다. 삼투는 물의 농도가 높은 곳에서 낮은 곳으로 물이 확산하는 현상이다.

01 ②	02 ②	03 ④	04 ⑤	05 ①	06 ㄱ, ㄴ
07 ④	08 해설 참조		09 ②	10 ④	11 ②
12 ⑤	13 ①	14 ④	15 해설 참조		16 ④
17 ②	18 ②	19 ③	20 ①	21 ④	22 ⑤
23 ③					

01 A는 막단백질에 붙어 있는 탄수화물, B는 인지질, C는 막단백질이다.
① 세포막은 인지질 2중층으로 이루어진 단일막 구조이다.
③ 인지질(B)은 친수성 머리와 소수성 꼬리로 이루어진다.
④ 인지질 2중층에 박혀 있거나 붙어 있는 막단백질(C)은 인지질 2중층에서 수평으로 이동할 수 있는 유동성이 있다.
⑤ 인지질(B)은 세포막의 기본 구조를 형성하고, 막단백질(C)은 물질 운반, 신호 전달, 효소 작용 등 막의 기능을 결정한다.
‖바로알기‖ ② 막단백질에 붙어 있는 탄수화물(A)은 세포를 구별하는 데 이용된다. 콜레스테롤은 동물 세포막의 인지질과 인지질 사이에 군데군데 있다.

02 (가)는 물질이 세포막을 통과하는 통로 역할을 하는 수송 단백질, (나)는 물질대사에 관여하는 효소, (다)는 신호 물질을 인식하여 세포 안으로 신호를 전달하는 수용체 단백질이다.
‖바로알기‖ 탄수화물이 붙어 있는 당단백질이 세포 인식에 관여한다.

03 꼼꼼 문제 분석

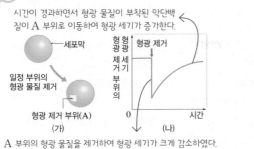

시간이 경과하면서 형광 물질이 부착된 막단백질이 A 부위로 이동하여 형광 세기가 증가한다.

세포막

일정 부위의 형광 물질 제거

형광 제거 부위(A)

형광 제거

형광 제거 세기 부위의 제거 세기

0 　 시간

(가)　(나)

A 부위의 형광 물질을 제거하여 형광 세기가 크게 감소하였다.

ㄱ. A 부위는 형광 물질이 제거되었을 때 형광 세기가 감소하였지만 시간이 지나면서 형광 세기가 점차 증가하였다. 이는 형광 물질이 부착된 막단백질이 A 부위로 이동하였기 때문이다. 따라서 막단백질이 유동성이 있다는 것을 알 수 있다.

ㄷ. 인지질 2중층에 막단백질이 군데군데 박혀 있고, 인지질과 막단백질이 유동성이 있다는 것을 바탕으로 세포막의 구조를 나타낸 것을 유동 모자이크막 모델이라고 한다.

┃바로알기┃ ㄴ. 세포막을 구성하는 인지질은 수평, 수직으로 이동할 수 있으며, 인지질 2중층에 박혀 있는 막단백질도 인지질을 따라 움직일 수 있다.

04 ㄷ. 산소, 이산화 탄소 등과 같은 크기가 작고 극성이 없는 분자는 인지질 2중층 안쪽의 소수성 부위를 확산에 의해 통과할 수 있다.

ㄹ. 세포막은 물질의 종류에 따라 선택적으로 출입을 조절할 수 있다. 특히 세포막의 막단백질을 통해 특정 물질을 능동 수송함으로써 세포 안과 밖의 농도 차를 유지할 수 있다.

┃바로알기┃ ㄱ. 지방산과 같은 소수성 물질은 인지질 2중층을 직접 통과할 수 있다.

ㄴ. 이온과 같이 전하를 띠는 물질은 수송 단백질을 통해 이동한다.

05 ② 확산은 농도 기울기에 따라 농도가 높은 쪽에서 낮은 쪽으로 물질이 이동하는 현상이다.

③, ⑤ 세포막을 통한 확산에는 물질이 막단백질인 수송 단백질을 통해 이동하는 촉진 확산과 물질이 인지질 2중층을 직접 통과하여 이동하는 단순 확산이 있다.

④ 단순 확산에서 물질의 이동 속도는 세포 안팎의 농도 차에 비례하므로 세포 안팎의 물질 농도 차가 클수록 이동 속도가 빨라진다.

┃바로알기┃ ① 크기가 작은 물질은 단순 확산으로 이동하며, 포도당, 아미노산과 같이 비교적 크기가 큰 물질도 세포막의 수송 단백질을 통해 촉진 확산으로 이동한다.

06 ㄱ. A는 막단백질을 통해 물질이 고농도에서 저농도로 이동하는 촉진 확산, B는 물질이 인지질 2중층을 직접 통과하여 고

농도에서 저농도로 이동하는 단순 확산이다.

ㄴ. 촉진 확산(A)과 단순 확산(B)이 일어날 때에는 세포가 에너지를 사용하지 않는다.

┃바로알기┃ ㄷ. 촉진 확산(A)과 단순 확산(B) 모두 농도 기울기를 따라 물질이 농도가 높은 쪽에서 낮은 쪽으로 세포막을 통해 이동하는 방식이다.

07 Na^+, K^+과 같이 전하를 띤 이온, 포도당, 아미노산과 같이 비교적 크기가 큰 물질은 인지질 2중층을 직접 통과하기 어려워 막단백질을 이용해 세포막을 통과한다. 산소와 이산화 탄소는 크기가 작고 극성이 없는 분자이므로 인지질 2중층을 직접 통과한다. 촉진 확산(A)으로 이동하는 물질의 예에는 Na^+, K^+, 포도당, 아미노산 등이 있고, 단순 확산(B)으로 이동하는 물질의 예에는 산소, 이산화 탄소 등이 있다.

08 세포 안팎의 농도 기울기가 커질수록 물질 A의 이동 속도는 증가하다가 일정 수준 이상으로 증가하지 않으므로 A의 이동 방식은 촉진 확산이며, 세포 안팎의 농도 기울기가 커질수록 물질 B의 이동 속도는 계속 증가하므로 B의 이동 방식은 단순 확산이다.

모범답안 A: 촉진 확산, B: 단순 확산, 촉진 확산은 막단백질이 관여하지만, 단순 확산은 막단백질이 관여하지 않는다. 촉진 확산은 농도 기울기가 커질수록 물질의 이동 속도가 증가하다가 일정 수준 이상에서는 일정해지지만, 단순 확산은 농도 기울기에 비례하여 물질의 이동 속도가 증가한다. 중 한 가지

채점 기준	배점
물질 A와 B의 이동 방식을 각각 쓰고, 두 이동 방식의 차이점 한 가지를 옳게 서술한 경우	100 %
물질 A와 B의 이동 방식만 옳게 쓴 경우	30 %

09 ①, ③ 삼투는 반투과성 막을 경계로 농도가 다른 두 용액이 있을 때 물의 농도가 높은 쪽에서 낮은 쪽으로 물이 확산하는 현상이므로 에너지가 사용되지 않는다.

④ 삼투가 일어날 때 반투과성 막은 용질의 농도가 낮은 용액 쪽에서 농도가 높은 용액 쪽으로 물이 이동하려는 압력을 받는데, 이를 삼투압이라고 한다.

⑤ 적혈구를 저장액에 넣어 두면 삼투에 의해 적혈구 안으로 물이 들어와 적혈구의 부피가 커지다가 시간이 지나면 적혈구가 터져 내용물이 흘러나오는 용혈 현상이 나타난다.

┃바로알기┃ ② 삼투는 용매나 크기가 작은 용질은 통과할 수 있지만 크기가 큰 용질은 통과하지 못하는 반투과성 막을 사이에 두고 크기가 큰 용질의 농도가 서로 다른 용액이 있을 때 용질의 농도가 낮은 쪽에서 높은 쪽으로 물이 이동하는 현상이다. 따라서 용질이 반투과성 막을 통과할 수 없을 때 삼투가 일어난다.

10 (꼼꼼) 문제 분석

포도당은 반투과성 막을 통과하므로 농도가 높은 B쪽에서 농도가 낮은 A쪽으로 양쪽의 농도가 같아질 때까지 확산한다.

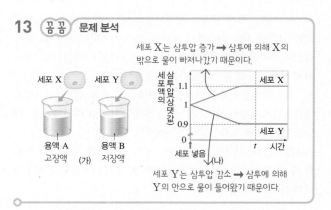

포도당 1 g + 설탕 2 g

포도당 2 g / 설탕 1 g

물과 포도당(단당류)은 통과하지만 설탕(이당류)은 통과하지 못한다.

반투과성 막

설탕은 반투과성 막을 통과하지 못하므로 설탕 농도가 낮은 B쪽에서 설탕 농도가 높은 A쪽으로 용매인 물이 이동한다. → A의 수면이 높아진다.

ㄴ. 설탕은 통과하지 못하고 물은 통과하는 반투과성 막을 경계로 설탕의 농도 차가 있으므로 설탕의 농도가 낮은 B쪽에서 설탕의 농도가 높은 A쪽으로 삼투에 의해 물이 이동한다. 따라서 B쪽의 용액 높이는 낮아지고, A쪽의 용액 높이는 높아진다.

‖바로알기‖ ㄱ. 삼투에 의해 물이 B쪽에서 A쪽으로 이동하면서 설탕의 농도는 A쪽과 B쪽에서 같아질 것이다.

ㄷ. 포도당의 농도는 B쪽이 더 높으므로 포도당은 B쪽에서 A쪽으로 확산한다. 따라서 B쪽에서 포도당의 양은 감소할 것이다.

11 (가)는 원형질 분리가 일어났으므로 식물 세포를 고장액에 넣어 두었을 때의 모습이고, (나)는 팽윤 상태가 되었으므로 식물 세포를 저장액에 넣어 두었을 때의 모습이다.

② 세포가 삼투에 의해 물을 흡수하면 삼투압이 감소하고 팽압은 증가한다. 따라서 세포의 삼투압은 (가)가 (나)보다 높다.

‖바로알기‖ ① 흡수력은 삼투압과 팽압의 차이이므로 삼투압이 높을수록 커진다. 따라서 흡수력은 (가)가 (나)보다 크다.

③ (가)의 세포는 고장액에, (나)의 세포는 저장액에 일정 시간 동안 넣어 둔 것이다.

④ 원형질 분리는 고장액에 식물 세포를 넣었을 때 삼투에 의해 세포 밖으로 나가는 물의 양이 세포 안으로 들어오는 물의 양보다 많기 때문에 나타난다.

⑤ 원형질 분리는 (가)에서 일어났다.

12 (꼼꼼) 문제 분석

세포로 물이 들어와 세포의 상대적 부피가 커질수록 삼투압은 감소하고 팽압은 증가한다.

압력(상댓값) / A 삼투압 / 최대 팽윤 상태 / B 팽압 / 세포의 부피(상댓값)

삼투압 5, 팽압 1 → 흡수력 4

ㄷ. 흡수력은 삼투압(A)에서 팽압(B)을 뺀 값이다. 세포의 부피가 1.1일 때 삼투압(A)은 5, 팽압(B)은 1이므로 흡수력은 5−1=4이다.

ㄹ. 최대 팽윤 상태는 팽압(B)이 최대일 때이다. 따라서 세포의 부피가 1.3일 때가 최대 팽윤 상태이다.

‖바로알기‖ ㄱ. 세포의 부피가 커질수록 삼투압(A)은 감소하고, 팽압(B)은 증가한다.

ㄴ. 세포의 부피가 커질수록 삼투압(A)과 팽압(B)의 차이가 감소하므로 흡수력은 작아진다.

13 (꼼꼼) 문제 분석

세포 X는 삼투압 증가 → 삼투에 의해 X의 밖으로 물이 빠져나갔기 때문이다.

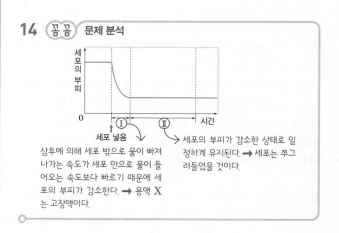

세포 X / 세포 Y

용액 A 고장액 / 용액 B 저장액 (가)

세포 X / 세포 Y

세포 넣음 (나)

세포 Y는 삼투압 감소 → 삼투에 의해 Y의 안으로 물이 들어왔기 때문이다.

ㄴ. t 시점에서 세포 X의 삼투압은 1.1이고, 용액 A에 넣기 전 세포 X의 삼투압은 1이다. 세포 X의 삼투압이 증가한 것은 용액 A가 고장액이어서 삼투에 의해 세포 X의 밖으로 물이 빠져나갔기 때문이다. 따라서 세포 X의 부피는 용액 A에 넣기 전보다 작다.

‖바로알기‖ ㄱ. 용액 A는 고장액, 용액 B는 저장액이므로 용액 A는 용액 B보다 농도가 높다.

ㄷ. t 시점에서 세포 Y의 삼투압이 일정하게 유지되는 것은 세포 Y의 안으로 물이 들어오는 속도와 세포 Y에서 물이 빠져나가는 속도가 평형을 이루고 있기 때문이며, 이때 세포막을 통해 물이 양방향으로 이동하고 있다.

14 (꼼꼼) 문제 분석

세포의 부피 / 시간 / ① / ②

세포 넣음

삼투에 의해 세포 밖으로 물이 빠져나가는 속도가 세포 안으로 물이 들어오는 속도보다 빠르기 때문에 세포의 부피가 감소한다. → 용액 X는 고장액이다.

세포의 부피가 감소한 상태로 일정하게 유지된다. → 세포는 쭈그러들었을 것이다.

ㄱ. 용액 X에 동물 세포를 넣으면 세포의 부피가 감소한다. 이는 용액 X가 고장액이어서 삼투에 의해 동물 세포 내의 물이 밖으로 빠져나갔기 때문이다.

ㄴ. 구간 Ⅰ에서 세포의 부피가 감소하는 것은 세포 안으로 물이 들어오는 속도가 세포 밖으로 물이 빠져나가는 속도보다 느려 세포에서 물이 빠져나가기 때문이다.

▌바로알기▐ ㄷ. 시간이 지남에 따라 동물 세포의 부피가 감소하므로 구간 Ⅱ에서 동물 세포는 쭈그러들었을 것이다. 용혈 현상은 동물 세포를 저장액에 넣었을 때 삼투에 의해 물이 세포 안으로 들어와 나타난다.

15 (가)와 (나)에서 감자 조각의 질량이 증가한 것은 저장액에 감자 조각을 넣어 두었기 때문이고, (다)에서 감자 조각의 질량이 변화하지 않은 것은 등장액에 감자 조각을 넣어 두었기 때문이다. (라)에서 감자 조각의 질량이 감소한 것은 고장액에 감자 조각을 넣어 두었기 때문이다. 감자 세포가 삼투에 의해 물을 많이 흡수할수록 삼투압은 낮아지고 팽압은 높아지며, 감자 조각의 질량은 커진다.

(모범답안) (가). 질량이 가장 많이 증가하였으므로 삼투로 물을 가장 많이 흡수하였음을 알 수 있다. 삼투로 물을 흡수하면 팽압은 증가하고 삼투압은 감소한다.

채점 기준	배점
감자 세포의 삼투압이 가장 낮고 팽압이 가장 높은 것의 기호를 쓰고, 그렇게 판단한 근거를 삼투와 연관 지어 옳게 서술한 경우	100 %
감자 세포의 삼투압이 가장 낮고 팽압이 가장 높은 것의 기호만 옳게 쓴 경우	30 %

16 식세포 작용, 음세포 작용은 모두 세포내 섭취이므로 세포가 ATP(에너지)를 사용하여 일어난다. Na^+-K^+ 펌프와 식물 뿌리털에서의 무기 양분 흡수는 능동 수송의 예이므로 세포가 ATP를 사용한다.

▌바로알기▐ ④ 원형질 분리는 삼투에 의해 일어나는 현상이다. 삼투에는 에너지가 사용되지 않는다.

17 (꼼꼼) **문제 분석**

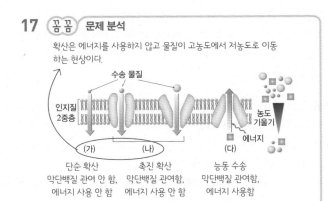

18 ① Na^+이 Na^+-K^+ 펌프에 먼저 결합하여 운반되고, 이후 K^+이 Na^+-K^+ 펌프에 결합하여 운반된다. 따라서 ㉠은 Na^+, ㉡은 K^+이다.

③ ATP가 사용되어 인산기가 Na^+-K^+ 펌프에 결합하면 Na^+-K^+ 펌프의 구조가 바뀌고, 이에 따라 Na^+과 K^+이 운반된다. 따라서 Na^+과 K^+의 이동에 에너지가 사용된다.

④ Na^+-K^+ 펌프는 운반체 단백질로, 막단백질의 한 종류이다.

⑤ Na^+-K^+ 펌프는 농도 기울기를 거슬러 Na^+은 세포 밖으로, K^+은 세포 안으로 이동시킨다.

▌바로알기▐ ② Na^+-K^+ 펌프를 통해 Na^+은 세포 밖으로 유출되고, K^+은 세포 안으로 유입된다. 또 능동 수송에는 세포 안의 ATP가 사용되므로 (가)는 세포 바깥쪽, (나)는 세포 안쪽이다.

19 물질 X를 세포막으로 감싸 소낭을 만들어 세포 안으로 끌어들이므로 세포내 섭취이다.

ㄱ. 물질 X를 막으로 둘러싸 소낭을 만들어 세포 안으로 이동시키는 것은 물질 X가 운반체 단백질을 통해 세포막을 통과하기 어렵기 때문이다.

ㄷ. 물질 X는 세포내 섭취에 의해 세포 안으로 이동되었으며, 백혈구의 식균 작용도 세포내 섭취이다.

▌바로알기▐ ㄴ. 물질 X의 이동 과정에서 세포막의 일부가 소낭을 만드는 데 이용되므로 세포막의 표면적이 일시적으로 감소한다.

20 (가)는 세포 안의 소낭이 세포막과 융합하면서 소낭 속 물질이 세포 밖으로 나가므로 세포외 배출이다. (나)는 세포 밖의 물질이 세포막에 둘러싸여 소낭이 형성되어 세포 안으로 들어오므로 세포내 섭취이다.

ㄴ. 세포외 배출(가)과 세포내 섭취(나)에서 모두 에너지가 사용된다.

▌바로알기▐ ㄱ. (가)는 세포외 배출, (나)는 세포내 섭취이다.

ㄷ. 리보솜에서 합성된 단백질은 크기가 커서 막단백질을 통해 이동하지 못하므로 세포외 배출(가)에 의해 세포 밖으로 분비된다.

② (나)와 (다)는 막단백질의 종류에 따라 특정 물질을 수송한다.

▌바로알기▐ ① (가)는 단순 확산, (나)는 막단백질이 관여하지만 에너지를 사용하지 않으므로 촉진 확산, (다)는 능동 수송이다.

③ 촉진 확산(나)은 에너지를 사용하지 않고, 능동 수송(다)은 에너지를 사용한다. 따라서 세포 호흡 저해제를 처리하면 능동 수송(다)만 억제된다.

④ 폐포와 모세 혈관 사이에서는 산소와 이산화 탄소가 농도가 높은 쪽에서 낮은 쪽으로 인지질 2중층을 직접 통과하여 이동하므로 이때 물질 이동 방식은 단순 확산(가)과 같다.

⑤ 능동 수송(다)은 물질을 저농도에서 고농도로 이동시키므로 능동 수송의 결과 특정 물질의 세포 안팎의 농도 차가 유지된다.

21 꼼꼼 **문제 분석**

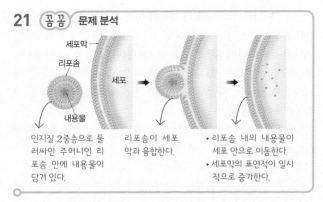

세포막 / 리포솜 / 세포 / 내용물

인지질 2중층으로 둘러싸인 주머니인 리포솜 안에 내용물이 담겨 있다.

리포솜이 세포 막과 융합한다.

• 리포솜 내의 내용물이 세포 안으로 이동한다.
• 세포막의 표면적이 일시적으로 증가한다.

ㄱ. 리포솜은 인지질 2중층으로 둘러싸여 있는 원형 또는 타원형의 인공 구조물이다.

ㄷ. 리포솜의 막은 인지질로 이루어져 있어 세포막과 쉽게 융합될 수 있다. 따라서 리포솜 안에 약물을 담아 주사하면 리포솜이 암세포의 세포막과 융합하여 암세포에 직접적으로 약물을 전달할 수 있다.

바로알기 ㄴ. 리포솜이 세포막과 융합하면 세포막의 표면적이 일시적으로 증가한다.

22 ① (가)는 막단백질이 관여하므로 촉진 확산이다. 혈액 속 포도당이 세포막을 통해 세포 내로 들어올 때 촉진 확산(가)에 의해 이동한다.

② 촉진 확산(가)에서는 농도 기울기에 따라 농도가 높은 쪽에서 낮은 쪽으로 물질이 세포막을 통해 이동한다.

③ (나)는 세포 안에 있는 소낭이 세포막과 융합하면서 소낭 속의 물질을 세포 밖으로 내보내는 세포외 배출이다.

④ 이자 세포에서 인슐린을 분비할 때 세포외 배출(나)에 의해 분비된다.

바로알기 ⑤ 세포외 배출(나)에서는 에너지가 사용되지만, 촉진 확산(가)에서는 에너지가 사용되지 않는다.

23 꼼꼼 **문제 분석**

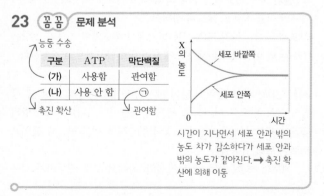

능동 수송

구분	ATP	막단백질
(가)	사용함	관여함
(나)	사용 안 함	㉠

촉진 확산 / 관여함

X의 농도 / 세포 바깥쪽 / 세포 안쪽 / 0 / 시간

시간이 지나면서 세포 안과 밖의 농도 차가 감소하다가 세포 안과 밖의 농도가 같아진다. ➡ 촉진 확산에 의해 이동

③ (가)는 ATP를 사용하므로 능동 수송, (나)는 ATP를 사용하지 않으므로 촉진 확산이다. 촉진 확산(나)은 농도 기울기에 따라 물질이 세포막을 통해 이동하는 방식이다.

바로알기 ① 촉진 확산(나)에도 수송 단백질이 관여하므로 ㉠은 '관여함'이다.

② 시간이 경과하면서 세포 안과 밖에서 X의 농도가 같아졌으므로 X는 농도 기울기를 따라 세포 밖에서 안으로 확산했다는 것을 알 수 있다. 따라서 X의 이동 방식은 촉진 확산(나)이다.

④ $Na^+ - K^+$ 펌프를 통한 Na^+의 이동 방식은 능동 수송(가)이다.

⑤ X는 막단백질이 관여하는 촉진 확산(나)에 의해 이동하므로 세포 안과 밖의 농도 차이가 일정 수준 이상으로 커지면 수송 단백질이 모두 물질 이동에 관여하여 더 이상 물질 이동 속도가 빨라지지 않고 최대 상태를 유지한다.

02 효소

82쪽

개념 확인 문제

❶ 활성화 ❷ 감소 ❸ 기질 특이성 ❹ 효소 · 기질 복합체
❺ 전효소 ❻ 주효소 ❼ 산화 환원 ❽ 가수 분해

1 ㉠ 물질대사, ㉡ 효소, ㉢ 활성화 에너지 **2** B **3** A: 기질, B: 효소, C: 효소 · 기질 복합체, D: 생성물 **4** (1) × (2) ○ (3) ○
5 (1) A: 보조 인자, B: 주효소, C : 전효소 (2) A **6** (1) ㉢ (2) ㉠
(3) ㉡

1 생명체에서 일어나는 모든 화학 반응을 물질대사라고 하며, 물질대사에는 생체 촉매인 효소가 관여한다. 효소는 활성화 에너지를 낮추어 물질대사가 빠르게 일어나게 한다.

2 A는 효소가 없을 때의 활성화 에너지이고, B는 효소가 있을 때의 활성화 에너지이다. C는 반응열이다.

3 물질 A는 효소의 활성 부위에 결합하는 반응물인 기질이고, B는 생체 촉매인 효소이다. 효소와 기질이 결합한 형태인 C는 효소 · 기질 복합체이며, 효소와 기질이 결합하고 있는 동안 기질은 생성물인 D로 변한다.

4 (1) 효소는 화학 반응 전과 후에 소모되거나 변형되지 않으므로 반복적으로 사용된다.
(2) 효소와 기질이 결합하고 있는 동안 화학 반응의 활성화 에너지가 낮아지며, 기질이 생성물로 변한다.
(3) 효소는 활성 부위의 입체 구조에 들어맞는 특정 기질하고만 결합하여 작용하는 기질 특이성이 있다.

5 A는 효소의 작용을 도와 주는 비단백질 부분인 보조 인자, B는 효소에서 단백질 부분인 주효소, C는 보조 인자(A)와 주효소(B)가 결합하여 완전한 기능을 나타내는 전효소이다.

6 전이 효소는 기질의 작용기를 떼어 다른 분자로 옮기며, 산화 환원 효소는 수소나 산소, 전자를 다른 분자에 전달하여 물질의 산화 환원을 촉진한다. 가수 분해 효소는 물 분자를 첨가하여 기질을 분해한다.

개념 확인 문제

❶ 최적　❷ 다르다　❸ 단백질　❹ 증가　❺ 경쟁적
❻ 비경쟁적

1 ㄱ, ㄴ, ㄷ, ㄹ　**2** (1) × (2) ○ (3) ○ (4) ×　**3** 효소의 입체 구조가 변하기 때문이다.　**4** A: 비경쟁적 저해제, B: 경쟁적 저해제　**5** (1) 경쟁적 (2) 비경쟁적 (3) ㉠ 감소, ㉡ 감소하지 않는다　**6** (1) ○ (2) × (3) ○ (4) ○

1 효소의 주성분은 단백질이므로 온도와 pH에 따라 효소의 반응 속도는 다르다. 효소의 반응 속도는 일정 수준까지 기질의 농도와 비례하여 증가하며, 효소의 농도가 높으면 효소·기질 복합체가 많이 형성되므로 반응 속도는 빨라진다.

2 (1) 효소의 최적 온도는 생물의 종류에 따라 다르고, 최적 pH는 효소의 종류에 따라 다르다.
(2) 주효소는 단백질 부분이므로 온도와 pH의 영향을 받는다.
(3) 효소의 반응 속도는 일반적으로 최적 온도에 이르기까지 온도가 높아질수록 증가하다가, 최적 온도보다 높아지면 급격히 감소한다.
(4) 효소의 농도가 일정할 때 기질의 농도가 높아질수록 효소의 반응 속도는 증가하지만, 기질의 농도가 일정 수준에 이르면 더 이상 증가하지 않고 일정해진다.

3 40 °C 이상의 온도에서는 효소가 입체 구조가 변하여 효소·기질 복합체를 형성하기 어려워지므로 반응 속도가 급격하게 느려진다.

4 물질 A는 효소의 활성 부위가 아닌 다른 부위에 결합하여 효소의 작용을 방해하므로 비경쟁적 저해제이다. 물질 B는 효소의 활성 부위에 기질과 경쟁적으로 결합하여 효소의 작용을 방해하므로 경쟁적 저해제이다.

---

5 (1) 기질과 입체 구조가 유사하여 효소의 활성 부위에 결합하는 저해제는 경쟁적 저해제이다.
(2) 효소의 활성 부위의 구조를 변형시켜 기질이 효소와 결합하지 못하게 하는 저해제는 비경쟁적 저해제이다.
(3) 경쟁적 저해제는 기질의 농도가 높아지면 효소의 활성 부위에 결합할 확률이 낮아지므로 저해 효과가 감소하지만, 비경쟁적 저해제는 활성 부위가 아닌 효소의 다른 부위에 결합하므로 기질의 농도가 증가하더라도 저해 효과가 감소하지 않는다.

6 (1) 유용 미생물(EM)에는 다양한 효소가 있어 옷에 묻은 얼룩을 제거할 수 있다.
(2) 페니실린은 세균의 세포벽을 합성하는 효소의 활성 부위에 결합하는 저해제이다.
(3) 유전자 재조합 기술에서 DNA를 자르고 붙일 때 효소가 이용된다.
(4) 배즙에는 단백질 분해 효소가 있기 때문에 불고기를 잴 때 배즙을 이용하면 고기를 연하게 할 수 있다.

대표 자료 분석

자료❶ **1** ㉠ 반응물, ㉡ 생성물　**2** B+D　**3** D　**4** (1) ○ (2) × (3) × (4) × (5) ○ (6) × (7) ×

자료❷ **1** 기질: B, 생성물: D, 효소·기질 복합체: C　**2** 기질 특이성　**3** (1) ○ (2) ○ (3) ○ (4) × (5) ○ (6) × (7) ○ (8) ○

자료❸ **1** A: 주효소, B: 보조 인자, C: 기질, D: 전효소　**2** ㉠ 금속 이온, ㉡ 조효소　**3** (1) × (2) × (3) ○ (4) ○ (5) × (6) ○

자료❹ **1** A: pH 2, B: pH 7, C: pH 8　**2** (1) ㉠ 증가, ㉡ 감소 (2) ㉠ 효소, ㉡ 감소　**3** (1) ○ (2) ○ (3) ○ (4) × (5) × (6) ○

❶-1 화학 반응은 반응물이 생성물로 변하는 과정이므로 ㉠은 반응물, ㉡은 생성물이다.

❶-2 활성화 에너지는 화학 반응이 일어나는 데 필요한 최소한의 에너지이며, 효소는 활성화 에너지를 낮추어 주는 역할을 한다. 따라서 효소가 없을 때의 활성화 에너지는 C+D이고, 효소가 있을 때의 활성화 에너지는 B+D이다.

①-3 반응열은 반응물(㉠)의 에너지와 생성물(㉡)의 에너지 차이이므로 D이다.

①-4 (1) 반응물(㉠)의 에너지보다 생성물(㉡)의 에너지가 크므로 이 반응은 흡열 반응이다. 간단한 물질이 복잡한 물질로 합성되는 동화 작용에서 흡열 반응이 일어난다.
(2) 효소의 유무와 관계없이 화학 반응은 동일하게 일어나므로 생성물의 종류는 같다.
(3) 효소는 활성화 에너지를 낮추어 주는 역할을 하므로 효소가 있을 때보다 없을 때 활성화 에너지가 더 크다.
(4) 효소가 있을 때의 활성화 에너지(B+D)는 효소의 농도와 관계없이 일정하다.
(5) 반응열(D)은 효소의 유무와 관계없이 일정하다.
(6) 이 반응은 동화 작용이므로 반응물(㉠)보다 생성물(㉡)이 고분자 물질이다.
(7) 반응이 진행될수록 반응물(㉠)의 농도는 감소하고, 생성물(㉡)의 농도는 증가한다.

②-1 B가 효소 X와 결합하여 D가 되므로 B는 기질이고, D는 생성물이다. 기질(B)과 효소 X가 결합한 C는 효소·기질 복합체이다.

②-2 효소는 효소의 활성 부위의 입체 구조에 들어맞는 구조를 가진 기질과만 결합하여 작용하는 기질 특이성이 있다.

②-3 (1) B가 D로 분해되는 반응 과정에서 물(H_2O)이 첨가되므로 가수 분해 반응이다.
(2), (8) 효소는 반응 전후에 변하지 않으므로 반응이 끝나 생성물(D)과 분리된 효소는 새로운 기질(B)과 결합하여 촉매 작용을 반복할 수 있다.
(3) 화학 반응에서 효소는 소모되거나 변형되지 않고 반응이 끝나면 생성물과 분리되므로 반응 전후의 효소 농도는 동일하다.
(4), (5) A는 효소의 활성 부위의 입체 구조에 맞지 않으므로 효소에 결합하지 못한다. 효소의 활성 부위에 들어맞는 기질(B)이 효소와 결합하여 효소·기질 복합체를 형성한다.
(6) 이 반응은 이화 작용이므로 발열 반응이다. 따라서 반응물인 기질(B)은 생성물(D)보다 분자당 에너지양이 크다.
(7) 효소는 효소·기질 복합체(C)를 형성하고 있는 동안 반응의 활성화 에너지를 낮춘다.

③-1 C는 생성물로 변하므로 기질이고, A와 B가 결합하여 D가 되고, D는 반응 전후에 변하지 않으므로 전효소이다. B는 A보다 크기가 작으므로 보조 인자이고, A는 주효소이다.

③-2 보조 인자에는 아연 이온(Zn^{2+}), 철 이온(Fe^{2+}), 구리 이온(Cu^{2+}) 등과 같은 금속 이온과 비타민과 같은 유기 화합물로 된 조효소가 있다.

③-3 (1) 주효소(A)는 효소의 단백질 부분이고, 보조 인자(B)는 효소의 비단백질 부분이다.
(2) 보조 인자(B)는 열에 강하며, 주효소(A)가 단백질로 구성되어 열에 약하다.
(3), (4) 주효소(A)에 보조 인자(B)가 결합하여야 활성 부위가 기질(C)과 결합하기 적합한 형태가 되어 완전한 기능을 나타내는 전효소(D)가 된다.
(5) 보조 인자(B) 중 조효소는 한 종류가 여러 가지 주효소의 작용에 관여한다.
(6) 보조 인자(B)가 필요한 경우 주효소(A)에 보조 인자(B)가 결합하지 않으면 기질(C)이 결합하지 못해 효소·기질 복합체가 형성되지 않는다.

④-1 각 효소의 반응 속도가 최대인 지점이 최적 pH이다.

④-2 (1) 효소에 의한 반응에서 최적 온도까지는 온도가 높아질수록 효소와 기질의 운동성이 활발해지므로 효소·기질 복합체의 형성 속도가 빨라져 반응 속도가 증가한다. 하지만 최적 온도보다 높아지면 효소의 입체 구조가 변하여 효소·기질 복합체가 잘 형성되지 않으므로 반응 속도가 급격히 감소한다.
(2) 효소는 주성분이 단백질이므로 최적 pH를 벗어나면 입체 구조가 변하여 반응 속도가 급격히 감소하거나 반응이 일어나지 않는다.

④-3 (1) 효소 A~C는 약 35 ℃~40 ℃에서 반응 속도가 최대이다.
(2) 효소 A가 작용할 수 있는 pH의 범위는 pH 0~4이므로 효소 C의 최적 pH인 8에서는 효소 A가 작용할 수 없다.
(3) 효소의 주성분은 단백질이므로 최적 온도 이상의 온도에서는 활성 부위의 입체 구조가 변하여 활성이 감소한다.
(4) 효소 A의 최적 pH는 2로 산성 범위이지만 효소 B의 최적 pH는 7로 중성이므로 각 효소가 작용하기 적합한 환경이 서로 달라 같은 소화 기관에서 작용할 수 없다.
(5) 주변 환경의 pH가 5에서 7로 변하면 효소 A의 반응 속도는 0으로 변화없고, 효소 B, C의 반응 속도는 증가하므로 효소 B, C의 활성이 증가한다.
(6) 효소 A~C는 모두 20 ℃에서보다 30 ℃에서 반응 속도가 더 빠르므로 기질과 더 잘 결합한다는 것을 알 수 있다.

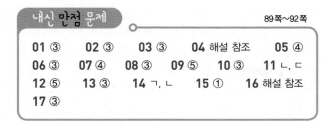

89쪽~92쪽

01 ③	02 ③	03 ③	04 해설 참조	05 ④
06 ③	07 ④	08 ③	09 ⑤	10 ③	11 ㄴ, ㄷ
12 ⑤	13 ③	14 ㄱ, ㄴ	15 ①	16 해설 참조
17 ③

01 꼼꼼 문제 분석

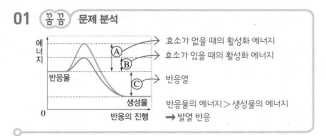

ㄱ. 반응물의 에너지보다 생성물의 에너지가 작으므로 반응 진행 과정에서 에너지가 방출되었음을 알 수 있다. 따라서 이 반응은 발열 반응이다.

ㄴ. 효소는 활성화 에너지를 낮추므로 효소가 있을 때의 활성화 에너지는 B이다.

┃바로알기┃ ㄷ. C는 반응열이며, 효소의 유무에 영향을 받지 않는다.

02 E_1이 E_2보다 작으므로 E_1이 효소가 있을 때의 활성화 에너지이고 E_2가 효소가 없을 때의 활성화 에너지이다. 활성화 에너지가 낮아지면 반응에 참여하는 분자 수가 많아져 활성화 에너지가 낮아지기 전보다 반응이 빠르게 일어난다.

ㄷ. 효소가 있을 때와 없을 때는 화학 반응을 일으킬 수 있는 분자 수가 면적 A에 해당하는 만큼 다르다.

┃바로알기┃ ㄱ. 활성화 에너지가 낮아지면 반응에 참여하는 분자 수가 많아진다. 따라서 E_1보다 E_2에서 반응을 일으킬 수 있는 분자 수가 적다.

ㄴ. E_1은 효소가 있을 때, E_2는 효소가 없을 때의 활성화 에너지이다.

03 ① 효소는 생명체에서 일어나는 화학 반응인 물질대사를 촉진하는 생체 촉매이다.

② 효소는 기질과 결합하는 특정 부위를 가지며, 이를 활성 부위라고 한다.

④ 효소는 주성분이 단백질이므로 일정 온도와 pH의 범위를 벗어나면 변성되어 정상적으로 작용할 수 없다.

⑤ 효소는 효소·기질 복합체를 형성하고 있는 동안 활성화 에너지를 낮추어 화학 반응을 촉진한다.

┃바로알기┃ ③ 효소는 반응에 참여한 후에도 그 구조가 변하지 않으므로 반복적으로 다시 작용할 수 있다.

04 효소는 활성 부위의 입체 구조와 맞는 기질하고만 결합하여 효소·기질 복합체를 형성함으로써 반응을 촉매한다.

모범답안 효소는 활성 부위에 들어맞는 입체 구조를 가진 기질과만 결합하여 작용하는 기질 특이성이 있다.

채점 기준	배점
효소의 특성을 기질, 활성 부위를 포함하여 옳게 서술한 경우	100 %
기질 특이성이 있다고만 서술한 경우	70 %

05 꼼꼼 문제 분석

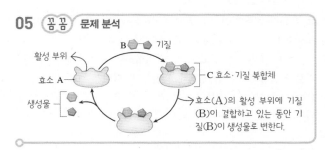

① 기질(B)이 두 분자의 물질로 분해되었으므로 효소 A는 이화 작용을 촉진한다.

② 효소(A)는 반응이 끝나 생성물과 분리된 후에도 그 구조가 변하지 않으므로 반복적으로 재사용된다.

③ 효소에서 기질이 결합하는 특정 부위를 활성 부위라고 한다. 효소 A의 기질은 B이므로, A는 B와 결합할 수 있는 활성 부위를 가진다.

⑤ 효소는 기질과 결합하여 효소·기질 복합체(C)를 형성하고 있는 동안 활성화 에너지를 낮춘다.

┃바로알기┃ ④ 효소(A)의 농도가 일정할 때 기질(B)의 농도가 증가하면 효소·기질 복합체를 형성하는 빈도가 높아지므로 반응 속도는 증가한다. 그러나 기질(B)의 농도가 일정 수준에 이르면 모든 효소(A)가 기질(B)과 결합하므로 반응 속도는 더 이상 증가하지 않고 일정해진다.

06 ① 효소 중에는 아밀레이스, 펩신과 같이 단백질 성분만으로 활성을 나타내는 것이 있고, 탈수소 효소와 같이 단백질과 비단백질 성분인 보조 인자가 있어야 활성을 나타내는 것이 있다.

② 보조 인자는 효소의 비단백질 부분이며, 주효소에 비해 크기가 작다.

④ 보조 인자에는 아연 이온(Zn^{2+}), 철 이온(Fe^{2+}) 등의 금속 이온과 비타민과 같은 유기 화합물로 된 조효소가 있다.

⑤ 보조 인자가 필요한 경우 주효소에 보조 인자가 결합해야 활성 부위의 구조가 기질과 결합하기 적합한 형태로 되어 효소·기질 복합체가 형성될 수 있다.

┃바로알기┃ ③ 보조 인자 중에는 기질이 결합할 때에만 주효소의 활성 부위에 결합하는 것도 있고, 활성 부위에 강하게 결합하여 잘 분리되지 않는 것도 있다.

07 꼼꼼 문제 분석

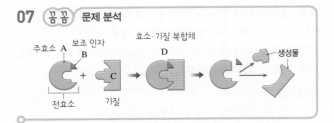

ㄴ. 주효소(A)와 보조 인자(B)는 반응 전후에 변하지 않으므로 반응이 끝난 후 다시 사용된다.

ㄹ. C는 전효소의 활성 부위에 결합하는 기질이다.

▌바로알기▐ ㄱ. 주효소(A)는 효소의 단백질 부분이다.

ㄷ. 보조 인자(B)는 주효소(A)에 결합하여 활성 부위의 구조를 기질과 결합하기 적합한 형태로 만든다. 따라서 보조 인자가 필요한 경우 보조 인자(B)가 없으면 효소·기질 복합체(D)가 형성되지 못한다.

08 꼼꼼 문제 분석

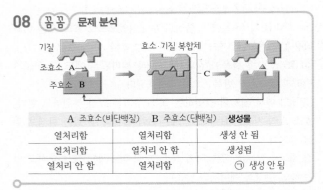

A 조효소(비단백질)	B 주효소(단백질)	**생성물**
열처리함	열처리함	생성 안 됨
열처리함	열처리 안 함	생성됨
열처리 안 함	열처리함	⊙ 생성 안 됨

A는 보조 인자인데 유기 화합물이라고 하였으므로 A는 보조 인자 중 조효소이다.

① 조효소(A)는 비단백질 부분, 주효소(B)는 단백질 부분이므로 조효소(A)는 주효소(B)보다 열에 강하다.

② 주효소(B)는 열처리하면 입체 구조가 변해 기질과 결합할 수 없다. 따라서 ⊙은 '생성 안 됨'이다.

④ 조효소(A)에 해당하는 물질에는 NAD^+, FAD 등이 있다.

⑤ 효소·기질 복합체(C)가 형성되면 화학 반응의 활성화 에너지가 낮아진다.

▌바로알기▐ ③ 조효소가 필요한 경우 조효소(A)와 주효소(B)가 결합하여야 촉매 작용을 할 수 있는 전효소가 된다.

09

효소 A는 수소를 다른 분자에 전달하여 산화 환원 반응에 관여하므로 산화 환원 효소이다. 효소 B는 물을 첨가하여 기질을 분해하므로 가수 분해 효소이다. 효소 C는 기질의 작용기인 아미노기($-NH_2$)를 떼어 다른 분자로 옮기므로 전이 효소이다.

10

ㄱ. 거름종이가 떠오르는 것은 과산화 수소의 분해로 발생한 산소 기포가 거름종이에 달라붙어 부력이 생기기 때문이다.

따라서 거름종이가 떠오르는 데 걸린 시간이 짧을수록 카탈레이스의 활성도가 높아 과산화 수소가 빨리 분해되었음을 의미한다. 실험 결과에서 35 °C의 감자즙을 적신 거름종이를 넣은 비커 B에서 거름종이가 떠오르는 데 걸린 시간이 가장 짧다. 이를 통해 카탈레이스는 35 °C에서 가장 활발하게 작용하였다는 것을 알 수 있다.

ㄷ. 60 °C의 감자즙을 적신 거름종이를 넣은 비커 C에서 거름종이가 떠오르는 데 걸린 시간이 비커 B보다 길므로 높은 온도에서 효소의 활성이 저하된다는 것을 알 수 있다.

▌바로알기▐ ㄴ. 카탈레이스에 의해 과산화 수소가 분해되는 속도는 B>C>A 순이다.

11

ㄴ. 효소의 최적 pH는 효소의 반응 속도가 최대일 때의 pH이다. 효소 A의 최적 pH는 2, 효소 B의 최적 pH는 7, 효소 C의 최적 pH는 8이므로, 효소의 종류에 따라 최적 pH가 다르다는 것을 알 수 있다.

ㄷ. 효소 C는 pH 7일 때보다 pH 8일 때 반응 속도가 높으므로 활성이 더 높다.

▌바로알기▐ ㄱ. 효소 A의 최적 pH는 2이고, 효소 B의 최적 pH는 7이므로 효소 A와 B는 같은 소화 기관에서 작용할 수 없다.

12

ㄴ. (가)에서 효소는 반응 후에도 구조가 변하지 않으므로 반응이 끝난 후에 반복적으로 재사용될 수 있다.

ㄷ. 이 효소의 최적 pH는 7이므로 pH 7에서 단위 시간당 효소·기질 복합체의 형성량이 가장 많다.

▌바로알기▐ ㄱ. (가)에서 물 분자가 첨가되어 기질이 생성물 두 분자로 분해되므로 이 효소는 가수 분해 효소이다.

13 꼼꼼 문제 분석

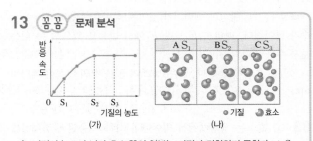

- A: 기질의 농도가 낮아 효소 X의 일부는 기질과 결합하지 못한다. ➡ S_1
- B: 모든 효소 X가 기질과 결합하여 반응 속도가 최대가 된다. ➡ S_2
- C: 모든 효소 X가 포화된 상태이며, 효소 X와 결합하지 않은 기질이 있다. ➡ S_3

ㄷ. 기질의 농도가 S_3일 때 반응 속도가 더 이상 증가하지 않으므로 모든 효소 X는 기질과 결합한 상태이고, 기질의 농도는 S_2보다 증가하였으므로 효소 X와 결합하지 않은 기질이 남아 있다. 따라서 S_3일 때 효소 X를 더 첨가하면 남은 기질들이 효소 X와 결합하여 반응하므로 반응 속도가 증가할 것이다.

바로알기 ㄱ. 활성화 에너지는 기질의 농도와 관계없이 일정하다.
ㄴ. 기질의 농도가 S_2일 때 반응 속도가 더 이상 증가하지 않으므로 모든 효소와 기질은 효소·기질 복합체를 형성한 상태이다. 따라서 S_2일 때 효소·기질 복합체의 형성 정도는 B와 같다.

14 ㉠은 효소와 결합하여 효소·기질 복합체를 형성한 후 생성물로 분해되므로 기질이고, ㉡은 효소의 활성 부위에 결합하여 반응이 일어나는 것을 저해하므로 경쟁적 저해제이다.
ㄱ. 기질(㉠)이 반응 후에 생성물이 되므로 기질(㉠)의 농도는 반응 전보다 후에 낮다.
ㄴ. 경쟁적 저해제(㉡)는 입체 구조가 기질(㉠)과 유사하여 효소의 활성 부위에 기질(㉠)과 경쟁적으로 결합한다.
바로알기 ㄷ. 경쟁적 저해제(㉡)는 효소·기질 복합체의 형성 속도에 영향을 준다. 활성화 에너지의 크기는 효소의 작용 여부에 따라 달라지며 경쟁적 저해제(㉡)의 유무에 영향을 받지 않는다.

15 꼼꼼 **문제 분석**

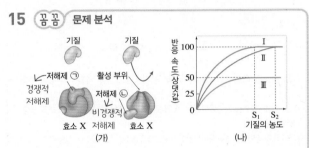

기질   기질
저해제 ㉠   활성 부위
경쟁적
저해제   저해제 ㉡
비경쟁적
효소 X   저해제   효소 X
(가)

(나)

· Ⅰ: 저해제가 없을 때의 반응 속도
· Ⅱ: 기질의 농도가 아주 높아지면 저해 효과가 사라진다. ➡ 경쟁적 저해제(㉠)가 있을 때의 반응 속도
· Ⅲ: 기질의 농도가 높아지더라도 저해 효과가 사라지지 않는다. ➡ 비경쟁적 저해제(㉡)가 있을 때의 반응 속도

저해제 ㉠은 효소 X의 활성 부위에 기질과 경쟁적으로 결합하므로 경쟁적 저해제이다. 저해제 ㉡은 효소 X의 활성 부위가 아닌 다른 부위에 결합하므로 비경쟁적 저해제이다.
ㄱ. 비경쟁적 저해제(㉡)는 효소의 활성 부위가 아닌 다른 부위에 결합하여 활성 부위의 구조를 변형시켜 효소·기질 복합체의 형성을 방해한다.
바로알기 ㄴ. 경쟁적 저해제(㉠)가 있는 경우는 Ⅱ이며, Ⅱ에서 S_1일 때 반응 속도가 100(최댓값)이 아니므로 효소는 기질에 의해 포화된 상태는 아니다. S_1일 때 효소가 기질에 의해 포화되어 반응 속도가 더 이상 증가하지 않는 경우는 저해제가 없는 경우(Ⅰ)와 비경쟁적 저해제(㉡)가 있는 경우(Ⅲ)이다.
ㄷ. 기질의 농도가 S_2일 때 비경쟁적 저해제(㉡)가 있는 경우(Ⅲ)의 반응 속도는 50, 저해제가 없는 경우(Ⅰ)의 반응 속도는 100이다.

16 저해제 A가 있을 때가 없을 때보다 반응 속도가 느리지만 기질의 농도 X에서 반응 속도가 같은 것은 저해제 A가 경쟁적 저해제이기 때문이다.

모범답안 저해제 A는 입체 구조가 기질과 유사하여 효소의 활성 부위에 기질과 경쟁적으로 결합하여 효소의 작용을 억제하므로 기질의 농도가 X와 같이 충분히 높으면 저해 효과가 없어지기 때문이다.

채점 기준	배점
기질의 농도 X에서 저해제 A가 있을 때와 없을 때 반응 속도가 같은 까닭을 경쟁적 저해제의 특성과 연관 지어 옳게 서술한 경우	100 %
기질의 농도 X에서 저해제 A가 있을 때와 없을 때 반응 속도가 같은 까닭을 저해제 A가 경쟁적 저해제이기 때문이라고만 서술한 경우	40 %

17 ① 모두 아밀레이스, 단백질 분해 효소, 지방 분해 효소 등의 효소가 관여하는 현상이다.
② 밥을 오랫동안 씹으면 단맛이 나는 것은 침 속의 아밀레이스가 녹말을 엿당으로 분해하기 때문이다.
④ 효소 세제는 단백질 분해 효소와 지방 분해 효소가 들어 있어 일반 세제보다 때나 얼룩을 효과적으로 제거한다.
⑤ 식혜를 만들 때 따뜻하게 하는 것은 엿기름 속의 아밀레이스가 온도의 영향을 받기 때문이다.
바로알기 ③ 배와 키위에는 소고기에 포함된 단백질을 분해하는 효소가 들어 있다.

중단원 핵심 정리   93쪽~94쪽

❶ 친수성   ❷ 소수성   ❸ 단순   ❹ 촉진   ❺ 물
❻ 용혈   ❼ 원형질 분리   ❽ 흡수력   ❾ 능동 수송
❿ 식세포   ⓫ 활성화 에너지   ⓬ 기질 특이성   ⓭ 전효소
⓮ 보조 인자   ⓯ 전이 효소   ⓰ 최적 온도   ⓱ 경쟁적
⓲ 비경쟁적

중단원 마무리 문제   95쪽~98쪽

01 ①   02 ②   03 ③   04 ⑤   05 ③   06 ⑤
07 ⑤   08 ④   09 ③   10 ⑤   11 ③   12 ④
13 ⑤   14 ③   15 해설 참조   16 해설 참조   17 해설 참조

01 A는 막단백질이고 B는 인지질의 친수성 머리 부분, C는 인지질의 소수성 꼬리 부분이다.
② 인지질의 머리 부분(B)은 인산과 글리세롤 등으로 구성된다.
③ 인지질의 꼬리 부분(C)은 지방산 두 분자로 이루어져 있어 소수성을 띤다.

④ 세포의 안과 밖은 물이 많은 환경이므로 인지질은 친수성인 머리(B)가 바깥으로 향하고, 소수성인 꼬리(C)가 서로 마주 보며 안쪽으로 배열되어 2중층을 이룬다.

⑤ 막단백질(A) 중 수송 단백질은 세포막을 통한 물질 이동에 관여한다.

┃ 바로알기 ┃ ① 단백질(A) 중 인지질 2중층을 관통하거나 일부분이 파묻혀 있는 것은 소수성이 강하다.

02 물질 A는 단순 확산, 물질 B는 촉진 확산으로 세포막을 통해 이동한다.

ㄴ. 산소는 A와 같이 단순 확산에 의해 인지질 2중층을 직접 통과하여 폐포에서 모세 혈관으로 이동한다.

┃ 바로알기 ┃ ㄱ. 단순 확산에서는 농도 기울기에 비례하여 물질의 이동 속도가 증가하지만, 촉진 확산에서는 막단백질이 모두 물질 운반에 관여하면 물질의 이동 속도가 더 이상 증가하지 않는다. 따라서 물질 A는 ⓛ, 물질 B는 ⓐ이다.

ㄷ. 물질 B는 촉진 확산에 의해 이동하므로 물질 B의 이동에는 에너지가 사용되지 않는다.

03 ① A는 수송 단백질이 관여하지 않으므로 단순 확산이다. 단순 확산은 물질이 인지질 2중층을 직접 통과하여 이동하는 방식이다.

② B는 수송 단백질이 관여하지만 세포가 에너지를 사용하지 않으므로 촉진 확산이다.

④ 신경 세포의 흥분으로 Na^+이 세포 밖에서 세포 안으로 이동할 때, Na^+은 Na^+ 통로를 통해 농도가 높은 쪽에서 낮은 쪽으로 이동한다. 이는 촉진 확산(B)에 해당한다.

⑤ 수송 단백질이 관여하고 세포가 에너지를 사용하는 C는 능동 수송이며, 능동 수송의 예로는 Na^+-K^+ 펌프가 있다.

┃ 바로알기 ┃ ③ 촉진 확산(B)은 농도 기울기에 따라 농도가 높은 쪽에서 낮은 쪽으로 물질이 이동하는 방식이지만, 능동 수송(C)은 농도 기울기를 거슬러 농도가 낮은 쪽에서 높은 쪽으로 물질이 이동하는 방식이다.

04 꼼꼼 문제 분석

(가) 원형질 분리

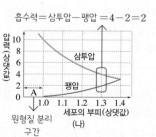

흡수력=삼투압-팽압 =4-2=2

압력(상댓값) 삼투압 팽압 A 원형질 분리 구간 세포의 부피(상댓값) (나)

원형질 분리가 일어났다.
➡ 2 % 소금물은 고장액이다.

세포의 부피가 증가할수록 삼투압은 낮아지고 팽압은 높아진다. ➡ 흡수력은 작아진다.

① 원형질 분리(가)가 일어났을 때 세포의 팽압은 0이다. 따라서 (가)는 (나)의 A 구간에서 관찰되는 현상이다.

② 흡수력은 삼투압과 팽압의 차이이며, (나)에서 팽압이 2일 때 삼투압은 4이다. 따라서 팽압이 2일 때 흡수력의 크기는 삼투압-팽압=4-2=2이다.

③ 세포의 부피가 작을수록 삼투압과 팽압의 차이가 커지므로 흡수력은 커진다.

④ 2 % 소금물에 담가 둔 식물 세포에서 원형질 분리가 일어났으므로 2 % 소금물은 이 식물 세포의 세포액보다 삼투압이 높은 고장액이다.

┃ 바로알기 ┃ ⑤ 삼투압과 팽압의 차이가 클수록 흡수력은 커지므로 세포 안으로 들어오는 물의 양이 많아진다.

05 꼼꼼 문제 분석

사람의 적혈구 / 사람의 등장액 / A의 등장액 / B의 등장액 / C의 등장액

변화 없다. (가) / 많이 부푼다. (나) / 거의 변화 없다. (다) / 쭈그러든다. (라)

• (가): 사람의 등장액과 적혈구 안의 농도는 같으므로 적혈구의 모양 변화가 없다.
• (나): 적혈구가 많이 부푼 것은 A의 등장액이 적혈구 안의 농도보다 낮기 때문이다.
• (다): B의 등장액과 적혈구 안의 농도가 거의 같기 때문에 적혈구의 모양이 거의 변화지 않았다.
• (라): 적혈구가 쭈그러든 것은 C의 등장액이 적혈구 안의 농도보다 높기 때문이다.
➡ 등장액의 농도 비교: A의 등장액<B의 등장액<C의 등장액

ㄴ. (나)에서 적혈구가 많이 부풀었으므로 A의 등장액은 저장액이며, (다)에서 적혈구의 모양이 거의 변화지 않으므로 B의 등장액과 적혈구 안의 농도가 거의 같다. (라)에서 적혈구가 쭈그러들었으므로 C의 등장액이 고장액이다. 따라서 등장액의 농도는 A<B<C 순이다.

ㄷ. (다)에서 적혈구의 모양 변화가 거의 없으므로 사람의 등장액과 농도가 가장 비슷한 혈장을 가진 동물은 B이다.

┃ 바로알기 ┃ ㄱ. B의 등장액보다 C의 등장액이 더 농도가 높으므로 B의 적혈구를 C의 등장액에 넣으면 쭈그러들 것이다. 용혈은 적혈구를 저장액에 넣었을 때 적혈구가 부풀다가 터져 내용물이 밖으로 빠져나오는 현상이다.

ㄹ. (다)에서 적혈구 모양이 거의 변화지 않은 것은 B의 등장액과 적혈구 안의 농도가 거의 같아 적혈구로 물이 들어오는 속도와 적혈구에서 물이 나가는 속도가 거의 같기 때문이다. 즉, 적혈구 막을 통한 물의 이동은 일어난다.

06 (꼼꼼) **문제 분석**

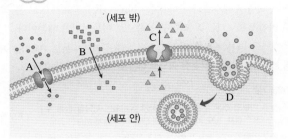

(세포 밖)

(세포 안)

- A: 농도 기울기에 따라 막단백질을 통해 물질이 이동한다. ➡ 촉진 확산
- B: 농도 기울기에 따라 물질이 인지질 2중층을 직접 통과한다. ➡ 단순 확산
- C: 농도 기울기를 거슬러 막단백질을 통해 물질이 이동한다. ➡ 능동 수송
- D: 세포 밖의 물질을 세포막으로 둘러싸 세포 내로 끌어들인다. ➡ 세포 내 섭취

① A와 B는 모두 확산이므로 농도 기울기에 따라 물질이 이동한다.

② 촉진 확산(A)에는 통로 단백질과 운반체 단백질이 관여하고, 능동 수송(C)에는 운반체 단백질이 관여한다.

③ 촉진 확산(A)과 단순 확산(B)은 모두 에너지를 사용하지 않는 수동 수송이다.

④ 능동 수송(C)과 세포내 섭취(D)에는 모두 에너지가 사용된다.

┃**바로알기**┃ ⑤ 이자 세포에서 생성된 인슐린은 세포외 배출에 의해 분비된다.

07 ㄴ. Na^+-K^+ 펌프는 Na^+을 세포 밖으로, K^+을 세포 안으로 이동시키는 운반체 단백질이다.

ㄷ. Na^+-K^+ 펌프는 ATP를 사용하여 구조가 바뀜으로써 Na^+과 K^+을 운반한다.

┃**바로알기**┃ ㄱ. B에서 리포솜 내부의 Na^+ 농도가 증가하였으므로 Na^+-K^+ 펌프에 의해 Na^+은 리포솜 안쪽으로, K^+은 리포솜 바깥쪽으로 이동하였음을 알 수 있다. 따라서 B에서 리포솜 외부의 K^+ 농도는 증가하였을 것이다.

08 (꼼꼼) **문제 분석**

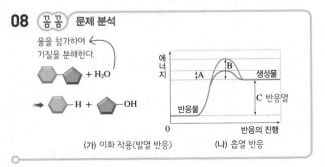

물을 첨가하여 기질을 분해한다.

$+ H_2O$

$\rightarrow$ —H $+$ —OH

에너지 / A / B / 생성물 / C 반응열 / 반응물 / 0 / 반응의 진행

(가) 이화 작용(발열 반응)   (나) 흡열 반응

④ 반응열(C)은 반응물과 생성물의 에너지 차이로, 효소가 없을 때와 있을 때가 같다.

┃**바로알기**┃ ① (가)에서는 물을 첨가하여 기질을 분해하므로 가수 분해 효소가 관여한다.

② (가)는 이화 작용인 가수 분해 반응이므로 발열 반응이다. 이화 작용은 반응물의 에너지가 생성물의 에너지보다 크다. 따라서 (가)에서 반응 진행에 따른 에너지 변화는 (나)와 다르다.

③ 효소가 있을 때의 활성화 에너지는 A+C이고, 효소가 없을 때의 활성화 에너지는 B+C이다. 따라서 효소가 있을 때의 활성화 에너지는 효소가 없을 때보다 B-A만큼 작다.

⑤ (나)는 흡열 반응이므로 분자당 에너지양은 반응물이 생성물보다 적다.

09 ㄱ. 실험 Ⅰ과 Ⅱ에서는 반응이 일어나지 않았으므로 시간이 경과하더라도 기질의 농도는 변하지 않고 일정하게 유지된다.

ㄴ. 실험 Ⅲ에서는 반응이 일어났으므로 (가)와 (나)가 함께 있어야 효소의 기능을 할 수 있는 전효소가 된다는 것을 알 수 있다.

┃**바로알기**┃ ㄷ. 실험 Ⅳ에서 (가)를 가열했을 때는 반응이 일어났고, 실험 Ⅴ에서 (나)를 가열했을 때는 반응이 일어나지 않았다. 이를 통해 (가)는 열에 강한 보조 인자, (나)는 열에 약한 주효소라는 것을 알 수 있다.

10 ㄱ. 알코올 탈수소 효소는 메탄올과 에탄올의 수소를 떼어 조효소에 붙여 주므로 산화 환원 효소이다.

ㄴ. 메탄올과 에탄올은 모두 알코올 탈수소 효소의 활성 부위와 유사한 구조를 가지고 있어 활성 부위에 결합한다.

ㄷ. 메탄올에 중독되었을 때 에탄올을 주사하면 에탄올이 메탄올과 경쟁적으로 알코올 탈수소 효소의 활성 부위에 결합한다. 따라서 메탄올의 분해 산물인 폼알데하이드의 생성을 억제할 수 있다.

11 (꼼꼼) **문제 분석**

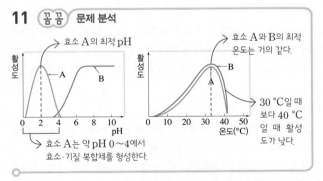

효소 A의 최적 pH

활성도 / A / B / 0 2 4 6 8 10 pH

➡ 효소 A는 약 pH 0~4에서 효소·기질 복합체를 형성한다.

효소 A와 B의 최적 온도는 거의 같다.

활성도 / B / A / 0 10 20 30 40 50 온도(℃)

➡ 30 ℃일 때보다 40 ℃일 때 활성도가 낮다.

ㄱ. (가)에서 효소 A는 약 pH 0~4의 범위에서 활성을 나타내고, 효소 B는 약 pH 4 이상에서 활성을 나타낸다. 즉, pH 6에서 효소 B는 작용하지만 효소 A는 작용하지 못한다.

ㄷ. 30 ℃ 이하에서는 온도가 높아질수록 효소의 활성도가 증가한다. 따라서 30 ℃ 이하에서는 온도가 높아질수록 효소·기질 복합체가 잘 형성되어 반응이 촉진된다는 것을 알 수 있다.

바로알기 ㄴ. 효소 A와 B는 모두 40 °C일 때보다 30 °C일 때 활성이 높다.

12 ㄱ. (가)에서 거품이 가장 높게 발생한 것은 카탈레이스가 중성에서 활성이 가장 높기 때문이다.

ㄴ. 감자즙에는 과산화 수소를 분해하는 효소인 카탈레이스가 있으며, 카탈레이스의 주성분은 단백질이다. 단백질은 높은 열에 변성되므로 감자즙을 끓이면 카탈레이스의 입체 구조가 변하여 그 기능을 할 수 없다. 따라서 끓인 감자즙을 넣으면 과산화 수소가 분해되지 않아 산소가 발생하지 않으므로 거품이 거의 발생하지 않을 것이다.

바로알기 ㄷ. 이 실험에서는 카탈레이스 외의 다른 효소의 최적 pH를 알 수 없다.

13 ㄱ. 기질의 농도가 일정할 때 효소의 농도가 높아지면 반응 속도가 빨라진다. S_3에서 A일 때의 반응 속도는 1.0이고, B일 때의 반응 속도는 0.5이므로 효소 X의 농도 A는 B의 2배임을 알 수 있다.

ㄴ. S_3에서 A일 때의 반응 속도가 B일 때의 2배인 것은 효소 X의 농도가 2배이기 때문이다. 하지만 같은 종류의 효소에 의한 반응이므로 A와 B일 때 활성화 에너지의 크기는 같다.

ㄷ. 효소 X의 농도가 B일 때, S_2일 때가 S_1일 때보다 반응 속도가 빠르다. 이를 통해 효소·기질 복합체의 양은 S_2일 때가 S_1일 때보다 많다는 것을 알 수 있다.

14 ㄱ. X는 효소의 활성 부위에 기질과 경쟁적으로 결합하는 경쟁적 저해제이다.

ㄴ. ㉠은 효소와 기질이 결합한 상태이므로 효소·기질 복합체이다.

바로알기 ㄷ. 경쟁적 저해제(X)는 효소의 활성 부위에 결합하여 기질이 결합하지 못하게 한다. 비경쟁적 저해제는 활성 부위가 아닌 효소의 다른 부위에 결합하여 활성 부위의 입체 구조를 바꾼다.

15 사람 세포와 생쥐 세포의 막단백질을 서로 다른 색깔의 형광 물질로 표지한 후 융합하였을 때 두 가지 형광 물질이 고루 섞였다. 이를 통해 막단백질이 한 곳에 고정되어 있는 것이 아니라 유동성이 있어 이동할 수 있음을 알 수 있다.

모범답안 막단백질은 세포막의 특정 위치에 고정되어 있지 않고 유동성이 있어 이동할 수 있다.

채점 기준	배점
세포막의 특성을 막단백질, 유동성이 포함되도록 옳게 서술한 경우	100 %
세포막의 특성을 막단백질이 이동한다라고만 서술한 경우	50 %

16 Na^+ 농도는 혈장이 적혈구 내부보다 높고, K^+ 농도는 혈장이 적혈구 내부보다 낮다. 이는 Na^+-K^+ 펌프가 Na^+은 적혈구 바깥쪽으로, K^+은 적혈구 안쪽으로 이동시키기 때문이다.

모범답안 능동 수송에 관여하는 Na^+-K^+ 펌프가 농도 기울기를 거슬러 농도가 낮은 쪽에서 높은 쪽으로 이온을 이동시키기 때문이다.

채점 기준	배점
적혈구 안팎의 이온 분포가 불균등하게 유지되는 까닭을 능동 수송, Na^+-K^+ 펌프, 농도 기울기 역행과 연관 지어 옳게 서술한 경우	100 %
적혈구 안팎의 이온 분포가 불균등하게 유지되는 까닭을 능동 수송 때문이라고만 서술한 경우	40 %

17 ㉠은 활성 부위에 기질과 경쟁적으로 결합하여 효소의 작용을 방해하므로 경쟁적 저해제이다. ㉡은 활성 부위가 아닌 다른 부위에 결합하여 활성 부위의 구조를 변화시켜 기질이 활성 부위에 결합하지 못하도록 하므로 비경쟁적 저해제이다.

모범답안 ㉠은 기질의 농도가 높아지면 저해 효과가 감소하지만, ㉡은 기질의 농도가 높아져도 저해 효과가 감소하지 않는다.

채점 기준	배점
기질의 농도가 높아질수록 ㉠과 ㉡의 저해 효과가 어떻게 달라지는지 모두 옳게 서술한 경우	100 %
㉠과 ㉡의 저해 효과 중 한 가지만 옳게 서술한 경우	50 %

수능 실전 문제
99쪽~101쪽

01 ⑤	02 ③	03 ④	04 ②	05 ②	06 ④
07 ④	08 ⑤	09 ②	10 ①	11 ①	

01 꼼꼼 문제 분석

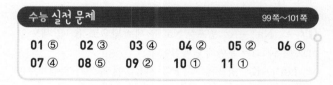

ATP가 분해되어 나온 인산이 Na^+-K^+ 펌프에 결합하면 Na^+ 3개가 Ⅰ에서 Ⅱ로 이동

Na^+-K^+ 펌프에 의해 K^+ 2개가 Ⅱ에서 Ⅰ로 이동

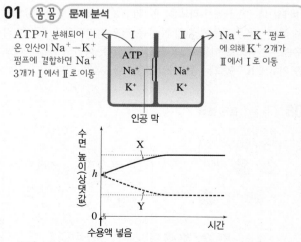

Na^+-K^+ 펌프에 의해 Ⅰ보다 Ⅱ의 이온 농도가 높게 유지되므로 물이 삼투에 의해 Ⅰ에서 Ⅱ로 이동한다. ➡ X는 Ⅱ의 수면 높이 변화이고, Y는 Ⅰ의 수면 높이 변화이다.

ㄱ 삼투에 의해 물이 인공 막을 통과한다.
ㄴ 실험 결과에서 Y는 Ⅰ의 수용액 높이 변화이다.
ㄷ Ⅰ에서는 K^+의 양이 증가하고, Ⅱ에서는 Na^+의 양이 증가할 것이다.

ㄱ. $Na^+ - K^+$ 펌프에 의해 Ⅰ과 Ⅱ의 이온 농도 차이가 형성되므로 삼투에 의해 물이 인공 막을 통과하는 현상이 일어난다.
ㄴ. $Na^+ - K^+$ 펌프에 의해 Na^+은 3개가, K^+은 2개가 이동하므로 Ⅰ보다 Ⅱ의 이온 농도가 높아지고, 그 결과 물은 삼투에 의해 Ⅰ에서 Ⅱ로 이동하게 된다. 따라서 Y는 Ⅰ의 수용액 높이 변화이다.
ㄷ. Ⅰ에 ATP를 첨가했으므로 $Na^+ - K^+$ 펌프에 의해 Na^+은 Ⅰ에서 Ⅱ로, K^+은 Ⅱ에서 Ⅰ로 이동한다. 따라서 Ⅰ에서는 K^+의 양이, Ⅱ에서는 Na^+의 양이 증가한다.

02

✗ 설탕 용액의 농도는 A가 B보다 낮다. 높다.
✗ V_1일 때 이 세포의 삼투압은 팽압보다 작다. 크다.
ㄷ V_2일 때 이 세포는 팽윤 상태이다.

ㄷ. 흡수력은 삼투압에서 팽압을 뺀 값이므로 세포의 부피가 1.0일 때는 삼투압과 같고, 세포의 부피가 커질수록 흡수력은 삼투압보다 작다. 따라서 ㉠은 삼투압, ㉡은 흡수력이므로 V_2일 때 이 세포의 흡수력은 0이고, 물이 더 이상 흡수되지 않는 최대 팽윤 상태이다.

▌바로알기▐ ㄱ. 설탕 용액 A에 담겨 있던 식물 세포를 B로 옮긴 후 세포의 부피가 증가하고 삼투압(㉠)과 흡수력(㉡)이 작아지므로 고장액(A)에 있던 식물 세포를 저장액(B)으로 옮겼을 때의 변화이다. 따라서 설탕 용액 A의 농도는 B보다 높다.
ㄴ. V_1일 때 이 세포의 흡수력(㉡)은 0보다 크므로 삼투압(㉠)은 팽압보다 크다.

03

㉠ ㉠의 이동에 막단백질이 관여한다.
✗ 세포막을 통한 산소의 이동 방식은 물질 ㉠의 이동 방식과 같다. 단순 확산
㉢ 세포 밖에서 안으로의 ㉠의 이동 속도는 t_1일 때가 t_2일 때보다 빠르다.

'[세포 밖 농도] - [세포 안 농도]'는 세포 안과 밖의 농도 차이이다. 농도 차가 0일 때 ㉠의 이동 속도가 0이고, 농도 차가 커짐에 따라 ㉠의 이동 속도가 증가하다가 농도 차가 일정 수준을 넘으면 ㉠의 이동 속도가 더 이상 증가하지 않는다. 또 (나)에서 세포 안과 밖의 농도가 X로 같아질 때까지 ㉠의 이동이 일어나므로 ㉠의 이동 방식은 막단백질이 관여하는 촉진 확산이다.
ㄱ. 촉진 확산에는 통로 단백질이나 운반체 단백질과 같은 막단백질이 관여한다.
ㄷ. (나)에서 t_1일 때 그래프의 기울기가 t_2일 때보다 크므로 t_1때의 물질 ㉠의 이동 속도가 t_2일 때보다 빠르다.
▌바로알기▐ ㄴ. 산소는 인지질을 직접 통과하여 이동하는 단순 확산으로 세포막을 통해 이동한다. 따라서 세포막을 통한 산소의 이동 방식은 물질 ㉠의 이동 방식(촉진 확산)과 다르다.

04 꼼꼼 문제 분석

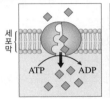
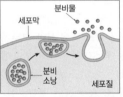

세포막

ATP → ADP
분비물
세포막
분비소낭
세포질

(가) 능동 수송   (나) 세포외 배출
막단백질 관여, ATP(에   소낭이 세포막과 융합하여 세포 밖
너지) 사용 → 능동 수송   으로 물질 분비 → 세포외 배출

✗ (가)에 의해 물질이 농도 기울기에 따라 이동한다.
　　　　　농도 기울기를 거슬러
㉡ (가)의 경우 세포 호흡 저해제를 처리하면 물질 이동이 억제된다.
✗ (나)에 의한 물질 이동이 활발해지면 세포막의 표면적이 일시적으로 감소한다. 증가한다.

(가)는 막단백질이 관여하고 ATP를 사용하므로 능동 수송이고, (나)는 소낭이 세포막과 융합하여 세포 밖으로 물질을 분비하므로 세포외 배출이다.
ㄴ. 능동 수송(가)은 ATP를 사용하며, ATP는 세포 호흡에 의해 만들어진다. 따라서 세포 호흡 저해제를 처리하면 능동 수송(가)에 의한 물질 이동이 억제된다.
▌바로알기▐ ㄱ. 능동 수송(가)은 에너지를 사용하여 물질을 저농도에서 고농도로 농도 기울기를 거슬러 이동시키는 방식이다.
ㄷ. 세포외 배출(나)에서는 소낭의 막이 세포막과 합쳐지므로 세포외 배출에 의한 물질 이동이 활발해지면 세포막의 표면적이 일시적으로 증가한다.

흡열 반응 촉진,
기질은 X

발열 반응 촉진,
기질은 Y

X
↓ 효소 A
Y
↓ 효소 B
Z

(가)

에너지 / 반응의 진행

- 효소가 없을 때
- 효소가 있을 때

0 A가 있을 때의 활성화 에너지 (나)
B가 있을 때의 활성화 에너지

| 선택지 분석 |

✗ 효소 A의 기질은 Y이다. X

ㄴ 효소 A와 B가 모두 있을 때 활성화 에너지는 X → Y의 반응에서가 Y → Z의 반응에서보다 크다.

✗ X → Y의 반응에서 반응열은 효소 A가 있을 때가 없을 때보다 크다.

ㄴ. 효소 A가 있을 때 활성화 에너지는 (나)에서 X가 Y로 될 때 점선으로 표시된 에너지 언덕이고, 효소 B가 있을 때 활성화 에너지는 (나)에서 Y가 Z로 될 때 점선으로 표시된 에너지 언덕이다. 따라서 효소 A와 B가 모두 있을 때 활성화 에너지는 X → Y의 반응에서가 Y → Z의 반응에서보다 크다.

| 바로알기 | ㄱ. 효소 A는 물질 X가 물질 Y로 되는 과정에 관여하므로 효소 A는 X와 결합하여 반응을 촉진한다. 따라서 효소 A의 기질은 X이다.

ㄷ. 반응열은 반응물과 생성물의 에너지 차이이며, 효소가 있을 때와 없을 때 그 크기가 같다.

06

| 선택지 분석 |

ㄱ ⊙은 효소의 활성 부위에 결합한다.

ㄴ ⓒ은 효소·기질 복합체이다.

✗ 이 반응의 활성화 에너지는 t_2일 때가 t_1일 때보다 작다.
일정하다.

ㄱ. 효소가 관여하는 화학 반응에서 기질은 생성물로 변화된다. ⊙은 시간이 지날수록 농도가 감소하므로 효소의 활성 부위에 결합하는 기질이다.

ㄴ. 반응 초기에 ⓒ의 농도가 감소하다가 기질(⊙)의 농도가 감소할수록 ⓒ의 농도가 증가하여 반응 전의 상태를 회복하므로, ⓒ은 반응 전후에 변하지 않는 효소이다. 또 ⓒ은 반응 초기에 농도가 증가하다가 기질(⊙)의 농도가 감소할수록 감소하므로 효소·기질 복합체이다.

| 바로알기 | ㄷ. 활성화 에너지는 기질의 농도와 관계없이 일정하다.

07

| 선택지 분석 |

✗ 무즙에 있는 아밀레이스는 전이 효소에 해당한다.
가수 분해 효소

ㄴ 무즙에 있는 아밀레이스는 녹말과 효소·기질 복합체를 형성한다.

ㄷ (가)의 B에서는 녹말이 엿당으로 분해되는 반응이 일어나지 않았다.

ㄴ. 무즙에 있는 아밀레이스가 녹말을 엿당으로 분해하므로 녹말은 아밀레이스의 기질이다.

ㄷ. A에서는 아이오딘 반응이 일어나지 않았으므로 A에서 무즙에 의해 녹말이 엿당으로 분해되었음을 알 수 있다. B에서는 아이오딘 용액을 떨어뜨렸을 때 청람색이 나타났으므로 녹말이 엿당으로 분해되지 않았음을 알 수 있다.

| 바로알기 | ㄱ. 무즙에 있는 아밀레이스는 가수 분해 효소이다. 전이 효소는 기질의 작용기를 다른 분자에 전달하는 효소이다.

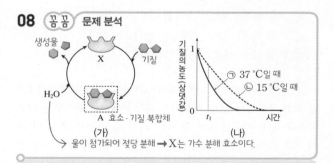

생성물 / 기질 / X / H₂O / A 효소·기질 복합체 / (가)

물이 첨가되어 엿당 분해 → X는 가수 분해 효소이다.

기질의 농도(상댓값) / 시간

⊙ 37 ℃일 때
ⓒ 15 ℃일 때

t_1 (나)

| 선택지 분석 |

ㄱ (가)는 가수 분해 반응이다.

ㄴ ⊙은 37 ℃일 때의 기질의 농도 변화이다.

ㄷ t_1에서 A의 수는 ⊙일 때가 ⓒ일 때보다 많다.

ㄱ. X는 물을 첨가하여 엿당을 두 분자의 생성물로 분해하므로 가수 분해 효소이다.

ㄴ. (나)에서 t_1일 때 기질의 농도가 ⓒ일 때보다 ⊙일 때가 낮다. 이는 ⓒ일 때보다 ⊙일 때가 반응이 활발하게 일어났기 때문이며, 사람의 효소 반응은 37 ℃일 때가 15 ℃일 때보다 활발히 일어나므로 ⊙은 37 ℃, ⓒ은 15 ℃일 때의 기질의 농도 변화이다.

ㄷ. A는 효소·기질 복합체이다. t_1에서 ⊙일 때가 ⓒ일 때보다 기질의 농도 기울기가 더 크므로 효소의 반응 속도가 더 빠르다. 효소의 반응 속도가 빠른 것은 효소·기질 복합체(A)가 더 많이 형성되기 때문이다.

09

ㄴ. 시험관 A, B, C는 조작 변인이 온도이므로, A, B, C를 비교하면 아밀레이스의 작용이 온도의 영향을 받는다는 것을 알 수 있다.

▌바로알기▐ ㄱ. 시험관 A에서는 아밀레이스의 작용에 의해 녹말이 엿당으로 분해되므로 청람색의 색깔이 흐려지거나 사라진다. 아밀레이스의 최적 pH는 7인데 시험관 D는 산성 상태이므로 시험관 D에서는 아밀레이스의 작용이 억제되어 색깔 변화가 나타나지 않을 것이다.

ㄷ. 시험관 A~C의 실험 결과를 통해 효소의 활성이 온도의 영향을 받는다는 것을, 시험관 D~F의 실험 결과를 통해 효소의 활성이 pH의 영향을 받는다는 것을 알 수 있다.

10

ㄱ. A는 효소 X의 활성 부위에 결합하여 기질이 활성 부위에 결합하는 것을 방해하는 경쟁적 저해제이다.

▌바로알기▐ ㄴ. 활성화 에너지는 기질이 생성물로 되는 반응이 일어나는 데 필요한 최소한의 에너지이므로 ⓐ이다.

ㄷ. 경쟁적 저해제(A)는 활성화 에너지의 크기에 영향을 미치지 않으므로 A의 양이 많아져도 (나)에서 ⓐ는 변하지 않고 일정하다.

11 꼼꼼 문제 분석

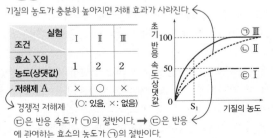

ㄱ. 실험 Ⅰ과 Ⅲ은 저해제 A가 없고 효소 X의 농도가 Ⅲ이 Ⅰ의 2배이므로 기질의 농도가 같을 때 초기 반응 속도도 Ⅲ이 Ⅰ의 2배일 것이다. 따라서 ⊙은 실험 Ⅲ, ⓒ은 실험 Ⅰ에서의 초기 반응 속도를 나타낸 것이다.

▌바로알기▐ ㄴ. ⓒ은 실험 Ⅱ에서의 초기 반응 속도이다. ⓒ에서 기질의 농도가 충분히 높아지면 저해제 A가 있어도 저해 효과는 사라진다. 경쟁적 저해제는 기질과 구조가 유사하여 기질과 경쟁적으로 효소의 활성 부위에 결합함으로써 기질을 활성 부위에 결합하지 못하게 하여 효소의 작용을 방해하므로 기질의 농도가 충분히 높아지면 저해 효과가 사라진다. 따라서 A는 경쟁적 저해제이다.

ㄷ. S₁일 때 ⓒ에서 초기 반응 속도가 증가하고 있으므로 효소·기질 복합체를 형성하지 않은 효소가 있다. 따라서 효소 X의 총 수는 효소·기질 복합체의 수보다 더 많으므로 S₁일 때 ⓒ에서 $\dfrac{\text{효소·기질 복합체의 수}}{\text{효소 X의 총 수}}$의 값은 1보다 작다.

Ⅲ. 세포 호흡과 광합성

1 세포 호흡과 발효

01 세포 호흡

개념 확인 문제
108쪽

❶ 광합성 　❷ 화학 　❸ ATP 　❹ 2중막 　❺ 내막
❻ 이산화 탄소 　❼ TCA 회로

1 (1) × (2) × (3) ○ (4) ○ 　**2** A: 기질, B: 막 사이 공간, C: 외막, D: 내막 　**3** (1) ○ (2) × (3) × (4) ○ 　**4** (1) 기질 (2) 내막 (3) 내막 (4) 기질 　**5** A: 해당 과정, B: 피루브산의 산화, C: TCA 회로, D: 산화적 인산화

1 (1) 광합성은 동화 작용, 세포 호흡은 이화 작용이다.
(2) 빛에너지를 흡수하여 이산화 탄소와 물을 포도당으로 합성하는 (가)는 광합성이다. 포도당을 물과 이산화 탄소로 분해하고, 이 과정에서 방출된 에너지를 이용하여 ATP를 합성하는 (나)는 세포 호흡이다.
(3) 광합성(가)은 빛에너지를 포도당에 화학 에너지 형태로 저장하는 과정이고, 세포 호흡(나)은 포도당의 화학 에너지를 ATP의 화학 에너지로 전환하는 과정이다.
(4) 광합성(가)은 엽록체에서 일어난다. 세포 호흡(나) 과정 중 해당 과정은 세포질, 피루브산의 산화 및 TCA 회로는 미토콘드리아 기질, 산화적 인산화는 미토콘드리아 내막에서 일어난다.

2 미토콘드리아는 외막(C)과 내막(D)의 2중막 구조이다. 외막과 내막은 막 사이 공간(B)을 두고 분리되어 있으며, 내막 안쪽은 기질(A)로 채워져 있다.

3 (1) 미토콘드리아는 외막과 내막의 2중막 구조이다.
(2) 미토콘드리아 내막은 안쪽으로 접혀 들어가 주름진 구조의 크리스타를 형성한다.
(3) 미토콘드리아 내막에 전자 전달계와 ATP 합성 효소가 있다.
(4) 미토콘드리아는 유기물에 저장된 화학 에너지를 생명 활동에 사용되는 에너지 형태인 ATP로 전환하는 세포 소기관이다. 따라서 근육 세포와 같이 에너지를 많이 소비하는 세포에는 미토콘드리아가 많이 들어 있다.

4 DNA, 리보솜, TCA 회로에 관여하는 효소는 미토콘드리아 기질에, 전자 전달 효소, ATP 합성 효소는 미토콘드리아 내막에 있다.

5 세포 호흡은 포도당과 같은 유기물을 산화하여 에너지를 방출하는 과정으로, 해당 과정(A), 피루브산의 산화(B) 및 TCA 회로(C), 산화적 인산화(D)로 구분한다.

개념 확인 문제
113쪽

❶ 피루브산 　❷ 2 　❸ 2 　❹ 이산화 탄소 　❺ 3 　❻ 4
❼ 1 　❽ 화학 삼투 　❾ ATP

1 (1) ○ (2) ○ (3) × 　**2** (1) (가) 세포질 (나) 미토콘드리아 기질 (2) ㉠ NADH, ㉡ CO_2, ㉢ 아세틸 CoA (3) ㉠ 탈탄산, ㉡ 탈수소 (4) 기질 수준 　**3** (1) 기질 (2) 아세틸 CoA (3) ㉠ 탈탄산, ㉡ 탈수소 (4) 기질 수준 인산화 (2) ㉠ 2, ㉡ 3, ㉢ 1, ㉣ 1 　**5** (1) O_2 (2) (가) (3) ATP 합성 효소

1 (1) 해당 과정은 ATP를 소모하는 단계와 생성하는 단계로 구분할 수 있다. 해당 과정에서는 포도당 1분자당 ATP 2분자를 소모하여 과당 2인산으로 활성화된 후, 과당 2인산이 피루브산 2분자로 분해되면서 ATP 4분자를 생성한다.
(2) 해당 과정에서 포도당이 분해될 때 탈수소 효소의 작용으로 H^+과 전자가 기질로부터 떨어져 나오며, 탈수소 효소의 조효소인 NAD^+가 H^+과 전자를 받아 NADH로 환원된다.
(3) 해당 과정에서는 산소가 사용되지 않으며, 6탄소 화합물인 포도당이 3탄소 화합물인 피루브산 2분자로 분해되므로 이산화 탄소가 방출되지 않는다.

2 (1) 피루브산은 세포질에서 미토콘드리아 기질로 들어가 산화된다. 따라서 (가)는 세포질, (나)는 미토콘드리아 기질이다.
(2) 피루브산은 CO_2(㉡)를 방출하고 H^+과 전자를 잃으면서 조효소 A와 결합하여 아세틸 CoA(㉢)가 되고, NAD^+가 H^+과 전자를 받아 NADH(㉠)로 환원된다.

3 (1), (2) TCA 회로는 미토콘드리아 기질에서 일어나며, 아세틸 CoA가 탈탄산 효소, 탈수소 효소의 작용으로 산화되는 과정이다.
(3) 이산화 탄소는 탈탄산 효소에 의한 탈탄산 반응으로 방출되며, H^+과 전자는 탈수소 효소에 의한 탈수소 반응으로 기질에서 떨어져 나온다.
(4) TCA 회로에서는 5탄소 화합물이 4탄소 화합물로 되는 과정에서 기질 수준 인산화로 ATP가 합성된다.

4 (1) 탈탄산 효소가 작용하면 탄소 수가 줄어든다. 따라서 6탄소 화합물인 시트르산이 5탄소 화합물로 되는 단계(B)와 5탄소 화합물이 4탄소 화합물로 되는 단계(C)에서 탈탄산 효소가 작용한다.

(2) 아세틸 CoA 1분자가 TCA 회로를 거치면 CO_2 2분자, NADH 3분자, $FADH_2$ 1분자, ATP 1분자가 생성된다.

5 (1) 전자 전달계에서 전자의 최종 수용체는 O_2(㉠)이다.

(2) 전자 전달 과정에서 방출된 에너지를 이용하여 H^+이 미토콘드리아 기질(나)에서 막 사이 공간(가)으로 능동 수송되므로 H^+ 농도는 막 사이 공간(가)에서가 기질(나)에서보다 높다.

(3) H^+의 농도 기울기에 따라 ATP 합성 효소(㉡)를 통해 H^+이 확산될 때 ATP가 합성된다.

개념 확인 문제
115쪽

❶ 32　❷ 4　❸ 28　❹ 34　❺ 호흡 기질　❻ 호흡률

1 ㉠ 2, ㉡ 2, ㉢ 28　**2** (가) 탄수화물 (나) 지방 (다) 단백질

1 해당 과정과 TCA 회로에서 기질 수준 인산화로 각각 2ATP가 생성되고, 산화적 인산화로 10NADH와 $2FADH_2$로부터 최대 28ATP($=10 \times 2.5ATP + 2 \times 1.5ATP$)가 생성된다.

2 (가)는 당으로 분해되어 호흡 기질로 이용되므로 탄수화물, (나)는 글리세롤과 지방산으로 분해되어 호흡 기질로 이용되므로 지방, (다)는 아미노산으로 분해되어 호흡 기질로 이용되므로 단백질이다.

대표 자료 분석
116쪽~117쪽

자료 1 1 (가) 　2 (가) 　3 (라) 　4 (1) × (2) ○ (3) ×
(4) × (5) ○ (6) ○

자료 2 1 (가) 　2 (나) 　3 기질 수준 인산화 　4 (1) ○
(2) × (3) × (4) ○ (5) × (6) ○

자료 3 1 (가) ㉠, ㉢, ㉣, ㉻ (나) ㉤ 　2 ㉣ 　3 (1) ×
(2) × (3) × (4) ○ (5) ○ (6) ○

자료 4 1 (가) 막 사이 공간 (나) 기질 　2 산소(O_2) 　3 (1) ○
(2) ○ (3) ○ (4) × (5) ×

---

①-1 (가)는 해당 과정, (나)는 피루브산의 산화, (다)는 TCA 회로, (라)는 산화적 인산화이며, 세포질에서 일어나는 단계는 해당 과정(가)이다.

①-2 산소가 없어도 진행되는 단계는 해당 과정(가)이다. 해당 과정의 산물인 피루브산은 산소가 있을 때 미토콘드리아로 들어간 후 (나), (다), (라) 과정을 거친다.

①-3 해당 과정(가), 피루브산의 산화(나) 및 TCA 회로(다)에서 생성된 NADH와 $FADH_2$는 고에너지 전자를 가지고 있으며, 고에너지 전자에서 방출된 에너지를 이용한 산화적 인산화(라) 단계에서 가장 많은 양의 ATP가 생성된다.

①-4 (1) 세포 호흡에서는 해당 과정이 TCA 회로보다 먼저 일어나며, (가)는 해당 과정, (다)는 TCA 회로이다.

(2) (가)~(라)는 모두 물질대사이므로 효소가 작용한다. 효소의 주성분은 단백질이며, 단백질은 온도와 pH의 영향을 받는다. 따라서 효소의 촉매 작용으로 조절되는 (가)~(라)는 모두 온도와 pH의 영향을 받는다.

(3) 피루브산의 산화(나) 및 TCA 회로(다)에 관여하는 효소는 미토콘드리아 기질에 존재하며, 산화적 인산화(라)에 관여하는 효소는 미토콘드리아 내막에 존재한다.

(4) 해당 과정(가)과 TCA 회로(다)에서의 ATP 합성은 기질에 결합해 있던 인산기가 ADP로 전달됨으로써 일어난다(기질 수준 인산화).

(5) (라)는 산화적 인산화이며, 산화적 인산화에서 NADH와 $FADH_2$로부터 방출된 고에너지 전자는 전자 전달 과정을 거친 후 최종적으로 산소와 결합한다. 따라서 산화적 인산화는 전자의 최종 수용체인 산소가 있어야 진행된다.

(6) 세포 호흡 과정에서 포도당은 이산화 탄소로 산화되고, 산소는 물로 환원되며, 포도당의 에너지는 ATP의 화학 에너지와 열로 전환된다. 따라서 포도당이 세포 호흡의 전 과정 (가)~(라)를 모두 거쳐 완전히 산화되면 이산화 탄소와 물이 생성되고 ATP가 합성된다.

②-1 포도당이 과당 2인산으로 활성화되는 (가)에서 2ATP가 소모된다.

②-2 (나)에서 탈수소 효소의 작용으로 NAD^+가 NADH로 환원된다.

②-3 (다)에서 효소의 작용으로 기질에 결합해 있던 인산기가 ADP로 전달되어 ATP가 합성되는데, 이러한 ATP 합성 과정을 기질 수준 인산화라고 한다.

②-4 (1) 포도당 1분자가 여러 단계의 반응을 거쳐 피루브산 2분자로 분해되는 과정을 해당 과정이라고 한다.
(2) 해당 과정의 (가)~(다)는 모두 세포질에서 일어난다.
(3) 6탄소 화합물인 포도당을 구성하고 있던 탄소는 모두 3탄소 화합물인 피루브산 2분자를 구성하는 탄소로 전환되기 때문에 해당 과정에서는 이산화 탄소가 방출되지 않는다.
(4) 해당 과정에서는 산소가 사용되지 않는다.
(5) 포도당이 과당 2인산으로 되는 (가)에서 ATP 2분자가 투입되어 에너지가 과당 2인산에 저장된다. 따라서 1분자당 에너지양은 포도당이 과당 2인산보다 적다.
(6) 포도당 1분자가 해당 과정을 거칠 때, 먼저 ATP 2분자가 소모된 후 NADH 2분자와 ATP 4분자가 생성된다. 따라서 해당 과정 전체로는 NADH 2분자와 ATP 2분자가 생성된다.

③-1 NADH는 ㉠, ㉢, ㉣, ㉥에서 각각 생성되고, $FADH_2$는 ㉤에서 생성된다.

③-2 5탄소 화합물이 4탄소 화합물로 되는 ㉣에서 기질 수준 인산화로 ATP가 합성된다.

③-3 (1) 피루브산의 산화 및 TCA 회로는 모두 미토콘드리아 기질에서 일어난다.
(2) 아세틸 CoA에서 아세틸기는 탄소를 2개 가지고 있으므로, 아세틸 CoA 1분자가 TCA 회로를 거치면 이산화 탄소 2분자가 방출된다.
(3) 피루브산 1분자가 피루브산의 산화 및 TCA 회로를 거쳐 이산화 탄소로 분해되면 NADH 4분자, $FADH_2$ 1분자, ATP 1분자가 생성된다.
(4) ㉠, ㉢, ㉣에서 모두 탄소 수가 하나씩 줄어드는 것은 탈탄산 반응이 일어나 이산화 탄소가 방출되기 때문이다.
(5) ㉡에서 아세틸 CoA는 CoA가 떨어져 나오면서 옥살아세트산과 결합하여 시트르산이 된다.
(6) 아세틸 CoA가 TCA 회로에서 산화되면서, 가지고 있던 에너지의 일부가 방출되어 NADH와 $FADH_2$에 저장된다.

④-1 미토콘드리아에서 H^+이 ATP 합성 효소를 통해 막 사이 공간에서 기질로 확산되면서 ATP가 합성되므로 (가)는 막 사이 공간, (나)는 기질이다.

④-2 NADH나 $FADH_2$가 전달한 전자(e^-)는 미토콘드리아 내막에 있는 전자 전달계를 따라 이동하여 최종적으로 산소(O_2)에 전달된다. 따라서 NADH나 $FADH_2$가 전달한 전자(e^-)의 최종 수용체는 산소(O_2)이다.

④-3 (1) NADH가 전달한 고에너지 전자는 전자 전달계에서 전자 운반체의 산화 환원 반응으로 이동하면서 에너지를 조금씩 방출한다. 따라서 NADH가 전달한 전자는 전자 전달계를 거치면서 에너지 수준이 점차 낮아진다.
(2) 전자가 전자 전달계를 거치는 동안 방출한 에너지를 이용하여 일부 전자 운반체는 H^+을 미토콘드리아 기질(나)에서 막 사이 공간(가)으로 능동 수송한다.
(3) 미토콘드리아 내막을 경계로 형성된 H^+의 농도 기울기에 따라 막 사이 공간(가)의 H^+이 ATP 합성 효소를 통해 미토콘드리아 기질(나)로 확산될 때 ATP가 합성된다.
(4) 막 사이 공간(가)의 H^+ 농도가 높고, 미토콘드리아 기질(나)의 H^+ 농도가 낮을 때 화학 삼투가 일어난다. 따라서 (가)의 pH가 (나)의 pH보다 낮을 때 화학 삼투에 의해 ATP가 합성된다.
(5) NADH는 $FADH_2$보다 에너지 수준이 높다. NADH 1분자로부터는 약 2.5ATP가, $FADH_2$ 1분자로부터는 약 1.5ATP가 생성된다.

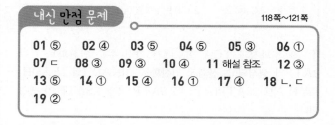

내신 만점 문제

118쪽~121쪽

01 ⑤	02 ④	03 ⑤	04 ⑤	05 ③	06 ①
07 ㄷ	08 ③	09 ③	10 ④	11 해설 참조	12 ③
13 ⑤	14 ①	15 ④	16 ①	17 ④	18 ㄴ, ㄷ
19 ②					

01 꼼꼼 문제 분석

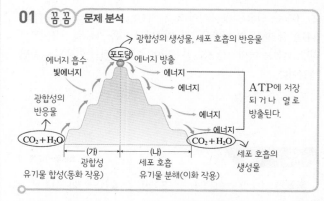

ㄱ. (가)는 광합성, (나)는 세포 호흡이다. 광합성(가)의 생성물인 포도당은 세포 호흡(나)의 반응물로 사용된다.
ㄴ. 광합성(가)에서 빛에너지는 포도당의 화학 에너지로 전환된다.
ㄷ. 세포 호흡(나)에서 포도당의 에너지 일부는 ATP에 화학 에너지 형태로 저장되었다가 근육 수축, 생장, 발성 등 다양한 생명 활동에 사용된다.

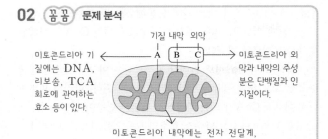

미토콘드리아 기질에는 DNA, 리보솜, TCA 회로에 관여하는 효소 등이 있다.

기질 내막 외막

미토콘드리아 외막과 내막의 주성분은 단백질과 인지질이다.

미토콘드리아 내막에는 전자 전달계, ATP 합성 효소 등이 있다.

ㄴ. B는 미토콘드리아 내막이며, 미토콘드리아 내막에는 전자 전달계가 있다.

ㄷ. C는 미토콘드리아 외막이며, 외막의 주성분은 단백질과 인지질이다.

┃바로알기┃ ㄱ. A는 미토콘드리아 기질이다.

03 미토콘드리아는 외막과 내막의 2중막 구조이며, 외막과 내막 사이의 공간을 막 사이 공간, 내막 안쪽을 기질이라고 한다. 내막은 안쪽으로 접혀 들어가 주름진 구조인 크리스타를 형성한다. 내막에는 전자 전달 효소와 ATP 합성 효소가 있어 산화적 인산화에 의한 ATP 합성이 일어나며, 기질에는 DNA, 리보솜, TCA 회로에 관여하는 효소가 있다.

┃바로알기┃ ⑤ ATP 합성 효소는 내막에 있다.

04 ⑤ 세포 호흡에서 포도당은 해당 과정 → 피루브산의 산화 및 TCA 회로 → 산화적 인산화를 거쳐 이산화 탄소와 물로 완전히 분해된다.

┃바로알기┃ ① 세포 호흡은 포도당과 같은 유기물을 산화하여 에너지를 방출하는 과정이다.

② 해당 과정은 세포질에서 일어나고, 피루브산의 산화 및 TCA 회로는 미토콘드리아 기질에서, 산화적 인산화는 미토콘드리아 내막에서 일어난다.

③ 포도당 1분자는 세포질에서 해당 과정에 의해 피루브산 2분자로 분해되고, 피루브산은 산소가 있을 때 미토콘드리아로 들어가 아세틸 CoA로 산화된 후 TCA 회로와 산화적 인산화를 거쳐 이산화 탄소와 물로 완전히 분해된다.

④ 산화적 인산화에서 전자를 최종적으로 수용하는 산소가 없으면 전자 전달계에서의 전자 흐름이 정지되어 ATP 합성이 일어나지 않으며, NADH와 $FADH_2$로부터 NAD^+와 FAD가 생성되지 않는다. 따라서 TCA 회로에 NAD^+와 FAD가 공급되지 않아 TCA 회로도 중단된다. 산소 없이도 진행되는 과정은 해당 과정이다.

05 ㄱ, ㄴ. 세포 호흡에서 O_2는 수소($H^+ + e^-$)를 받아 H_2O로 환원되고, 포도당은 수소($H^+ + e^-$)를 잃고 CO_2로 산화된다.

┃바로알기┃ ㄷ. 세포 호흡에서 포도당의 에너지는 ATP의 화학 에너지와 열로 전환된다. 즉, 포도당에 저장된 에너지의 일부가 ATP의 화학 에너지로 전환된다.

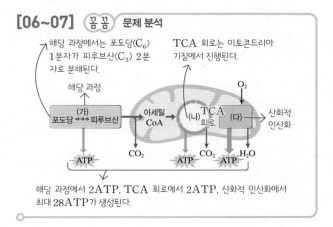

해당 과정에서는 포도당(C_6) 1분자가 피루브산(C_3) 2분자로 분해된다.

TCA 회로는 미토콘드리아 기질에서 진행된다.

해당 과정

포도당 ➡➡➡ 피루브산 (가)

아세틸 CoA

(나) TCA 회로

(다) 산화적 인산화

O_2

ATP

CO_2

ATP CO_2

ATP H_2O

해당 과정에서 2ATP, TCA 회로에서 2ATP, 산화적 인산화에서 최대 28ATP가 생성된다.

06 세포 호흡은 크게 해당 과정, 피루브산의 산화 및 TCA 회로, 산화적 인산화의 세 단계로 구분할 수 있다. (가)는 포도당 1분자가 피루브산 2분자로 분해되는 해당 과정이다. 해당 과정에서 생성된 피루브산이 미토콘드리아로 들어가 아세틸 CoA로 산화된 후 TCA 회로와 산화적 인산화를 거쳐 CO_2와 H_2O로 완전히 분해된다. 따라서 (나)는 TCA 회로, (다)는 산화적 인산화이다.

07 ㄷ. 포도당 1분자당 해당 과정(가)에서 2ATP, TCA 회로(나)에서 2ATP, 산화적 인산화(다)에서 최대 28ATP가 생성된다. 따라서 (가)~(다) 중 ATP를 가장 많이 생성하는 단계는 (다)이다.

┃바로알기┃ ㄱ. 해당 과정(가)에서는 6탄소 화합물인 포도당 1분자가 3탄소 화합물인 피루브산 2분자로 분해되므로 CO_2가 방출되지 않는다. 따라서 탈탄산 효소가 작용하지 않는다.

ㄴ. TCA 회로(나)는 미토콘드리아 기질에 있는 효소의 작용에 의해 조절된다.

08 ① 해당 과정에서는 산소가 사용되지 않으므로 산소가 없어도 진행된다.

② 해당 과정에서는 효소의 작용으로 기질에 결합해 있던 인산기가 ADP로 전달되어 ATP가 합성되는 기질 수준 인산화가 일어난다.

④ 포도당은 해당 과정에서 피루브산으로 분해된 후 피루브산의 산화 및 TCA 회로, 산화적 인산화를 거쳐 이산화 탄소와 물로 완전히 분해된다. 따라서 해당 과정은 TCA 회로보다 먼저 진행된다.

⑤ 포도당 1분자는 6개의 탄소로 구성되고, 피루브산 1분자는 3개의 탄소로 구성된다. 따라서 해당 과정에서 포도당 1분자를 구성하는 탄소는 모두 피루브산 2분자를 구성하는 탄소로 전환된다.

┃바로알기┃ ③ 해당 과정에서 포도당 1분자는 ATP 2분자를 소모하여 과당 2인산으로 활성화되고, 과당 2인산이 피루브산 2분자로 분해되면서 NADH 2분자와 기질 수준 인산화로 ATP 4분자가 생성된다.

09 ㄱ. 그림은 해당 과정을 나타낸 것이다. 해당 과정에서는 탈수소 효소의 작용으로 포도당으로부터 H^+과 전자가 방출되며, 탈수소 효소의 조효소인 NAD^+가 H^+과 전자를 받아 NADH로 환원된다.
ㄷ. 해당 과정에서는 효소의 작용에 의한 기질 수준 인산화로 ATP가 합성된다.

┃바로알기┃ ㄴ. 해당 과정에서는 산소가 사용되지 않으므로 산소가 없어도 일어난다.

10 꼼꼼 문제 분석

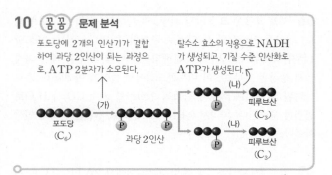

포도당에 2개의 인산기가 결합하여 과당 2인산이 되는 과정으로, ATP 2분자가 소모된다.

탈수소 효소의 작용으로 NADH가 생성되고, 기질 수준 인산화로 ATP가 생성된다.

ㄱ. (가)는 포도당에 2개의 인산기가 결합하여 과당 2인산이 되는 과정이며, 2개의 인산기는 ATP 2분자의 분해로 얻어진 것이다. 따라서 (가)에서는 ATP 2분자가 소모된다.
ㄷ. 포도당 1분자가 피루브산 2분자로 분해되는 해당 과정은 세포질에서 일어난다.

┃바로알기┃ ㄴ. (나)에서 탄소 수의 변화가 없으므로 이산화 탄소는 방출되지 않는다.

11 피루브산은 효소의 작용으로 이산화 탄소를 방출하고 H^+과 고에너지 전자를 잃으면서 조효소 A(CoA)와 결합하여 아세틸 CoA가 된다. 이때 방출된 H^+과 고에너지 전자는 NAD^+에 전달되어 NADH가 생성된다. NADH는 미토콘드리아 내막의 전자 전달계에 고에너지 전자를 전달하고 NAD^+로 산화된다.

┃모범답안┃ (가) 이산화 탄소(CO_2) (나) NADH, (나)는 산화적 인산화가 진행되는 전자 전달계에 고에너지 전자를 전달하는 역할을 한다.

채점 기준	배점
(가)와 (나)의 이름과 (나)의 역할을 모두 옳게 서술한 경우	100 %
(가)와 (나)의 이름만 옳게 쓴 경우	40 %

12 ① 세포질에서 해당 과정을 통해 생성된 피루브산은 산소가 있을 때 미토콘드리아 기질로 들어가 아세틸 CoA로 산화된 후 TCA 회로를 거친다.
② 미토콘드리아 기질로 들어간 피루브산은 이산화 탄소를 방출하고 조효소 A와 결합하여 아세틸 CoA가 된다. 따라서 피루브산이 아세틸 CoA가 되는 과정에서 탈탄산 반응이 일어난다.
④ TCA 회로에서는 탈수소 효소의 작용으로 반응물로부터 H^+과 전자가 방출되는 탈수소 반응이 일어나며, 그 결과 NADH와 $FADH_2$가 생성된다.
⑤ TCA 회로에서 산화 환원 반응이 일어나 아세틸 CoA에 저장된 화학 에너지의 일부가 NADH와 $FADH_2$에 저장된다.

┃바로알기┃ ③ 피루브산 1분자가 아세틸 CoA로 산화된 후 TCA 회로를 거치면 기질 수준 인산화로 ATP 1분자가 생성된다.

13 꼼꼼 문제 분석

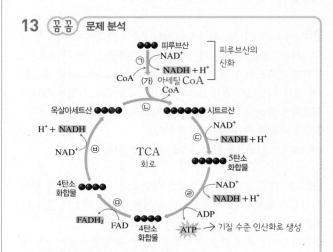

TCA 회로는 미토콘드리아 기질에서 일어난다.
• 탈탄산 효소가 작용하는 단계: ㉠, ㉢, ㉣
• 탈수소 효소가 작용하는 단계: ㉠, ㉢, ㉣, ㉤, ㉥
• 기질 수준 인산화가 일어나는 단계: ㉣

① 피루브산은 이산화 탄소를 방출하고 H^+과 전자를 잃으면서 조효소 A(CoA)와 결합하여 아세틸 CoA가 된다. 따라서 (가)는 아세틸 CoA이다.
② TCA 회로에서는 기질 수준 인산화로 ATP가 생성된다.
③ TCA 회로는 미토콘드리아 기질에서 일어난다.
④ 탈탄산 효소가 작용하면 이산화 탄소가 방출되므로 탄소 수가 줄어든다. 따라서 탈탄산 효소가 작용하는 단계는 ㉠, ㉢, ㉣이다.

┃바로알기┃ ⑤ 산화적 인산화는 NADH와 $FADH_2$의 에너지로부터 ATP를 합성하는 과정이다. 피루브산 1분자가 아세틸 CoA로 산화된 후 TCA 회로를 거쳐 분해되면 NADH 4분자와 $FADH_2$ 1분자가 생성된다. 따라서 산화적 인산화에서 총 11.5ATP($=4×2.5ATP+1×1.5ATP$)가 생성된다.

14 (꼼꼼) 문제 분석

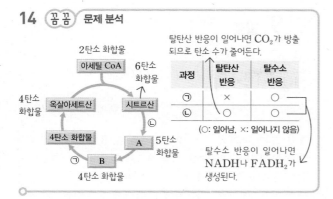

탈탄산 반응이 일어나면 CO_2가 방출되므로 탄소 수가 줄어든다.

과정	탈탄산 반응	탈수소 반응
㉠	×	○
㉡	○	○

(○: 일어남, ×: 일어나지 않음)

탈수소 반응이 일어나면 $NADH$나 $FADH_2$가 생성된다.

ㄱ. 시트르산은 6탄소 화합물이고, ㉡ 과정에서 탈탄산 반응이 일어나므로 A는 5탄소 화합물이다. 또 B가 4탄소 화합물로 되는 ㉠ 과정에서 탈탄산 반응이 일어나지 않으므로 B는 4탄소 화합물이다.

┃바로알기┃ ㄴ. TCA 회로에서 ATP는 5탄소 화합물(A)이 4탄소 화합물(B)로 되는 과정에서 생성된다.

ㄷ. ㉡ 과정에서는 탈수소 반응이 일어나 $NADH$가 생성되며, $FADH_2$는 4탄소 화합물인 B가 또 다른 4탄소 화합물로 되는 ㉠ 과정에서 생성된다.

15 (꼼꼼) 문제 분석

$NADH$가 전달한 고에너지 전자는 전자 운반체의 산화 환원 반응으로 이동하면서 에너지를 조금씩 방출한다. ➡ $NADH$가 전달한 전자는 ⓐ에 있을 때보다 ⓑ에 있을 때 에너지 수준이 더 낮다.

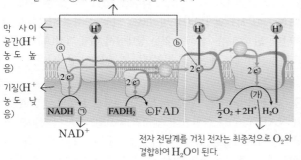

ㄱ. ㉠은 $NADH$가 H^+과 전자를 내놓고 산화된 것이므로 NAD^+, ㉡은 $FADH_2$가 H^+과 전자를 내놓고 산화된 것이므로 FAD이다. NAD^+와 FAD는 모두 탈수소 효소의 조효소이다.

ㄷ. (가)는 전자 전달계를 거친 전자가 최종적으로 O_2와 결합하여 H_2O이 되는 반응이다. (가) 반응이 활발히 진행되면 전자 전달계에서 전자의 흐름이 활발해지고, 이때 전자에서 방출된 에너지를 이용하여 일부 전자 운반체가 H^+을 미토콘드리아 기질에서 막 사이 공간으로 능동 수송한다. 그 결과 미토콘드리아 기질은 H^+ 농도가 낮아지고 막 사이 공간은 H^+ 농도가 높아지므로 막 사이 공간과 기질의 pH 차이는 커진다.

┃바로알기┃ ㄴ. $NADH$가 전달한 전자는 고에너지 상태이며, 이 전자는 전자 운반체의 산화 환원 반응으로 이동하면서 에너지를 조금씩 방출한다. 따라서 $NADH$가 전달한 전자는 ⓐ에 있을 때보다 ⓑ에 있을 때 에너지 수준이 더 낮다.

16 (꼼꼼) 문제 분석

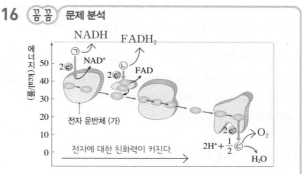

전자 전달계에서 전자 운반체는 전자에 대한 친화력이 작은 것에서 큰 것 순으로 나열되어 있다. ➡ 전자에 대한 친화력이 가장 큰 물질은 전자의 최종 수용체인 O_2(ⓒ)이다.

ㄱ. ㉠은 전자 운반체 (가)에게 H^+과 고에너지 전자를 내놓고 NAD^+로 산화되는 $NADH$이며, TCA 회로에서는 $NADH$가 생성된다.

┃바로알기┃ ㄴ. ㉡은 $NADH$와 같이 전자 전달계에서 H^+과 고에너지 전자를 내놓고 산화되는 $FADH_2$이다. $FADH_2$는 TCA 회로에서 생성되며, 해당 과정에서는 생성되지 않는다.

ㄷ. ⓒ은 O_2이며, O_2는 전자의 최종 수용체이므로 전자에 대한 친화력이 전자 운반체 (가)보다 크다.

17 ① 전자 전달계를 따라 이동한 전자는 최종적으로 O_2와 결합하여 H_2O을 생성한다. 따라서 전자의 최종 수용체는 O_2이다.

② 전자 전달계에서 전자가 이동하면서 방출된 에너지를 이용하여 미토콘드리아 내막을 경계로 H^+의 농도 기울기가 형성되며, H^+의 농도 기울기에 따라 H^+이 ATP 합성 효소를 통해 막 사이 공간에서 기질로 확산된다.

③ 전자 전달 과정에서 방출된 에너지를 이용하여 미토콘드리아 기질에서 막 사이 공간으로 H^+이 능동 수송된다.

⑤ 전자 전달계에 H^+과 고에너지 전자를 제공하는 물질은 해당 과정과 피루브산의 산화 및 TCA 회로에서 생성된 $NADH$와 $FADH_2$이다.

┃바로알기┃ ④ H^+이 미토콘드리아 기질에서 막 사이 공간으로 능동 수송됨에 따라 막 사이 공간의 H^+ 농도가 기질보다 높아져 미토콘드리아 내막을 경계로 H^+의 농도 기울기가 형성되며, H^+의 농도 기울기에 따라 H^+이 ATP 합성 효소를 통해 확산될 때 ATP가 합성된다. 따라서 막 사이 공간의 pH가 기질의 pH보다 낮을 때 ATP가 합성된다.

18 ㄴ. 포도당 1몰에 저장되어 있는 에너지는 686 kcal이고, 포도당 1몰이 세포 호흡을 통해 CO_2와 H_2O로 완전히 분해되면 최대 32(㉠)몰의 ATP가 생성되며, ATP 1몰에는 7.3 kcal의 에너지가 저장된다. 따라서 포도당 1몰이 세포 호흡을 통해 완전히 분해되면 233.6 kcal($=32 \times 7.3$ kcal)의 에너지가 ATP에 저장된다. 그러므로 포도당에 저장되어 있는 화학 에너지(686 kcal)의 일부가 ATP 합성에 이용된다.

ㄷ. 세포 호흡의 에너지 효율은 $\dfrac{32 \times 7.3 \text{ kcal/몰}}{686 \text{ kcal/몰}} \times 100 ≒ 34(\%)$ 이다. 따라서 포도당에 저장되어 있는 에너지의 약 66 %($=100-34$)는 세포 호흡 과정에서 열로 방출된다.

┃**바로알기**┃ ㄱ. ㉠은 32이다.

19 꼼꼼 **문제 분석**

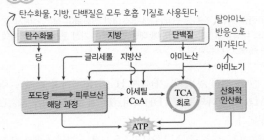

탄수화물, 지방, 단백질은 모두 호흡 기질로 사용된다.
탈아미노 반응으로 제거된다.

- 탄수화물은 당으로 분해된 후 해당 과정으로 들어가 세포 호흡에 이용된다.
- 지방은 글리세롤과 지방산으로 분해된 후 글리세롤은 해당 과정으로 들어가고, 지방산은 아세틸 CoA로 전환되어 TCA 회로로 들어간다.
- 단백질은 아미노산으로 분해된 후 아미노기($-NH_2$)가 제거된다. 이후 해당 과정을 거치지 않고 피루브산, 아세틸 CoA, TCA 회로의 중간 산물 등으로 전환되어 산화된다.

① 세포 호흡을 통해 분해되어 에너지를 방출할 수 있는 호흡 기질에는 탄수화물, 지방, 단백질이 있다.
③ 아미노산은 탈아미노 반응으로 아미노기($-NH_2$)가 제거된 후 호흡 기질로 사용된다.
④ 호흡률이란 세포 호흡에서 소비된 산소의 부피에 대해 발생한 이산화 탄소의 부피 비를 말한다. 탄수화물의 호흡률은 1.0, 단백질은 약 0.8, 지방은 약 0.7이다.
⑤ 글리세롤은 해당 과정으로 들어가 피루브산으로 전환된 후 피루브산의 산화 및 TCA 회로를 거쳐 산화되고, 지방산은 아세틸 CoA로 전환된 후 TCA 회로를 거쳐 산화된다.
┃**바로알기**┃ ② 지방은 글리세롤과 지방산으로 분해된 후 글리세롤은 해당 과정으로 들어가고, 지방산은 해당 과정을 거치지 않고 아세틸 CoA로 전환된 후 TCA 회로로 들어간다. 단백질은 아미노산으로 분해된 후 아미노기($-NH_2$)가 제거된 다음, 해당 과정을 거치지 않고 피루브산, 아세틸 CoA, TCA 회로의 중간 산물 등으로 전환되어 산화된다.

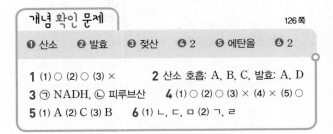

02 발효

개념 확인 문제 126쪽

❶ 산소 ❷ 발효 ❸ 젖산 ❹ 2 ❺ 에탄올 ❻ 2

1 (1) ○ (2) ○ (3) ×　　**2** 산소 호흡: A, B, C, 발효: A, D
3 ㉠ NADH, ㉡ 피루브산　　**4** (1) ○ (2) ○ (3) × (4) × (5) ○
5 (1) A (2) C (3) B　　**6** (1) ㄴ, ㄷ, ㅁ (2) ㄱ, ㄹ

1 (1) 산소 호흡은 세포 호흡의 세 단계인 해당 과정, 피루브산의 산화 및 TCA 회로, 산화적 인산화를 모두 거치므로 세포질과 미토콘드리아에서 일어난다. 그러나 발효는 해당 과정만 거치므로 세포질에서만 일어난다.
(2) 산소 호흡에서는 포도당이 이산화 탄소와 물로 완전히 분해되지만, 발효에서는 포도당이 불완전 분해되어 에탄올, 젖산 등이 생성된다.
(3) 산소 호흡에서는 포도당이 완전히 분해되므로 많은 양의 에너지가 방출되지만, 발효에서는 포도당이 완전히 분해되지 않으므로 적은 양의 에너지가 방출된다. 따라서 산소 호흡에서보다 발효에서 더 적은 양의 ATP가 생성된다.

2 산소 호흡에서는 포도당이 피루브산으로 분해되는 해당 과정(A), 피루브산의 산화(B) 및 TCA 회로, 산화적 인산화가 일어난다. 발효에서는 산소가 없는 상태에서 해당 과정(A)과 피루브산이 젖산 또는 에탄올로 환원되는 과정(D)이 일어난다.

3 해당 과정에서는 포도당이 피루브산으로 분해될 때 NAD^+가 NADH(㉠)로 환원된다. 산소가 없으면 피루브산(㉡)은 해당 과정에서 생성된 NADH로부터 H^+과 전자를 받아 젖산이나 에탄올로 환원되고, NADH는 NAD^+로 산화되며, NAD^+는 해당 과정에 공급된다.

4 (1), (2) 젖산 발효는 젖산균에서 일어나며, 사람의 근육 세포에서도 일어날 수 있다.
(3) 젖산 발효는 산소가 없는 상태에서 포도당 1분자로부터 젖산 2분자가 생성되는 과정이다.
(4) 피루브산($C_3H_4O_3$)과 젖산($C_3H_6O_3$)은 모두 3탄소 화합물이다. 즉, 젖산 발효에서는 탈탄산 효소가 작용하지 않아 이산화 탄소가 방출되지 않는다.
(5) 젖산 발효와 알코올 발효에서는 모두 해당 과정에서만 기질 수준 인산화로 포도당 1분자당 ATP 2분자가 생성된다.

5 (1) 포도당이 피루브산으로 분해되는 해당 과정(A)에서 기질 수준 인산화로 ATP가 생성된다.

(2) 아세트알데하이드는 NADH로부터 H^+과 전자를 받아 에탄올로 환원되므로, C에서 NADH가 NAD^+로 산화된다.

(3) 피루브산은 3탄소 화합물이고, 아세트알데하이드는 2탄소 화합물이므로 B에서 탈탄산 반응이 일어나 이산화 탄소가 방출된다.

6 젖산 발효는 김치, 치즈, 요구르트 등을 만들 때 이용되고, 알코올 발효는 빵이나 술(포도주 등)을 만들 때 이용된다.

대표 자료 분석 127쪽

자료 ① **1** (가) 발효 (나) 산소 호흡 **2** (나) **3** (1) ○ (2) ○
(3) × (4) × (5) ○ (6) ○ (7) ○

자료 ② **1** (가), (다) **2** (가), (나) **3** (가), (나) **4** (1) ○
(2) ○ (3) × (4) ○ (5) ○ (6) × (7) ×

①-1 (가)에서는 포도당이 완전히 분해되지 않아 분해 산물에 에너지가 많이 포함되어 있고, (나)에서는 포도당이 완전히 분해된다. 따라서 (가)는 발효이고, (나)는 산소 호흡이다.

①-2 ATP 생성에 산소가 필요한 산화적 인산화가 일어나는 과정은 산소 호흡(나)이다.

①-3 (1) 발효(가)와 산소 호흡(나)은 모두 물질대사이므로 효소가 관여한다.

(2) 발효(가)는 세포질에서, 산소 호흡(나)은 세포질과 미토콘드리아에서 일어난다.

(3), (4) 발효(가)에서 분해 산물은 젖산, 에탄올 등이고, 산소 호흡(나)에서 분해 산물은 이산화 탄소와 물이다. 젖산 또는 에탄올의 에너지양이 이산화 탄소, 물보다 많다. 따라서 분해 산물의 에너지양은 발효(가)에서가 산소 호흡(나)에서보다 많다.

(5) 발효(가)에서는 해당 과정에서만 적은 양의 ATP(2분자)가 생성된다.

(6) 산소 호흡(나)에서는 산소가 이용되는 산화적 인산화로 대부분의 ATP가 생성된다.

(7) 발효(가)에서는 포도당이 완전히 분해되지 않으므로 적은 양의 에너지가 방출되고, 산소 호흡(나)에서는 포도당이 완전히 분해되므로 많은 양의 에너지가 방출된다. 따라서 포도당 1분자로부터 생성되는 ATP의 양은 발효(가)에서가 산소 호흡(나)에서보다 적다.

②-1 (가)는 알코올 발효, (나)는 젖산 발효 과정이고, (다)는 산소 호흡 과정 중 피루브산의 산화 과정이다. 피루브산은 3탄소 화합물이고, 에탄올과 아세틸 CoA는 2탄소 화합물이므로 (가)와 (다)에서는 이산화 탄소가 발생한다. 그러나 젖산은 3탄소 화합물이므로 (나)에서는 이산화 탄소가 발생하지 않는다.

②-2 (가)와 (나)에서 NADH가 NAD^+로 산화되며, (다)에서는 NAD^+가 NADH로 환원된다.

②-3 (가)와 (나)는 모두 세포질에서 진행되고, (다)는 미토콘드리아 기질에서 진행된다.

②-4 (1) 피루브산으로부터 에탄올이 생성되는 (가)는 알코올 발효 과정이고, 피루브산으로부터 젖산이 생성되는 (나)는 젖산 발효 과정이다.

(2) 사람의 근육 세포에서 산소가 부족할 때 젖산 발효(나)가 일어나 운동에 필요한 ATP를 생성한다.

(3) 발효 과정인 (가)와 (나)에서는 해당 과정에서 생성된 NADH가 NAD^+로 산화되고, NAD^+는 해당 과정에 공급되므로 (가)와 (나) 과정에는 산소가 필요하지 않다. 그러나 산소가 없으면 전자 전달계가 작동하지 않아 피루브산의 산화에 필요한 NAD^+가 공급되지 않으므로 피루브산의 산화는 일어나지 않는다. 따라서 (다) 과정은 산소가 있어야 일어난다.

(4) 빵을 만들 때 밀가루 반죽이 부풀어 오르는 것은 알코올 발효(가) 과정에서 이산화 탄소가 발생하기 때문이다. 따라서 빵을 만들 때 알코올 발효(가)가 이용된다.

(5) (가)와 (나)에서는 NADH가 NAD^+로 산화되고, (다)에서는 NAD^+가 NADH로 환원된다.

(6) (가)와 (나)에서는 모두 기질 수준 인산화가 일어나지 않는다. 발효에서는 포도당이 피루브산으로 분해되는 해당 과정에서 기질 수준 인산화가 일어난다.

(7) 치즈와 요구르트를 만드는 데는 젖산 발효(나)가 이용된다.

내신 만점 문제 128쪽~131쪽

01 ③   02 ④   03 해설 참조   04 ①   05 ④
06 해설 참조   07 ③   08 ①   09 ④   10 ⑤
11 ⑤   12 ②   13 ④   14 ②   15 ①   16 ②
17 ②   18 ③   19 해설 참조   20 ④

01 ①, ④, ⑤ 산소 호흡은 산소를 이용하여 포도당을 이산화 탄소와 물로 완전히 분해하는 과정으로, 세포질과 미토콘드리아에서 일어난다. 발효는 산소가 없는 상태에서 포도당이 피루브산으로 분해된 후 젖산이나 에탄올로 환원되는 과정으로, 세포질에서 일어난다.

② 산소 호흡에서는 미토콘드리아 내막에 존재하는 전자 전달계가 관여하지만, 발효에서는 전자 전달계가 관여하지 않는다.

| 바로알기 | ③ 산소 호흡에서는 기질 수준 인산화와 산화적 인산화가 일어나 다량의 ATP가 생성되지만, 발효에서는 기질 수준 인산화만 일어나 소량의 ATP가 생성된다.

02 꼼꼼 문제 분석

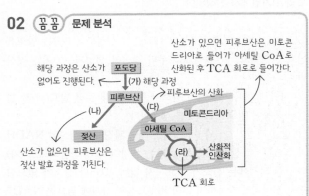

• (가) → (나): 젖산 발효의 경로
• (가) → (다) → (라) → 산화적 인산화: 산소 호흡의 경로

④ (다)는 피루브산의 산화 과정으로, NAD$^+$가 H$^+$과 전자를 받아 NADH로 환원된다.

| 바로알기 | ① 포도당 1분자가 (가) → (나)의 경로를 거치면 해당 과정(가)에서 2ATP가 생성된다.

② (나)에서는 탈탄산 반응이 일어나지 않아 이산화 탄소가 방출되지 않는다.

③ 해당 과정(가)은 산소의 유무와 관계없이 진행되므로, 산소가 없을 때는 (가)와 (나)가 진행된다.

⑤ 포도당 1분자가 산소 호흡을 통해 이산화 탄소와 물로 완전히 분해되면 해당 과정(가)과 TCA 회로(라)에서 기질 수준 인산화로 각각 2ATP가, 산화적 인산화로 최대 28ATP가 생성된다. 따라서 포도당 1분자가 (가) → (다) → (라) → 산화적 인산화의 경로를 거치면 최대 32ATP가 생성된다.

03 산소 호흡에서는 포도당이 이산화 탄소와 물로 완전히 분해되어 많은 양의 에너지가 방출되지만, 발효에서는 포도당이 완전히 분해되지 않아 적은 양의 에너지가 방출된다.

모범답안 발효에 비해 산소 호흡을 통해 생성되는 ATP의 양이 훨씬 많다. 산소 호흡에서는 포도당이 이산화 탄소와 물로 완전히 분해되므로 방출되는 에너지양이 많지만, 발효에서는 포도당이 완전히 분해되지 않으므로 방출되는 에너지양이 적기 때문이다.

채점 기준	배점
산소 호흡과 발효를 통해 생성되는 ATP의 양을 포도당의 분해 정도와 연관 지어 옳게 비교한 경우	100 %
발효에 비해 산소 호흡을 통해 생성되는 ATP의 양이 많다는 것만 서술한 경우	30 %

04 꼼꼼 문제 분석

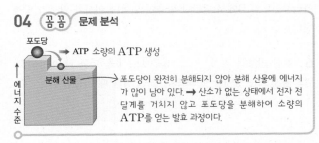

ㄱ. 그림은 포도당이 불완전 분해되는 발효 과정을 나타낸 것으로, 산소가 없는 상태에서 일어난다.

| 바로알기 | ㄴ. 포도당이 이산화 탄소와 물로 완전히 분해되지 않아 에너지를 많이 포함한 분해 산물이 생성된 것이다.

ㄷ. 전자 전달과 화학 삼투가 일어나려면 산소가 필요하며, 전자 전달계와 화학 삼투를 통해 ATP가 생성되는 과정이 일어나면 포도당은 이산화 탄소와 물로 완전히 분해된다.

[05~06] 꼼꼼 문제 분석

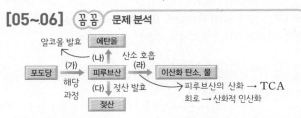

• (가) → (나)는 알코올 발효, (가) → (다)는 젖산 발효, (가) → (라)는 산소 호흡 과정이다.
• (가)에서 기질 수준 인산화, (라)에서 기질 수준 인산화와 산화적 인산화로 각각 ATP가 생성된다.
• 피루브산이 환원되는 과정은 (나)와 (다)이고, 피루브산이 산화되는 과정은 (라)이다.
• (가), (나), (다)는 세포질에서, (라)는 미토콘드리아에서 일어난다.

05 ① (라)에서 산화적 인산화가 일어날 때 산소가 사용된다.

② (가)에서 기질 수준 인산화, (라)에서 기질 수준 인산화와 산화적 인산화로 각각 ATP가 생성되며, (나)와 (다)에서는 ATP가 생성되지 않는다.

③ 해당 과정(가)과 피루브산이 에탄올이나 젖산으로 환원되는 과정(나, 다)은 모두 세포질에서 일어나고, 피루브산이 이산화 탄소와 물로 완전히 분해되는 과정(라)은 미토콘드리아에서 일어난다.

⑤ 산소 호흡과 발효에서 공통적으로 진행되는 과정은 산소가 없어도 일어나는 해당 과정(가)이다.

바로알기 ④ 피루브산이 산화되는 과정에서는 NADH나 FADH₂가 생성되므로 피루브산이 산화되는 과정은 (라)이다. (나)와 (다)에서는 피루브산이 환원되어 NAD⁺가 생성된다.

06 (나)는 피루브산이 에탄올로 환원되는 알코올 발효 과정이고, (다)는 피루브산이 젖산으로 환원되는 젖산 발효 과정이다.

모범답안 공통점: NADH가 피루브산을 환원시키고 NAD⁺로 산화된다. 차이점: (나)에서는 탈탄산 반응이 일어나 이산화 탄소가 방출되지만, (다)에서는 탈탄산 반응이 일어나지 않아 이산화 탄소가 방출되지 않는다.

채점 기준	배점
공통점과 차이점을 모두 옳게 서술한 경우	100 %
공통점과 차이점 중 한 가지만 옳게 서술한 경우	50 %

07 ① (가)는 젖산 발효, (나)는 알코올 발효이다.
② 젖산 발효(가)는 산소가 없을 때 젖산균에서 일어난다.
④ 젖산 발효(가)에서는 2ATP가 생성되고, 산소 호흡(다)에서는 최대 32ATP가 생성된다.
⑤ (나)와 (다)에서 모두 이산화 탄소(CO_2)가 생성되므로 탈탄산 반응이 일어남을 알 수 있다.
바로알기 ③ (나)에서는 포도당이 이산화 탄소와 물로 완전히 분해되지 않고 에탄올이 생성된다. 이를 통해 (나)는 산소가 없을 때 효모에서 일어나는 알코올 발효임을 알 수 있다.

08 꼼꼼 문제 분석

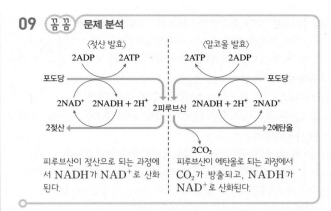

NADH가 산화되어 NAD⁺가 생성되고, 탈탄산 반응이 일어나지 않아 CO_2가 생성되지 않는다. ➡ 피루브산이 젖산으로 환원되는 과정이다. ➡ ㉠은 젖산이다.

과정	NAD⁺	CO₂
(가)	○	×
(나)	? ×	○
(다)	○	○

(○: 생성됨, ×: 생성되지 않음)

NADH가 산화되어 NAD⁺가 생성되고, 탈탄산 반응이 일어나 CO_2가 생성된다. ➡ 피루브산이 에탄올로 환원되는 과정이다. ➡ ㉢은 에탄올이다. 따라서 ㉡은 아세틸 CoA이다.

ㄱ. NAD⁺가 생성되고, CO_2가 생성되지 않는 (가)는 피루브산이 젖산으로 되는 과정이고, NAD⁺와 CO_2가 모두 생성되는 (다)는 피루브산이 에탄올로 되는 과정이다. 따라서 ㉠은 젖산, ㉢은 에탄올이므로, ㉡은 아세틸 CoA이다.
바로알기 ㄴ. (가)는 젖산 발효 과정이며, 이 과정에서는 피루브산이 NADH로부터 H⁺과 전자를 받아 젖산으로 환원된다.
ㄷ. (나)는 산소가 있을 때 미토콘드리아 기질에서 일어나는 피루브산의 산화 과정이다. (다)는 알코올 발효 과정이므로 세포질에서 일어난다.

09 꼼꼼 문제 분석

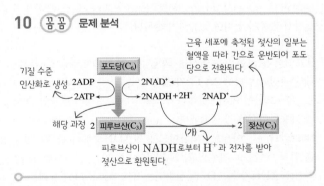

피루브산이 젖산으로 되는 과정에서 NADH가 NAD⁺로 산화된다.

피루브산이 에탄올로 되는 과정에서 CO_2가 방출되고, NADH가 NAD⁺로 산화된다.

① 젖산 발효에서는 피루브산이 젖산으로 되는 과정에서, 알코올 발효에서는 피루브산이 에탄올로 되는 과정에서 NADH가 산화되어 NAD⁺가 생성된다.
②, ③ 젖산 발효와 알코올 발효는 모두 세포질에서 일어나며, 산소가 없는 상태에서 효모는 알코올 발효를, 젖산균은 젖산 발효를 한다.
⑤ 젖산 발효에서는 탈탄산 효소가 작용하지 않아 CO_2가 방출되지 않지만, 알코올 발효에서는 탈탄산 효소가 작용하여 CO_2가 방출된다.
바로알기 ④ 젖산 발효와 알코올 발효에서는 모두 해당 과정에서만 ATP가 생성되므로, 젖산 발효와 알코올 발효에서 포도당 1분자로부터 생성되는 ATP의 양은 2ATP로 같다.

10 꼼꼼 문제 분석

기질 수준 인산화로 생성 2ADP 2ATP 포도당(C_6) 2NAD⁺ 2NADH+2H⁺ 2NAD⁺ 해당 과정 2 피루브산(C_3) (가) 2 젖산(C_3) 근육 세포에 축적된 젖산의 일부는 혈액을 따라 간으로 운반되어 포도당으로 전환된다.

피루브산이 NADH로부터 H⁺과 전자를 받아 젖산으로 환원된다.

① (가) 과정에서 피루브산은 NADH로부터 H⁺과 전자를 받아 젖산으로 환원된다.
② 근육 세포에서의 젖산 발효는 근육 세포에 산소 공급이 부족할 때 빠르게 ATP를 생성하기 위해 일어난다.
③ 젖산 발효에서는 포도당이 피루브산으로 분해되는 해당 과정에서 기질 수준 인산화로 ATP가 생성된다.
④ 근육 세포에 축적된 젖산의 일부는 간으로 이동하여 피루브산을 거쳐 포도당으로 전환된다.
바로알기 ⑤ 젖산 발효에는 전자 전달계가 관여하지 않으며, 해당 과정에서 생성된 NADH는 피루브산에 H⁺과 전자를 전달하고 NAD⁺로 산화된다.

11 ⑤ 그림은 효모에서 일어나는 알코올 발효 과정을 나타낸 것이다. 알코올 발효에서는 아세트알데하이드가 에탄올로 환원되는 과정(가)에서 NADH의 산화로 생성된 NAD^+가 해당 과정에 공급된다.

바로알기 ① 포도당이 피루브산으로 되는 과정에서는 CO_2가 방출되지 않으므로, CO_2는 ㉠에 해당하지 않는다. ㉠은 NADH와 ATP이다.
② ·3탄소 화합물인 피루브산이 2탄소 화합물인 아세트알데하이드로 되는 과정에서 CO_2가 방출되며, ATP는 생성되지 않는다. 따라서 ATP는 ㉡에 해당하지 않으며, ㉡은 CO_2이다.
③ 젖산균에서는 젖산 발효가 일어난다.
④ 알코올 발효는 빵이나 술을 만드는 데 이용되며, 치즈를 만드는 데는 젖산 발효가 이용된다.

12 ① 효모에서 일어나는 알코올 발효에서는 포도당이 피루브산으로 분해되는 해당 과정에서 기질 수준 인산화가 일어난다.
③, ④ 알코올 발효 과정에서 피루브산은 탈탄산 반응을 거쳐 아세트알데하이드가 된다. 아세트알데하이드는 NADH로부터 H^+과 전자를 받아 에탄올로 환원되고, NADH는 NAD^+로 산화된다.
⑤ 산소 호흡은 산화적 인산화를 거치므로 많은 양의 ATP가 생성되지만, 발효는 해당 과정에서만 ATP가 생성되므로 적은 양의 ATP가 생성된다.

바로알기 ② 피루브산이 아세트알데하이드로 되는 과정에서 탈탄산 반응이 일어나 CO_2가 방출된다.

13 ㄱ. 알코올 발효에서는 포도당이 피루브산으로 분해되는 해당 과정이 일어나 2ATP가 생성된다.
ㄷ. 피루브산이 아세트알데하이드로 되는 과정에서 탈탄산 효소가 작용하여 CO_2가 방출된다.

바로알기 ㄴ. 아세트알데하이드는 NADH로부터 H^+과 전자를 받아 에탄올로 환원되고, NADH는 NAD^+로 산화된다. 따라서 NADH가 NAD^+로 산화되는 반응에서 전자 수용체는 아세트알데하이드이다.

14 ② (가)는 해당 과정이므로 탈수소 효소의 작용으로 산화 환원 반응이 일어나 NADH가 생성된다.

바로알기 ① ㉠과 ㉡은 각각 젖산과 에탄올 중 하나인데, 피루브산이 아세트알데하이드를 거쳐 생성된 ㉠이 2탄소 화합물인 에탄올이므로 ㉡은 3탄소 화합물인 젖산이다. 1분자당 탄소 수는 젖산(㉡)이 에탄올(㉠)보다 많다.
③ (나)는 알코올 발효 과정이며, 피루브산이 아세트알데하이드를 거쳐 에탄올로 환원되는 과정에서는 NADH가 산화되어 NAD^+가 생성된다.

④ 해당 과정(가)에서는 탈탄산 반응이 일어나지 않아 CO_2가 방출되지 않고, (나) 과정 중 피루브산이 아세트알데하이드로 되는 과정에서 탈탄산 반응이 일어나 CO_2가 방출된다.
⑤ (다)는 피루브산이 젖산으로 환원되는 과정으로, ATP가 소모되지 않는다.

15 꼼꼼 **문제 분석**

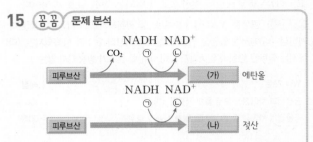

알코올 발효에서는 CO_2가 방출되고, 젖산 발효에서는 CO_2가 방출되지 않는다. ➡ (가)는 에탄올, (나)는 젖산이다.

ㄱ. 발효 과정에서는 피루브산이 NADH로부터 H^+과 전자를 받아 환원되고, NADH는 NAD^+로 산화된다. 따라서 ㉠은 NADH, ㉡은 NAD^+이다. 해당 과정에서는 과당 2인산이 NAD^+에게 H^+과 전자를 내주고 산화되고, NAD^+는 NADH로 환원된다. 따라서 해당 과정에서 NADH(㉠)가 생성된다.

바로알기 ㄴ. 피루브산이 아세트알데하이드로 전환될 때 CO_2가 방출되고, 아세트알데하이드는 NADH에 의해 환원되어 에탄올이 된다. 따라서 (가)는 에탄올, (나)는 젖산이다.
ㄷ. 해당 과정에서 ATP 2분자가 생성되며, 피루브산이 젖산(나)으로 환원될 때는 ATP가 생성되지 않는다.

16 ㄴ. 젖산 발효에서 (나)는 해당 과정에 필요한 NAD^+를 재생성하기 위한 과정이다. 즉, (나)에서 생성된 NAD^+는 해당 과정(가)에서 NADH로 환원된다.

바로알기 ㄱ. 피루브산이 에탄올로 되는 과정에서 탈탄산 반응이 일어나 CO_2가 생성되므로, ㉠은 CO_2이다.
ㄷ. 발효는 산소가 없는 상태에서 일어나므로 전자 전달계에 전자를 전달하지 않는다.

17 젖산 발효에서는 피루브산으로부터 젖산이, 알코올 발효에서는 피루브산으로부터 에탄올이, 아세트산 발효에서는 에탄올로부터 아세트산이 생성된다. 따라서 ㉠은 젖산, ㉡은 아세트산, ㉢은 피루브산, ㉣은 에탄올이다.
② Ⅲ은 피루브산이 에탄올로 환원되는 과정으로, NADH가 NAD^+로 산화된다.

바로알기 ① Ⅰ에서는 ATP가 생성되지 않으며, Ⅱ에서 산소를 이용하여 ATP가 생성된다.
③ ㉠은 3탄소 화합물인 젖산, ㉣은 2탄소 화합물인 에탄올이다. 따라서 ㉠과 ㉣의 1분자당 탄소 수는 다르다.

④ ⓒ은 아세트산이다.

⑤ ⓒ은 피루브산이다. 1분자의 피루브산이 아세틸 CoA로 된 후 TCA 회로와 산화적 인산화를 거쳐 완전히 분해되면 CO_2 3분자가 생성된다.

[18~19] 꼼꼼 문제 분석

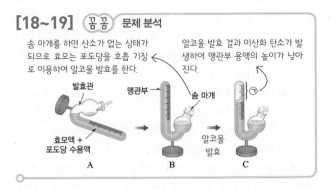

솜 마개를 하면 산소가 없는 상태가 되므로 효모는 포도당을 호흡 기질로 이용하여 알코올 발효를 한다.

알코올 발효 결과 이산화 탄소가 발생하여 맹관부 용액의 높이가 낮아진다.

18 ㄱ. B → C 과정에서 알코올 발효가 일어나 이산화 탄소가 발생하므로, C의 ⊙ 부분에는 이산화 탄소가 들어 있다.

ㄴ. B → C 과정에서 알코올 발효가 일어나므로, 아세트알데하이드가 NADH로부터 H^+과 전자를 받아 에탄올로 환원되는 반응이 일어난다.

바로알기 ㄷ. B에서 발효관 입구를 솜 마개로 막지 않으면 산소 호흡이 일어나며, 산소 호흡에서도 탈탄산 반응이 일어나 이산화 탄소가 발생하므로 맹관부 용액의 높이가 낮아진다.

19 수산화 칼륨(KOH)은 이산화 탄소를 흡수하는 성질이 있어 이산화 탄소의 발생 여부를 확인할 때 사용한다.

모범답안 맹관부에 모인 기체의 부피가 감소하여 맹관부 용액의 높이가 높아진다. 이를 통해 효모의 알코올 발효 결과 이산화 탄소가 발생함을 알 수 있다.

채점 기준	배점
예상되는 결과와 알 수 있는 사실을 모두 옳게 서술한 경우	100 %
예상되는 결과와 알 수 있는 사실 중 한 가지만 옳게 서술한 경우	50 %

20 ① 고추장, 된장, 젓갈은 모두 미생물의 발효로 만들어진 식품이다.

② 감이나 사과로 식초를 만들 때 에탄올이 아세트산으로 되는 아세트산 발효를 이용한다.

③ 밀가루에 효모를 넣어 반죽한 후 비닐로 감싸 따뜻한 곳에 놓아두면, 효모가 알코올 발효를 하여 이산화 탄소가 발생하기 때문에 밀가루 반죽이 부풀어 올라 부드러운 빵이 만들어진다.

⑤ 요구르트와 치즈는 젖산균의 젖산 발효를 이용하여 만든 식품이다.

바로알기 ④ 식혜는 엿기름 속의 효소(아밀레이스)를 이용하여 만든 전통 음료이다.

중단원 핵심 정리

132쪽~133쪽

❶ 화학 ❷ 화학 ❸ 내막 ❹ 미토콘드리아 ❺ 산화적 인산화 ❻ 세포질 ❼ 2 ❽ 산소 ❾ NADH ❿ 2 ⓫ 전자 전달계 ⓬ 화학 삼투 ⓭ 32 ⓮ 3 ⓯ 아미노기($-NH_2$) ⓰ 1.0 ⓱ 필요하지 않음 ⓲ 세포질 ⓳ 2 ⓴ CO_2

중단원 마무리 문제

134쪽~137쪽

01 ⑤ **02** ③ **03** ② **04** ① **05** ⑤ **06** ①
07 ⑤ **08** ② **09** ④ **10** ⑤ **11** ④ **12** ①
13 ④ **14** ③ **15** 해설 참조 **16** 해설 참조 **17** 해설 참조

01 꼼꼼 문제 분석

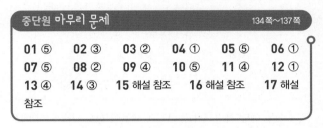

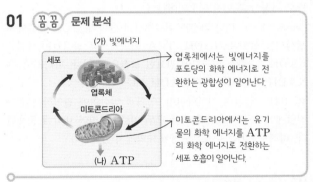

엽록체에서는 빛에너지를 포도당의 화학 에너지로 전환하는 광합성이 일어난다.

미토콘드리아에서는 유기물의 화학 에너지를 ATP의 화학 에너지로 전환하는 세포 호흡이 일어난다.

ㄴ. 세포에서의 단백질 합성은 동화 작용이므로 에너지를 필요로 하며, 이때 에너지를 제공하는 물질이 ATP이다. 따라서 세포에서 단백질을 합성할 때는 미토콘드리아에서 생성된 ATP(나)가 사용된다.

ㄷ. 엽록체에서 흡수한 빛에너지(가)가 광합성을 통해 포도당의 화학 에너지로 전환되고, 포도당의 화학 에너지 중 일부가 세포 호흡을 통해 ATP(나)의 화학 에너지로 전환된다. 따라서 ATP(나)에 저장되는 에너지의 근원은 빛에너지(가)이다.

바로알기 ㄱ. (가)는 엽록체의 광합성 색소에서 흡수하는 빛에너지이고, (나)는 미토콘드리아에서 세포 호흡을 통해 생성되는 ATP이다.

02 ① ⊙은 기질이며, 기질에서 피루브산이 아세틸 CoA로 산화된다.

② ⓛ은 내막이며, 내막에 전자 전달계가 존재한다.

④ ⓛ은 내막, ⓒ은 외막이다. 내막(ⓛ)은 안쪽으로 접혀 들어가 주름진 구조를 형성하고 있어 외막(ⓒ)보다 표면적이 넓다.

⑤ 미토콘드리아는 외막과 내막의 2중막 구조이며, 각각의 막은 인지질 2중층으로 이루어져 있다.

바로알기 ③ ⓒ은 외막이며, ATP 합성 효소는 내막(ⓛ)에 존재한다.

03 꼼꼼 문제 분석

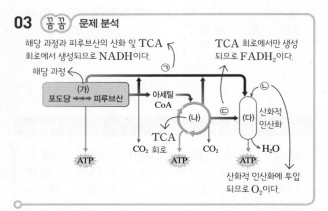

해당 과정과 피루브산의 산화 및 TCA 회로에서 생성되므로 NADH이다. ⑤
TCA 회로에서만 생성되므로 FADH₂이다.

해당 과정

(가) 포도당 ➡ 피루브산 → 아세틸 CoA

(나) TCA 회로

CO₂

ⓒ (다) 산화적 인산화

CO₂ H₂O

ATP ATP ATP

산화적 인산화에 투입되므로 O₂이다.

ㄴ. (가)는 해당 과정, (나)는 TCA 회로이므로, (가)와 (나)에서 모두 기질 수준 인산화가 일어난다.

바로알기 ㄱ. 해당 과정과 피루브산의 산화 및 TCA 회로에서 생성되는 물질은 NADH, TCA 회로에서만 생성되는 물질은 FADH₂, 산화적 인산화에 필요한 물질은 O₂이다. 따라서 ⑤은 NADH, ⓛ은 O₂, ⓒ은 FADH₂이다.

ㄷ. (다)는 산화적 인산화이며, 산화적 인산화에 관여하는 전자 전달계와 ATP 합성 효소는 모두 미토콘드리아 내막에 존재한다. 따라서 (다)는 미토콘드리아 내막에서 일어난다.

04 꼼꼼 문제 분석

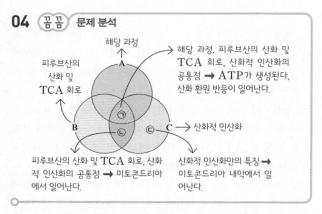

ㄱ. 해당 과정과 피루브산의 산화 및 TCA 회로에서 기질 수준 인산화로 ATP가 생성되며, 산화적 인산화에서도 ATP가 생성된다. 따라서 'ATP가 생성된다.'는 ⑤에 해당한다.

바로알기 ㄴ. 해당 과정은 세포질, 피루브산의 산화 및 TCA 회로는 미토콘드리아 기질, 산화적 인산화는 미토콘드리아 내막에서 일어난다. 따라서 '미토콘드리아 내막에서 일어난다.'는 ⓒ에 해당한다.

ㄷ. 해당 과정과 피루브산의 산화 및 TCA 회로, 산화적 인산화는 모두 산화 환원 반응에 의한 과정으로 탈수소 효소가 관여한다. 따라서 '산화 환원 반응이 일어난다.'는 ⑤에 해당한다.

05 ⑤ 포도당 1분자가 피루브산 2분자로 분해되는 과정은 해당 과정이다. 해당 과정에서 포도당 1분자는 ATP 2분자를 소모하여 과당 2인산으로 활성화된 후 피루브산 2분자로 분해되는 과정에서 ATP 4분자를 생성한다. 따라서 해당 과정 전체로는 포도당 1분자로부터 ATP 2분자가 생성된다.

바로알기 ① 해당 과정에서는 탈탄산 효소가 작용하지 않아 이산화 탄소가 방출되지 않는다.

② 해당 과정은 젖산균과 같은 원핵세포에서도 일어난다.

③ 해당 과정은 산소가 없을 때에도 진행된다.

④ 포도당이 2ATP를 소모하여 과당 2인산으로 활성화된 후 피루브산으로 분해되는 과정에서 4ATP를 생성하므로, ATP 소모가 ATP 생성보다 먼저 일어난다.

06 꼼꼼 문제 분석

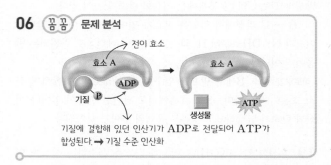

전이 효소

효소 A → 효소 A

기질 P ADP 생성물 ATP

기질에 결합해 있던 인산기가 ADP로 전달되어 ATP가 합성된다. ➡ 기질 수준 인산화

ㄴ. 기질 수준 인산화는 해당 과정과 TCA 회로에서 일어난다.

바로알기 ㄱ. 효소에 의해 기질에 결합해 있던 인산기가 ADP로 전달되어 ATP가 합성되므로 기질 수준 인산화 과정이다.

ㄷ. 탈수소 효소는 기질로부터 수소 원자(H)를 떼어 내는 산화 환원 효소이므로, A에 해당하지 않는다. 기질의 인산기를 ADP로 전달하는 효소 A는 전이 효소이다.

07 꼼꼼 문제 분석

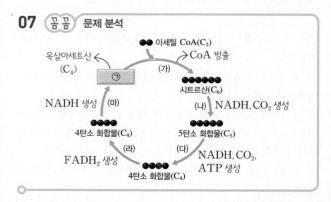

옥살아세트산 (C₄)

아세틸 CoA(C₂)

CoA 방출

(가)

시트르산(C₆)

(나) NADH, CO₂ 생성

ⓛ

NADH 생성 (마)

5탄소 화합물(C₅)

4탄소 화합물(C₄)

(다) NADH, CO₂, ATP 생성

(라)

FADH₂ 생성

4탄소 화합물(C₄)

① 아세틸 CoA가 옥살아세트산(⑤)과 결합하여 시트르산으로 되는 과정(가)에서 조효소 A(CoA)가 방출된다.

② (다)는 5탄소 화합물이 4탄소 화합물로 되는 과정이다. 이 과정에서 기질 수준 인산화로 ATP가 생성된다.
③ ㉠은 4탄소 화합물인 옥살아세트산이다.
④ (나)와 (다)에서 화합물의 탄소 수가 1개씩 줄어든다. 이는 탈탄산 반응이 일어나 이산화 탄소가 방출되었기 때문이다.
┃바로알기┃ ⑤ 산화 환원 반응에 의해 (라)에서는 $FADH_2$가, (마)에서는 NADH가 생성된다. 따라서 (라)에서의 조효소는 FAD이고, (마)에서의 조효소는 NAD^+이다.

08 꼼꼼 문제 분석

전자 전달계에서 전자 운반체의 산화 환원 반응으로 이동한 전자는 H^+과 함께 최종적으로 O_2에 전달되어 H_2O을 생성한다.

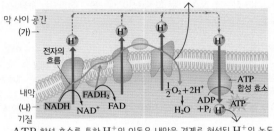

ATP 합성 효소를 통한 H^+의 이동은 내막을 경계로 형성된 H^+의 농도 기울기에 의한 확산으로 일어나며, 확산에는 ATP가 소모되지 않는다.

② 전자 전달계를 따라 이동한 전자는 H^+과 함께 최종적으로 O_2에 전달되므로 전자의 최종 수용체는 O_2이다.
┃바로알기┃ ① (가)는 막 사이 공간, (나)는 미토콘드리아 기질이다. 시트르산의 산화는 TCA 회로의 일부 과정이며, TCA 회로는 미토콘드리아 기질(나)에서 일어난다.
③, ④ 전자가 전자 전달계를 따라 이동할 때 방출된 에너지를 이용하여 일부 전자 운반체는 H^+을 미토콘드리아 기질에서 막 사이 공간으로 능동 수송한다. H^+의 이동으로 막 사이 공간의 H^+ 농도가 기질보다 높아져 내막을 경계로 H^+의 농도 기울기가 형성되면 막 사이 공간의 H^+이 ATP 합성 효소를 통해 기질로 확산되며, 이때 ATP 합성 효소가 ATP를 합성한다.
⑤ 전자의 이동이 활발할수록 (가)의 pH는 낮아지고, (나)의 pH는 높아진다.

09
ㄴ. 미토콘드리아에서 전자 전달계는 내막에 존재한다. 따라서 A는 미토콘드리아 내막이다.
ㄷ. NADH는 $FADH_2$보다 에너지 수준이 높아 전자 전달계에서 $FADH_2$보다 먼저 전자 운반체에 전자를 전달하므로 ㉠은 $FADH_2$이다. $FADH_2$(㉠) 1분자에서 방출된 2개의 전자가 $\frac{1}{2}O_2$에 $2H^+$과 함께 전달되면 물(H_2O) 1분자가 생성된다. 따라서 $FADH_2$(㉠) 1분자로부터 $\frac{1}{2}O_2$로 전달되는 전자의 수는 2이다.
┃바로알기┃ ㄱ. ㉠은 $FADH_2$이다.

10
ㄱ. 아미노산은 탈아미노 반응으로 아미노기가 제거된 후 호흡 기질로 사용된다.
ㄴ. 피루브산이 아세틸 CoA로 산화되는 과정(가)에서 탈탄산 반응이 일어나 이산화 탄소가 방출된다.
ㄷ. 아세틸 CoA 1분자가 TCA 회로를 거치면 NADH 3분자가 생성된다.

11
ㄱ. 호흡률은 $\dfrac{발생한 CO_2의 부피}{소비된 O_2의 부피}$이므로, (가)의 호흡률은 1.0, (나)는 약 0.7, (다)는 약 0.8이다. 따라서 호흡률은 (가)>(다)>(나)이다.
ㄷ. (나)보다 (다)의 호흡률이 크므로, 동일한 부피의 O_2가 소비될 때 발생하는 CO_2의 부피는 (나)가 호흡 기질로 사용될 때보다 (다)가 호흡 기질로 사용될 때 더 크다.
┃바로알기┃ ㄴ. 호흡률이 (가)는 1.0, (나)는 약 0.7, (다)는 약 0.8이므로 (가)는 탄수화물, (나)는 지방, (다)는 단백질이다. 탄수화물(가)은 당으로 분해되어 해당 과정으로 들어간 후 세포 호흡의 나머지 단계를 거친다. 지방산과 글리세롤로 분해되어 호흡 기질로 사용되는 것은 지방(나)이다.

12
ㄱ. (가)는 포도당이 피루브산으로 분해되는 해당 과정이며, 해당 과정에는 ATP를 소모하는 단계와 ATP를 생성하는 단계가 있다. 따라서 해당 과정에서는 ATP가 ADP와 무기 인산으로 분해되는 반응이 일어난다.
┃바로알기┃ ㄴ. (나)에서 피루브산은 이산화 탄소를 방출하고 아세트알데하이드가 되며, NADH나 NAD^+가 생성되는 탈수소 반응은 (가)와 (다)에서 일어난다.
ㄷ. 탈탄산 반응은 (나)에서 일어난다.

13 꼼꼼 문제 분석

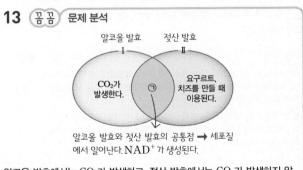

알코올 발효와 젓산 발효의 공통점 → 세포질에서 일어난다. NAD^+가 생성된다.

알코올 발효에서는 CO_2가 발생하고, 젓산 발효에서는 CO_2가 발생하지 않는다. ➡ I은 알코올 발효, II는 젓산 발효이다.

ㄱ. '세포질에서 일어난다.'는 알코올 발효와 젓산 발효의 공통점(㉠)에 해당한다.
ㄴ. I은 알코올 발효, II는 젓산 발효이며, 산소가 없을 때 효모는 알코올 발효(I)를 한다.

┃바로알기┃ ㄷ. 알코올 발효와 젖산 발효에서는 모두 해당 과정에 필요한 NAD^+가 생성된다.

14 꼼꼼 문제 분석

구분	I	II	III
㉠	ⓐ	없음	ⓑ
㉡	있음	없음	없음

- 해당 과정(I)에서 CO_2는 생성되지 않고 NADH는 생성된다. ➡ ㉠은 CO_2, ㉡은 NADH이다.
- 피루브산이 젖산으로 되는 과정에서는 CO_2와 NADH가 모두 생성되지 않고, 피루브산이 에탄올로 되는 과정에서는 CO_2가 생성되고 NADH가 생성되지 않는다. ➡ A는 젖산, B는 에탄올이다.

③ A는 젖산, B는 에탄올이다. 1분자당 탄소 수는 젖산(C_3)이 에탄올(C_2)보다 많다.

┃바로알기┃ ① ㉠은 CO_2, ㉡은 NADH이다.
② 해당 과정(I)에서는 CO_2가 생성되지 않으므로 ⓐ는 '없음'이다. 피루브산이 에탄올(B)로 되는 과정(III)에서는 CO_2가 생성되므로 ⓑ는 '있음'이다.
④ 사람의 근육 세포에서는 포도당이 피루브산으로 분해된 후 젖산(A)으로 환원되는 젖산 발효(I → II)가 일어난다.
⑤ 피루브산(C_3)이 젖산(C_3)으로 되는 과정(II)에서는 탈탄산 반응이 일어나지 않는다.

15
해당 과정은 포도당 1분자가 피루브산 2분자로 분해되는 과정으로, CO_2는 방출되지 않는다.

모범답안 CO_2가 방출되지 않는다. 해당 과정에서는 탈탄산 효소가 작용하지 않아 탈탄산 반응이 일어나지 않고, 6탄소 화합물인 포도당을 구성하는 탄소는 모두 3탄소 화합물인 피루브산 2분자를 구성하는 탄소로 전환되기 때문이다.

채점 기준	배점
탈탄산 효소가 작용하지 않는다는 것과 6탄소 화합물인 포도당이 3탄소 화합물인 피루브산 2분자로 분해되기 때문이라는 것을 모두 포함하여 옳게 서술한 경우	100 %
탈탄산 효소가 작용하지 않는다는 것과 6탄소 화합물인 포도당이 3탄소 화합물인 피루브산 2분자로 분해되기 때문이라는 것 중 한 가지만 포함하여 서술한 경우	50 %

16
해당 과정과 TCA 회로에서 기질 수준 인산화로 각각 2ATP가 생성되고, 산화적 인산화로 최대 28ATP가 생성되므로 세포 호흡을 통해 최대 32ATP가 생성된다.

모범답안 ㉠은 2, ㉡은 5, ㉢은 5, ㉣은 3, ㉤은 15, ㉥은 2이다. 해당 과정과 TCA 회로에서는 기질 수준 인산화로 ATP가 생성되고, NADH와 $FADH_2$로부터는 산화적 인산화로 ATP가 생성된다.

채점 기준	배점
㉠~㉥과 각 과정에서의 ATP 생성 방법을 모두 옳게 서술한 경우	100 %
㉠~㉥ 중 일부를 옳게 쓰고, 각 과정에서의 ATP 생성 방법을 옳게 서술한 경우	80 %
각 과정에서의 ATP 생성 방법만 옳게 서술한 경우	60 %
㉠~㉥만 모두 옳게 쓴 경우	40 %

17
산소가 없으면 전자 전달계에 전자를 전달하지 못하므로 세포에 NAD^+가 부족해진다. 따라서 해당 과정이 계속 일어나기 위해서는 발효를 통해 NAD^+가 생성되어야 한다.

모범답안 산소가 없는 상태에서 효모는 알코올 발효를 하며, 해당 과정에서만 ATP가 생성된다. 해당 과정이 계속 일어나기 위해서는 NAD^+가 공급되어야 하는데, NAD^+는 피루브산이 에탄올로 전환되는 과정에서 생성된다.

채점 기준	배점
알코올 발효에서는 해당 과정에서만 ATP가 생성된다는 것과 해당 과정이 일어나려면 NAD^+가 공급되어야 한다는 것을 포함하여 옳게 서술한 경우	100 %
NAD^+를 공급하기 위해서라고만 서술한 경우	50 %

수능 실전 문제
138쪽~141쪽

01 ⑤	02 ③	03 ③	04 ③	05 ④	06 ③
07 ⑤	08 ①	09 ④	10 ①	11 ⑤	12 ①
13 ②	14 ③	15 ⑤	16 ③		

01

┃선택지 분석┃
㉠ ㉠은 세포 호흡의 산화적 인산화에 사용된다.
㉡ 식물의 광합성에 의해 빛에너지가 화학 에너지로 전환된다.
㉢ 식물의 광합성과 동물의 세포 호흡이 일어나는 세포 소기관은 다르다.

ㄱ. 식물의 광합성으로 O_2가, 동물의 세포 호흡으로 CO_2가 생성된다. 따라서 ㉠은 O_2, ㉡은 CO_2이다. 세포 호흡의 산화적 인산화는 전자 전달계와 화학 삼투를 통한 ATP 합성 과정이며, 전자 전달계에서 전자 흐름의 마지막 단계는 전자가 O_2와 결합하여 H_2O이 되는 것이다. 따라서 산화적 인산화에 O_2가 사용된다.
ㄴ. 광합성에서는 빛에너지가 포도당의 화학 에너지로 전환된다.
ㄷ. 광합성은 엽록체에서 일어나고, 세포 호흡은 세포질과 미토콘드리아에서 일어난다.

02 꼼꼼 문제 분석

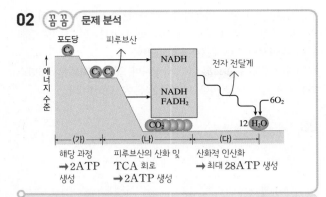

| 선택지 분석 |

ㄱ (가)는 세포질에서 일어난다.

ㄴ (나)는 O_2가 있어야 일어난다.

✗ (나)와 (다)에서 생성되는 ATP 분자 수는 같다.
　　　　　　　　　　　　　　　　　다르다.

ㄱ. (가)는 6탄소 화합물인 포도당이 3탄소 화합물인 피루브산 2분자로 분해되는 해당 과정이므로 세포질에서 일어난다.

ㄴ. (나)는 피루브산의 산화 및 TCA 회로, (다)는 산화적 인산화이다. 피루브산의 산화 및 TCA 회로(나)가 일어나려면 NAD^+와 FAD가 필요하며, 피루브산의 산화 및 TCA 회로(나)에서 생성된 NADH와 $FADH_2$는 산화적 인산화(다)에서 H^+과 고에너지 전자를 방출하고 NAD^+와 FAD가 된다. 이때 방출된 H^+과 전자를 최종적으로 받는 수용체는 O_2이다. 따라서 O_2가 있어야 산화적 인산화(다)가 일어나 NAD^+와 FAD를 피루브산의 산화 및 TCA 회로(나)에 공급할 수 있으므로, 피루브산의 산화 및 TCA 회로(나)는 O_2가 있어야 일어난다.

| 바로알기 | ㄷ. 포도당 1분자가 세포 호흡을 통해 완전히 분해되면 해당 과정(가)에서 2ATP, 피루브산의 산화 및 TCA 회로(나)에서 2ATP, 산화적 인산화(다)에서 최대 28ATP가 생성된다.

03 꼼꼼 문제 분석

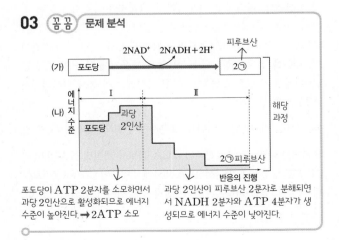

포도당이 ATP 2분자를 소모하면서 과당 2인산으로 활성화되므로 에너지 수준이 높아진다. ➡ 2ATP 소모

과당 2인산이 피루브산 2분자로 분해되면서 NADH 2분자와 ATP 4분자가 생성되므로 에너지 수준이 낮아진다.

| 선택지 분석 |

✗ (가)에서 포도당은 2분자의 ㉠으로 환원된다. 산화

✗ (나)의 Ⅰ에서 탈수소 효소의 작용으로 수소(H)가 방출된다.
　　　　　　　　　　탈수소 효소가 작용하지 않는다.

ㄷ (나)의 Ⅰ에서 ATP 2분자가 소모되고, Ⅱ에서 ATP 4분자가 생성된다.

ㄷ. (나)의 Ⅰ에서 에너지 수준이 높아진 것은 ATP 2분자를 소모하면서 포도당이 과당 2인산으로 활성화되었기 때문이다. (나)의 Ⅱ에서는 과당 2인산이 피루브산 2분자로 분해되면서 ATP 4분자가 생성된다.

| 바로알기 | ㄱ. ㉠은 피루브산이며, (가)에서 포도당이 피루브산 2분자로 분해될 때 NAD^+가 H^+과 전자를 받아 NADH로 환원되므로, 포도당은 산화된다.

ㄴ. (나)의 Ⅰ은 포도당이 과당 2인산으로 활성화되는 과정으로, 탈수소 효소가 작용하지 않는다.

04

| 선택지 분석 |

✗ (가)에서 탈탄산 반응이 일어난다. 일어나지 않는다.

✗ (나)에서 탈수소 반응이 일어난다. 일어나지 않는다.

ㄷ ㉣은 6탄소 화합물이다.

ㄷ. 2탄소 화합물인 아세틸 CoA는 TCA 회로로 들어가 4탄소 화합물인 옥살아세트산과 결합하여 6탄소 화합물인 시트르산이 되므로 ㉠은 아세틸 CoA, ㉡은 4탄소 화합물, ㉢은 옥살아세트산, ㉣은 시트르산이다.

| 바로알기 | ㄱ. ㉡은 4탄소 화합물, ㉢은 4탄소 화합물인 옥살아세트산이므로 (가)에서는 탈탄산 반응이 일어나지 않아 탄소 수의 변화가 없다.

ㄴ. (나)에서 옥살아세트산과 아세틸 CoA가 결합하여 시트르산이 되며, 이 과정에서 탈수소 반응은 일어나지 않는다.

05

| 선택지 분석 |

✗ ㉠에서 (나)의 인산화 반응이 일어난다. ㉡

ㄴ ㉡과 ㉢에서 모두 탈수소 효소가 작용한다.

ㄷ 아세틸 CoA 1분자가 TCA 회로를 거치면 CO_2 2분자가 방출된다.

ㄴ. 5탄소 화합물이 4탄소 화합물로 되는 ㉡과 4탄소 화합물이 옥살아세트산으로 되는 ㉢에서 탈수소 효소의 작용으로 각각 NADH가 생성된다.

ㄷ. 6탄소 화합물인 시트르산이 5탄소 화합물로 되는 ㉠과 5탄소 화합물이 4탄소 화합물로 되는 ㉡에서 각각 CO_2 1분자가 방출된다. 따라서 아세틸 CoA 1분자가 TCA 회로를 거치면 CO_2 2분자가 방출된다.

┃바로알기┃ ㄱ. (나)의 인산화 반응은 효소의 작용으로 기질에 결합해 있던 인산기가 ADP로 전달되어 ATP가 합성되는 기질 수준 인산화이다. TCA 회로에서 기질 수준 인산화는 5탄소 화합물이 4탄소 화합물로 되는 ㉡에서 일어난다.

06 꼼꼼 문제 분석

5탄소 화합물이 4탄소 화합물인 옥살아세트산으로 되는 과정에서 NADH 2분자, $FADH_2$ 1분자, CO_2 1분자가 생성된다. → ㉠은 5탄소 화합물, ㉢은 옥살아세트산이고, ⓐ는 3이다.

과정	NADH 분자 수+ $FADH_2$의 분자 수	CO_2의 분자 수
㉠ → ㉢	ⓐ	1
㉡ → ㉢	4	ⓑ

6탄소 화합물인 시트르산이 4탄소 화합물인 옥살아세트산으로 되는 과정에서 NADH 3분자, $FADH_2$ 1분자, CO_2 2분자가 생성된다. → ㉡은 시트르산이고, ⓑ는 2이다.

┃선택지 분석┃
⊙ ⓐ+ⓑ=5이다.
✗ 1분자당 탄소 수는 ㉠이 ㉡보다 많다. ~~적다.~~
㉢ ㉠이 ㉢으로 되는 과정에서 기질 수준 인산화가 일어난다.

ㄱ. 6탄소 화합물인 시트르산이 4탄소 화합물인 옥살아세트산으로 되는 과정에서 NADH 3분자, $FADH_2$ 1분자, CO_2 2분자가 생성되고, 5탄소 화합물이 4탄소 화합물인 옥살아세트산으로 되는 과정에서 NADH 2분자, $FADH_2$ 1분자, CO_2 1분자가 생성된다. 따라서 ㉠은 5탄소 화합물, ㉡은 시트르산, ㉢은 옥살아세트산이며, ⓐ는 3, ⓑ는 2이다.

ㄷ. 5탄소 화합물(㉠)이 옥살아세트산(㉢)으로 되는 과정에서 기질 수준 인산화로 ATP가 합성된다.

┃바로알기┃ ㄴ. ㉠은 5탄소 화합물이고, ㉡은 6탄소 화합물인 시트르산이다. 따라서 1분자당 탄소 수는 ㉠이 ㉡보다 적다.

07

┃선택지 분석┃
⊙ (가)는 미토콘드리아 기질에서 일어난다.
㉡ NAD^+는 ㉠에 해당한다.
㉢ ㉡은 시트르산이다.

ㄱ. (가)는 TCA 회로의 일부 과정이므로 미토콘드리아 기질에서 일어난다.

ㄴ. (나)는 젖산 발효 과정이며, 피루브산은 NADH로부터 H^+과 전자를 받아 젖산으로 환원되고, NADH는 NAD^+로 산화된다. 따라서 NAD^+는 ㉠에 해당한다.

ㄷ. (다)는 TCA 회로의 일부 과정이며, TCA 회로에서 6탄소 화합물은 시트르산뿐이다. 따라서 ㉡은 시트르산이다.

08 꼼꼼 문제 분석

전자 전달계가 왼쪽 방향으로 진행되므로 전자 전달계에 전자를 먼저 전달하는 ㉡이 NADH이고, ㉠은 $FADH_2$이다.

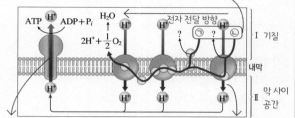

H^+의 농도가 높은 막 사이 공간에서 미토콘드리아 기질로 H^+이 ATP 합성 효소를 통해 확산된다.

일부 전자 운반체는 H^+을 미토콘드리아 기질에서 막 사이 공간으로 능동 수송하므로 Ⅰ은 미토콘드리아 기질이고, Ⅱ는 막 사이 공간이다.

┃선택지 분석┃
⊙ ㉠ 1분자와 ㉡ 1분자에서 각각 방출된 전자에 의해 생성되는 H_2O 분자 수는 같다.
✗ 내막을 경계로 형성된 H^+의 농도 기울기에 따라 Ⅰ에서 Ⅱ로 H^+이 확산된다. ~~Ⅱ에서 Ⅰ로~~
✗ TCA 회로에서 아세틸 CoA 1분자로부터 생성된 ㉡이 모두 전자 전달계에서 산화되려면 O_2 3분자가 필요하다. $\frac{3}{2}$분자

ㄱ. ㉠은 $FADH_2$이고, ㉡은 NADH이다. $FADH_2$(㉠) 1분자와 NADH(㉡) 1분자는 각각 2개의 전자를 방출하며, 이 전자는 전자 전달계에서 $2H^+$과 함께 $\frac{1}{2}O_2$에 전달되어 H_2O 1분자를 생성한다. 따라서 ㉠ 1분자와 ㉡ 1분자에서 각각 방출된 전자에 의해 생성되는 H_2O 분자 수는 같다.

┃바로알기┃ ㄴ. Ⅰ은 미토콘드리아 기질이고, Ⅱ는 막 사이 공간이다. 내막을 경계로 형성된 H^+의 농도 기울기에 따라 막 사이 공간(Ⅱ)에서 기질(Ⅰ)로 H^+이 ATP 합성 효소를 통해 확산되면서 ATP가 합성된다.

ㄷ. 전자 전달계에서 NADH 1분자가 산화되는 데 $\frac{1}{2}O_2$가 필요하며, 아세틸 CoA 1분자가 TCA 회로를 거치면 NADH(㉡) 3분자가 생성된다. 따라서 TCA 회로에서 아세틸 CoA 1분자로부터 생성된 NADH(㉡)가 모두 전자 전달계에서 산화되려면 O_2 $\frac{3}{2}$분자가 필요하다.

09

∥선택지 분석∥

㉠ 세포 호흡이 활발할 때, H⁺ 농도는 ⓐ에서가 ⓒ에서보
   다 낮다.

㉡ ⓑ에는 (나)의 산화적 인산화에 필요한 전자 전달계가
   존재한다.

✗. (나)에서 ㉠+㉡=3̲이다. 4

ⓐ는 미토콘드리아 기질, ⓑ는 내막, ⓒ는 막 사이 공간이다.

ㄱ. 세포 호흡이 활발하게 일어나면 미토콘드리아 내막(ⓑ)에 있
는 전자 운반체들에 의해 고에너지 전자가 전달되고, 이때 방출된
에너지에 의해 H⁺이 기질(ⓐ)에서 막 사이 공간(ⓒ)으로 능동
수송되어 막 사이 공간(ⓒ)의 H⁺ 농도가 기질(ⓐ)보다 높아진다.

ㄴ. 미토콘드리아 내막(ⓑ)에는 산화적 인산화에 필요한 전자 전
달계가 존재한다.

∥바로알기∥ ㄷ. 미토콘드리아 내막(ⓑ)에서 전자 전달계를 거친
전자($2e^-$)는 미토콘드리아 기질에 있는 $2H^+$과 함께 최종적으로
$\frac{1}{2}O_2$에 전달되어 H_2O 1분자를 생성한다. (나)에서 산화적 인산
화를 통해 H_2O 4분자가 생성되었으므로 O_2는 2분자가 필요함
을 알 수 있다. 따라서 ㉠은 2이다. 아세틸 CoA 1분자가 TCA
회로를 거치면 CO_2 2분자가 방출되므로 ㉡은 2이다. 그러므로
㉠+㉡=4이다.

10

∥선택지 분석∥

㉠ (가)에서 탈탄산 반응이 일어난다.

✗. 전자에 대한 친화력은 ㉠>㉡>㉢이다. ㉠<㉡<㉢

✗. ㉠에서 ㉡으로의 전자 전달을 차단하면 (나)의 pH는 차
   단하기 전보다 낮̲아̲진̲다̲. 높아진다.

ㄱ. (가)는 미토콘드리아 기질이며, 기질에서는 피루브산의 산화
및 TCA 회로가 진행된다. 피루브산의 산화 및 TCA 회로에서
는 탈탄산 반응이 일어나 CO_2가 방출된다.

∥바로알기∥ ㄴ. 전자 전달계에서 전자 운반체는 전자에 대한 친화
력이 작은 것에서 큰 것 순으로 나열되어 있다. 따라서 전자에 대
한 친화력은 ㉠<㉡<㉢이다.

ㄷ. (나)는 막 사이 공간이다. 전자 운반체 ㉠~㉢은 NADH로
부터 방출된 고에너지 전자가 이동할 때 방출된 에너지를 이용하
여 H⁺을 기질(가)에서 막 사이 공간(나)으로 능동 수송한다. 따
라서 ㉠에서 ㉡으로의 전자 전달을 차단하면 기질(가)에서 막 사
이 공간(나)으로의 H⁺ 이동이 감소하므로 막 사이 공간(나)의
pH는 전자 전달을 차단하기 전보다 높아진다.

11 (꼼꼼) 문제 분석

(가) 쥐의 간세포로부터 분리한 미토콘드리아를 피루브산과 무기 인산이 충분
   히 들어 있는 시험관 A와 B에 각각 넣은 후, 시간에 따라 O_2 농도를 측
   정한다.

(나) t_1 시점에서 A에는 ADP를, B에는 ADP와 물질 X를 첨가한다. X̲는̲ 미̲
   토̲콘̲드̲리̲아̲ 내̲막̲에̲ 있̲는̲ 인̲지̲질̲을̲ 통̲해̲ H⁺̲을̲ 새̲어̲ 나̲가̲게̲ 한̲다̲.
   └ 내막에 있는 인지질을 통해 H⁺이 새어 나가면 미토콘드리아 기질과 막 사이
     공간의 H⁺ 농도 차이가 감소한다. → 내막을 경계로 한 H⁺의 농도 기울기가
     정상적으로 형성되지 않는다.

(다) 그림은 각 시험관에서 시간에 따른 O_2 농도를, 표는 구간 Ⅱ에서의 ATP
   합성 여부를 나타낸 것이다.

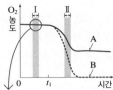

구간 Ⅰ에서는 O_2 농도가 거의
감소하지 않으며, ADP가 없어
산화적 인산화에 의한 ATP
합성은 일어나지 않는다.

시험관	ATP 합성
A	합성됨
B	합성 안 됨

구간 Ⅱ에서 A에서는 ATP가
합성되지만, B에서는 ATP가
합성되지 않는다. → B에서는 X
로 인해 내막을 경계로 한 H⁺의
농도 기울기가 정상적으로 형성
되지 않기 때문이다.

∥선택지 분석∥

✗. A에서는 구간 Ⅰ에서 산화적 인산화가 일어난다.
   일어나지 않는다.

㉡ B에서 단위 시간당 전자 전달계를 통해 이동하는 전자
   의 수는 구간 Ⅱ에서가 구간 Ⅰ에서보다 많다.

㉢ 구간 Ⅱ에서 미토콘드리아의 $\dfrac{\text{막 사이 공간의 H}^+ \text{ 농도}}{\text{기질의 H}^+ \text{ 농도}}$
   는 A에서가 B에서보다 크다.

ㄴ. O_2는 전자의 최종 수용체이므로 전자 전달이 활발하게 일어
날수록 O_2 농도가 빠르게 감소한다. B의 경우 구간 Ⅰ에서보다
구간 Ⅱ에서 O_2 농도가 빠르게 감소하므로 단위 시간당 전자 전
달계를 통해 이동하는 전자의 수는 구간 Ⅱ에서가 구간 Ⅰ에서보
다 많다.

ㄷ. A의 구간 Ⅱ에서는 H⁺의 농도 기울기가 정상적으로 형성되
므로, 미토콘드리아의 $\dfrac{\text{막 사이 공간의 H}^+ \text{ 농도}}{\text{기질의 H}^+ \text{ 농도}}$는 1보다 크다.
X는 미토콘드리아 내막에 있는 인지질을 통해 H⁺을 새어 나가게
하여 내막을 경계로 한 H⁺의 농도 차이를 감소시키므로 B의 구
간 Ⅱ에서 $\dfrac{\text{막 사이 공간의 H}^+ \text{ 농도}}{\text{기질의 H}^+ \text{ 농도}}$는 1에 가깝다. 따라서 구간
Ⅱ에서 미토콘드리아의 $\dfrac{\text{막 사이 공간의 H}^+ \text{ 농도}}{\text{기질의 H}^+ \text{ 농도}}$는 A에서가 B
에서보다 크다.

∥바로알기∥ ㄱ. A에서 구간 Ⅰ일 때 ADP가 없으므로 산화적 인
산화가 일어나지 않는다.

12

㉠은 피루브산이고, 1분자당 탄소 수는 ㉡이 ㉢보다 많으므로 ㉡은 3탄소 화합물인 젖산, ㉢은 2탄소 화합물인 에탄올이다.

ㄱ. I은 해당 과정이며, 해당 과정에서는 기질 수준 인산화가 일어난다.

∥바로알기∥ ㄴ. Ⅱ는 피루브산이 젖산으로 환원되는 과정으로, 탈탄산 반응이 일어나지 않아 CO_2가 방출되지 않는다.

ㄷ. Ⅲ에서 피루브산(㉠)은 NADH로부터 H^+과 전자를 받아 에탄올(㉢)로 환원된다.

13 꼼꼼 문제 분석

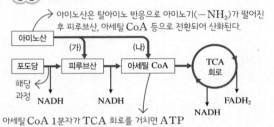

아세틸 CoA 1분자가 TCA 회로를 거치면 ATP 1분자, NADH 3분자, $FADH_2$ 1분자가 생성된다.

ㄴ. 아미노산은 탈아미노 반응으로 아미노기($-NH_2$)가 떨어진 후 호흡 기질로 사용된다. 따라서 (가)와 (나) 경로에서 모두 아미노기($-NH_2$)가 떨어져 나온다.

∥바로알기∥ ㄱ. 포도당은 해당 과정을 거쳐 산화되며, 아미노산은 해당 과정을 거치지 않고 피루브산, 아세틸 CoA 등으로 전환되어 산화된다.

ㄷ. 아세틸 CoA 1분자가 TCA 회로를 거치면 ATP 1분자, NADH 3분자, $FADH_2$ 1분자가 생성된다. 산화적 인산화를 통해 1분자의 NADH와 $FADH_2$로부터 각각 2.5ATP와 1.5ATP가 생성되므로, NADH 3분자와 $FADH_2$ 1분자로부터 총 9ATP가 생성된다. 따라서 아세틸 CoA 1분자가 TCA 회로와 산화적 인산화를 거쳐 완전히 산화되면 10ATP가 생성된다.

14 꼼꼼 문제 분석

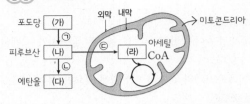

• 효모는 산소가 있을 때는 산소 호흡을 하므로, 해당 과정에서 생성된 피루브산은 미토콘드리아 기질로 들어가 아세틸 CoA로 산화된 후 TCA 회로를 거쳐 분해된다.

• 효모는 산소가 없을 때는 알코올 발효를 하므로, 해당 과정에서 생성된 피루브산은 세포질에서 에탄올로 전환된다.

➡ (가)는 포도당, (나)는 피루브산, (다)는 에탄올, (라)는 아세틸 CoA이다.

① 포도당(가)이 피루브산(나)으로 분해되는 ㉠과 피루브산(나)이 에탄올(다)로 환원되는 ㉡에서 모두 탈수소 효소의 작용에 의한 산화 환원 반응이 일어난다.

② ㉢은 피루브산(나)이 아세틸 CoA(라)가 되는 과정으로, 탈탄산 반응이 일어나 CO_2가 방출된다.

④ 에탄올(다)은 효모를 이용하여 술을 만들 때 생성된다.

⑤ 효모는 산소가 없으면 세포질에서 알코올 발효를 하므로, 아세틸 CoA(라)는 산소가 없으면 생성되지 않는다.

∥바로알기∥ ③ 분자식이 포도당은 $C_6H_{12}O_6$, 피루브산은 $C_3H_4O_3$이므로 1분자당 $\dfrac{수소(H) 수}{탄소(C) 수}$ 는 포도당이 $\dfrac{12}{6}$, 피루브산이 $\dfrac{4}{3}$이다. 따라서 1분자당 $\dfrac{수소(H) 수}{탄소(C) 수}$ 는 포도당(가)이 피루브산(나)보다 크다.

15 꼼꼼 문제 분석

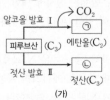 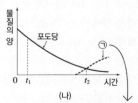

알코올 발효에서는 탈탄산 반응이 일어나지만, 젖산 발효에서는 탈탄산 반응이 일어나지 않는다.

효모는 산소가 없는 상태에서 알코올 발효를 하여 에탄올을 생성하므로 ㉠은 에탄올이다.

왼쪽 컬럼

┃선택지 분석┃

ㄱ. 1분자당 탄소 수는 ㉠보다 ㉡이 많다.

ㄴ. Ⅰ과 Ⅱ에서 모두 NADH의 산화가 일어난다.

ㄷ. (나)에서 t_1과 t_2일 때 모두 기질 수준 인산화가 일어난다.

ㄱ. 효모는 산소가 없는 상태에서 알코올 발효를 하여 에탄올을 생성한다. 따라서 ㉠은 에탄올, ㉡은 젖산이다. 에탄올은 2탄소 화합물이고, 젖산은 3탄소 화합물이므로 1분자당 탄소 수는 에탄올(㉠)보다 젖산(㉡)이 많다.

ㄴ. 알코올 발효(Ⅰ)와 젖산 발효(Ⅱ)에서 피루브산은 NADH로부터 H^+과 전자를 받아 환원된다. 따라서 Ⅰ과 Ⅱ에서 모두 NADH의 산화가 일어난다.

ㄷ. (나)에서 t_1일 때는 배양액에 남아 있는 산소를 이용해 산소 호흡이 일어나며, t_2일 때는 알코올 발효가 일어난다. 따라서 t_1과 t_2일 때 모두 해당 과정이 일어나며, 해당 과정에서는 기질 수준 인산화가 일어난다.

16 꼼꼼 문제 분석

특징＼발효	Ⅰ	Ⅱ
㉠	×	×
㉡	?○	○
㉢	○	×

(○: 있음, ×: 없음)

알코올 발효 ─┐ ┌─ 젖산 발효

특징(㉠~㉢)
NADH의 산화가 일어난다. ㉡
산화적 인산화가 일어난다. ㉠
탈탄산 효소가 작용한다. ㉢

• 알코올 발효와 젖산 발효에서는 모두 산화적 인산화가 일어나지 않는다. ➡ ㉠은 '산화적 인산화가 일어난다.'이다.
• 알코올 발효와 젖산 발효에서는 모두 NADH의 산화가 일어난다. ➡ ㉡은 'NADH의 산화가 일어난다.'이다.
• 알코올 발효에서는 탈탄산 효소가 작용하여 CO_2가 방출되지만, 젖산 발효에서는 탈탄산 효소가 작용하지 않는다. ➡ ㉢은 '탈탄산 효소가 작용한다.'이며, Ⅰ은 알코올 발효, Ⅱ는 젖산 발효이다.

┃선택지 분석┃

✗ Ⅰ은 사람의 근육 세포에서 일어날 수 있다. Ⅱ는

✗ Ⅱ는 빵을 만들 때 이용된다. Ⅰ은

㉢ 'NADH의 산화가 일어난다.'는 ㉡에 해당한다.

ㄷ. 알코올 발효에서는 NADH의 산화가 일어나며, 탈탄산 효소가 작용하여 CO_2가 방출된다. 젖산 발효에서는 NADH의 산화가 일어나며, 탈탄산 효소가 작용하지 않는다. 또 알코올 발효와 젖산 발효에서는 모두 산화적 인산화가 일어나지 않는다. 따라서 ㉠은 '산화적 인산화가 일어난다.', ㉡은 'NADH의 산화가 일어난다.', ㉢은 '탈탄산 효소가 작용한다.'이다.

┃바로알기┃ ㄱ. 사람의 근육 세포에서는 젖산 발효(Ⅱ)가 일어난다.
ㄴ. 빵을 만들 때 이용되는 것은 알코올 발효(Ⅰ)이다.

오른쪽 컬럼

2 광합성

01 광합성(1)

개념 확인 문제 148쪽

❶ 틸라코이드 ❷ 스트로마 ❸ 광합성 색소 ❹ 화학
❺ 카로티노이드계 ❻ 엽록소 ❼ 적색 ❽ 명 ❾ NADPH
❿ 물 ⓫ 포도당

1 (1) C, 틸라코이드 (2) A, 그라나 (3) B, 스트로마 **2** (1) ×
(2) ○ (3) ○ (4) × **3** (1) (가) 흡수 스펙트럼 (나) 작용 스펙트럼
(2) 청자색, 적색 **4** (1) ㉠ 산소, ㉡ 포도당 (2) ㉠ NADPH,
㉡ 명반응 (3) ㉠ 명반응, ㉡ 탄소 고정 반응

1 (1) 납작한 주머니 모양이며, 막에 빛에너지를 흡수하는 광합성 색소, 전자 전달계, ATP 합성 효소 등이 있는 것은 틸라코이드(C)이다.
(2) 틸라코이드가 여러 개 쌓여 이루어진 것은 그라나(A)이다.
(3) 엽록체에서 DNA, 리보솜, 포도당 합성에 관여하는 효소 등이 있는 기질 부분은 스트로마(B)이다.

2 (1) 엽록체는 외막과 내막의 2중막 구조이며, 내막 안쪽에 틸라코이드라고 하는 또 다른 막 구조가 있다. 스트로마는 내막 안쪽에서 그라나를 제외한 기질 부분이다.
(2) 틸라코이드 막에 광합성 색소, 전자 전달계, ATP 합성 효소가 있으므로, 틸라코이드가 여러 개 쌓여 이루어진 그라나에서 빛에너지가 화학 에너지로 전환되는 명반응이 일어난다.
(3) 스트로마에는 포도당 합성에 관여하는 효소들이 있어 이산화 탄소가 포도당으로 환원되는 반응이 일어난다.
(4) 광합성을 하는 모든 식물의 엽록체에는 엽록소 a와 b가 있으며, 이 중 광합성에서 가장 중심적인 역할을 하는 것은 엽록소 a이다.

3 (1) (가)는 빛의 파장에 따른 엽록소 a와 b의 빛 흡수율을 나타낸 것이므로 흡수 스펙트럼이다. (나)는 빛의 파장에 따른 엽록체의 광합성 속도를 나타낸 것이므로 작용 스펙트럼이다.
(2) 식물은 주로 엽록소 a와 b가 잘 흡수하는 청자색과 적색의 빛을 이용하여 광합성을 한다.

4 (1) 광합성의 명반응에서는 물이 분해되어 산소가 발생하고, 탄소 고정 반응에서는 이산화 탄소가 포도당으로 환원된다.

(2) 광합성에서 빛에너지를 ATP와 NADPH의 화학 에너지로 전환하는 과정은 명반응이다.

(3) 명반응 산물인 ATP와 NADPH가 탄소 고정 반응에 공급되어야 탄소 고정 반응이 일어나 포도당이 합성된다. 따라서 탄소 고정 반응이 일어나기 전에 명반응이 먼저 일어난다.

149쪽

대표 자료 분석

자료 ① 1 I: 엽록소 a, II: 엽록소 b   2 (1) ㉠ 적색, ㉡ 초록색 (2) 적색   3 (1) × (2) ○ (3) ○ (4) ×

자료 ② 1 B, E, F   2 C, F   3 (1) ○ (2) × (3) ○ (4) ○ (5) × (6) ○

1-1 (가)에서 분리된 각 광합성 색소의 전개율과 (나)의 흡수 스펙트럼을 비교하면 I과 II의 이름을 알 수 있는데, I은 엽록소 a, II는 엽록소 b이다.

1-2 (1) (나)의 흡수 스펙트럼을 통해 엽록소 a(I)와 엽록소 b(II)는 모두 청자색과 적색의 빛을 잘 흡수하고, 초록색 빛은 거의 흡수하지 않는다는 것을 알 수 있다.

(2) (나)의 작용 스펙트럼을 통해 식물은 청자색과 적색의 빛에서 광합성이 가장 활발하게 일어난다는 것을 알 수 있다.

1-3 (1) 전개율은 $\dfrac{\text{원점에서 색소까지의 거리}}{\text{원점에서 용매 전선까지의 거리}}$ 이므로 원점에서 멀리 전개된 것일수록 전개율이 크다. 따라서 전개율이 큰 것부터 순서대로 광합성 색소를 나열하면 카로틴>잔토필>엽록소 a(I)>엽록소 b(II)이다.

(2), (3) (나)에서 엽록소 a와 b의 흡수 스펙트럼과 엽록체의 작용 스펙트럼은 거의 일치하므로, 식물은 주로 엽록소 a와 b가 흡수한 청자색과 적색의 빛을 이용하여 광합성을 한다는 것을 알 수 있다.

(4) (나)에서 작용 스펙트럼을 보면 광합성은 파장이 550 nm인 빛에서보다 450 nm인 빛에서 더 활발하게 일어난다는 것을 알 수 있다.

2-1 명반응은 빛에너지를 필요로 하는 반응이므로 빛이 있는 B, E, F 구간에서 일어난다.

2-2 탄소 고정 반응은 명반응 산물과 CO_2를 필요로 하는 반응이므로 C, F 구간에서 일어난다.

2-3 (1) A와 C 구간의 조건은 같은데 결과에 차이가 나는 것은 A와 달리 C 구간은 전 단계인 B 구간에서 빛이 공급되었기 때문이다. 이를 통해 광합성이 일어나려면 CO_2보다 빛이 먼저 공급되어야 한다는 것을 알 수 있다.

(2) A와 D 구간에서는 광합성이 일어나지 않았다. 이를 통해 빛이 없으면 CO_2가 있어도 광합성이 일어나지 않는다는 것을 알 수 있다.

(3) C 구간에서 광합성이 일어난 것은 B 구간에서 생성된 명반응 산물인 ATP, NADPH와 포도당 합성에 필요한 CO_2가 모두 있기 때문이다.

(4) 명반응은 빛을 필요로 하고 탄소 고정 반응은 CO_2를 필요로 하는데, F 구간에는 빛과 CO_2가 모두 있다. 따라서 명반응과 탄소 고정 반응이 모두 일어난 구간은 F이다.

(5) A 구간과 달리 C 구간에서 일시적으로 광합성이 일어난 것은 B 구간에서 명반응이 일어나 ATP와 NADPH가 생성되었기 때문이다. 이를 통해 광합성은 빛이 필요한 명반응과 CO_2가 필요한 탄소 고정 반응으로 구분할 수 있으며, 명반응이 먼저 일어나고 탄소 고정 반응이 나중에 일어난다는 것을 알 수 있다.

(6) 명반응은 일어나지만 탄소 고정 반응은 일어나지 않는 구간은 빛은 있지만 CO_2가 없는 구간인 B와 E이다.

내신 만점 문제

150쪽~151쪽

01 ⑤   02 ④   03 ①   04 ④   05 ③   06 ④
07 ①   08 ㄷ   09 해설 참조

01 꼼꼼 문제 분석

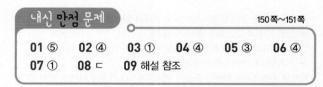

스트로마 – DNA, 리보솜, 포도당 합성에 관여하는 효소 등이 있다.

그라나 – 그라나를 구성하는 틸라코이드 막에는 광합성 색소, 전자 전달계, ATP 합성 효소 등이 있다.

ㄱ. ㉠은 스트로마이며, 스트로마에는 DNA와 리보솜이 있다.

ㄴ. 스트로마(㉠)에는 탄소 고정 반응에 관여하는 효소들이 있어 광합성의 탄소 고정 반응이 일어난다.

ㄷ. ㉡은 틸라코이드가 여러 개 쌓여 이루어진 그라나이다. 그라나를 구성하는 틸라코이드 막에는 광합성 색소인 엽록소 a가 있다.

02 ① 미토콘드리아에서는 세포 호흡이, 엽록체에서는 광합성이 일어나며, 세포 호흡과 광합성은 모두 물질대사이다.
②, ③ 미토콘드리아 기질과 엽록체의 스트로마에는 모두 DNA와 리보솜이 있어 미토콘드리아와 엽록체는 독자적으로 증식하고 단백질을 합성할 수 있다.
⑤ 미토콘드리아 내막과 엽록체의 틸라코이드 막에는 모두 전자 전달계와 ATP 합성 효소가 있다.
바로알기 ④ 에너지 전환에 관여하는 막단백질은 미토콘드리아 내막과 엽록체의 틸라코이드 막에 있다.

03 꼼꼼 **문제 분석**

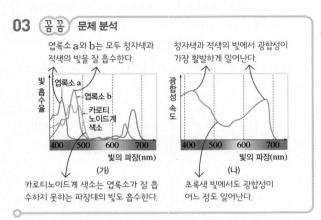

엽록소 a와 b는 모두 청자색과 적색의 빛을 잘 흡수한다.
청자색과 적색의 빛에서 광합성이 가장 활발하게 일어난다.
카로티노이드계 색소는 엽록소가 잘 흡수하지 못하는 파장대의 빛도 흡수한다.
초록색 빛에서도 광합성이 어느 정도 일어난다.

②, ⑤ (가)에서 엽록소가 잘 흡수하는 빛은 청자색과 적색의 빛이고, (나)에서 광합성이 가장 활발하게 일어나는 빛도 청자색과 적색의 빛이다. 따라서 식물은 주로 엽록소가 잘 흡수하는 빛을 이용하여 광합성을 한다는 것을 알 수 있다.
③ 식물은 주로 엽록소에서 흡수한 빛에너지를 이용하여 광합성을 하므로, 엽록소의 흡수 스펙트럼과 엽록체의 작용 스펙트럼은 거의 일치한다.
④ 카로티노이드계 색소의 흡수 스펙트럼을 보면 빛의 파장에 따라 빛을 흡수하는 정도가 다르다는 것을 알 수 있다.
바로알기 ① (나)를 보면 초록색 빛에서도 광합성이 어느 정도 일어나는 것을 알 수 있다.

04 ㄱ. 광합성 색소는 틸라코이드 막에서 단백질과 결합하여 광계를 이루고 있다.
ㄷ. 카로틴, 잔토필과 같은 카로티노이드계 색소는 빛에너지를 흡수하여 엽록소 a에 전달하는 역할을 한다.
바로알기 ㄴ. 과도한 빛으로부터 식물을 보호하는 역할을 하는 것은 카로티노이드계 색소이다.

05 ㄱ. ㉠은 카로틴, ㉡은 잔토필, ㉢은 엽록소 a, ㉣은 엽록소 b이다. 광합성 색소는 모두 그라나의 틸라코이드 막에 존재한다.
ㄴ. 전개율은 색소 원점에서 멀리 떨어져 있을수록 크다. 따라서 전개율은 엽록소 a보다 카로틴이 크다.

바로알기 ㄷ. 엽록소 a(㉢)는 청자색과 적색의 빛을 잘 흡수하고, 초록색 빛은 대부분 반사하거나 통과시킨다.

06 꼼꼼 **문제 분석**

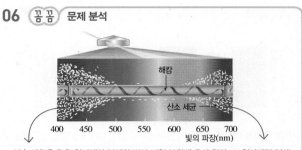

산소 세균은 주로 청자색과 적색의 빛이 비친 부위에 모여 있다. ➡ 청자색과 적색의 빛이 비친 부위에서 해캄의 광합성이 활발하게 일어나 산소가 많이 발생했기 때문이다. ➡ 해캄은 주로 청자색과 적색의 빛을 흡수하여 광합성을 한다.

ㄱ. 해캄 엽록체의 그라나에서는 명반응이 일어나며, 이때 물이 분해되어 산소가 발생한다.
ㄷ. 산소 세균은 산소를 이용하므로, 산소가 많은 곳으로 모여드는 성질이 있다. 황색 빛이 비친 부위보다 적색 빛이 비친 부위에 산소 세균이 많이 모인 것은 해캄이 황색 빛보다 적색 빛에서 광합성을 활발하게 하기 때문이다.
바로알기 ㄴ. 산소 세균은 빛을 흡수하여 생명 활동을 하는 생물이 아니다. 산소 세균이 청자색과 적색의 빛이 비친 부위에 많이 모인 것은 해캄이 주로 청자색과 적색의 빛을 흡수하여 광합성을 한 결과 그 부위에서 산소가 많이 발생했기 때문이다.

07 꼼꼼 **문제 분석**

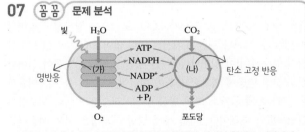

• 명반응: 빛에너지를 ATP와 NADPH에 화학 에너지 형태로 저장하며, 이 과정에서 H_2O이 분해되어 O_2가 발생한다.
• 탄소 고정 반응: 명반응 산물인 ATP와 NADPH를 이용하여 CO_2를 포도당으로 합성한다.

② (가)는 명반응이며, 명반응에서는 빛에너지가 ATP와 NADPH의 화학 에너지로 전환된다.
③ (나)는 탄소 고정 반응이며, 탄소 고정 반응에서는 CO_2가 포도당으로 환원된다.
④ 탄소 고정 반응(나)에서 포도당이 합성되려면 명반응 산물인 ATP와 NADPH가 필요하다.
⑤ 빛이 없어도 엽록체에 ATP, NADPH, CO_2를 공급하면 탄소 고정 반응이 일어나 포도당이 합성된다.

바로알기 ① 명반응(가)은 그라나에서 일어나고, 탄소 고정 반응(나)은 스트로마에서 일어난다.

[08~09] 꼼꼼 문제 분석

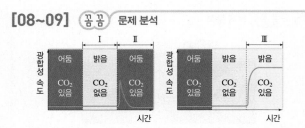

- 구간 Ⅰ: 빛을 이용해 명반응이 일어나고, CO_2가 없어 포도당을 합성하는 탄소 고정 반응은 일어나지 않는다.
- 구간 Ⅱ: 빛이 없지만 구간 Ⅰ에서 만들어진 명반응 산물을 이용해 일시적으로 탄소 고정 반응이 일어나 포도당이 합성된다. ➡ 명반응이 일어난 후에 탄소 고정 반응이 일어나며, 명반응 산물이 공급되어야 탄소 고정 반응이 일어난다.
- 구간 Ⅲ: 빛과 CO_2가 계속 공급되므로 명반응과 탄소 고정 반응이 지속적으로 일어난다.

08 ㄷ. 구간 Ⅲ에서는 빛이 공급되므로 명반응이 일어나고, 이 과정에서 H_2O이 분해되어 O_2가 발생한다. 또 CO_2가 있으므로 탄소 고정 반응이 일어나 포도당이 합성된다.

바로알기 ㄱ. 구간 Ⅰ에서는 CO_2가 공급되지 않으므로 탄소 고정 반응이 일어나지 않는다.

ㄴ. 구간 Ⅱ에서는 빛이 공급되지 않으므로 명반응이 일어나지 않는다.

09 구간 Ⅰ에서 빛이 있어도 CO_2가 없으면 광합성이 일어나지 않는다. 그러나 구간 Ⅱ에서는 빛이 없어도 CO_2가 있으면 잠시 동안 광합성이 일어난다. 이는 구간 Ⅰ에서 명반응이 일어나 탄소 고정 반응에 필요한 물질이 만들어졌고, 이 물질을 이용하여 구간 Ⅱ에서 탄소 고정 반응이 일시적으로 일어나 포도당이 합성되었기 때문이다. 이를 통해 광합성 과정은 빛을 이용하는 명반응과 CO_2를 포도당으로 합성하는 탄소 고정 반응의 두 단계로 구분하며, 명반응이 먼저 일어난 후 탄소 고정 반응이 일어난다는 것을 알 수 있다.

모범답안 광합성 과정은 빛이 필요한 명반응과 CO_2가 필요한 탄소 고정 반응으로 나누어지며, 명반응에서 만들어진 물질이 공급되어야 탄소 고정 반응이 일어나 포도당이 합성된다.

채점 기준	배점
광합성은 빛이 필요한 명반응과 CO_2가 필요한 탄소 고정 반응으로 나누어진다는 것과 명반응 산물이 공급되어야 탄소 고정 반응이 일어난다는 것을 모두 옳게 서술한 경우	100 %
광합성은 빛이 필요한 명반응과 CO_2가 필요한 탄소 고정 반응으로 나누어진다는 것과 명반응 산물이 공급되어야 탄소 고정 반응이 일어난다는 것 중 한 가지만 옳게 서술한 경우	50 %

02 광합성 (2)

개념 확인 문제
155쪽

❶ 틸라코이드 ❷ NADPH ❸ 산소(O_2) ❹ ATP ❺ 비순환적 ❻ NADPH ❼ 순환적 ❽ Ⅰ ❾ ATP 합성

1 O_2 **2** (1) 단백질 (2) a (3) ㉠ Ⅰ, ㉡ Ⅱ **3** (1) ○ (2) ○ (3) × **4** ㉠ 물(H_2O), ㉡ $NADP^+$ **5** ATP, NADPH **6** (1) ㉠ H_2O, ㉡ NADPH, ㉢ ATP (2) (가) 틸라코이드 내부 (나) 스트로마 (3) C (4) (가)

1 물(H_2O)이 광분해되면 수소 이온(H^+), 전자(e^-), 산소(O_2)가 생성된다.

2 (1) 광계는 광합성 색소와 단백질의 복합체로, 틸라코이드 막에 있다.
(2) 광계에는 반응 중심 색소와 안테나 색소 등이 있으며, 반응 중심 색소는 한 쌍의 엽록소 a로 구성된다.
(3) 광계는 반응 중심 색소가 주로 흡수하는 빛의 파장에 따라 광계 Ⅰ과 광계 Ⅱ로 구분한다. 광계 Ⅰ의 반응 중심 색소는 P_{700}, 광계 Ⅱ의 반응 중심 색소는 P_{680}이다.

3 (1) 빛에너지를 흡수한 광계에서 방출된 전자가 전자 전달계를 거치면서 에너지를 방출하고, 이 에너지는 ATP 합성에 이용된다.
(2) 비순환적 전자 흐름에는 광계 Ⅰ과 광계 Ⅱ가 모두 관여하지만, 순환적 전자 흐름에는 광계 Ⅰ만 관여한다.
(3) 비순환적 전자 흐름에서 물(H_2O)이 분해되어 산소(O_2)가 발생하며, 순환적 전자 흐름에서는 물이 분해되지 않으므로 산소가 발생하지 않는다.

4 명반응의 비순환적 전자 흐름에서 물(H_2O)의 광분해로 전자가 방출되며, 최종적으로 $NADP^+$가 이 전자를 받아 NADPH로 환원된다.

5 명반응에서 생성된 ATP와 NADPH를 이용하여 탄소 고정 반응이 일어나 포도당이 합성된다.

6 (1) 물질 ㉠의 분해로 H^+, 전자(e^-), O_2가 생성되므로 ㉠은 H_2O이고, $NADP^+$가 H^+과 전자를 받아 ㉡으로 환원되므로 ㉡은 NADPH이다. ATP 합성 효소에 의해 합성되는 ㉢은 ATP이다.

(2) 전자 전달계(A, B), 광계, ATP 합성 효소는 틸라코이드 막에 있다. 따라서 (가)는 틸라코이드 내부, (나)는 스트로마이다.

(3) 화학 삼투는 틸라코이드 막을 경계로 형성된 H^+의 농도 기울기에 따라 H^+이 확산되는 과정이므로 C이다. A와 B는 모두 전자 전달계이다.

(4) ATP 합성 효소가 ATP를 합성하려면 틸라코이드 내부(가)의 H^+ 농도가 스트로마(나)보다 높아서, 틸라코이드 내부(가)의 H^+이 ATP 합성 효소를 통해 스트로마(나)로 확산되어야 한다.

개념 확인 문제
161쪽

❶ 6 ❷ 18 ❸ 12 ❹ 캘빈 회로 ❺ 3PG ❻ 미토콘드리아 ❼ ATP ❽ NAD^+ ❾ 화학 삼투

1 (1) × (2) ○ (3) × **2** (1) 3PG (2) ㉠ PGAL, ㉡ NADPH (3) PGAL **3** ㉠ NADPH, ㉡ ATP, ㉢ O_2, ㉣ 포도당($C_6H_{12}O_6$) **4** (1) ○ (2) ○ (3) ○ (4) × (5) ○

1 (1) 탄소 고정 반응은 이산화 탄소를 환원시켜 포도당을 합성하는 과정으로, 엽록체의 스트로마에서 일어난다.

(2) 탄소 고정 반응에서는 명반응 산물인 ATP와 NADPH를 이용하여 이산화 탄소를 포도당으로 합성한다.

(3) 탄소 고정 반응에서는 이산화 탄소가 포도당으로 환원되며, 여러 종류의 효소가 관여한다.

2 (1) 캘빈 회로에서 이산화 탄소(CO_2)가 RuBP와 결합하여 3PG가 생성될 때 탄소가 고정된다.

(2) 3PG가 DPGA로 될 때 ATP가 사용되고, DPGA가 PGAL로 될 때 NADPH가 사용된다.

(3) 캘빈 회로에서 만들어지는 탄소 화합물 중 PGAL이 포도당 합성에 이용된다.

3 포도당 1분자를 합성할 때 탄소 고정 반응에 공급되는 명반응 산물은 NADPH(㉠) 12분자, ATP(㉡) 18분자이다. 명반응에서는 H_2O이 분해되어 O_2(㉢)가 생성되고, 탄소 고정 반응에서는 CO_2가 포도당(㉣)으로 환원된다.

4 (1)~(3) 광합성과 세포 호흡에서는 모두 전자 전달계에서 연속적인 산화 환원 반응이 일어나며, 그 결과 ATP가 합성된다.

(4) 산화적 인산화는 세포 호흡에서 일어나고, 광합성에서는 광인산화가 일어난다.

(5) 광합성과 세포 호흡은 모두 생명체 내에서 일어나는 물질대사이다.

대표 자료 분석
162쪽~163쪽

자료 ① **1** ㉠ O_2, ㉡ NADPH **2** 광계 I **3** (1) × (2) ○ (3) ○ (4) ○ (5) ○ (6) × (7) ×

자료 ② **1** A: 틸라코이드 내부, B: 틸라코이드 막, C: 스트로마 **2** ATP 합성 효소 **3** (1) × (2) ○ (3) × (4) ○ (5) ○ (6) ○

자료 ③ **1** (가) **2** ㉠ RuBP, ㉡ 3PG, ㉢ PGAL **3** (1) × (2) × (3) ○ (4) × (5) × (6) ○ (7) ×

자료 ④ **1** ㉠ O_2, ㉡ CO_2, ㉢ 포도당 **2** ⓐ 캘빈, ⓑ TCA **3** (1) ○ (2) × (3) × (4) ○ (5) × (6) ○

①-1 ㉠은 H_2O의 광분해로 생성된 O_2이고, ㉡은 $NADP^+$가 H^+과 전자를 받아 생성된 NADPH이다.

①-2 경로 (가)는 광계 I에서 방출된 전자가 광계 I로 되돌아오므로 순환적 전자 흐름이다. 경로 (나)는 광계 II에서 방출된 전자가 광계 I을 거쳐 $NADP^+$로 전달되어 원래의 광계로 돌아가지 않으므로 비순환적 전자 흐름이다. 순환적 전자 흐름에는 광계 I이, 비순환적 전자 흐름에는 광계 I과 광계 II가 관여한다.

①-3 (1) 경로 (가)는 순환적 전자 흐름, 경로 (나)는 비순환적 전자 흐름이다.

(2) 비순환적 전자 흐름과 순환적 전자 흐름에서 방출된 에너지는 틸라코이드 막을 경계로 H^+의 농도 기울기를 형성하게 하고, 이 H^+의 농도 기울기에 의해 ATP가 합성된다.

(3) 비순환적 전자 흐름에서는 NADPH와 O_2가 생성된다. 그러나 순환적 전자 흐름에서는 P_{700}에서 방출된 전자가 P_{700}으로 되돌아오므로 NADPH가 생성되지 않고, H_2O의 광분해도 일어나지 않아 O_2도 생성되지 않는다.

(4) 비순환적 전자 흐름에서는 광계 I의 P_{700}에서 방출된 전자가 전자 전달계를 거쳐 $NADP^+$에 최종적으로 전달되므로 P_{700}으로 되돌아가지 않는다.

(5) 순환적 전자 흐름과 비순환적 전자 흐름에 관여하는 광계와 전자 전달계는 모두 틸라코이드 막에 있다.

(6) H_2O의 광분해는 비순환적 전자 흐름(나)에서 일어난다.

(7) ㉠은 O_2, ㉡은 NADPH이며, 탄소 고정 반응에는 명반응 산물 중 ATP와 NADPH가 사용된다.

②-1 엽록체에서 H^+은 일부 전자 운반체를 통해 스트로마에서 틸라코이드 내부로 능동 수송된다. 따라서 A는 틸라코이드 내부, C는 스트로마이며, B는 ATP 합성 효소가 있는 틸라코이드 막이다.

②-2 H^+이 ㉠을 통과할 때 ATP가 합성되므로 ㉠은 틸라코이드 막에 있는 ATP 합성 효소이다.

②-3 (1) H^+은 ATP 합성 효소(㉠)를 통해 확산되므로 에너지가 필요하지 않다.
(2) 엽록체가 충분한 시간 동안 빛을 받으면 스트로마(C)에서 틸라코이드 내부(A)로 H^+이 능동 수송되어 틸라코이드 내부(A)의 H^+ 농도가 스트로마(C)보다 높아진다. 따라서 틸라코이드 내부(A)의 pH가 스트로마(C)의 pH보다 낮아진다.
(3) ATP 합성이 일어나려면 H^+ 농도는 틸라코이드 내부(A)에서가 스트로마(C)에서보다 높아야 한다.
(4) 비순환적 전자 흐름과 순환적 전자 흐름에서 전자가 이동하면서 방출된 에너지를 이용하여 일부 전자 운반체가 H^+을 능동 수송한다.
(5) 엽록체에서 명반응 결과 합성된 ATP는 캘빈 회로의 3PG 환원 단계와 RuBP 재생 단계에서 사용된다.
(6) 엽록체에서 틸라코이드 막을 경계로 H^+의 농도 기울기를 형성하게 하는 에너지는 전자 전달계를 통해 고에너지 전자가 이동할 때 방출된 에너지이며, 고에너지 전자는 빛에너지를 흡수한 반응 중심 색소에서 방출된 것이다. 따라서 엽록체에서 막을 경계로 H^+의 농도 기울기를 형성하게 하는 에너지의 원천은 빛에너지이다.

③-1 (가)는 탄소 고정, (나)는 3PG 환원, (다)는 RuBP 재생 단계이므로, CO_2가 고정되는 단계는 (가)이다.

③-2 ㉠은 5탄소 화합물인 RuBP, ㉡은 RuBP가 CO_2와 결합하여 생성된 3PG, ㉢은 3PG가 ATP와 NADPH를 사용하여 생성된 PGAL이다.

③-3 (1) 캘빈 회로는 엽록체의 스트로마에서 진행된다.
(2) RuBP가 재생되는 단계는 (다)이다.
(3) 3PG가 PGAL로 될 때 ATP와 NADPH가 소모되므로 1분자당 에너지양은 PGAL이 3PG보다 많다.
(4) 캘빈 회로에서 ATP와 NADPH의 에너지는 PGAL에 저장된다.
(5) 3PG와 PGAL은 모두 3탄소 화합물이고, RuBP는 5탄소 화합물이다. 따라서 1분자당 탄소 수는 3PG=PGAL<RuBP이다.
(6) 포도당은 6탄소 화합물이므로, 포도당 1분자를 합성하기 위해서는 캘빈 회로에서 CO_2 6분자가 고정되어야 한다.
(7) 캘빈 회로에서 RuBP는 CO_2와 결합하여 3PG가 되므로 엽록체에 CO_2의 공급을 차단하면 3PG의 농도는 감소하고, RuBP의 농도는 증가한다.

④-1 (가)에서 일어나는 물질대사는 빛에너지를 흡수하여 포도당을 합성하는 광합성, (나)에서 일어나는 물질대사는 유기물을 분해하여 ATP를 합성하는 세포 호흡이다. 따라서 (가)는 엽록체, (나)는 미토콘드리아이며, ㉠은 광합성의 명반응에서 H_2O의 광분해로 방출되는 O_2, ㉡은 세포 호흡의 TCA 회로에서 탈탄산 효소의 작용으로 방출되는 CO_2, ㉢은 광합성의 탄소 고정 반응에서 합성되는 포도당이다.

④-2 ⓐ 회로는 명반응 산물인 ATP와 NADPH를 사용해서 CO_2를 포도당으로 합성하는 캘빈 회로이고, ⓑ 회로는 유기물을 산화하여 ATP, NADH, $FADH_2$를 생성하는 TCA 회로이다.

④-3 (1) 식물 세포에는 엽록체(가)와 미토콘드리아(나)가 모두 있다.
(2) 광합성에서는 태양의 빛에너지가 포도당에 화학 에너지 형태로 저장되고, 세포 호흡에서는 포도당의 화학 에너지가 ATP의 화학 에너지와 열에너지로 전환된다. 따라서 (가)에서 흡수되는 E_1(빛에너지)의 양이 (나)에서 방출되는 E_2(열에너지)의 양보다 많다.
(3) 엽록체(가)의 틸라코이드 막에 있는 전자 전달계에서 최종 전자 수용체는 $NADP^+$이다. 비순환적 전자 흐름에서 고에너지 전자는 전자 전달계를 거쳐 최종적으로 $NADP^+$에 전달되어 NADPH가 생성된다.
(4) 엽록체(가)와 미토콘드리아(나)의 전자 전달계에서 전자는 모두 연속적인 산화 환원 반응을 통해 이동하며, 이 과정에서 단계적으로 에너지가 방출된다.
(5) 엽록체(가)에서는 광인산화를 통해 ATP가 합성되고, 미토콘드리아(나)에서는 기질 수준 인산화와 산화적 인산화를 통해 ATP가 합성된다.
(6) 캘빈(ⓐ) 회로와 TCA(ⓑ) 회로에서는 모두 반응물이 여러 단계의 화학 반응을 거치며, 생명체 내에서 일어나는 화학 반응은 모두 효소가 관여하는 물질대사이다.

내신 만점 문제　　　　　　　　　164쪽~167쪽

01 ②	02 ③	03 해설 참조	04 ③	05 ④
06 ④	07 ④	08 ⑤	09 ③	10 해설 참조
11 ④	12 해설 참조	13 ①	14 ⑤	15 ⑤	16 ④
17 ④	18 ㄷ			

01 ① 명반응에서는 물의 광분해로 산소가 발생하며, 광인산화가 일어나 ATP가 합성된다.

③ 명반응에서 생성되는 물질은 ATP, NADPH, 산소이다. 이 중 ATP와 NADPH는 탄소 고정 반응에 이용되지만, 산소는 탄소 고정 반응에 이용되지 않는다.

④ 명반응에서는 엽록체의 틸라코이드 막에 있는 광계에서 빛에너지를 흡수하여 고에너지 전자가 방출된다. 이 고에너지 전자가 전자 전달계를 거치면서 방출된 에너지를 이용해 막을 경계로 H^+의 농도 기울기가 형성되고, H^+의 농도 기울기에 따라 H^+이 ATP 합성 효소를 통해 확산될 때 ATP가 합성된다.

⑤ 비순환적 전자 흐름과 순환적 전자 흐름에서 전자가 전달될 때 에너지가 방출되며, 이 에너지를 이용하여 ATP가 합성된다.

▮ **바로알기** ▮ ② 명반응에서는 광합성 색소에서 흡수한 빛에너지가 ATP와 NADPH의 화학 에너지로 전환된다.

02 (꼼꼼) 문제 분석

광합성 결과 발생하는 산소(O_2)가 물(H_2O)과 이산화 탄소(CO_2) 중 어느 것에서 유래한 것인지를 확인하는 실험이다.

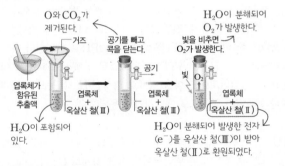

[결론] 광합성 결과 발생하는 O_2는 H_2O에서 유래한 것이고, 옥살산 철(Ⅲ)은 전자 수용체로서의 역할을 하였다.

ㄱ. 힐의 실험에서 시험관 속의 공기를 빼내어 O_2와 CO_2가 없는 상태에서 엽록체가 함유된 추출액에 빛을 비추었더니 O_2가 발생하였다. 이를 통해 빛을 받은 엽록체에서 H_2O의 분해로 O_2가 발생하였음을 알 수 있다.

ㄴ. 힐의 실험에서 옥살산 철(Ⅲ)은 물의 분해로 생긴 전자(e^-)를 받아 옥살산 철(Ⅱ)로 환원되었다. 광합성 과정에서 옥살산 철(Ⅲ)과 같이 전자를 받는 물질은 비순환적 전자 흐름에서 최종 전자 수용체인 $NADP^+$이다.

▮ **바로알기** ▮ ㄷ. 힐의 실험에서 H_2O이 분해되었고, 이때 나온 전자가 옥살산 철(Ⅲ)을 옥살산 철(Ⅱ)로 환원시켰다.

03 루벤은 클로렐라 배양액에 산소의 동위 원소 ^{18}O로 표지된 이산화 탄소($C^{18}O_2$)와 물(H_2O)을 공급하거나, 이산화 탄소(CO_2)와 ^{18}O로 표지된 물($H_2^{18}O$)을 각각 공급하면서 발생하는 산소를 분석하였다. 빛을 받으면 엽록체에서 물의 광분해가 일어나 산소가 발생한다. 따라서 광합성 결과 발생한 산소는 물에서 유래한 것이다.

(모범답안) ㉠은 O_2, ㉡은 $^{18}O_2$이다. 광합성에서는 물의 분해로 산소가 발생하기 때문이다.

채점 기준	배점
㉠과 ㉡을 모두 옳게 쓰고, 이와 같이 판단한 까닭을 광합성에서 물의 분해와 연관 지어 옳게 서술한 경우	100 %
㉠과 ㉡만 옳게 쓴 경우	40 %

04 ①, ② 광인산화는 엽록체의 틸라코이드 막에서 빛에너지를 흡수하는 광계의 도움을 받아 전자 전달계와 화학 삼투에 의해 ATP가 합성되는 과정이다.

④ 광계에서 방출된 고에너지 전자가 전자 전달계를 따라 이동할 때 방출된 에너지에 의해 막을 경계로 형성된 H^+의 농도 기울기를 이용하여 ATP가 합성된다.

⑤ 빛에너지에 의해 광계에서 방출된 고에너지 전자는 전자 전달계의 산화 환원 반응을 통해 이동하며, 이 과정에서 방출된 에너지를 이용하여 ATP가 합성된다.

▮ **바로알기** ▮ ③ 전자 전달계에서 전자가 이동하면서 방출된 에너지에 의해 틸라코이드 막을 경계로 H^+의 농도 기울기가 형성된다. H^+의 농도 기울기에 따라 ATP 합성 효소를 통해 H^+이 확산될 때 ATP가 합성된다.

05 (꼼꼼) 문제 분석

· 광계는 틸라코이드 막에 있으며, 빛을 흡수하는 광합성 색소와 1차 전자 수용체 등으로 구성된 단백질 복합체이다.

· 광계는 반응 중심 색소가 주로 흡수하는 빛의 파장에 따라 광계 Ⅰ과 광계 Ⅱ로 구분한다.

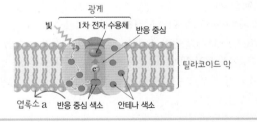

④ 광계의 반응 중심 색소에서 방출된 전자는 1차 전자 수용체에 전달되므로, 1차 전자 수용체를 환원시킨다.

▮ **바로알기** ▮ ① 광계는 엽록체의 틸라코이드 막에 존재한다.

② 안테나 색소는 광계에서 반응 중심 색소를 제외한 나머지 엽록소 a와 엽록소 b, 카로티노이드계 색소로 구성되며, 빛에너지를 흡수하여 반응 중심 색소로 전달하는 역할을 한다. 광합성 색소는 모두 주로 가시광선을 흡수한다.

③ 광계의 반응 중심 색소는 엽록소 a이다.

⑤ 광계 Ⅰ의 반응 중심 색소는 P_{700}으로 파장이 700 nm인 빛을 가장 잘 흡수하고, 광계 Ⅱ의 반응 중심 색소는 P_{680}으로 파장이 680 nm인 빛을 가장 잘 흡수한다. 따라서 광계 Ⅰ과 광계 Ⅱ의 반응 중심 색소는 가장 잘 흡수하는 빛의 파장이 다르다.

06 꼼꼼 문제 분석

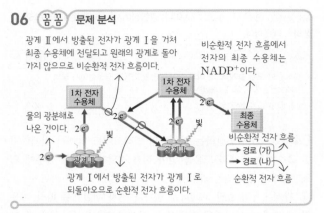

광계 Ⅱ에서 방출된 전자가 광계 Ⅰ을 거쳐 최종 수용체에 전달되고 원래의 광계로 돌아가지 않으므로 비순환적 전자 흐름이다.

비순환적 전자 흐름에서 전자의 최종 수용체는 $NADP^+$이다.

물의 광분해로 나온 것이다.

광계 Ⅰ에서 방출된 전자가 광계 Ⅰ로 되돌아오므로 순환적 전자 흐름이다.

비순환적 전자 흐름
→ 경로 (가)
순환적 전자 흐름
→ 경로 (나)

① 광계 Ⅱ의 반응 중심 색소는 P_{680}으로, 파장이 680 nm인 빛을 가장 잘 흡수한다.

② 경로 (가)는 비순환적 전자 흐름이며, 비순환적 전자 흐름에서 전자 전달계를 거친 전자는 최종적으로 $NADP^+$에 H^+과 함께 전달되어 NADPH가 생성된다.

③ 경로 (나)는 광계 Ⅰ에서 방출된 전자가 전자 전달계를 거쳐 광계 Ⅰ로 되돌아오므로 순환적 전자 흐름이다.

⑤ 경로 (가)와 (나)의 전자 전달계에서 모두 에너지가 방출되며, 이 에너지를 이용하여 틸라코이드 막을 경계로 H^+의 농도 기울기가 형성된다.

┃바로알기┃ ④ 물의 광분해는 비순환적 전자 흐름(가)에서 일어난다.

07

④ 광계 ㉠의 반응 중심 색소에서 방출된 전자가 1차 전자 수용체로 전달된 후 전자 전달계를 거쳐 광계 ㉠의 반응 중심 색소로 되돌아오므로, 순환적 전자 흐름을 나타낸 것이다.

┃바로알기┃ ①, ② 순환적 전자 흐름에서는 전자가 순환하므로 물의 광분해와 $NADP^+$의 환원은 일어나지 않는다.

③ 순환적 전자 흐름에 관여하는 ㉠은 광계 Ⅰ이며, 광계 Ⅰ의 반응 중심 색소는 P_{700}이다.

⑤ 전자 전달계에서 전자가 전자 운반체의 산화 환원 반응으로 이동할 때 에너지(A)가 단계적으로 방출되며, 이 에너지(A)를 이용하여 일부 전자 운반체가 H^+을 스트로마에서 틸라코이드 내부로 능동 수송한다.

08

① 명반응에서는 광계에서 빛에너지를 흡수하여 형성된 H^+의 농도 기울기를 이용해 ATP가 합성된다(광인산화).

② ㉠은 전자의 최종 수용체인 $NADP^+$이다.

③ ㉡은 비순환적 전자 흐름의 산물인 NADPH이며, NADPH는 스트로마에서 진행되는 캘빈 회로에서 사용된다.

④ 효소 X를 통해 H^+이 확산될 때 발생하는 에너지를 이용하여 ATP가 합성되므로, 효소 X는 ATP 합성 효소이다.

┃바로알기┃ ⑤ (가)는 틸라코이드 내부, (나)는 스트로마이다.

09 꼼꼼 문제 분석

전자가 이동하면서 방출된 에너지에 의해 스트로마의 H^+이 틸라코이드 내부로 능동 수송된다. → 틸라코이드 내부의 H^+ 농도가 높아진다.

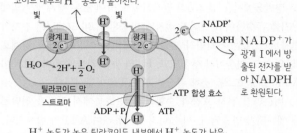

$NADP^+$가 광계 Ⅰ에서 방출된 전자를 받아 NADPH로 환원된다.

H^+ 농도가 높은 틸라코이드 내부에서 H^+ 농도가 낮은 스트로마로 H^+이 ATP 합성 효소를 통해 확산되면서 ATP가 합성된다.

ㄱ. 광계 Ⅱ에서 빛에너지를 흡수하면 반응 중심 색소인 P_{680}은 전자를 방출하고 산화되며, 산화된 P_{680}은 H_2O의 분해로 방출된 전자를 받아 환원된다.

ㄴ. 비순환적 전자 흐름에서는 광계 Ⅰ에서 방출된 전자가 1차 전자 수용체와 전자 전달계를 거쳐 $NADP^+$에 전달되며, $NADP^+$는 이 전자와 H^+을 받아 NADPH로 환원된다.

┃바로알기┃ ㄷ. H^+이 ATP 합성 효소를 통해 스트로마로 이동하는 것은 틸라코이드 막을 경계로 형성된 H^+의 농도 기울기에 따라 확산되는 것이므로 에너지가 사용되지 않는다.

10

엽록체에서는 틸라코이드 내부의 H^+ 농도가 높고, 스트로마의 H^+ 농도가 낮아 틸라코이드 막을 경계로 H^+의 농도 기울기가 형성되고, H^+의 농도 기울기에 따라 H^+이 ATP 합성 효소를 통해 확산될 때 ATP가 합성된다. 제시된 실험에서 틸라코이드 내부의 pH가 ⓐ이고 수용액의 pH가 ⓑ일 때 ATP가 합성되었으므로 ⓐ가 ⓑ보다 작다.

모범답안 ⓐ가 ⓑ보다 작다. 엽록체에서는 H^+ 농도가 높은(pH가 낮은) 틸라코이드 내부에서 H^+ 농도가 낮은(pH가 높은) 스트로마로 H^+이 ATP 합성 효소를 통해 확산될 때 ATP가 합성되기 때문이다.

채점 기준	배점
ⓐ와 ⓑ의 크기를 옳게 비교하고, 그 까닭을 ATP 합성 과정과 연관지어 옳게 서술한 경우	100 %
ⓐ와 ⓑ의 크기만 옳게 비교한 경우	30 %

11

① 탄소 고정 반응은 광합성 과정에서 이산화 탄소가 고정되어 포도당이 합성되는 반응으로, 엽록체의 스트로마에서 일어난다.

②, ⑤ 탄소 고정 반응에서 캘빈 회로는 탄소 고정(CO_2 고정), 3PG 환원, RuBP 재생의 세 단계로 구분할 수 있다. CO_2 고정에는 루비스코라는 효소가 관여한다.

③ 캘빈 회로에서는 3PG 환원 단계에서 ATP와 NADPH가 사용되고, RuBP 재생 단계에서 ATP가 사용된다.

┃바로알기┃ ④ 캘빈 회로에서 생성된 PGAL의 일부가 포도당 합성에 이용된다.

12 캘빈 회로에서 명반응 산물인 ATP는 직접적인 에너지원으로 사용되고, NADPH는 3PG를 환원하는 데 사용된다. 따라서 빛이 차단되어 클로렐라에서 명반응이 일어나지 않으면 ATP와 NADPH가 생성되지 않으므로 캘빈 회로에서 3PG 환원, RuBP 재생 단계가 일어나지 않아 RuBP의 농도는 감소하고, 3PG의 농도는 증가하게 된다. 따라서 빛을 차단했을 때 농도가 감소하는 ㉠은 RuBP이다.

(모범답안) ㉠은 RuBP이다. 빛을 차단하면 명반응이 일어나지 않아 ATP와 NADPH가 캘빈 회로에 공급되지 않으므로 3PG 환원, RuBP 재생 단계가 진행되지 않기 때문이다.

채점 기준	배점
㉠을 옳게 쓰고, 그 까닭을 캘빈 회로와 연관 지어 옳게 서술한 경우	100 %
㉠만 옳게 쓴 경우	30 %

13 ㉠은 CO_2가 고정되어 최초로 생성되는 물질인 3PG이고, 두 번째로 검출되는 ㉡은 PGAL이며, ㉢은 RuBP이다.

ㄱ. 3PG(㉠)와 PGAL(㉡)은 모두 3탄소 화합물이므로 1분자당 탄소 수가 같다.

┃바로알기┃ ㄴ. 3PG(㉠)는 명반응 산물인 ATP로부터 인산기를 받고 NADPH에 의해 환원되어 PGAL(㉡)이 된다.

ㄷ. 물질이 시료 원점에서 멀리 이동할수록 전개율이 크다. 따라서 5분 후 결과에서 1차 전개율은 RuBP(㉢)가 6탄당 인산보다 작다.

14 (꼼꼼) 문제 분석

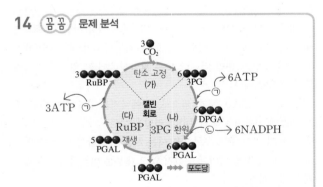

(가) 탄소 고정(CO_2 고정): CO_2 3분자가 RuBP 3분자와 결합하여 3PG 6분자로 된다.
(나) 3PG 환원: 3PG 6분자는 6ATP로부터 인산기를 받아 DPGA 6분자로 되었다가, 6NADPH로부터 수소(H)를 받아 PGAL 6분자로 환원된다.
(다) RuBP 재생: PGAL 6분자 중 1분자는 회로를 빠져나와 포도당을 합성하는 데 이용되고, 5분자는 3ATP를 사용하여 RuBP 3분자로 전환된다.

① ㉠은 ATP, ㉡은 NADPH이며, ATP와 NADPH는 모두 명반응에서 생성된 물질이다.
② 3PG가 PGAL로 되는 과정에서 ATP와 NADPH가 사용되므로 1분자당 에너지양은 3PG보다 PGAL이 많다.
③ 캘빈 회로의 각 단계는 모두 효소의 작용에 의해 조절된다.
④ (가)에서 탄소가 고정되며, 이때 생성되는 물질은 3PG이다.
┃바로알기┃ ⑤ 포도당 1분자를 합성하려면 캘빈 회로를 빠져나온 PGAL 2분자가 필요하므로 이 과정에서 사용되는 ATP(㉠)의 분자 수는 18, NADPH(㉡)의 분자 수는 12이다. 따라서 포도당 1분자를 합성하는 데 사용되는 ㉠와 ㉡의 분자 수 비는 18 : 12=3 : 2이다.

15 (꼼꼼) 문제 분석

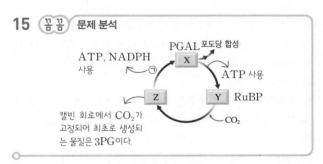

ㄴ. 캘빈 회로에서 CO_2는 RuBP와 결합하여 3PG가 된다. 따라서 X는 PGAL, Y는 RuBP, Z는 3PG이다.

ㄷ. 과정 ㉠에서는 3PG가 PGAL로 환원되는데, 이때 명반응 산물인 ATP와 NADPH가 사용된다.

┃바로알기┃ ㄱ. X는 3탄소 화합물인 PGAL이고, Y는 5탄소 화합물인 RuBP이다. 따라서 1분자당 탄소 수는 Y(RuBP)가 X(PGAL)보다 많다.

16 ① 탄소 고정 반응에서 생성된 ADP는 명반응의 광인산화에서 무기 인산(P_i)과 결합하여 ATP가 된다.

② H_2O의 광분해가 일어나는 비순환적 전자 흐름에서는 H_2O 1분자가 분해될 때 NADPH 1분자가 생성되며, 탄소 고정 반응에서 포도당 1분자가 합성되려면 NADPH 12분자가 필요하다. 따라서 탄소 고정 반응에서 포도당 1분자가 합성되려면 명반응에서는 H_2O 12분자가 필요하다.

③ 탄소 고정 반응에서 CO_2가 포도당으로 환원되려면 명반응 산물인 ATP와 NADPH가 공급되어야 한다.

⑤ 비순환적 전자 흐름에서 전자의 최종 수용체는 $NADP^+$이다. 따라서 탄소 고정 반응에서 $NADP^+$가 계속 생성되어야 비순환적 전자 흐름이 지속적으로 일어날 수 있다.

┃바로알기┃ ④ 탄소 고정 반응에서 포도당 1분자가 합성되려면 ATP 18분자와 NADPH 12분자가 필요하다. 따라서 포도당 1분자가 합성될 때 탄소 고정 반응에 공급되는 ATP의 분자 수는 NADPH의 분자 수보다 많다.

17 (꼼꼼) **문제 분석**

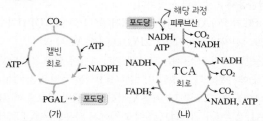

(가)
CO_2를 고정하여 포도당을 합성하는 탄소 고정 반응으로, 엽록체의 스트로마에서 일어난다.

(나)
포도당이 피루브산으로 분해된 후 산화되고 TCA 회로를 거쳐 CO_2로 분해되는 과정으로, 세포질과 미토콘드리아 기질에서 일어난다.

ㄱ. (가)는 CO_2가 고정되어 포도당이 합성되는 과정이므로 광합성의 탄소 고정 반응이다. (나)는 포도당이 피루브산을 거쳐 CO_2로 분해되는 과정이므로 세포 호흡의 해당 과정, 피루브산의 산화 및 TCA 회로이다.

ㄴ. (가)의 탄소 고정 반응은 엽록체의 스트로마에서 일어난다. (나)의 해당 과정은 세포질에서, 피루브산의 산화 및 TCA 회로는 미토콘드리아 기질에서 일어난다.

┃**바로알기**┃ ㄷ. CO_2가 방출되는 탈탄산 반응은 (나)에서, CO_2가 환원되는 반응은 (가)에서 일어난다.

18 (가)는 엽록체의 틸라코이드 막에서, (나)는 미토콘드리아 내막에서 전자 전달계와 화학 삼투에 의해 ATP가 합성되는 과정이다.

ㄷ. (가)와 (나)에서 모두 막을 경계로 형성된 H^+의 농도 기울기에 따라 H^+이 ATP 합성 효소를 통해 확산될 때 ATP가 합성된다.

┃**바로알기**┃ ㄱ. (가)에서는 $NADP^+$, (나)에서는 O_2가 최종 전자 수용체이다.

ㄴ. (가)는 엽록체의 틸라코이드 막, (나)는 미토콘드리아 내막에서 일어난다.

중단원 핵심 정리　　　　168쪽~169쪽

❶ 화학 에너지　❷ 스트로마　❸ 청자색　❹ 이산화 탄소 (CO_2)　❺ 명반응　❻ NADPH　❼ 전자(e^-)　❽ P_{700}　❾ 광계 I　❿ $NADP^+$　⓫ P_{700}　⓬ 생성되지 않음　⓭ 화학 삼투　⓮ 스트로마　⓯ ATP 합성 효소　⓰ 스트로마　⓱ 3PG 환원　⓲ 18　⓳ ADP　⓴ $NADP^+$　㉑ 광인산화　㉒ 산화적 인산화

중단원 마무리 문제　　　　170쪽~173쪽

01 ④	02 ③	03 ③	04 ②	05 ⑤	06 ①
07 ④	08 ②	09 ③	10 ①	11 ③	12 ⑤
13 ④	14 ①	15 해설 참조	16 해설 참조	17 해설 참조	

01 ㄱ. A는 틸라코이드 막, B는 틸라코이드 내부, C는 스트로마이다.

ㄷ. 이산화 탄소를 포도당으로 환원시키는 반응은 탄소 고정 반응이다. 스트로마(C)에는 탄소 고정 반응에 관여하는 효소들이 있어 탄소 고정 반응이 일어난다.

┃**바로알기**┃ ㄴ. B는 틸라코이드 내부이다. 광합성 색소는 틸라코이드 막(A)에서 단백질과 결합하여 복합체를 이루고 있는데, 이를 광계라고 한다.

02 (꼼꼼) **문제 분석**

흡수 스펙트럼: 빛의 파장에 따른 광합성 색소의 빛 흡수율을 그래프로 나타낸 것

엽록소 a와 b는 청자색과 적색의 빛을 잘 흡수하고 초록색 빛은 거의 흡수하지 않는다.

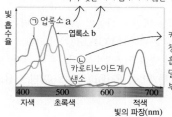

카로티노이드계 색소는 청자색과 초록색의 빛을 흡수하여 엽록소 a에 전달하고, 과도한 빛으로부터 식물을 보호한다.

① 흡수 스펙트럼에서 엽록소 a는 엽록소 b와 유사한 그래프 형태를 나타내므로 ㉠은 엽록소 a, ㉡은 카로티노이드계 색소이다.

② 엽록소 a(㉠)뿐만 아니라 모든 광합성 색소는 엽록체의 틸라코이드 막에 있다.

④ ㉡은 카로티노이드계 색소로, 빛에너지를 흡수하여 반응 중심 색소인 엽록소 a에 전달하는 역할을 한다.

⑤ 식물의 잎이 주로 초록색을 띠는 까닭은 광합성 색소 중 엽록소가 초록색 빛을 거의 흡수하지 않고 대부분 반사하거나 통과시키기 때문이다.

┃**바로알기**┃ ③ 카로티노이드계 색소(㉡)가 흡수하는 빛에너지도 광계의 반응 중심 색소에 전달되어 광합성에 이용된다.

03 ㄱ. (가) 과정에서 NADPH와 ATP가 생성되므로 (가)는 명반응이고, (나) 과정에서 포도당이 합성되므로 (나)는 탄소 고정 반응이다. 탄소 고정 반응(나)에서는 CO_2(㉠)가 환원되어 포도당이 합성된다.

ㄴ. 명반응(가)에서는 엽록체의 광계에서 흡수한 빛에너지의 일부가 ATP에 화학 에너지 형태로 저장되고, 일부는 NADPH에 저장된다.

바로알기 ㄷ. 명반응(가)은 엽록체의 그라나에서, 탄소 고정 반응(나)은 스트로마에서 일어난다.

04 ㄴ. 시험관 안의 공기를 빼내어 CO_2가 없는데도 O_2가 발생하고, 옥살산 철(Ⅲ)이 옥살산 철(Ⅱ)로 되었다. 이를 통해 H_2O의 분해로 방출된 전자를 옥살산 철(Ⅲ)이 받아 옥살산 철(Ⅱ)로 환원되었음을 알 수 있다.

바로알기 ㄱ. H_2O이 분해되면서 발생한 O_2는 공기 중으로 방출되며, H_2O의 분해로 방출된 전자에 의해 옥살산 철(Ⅲ)이 옥살산 철(Ⅱ)로 환원된다.

ㄷ. 옥살산 철(Ⅲ)이 H_2O의 분해로 방출된 전자를 받으므로, 광합성 과정에서의 전자 수용체인 $NADP^+$에 해당하는 것은 옥살산 철(Ⅲ)이다.

05 꼼꼼 **문제 분석**

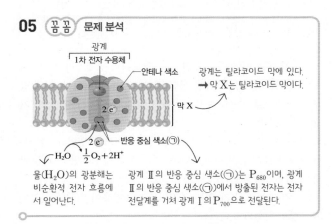

물(H_2O)의 광분해는 비순환적 전자 흐름에서 일어난다.

광계 Ⅱ의 반응 중심 색소(㉠)는 P_{680}이며, 광계 Ⅱ의 반응 중심 색소(㉠)에서 방출된 전자는 전자 전달계를 거쳐 광계 Ⅰ의 P_{700}으로 전달된다.

① 광합성에서 중심적인 역할을 하는 색소인 반응 중심 색소(㉠)는 엽록소 a이다.

② 물(H_2O)의 광분해로 방출된 전자는 전자를 잃고 산화된 광계 Ⅱ의 반응 중심 색소를 환원시키므로, 이 광계는 광계 Ⅱ이다.

③ 광계는 틸라코이드 막에 있으므로 막 X는 틸라코이드 막이다. 틸라코이드 막에는 광계뿐만 아니라 전자 전달계와 ATP 합성 효소도 있다.

④ 광계 Ⅱ의 반응 중심 색소는 파장이 680 nm인 빛을 가장 잘 흡수하는 엽록소 a인 P_{680}이다. 광계 Ⅱ에서 흡수한 빛에너지가 P_{680}에 도달하면 P_{680}에서 고에너지 전자가 방출되며, 이 전자는 전자 전달계를 거쳐 전자를 잃은 광계 Ⅰ의 P_{700}으로 전달된다. 따라서 광계 Ⅱ의 반응 중심 색소(㉠)에서 방출된 전자는 P_{700}을 환원시킨다.

바로알기 ⑤ 이 광계는 광계 Ⅱ이며, 광계 Ⅱ는 비순환적 전자 흐름에만 관여한다.

06 꼼꼼 **문제 분석**

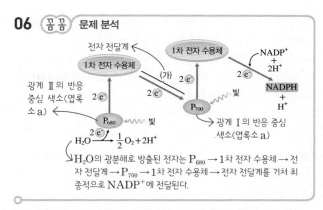

H_2O의 광분해로 방출된 전자는 P_{680} → 1차 전자 수용체 → 전자 전달계 → P_{700} → 1차 전자 수용체 → 전자 전달계를 거쳐 최종적으로 $NADP^+$에 전달된다.

② H_2O에서 방출된 전자는 광계 Ⅱ(P_{680}) → 1차 전자 수용체 → 전자 전달계 → 광계 Ⅰ(P_{700}) → 1차 전자 수용체 → 전자 전달계를 거쳐 최종적으로 $NADP^+$에 전달되어 NADPH가 생성된다. 따라서 H_2O에서 방출된 전자의 최종 수용체는 $NADP^+$이다.

③ P_{700}과 1차 전자 수용체는 광계를 구성하며, 광계는 틸라코이드 막에 있다.

④ 명반응에서 생성된 NADPH는 탄소 고정 반응에서 3PG가 PGAL로 환원되는 과정에 사용된다.

⑤ (가)는 전자 전달계이며, 전자 전달계에서 전자가 이동할 때 방출된 에너지를 이용하여 틸라코이드 막을 경계로 H^+의 농도 기울기가 형성된다. H^+의 농도 기울기에 따라 H^+이 ATP 합성 효소를 통해 확산될 때 ATP가 합성된다.

바로알기 ① P_{680}과 P_{700}은 모두 광계의 반응 중심 색소이며, 반응 중심 색소는 엽록소 a이다.

07 꼼꼼 **문제 분석**

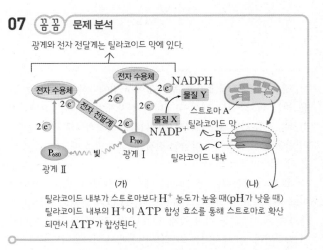

틸라코이드 내부가 스트로마보다 H^+ 농도가 높을 때(pH가 낮을 때) 틸라코이드 내부의 H^+이 ATP 합성 효소를 통해 스트로마로 확산되면서 ATP가 합성된다.

① (가)의 물질 X는 전자의 최종 수용체인 $NADP^+$이며, $NADP^+$는 스트로마(A)에서 진행되는 캘빈 회로에서 3PG가 PGAL로 환원될 때 생성된다.

② P_{700}은 파장이 700 nm인 빛을 가장 잘 흡수하는 엽록소 a로, 광계 Ⅰ의 반응 중심 색소이다.

③ (가)의 전자 전달계는 (나)의 틸라코이드 막(B)에 있다.

⑤ 빛에너지를 흡수하여 고에너지 전자를 방출한 P_{680}은 산화된 상태이며, 물의 분해로 방출된 전자를 받아 환원된다.

┃바로알기┃ ④ 엽록체(나)에서는 틸라코이드 내부(C)의 H^+ 농도가 스트로마(A)의 H^+ 농도보다 높을 때, 즉 틸라코이드 내부(C)의 pH가 스트로마(A)의 pH보다 낮을 때 틸라코이드 내부(C)의 H^+이 스트로마(A)로 확산되면서 ATP가 합성된다.

08 (가)는 비순환적 전자 흐름의 일부이며, 전자는 광계 Ⅱ → 전자 전달계 → 광계 Ⅰ 순으로 전달된다. 따라서 ㉠은 광계 Ⅰ, ㉡은 광계 Ⅱ이다.

ㄴ. 광계 Ⅰ(㉠)과 광계 Ⅱ(㉡)의 반응 중심 색소는 모두 엽록소 a 이므로, 전개율이 같다.

┃바로알기┃ ㄱ. 광계 Ⅰ(㉠)은 순환적 전자 흐름과 비순환적 전자 흐름에 모두 관여한다.

ㄷ. (가)에서 A는 전자의 최종 수용체인 $NADP^+$가 전자와 H^+을 받아 생성된 NADPH이다. RuBP가 CO_2와 결합하여 3PG로 되는 단계에서는 NADPH(A)가 사용되지 않는다.

09 꼼꼼 **문제 분석**

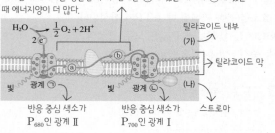

광계 Ⅱ의 반응 중심 색소에서 방출된 고에너지 전자는 전자 전달계를 거치면서 에너지를 방출한다. ➡ 전자는 ⓑ에 있을 때보다 ⓐ에 있을 때 에너지양이 더 많다.

반응 중심 색소가 P_{680}인 광계 Ⅱ
반응 중심 색소가 P_{700}인 광계 Ⅰ

ㄱ. 광계 ㉠은 광계 Ⅱ이며, 광계 Ⅱ에서 빛에너지를 흡수하면 반응 중심 색소인 P_{680}에서 고에너지 전자가 방출된다. 고에너지 전자는 전자 전달계를 거치면서 에너지를 방출하므로 광계 ㉠(Ⅱ)의 반응 중심 색소에서 방출된 전자는 ⓑ에 있을 때보다 ⓐ에 있을 때 에너지양이 더 많다.

ㄷ. H_2O의 광분해는 틸라코이드에서 일어나므로 (가)는 틸라코이드 내부이고, (나)는 스트로마이다. H_2O의 분해로 방출된 전자가 광계 ㉠(Ⅱ)을 거쳐 광계 ㉡(Ⅰ)으로 전달되는 동안 에너지가 방출되며, 이 에너지는 스트로마(나)에서 틸라코이드 내부(가)로 H^+을 능동 수송하는 데 이용된다.

┃바로알기┃ ㄴ. 광계 ㉠(Ⅱ)의 반응 중심 색소는 P_{680}으로 파장이 680 nm인 빛을 가장 잘 흡수하고, 광계 ㉡(Ⅰ)의 반응 중심 색소는 P_{700}으로 파장이 700 nm인 빛을 가장 잘 흡수한다. 따라서 광계 ㉠(Ⅱ)의 반응 중심 색소는 광계 ㉡(Ⅰ)의 반응 중심 색소보다 더 짧은 파장의 빛을 잘 흡수한다.

10 꼼꼼 **문제 분석**

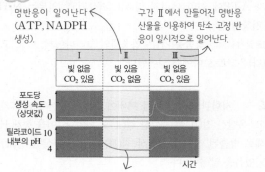

명반응이 일어난다 (ATP, NADPH 생성).
구간 Ⅱ에서 만들어진 명반응 산물을 이용하여 탄소 고정 반응이 일시적으로 일어난다.

빛이 있는 조건(Ⅱ)에서 틸라코이드 내부의 pH가 낮아진 것은 명반응이 일어나 스트로마에서 틸라코이드 내부로 H^+이 운반되어 틸라코이드 내부의 H^+ 농도가 높아졌기 때문이다.

• 구간 Ⅰ: 빛이 없으므로 명반응 산물이 생성되지 않아 탄소 고정 반응도 일어나지 않는다.
• 구간 Ⅱ: 빛이 있으므로 명반응이 일어나 ATP와 NADPH가 생성되지 만, CO_2가 없으므로 탄소 고정 반응이 일어나지 않는다.
• 구간 Ⅲ: 빛이 없고 CO_2가 있는 조건이므로 명반응은 일어나지 않고, 구간 Ⅱ에서 만들어진 ATP와 NADPH를 이용하여 탄소 고정 반응이 일어나 포도당이 합성된다. 그러나 구간 Ⅱ에서 만들어진 ATP와 NADPH를 모두 사용하면 탄소 고정 반응도 더 이상 일어나지 않는다.

ㄴ. 구간 Ⅱ는 빛이 있는 조건으로, 엽록체의 광계에서 빛에너지를 흡수하여 전자 전달계를 통한 전자 흐름이 일어나며, 이때 방출된 에너지를 이용하여 틸라코이드 막을 경계로 H^+의 농도 기울기가 형성된다.

┃바로알기┃ ㄱ. 구간 Ⅰ은 빛이 없는 조건이므로 명반응 산물이 생성되지 않는다. 따라서 CO_2가 있는 조건이어도 탄소 고정 반응이 일어나지 않는다.

ㄷ. 구간 Ⅱ는 CO_2가 없는 조건이므로 암반응이 일어나지 않아 포도당이 합성되지 않는다.

11 꼼꼼 **문제 분석**

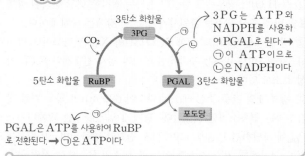

3탄소 화합물
3PG
CO_2
5탄소 화합물 RuBP
PGAL 3탄소 화합물
포도당

3PG는 ATP와 NADPH를 사용하여 PGAL로 된다. ➡ ㉠이 ATP이므로 ㉡은 NADPH이다.

PGAL은 ATP를 사용하여 RuBP로 전환된다. ➡ ㉠은 ATP이다.

③ 3PG가 PGAL로 되는 과정과 PGAL이 RuBP로 되는 과정에 필요한 ㉠은 ATP이므로 ㉡은 NADPH이다. 3PG는 ATP와 NADPH로부터 에너지와 전자를 받아 PGAL로 환원된다.

바로알기 ① ㉠은 ATP, ㉡은 NADPH이다.

② RuBP는 5탄소 화합물, PGAL과 3PG는 모두 3탄소 화합물이다. 따라서 1분자당 탄소 수는 RuBP > PGAL = 3PG이다.

④ 포도당 1분자를 합성하는 데는 ATP 18분자, NADPH 12분자가 필요하다. 따라서 포도당 1분자를 합성하는 데 필요한 분자 수는 NADPH(㉡)보다 ATP(㉠)가 많다.

⑤ CO_2 공급이 중단되면 탄소 고정이 일어나지 않으므로 RuBP의 농도가 증가한다.

12 꼼꼼 **문제 분석**

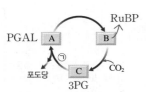

	1분자당 탄소 수가 5인 화합물은 RuBP이다.		
구분	ⓐ	ⓑ	ⓒ
분자 수	? 6	12	10
1분자당 탄소 수	5	? 3	3

CO_2는 RuBP와 결합하여 3PG로 되고, 3PG는 PGAL로 환원된다. ➡ A는 PGAL, B는 RuBP, C는 3PG이다.

CO_2 6분자가 고정되면 3PG 12분자가 생성된다. ➡ ⓑ는 3PG, ⓒ는 PGAL이다.

ㄱ. A와 ⓒ는 PGAL이다.

ㄴ. ㉠은 3PG(C)가 PGAL(A)로 환원되는 과정으로, 명반응 산물인 NADPH가 산화되어 $NADP^+$가 생성된다.

ㄷ. 탄소 고정 반응에서 CO_2가 고정되어 최초로 생성되는 물질은 3PG(ⓑ, C)이다.

13 C가 A로 되는 과정에서 명반응 산물 중 ATP(㉯)만 사용되므로, C가 A로 되는 과정은 RuBP 재생 단계이다. 따라서 A는 RuBP, B는 3PG, C는 PGAL이다.

① ㉮는 NADPH, ㉯는 ATP이다. 과정 ㉠은 3PG 환원 단계이며, 3PG 6분자를 PGAL 6분자로 환원시키는 데 NADPH 6분자, ATP 6분자가 사용된다. 따라서 이 과정에서 사용되는 NADPH(㉮)와 ATP(㉯)의 분자 수는 같다.

② ㉡은 RuBP(A)가 CO_2와 결합하여 3PG(B)로 되는 과정이므로, 과정 ㉡에서 CO_2가 고정된다.

③ RuBP(A)는 인산기를 2개 가지고, PGAL(C)은 인산기를 1개 가진다. 따라서 1분자당 인산기 수는 RuBP(A)가 PGAL(C)보다 많다.

⑤ 명반응의 비순환적 전자 흐름과 화학 삼투에 의한 ATP 합성이 지속적으로 일어나려면 탄소 고정 반응으로부터 ADP와 $NADP^+$가 계속 공급되어야 한다.

바로알기 ④ 캘빈 회로에서 빠져나와 포도당 합성에 이용되는 물질은 PGAL(C)이다.

14 꼼꼼 **문제 분석**

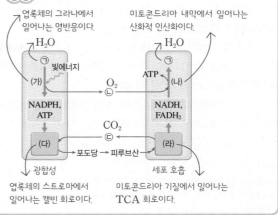

엽록체의 그라나에서 일어나는 명반응이다.

미토콘드리아 내막에서 일어나는 산화적 인산화이다.

엽록체의 스트로마에서 일어나는 캘빈 회로이다.

미토콘드리아 기질에서 일어나는 TCA 회로이다.

② (나)는 미토콘드리아 내막에서 ATP를 합성하는 과정인 산화적 인산화이다.

③ 캘빈 회로(다)와 TCA 회로(라)는 모두 각 단계가 효소에 의해 조절되는 일련의 화학 반응이다.

④ 광합성의 명반응(가)에서는 빛에너지에 의해 광계의 반응 중심 색소에서 고에너지 전자가 방출되며, H_2O이 분해되어 전자가 공급되고 O_2가 발생한다. 세포 호흡의 산화적 인산화(나)에서 NADH와 $FADH_2$로부터 방출된 전자는 전자 전달계를 따라 이동하며, 최종적으로 O_2에 전달되어 H_2O이 생성된다. 따라서 ㉠은 H_2O이고, ㉡은 O_2이다.

⑤ 세포 호흡에서는 포도당이 해당 과정을 거쳐 피루브산으로 분해된 후 아세틸 CoA로 산화되어 TCA 회로(라)로 들어가 CO_2로 분해된다. 또 광합성의 탄소 고정 반응에서는 CO_2가 포도당으로 환원된다. 따라서 ㉢은 CO_2이다.

바로알기 ① 명반응(가)은 엽록체의 그라나에서 일어나며, 캘빈 회로(다)가 스트로마에서 일어난다.

15 비순환적 전자 흐름에서는 광계의 반응 중심 색소에서 방출된 전자가 원래의 반응 중심 색소로 돌아가지 않으며, 물(H_2O)의 광분해가 일어난다. 그러나 순환적 전자 흐름에서는 광계의 반응 중심 색소에서 방출된 전자가 원래의 반응 중심 색소로 되돌아오며 물(H_2O)의 광분해가 일어나지 않는다.

모범답안 · 공통점: 광계 Ⅰ이 관여하며, 에너지를 방출하여 ATP가 합성되도록 한다.

· 차이점: 비순환적 전자 흐름에서는 물(H_2O)이 광분해되어 산소(O_2)가 발생하고 NADPH가 생성되지만, 순환적 전자 흐름에서는 물(H_2O)의 광분해가 일어나지 않아 산소(O_2)가 발생하지 않으며 NADPH도 생성되지 않는다.

채점 기준	배점
순환적 전자 흐름과 비순환적 전자 흐름의 공통점과 차이점을 한 가지씩 옳게 서술한 경우	100 %
순환적 전자 흐름과 비순환적 전자 흐름의 공통점과 차이점 중 한 가지만 옳게 서술한 경우	50 %

16 엽록체에서는 전자 전달계에서의 전자 흐름에 의해 틸라코이드 내부의 H^+ 농도가 스트로마의 H^+ 농도보다 높아져 틸라코이드 막을 경계로 H^+의 농도 기울기가 형성된다. H^+의 농도 기울기에 따라 틸라코이드 내부의 H^+이 ATP 합성 효소를 통해 스트로마로 확산되며, 이때 발생하는 에너지를 이용하여 ATP 합성 효소가 ATP를 합성한다.

〔모범답안〕 A에서만 ATP가 합성된다. ATP가 합성되려면 외부 용액(스트로마)의 H^+ 농도보다 틸라코이드 내부의 H^+ 농도가 높아야 하기 때문이다.

채점 기준	배점
A에서만 ATP가 합성되며, 그 까닭을 틸라코이드 내부와 외부 용액 (스트로마)의 H^+ 농도 차이와 연관 지어 옳게 서술한 경우	100 %
A에서만 ATP가 합성된다고 쓴 경우	30 %

17 캘빈 회로에서 생성되는 물질 중 3PG와 PGAL은 모두 3탄소 화합물이고, RuBP는 5탄소 화합물이다. 캘빈 회로에 CO_2가 투입되면 3PG → PGAL → RuBP 순으로 물질이 생성된다.

〔모범답안〕 캘빈 회로 반응의 방향은 ⓑ이다. 3PG와 PGAL의 1분자당 탄소 수는 3이고, RuBP의 1분자당 탄소 수는 5이므로, B는 RuBP이다. 3PG가 PGAL로 되는 과정과 PGAL이 RuBP로 되는 과정에서 ATP가 소모된다. 따라서 A는 PGAL, C는 3PG이므로, ⓑ가 캘빈 회로 반응의 방향이다.

채점 기준	배점
캘빈 회로 반응의 방향을 옳게 쓰고, 이와 같이 판단한 까닭을 1분자 당 탄소 수 및 ATP가 소모되는 단계와 연관 지어 옳게 서술한 경우	100 %
캘빈 회로 반응의 방향만 옳게 쓴 경우	30 %

수능 실전 문제
174쪽~177쪽

01 ③	02 ①	03 ②	04 ①	05 ③	06 ③
07 ③	08 ②	09 ④	10 ⑤	11 ⑤	12 ③
13 ②	14 ⑤	15 ②	16 ④		

01

┃선택지 분석┃
㉠ 전자 전달이 일어난다.
✗ 산화적 인산화가 일어난다. ― 미토콘드리아 내막(A)에서만 일어난다.
㉢ ATP 합성 효소가 존재한다.

A는 미토콘드리아 내막, B는 엽록체의 틸라코이드 막이다.
ㄱ, ㄷ. 미토콘드리아 내막(A)과 엽록체의 틸라코이드 막(B)에는 모두 전자 전달계와 ATP 합성 효소가 존재하여 전자 전달 과정에서 방출되는 에너지를 이용한 ATP 합성이 일어난다.
┃바로알기┃ ㄴ. 산화적 인산화는 미토콘드리아 내막(A)에서 일어나고, 엽록체의 틸라코이드 막(B)에서는 광인산화가 일어난다.

02 （꼼꼼） 문제 분석

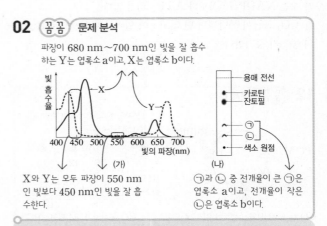

파장이 680 nm~700 nm인 빛을 잘 흡수하는 Y는 엽록소 a이고, X는 엽록소 b이다.

X와 Y는 모두 파장이 550 nm인 빛보다 450 nm인 빛을 잘 흡수한다.

㉠과 ㉡ 중 전개율이 큰 ㉠은 엽록소 a이고, 전개율이 작은 ㉡은 엽록소 b이다.

┃선택지 분석┃
㉠ ㉠은 틸라코이드 막에 있다.
✗ 광계 Ⅰ의 반응 중심 색소는 ~~X~~이다. Y
✗ ㉡은 파장이 ~~550~~ nm인 빛을 ~~450~~ nm인 빛보다 잘 흡수한다. 450 550

Y와 ㉠은 엽록소 a이고, X와 ㉡은 엽록소 b이다.
ㄱ. 광합성 색소인 엽록소 a(㉠)와 엽록소 b(㉡)는 모두 엽록체의 틸라코이드 막에 있다.
┃바로알기┃ ㄴ. 광계 Ⅰ과 광계 Ⅱ의 반응 중심 색소는 모두 엽록소 a(Y)이다.
ㄷ. 엽록소 a(㉠)와 엽록소 b(㉡)는 모두 파장이 450 nm인 빛을 550 nm인 빛보다 잘 흡수한다.

03 （꼼꼼） 문제 분석

구간 Ⅰ과 Ⅱ에서는 광합성이 일어나지 않고, 구간 Ⅲ에서는 일시적으로 광합성이 일어나 포도당이 합성되었다. → 구간 Ⅲ에서 CO_2와 빛이 모두 있으면 광합성이 지속적으로 일어나야 하는데, 일시적으로 일어났으므로 구간 Ⅲ에서는 명반응이 일어나지 않았다. → A는 빛, B는 CO_2이고, ㉠은 '×'이다.

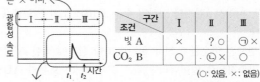

조건 \ 구간	Ⅰ	Ⅱ	Ⅲ
빛 A	×	? ○	㉠ ×
CO_2 B	○	㉡ ×	○

(○: 있음, ×: 없음)

구간 Ⅲ에서 광합성이 일시적으로 일어났으므로 구간 Ⅱ에서는 빛이 있어 명반응이 일어나 ATP와 NADPH가 생성되었고, CO_2가 없어 포도당이 합성되지 않았다. → ㉡은 '×'이다.

✗ A는 CO₂이다. 빛

ㄴ ⓐ과 ⓑ은 모두 '×'이다.

✗ 스트로마에서 ATP의 농도는 t_1일 때가 t_2일 때보다 <u>낮다.</u> 높다.

ㄴ. A는 빛, B는 CO₂이다. 구간 Ⅱ에는 빛이 있고 CO₂가 없으며, 구간 Ⅲ에는 빛이 없고 CO₂가 있다. 따라서 ⓐ과 ⓑ은 모두 '×'이다.

┃ 바로알기 ┃ ㄱ. A는 빛이다.

ㄷ. t_1일 때는 스트로마에 명반응 산물인 ATP가 있지만, t_2일 때는 탄소 고정 반응에서 ATP가 모두 소모되었다. 따라서 스트로마에서 ATP의 농도는 t_1일 때가 t_2일 때보다 높다.

04

ㄱ (가)는 비순환적 전자 흐름 과정에서 일어난다.

✗ (나)는 ⓑ에서 일어난다. 틸라코이드

✗ ⓐ의 pH가 ⓑ의 pH보다 높을 때 (다)가 일어난다. 낮을

ㄱ. (가)는 NADP⁺가 물의 광분해로 방출된 H⁺과 전자를 최종적으로 받아 NADPH로 환원되는 반응으로, 비순환적 전자 흐름 과정에서 일어난다.

┃ 바로알기 ┃ ㄴ. ⓐ은 틸라코이드 내부이고, ⓑ은 스트로마이다. (나)는 물의 광분해로, 틸라코이드에서 일어난다.

ㄷ. 틸라코이드 막을 경계로 형성된 H⁺의 농도 기울기에 따라 H⁺ 농도가 높은 틸라코이드 내부(ⓐ)에서 H⁺ 농도가 낮은 스트로마(ⓑ)로 H⁺이 확산될 때 ATP가 합성된다. 즉, 틸라코이드 내부(ⓐ)의 pH가 스트로마(ⓑ)의 pH보다 낮을 때 ATP 합성(다)이 일어난다.

05 꼼꼼 문제 분석

광계 Ⅱ에서 방출된 전자는 광계 Ⅰ을 거쳐 NADP⁺에 전달되어 NADPH가 생성된다.

광계 Ⅱ에서 빛에너지를 흡수하여 고에너지 전자를 방출하고 산화된 반응 중심 색소는 물이 광분해되면서 나온 전자를 받아 환원된다.

ㄱ 캘빈 회로에서 3PG가 PGAL로 환원될 때 ⓐ이 사용된다.

✗ 경로 A가 진행되려면 물의 광분해가 일어나야 한다. B

ㄷ 경로 A와 B에서 방출되는 에너지는 공통적으로 ATP를 합성하는 데 이용된다.

ㄱ. 경로 A는 순환적 전자 흐름, 경로 B는 비순환적 전자 흐름이다. 비순환적 전자 흐름에서 전자의 최종 수용체는 NADP⁺이며, NADP⁺는 H⁺과 광계 Ⅰ에서 방출된 전자를 받아 NADPH가 된다. 따라서 ⓐ은 NADPH, ⓑ은 NADP⁺이다. 캘빈 회로에서 3PG가 PGAL로 환원될 때 NADPH(ⓐ)가 사용된다.

ㄷ. 순환적 전자 흐름과 비순환적 전자 흐름에서 전자는 전자 전달계의 산화 환원 반응에 의해 이동한다. 이 과정에서 방출된 에너지를 이용하여 틸라코이드 막을 경계로 H⁺의 농도 기울기가 형성되며, 이 H⁺의 농도 기울기에 의해 ATP가 합성된다. 따라서 경로 A와 B에서 방출되는 에너지는 공통적으로 ATP를 합성하는 데 이용된다.

┃ 바로알기 ┃ ㄴ. 경로 A(순환적 전자 흐름)에서는 광계 Ⅰ에서 방출된 전자가 다시 광계 Ⅰ로 돌아오므로 광계 Ⅰ에 전자를 따로 공급하지 않아도 된다. 따라서 경로 A가 일어나는 데 물의 광분해는 필요하지 않다. 물의 광분해는 경로 B(비순환적 전자 흐름)에서 일어난다.

06

ㄱ ⓐ에 공급된 빛에너지는 틸라코이드 막을 경계로 H⁺의 농도 기울기를 형성하는 데 이용된다.

ㄴ ⓑ에서 방출된 전자는 최종적으로 탈수소 효소의 조효소인 NADP⁺에 전달된다.

✗ ⓐ에서 ⓑ으로의 전자 이동으로 전자를 잃은 ⓐ은 주변의 <u>안테나 색소로부터 방출된 전자를 받는다.</u> 물의 광분해로 방출된 전자를 받는다.

ㄱ. 그림은 비순환적 전자 흐름에서의 전자 전달 과정이므로, ⓐ은 광계 Ⅱ의 반응 중심 색소, ⓑ은 광계 Ⅰ의 반응 중심 색소이다. 빛에너지를 흡수한 광계 Ⅱ의 반응 중심 색소(ⓐ)에서 고에너지 전자가 방출되며, 이 전자가 전자 전달계를 거치는 동안 방출된 에너지를 이용하여 H⁺이 스트로마에서 틸라코이드 내부로 능동 수송된다. 그 결과 틸라코이드 막을 경계로 H⁺의 농도 기울기가 형성된다. 따라서 광계 Ⅱ의 반응 중심 색소(ⓐ)에 공급된 빛에너지는 틸라코이드 막을 경계로 H⁺의 농도 기울기를 형성하는 데 이용된다.

ㄴ. 광계 I의 반응 중심 색소(ⓒ)에서 방출된 전자는 최종적으로 탈수소 효소의 조효소인 NADP⁺에 H⁺과 함께 전달된다.

바로알기 ㄷ. 빛에너지를 흡수하여 전자를 방출하고 산화된 광계 II의 반응 중심 색소(㉠)는 물의 광분해로 방출된 전자를 받아 환원된다.

07

ㄱ. $NADPH$는 비순환적 전자 흐름(A)에서만 생성된다. 따라서 '$NADPH$가 생성된다.'는 ㉠에 해당한다.

ㄴ. 비순환적 전자 흐름(A)과 순환적 전자 흐름(B)에서 모두 에너지를 방출하여 ATP가 합성되도록 한다. 따라서 'ATP 합성에 이용되는 에너지를 방출한다.'는 ㉡에 해당한다.

바로알기 ㄷ. 광계 II는 비순환적 전자 흐름(A)에만 관여하고, 순환적 전자 흐름(B)에는 관여하지 않는다.

08 꼼꼼 문제 분석

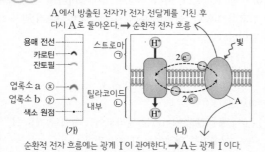

A에서 방출된 전자가 전자 전달계를 거친 후 다시 A로 돌아온다. ➡ 순환적 전자 흐름

순환적 전자 흐름에는 광계 I이 관여한다. ➡ A는 광계 I이다.

ㄴ. (나)의 전자 전달 과정에서 H⁺이 ㉠에서 ㉡으로 능동 수송된다. 따라서 ㉠은 스트로마, ㉡은 틸라코이드 내부이다. 탄소 고정 반응은 스트로마(㉠)에서 일어난다.

바로알기 ㄱ. (가)에서 전개율이 ⓨ보다 큰 ⓧ는 엽록소 a, ⓨ는 엽록소 b이며, 광계의 반응 중심 색소는 모두 엽록소 a(ⓧ)이다.

ㄷ. (나)를 보면 A에서 방출된 전자가 전자 전달계를 거친 후 다시 A로 돌아온다. 이를 통해 (나)는 순환적 전자 흐름 과정의 일부임을 알 수 있다.

09 꼼꼼 문제 분석

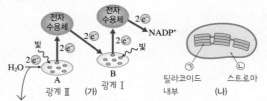

H_2O의 광분해로 방출된 전자가 A → 전자 수용체 → B → 전자 수용체 → NADP⁺로 전달되므로 비순환적 전자 흐름이다. ➡ A는 광계 II, B는 광계 I이며, 전자의 최종 수용체는 NADP⁺이다.

ㄱ. (가)의 A는 H_2O의 광분해로 방출된 전자를 받아들이므로 광계 II이다. 광계 II의 반응 중심 색소는 P_{680}이다.

ㄴ. 광계 I(B)의 반응 중심 색소에서 방출된 고에너지 전자는 전달 전달계를 거친 후 최종적으로 NADP⁺에 전달된다. 따라서 비순환적 전자 흐름 과정인 (가)에서 전자의 최종 수용체는 NADP⁺이다.

바로알기 ㄷ. (가)에서의 전자 이동이 활발하면 전자 이동 과정에서 방출된 에너지를 이용하여 H⁺이 스트로마(㉡)에서 틸라코이드 내부(㉠)로 능동 수송된다. 그 결과 스트로마(㉡)의 H⁺ 농도는 낮아지고, 틸라코이드 내부(㉠)의 H⁺ 농도는 높아진다. 따라서 pH는 스트로마(㉡)에서가 틸라코이드 내부(㉠)에서보다 높다.

10 꼼꼼 문제 분석

3PG는 PGAL로 환원되므로 PGAL이다.
캘빈 회로에서 CO_2가 고정되어 최초로 생성되는 물질인 3PG이다.

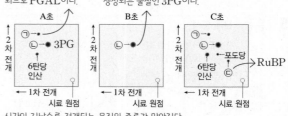

시간이 지날수록 전개되는 물질의 종류가 많아진다.
➡ 전개 순서는 B초 → A초 → C초이다.

ㄱ. 전개 결과를 시간 순으로 나열하면 B초 → A초 → C초이다. 캘빈 회로에서 CO_2가 고정되어 최초로 생성되는 물질은 3PG이고, 3PG는 PGAL로 환원되며, PGAL은 RuBP로 재생된다. 따라서 ㉠은 PGAL, ㉡은 3PG, ㉢은 RuBP이다.

ㄴ. 3PG(㉡)와 PGAL(㉠)은 모두 1분자당 인산기 수가 1이다.

ㄷ. 캘빈 회로에서 CO_2와 결합하는 물질은 RuBP(㉢)이다.

11 꼼꼼 **문제 분석**

빛만 공급되면 포도당이 생성되지 않고, 빛이 공급된 후 CO_2가 공급되면 탄소 고정 반응이 일어나 포도당이 생성된다. → 구간 Ⅰ에서는 빛만, 구간 Ⅱ에서는 CO_2만 공급되었다.

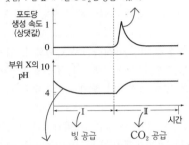

빛이 공급되어 명반응이 일어날 때 pH가 낮아졌다. 즉, H^+ 농도가 높아졌다. → X는 틸라코이드 내부이다.

‖ **선택지 분석** ‖

✗ X는 <u>스트로마이다.</u> 틸라코이드 내부

㉡ 구간 Ⅰ에서 H^+이 스트로마에서 틸라코이드 내부로 능동 수송된다.

㉢ 구간 Ⅱ에서 3PG의 환원이 일어난다.

ㄴ. 구간 Ⅰ에서는 빛에너지를 흡수한 광계에서 방출된 고에너지 전자가 전달 전달계를 거치는 동안 방출된 에너지를 이용하여 H^+이 스트로마에서 틸라코이드 내부로 능동 수송된다.

ㄷ. 구간 Ⅱ에서 틸라코이드 내부(X)의 pH가 높아지고 포도당이 일시적으로 생성되는 것을 통해, 빛이 공급되지는 않았지만 CO_2가 공급되어 구간 Ⅰ에서 생성된 명반응 산물(ATP, NADPH)을 사용하여 탄소 고정 반응이 일어났음을 알 수 있다. 따라서 구간 Ⅱ에서는 캘빈 회로의 한 단계인 3PG의 환원이 일어난다.

‖ **바로알기** ‖ ㄱ. X는 틸라코이드 내부이다.

12

‖ **선택지 분석** ‖

✗ ⓐ의 분자 수와 ⓒ의 분자 수는 같다.
　　1　　　　　　2

✗ 과정 ㉠에서 ATP가 ADP와 P_i로 분해된다. 사용되지 않는다.

㉢ ⓑ는 명반응의 비순환적 전자 흐름에서 전자의 최종 수용체이다.

ㄷ. 3PG가 PGAL로 되는 과정에서는 ATP와 NADPH가 사용되며, 그 결과 ADP와 $NADP^+$가 생성된다. 따라서 ⓑ는 $NADP^+$, ⓒ는 ATP이다. $NADP^+$(ⓑ)는 명반응의 비순환적 전자 흐름에서 전자의 최종 수용체로 작용하여 전자와 H^+을 받아 NADPH가 된다.

‖ **바로알기** ‖ ㄱ. 캘빈 회로에서 RuBP가 3PG로 되는 과정은 탄소 고정 단계이며, 이때 CO_2가 사용되므로 ⓐ는 CO_2이다. RuBP는 5탄소 화합물이고, 3PG는 3탄소 화합물이다. 따라서 RuBP 1분자는 CO_2(ⓐ) 1분자와 결합하여 3PG 2분자로 되며, 3PG 2분자는 ATP(ⓒ) 2분자와 NADPH 2분자를 사용하여 PGAL 2분자로 환원된다. 따라서 ⓐ의 분자 수는 ⓒ의 분자 수보다 적다.

ㄴ. 과정 ㉠은 CO_2가 고정되는 단계로 ATP가 사용되지 않는다. 따라서 ATP가 ADP와 P_i로 분해되지 않는다.

13 꼼꼼 **문제 분석**

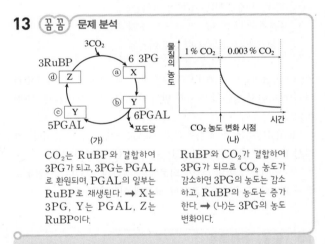

CO_2는 RuBP와 결합하여 3PG가 되고, 3PG는 PGAL로 환원되며, PGAL의 일부는 RuBP로 재생된다. → X는 3PG, Y는 PGAL, Z는 RuBP이다.

RuBP와 CO_2가 결합하여 3PG가 되므로 CO_2 농도가 감소하면 3PG의 농도는 감소하고, RuBP의 농도는 증가한다. → (나)는 3PG의 농도 변화이다.

‖ **선택지 분석** ‖

✗ ⓐ+ⓒ+ⓓ=15이다. ⓐ(6)+ⓒ(5)+ⓓ(3)=14

㉡ 1분자당 $\dfrac{탄소 수}{인산기 수}$는 Y보다 Z가 작다.

✗ (나)는 Z의 농도 변화이다. X

ㄴ. (가)에서 X는 3PG, Y는 PGAL, Z는 RuBP이다. PGAL(Y) 1분자당 $\dfrac{탄소 수}{인산기 수} = \dfrac{3}{1} = 3$이고, RuBP(Z) 1분자당 $\dfrac{탄소 수}{인산기 수} = \dfrac{5}{2} = 2.5$이다.

‖ **바로알기** ‖ ㄱ. CO_2 3분자가 고정되려면 RuBP 3분자가 필요하며, 그 결과 3PG 6분자가 생성된다. 3PG 6분자는 6ATP와 6NADPH를 사용하여 PGAL 6분자로 된다. PGAL 6분자 중 1분자는 캘빈 회로를 빠져나가 포도당 합성에 이용되고, 5분자는 RuBP 3분자로 재생된다. 따라서 ⓐ(6)+ⓒ(5)+ⓓ(3)=14이다.

ㄷ. CO_2 농도가 감소하면 탄소 고정 단계가 억제되므로 3PG의 농도는 감소하고, RuBP의 농도는 증가한다. 따라서 (나)는 3PG(X)의 농도 변화이다.

14 꼼꼼 문제 분석

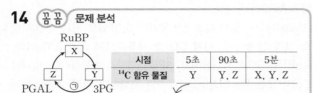

시점	5초	90초	5분
^{14}C 함유 물질	Y	Y, Z	X, Y, Z

캘빈 회로에서 CO_2가 고정되어 최초로 생성되는 물질은 3PG이고, 3PG는 PGAL로 환원되며, PGAL은 RuBP로 재생된다. → 5초 후 검출된 Y는 3PG, 90초 후 검출된 Z는 PGAL, 5분 후 검출된 X는 RuBP이다.

선택지 분석

ㄱ. 과정 ㉠에서 NADPH가 산화된다.
ㄴ. 1분자당 탄소 수는 X가 Y보다 많다.
ㄷ. Z의 일부는 포도당 합성에 이용된다.

ㄱ. ㉠은 3PG(Y)가 ATP로부터 에너지를 공급받고 NADPH가 산화되면서 방출한 전자를 받아 PGAL(Z)로 환원되는 과정이다.

ㄴ. RuBP는 5탄소 화합물이고, 3PG는 3탄소 화합물이다. 따라서 1분자당 탄소 수는 RuBP(X)가 3PG(Y)보다 많다.

ㄷ. Z는 PGAL이며, 캘빈 회로에서 생성된 PGAL의 일부는 캘빈 회로에서 빠져나와 포도당 합성에 이용된다.

15 꼼꼼 문제 분석

전자 전달계를 통해 전자가 이동하면서 방출된 에너지를 이용하여 H^+이 미토콘드리아에서는 기질에서 막 사이 공간으로 능동 수송되고, 엽록체에서는 스트로마에서 틸라코이드 내부로 능동 수송된다. → ⓐ는 능동 수송으로 일어난다.

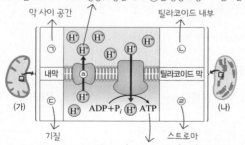

미토콘드리아에서는 막 사이 공간의 H^+ 농도가 기질의 H^+ 농도보다 높을 때, 엽록체에서는 틸라코이드 내부의 H^+ 농도가 스트로마의 H^+ 농도보다 높을 때 H^+이 ATP 합성 효소를 통해 확산되면서 ATP가 합성된다.

미토콘드리아에서 일어나는 산화적 인산화 과정에서는 막 사이 공간이 기질보다 H^+ 농도가 높고, 엽록체에서 일어나는 광인산화 과정에서는 틸라코이드 내부가 스트로마보다 H^+ 농도가 높다. → ㉠은 막 사이 공간, ㉡은 틸라코이드 내부, ㉢은 미토콘드리아 기질, ㉣은 스트로마이다.

선택지 분석

ㄱ. (가)에서 ㉠의 pH가 ㉢의 pH보다 낮을 때 ATP가 합성된다.
ㄴ. ㉢과 ㉣에서는 모두 단계적으로 순환하는 형태의 화학 반응이 일어난다.
✗. ⓐ는 (가)와 (나)에서 모두 H^+의 농도 기울기에 따른 <s>확산</s> 으로 일어난다. [능동 수송]

ㄱ. 미토콘드리아(가)에서 막 사이 공간(㉠)의 pH가 기질(㉢)의 pH보다 낮을 때 H^+의 농도 기울기에 따라 막 사이 공간의 H^+이 ATP 합성 효소를 통해 기질로 확산되며, 이때 ATP가 합성된다.

ㄴ. 미토콘드리아 기질(㉢)에서는 TCA 회로가, 엽록체의 스트로마(㉣)에서는 캘빈 회로가 진행된다. TCA 회로와 캘빈 회로는 모두 효소에 의해 조절되며, 단계적으로 순환하는 형태의 화학 반응이다.

바로알기 ㄷ. ⓐ는 미토콘드리아 내막과 엽록체의 틸라코이드 막에서 일부 전자 운반체에 의한 H^+의 이동으로, 전자 전달계를 통해 전자가 이동하는 과정에서 방출된 에너지를 이용한 능동 수송으로 일어난다.

16

선택지 분석

ㄱ. ㉠은 H_2O, ㉡은 O_2이다.
✗. (가)에서 ㉡은 탄소 고정 반응에 <s>사용된다.</s> [사용되지 않는다.]
ㄷ. (가)와 (나)의 전자 전달계는 모두 생체막에 존재한다.

ㄱ. (가)는 탈수소 효소의 조효소가 $NADP^+$이므로 엽록체의 틸라코이드 막에서 일어나는 전자 전달 과정이다. (나)는 탈수소 효소의 조효소가 NAD^+이므로 미토콘드리아 내막에서 일어나는 전자 전달 과정이다. (가)에서 전자 전달계에 전달되는 전자는 H_2O의 광분해로 방출된 것이며, (나)에서 전자 전달계에 전달되는 전자는 NADH의 산화로 방출된 것이다. (가)에서 H_2O의 광분해로 O_2가 발생하며, (나)에서 전자 전달계를 따라 이동한 전자는 미토콘드리아 기질에 있는 H^+과 함께 최종적으로 O_2에 전달되어 H_2O이 생성된다. 따라서 ㉠은 H_2O, ㉡은 O_2이다.

ㄷ. (가)의 전자 전달계는 엽록체의 틸라코이드 막에, (나)의 전자 전달계는 미토콘드리아 내막에 존재한다. 엽록체의 틸라코이드 막과 미토콘드리아 내막은 모두 인지질 2중층으로 이루어진 생체막이다.

바로알기 ㄴ. (가)에서 ㉡은 H_2O의 광분해로 발생한 O_2이며, O_2는 탄소 고정 반응에 사용되지 않는다.

Ⅳ. 유전자의 발현과 조절

① 유전 물질

01 유전 물질

183쪽

개념 확인 문제

❶ S형균 ❷ DNA ❸ DNA

1 (1) ○ (2) × (3) ×   **2** ㉠ 단백질 분해 효소, ㉡ DNA 분해 효소   **3** ㉠

1 (1) (가)에서 살아 있는 S형균을 주입한 쥐가 죽었으므로 S형균은 병원성이 있다. 그러나 (나)에서 살아 있는 R형균을 주입한 쥐는 죽지 않았으므로 R형균은 병원성이 없다.
(2) (라)에서 열처리로 죽은 S형균과 살아 있는 R형균의 혼합액을 쥐에 주입하였을 때 쥐가 죽고, 쥐에서 살아 있는 S형균이 발견되었으므로 죽은 S형균의 유전 물질에 의해 살아 있는 R형균이 형질 전환되었다는 것을 알 수 있다. 따라서 S형균의 유전 물질은 열에 강하여 변성되지 않는다.
(3) (라)에서 S형균의 유전 물질에 의해 살아 있는 R형균이 S형균으로 형질 전환되어 병원성을 나타낸다. 즉, S형균의 유전 물질은 R형균에서 형질을 나타낸다.

2 (가)에서 효소 ㉠을 처리하더라도 형질 전환이 일어나 S형균이 발견되었으므로 효소 ㉠은 죽은 S형균의 유전 물질을 분해하지 않는다. 따라서 효소 ㉠은 단백질 분해 효소이다. (나)에서 효소 ㉡을 처리하면 죽은 S형균의 유전 물질이 분해되어 형질 전환이 일어나지 않아 S형균이 발견되지 않는다. 따라서 효소 ㉡은 DNA 분해 효소이다.

3 허시와 체이스는 방사성 동위 원소 ^{35}S으로 단백질을 표지한 파지를 대장균에 감염시킨 경우에는 파지의 단백질 껍질에서만 방사선이 검출되고, 방사성 동위 원소 ^{32}P으로 DNA를 표지한 파지를 대장균에 감염시킨 경우에는 대장균에서만 방사선이 검출되는 것을 확인하였다. 이 실험 결과를 근거로 허시와 체이스는 파지가 대장균을 감염시키는 과정에서 DNA(㉠)가 대장균 안으로 들어가 다음 세대의 파지 DNA와 단백질을 생성하는 유전 물질이라고 결론을 내렸다.

187쪽

개념 확인 문제

❶ 크 ❷ 뉴클레오솜 ❸ 많 ❹ 뉴클레오타이드 ❺ 디옥시리보스 ❻ A, G, C, T ❼ 이중 나선 ❽ 수소 ❾ T ❿ C ⓫ 3′

1 (1) × (2) ○ (3) × (4) ×   **2** ㉠ 적고, ㉡ 높다, ㉢ 원핵
3 (1) ○ (2) × (3) ○ (4) ○   **4** (1) 6개 (2) 디옥시리보스 (3) ㉠ T, ㉡ C (4) ⓐ 3′, ⓑ 5′   **5** … T A G G C T A G C …   **6** 16개

1 (1) 원핵세포의 유전체는 진핵세포의 유전체보다 작다.
(2) 원핵세포는 유전체가 세포질에 있으며, 진핵세포의 유전체는 핵막으로 싸인 핵 속에 있다.
(3) 원핵세포의 염색체는 원형이고, 진핵세포의 염색체는 선형이다.
(4) 진핵세포는 히스톤이 있어 DNA가 히스톤을 감싸 뉴클레오솜을 형성한다.

2 원핵세포는 진핵세포보다 유전자 수가 적고, 하나의 DNA에서 유전자 비율이 높으며 유전자는 단백질을 암호화하는 부위로만 구성되어 있다.

3 (1) DNA 이중 나선은 10개의 염기쌍마다 한 바퀴 회전한다.
(2) DNA 이중 나선에서 바깥쪽에는 당과 인산이 골격을 이루며, 안쪽에는 염기가 존재한다.
(3) 두 가닥의 염기가 쌍을 이룰 때 염기 A은 T과 2중 수소 결합, G은 C과 3중 수소 결합으로 연결된다.
(4) A과 G은 퓨린 계열 염기이고, C과 T은 피리미딘 계열 염기이다. DNA 이중 나선에서 A은 T과, G은 C과 상보적으로 결합하므로 퓨린 계열 염기와 피리미딘 계열 염기의 비율은 1 : 1이다.

4 (1) DNA를 구성하는 단위체는 뉴클레오타이드이며, 각 뉴클레오타이드는 인산, 당, 염기가 1 : 1 : 1로 결합되어 있다. 따라서 단위체인 뉴클레오타이드의 수는 6개이다.
(2) DNA를 구성하는 당은 5탄당인 디옥시리보스이다.
(3) 염기 A은 항상 T과 2중 수소 결합, G은 항상 C과 3중 수소 결합으로 연결되므로 염기 ㉠은 A과 상보적으로 결합하는 T이고, ㉡은 G과 상보적으로 결합하는 C이다.
(4) DNA 이중 나선의 각 가닥의 방향은 서로 반대이므로, ⓐ는 3′ 말단이고, ⓑ는 5′ 말단이다.

5 DNA 이중 나선에서 염기 A은 T과, G은 C과 상보적으로 결합한다.

6 DNA에서 A이 24개이면 T도 24개이다. 40쌍의 염기 중 A과 T이 각각 24개이므로, G과 C의 합은 80−48=32개이고 G과 C의 수는 각각 16개이다.

대표 자료 분석

자료 1 **1** ㉠ ^{35}S, ㉡ ^{32}P **2** A, D **3** (1) ○ (2) × (3) ×
(4) × (5) ○

자료 2 **1** 디옥시리보스 **2** ⓐ T, ⓑ A, ⓒ G, ⓓ C **3** (1) ×
(2) × (3) ○ (4) × (5) × (6) × (7) ○

①-1 박테리오파지를 구성하는 성분은 DNA와 단백질이다.
두 가지 물질에서 인(P)은 DNA에만, 황(S)은 단백질에만 있으
므로 방사성 동위 원소인 ^{35}S은 단백질을 표지하고, ^{32}P은 DNA
를 표지한다.

①-2 파지의 증식 과정에서 DNA는 대장균 속으로 들어가고,
단백질 껍질은 대장균 밖에 남아 있어 원심 분리 결과 A, C에는
파지의 단백질 껍질이, B와 D에는 대장균과 그 속에 들어간 파
지의 DNA가 있다. 따라서 (가)에서는 ^{35}S(㉠)으로 단백질을 표
지한 파지를 사용하였으므로 A에서 방사선이 검출되고, (나)에
서는 ^{32}P(㉡)으로 DNA를 표지한 파지를 사용하였으므로 D에
서 방사선이 검출된다.

①-3 (1) 이 실험을 통해 파지의 DNA만이 대장균 속으로 들
어가 파지가 증식하는 데 관여한다는 것이 밝혀졌다.
(2) 파지의 DNA에는 파지의 유전 정보가 저장되어 있다. 파지
는 대장균 속으로 DNA를 주입하고 대장균의 효소를 이용하여
자신의 DNA를 복제하고 단백질 껍질을 합성한다.
(3) (가)에서는 파지의 단백질이 방사성 동위 원소로 표지되었으
며, 단백질은 다음 세대의 파지 생성에 관여하지 않는다. 따라서
(가)에서 새로 만들어진 파지에서는 방사선이 검출되지 않는다.
(4) (나)의 C에는 파지의 단백질 껍질, D에는 대장균 속에 들어
간 파지의 DNA가 있다.
(5) 이 실험을 통해 다음 세대의 파지를 만드는 데 필요한 유전
정보를 저장하고 있는 물질은 DNA라는 것이 밝혀졌다.

②-1 (가)는 DNA를 구성하는 5탄당인 디옥시리보스이다.

②-2 ⓐ는 1개의 고리 구조를 가지므로 피리미딘 계열 염기이
고, 2중 수소 결합을 하므로 T이다. ⓑ는 T과 상보적으로 결합
하므로 A이다. ⓒ는 2개의 고리 구조를 가지므로 퓨린 계열 염
기이고, 3중 수소 결합을 하므로 G이다. ⓓ는 G과 상보적으로
결합하므로 C이다.

②-3 (1) 이중 나선을 이루는 DNA의 두 가닥은 서로 반대 방
향이므로 ㉠은 5′ 말단, ㉡은 3′ 말단이다.
(2) 당과 인산은 공유 결합으로 연결되어 이중 나선의 바깥쪽 골
격을 이룬다.

(3) ⓐ는 T이며, T은 RNA에는 없고 DNA에만 있는 염기이다.
(4) 1개의 고리 구조로 되어 있는 ⓐ와 ⓓ는 피리미딘 계열 염기
이다. 퓨린 계열 염기는 2개의 고리 구조로 되어 있는 ⓑ와 ⓒ
이다.
(5) DNA 두 가닥의 염기는 수소 결합으로 연결된다.
(6) ⓐ와 ⓓ는 피리미딘 계열 염기이고, ⓑ와 ⓒ는 퓨린 계열 염
기이다. DNA 이중 나선에서 퓨린 계열 염기와 피리미딘 계열
염기는 상보적으로 결합하므로, 염기 조성 비율은 ⓐ+ⓓ=ⓑ
+ⓒ의 관계가 성립한다. 따라서 $\dfrac{ⓐ+ⓓ}{ⓑ+ⓒ}=1$이다. 그러나 ⓐ
+ⓑ와 ⓒ+ⓓ의 값은 항상 같은 것은 아니다.
(7) 전체 염기에서 3중 수소 결합을 하는 G+C(ⓒ+ⓓ)의 비율이
높을수록 수소 결합의 수가 많아 DNA 이중 나선이 안정적이다.

내신 만점 문제

01 ④   **02** ㄱ, ㄷ   **03** ①   **04** ⑤   **05** ②
06 ㄱ, ㄹ   **07** ②   **08** 해설 참조   **09** ⑤   **10** ③
11 ①   **12** ㄱ, ㄴ, ㄷ   **13** ②   **14** 해설 참조

01 ㄱ. S형균을 주입하면 쥐가 죽었으므로 S형균은 병원성이
있다.
ㄷ. (라)의 죽은 쥐에서 살아 있는 S형균이 발견되었으므로 S형
균의 유전 물질에 의해 R형균이 S형균으로 형질 전환되었음을
알 수 있다.
바로알기 ㄴ. (라)에서 열처리로 죽은 S형균의 유전 물질이 살
아 있는 R형균을 S형균으로 형질 전환시켰으므로 형질 전환을
일으키는 유전 물질은 열에 강하다는 것을 알 수 있다.

02 꼼꼼 **문제 분석**

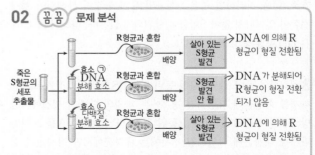

• 효소 ㉠을 처리하면 S형균이 발견되지 않는다. ➡ 효소 ㉠은 유전 물질인
DNA를 분해하는 효소이다.
• 효소 ㉡을 처리하면 S형균이 발견된다. ➡ 효소 ㉡은 유전 물질인
DNA에 영향을 주지 않는다.

ㄱ. 효소 ㉠을 처리하였을 때 R형균이 S형균으로 형질 전환되지 않으므로 효소 ㉠이 유전 물질인 DNA를 분해한다는 것을 알 수 있다.

ㄷ. 죽은 S형균의 세포 추출물에는 S형균의 DNA가 포함되어 있어 죽은 S형균의 세포 추출물을 R형균과 혼합하여 배양하면 살아 있는 S형균이 발견된다.

|바로알기| ㄴ. 효소 ㉡을 처리하였을 때 R형균이 S형균으로 형질 전환된 것은 효소 ㉡이 S형균의 세포 추출물 속 단백질만 분해하여 S형균의 DNA는 남아 있었기 때문이다.

03 꼼꼼 문제 분석

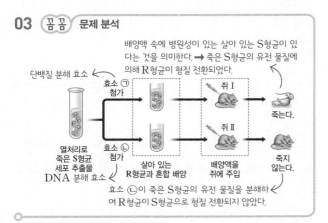

ㄱ. 폐렴 쌍구균의 S형균은 병원성이 있고, R형균은 병원성이 없다. 쥐 Ⅰ은 폐렴에 걸려 죽었으므로 쥐 Ⅰ에서는 살아 있는 S형균이 발견된다.

|바로알기| ㄴ. 쥐 Ⅱ는 효소 ㉡(DNA 분해 효소)이 S형균의 유전 물질을 분해하여 R형균이 S형균으로 형질 전환되지 않아 죽지 않았다. 따라서 쥐 Ⅱ에 주입한 배양액에는 R형균이 있다.

ㄷ. 효소 ㉡을 첨가하였을 때 죽은 S형균의 유전 물질이 분해되어 R형균이 S형균으로 형질 전환되지 않았다. 따라서 형질 전환을 일으키는 물질(DNA)은 효소 ㉡의 기질이다.

04 꼼꼼 문제 분석

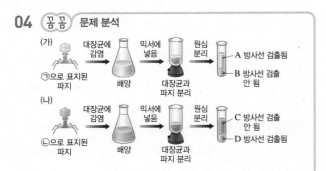

• (가)의 A에서 방사선이 검출되었으므로 ㉠은 대장균 속으로 들어가지 못한 파지의 단백질 껍질에 있다. ➡ ㉠은 파지의 단백질을 표지한 ³⁵S이다.

• (나)의 D에서 방사선이 검출되었으므로 ㉡은 대장균 속으로 들어간 파지의 DNA에 있다. ➡ ㉡은 파지의 DNA를 표지한 ³²P이다.

ㄴ. (가)와 (나)에서 파지의 유전 물질만이 대장균 속으로 들어가 새로운 파지를 만드는 데 사용된다.

ㄷ. (나)의 D에는 대장균이 있으며, 대장균 속에는 파지의 DNA가 있다. 파지의 DNA는 새로운 파지를 합성하는 데 필요한 유전 물질이다.

|바로알기| ㄱ. ㉠은 단백질 껍질을 표지하였으므로 ³⁵S이다.

05 꼼꼼 문제 분석

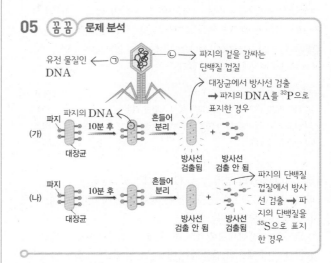

ㄴ. 파지의 DNA(㉠)는 대장균 속으로 들어가 새로운 파지를 만드는 데 이용되므로 파지의 DNA(㉠)를 ³²P으로 표지하면 대장균에서 방사선이 검출되는 (가)와 같은 결과를 얻을 수 있다.

|바로알기| ㄱ. 질소(N)는 핵산과 단백질의 공통 구성 원소이므로 ¹⁵N를 사용하면 DNA(㉠)와 단백질 껍질(㉡)이 모두 표지되어 구분할 수 없다.

ㄷ. (나)는 파지의 단백질 껍질(㉡)을 ³⁵S으로 표지하였을 때의 결과이다. 파지의 단백질 껍질(㉡)은 대장균 속으로 들어가지 않으며, 새로운 파지의 생성에 이용되지 않는다. 따라서 (나)에서 새로 생기는 파지에서는 방사선이 검출되지 않는다.

06
ㄱ. 유전체는 한 개체의 유전 정보가 저장되어 있는 DNA 전체이다.

ㄹ. 원핵세포는 히스톤이 없어 유전체에서 뉴클레오솜을 형성하지 않지만, 진핵세포는 DNA가 히스톤을 감아 뉴클레오솜을 형성한다.

|바로알기| ㄴ. 일반적으로 유전체의 크기는 원핵세포보다 진핵세포가 크다.

ㄷ. 원핵세포에서는 일반적으로 유전체가 원형으로 된 하나의 DNA로 되어 있지만, 진핵세포에서는 선형인 여러 개의 DNA로 이루어져 있다.

07
ㄷ. (나)는 진핵세포의 유전체이다. 진핵세포에서는 DNA가 히스톤과 결합하여 뉴클레오솜을 형성한다.

08 원핵생물의 유전체는 유전자 사이의 빈 부분이 적지만, 진핵생물의 유전체는 유전자 사이에 빈 부분이 많고, 하나의 유전자 내에서도 단백질을 암호화 하지 않는 부위가 많다.

모범답안 (나), 유전자에 단백질을 암호화하지 않는 부위가 있다. DNA에서 유전자 사이에 빈 부위가 많다.

채점 기준	배점
(나)라고 쓰고, 근거 두 가지를 모두 옳게 서술한 경우	100 %
(나)라고 쓰고, 근거를 한 가지만 옳게 서술한 경우	70 %
(나)라고만 쓴 경우	30 %

09 ⑤ DNA의 염기는 A, G, C, T으로 4종류이다.
바로알기 ① DNA를 구성하는 당은 디옥시리보스이며, 디옥시리보스는 5탄당이다.
② DNA는 진핵세포에서는 핵 속에, 원핵세포에서는 세포질에 있다. 또 진핵세포의 엽록체와 미토콘드리아에도 DNA가 있다.
③ DNA는 유전 정보를 저장한다. 유전 정보의 전달과 아미노산 운반에 관여하는 것은 RNA이다.
④ DNA에는 당, 염기, 인산이 1:1:1의 비율로 결합되어 있다.

10 ① DNA를 이루는 두 가닥의 방향은 서로 반대이므로 ㉠은 5′ 말단이다.
② DNA 이중 나선의 폭은 2 nm로 일정하다.
④ DNA 이중 나선의 1회전에는 10개의 염기쌍이 있다. 따라서 (가) 구간에 염기 A이 4개 있다면 T이 4개, G과 C은 각각 6개가 있을 것이다.
⑤ 이중 나선을 이루는 두 가닥의 폴리뉴클레오타이드는 염기 사이의 수소 결합으로 연결된다.
바로알기 ③ DNA 이중 나선 1회전의 길이는 3.4 nm이다.

11 꼼꼼 **문제 분석**

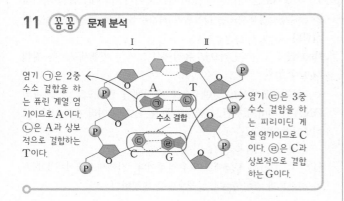

염기 ㉠은 2중 수소 결합을 하는 퓨린 계열 염기이므로 A이다. ㉡은 A과 상보적으로 결합하는 T이다.

염기 ㉢은 3중 수소 결합을 하는 피리미딘 계열 염기이므로 C이다. ㉣은 C과 상보적으로 결합하는 G이다.

ㄱ. ㉢는 염기 C이며, 염기 A, C, G은 DNA와 RNA에 공통적으로 있는 염기이다.
ㄴ. 이중 나선 DNA (가)에서 A은 T과, G은 C과 상보적으로 결합한다. 따라서 퓨린 계열 염기 ㉠+㉣(A+G)과 피리미딘 계열 염기 ㉡+㉢(T+C)의 개수는 항상 같다.
바로알기 ㄷ. A(㉠)과 T(㉡)은 상보적으로 결합하므로 ㉠+㉡(A+T)의 함량은 가닥 Ⅰ과 Ⅱ에서 60 %로 같다. 따라서 ㉢+㉣(C+G)의 함량은 가닥 Ⅰ과 Ⅱ에서 각각 100−60=40 %로 같다.
ㄹ. DNA의 구조는 수소 결합의 수가 많을수록 안정적이다. 따라서 3중 수소 결합으로 연결되는 ㉢+㉣(C+G)의 함량이 높을수록 DNA의 구조가 안정적이다.

12 ㄱ. 5종의 생물에서 DNA 염기 조성 비율이 다르다. 실제로 생물종에 따라 DNA를 구성하는 A, G, C, T의 조성 비율이 다르다.
ㄴ. 생물종에 관계없이 DNA에서 A은 T과, G은 C과 상보적으로 결합하므로 조성 비율이 각각 비슷하여 $\dfrac{A+G}{C+T}≒1$로 그 값이 거의 비슷하다.
ㄷ. DNA에서 G과 C은 3중 수소 결합으로 연결된다. 5종의 생물 중에서 G+C의 비율은 사람이 39.5 %로 가장 낮다.

13 ㄴ. DNA 이중 나선을 형성할 때 인접한 뉴클레오타이드는 당과 인산의 공유 결합으로 연결된다.
바로알기 ㄱ. (가)는 총 100개, 50쌍의 염기로 구성되어 있다. 따라서 DNA의 한 가닥에는 50개의 염기가 있으며, 인접한 뉴클레오타이드 사이의 거리는 0.34 nm이므로 (가)의 길이는 0.34 nm×49=16.66 nm이다. DNA의 길이는 염기 사이의 거리만 고려한다고 하였으므로 (가)의 길이는 17 nm보다 짧다.
ㄷ. DNA 이중 나선에서 1회전에는 10쌍의 염기가 있다. DNA (가)는 총 50쌍의 염기로 구성되므로 이중 나선의 회전은 5회 나타난다.

14 이중 나선 DNA (가)에서 4종류의 염기는 총 100개이고, A과 T, G과 C의 수는 각각 같다.
모범답안 A+T=1.5(G+C)이고, A+T+G+C=100이다. 1.5(G+C)+G+C=100에서 G+C=$100×\dfrac{1}{2.5}$=40이므로 G과 C의 염기쌍은 20쌍이다. 따라서 G의 총 수는 20개이다.

채점 기준	배점
염기 G의 총 수와 계산 과정을 모두 옳게 서술한 경우	100 %
염기 G의 총 수만 옳게 쓴 경우	50 %

02 DNA 복제

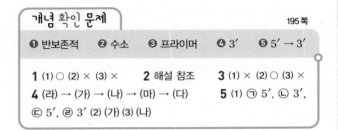

개념 확인 문제 195쪽

❶ 반보존적 ❷ 수소 ❸ 프라이머 ❹ 3′ ❺ 5′ → 3′

1 (1) ○ (2) × (3) × **2** 해설 참조 **3** (1) × (2) ○ (3) ×

4 (라) → (가) → (나) → (마) → (다)

5 (1) ㉠ 5′, ㉡ 3′, ㉢ 5′, ㉣ 3′ (2) (가) (3) (나)

1 (1) (가)는 복제를 거듭하더라도 원래의 DNA 이중 나선이 보존되는 보존적 복제를 나타낸 것이다.

(2) (나)는 새로 만들어진 DNA 이중 나선의 한 가닥은 원래의 것이고, 나머지 한 가닥은 새로 합성된 것으로 이루어지는 반보존적 복제를 나타낸 것이다. 이 경우 복제가 여러 번 일어나도 원래의 DNA 가닥을 가지는 DNA가 있다.

(3) (다)는 원래의 DNA가 작은 조각으로 나뉘어 복제된 후 합쳐지는 분산적 복제 모델을 나타낸 것이다.

2 DNA가 반보존적 복제를 한다면 A에서는 모든 DNA에서 한 가닥은 ¹⁵N를 가지고, 다른 한 가닥은 ¹⁴N를 가져 중간 무게의 DNA 위치에 띠가 나타난다. 이것이 다시 반보존적 복제를 한다면 B에서 절반은 중간 무게의 DNA 위치에, 나머지 절반은 가벼운 DNA 위치에 띠가 나타난다.

답
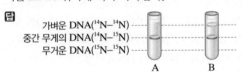
가벼운 DNA(¹⁴N–¹⁴N)
중간 무게의 DNA(¹⁴N–¹⁵N)
무거운 DNA(¹⁵N–¹⁵N)
A B

3 (1) DNA 복제가 일어날 때는 이중 나선을 이루던 DNA의 두 가닥이 모두 주형으로 작용한다.

(2) 프라이머는 프라이메이스에 의해 주형 가닥에 합성되어 새로운 뉴클레오타이드가 결합할 수 있는 3′ 말단을 제공한다.

(3) DNA 중합 효소는 DNA를 구성하는 뉴클레오타이드의 5탄당의 3′ 말단에 새로운 뉴클레오타이드의 인산을 결합시켜 DNA를 신장시킨다.

4 DNA가 복제될 때는 이중 나선의 염기 사이의 수소 결합이 끊어지고(라) RNA 프라이머가 합성되어 각 주형 가닥에 결합한 후(가) DNA 중합 효소가 결합하여(나) 주형 가닥에 상보적인 염기를 가진 뉴클레오타이드를 1개씩 차례로 결합시켜(마) 폴리뉴클레오타이드 가닥이 길어진다. 복제가 다 끝나면 원래의 가닥과 염기 서열이 같은 DNA 2개가 생긴다(다).

5 (1) DNA에서 염기 사이의 수소 결합으로 연결된 두 가닥의 폴리뉴클레오타이드는 서로 반대 방향이다. 따라서 ㉠은 5′, ㉡은 3′이며, ㉢은 5′, ㉣은 3′이다.

(2) 5′ → 3′ 방향으로 연속적으로 합성되는 (가)는 선도 가닥이고, 작은 DNA 조각인 (나)와 (다)가 연결되어 지연 가닥을 이룬다.

(3) 복제가 일어나는 방향은 그림의 오른쪽에서 왼쪽 방향이므로 (나)는 (다)보다 먼저 합성되었다.

대표 자료 분석 196쪽

자료 ① **1** 반보존적 복제 **2** 부모 세대(P): A층 : B층 : C층 =0 : 0 : 1, 3세대(G₃): A층 : B층 : C층=3 : 1 : 0 **3** (1) ○ (2) ○ (3) × (4) × (5) ○

자료 ② **1** RNA 프라이머 **2** (가) DNA 중합 효소 (나) DNA 연결 효소 **3** (1) ○ (2) ○ (3) × (4) × (5) × (6) × (7) ×

①-1 1세대(G₁)의 실험 결과를 통해 보존적 복제 모델이 배제되고, 2세대(G₂)의 실험 결과를 통해 분산적 복제 모델도 배제된다. DNA 복제는 한 가닥은 원래의 것이고 다른 한 가닥은 새로 만들어진다는 반보존적 복제 방식을 따른다.

①-2 1세대(G₁)의 DNA는 모두 B층에서 발견되고, 2세대(G₂)의 DNA는 A층과 B층에서 발견되고 C층에서는 발견되지 않는다. 부모 세대(P)의 DNA는 모두 ¹⁵N로 표지되어 C층에서만 발견된다. 반면에 ¹⁴N가 포함된 배지에서 3세대(G₃)를 얻으면 ¹⁴N–¹⁵N DNA는 ¹⁴N–¹⁵N DNA와 ¹⁴N–¹⁴N DNA로, ¹⁴N–¹⁴N DNA는 ¹⁴N–¹⁴N DNA와 ¹⁴N–¹⁴N DNA로 복제된다. 따라서 3세대(G₃)의 DNA를 추출하여 원심 분리하면 A층과 B층에서만 DNA가 발견되며, A층에는 B층에 비해 DNA가 3배 정도 많다.

①-3 (1) 질소(N)는 염기의 구성 원소이므로 ¹⁵N는 DNA의 염기를 표지하는 데 사용된다.

(2) 1세대(G₁)의 DNA에서 한 가닥은 부모 세대(P)의 DNA이고, 다른 한 가닥은 새로 합성된 것이다.

(3) DNA는 반보존적 복제를 하므로 복제가 거듭되어도 부모 세대(P)의 DNA 가닥이 남아 있다. 4세대(G₄)의 DNA 중 12.5 %는 부모 세대의 DNA 한 가닥을 가진다.

(4) 세대를 거듭할수록 ¹⁴N–¹⁴N DNA가 증가하므로 $\frac{\text{A층의 DNA양}}{\text{B층의 DNA양}}$의 값이 커진다.

(5) DNA가 보존적 복제를 한다면 1세대(G_1)의 DNA는 $^{14}N-$ ^{14}N DNA와 $^{15}N-^{15}N$ DNA이므로 이를 원심 분리하면 A층과 C층 두 군데에서 DNA 띠가 나타날 것이다.

②-1 ⓒ은 새로운 뉴클레오타이드가 결합할 수 있는 3′ 말단을 제공하는 RNA 프라이머이다.

②-2 (가)는 DNA 사슬의 3′ 말단에 새로운 뉴클레오타이드를 1개씩 결합시키는 DNA 중합 효소이다. (나)는 작은 DNA 조각의 뉴클레오타이드 사이를 연결하여 하나의 DNA 가닥으로 만드는 DNA 연결 효소이다.

②-3 (1) 진핵세포는 핵막이 있으므로 DNA 복제는 핵 속에서 세포 주기 중 간기의 S기에 일어난다.
(2) ㉠은 5′ → 3′ 방향으로 연속적으로 합성되고 있으므로 선도 가닥이다.
(3) ㉠은 주형 가닥 Ⅰ에 상보적인 염기를 가진 뉴클레오타이드가 결합하여 형성되므로 염기 서열은 주형 가닥 Ⅱ와 같다.
(4) DNA 복제는 5′ → 3′ 방향으로만 일어난다.
(5) RNA 프라이머(ⓒ)는 새로운 뉴클레오타이드가 결합할 수 있는 3′ 말단을 제공한다.
(6) DNA 이중 나선의 염기 사이의 수소 결합을 끊어 주는 효소는 헬리케이스이다.
(7) DNA의 3′ 말단에 새로운 뉴클레오타이드를 1개씩 결합시켜 DNA를 신장시키는 것은 DNA 중합 효소(가)이다.

내신 만점 문제

197쪽~199쪽

01 ④　　02 해설 참조　　03 ⑤　　04 ③　　05 ③
06 ㄴ　　07 해설 참조　　08 ④　　09 ③　　10 ⑤
11 (1) 1200개 (2) 1.5　　12 ④　　13 ⑤

01 ㄱ. (가)는 원래의 DNA 두 가닥이 모두 보존되므로 보존적 복제를 나타낸 것이다.
ㄴ. (나)는 복제된 DNA 이중 나선이 원래의 DNA 한 가닥과 새로 합성된 DNA 한 가닥으로 구성되는 반보존적 복제를 나타낸 것이다.
┃**바로알기**┃ ㄷ. DNA가 1회 복제된 후 (가)는 원래 DNA 가닥 2개가 그대로 남아 있고, (나)에서도 원래 DNA 가닥 2개가 그대로 남아 있다. 그러나 (다)에서는 원래 DNA 가닥이 DNA 조각으로 되어 새로 합성되는 조각과 섞이므로 원래 DNA 가닥의 비율은 (가)와 (나)에서 같고, (다)에서 가장 적다.

02 (가)의 대장균에서 DNA양은 가벼운 무게에서 1이고, DNA 복제가 1회 일어난 후 분열하여 얻어진 (나)의 1세대 대장균(G_1)에서는 DNA의 양이 중간 무게에서 2가 된다. 반보존적 복제를 하여 얻어지는 2세대 대장균(G_2)의 DNA양은 중간 무게와 무거운 무게가 각각 2가 되고, 3세대 대장균(G_3)의 DNA양은 중간 무게와 무거운 무게가 각각 2와 6이 된다. 따라서 3세대 대장균(G_3)의 DNA 상대량 분석 결과는 그래프와 같다.

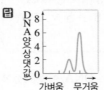

03 ㄴ. 1세대(G_1)의 이중 나선 DNA의 한 가닥은 부모 세대(P)의 것이고, 나머지 한 가닥은 새로 합성된 것이므로 1세대(G_1)의 이중 나선 DNA의 한 가닥에 있는 염기는 ^{15}N를 가지고, 다른 한 가닥에 있는 염기는 ^{14}N를 가진다.
ㄷ. 1세대(G_1)에서 반보존적 복제를 하면 $^{14}N-^{15}N$ DNA는 $^{14}N-^{15}N$ DNA와 $^{14}N-^{14}N$ DNA로 복제되므로 2세대(G_2)에서 $\dfrac{^{14}N-^{14}N}{^{14}N-^{15}N}=1$이다.
┃**바로알기**┃ ㄱ. 부모 세대(P)의 DNA 띠는 모두 $^{15}N-^{15}N$에 나타나고, 1세대(G_1)의 DNA 띠는 모두 $^{14}N-^{15}N$에 나타나므로 DNA는 보존적 복제를 하지 않는다.

04 2세대(G_2)에서 반보존적 복제를 하면 $^{14}N-^{15}N$ DNA는 $^{14}N-^{15}N$ DNA와 $^{14}N-^{14}N$ DNA로, $^{14}N-^{14}N$ DNA는 $^{14}N-^{14}N$ DNA와 $^{14}N-^{14}N$ DNA로 복제되므로 3세대(G_3)에서 $^{14}N-^{14}N$ DNA와 $^{14}N-^{15}N$ DNA가 3 : 1로 나타난다.

05 세포 주기가 24시간이며 세포가 분열하기 전에 DNA의 반보존적 복제가 일어나므로 48시간 동안 세포를 증식시키면 세포는 2회 분열한다. 따라서 세포의 절반은 $^{14}N-^{15}N$ DNA를 가지고, 나머지 절반은 $^{14}N-^{14}N$ DNA를 가진다.

06 DNA는 반보존적 복제를 한다. 부모 세대(P)의 DNA는 모두 $^{15}N-^{15}N$이며, ^{15}N는 ^{14}N보다 무겁기 때문에 원심 분리를 하면 하층에 존재한다. 부모 세대(P)부터 4세대 대장균(G_4)의 DNA 비율은 다음과 같다.

구분	$^{14}N-^{14}N$	$^{14}N-^{15}N$	$^{15}N-^{15}N$
부모 세대(P)	0	0	1
1세대(G_1)	0	1	0
2세대(G_2)	1	1	0
3세대(G_3)	0	3	1
4세대(G_4)	0	3	5

ㄴ. (다)에서 ㉠층에는 DNA가 없었고, ㉡과 ㉢층에는 DNA의 양의 비가 5 : 3으로 나타나는 세대가 있다고 하였다. (다)에서 4세대(G_4)는 상층 : 중층 : 하층=0 : 3 : 5로 나타나므로 ㉠은 상층, ㉡은 하층, ㉢은 중층이다. 따라서 (다)에서 2세대(G_2)는 ㉠(상층) : ㉡(하층) : ㉢(중층)=1 : 0 : 1로 나타난다.

바로알기 ㄱ. 질소(N)는 DNA의 구성 성분 중 염기에 존재하므로 ^{15}N는 염기를 표지하는 데 쓰인다. 5탄당인 디옥시리보스의 구성 원소는 탄소(C), 수소(H), 산소(O)이다.

ㄷ. 중층(㉢)에 존재하는 이중 나선 DNA의 한 가닥에는 ^{15}N가, 다른 가닥에는 ^{14}N가 있다.

07 ^{15}N가 포함된 배지에서 배양한 대장균을 ^{14}N가 포함된 배지로 옮겨 배양하여 4세대(G_4)를 얻으면 대장균 한 마리는 16마리(2^4=16배)로 증가하고 그 중에는 부모 세대(P)의 이중 나선 DNA를 구성하던 DNA 가닥을 가진 것이 두 마리 있으므로 ^{15}N를 포함한 DNA 가닥을 가진 대장균의 비율은 $\frac{2}{16}=\frac{1}{8}$이다.

(모범답안) 4세대 대장균(G_4)에서 ^{14}N−^{15}N DNA를 가진 대장균의 비율은 $\frac{1}{8}$이다. 따라서 $1600×\frac{1}{8}$=200마리이다.

채점 기준	배점
풀이 과정을 포함하여 ^{15}N로 표지된 DNA 가닥을 가지는 대장균이 200마리라고 옳게 서술한 경우	100 %
^{15}N로 표지된 DNA를 가지는 대장균이 200마리라고 서술하였으나 풀이 과정의 일부가 틀린 경우	60 %
풀이 과정 없이 ^{15}N로 표지된 DNA를 가지는 대장균이 200마리라고 서술한 경우	30 %

08 ① DNA는 세포 주기 중 간기의 S기에 복제되어 2배가 된다.

② RNA 프라이머의 3′ 말단에 새로운 뉴클레오타이드가 추가되므로 DNA 복제는 5′ → 3′ 방향으로만 일어난다.

③ DNA 이중 나선의 각 가닥이 모두 주형으로 사용되어 DNA 복제가 완료되면 원래의 DNA와 염기 서열이 같은 DNA 분자가 2개 생성된다.

⑤ DNA 중합 효소는 3′ 말단에 주형 가닥에 상보적인 염기를 가진 새로운 뉴클레오타이드를 결합시킨다.

바로알기 ④ DNA 복제 시 선도 가닥은 연속적으로 복제되지만, 지연 가닥은 작은 DNA 조각이 불연속적으로 합성된 후 DNA 연결 효소에 의해 한 가닥으로 연결된다.

09 ③ DNA 중합 효소에 의해 주형 가닥에 상보적인 염기를 가진 새로운 뉴클레오타이드가 결합하여 새로운 DNA 가닥이 합성되므로 새로 합성된 각 DNA 가닥은 원래 DNA 이중 나선 중 주형이 아닌 가닥과 염기 서열이 같다. 따라서 DNA 복제 결과 새로 만들어진 2개의 DNA는 원래의 DNA와 염기 서열이 같다.

바로알기 ① DNA 복제 과정에서 사용되는 프라이머 ㉠은 RNA이다.

② (가)에서 DNA 이중 나선을 이루는 염기 사이의 수소 결합이 끊어지면서 이중 나선이 풀어진다.

④ (라)에서 DNA 중합 효소에 의해 3′ 말단에 새로운 뉴클레오타이드가 결합한다.

⑤ DNA 이중 나선이 풀어진 후 RNA 프라이머가 합성되고, DNA 중합 효소에 의해 프라이머의 3′ 말단에 새로운 뉴클레오타이드가 결합하여 DNA가 복제된다. 따라서 DNA 복제는 (가) → (다) → (라) → (나)의 순으로 일어난다.

10 ① ㉠은 3′ 말단에 뉴클레오타이드를 1개씩 연결하는 DNA 중합 효소이고, ㉡은 작은 DNA 조각을 연결하는 DNA 연결 효소이다.

② 가닥 Ⅰ은 연속적으로 폴리뉴클레오타이드가 합성되는 선도 가닥이다.

③ 선도 가닥은 5′ → 3′ 방향으로 연속적으로 합성되므로 가닥 Ⅰ의 오른쪽 끝은 5′ 말단이다. 지연 가닥인 가닥 Ⅱ의 방향은 가닥 Ⅰ과 반대이므로 가닥 Ⅱ의 오른쪽 끝은 3′ 말단이다.

④ 가닥 Ⅰ의 염기 서열은 주형 가닥과 상보적이므로 DNA 이중 나선 중 주형이 아닌 가닥, 즉 가닥 Ⅱ의 주형 가닥과 같다.

바로알기 ⑤ DNA 연결 효소(㉡)는 하나의 작은 DNA 조각의 당과 다른 작은 DNA 조각의 인산을 연결한다.

11 (1) Y는 X가 50 % 복제되었을 때의 DNA이므로 Y를 구성하는 뉴클레오타이드의 수는 X의 1.5배이다. 따라서 X×1.5=1800이므로 X를 구성하는 뉴클레오타이드의 수는 $1800×\frac{2}{3}$=1200개이다.

(2) 복제된 부분과 복제되지 않은 부분에서 G+C 함량은 각각 35 %와 45 %이므로 X의 전체 200 %에서 G+C의 함량은 80 %이다. 따라서 A+T의 함량은 120 %이므로 $\frac{A+T}{G+C}=\frac{120}{80}$=1.5이다.

12 **(꼼꼼)** **문제 분석**

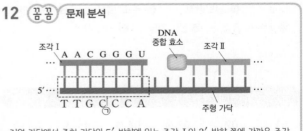

• 지연 가닥에서 주형 가닥의 5′ 방향에 있는 조각 Ⅰ이 3′ 방향 쪽에 가까운 조각 Ⅱ보다 먼저 합성된 것이다.
• 조각 Ⅰ의 염기 U은 RNA 프라이머에 포함된 것이다.

ㄱ. 조각 Ⅰ과 조각 Ⅱ는 새로 만들어진 가닥이며, 작은 DNA 조각을 형성한 후 연결되므로 지연 가닥을 구성한다.

ㄴ. ㉠의 염기 서열은 조각 Ⅰ과 상보적이므로 5′…TTGCCCA … 3′이다. 퓨린 계열 염기는 A과 G으로 ㉠에는 총 2개가 있고, 피리미딘 계열 염기는 C과 T으로 ㉠에는 총 5개가 있다. 따라서 ㉠에서 염기 수의 비는 퓨린 계열 염기 : 피리미딘 계열 염기 = 2 : 5이다.

┃바로알기┃ ㄷ. 지연 가닥의 작은 DNA 조각은 DNA 연결 효소에 의해 연결되어 한 가닥의 DNA가 된다.

13 ㉠과 ㉡은 지연 가닥을 이룬다.

ㄱ. DNA 복제는 5′ → 3′ 방향으로 DNA 이중 나선이 풀어지는 만큼 진행되고, DNA 이중 나선은 왼쪽에서 오른쪽 방향으로 풀어진다. 따라서 지연 가닥에서 ㉠이 ㉡보다 먼저 합성된 것이다.

ㄴ. DNA 복제가 시작될 때에는 3′ 말단을 제공하는 RNA 프라이머에 새로운 뉴클레오타이드가 결합된다. 따라서 ㉡에는 리보스가 포함되어 있다.

ㄷ. ⓐ 부분의 염기는 $1600 \times \dfrac{40}{100} = 640$개이고, 그 중 G+C의 함량이 60 %이므로 ⓐ 부분에서 G+C의 수는 $640 \times \dfrac{60}{100} = 384$개이다. 따라서 A+T의 수는 $640 - 384 = 256$개이며, A과 T의 수는 같으므로 T의 개수는 128개이다.

중단원 핵심 정리   200쪽

❶ R형균   ❷ S형균   ❸ DNA   ❹ DNA   ❺ 크
❻ 진핵세포   ❼ 뉴클레오타이드   ❽ T   ❾ C   ❿ 이중
나선   ⓫ 반보존적   ⓬ 수소 결합   ⓭ 프라이머
⓮ DNA 중합   ⓯ 선도 가닥   ⓰ 지연 가닥

중단원 마무리 문제   201쪽~203쪽

01 ②   **02** ㄷ   **03** ④   **04** ⑤   **05** ⑤   **06** ②
07 ③   **08** ㄴ, ㄷ   **09** ③   **10** ⑤   **11** 해설 참조
12 해설 참조

01 ㄴ. 폐렴 쌍구균 ㉡을 주사하였을 때 쥐가 폐렴에 걸려 죽었으므로 폐렴 쌍구균 ㉡은 병원성이 있는 S형균이다. 따라서 폐렴 쌍구균 ㉠은 R형균이다. 폐렴 쌍구균 S형균(㉡)을 열처리한 후 폐렴 쌍구균 R형균(㉠)과 혼합하여 쥐에 주사하면 쥐가 폐렴에 걸려 죽었다. 이는 열처리한 S형균(㉡)에 의해 R형균(㉠)이 S형균으로 형질 전환되었기 때문이다. 따라서 죽은 쥐 A에서는 살아 있는 S형균(㉡)이 발견된다.

┃바로알기┃ ㄱ. 폐렴 쌍구균 ㉠을 주사하였을 때 쥐가 살았으므로 ㉠은 병원성이 없는 R형균이다.

ㄷ. 그리피스는 이 실험을 통해 S형균(㉡)의 어떤 물질이 R형균(㉠)을 S형균(㉡)으로 형질 전환시켰다는 것을 밝혔지만, 이 물질이 무엇인지는 밝히지 못하였다.

02 (꼼꼼) 문제 분석

→ S형균
살아 있는 폐렴 쌍구균 ⓐ를 열처리하여 얻은 세포 추출물이 들어 있는 시험관 Ⅰ~Ⅲ에 표와 같이 처리하여 배양한 후 폐렴 쌍구균의 종류를 조사한다.

시험관	Ⅰ	Ⅱ	Ⅲ
첨가 효소	㉠	㉡	없음
첨가 세균	ⓑ	ⓑ	없음
폐렴 쌍구균 종류	R형균	R형균, S형균	없음

공통적으로 R형균이 발견되었으므로 폐렴 쌍구균 ⓑ는 R형균이다.
➡ 폐렴 쌍구균 ⓐ는 S형균이다.

효소 ㉠을 첨가하였을 때는 S형균이 발견되지 않지만, 효소 ㉡을 첨가하였을 때는 S형균이 발견된다. ➡ 효소 ㉠은 죽은 S형균의 유전 물질을 분해하는 DNA 분해 효소이고, ㉡은 단백질 분해 효소이다.

ㄷ. Ⅱ의 S형균은 열처리하여 죽은 S형균의 세포 추출물에 들어 있던 S형균의 유전 물질에 의해 R형균이 형질 전환된 것이다.

┃바로알기┃ ㄱ. Ⅰ에서는 S형균이 발견되지 않으므로 효소 ㉠에 의해 S형균의 유전 물질이 분해되었음을 알 수 있다. 따라서 ㉠은 DNA 분해 효소이고, ㉡은 단백질 분해 효소이다.

ㄴ. 시험관 Ⅰ, Ⅱ에 R형균이 공통적으로 있으므로 폐렴 쌍구균 ⓑ는 살아 있는 R형균이다.

03 ㄴ. 인(P)은 인산의 구성 원소이므로 ^{32}P은 DNA를 표지하는 데 사용된다. 배양액을 원심 분리하면 침전물에는 파지의 DNA가 포함된 대장균이 있고, 상층액에는 파지의 단백질 껍질이 있다. 따라서 시험관의 침전물에서 방사선이 검출된다.

ㄷ. 시험관의 침전물에는 파지의 DNA가 포함되므로 침전물을 배양하면 ^{32}P으로 표지된 DNA가 복제되고 이로부터 새로운 파지가 생성되므로 새로 생성된 파지 일부에서 방사선이 검출될 것이다.

┃바로알기┃ ㄱ. ^{32}P으로는 DNA가 표지된다.

04 ㄴ. (가)의 유전자 밀도는 $\dfrac{4400}{4.6\times10^6}$≒0.00096이고, (라)의 유전자 밀도는 $\dfrac{22000}{2.6\times10^9}$≒0.0000085이므로 (가)가 (라)보다 유전자 밀도가 크다.

ㄷ. (나)는 유전체가 여러 개의 선형 염색체로 구성되므로 진핵생물이다. 진핵세포에는 히스톤이 있어 DNA가 히스톤을 휘감아 뉴클레오솜을 형성한다.

ㄹ. (다)는 유전체가 여러 개의 선형 염색체로 구성되므로 진핵생물이다. 따라서 염색체는 막으로 둘러싸인 핵 속에 있다.

┃**바로알기**┃ ㄱ. (다)는 (나)보다 염색체 수가 많지만 유전체 크기는 작다.

05 ⑤ 대장균을 ^{15}N가 포함된 배지에서 배양하면 질소(N)를 구성 원소로 갖는 염기 ㉢과 ㉣이 ^{15}N로 표지된다.

┃**바로알기**┃ ① 당과 인산 사이의 결합 (가)는 공유 결합, 염기 사이의 결합 (나)는 수소 결합이다.

② DNA의 단위체는 뉴클레오타이드이며, 이는 인산, 당, 염기가 1 : 1 : 1로 구성된다. 따라서 ㉠+㉡+㉢으로 나타낼 수 있다.

③ ㉢은 2중 수소 결합하는 퓨린 계열 염기이므로 A이고, ㉣은 A과 상보적으로 결합하는 염기인 T이다.

④ ㉢은 2개의 고리 구조를 갖는 퓨린 계열 염기이고, ㉣은 1개의 고리 구조를 갖는 피리미딘 계열 염기이다.

06 꼼꼼 **문제 분석**

> 이중 가닥 DNA에서 A과 T, G과 C의 조성 비율은 각각 같다.

구분	염기 조성(%)				$\dfrac{A+T}{G+C}$
	A	T	G	C	
Ⅰ	28	?28	?22	㉠ 22	약 1.27
Ⅱ	?30	30	㉡ 20	?20	1.50
Ⅲ	㉢	?	㉣	?	?
Ⅳ	?18	18	?32	?32	㉤ 약 0.56

이중 가닥 DNA에서 퓨린 계열 염기(A+G)와 피리미딘 계열 염기(C+T)의 조성 비율은 각각 50 %로 같다. ➡ ㉢+㉣=50 %

ㄱ. ㉠+㉡=22+20=42이고, ㉢+㉣=50이다.

ㄷ. A은 T과, G은 C과 항상 상보적으로 결합하므로 생물종에 관계없이 퓨린 계열 염기(A+G)의 비율과 피리미딘 계열 염기(C+T)의 비율은 50 %로 같다.

┃**바로알기**┃ ㄴ. A과 T은 2중 수소 결합, G과 C은 3중 수소 결합으로 연결된다. 따라서 염기쌍의 수가 같다면 G+C의 비율이 높은 Ⅳ가 Ⅰ보다 DNA에 수소 결합의 수가 많다.

ㄹ. ㉤의 값은 $\dfrac{18+18}{32+32}$≒0.56으로, 0.5보다 크다.

07 꼼꼼 **문제 분석**

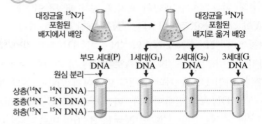

구분	부모 세대(P)	1세대(G₁)	2세대(G₂)	3세대(G₃)
상층	0	0	1	3
중층	0	1	1	1
하층	1	0	0	0

• DNA의 복제는 반보존적 복제 방식으로 일어난다.
• 제시된 자료에서 각 세대별 DNA가 나타나는 위치와 상대적인 비는 다음과 같다.

ㄷ. 3세대 대장균(G_3)에서 상층과 중층에 나타나는 DNA 상대량을 4라고 할 때 각 DNA는 두 가닥으로 이루어져 있으므로 전체 DNA 가닥은 8이다. 그 중에서 부모 세대의 ^{15}N를 포함한 DNA 가닥은 중층에서 발견되는 DNA의 한 가닥이므로 $\dfrac{^{15}\text{N를 포함한 DNA 가닥}}{\text{전체 DNA 가닥}}=\dfrac{1}{8}$이다.

┃**바로알기**┃ ㄱ. 1세대 대장균(G_1)에서 DNA 띠는 중층 한 군데에서만 나타난다.

ㄴ. 2세대 대장균(G_2)에서 상층과 중층에 같은 비율로 DNA가 나타나므로 DNA를 원심 분리하면 DNA양의 비는 상층 : 중층 =1 : 1로 나타난다.

08 꼼꼼 **문제 분석**

(가) ㉠을 포함한 배지에서 여러 세대를 배양한 대장균(P)을 ㉡을 포함한 배지로 옮겨 1세대 대장균(G_1), 2세대 대장균(G_2)을 얻었다.

(나) 2세대 대장균(G_2)을 다시 ㉠을 포함한 배지로 옮겨 배양하여 3세대 대장균(G_3)을 얻었다.

(다) 2세대 대장균(G_2)의 DNA를 추출하였더니 조성비가 ^{14}N$-^{15}$N : ^{15}N$-^{15}$N=1 : 1로 나타났다.

• 2세대(G_2)의 DNA에서 ^{14}N$-^{15}$N, ^{15}N$-^{15}$N가 같은 비율로 나타났으므로 부모 세대(P)를 배양하였던 배지의 ㉠은 ^{14}N이고, 바뀐 배지의 ㉡은 ^{15}N이다.

• 배지를 바꾸면서 세대를 얻은 후 DNA를 추출하여 원심 분리하였을 때 세대별 DNA가 나타나는 위치와 상대적인 비는 다음과 같다.

구분	부모 세대(P)	1세대(G₁)	2세대(G₂)	3세대(G₃)
^{14}N$-^{14}$N	1	0	0	1
^{14}N$-^{15}$N	0	1	1	3
^{15}N$-^{15}$N	0	0	1	0

ㄴ. 2세대(G₂) DNA는 ¹⁴N−¹⁵N와 ¹⁵N−¹⁵N가 같은 비율로 나타난다. 이를 ¹⁴N가 포함된 배지로 옮겨 배양하면 ¹⁴N−¹⁵N DNA의 각 가닥이 주형이 되어 ¹⁴N를 가진 DNA 가닥이 새롭게 만들어져 ¹⁴N−¹⁴N DNA와 ¹⁴N−¹⁵N DNA가 각각 1 : 1로 나타난다. 또 ¹⁵N−¹⁵N DNA로부터는 각 가닥이 주형이 되어 ¹⁴N를 가진 DNA 가닥이 새로 만들어져 ¹⁴N−¹⁵N DNA, ¹⁴N−¹⁵N DNA가 만들어진다. 따라서 3세대(G₃)의 DNA는 ¹⁴N−¹⁴N : ¹⁴N−¹⁵N : ¹⁵N−¹⁵N=1 : 3 : 0의 비로 나타난다.

ㄷ. 3세대(G₃)를 다시 ⓒ(¹⁵N)을 포함한 배지로 옮겨 4세대 대장균(G₄)을 얻으면 ¹⁴N−¹⁴N DNA가 ¹⁴N−¹⁵N DNA 두 분자로 복제되고, ¹⁴N−¹⁵N DNA 세 분자가 ¹⁴N−¹⁵N DNA 세 분자와 ¹⁵N−¹⁵N DNA 세 분자로 복제된다. 따라서 DNA는 ¹⁴N−¹⁴N : ¹⁴N−¹⁵N : ¹⁵N−¹⁵N=0 : 5 : 3의 비로 나타난다.

┃바로알기┃ ㄱ. 배지를 바꾸어 배양하여 2세대(G₂) 대장균을 얻었을 때 ¹⁵N−¹⁵N DNA가 나타난 것은 바뀐 배지에 ¹⁵N(ⓒ)가 포함되어 있기 때문이다. 따라서 ㉠은 ¹⁴N이고, ⓒ은 ¹⁵N이다.

09 ㄱ. DNA를 구성하는 폴리뉴클레오타이드 두 가닥은 서로 반대 방향이므로 ㉠은 3′ 말단이다.

ㄴ. ⓒ은 DNA 복제 과정에서 3′ 말단을 제공하는 RNA 프라이머이다. RNA를 구성하는 당은 리보스이다.

┃바로알기┃ ㄷ. ⓒ은 DNA 중합 효소의 작용으로 만들어진 DNA 조각이다. 따라서 ⓒ에는 RNA에만 있는 염기인 U이 포함될 수 없다.

10 ㄱ. DNA 복제는 세포가 분열하기 전 간기의 S기에 일어난다.

ㄴ. DNA 복제는 항상 5′(ⓒ) → 3′(㉠) 방향으로만 일어난다.

ㄹ. (가)+(나)의 염기 수는 64개이고, 그 중 A과 T의 수는 각각 20개이므로 (가)와 (나)에 있는 염기 G과 C 수의 합은 64−40 =24개이다.

┃바로알기┃ ㄷ. 지연 가닥(나)은 DNA 복제가 불연속적으로 이루어지므로 선도 가닥(가)에 비해 복제 속도가 느리다.

11 퓨린 계열 염기와 피리미딘 계열 염기의 비율은 같다.

(모범답안) DNA 이중 나선에서 퓨린 계열 염기(A, G)와 피리미딘 계열 염기(C, T)가 상보적으로 결합하므로 생물종에 관계없이 퓨린 계열 염기와 피리미딘 계열 염기의 비율은 각각 50 %로 서로 같다.

채점 기준	배점
DNA에서 퓨린 계열 염기와 피리미딘 계열 염기가 상보적으로 결합하므로 생물종에 관계없이 퓨린 계열 염기와 피리미딘 계열 염기의 비율이 서로 같다고 서술한 경우	100 %
퓨린 계열 염기와 피리미딘 계열 염기의 비율이 같다고만 서술한 경우	50 %

12 DNA가 복제될 때는 염기 사이의 수소 결합이 끊어져 두 가닥이 풀리고, 각 가닥을 주형으로 하여 DNA 중합 효소에 의해 새로운 뉴클레오타이드가 1개씩 결합하여 새로운 가닥을 합성한다. 그런데 DNA 중합 효소는 기존의 3′ 말단에 새로운 뉴클레오타이드를 결합시키므로 DNA는 항상 5′ → 3′ 방향으로만 복제가 일어난다. 이 때문에 한쪽 가닥은 연속적으로 복제되는 선도 가닥이 되고, 다른 한쪽은 불연속적으로 복제되는 지연 가닥이 된다.

(모범답안) (1) 효소 E는 DNA 중합 효소이며, 새로운 가닥의 3′ 말단에만 새로운 뉴클레오타이드를 결합시킨다. 따라서 역평행 구조의 이중 나선 DNA를 이루는 두 가닥을 각각 주형으로 할 때 한 가닥은 연속적으로, 다른 한 가닥은 불연속적으로 복제된다.
(2) 3′−ACTTAG−5′

채점 기준		배점
(1)	선도 가닥과 지연 가닥이 형성되는 까닭을 효소 E의 특성과 DNA 두 가닥의 방향성을 근거로 들어 옳게 서술한 경우	50 %
	선도 가닥과 지연 가닥이 형성되는 까닭을 효소 E가 5′→3′ 방향으로만 복제하기 때문이라고만 서술한 경우	30 %
(2)	방향성과 염기 서열을 모두 옳게 쓴 경우	50 %
	염기 서열만 옳게 쓴 경우	30 %

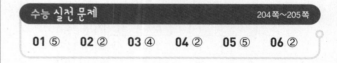

수능 실전 문제 204쪽~205쪽

01 ⑤ **02** ② **03** ④ **04** ② **05** ⑤ **06** ②

01 (꼼꼼) 문제 분석

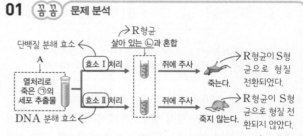

• 효소 Ⅰ과 Ⅱ를 처리하였을 때 모두 ⓒ을 첨가하였는데 효소 Ⅱ를 처리한 경우에는 쥐가 죽지 않으므로 ⓒ은 병원성이 없는 R형균이다. 따라서 ㉠은 병원성이 있는 S형균이다.
• 효소 Ⅰ을 처리한 경우: 쥐가 죽었으므로 R형균이 S형균으로 형질 전환되었다. → S형균의 유전 물질이 남아 있으므로 효소 Ⅰ은 단백질 분해 효소이다.
• 효소 Ⅱ를 처리한 경우: 쥐가 죽지 않았으므로 R형균이 S형균으로 형질 전환되지 않았다. → S형균의 유전 물질이 효소 Ⅱ에 의해 분해되었으므로 효소 Ⅱ는 DNA 분해 효소이다.

✗ ⓒ은 S형균이다. R형균

ⓛ 효소 Ⅱ의 기질은 DNA이다.
　DNA 분해 효소

ⓒ 형질 전환을 일으키는 물질은 A에 들어 있다.

ㄴ. 효소 Ⅱ는 DNA 분해 효소이므로 효소 Ⅱ와 결합하는 기질은 DNA이다.

ㄷ. S형균(ⓖ)의 세포 추출물 A를 살아 있는 R형균(ⓛ)에 혼합하여 배양하였을 때 R형균(ⓛ)이 S형균(ⓖ)으로 형질 전환되었으므로 A에 형질 전환을 일으키는 물질이 들어 있다는 것을 알 수 있다.

| 바로알기 | ㄱ. ⓖ은 병원성이 있는 S형균이고, ⓛ은 병원성이 없는 R형균이다.

02

✗ ⓖ에는 ^{35}S이 포함되어 있다.
　　포함되어 있지 않다.

✗ (가) 과정에서는 원심 분리를 통해 단백질 껍질을 대장균으로부터 분리한다. 믹서를 사용하여

ⓒ (나)에서 파지의 DNA를 복제하는 데 필요한 효소와 뉴클레오타이드는 대장균에 있던 것이다.

ㄷ. 파지는 자체 효소가 없어 독립적으로 물질대사를 하지 못하므로 (나)에서 파지의 DNA가 복제될 때는 숙주인 대장균의 효소와 뉴클레오타이드를 이용한다.

| 바로알기 | ㄱ. 황(S)은 DNA에는 없고 단백질에는 있는 원소이므로 ^{35}S은 파지의 단백질 껍질을 표지한다. DNA는 대장균 속으로 들어가 새로운 파지를 만드는 데 사용되는데, 단백질 껍질에 표지한 ^{35}S은 대장균 속으로 들어가지 않아 ⓖ에는 ^{35}S이 포함되어 있지 않다.

ㄴ. (가)에서 대장균에 붙어 있는 파지의 단백질 껍질을 분리할 때는 믹서를 사용한다.

03 꼼꼼 문제 분석

DNA의 유전자에 단백질의 유전 정보를 저장하지 않는 부분이 많다.
(가) 진핵세포

DNA의 유전자에 단백질의 유전 정보를 저장하는 부분이 매우 조밀하게 배열되어 있다.
(나) 원핵세포

ⓖ (가)의 유전자에는 단백질을 암호화하지 않는 부위가 있다.

✗ (가)의 유전체는 대부분 하나의 원형 염색체로 이루어진다. (나)

ⓒ (나)는 유전체가 세포질에 있다.

ㄱ. (가)는 DNA에 단백질을 암호화하지 않는 부위가 있어 RNA를 합성할 때 단백질을 암호화하지 않는 부위를 제거하는 과정이 있다. 따라서 (가)는 진핵세포의 단백질 합성 과정이다.

ㄷ. (나)는 유전자에 유전 정보가 연속적으로 저장되어 있으므로 원핵세포의 단백질 합성 과정이다. 원핵세포(나)는 막으로 둘러싸인 핵이 없으므로 유전체가 세포질에 있다.

| 바로알기 | ㄴ. 진핵세포(가)의 유전체는 대부분 여러 개의 선형 염색체로 이루어진다.

04 꼼꼼 문제 분석

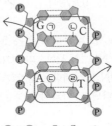

3중 수소 결합하는 퓨린 계열 염기 ⓖ은 G이고, 이와 상보적으로 결합하는 ⓛ은 C이다.

2중 수소 결합하는 퓨린 계열 염기 ⓒ은 A이고, 이와 상보적으로 결합하는 ⓔ은 T이다.

$A+T+G+C=100$, $\dfrac{ⓖ+ⓛ}{ⓒ+ⓔ}=\dfrac{G+C}{A+T}=\dfrac{2}{3}$이므로 $G+C=\dfrac{2}{5}\times100$ $=40$이다. 따라서 G과 C의 개수는 각각 20개이고, $A+T$은 60개이므로 A과 T의 개수는 각각 30개이다.

✗ ⓛ은 RNA에는 없고 DNA에만 있는 염기이다.
　ⓔ(T)

✗ DNA X에서 퓨린 계열 염기와 피리미딘 계열 염기의 비율은 2 : 3이다.
　　　　1 : 1

ⓒ DNA X에서 염기 간 수소 결합은 총 120개이다.

ㄷ. DNA X에서 염기 간 수소 결합의 총 수는 20×3(G+C의 3중 수소 결합)$+30\times2$(A+T의 2중 수소 결합)$=120$개이다.

| 바로알기 | ㄱ. ⓛ은 C이며, DNA와 RNA에 공통적으로 존재하는 염기이다. RNA에는 없고 DNA에만 있는 염기는 T(ⓔ)이다.

ㄴ. 이중 나선 DNA에서 퓨린 계열 염기(A, G)와 피리미딘 계열 염기(C, T)가 상보적으로 결합하므로 퓨린 계열 염기와 피리미딘 계열 염기의 비율은 1 : 1로 같다.

세대 구분	P	G_1	G_2	G_3	G_4	G_5
A중층	0	1	0.5	?0.25	ⓛ0.875	㉣0.4375
B하층	0	0	㉠0.5	?0.75	?0	㉮0
C상층	1	0	?0	?0	㉢0.125	㉯0.5625

│ 선택지 분석 │

ㄱ. ㉠은 0.5이다.

ㄴ. ⓛ과 ㉢의 합은 1이다.

ㄷ. 5세대 대장균(G_5)의 DNA 상대량은 ㉮>㉣>㉯이다.

ㄱ. 부모 세대(P)의 $^{14}N-^{14}N$ DNA가 나타나는 C는 상층이고, 1세대 대장균(G_1)의 $^{14}N-^{15}N$ DNA가 나타나는 A는 중층이다. 따라서 B가 하층이다. 2세대 대장균(G_2)의 DNA는 $^{14}N-^{15}N$ DNA, $^{15}N-^{15}N$ DNA이므로 중층(A)과 하층(B)에 1 : 1로 나타난다.

ㄴ. 4세대 대장균(G_4)은 $^{14}N-^{14}N$ DNA와 $^{14}N-^{15}N$ DNA의 비가 1 : 7이므로 $^{14}N-^{14}N$ DNA의 비율(㉢)은 0.125, $^{14}N-$ ^{15}N DNA의 비율(ⓛ)은 0.875이다. 따라서 ⓛ과 ㉢의 합은 1이다.

ㄷ. 4세대 대장균(G_4)을 배양하여 얻은 5세대(G_5) 대장균은 $^{14}N-^{14}N$ DNA와 $^{14}N-^{15}N$ DNA의 비가 9 : 7이므로 DNA를 원심 분리하면 DNA 상대량은 중층(A) : 하층(B) : 상층(C)=7 : 0 : 9로 나타난다. 따라서 ㉮>㉣>㉯이다.

06 꼼꼼 문제 분석

- ㉠과 ㉮은 주형 가닥이고 서로 상보적이며, ⓛ, ㉢, ㉣은 새로 합성된 가닥이다.
- ㉠, ㉣, ㉮은 각각 60개의 염기로 구성되며, ⓛ과 ㉢은 각각 30개의 염기로 구성되고, 프라이머 X와 Y는 각각 동일한 6개의 염기로 구성된다.
- ㉠과 ⓛ 사이의 수소 결합의 총 개수는 ㉠과 ㉢ 사이의 수소 결합의 총 개수와 같다.
- ㉠에서 $\dfrac{A+T}{G+C}=\dfrac{3}{2}$이고, ⓛ에서 $\dfrac{A+T}{G+C}=1$이다.
- ㉮에서 $\dfrac{T}{A}=1$이고, $\dfrac{C}{G}=\dfrac{7}{5}$이다.

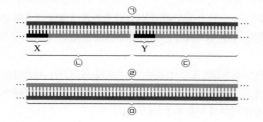

- ㉠과 ㉮은 상보적인 염기 서열을 가진다. ➡ ㉠과 ㉮을 합쳐서 A과 T의 수가 같고, G과 C의 수가 같다. ㉮에서 $\dfrac{T}{A}=1$이므로 ㉠에서도 A과 T의 수는 같다. ㉠에서 A+T+G+C=60이고, $\dfrac{A+T}{G+C}=\dfrac{3}{2}$이므로 $A+T=\dfrac{3}{5}\times60=36$이 되어 A과 T은 각각 18개이다.
- ㉮에서 $\dfrac{C}{G}=\dfrac{7}{5}$이므로 상보적으로 결합하는 ㉠에서는 이 비율이 거꾸로 나타나 $\dfrac{C}{G}=\dfrac{5}{7}$이고, G+C=60-36=24이다. 따라서 ㉠에서 C은 $24\times\dfrac{5}{12}=10$개이고, G은 14개이다.
- ㉠과 상보적으로 결합하는 가닥 사이에서 생길 수 있는 수소 결합의 총 수는 $(A+T)\times2+(G+C)\times3=(18+18)\times2+(10+14)\times3=144$개이다. ⓛ과 ㉢의 염기 수는 30개로 같으며, ㉠과의 수소 결합의 총 수도 같다. 따라서 ㉠과 ⓛ, ㉠과 ㉢ 사이의 수소 결합의 수는 각각 72개이다.
- ⓛ에서 염기 30쌍 사이의 수소 결합의 총 수는 72개이다. 프라이머는 RNA로 구성되므로 ⓛ을 구성할 수 있는 염기는 A, G, C, T, U이다. $2(A+T+U)+3(G+C)=72$이고, A+T+U+G+C=30이므로 A+T+U=18이고 G+C=12이다. 그런데 ⓛ에서 $\dfrac{A+T}{G+C}=1$이라고 하였으므로 ⓛ에서 A+T도 12이다. 따라서 나머지 6개는 프라이머 X를 구성하는 염기 U이라는 것을 알 수 있다.

│ 선택지 분석 │

✗. 프라이머 X와 ㉠ 사이의 수소 결합의 개수는 <u>18개</u>이다. 12개

✗. $\dfrac{A+T}{G+C}$는 ㉮에서가 ㉢에서보다 <u>작다.</u> 크다.

ㄷ. ㉣에서 염기 G의 개수는 14개이다.

ㄷ. ㉣은 ㉠과 염기 서열이 같으므로 구아닌(G)의 개수는 ㉠과 같은 14개이다.

│ 바로알기 │ ㄱ. X는 UUUUUU로 구성되므로 X와 ㉠ 사이의 수소 결합의 개수는 $2\times6=12$개이다.

ㄴ. ㉮에서 A+T은 ㉠과 같이 36개이고, G+C은 24개이다. 따라서 ㉮에서 $\dfrac{A+T}{G+C}=\dfrac{36}{24}=1.5$이다.

㉠과 상보적인 ⓛ과 ㉢에서의 염기 수는 다음 표와 같다.

염기	A	G	C	T
가닥 ㉠	18	14	10	18
	↓	↓	↓	↓
염기	T+U	C	G	A
가닥 ⓛ+㉢	18	14	10	18

프라이머의 U 6개를 제외하면 ㉢에서 A+T+G+C=24개이고, ⓛ에서 G+C=12개이므로 ㉢에서 G+C=12개이고, A+T=12개이다. 따라서 ㉢에서 $\dfrac{A+T}{G+C}=1$이다.

2 유전자 발현

01 유전자 발현

210쪽

개념 확인 문제

❶ 발현　❷ 단백질　❸ 형질　❹ 1효소설　❺ 1단백질설
❻ 1폴리펩타이드설

1 (1) ○ (2) ○ (3) ○ (4) ×　**2** (1) ○ (2) ○ (3) ×　**3** (1) 아르지닌 (2) ㉠ 오르니틴, ㉡ 시트룰린 (3) Ⅰ형 (4) 효소 C (5) 전구 물질 → 오르니틴 → 시트룰린 → 아르지닌 (6) 효소 B를 합성하지 못하여 오르니틴을 시트룰린으로 전환하지 못한다.

1 (1) 유전자는 단백질 합성에 필요한 정보를 저장하며, 합성된 단백질이 특정 기능을 수행함으로써 생물의 형질이 나타난다.
(2) 비들과 테이텀은 붉은빵곰팡이의 영양 요구주를 이용한 실험을 통해 1유전자 1효소설을 제안하였다.
(3) 하나의 유전자는 효소뿐만 아니라 인슐린과 같은 호르몬이나 머리카락을 구성하는 케라틴 등 효소로 작용하지 않는 단백질의 합성에도 관여한다.
(4) 하나의 단백질을 구성하는 다른 종류의 폴리펩타이드는 서로 다른 유전자에 의해 합성된다.

2 (1) 하나의 유전자가 하나의 효소를 합성되게 하는 1유전자 1효소설을 나타내고 있다.
(2) 유전자 A에는 효소 A의 합성 정보가 저장되어 있다.
(3) 유전자 B에 이상이 생기면 효소 B가 정상적으로 생성되지 않기 때문에 물질 (가)로부터 (나)가 합성되지 않는다.

3 (1) 최소 배지에 아르지닌을 첨가하면 영양 요구주 Ⅰ형, Ⅱ형, Ⅲ형이 모두 생장하므로 붉은빵곰팡이의 생장에 반드시 필요한 물질은 아르지닌이다.
(2) 영양 요구주 Ⅱ형은 최소 배지에 시트룰린이나 아르지닌을 첨가하였을 때 생장하였으므로 물질 ㉡은 시트룰린이고, ㉠은 오르니틴이다.
(3) 영양 요구주 Ⅰ형은 오르니틴의 합성에 관여하는 효소를 만들지 못하여 전구 물질로부터 오르니틴(㉠)을 합성하지 못한다.
(4) 영양 요구주 Ⅲ형은 오르니틴이나 시트룰린을 첨가하였을 때는 생장하지 못하고 아르지닌을 첨가하였을 때만 생장하므로 시트룰린(㉡)을 아르지닌으로 전환하는 효소 C가 정상적으로 생성되지 않는다.

(5) 붉은빵곰팡이에서 '전구 물질 → 오르니틴 → 시트룰린'을 거쳐 아르지닌이 합성된다.
(6) 유전자 B에 이상이 생긴 붉은빵곰팡이는 정상 기능을 하는 효소 B를 생성하지 못한다. 그 결과 오르니틴(㉠)을 시트룰린(㉡)으로 전환하지 못하므로 최소 배지에 시트룰린(㉡)이나 아르지닌을 첨가해야만 생장할 수 있다.

214쪽

개념 확인 문제

❶ 중심 원리　❷ 전사　❸ 번역　❹ 3염기 조합　❺ 코돈
❻ RNA 중합 효소　❼ $5' → 3'$

1 (1) ㉠ 전사, ㉡ 번역 (2) ㉠ 핵, ㉡ 리보솜　**2** (1) × (2) × (3) ○ (4) ○　**3** (1) RNA 중합 효소 (2) $5'$　**4** $5'-$UAGGCUAGC$-3'$　**5** (1) × (2) ○ (3) ○ (4) ×　**6** (1) tRNA (2) rRNA (3) mRNA

1 진핵세포에서 DNA의 유전 정보가 RNA로 전달되는 전사(가) 과정은 핵 속에서 일어나며, RNA로 전달된 유전 정보에 따라 단백질이 합성되는 번역(나) 과정은 세포질의 리보솜에서 일어난다.

2 (1) DNA에서 연속된 3개의 염기로 이루어진 유전부호를 3염기 조합이라고 한다.
(2) AUG는 메싸이오닌을 지정하면서 개시 코돈으로 작용한다.
(3) 아미노산은 20종류이지만, 코돈은 64종류이다. 따라서 여러 개의 코돈이 하나의 아미노산을 지정하는 경우도 있다.
(4) 세균과 사람은 유전부호 체계가 같으므로 세균과 사람에서 동일한 코돈은 동일한 아미노산으로 번역된다.

3 (1) 효소 A는 RNA를 합성하는 RNA 중합 효소이다.
(2) RNA의 합성은 $5' → 3'$ 방향으로 일어난다. 따라서 가장 먼저 만들어져 DNA와 분리되어 있는 ㉠은 $5'$ 말단이다.

4 전사가 일어날 때는 DNA의 주형 가닥에 상보적인 염기를 가진 리보뉴클레오타이드가 결합하여 RNA를 합성하며, DNA와 RNA의 염기는 상보적 대응 관계이고, 방향은 반대이다. 이때 DNA와는 달리 RNA에는 타이민(T)이 없고 유라실(U)이 있으므로 DNA 주형 가닥의 아데닌(A)에 상보적인 mRNA의 염기는 유라실(U)이다.

5 (1) RNA 중합 효소는 처음부터 주형 가닥에 상보적인 염기를 가진 리보뉴클레오타이드를 결합시킬 수 있으므로 프라이머가 필요하지 않다.

(2) RNA 중합 효소는 리보뉴클레오타이드를 5′→3′ 방향으로 연결시킨다.

(3) RNA 중합 효소가 프로모터에 결합하여 DNA 이중 나선의 일부를 풀면서 전사가 시작된다.

(4) 복제는 DNA 이중 나선의 두 가닥이 모두 주형이 되지만, 전사는 DNA 이중 나선의 두 가닥 중 한 가닥을 주형으로 하여 일어난다.

6 mRNA는 DNA 염기 서열에 저장되어 있는 단백질 합성 정보를 리보솜에 전달하고, rRNA는 단백질과 결합하여 리보솜을 구성하며, tRNA는 단백질 합성에 필요한 아미노산을 리보솜으로 운반한다.

개념 확인 문제　　　　　　　　　217쪽

❶ 단백질　❷ 안티코돈　❸ 아미노산　❹ A　❺ P
❻ E　❼ mRNA　❽ 개시 코돈　❾ P　❿ 펩타이드
⓫ 종결 코돈

1 (1) A (2) C　**2** (1) ○ (2) ○ (3) × (4) × (5) ×　**3** (1) A:
tRNA, B: mRNA, C: 코돈 (2) ㉠ → ㉡　**4** (가) → (마) →
(바) → (나) → (라) → (다)

1 (1) tRNA의 3′ 말단에 아미노산이 결합하는 자리가 있다.
(2) C는 mRNA의 특정 코돈과 상보적으로 결합하는 안티코돈이다.

2 (1) tRNA는 코돈과 상보적으로 결합하는 안티코돈이 있어 코돈이 지정하는 아미노산을 리보솜으로 운반한다.
(2) tRNA에 따라 결합할 수 있는 아미노산의 종류가 다르다. 따라서 20종류의 아미노산은 서로 다른 tRNA에 의해 운반된다.
(3) 리보솜을 구성하는 대단위체와 소단위체는 단백질을 합성하지 않을 때는 분리되어 있다가 단백질을 합성할 때 결합한다.
(4) tRNA와 아미노산은 세포질에서 결합하고, 리보솜에서는 아미노산과 아미노산 사이의 펩타이드 결합이 일어난다.
(5) 리보솜 대단위체에는 tRNA의 결합 자리가 있고, mRNA의 결합 자리는 리보솜 소단위체에 있다.

3 (1) A는 아미노산을 리보솜으로 운반하는 tRNA, B는 유전 정보를 전달하는 mRNA, C는 mRNA의 코돈이다.

---

(2) 번역은 mRNA의 5′→3′ 방향으로 일어나며, 새로 추가되는 아미노산을 결합한 tRNA가 결합하는 A 자리는 3′ 말단 쪽에 있다. 따라서 번역은 ㉠ → ㉡ 방향으로 일어난다.

4 (가) mRNA가 세포질에 있는 리보솜 소단위체와 결합하면, 아미노산(메싸이오닌)을 운반하는 개시 tRNA가 개시 코돈에 상보적으로 결합한다. 이어서 리보솜 대단위체가 mRNA에 결합하여 완전한 리보솜을 만드는데, (마) 이때 개시 tRNA는 P 자리에 위치한다. (바) 리보솜 대단위체의 A 자리에 아미노산과 결합한 tRNA가 들어와 위치하면 (나) A 자리의 아미노산과 P 자리의 아미노산(메싸이오닌) 사이에 펩타이드 결합이 형성된다. 리보솜이 하나의 코돈만큼 이동하면 A 자리의 tRNA는 P 자리에 오며, A 자리에는 새로운 tRNA가 들어와 새로운 펩타이드 결합이 형성되고, P 자리의 tRNA는 E 자리로 이동하여 분리된다. 이 과정이 반복되면서 폴리펩타이드가 길어진다. (라) 리보솜의 A 자리에 mRNA의 종결 코돈이 위치하면 단백질 합성이 종료되고, (다) 리보솜은 대단위체와 소단위체로 분리된다.

218쪽

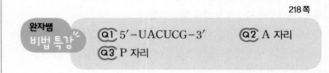

완자쌤 비법특강　Q1 5′–UACUCG–3′　Q2 A 자리
Q3 P 자리

Q1 mRNA의 염기 서열은 DNA 주형 가닥의 염기 서열과 상보적이며 방향은 반대이다. DNA 주형 가닥의 아데닌(A)에는 RNA의 상보적인 염기인 유라실(U)이 결합한다.

Q2 A 자리는 새롭게 추가되는 아미노산이 붙은 tRNA가 들어오는 자리이다.

Q3 개시 tRNA는 리보솜의 P 자리에 결합한다.

대표 자료 분석　　　　　　　　　219쪽~220쪽

자료 ① **1** 1유전자 1효소설　**2** ㉠ 시트룰린, ㉡ 아르지닌,
㉢ 오르니틴　**3** (1) ○ (2) ○ (3) × (4) × (5) ○

자료 ② **1** A　**2** RNA 중합 효소　**3** (1) ○ (2) ○ (3) ×
(4) ○ (5) × (6) ○ (7) ×

자료 ③ **1** GTT　**2** 메싸이오닌　**3** (1) ○ (2) ○ (3) ×
(4) ○ (5) ○ (6) × (7) ○

자료 ④ **1** tRNA　**2** rRNA, 단백질　**3** (1) × (2) ○
(3) ○ (4) ○ (5) × (6) × (7) ○

---

①-1 하나의 유전자가 하나의 효소를 합성되게 한다고 설명하는 학설을 1유전자 1효소설이라고 한다.

①-2 최소 배지에 ⓒ을 첨가하면 Ⅰ형, Ⅱ형, Ⅲ형이 모두 생장하므로 ⓒ은 붉은빵곰팡이의 생장에 필요한 아르지닌이다. Ⅰ형은 ⓒ을 첨가하였을 때는 생장하지 못하지만, ⓞ을 첨가하였을 때는 생장하므로 ⓒ이 오르니틴이고, ⓞ이 시트룰린이다.

①-3 (1) 야생형은 최소 배지에서도 생장하므로 효소 A를 합성할 수 있다.
(2) 아르지닌(ⓒ)이 합성되기까지 물질의 전환 과정은 오르니틴(ⓒ) → 시트룰린(ⓞ) → 아르지닌(ⓒ)이다.
(3) Ⅰ형은 오르니틴(ⓒ)을 첨가한 배지에서 생장하지 못하므로 효소 B를 합성하지 못한다. 그러나 시트룰린(ⓞ)을 첨가한 배지에서는 생장하므로 효소 C는 합성할 수 있다.
(4) Ⅱ형은 오르니틴(ⓒ)을 첨가하였을 때와 시트룰린(ⓞ)을 첨가하였을 때 모두 생장하지 못하므로 유전자 C에 돌연변이가 생겨 효소 C가 합성되지 않는다.
(5) Ⅲ형은 오르니틴(ⓒ)을 첨가하면 생장할 수 있으므로 효소 B와 C를 정상적으로 합성할 수 있다. 따라서 오르니틴을 시트룰린으로, 시트룰린을 아르지닌으로 합성할 수 있다.

②-1 A는 전사, B는 번역이다. (나)는 DNA로부터 RNA가 전사되는 A 과정을 나타낸 것이다.

②-2 DNA에 결합하여 RNA 합성에 관여하는 효소 ⓒ은 RNA 중합 효소이다.

②-3 (1) 진핵세포는 핵막으로 둘러싸인 핵 속에 DNA가 있으므로, 전사(A)는 핵 속에서 일어난다.
(2) 번역(B) 과정에는 mRNA, rRNA, tRNA 및 아미노산, 리보솜 등이 관여한다.
(3) RNA 중합 효소가 주형 가닥에 상보적인 염기를 가진 리보뉴클레오타이드를 $5' \rightarrow 3'$ 방향으로 결합시켜 RNA를 합성한다.
(4) ⓞ은 RNA이므로 염기 유라실(U)이 포함될 수 있다.
(5) RNA(ⓞ)의 유전부호는 코돈, DNA(ⓒ)의 유전부호는 3염기 조합이다.
(6) ⓒ은 이중 나선 구조의 DNA이며, DNA는 당으로 디옥시리보스를 갖는다.
(7) RNA 중합 효소(ⓒ)는 DNA 중합 효소와 달리 처음부터 주형 가닥에 상보적인 염기를 가진 리보뉴클레오타이드를 $5' \rightarrow 3'$ 방향으로 결합시켜 RNA 가닥을 만들 수 있으므로 프라이머가 필요하지 않다. RNA 중합 효소는 프로모터에 결합한다.

③-1 DNA 이중 나선을 이루는 (가)와 (나)는 염기 서열이 상보적이므로 (가)의 빈칸에 들어갈 염기는 $5'-GTT-3'$이다.

③-2 (다)는 코돈 AUG가 지정하는 메싸이오닌이다.

③-3 (1) mRNA의 염기 서열은 주형 가닥의 염기 서열과 상보적이다. 따라서 (나)가 주형 가닥이다.
(2) DNA는 3개의 연속된 염기가 한 조가 되어 하나의 아미노산을 지정하는데, 이를 3염기 조합이라고 한다.
(3) 번역은 mRNA의 $5' \rightarrow 3'$ 방향으로 일어나므로 제시된 유전 정보로부터 합성되는 아미노산을 순서대로 나열하면 (다)-발린-류신이다.
(4) 제시된 번역 과정에서 3개의 아미노산이 펩타이드 결합으로 연결되었으므로 3개의 tRNA가 사용되었다.
(5) 아미노산 사이의 펩타이드 결합은 리보솜에서 일어난다.
(6) 주형 가닥 DNA의 염기 $3'-AAT-5'$가 전사된 mRNA는 $5'-UUA-3'$이므로 류신을 지정한다.
(7) 주형 가닥 DNA의 염기 $3'-CAA-5'$가 전사된 mRNA는 $5'-GUU-3'$이므로 발린을 지정한다.

④-1 ⓐ는 아미노산을 운반하는 tRNA이다.

④-2 리보솜은 rRNA와 단백질로 구성된다.

④-3 (1), (3) tRNA ⓐ는 새롭게 추가되는 아미노산과 결합하고 있으므로 A 자리에 위치하고, tRNA ⓑ는 폴리펩타이드가 있으므로 P 자리에 위치한다. 따라서 A 자리에 있는 ⓐ가 P 자리에 있는 ⓑ보다 나중에 리보솜에서 분리된다.
(2) 진핵세포에서 RNA는 핵 속에서 DNA로부터 전사되어 만들어진다.
(4), (5) 번역이 일어날 때는 P 자리에 있던 tRNA는 E 자리로 가서 분리되고, A 자리에 있던 tRNA는 P 자리로 이동하며, A 자리에는 새로 추가되는 아미노산을 결합한 tRNA가 들어온다. 따라서 리보솜은 (나) → (가) 방향으로 이동하며, 개시 코돈은 (나) 방향에 있다.
(6) 길어지고 있는 폴리펩타이드의 맨 끝에 있는 아미노산부터 하나씩 차례대로 결합된 것이다. 따라서 ⓞ이 ⓒ보다 맨 끝부분에 가깝기 때문에 ⓞ은 ⓒ보다 먼저 폴리펩타이드 사슬에 결합된 아미노산이다.
(7) 여러 개의 아미노산은 펩타이드 결합에 의해 연결되어 폴리펩타이드 사슬을 형성한다.

01 ④	02 ②	03 ③	04 해설 참조	05 ③
06 ⑤	07 ②	08 ①	09 ④	10 ④	11 ③
12 ③	13 ①	14 ②	15 ③	16 ④	17 ④
18 ⑤	19 ①			

01 꼼꼼 **문제 분석**

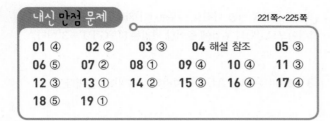

- 유전자 A에 이상이 있는 경우: 효소 A가 합성되지 않아 전구 물질로부터 오르니틴이 합성되지 않는다.
- 유전자 B에 이상이 있는 경우: 효소 B가 합성되지 않아 오르니틴으로부터 시트룰린이 합성되지 않는다.
- 유전자 C에 이상이 있는 경우: 효소 C가 합성되지 않아 시트룰린으로부터 아르지닌이 합성되지 않는다.

ㄱ. 유전자 A는 효소 A, 유전자 B는 효소 B, 유전자 C는 효소 C에 대한 유전 정보를 가지고 있다.

ㄴ. 효소 B는 오르니틴이 시트룰린으로 합성되는 데 관여하므로 효소 B가 합성되지 않으면 오르니틴으로부터 시트룰린을 합성할 수 없다.

┃ **바로알기** ┃ ㄷ. 유전자 C에 이상이 있는 붉은빵곰팡이는 시트룰린 → 아르지닌의 물질 전환 과정이 정상적으로 일어나지 않으므로 오르니틴과 시트룰린 중 하나가 있는 경우 아르지닌을 생성할 수 없어 정상적으로 생장할 수 없다.

02 붉은빵곰팡이의 영양 요구주는 최소 배지에 물질 B나 C를 첨가하면 생장하지만 A를 첨가하면 생장하지 못한다. 따라서 이 영양 요구주는 물질 A로부터 B를 합성하는 (나) 과정에 이상이 생긴 것이다.

03 꼼꼼 **문제 분석**

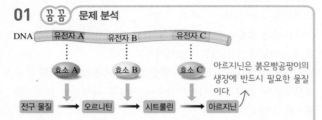

첨가 물질		A	B	C
영양 요구주	Ⅰ형	−	+	−
	Ⅱ형	+	+	+
	Ⅲ형	+	+	−

(+: 생장함, −: 생장 못함)

모든 영양 요구주에 물질 B를 첨가하면 생장할 수 있다.
➡ 붉은빵곰팡이의 생장에 반드시 필요한 물질은 B이다.

- 영양 요구주 Ⅰ형은 물질 A를 B로 합성하지 못한다.
- 영양 요구주 Ⅱ형은 최소 배지의 전구 물질을 물질 C로 합성하지 못한다.
- 영양 요구주 Ⅲ형은 물질 C를 A로 합성하지 못한다.

ㄱ. 최소 배지에 B를 첨가하면 영양 요구주 Ⅰ형, Ⅱ형, Ⅲ형이 모두 생장하므로 붉은빵곰팡이의 생장에 반드시 필요한 최종 형태의 물질은 B이다. 영양 요구주 Ⅲ형은 A를 첨가하면 생장하지만 C를 첨가하면 생장하지 못하므로 C를 A로 전환하지 못한다. 따라서 물질의 합성 과정은 C → A → B이다.

ㄴ. 영양 요구주 Ⅰ형은 A를 첨가하면 생장하지 못하므로 A에서 B를 합성하는 데 필요한 효소에 이상이 있다.

┃ **바로알기** ┃ ㄷ. 영양 요구주 Ⅲ형은 C에서 A를 합성하지 못하므로 C를 첨가한 배지에서 배양하더라도 A는 생성되지 않는다.

04 헤모글로빈은 하나의 단백질이지만, 두 종류의 폴리펩타이드로 구성되어 있다.

모범답안 1유전자 1폴리펩타이드설, 하나의 유전자가 하나의 폴리펩타이드를 합성하게 한다.

채점 기준	배점
가설의 이름을 쓰고, 유전자와 단백질의 관계를 옳게 서술한 경우	100 %
가설의 이름만 옳게 쓴 경우	40 %

05 ① (가)는 DNA의 유전 정보가 RNA로 전달되는 전사이고, (나)는 RNA의 유전 정보에 따라 단백질이 합성되는 번역이다.
② 진핵세포에서 전사(가)는 핵 속에서, 번역(나)은 세포질의 리보솜에서 일어난다.
④ 번역(나) 과정에서 RNA의 염기 서열에 저장된 유전 정보에 따라 아미노산이 결합하여 단백질이 합성되므로 RNA의 염기 서열 정보가 단백질의 아미노산 서열로 바뀐다고 할 수 있다.
⑤ RNA는 DNA의 유전 정보를 전달한다.

┃ **바로알기** ┃ ③ 전사(가) 과정을 거쳐 DNA의 주형 가닥과 상보적인 염기 서열을 가지는 RNA가 합성되며, RNA는 DNA의 염기 중 타이민(T)이 없고 유라실(U)을 가진다.

06 ㄱ. 물질 X는 RNA이며, RNA는 염기 아데닌(A), 구아닌(G), 사이토신(C), 유라실(U)을 가진다.
ㄴ. 물질 Y는 단백질이며, 단백질의 단위체는 아미노산이다. 단백질은 아미노산이 펩타이드 결합으로 연결되어 형성된다.
ㄷ. (가)는 리보솜이며, 리보솜은 rRNA와 단백질로 구성된다.

07 ㄴ. 코돈은 총 64종류가 있는데, 그 중 종결 코돈 3종류는 아미노산을 지정하지 않는다. 따라서 아미노산을 지정하는 코돈은 총 61종류이다.

┃ **바로알기** ┃ ㄱ. 코돈은 3개의 염기로 이루어진 mRNA의 유전부호이다.
ㄷ. 아미노산보다 코돈의 종류가 더 많으므로 하나의 아미노산을 지정하는 코돈이 여러 종류인 경우가 있다.

08 ② DNA 주형 가닥 3′−AAA−5′에서 전사된 mRNA의 코돈은 5′−UUU−3′이며, 코돈 UUU가 지정하는 아미노산 ⓒ은 페닐알라닌이다.

③ (가)는 전사이며, RNA 중합 효소가 프로모터에 결합하면서 전사가 시작된다.

④ (나)는 번역이며, 이 과정에서 mRNA의 유전 정보에 따라 아미노산이 차례로 결합하여 폴리펩타이드가 형성된다.

⑤ DNA 주형 가닥의 3′−GCA−5′에서 전사된 mRNA의 코돈은 5′−CGU−3′이며, 코돈 CGU가 지정하는 아미노산은 아르지닌이다.

바로알기 ① mRNA의 유전부호인 ⊙은 코돈이다. 3염기 조합은 DNA의 유전부호이다.

09 • 학생 B: 전사가 일어날 때 작용하는 RNA 중합 효소는 처음부터 주형 가닥에 상보적인 염기를 가진 리보뉴클레오타이드를 결합시킬 수 있으므로 프라이머를 필요로 하지 않는다.

• 학생 C: 전사는 DNA가 있는 곳에서 이루어진다. 따라서 진핵세포에서는 핵 속에서 전사가 일어나고, 원핵세포에서는 세포질에서 전사가 일어난다.

바로알기 • 학생 A: 전사가 일어날 때는 DNA 이중 나선의 두 가닥 중 한 가닥만 주형으로 작용한다.

10 (꼼꼼) **문제 분석**

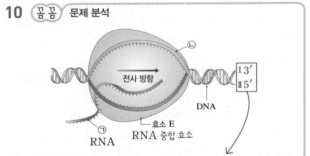

전사는 5′→3′ 방향으로 일어나므로 주형 가닥의 Ⅱ는 5′ 말단이고, 이중 가닥을 이루고 있는 DNA 가닥의 Ⅰ은 3′ 말단이다.

ㄱ. 전사될 때 RNA는 5′→3′ 방향으로 합성되므로 주형 가닥은 이와 반대 방향이다. 따라서 RNA가 전사되는 방향의 주형 가닥의 Ⅱ는 5′ 말단이다.

ㄴ. 효소 E는 RNA 중합 효소이다. RNA 중합 효소는 RNA 합성을 촉매하는 효소로 DNA에 결합하여 DNA에 상보적인 염기를 가진 리보뉴클레오타이드를 5′→3′ 방향으로 결합시킨다.

바로알기 ㄷ. ⓒ은 주형 가닥과 결합되어 있던 DNA의 다른 쪽 가닥으로 ⊙(RNA)의 염기 서열은 타이민(T) 자리에 유라실(U)이 있는 것을 제외하고는 가닥 ⓒ과 같다.

11 (꼼꼼) **문제 분석**

DNA 가닥 Ⅰ과 Ⅱ는 염기의 상보적 결합으로 연결된다.

구분	염기 조성 비율(%)					
	A	G	C	T	U	계
DNA 가닥 Ⅰ	30	?25	20	?25	? 0	100
DNA 가닥 Ⅱ	25	⊙20	?25	ⓒ30	ⓒ0	100
mRNA	ⓔ30	ⓓ25	20	? 0	?25	100

DNA 가닥 Ⅰ과 DNA 가닥 Ⅱ에서 상보적으로 결합하는 염기의 조성 비율은 서로 같다. → DNA 가닥 Ⅰ의 아데닌(A)의 비율과 DNA 가닥 Ⅱ의 타이민(T)의 비율이 같다.

ㄱ. mRNA의 염기 서열은 주형 가닥에 상보적이므로 상보적인 염기의 조성 비율이 같은 DNA 가닥 Ⅱ가 전사의 주형으로 사용되었다.

ㄷ. DNA 가닥 Ⅰ에서 퓨린 계열 염기(아데닌(A), 구아닌(G))의 비율은 A+G=30+25=55로, 피리미딘 계열 염기(사이토신(C), 타이민(T))의 비율 C+T=20+25=45보다 많다.

바로알기 ㄴ. ⊙+ⓒ+ⓒ=20+30+0=50이고, ⓓ+ⓔ=30+25=55 이다.

12 ㄱ. ⊙은 리보솜을 구성하므로 rRNA이다.

ㄷ. ⓒ은 DNA의 유전 정보를 전달하므로 mRNA이다. 리보솜에서 mRNA의 유전 정보에 따라 번역 과정에서 아미노산이 차례로 결합하여 단백질이 합성된다.

바로알기 ㄴ. ⓒ은 폴리펩타이드 합성에 필요한 아미노산을 운반하므로 tRNA이다. tRNA에는 안티코돈이 있다.

13 ㄱ. tRNA의 3′ 말단에 아미노산이 결합하는 부위가 있다.

바로알기 ㄴ. (다)는 안티코돈으로, 안티코돈의 염기 서열에 의해 tRNA에 결합하는 아미노산의 종류가 달라진다.

ㄷ. tRNA에 따라 안티코돈은 다르지만 3′ 말단의 염기 서열 CCA는 모든 tRNA에서 공통적이다.

14 (꼼꼼) **문제 분석**

각 아미노산은 mRNA의 코돈이 번역되어 운반되어 온 것으로, 펩타이드 결합에 의해 연결된다.

새로 첨가되는 아미노산으로, tRNA ⓒ에 결합되어 리보솜의 A 자리로 들어온다.

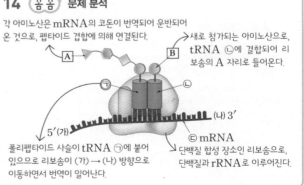

폴리펩타이드 사슬이 tRNA ⊙에 붙어 있으므로 리보솜이 (가)→(나) 방향으로 이동하면서 번역이 일어난다.

ⓒ mRNA
단백질 합성 장소인 리보솜으로, 단백질과 rRNA로 이루어진다.

① A는 개시 tRNA에 의해 운반되는 메싸이오닌이다.
③ 폴리펩타이드가 연결되어 있는 tRNA ㉠은 리보솜의 P 자리에 있다.
④ ㉠과 ㉡은 tRNA이고, ㉢은 mRNA이다. 세 가지 모두 공통적으로 뉴클레오타이드로 구성된 핵산이다.
⑤ (가)는 5′ 말단, (나)는 3′ 말단이다. 리보솜이 5′ → 3′ 방향으로 하나의 코돈만큼 이동하면서 폴리펩타이드에 새로운 아미노산을 첨가하여 폴리펩타이드가 신장된다.
| 바로알기 | ② B는 tRNA ㉠에 직접 연결된 아미노산과 결합한다. A는 번역 과정에서 가장 먼저 리보솜으로 운반되어 들어온 아미노산으로, B와 펩타이드 결합을 형성하지 않는다.

15 ③ 폴리펩타이드에 새로 추가되는 아미노산과 결합한 tRNA는 리보솜의 A 자리로 들어온다.
| 바로알기 | ① 리보솜은 mRNA를 따라 5′ → 3′ 방향으로 염기 3개 즉, 코돈 1개씩 이동한다.
② 개시 코돈(AUG)은 지정하는 아미노산(메싸이오닌)이 있고, 종결 코돈은 지정하는 아미노산이 없다.
④ 종결 코돈은 지정하는 아미노산이 없어 결합할 tRNA가 없다. 종결 코돈에 리보솜이 도달하면 단백질 합성이 종결된다.
⑤ 합성된 폴리펩타이드를 구성하는 아미노산의 수는 mRNA의 개시 코돈에서부터 종결 코돈 이전까지의 코돈의 수와 같다.

16 ① DNA에서 RNA를 합성하는 ㉠은 전사, RNA의 유전 정보에 따라 폴리펩타이드를 합성하는 ㉡은 번역이다.
② A는 rRNA, B는 mRNA, C는 tRNA이다. 진핵세포에서 RNA를 합성하는 전사는 핵 속에서 일어나므로 A~C는 핵 속에서 합성된 후 핵공을 통해 세포질로 이동한다.
③ B는 mRNA이며, mRNA에 개시 코돈이 있다.
⑤ tRNA(C)는 코돈이 지정하는 아미노산을 리보솜으로 운반한다.
| 바로알기 | ④ 아미노산을 운반하는 C는 tRNA이며, 안티코돈은 mRNA의 코돈과 상보적이므로 tRNA는 20종류보다 많다.

17 꼼꼼 문제 분석

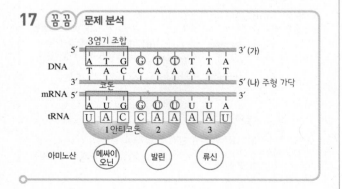

ㄴ. DNA의 염기 3′-CAA-5′는 5′-GUU-3′로 전사되고, 코돈 GUU는 발린을 지정한다.
ㄷ. 안티코돈은 코돈에 상보적이다. 메싸이오닌을 지정하는 코돈은 5′-AUG-3′이고, 메싸이오닌을 운반하는 tRNA의 안티코돈의 염기 서열은 3′-UAC-5′이다.
| 바로알기 | ㄱ. mRNA는 주형 가닥과 염기 서열이 상보적이다. 따라서 mRNA의 전사에 주형으로 사용된 것은 (나)이다.

18 ㄱ. ㉠은 코돈 GAG가 지정하는 글루탐산이다. 글루탐산을 지정하는 코돈은 이 자료를 통해 GAA, GAG가 있음을 알 수 있으므로 최소 2개이다.
ㄴ. 돌연변이 Ⅰ에서 만들어진 β 사슬은 두 번째 아미노산이 글루탐산에서 발린으로 바뀐 것 외에는 모두 같으므로 폴리펩타이드를 구성하는 아미노산 개수는 정상과 같다.
ㄷ. 돌연변이 Ⅱ는 두 번째 아미노산을 지정하는 염기가 1개 바뀌었지만 지정하는 아미노산이 글루탐산으로 같으므로 β 사슬이 정상적으로 만들어진다. 형질의 발현은 단백질에 의해 나타나므로 돌연변이에 의한 이상 형질이 나타나지 않는다.

19 제시된 염기 서열에서 전사된 mRNA의 염기 서열을 표기하면 다음과 같다.
5′-AC/AUG(개시 코돈)/UAU/GCU/AGU/UGC/GAG/CGC/UGA(종결 코돈)/GUAACAUGC-3′
X는 W의 세 번째 아미노산을 암호화하는 부위에 1개의 염기가 결실된 것이므로 X를 암호화하는 mRNA의 염기 서열은 다음과 같다.
5′-AC/AUG(개시 코돈)/UAU/○○A/GUU/GCG/AGC/GCU/GAG/UAA(종결 코돈)/CAUGC-3′
ㄱ. W를 암호화하는 mRNA의 종결 코돈은 UGA이고, X를 암호화하는 mRNA의 종결 코돈은 UAA이다.
| 바로알기 | ㄴ. W는 7개의 아미노산(AUG(메싸이오닌)-UAU(타이로신)-GCU(알라닌)-AGU(세린)-UGC(시스테인)-GAG(글루탐산)-CGC(아르지닌))으로 구성되고, X는 8개의 아미노산(AUG(메싸이오닌)-UAU(타이로신)-□-GUU(발린)-GCG(알라닌)-AGC(세린)-GCU(알라닌)-GAG(글루탐산))으로 구성된다. X의 세 번째 코돈 GCU에서 G가 결실될 경우 CUA, C가 결실될 경우 GUA, U가 결실될 경우 GCA가 되므로 W의 세 번째 아미노산은 류신(CUA), 발린(GUA), 알라닌(GCA) 중 하나가 될 수 있다. 그에 따라 번역틀이 바뀌어 9번째 코돈이 UAA로 종결 코돈이 되므로 X를 구성하는 아미노산의 개수는 8개로 W보다 1개 많다.
ㄷ. W의 여섯 번째 코돈은 GAG로 글루탐산을 지정하고, X의 다섯 번째 코돈은 GCG로 알라닌을 지정한다.

02 유전자 발현 조절

개념 확인 문제   230쪽

❶ 오페론   ❷ 없   ❸ 작동 부위   ❹ 있   ❺ 젖당 유도체
❻ 염색질   ❼ 전사 인자

1 (1) ○ (2) ○ (3) × (4) ○   **2** (1) × (2) × (3) ○ (4) ○
3 (1) × (2) ○ (3) ○ (4) × (5) ○   **4** (1) ㉠ 전사 (촉진) 인자,
㉡ (근거리) 조절 부위 (2) 전사 개시 복합체

1 (1), (2) 오페론은 프로모터, 작동 부위(B), 구조 유전자(C)로 구성된다. 조절 유전자(A)는 오페론에 포함되지 않는다.
(3) 오페론은 진핵생물에는 없고, 원핵생물에만 있는 유전자 발현 조절 방식이다.
(4) 여러 개의 구조 유전자는 하나의 프로모터와 작동 부위에 의해 동시에 발현되거나 억제된다.

2 (1) 조절 유전자는 젖당의 유무에 관계없이 항상 발현되어 억제 단백질이 합성된다.
(2) 포도당이 없고 젖당만 있는 배지에서는 억제 단백질이 젖당 유도체와 결합하여 구조가 변형되고, 변형된 억제 단백질은 작동 부위에 결합하지 못한다.
(3), (4) 포도당이 없고 젖당이 있으면 억제 단백질이 젖당 유도체와 결합하여 작동 부위에 결합하지 못하므로 RNA 중합 효소가 프로모터에 결합하여 구조 유전자가 전사된다. 전사된 구조 유전자의 mRNA가 번역되면 젖당 이용에 필요한 세 가지 효소(젖당 분해 효소, 젖당 투과 효소, 아세틸기 전이 효소)가 생성되어 대장균이 젖당을 분해한다.

3 (1) 진핵세포에서 전사는 DNA가 있는 핵 속에서 일어나고, 번역은 세포질에서 일어난다.
(2) 진핵세포에서는 전사와 번역이 각기 다른 장소에서 일어나므로 전사 전 단계, 전사 단계, 전사 후 단계, 번역 단계, 번역 후 단계 등 유전자 발현의 전체 과정에서 조절이 일어난다.
(3) 전사 촉진 인자는 RNA 중합 효소의 결합이나 활성을 자극하여 전사 개시를 촉진한다.
(4) 전사 후 조절 단계에서는 처음 만들어진 RNA에서 암호화하지 않는 인트론을 제거하여 엑손만을 남기고 양쪽 끝부분을 변형하는 등 RNA를 가공하여 유전자 발현을 조절한다.
(5) 번역 조절 단계에서는 mRNA의 분해 속도를 조절하여 합성되는 단백질의 양을 결정하고, 번역의 개시 단계를 조절하여 번역 속도를 조절함으로써 유전자 발현을 조절한다.

4 (1) ㉠은 조절 부위에 결합하는 전사 (촉진) 인자이고, ㉡은 프로모터 상단에 위치하는 (근거리) 조절 부위이다.
(2) (가)는 RNA 중합 효소와 전사 인자가 결합한 전사 개시 복합체이다.

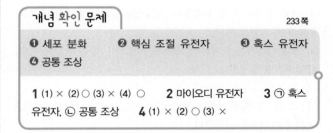

개념 확인 문제   233쪽

❶ 세포 분화   ❷ 핵심 조절 유전자   ❸ 혹스 유전자
❹ 공통 조상

1 (1) × (2) ○ (3) × (4) ○   **2** 마이오디 유전자   **3** ㉠ 혹스 유전자, ㉡ 공통 조상   **4** (1) × (2) ○ (3) ×

1 (1) 세포 분화가 일어나더라도 각 세포의 유전체 구성은 분화되기 전과 동일하다.
(2) 분화된 세포들 사이에 형태와 기능의 차이가 생기는 것은 유전자 발현 조절로 서로 다른 단백질이 생성되기 때문이다.
(3) 진핵세포에는 세포의 종류에 관계없이 모두 핵심 조절 유전자가 있다. 세포의 종류는 핵심 조절 유전자의 발현으로 생성된 산물을 비롯한 여러 전사 인자들이 어떻게 조합되어 작용하는가에 따라 특정 유전자가 선택적으로 발현되어 세포가 분화함으로써 결정된다.
(4) 핵심 조절 유전자는 진핵생물에서 유전자를 선택적으로 발현시키는 조절 유전자 중 가장 상위 조절 유전자이다. 진핵생물에서 핵심 조절 유전자가 발현되면 하위 조절 유전자들이 연속적으로 발현된다.

2 핵심 조절 유전자는 유전자 발현을 조절하는 유전자 중 가장 상위 조절 유전자로, 제시된 자료에서는 마이오디 유전자가 다른 조절 유전자의 발현을 조절하는 핵심 조절 유전자이다.

3 혹스 유전자는 동물의 발생 초기 단계에서 각 기관이 정확한 위치에 형성되도록 하는 데 관여하는 핵심 조절 유전자이며, 다양한 동물에서 유사하게 발견되어 여러 동물이 공통 조상에서 진화하였다는 증거가 되기도 한다.

4 (1) 초파리의 혹스 유전자는 1개의 염색체에 존재한다.
(2), (3) 혹스 유전자는 종에 관계없이 각 유전자가 기능을 결정할 체절들과 같은 순서로 배열되어 있고, 기관이 정확한 위치에 생성되도록 조절한다.

자료 1	**1** (1) 프로모터 (2) 작동 부위 (3) 조절 유전자	**2** (1) ○
	(2) × (3) × (4) ○ (5) ○ (6) ×	
자료 2	**1** ㉠ 핵, ㉡ 핵, ㉢ 세포질(세포질의 리보솜)	**2** 조절
	부위 **3** (1) ○ (2) × (3) ○ (4) × (5) × (6) ×	

1-1 (1) RNA 중합 효소가 결합하여 전사가 시작되는 부위
는 프로모터이다.
(2) 작동 부위는 억제 단백질이 결합하는 부위로 전사를 조절하
는 스위치 역할을 한다.
(3) 조절 유전자는 오페론에 포함되지 않으며, 항상 발현되어 억
제 단백질을 합성한다.

1-2 (1) 조절 유전자는 젖당의 유무와 관계없이 항상 발현되
어 억제 단백질을 합성한다.
(2) 젖당 오페론은 포도당이 없고, 젖당이 있을 때 활성화된다.
(3) 젖당 유도체는 억제 단백질과 결합하여 억제 단백질이 작동
부위에 결합하지 못하게 함으로써 구조 유전자의 전사가 일어나
게 한다.
(4) 조절 유전자가 결실되면 억제 단백질이 합성되지 않는다.
(5) 작동 부위에 억제 단백질이 결합하는지에 따라 구조 유전자
가 전사되어 젖당 이용에 필요한 세 가지 효소가 합성되므로 작
동 부위는 구조 유전자의 전사를 조절하는 스위치 역할을 한다.
(6) RNA 중합 효소가 프로모터에 결합하면 전사가 개시되어 구
조 유전자의 전사가 일어난다.

2-1 진핵세포에서 전사(㉠)와 전사 후 조절 단계인 RNA 가
공(㉡)은 핵 속에서 일어난다. 성숙한 mRNA는 세포질로 나가
리보솜에 결합하여 폴리펩타이드로 번역된다. 따라서 번역 과정
(㉢)은 세포질(세포질의 리보솜)에서 일어난다.

2-2 전사 인자는 DNA의 조절 부위에 결합한다.

2-3 (1) (나)는 전사 개시 복합체를 형성하여 전사가 일어나는
것을 나타내므로 전사(㉠) 과정에서 나타난다.
(2) RNA 가공(㉡) 과정은 전사 후 조절 단계에서 일어난다.
(3) 번역(㉢) 과정에는 아미노산을 운반하는 tRNA와 단백질을
합성하는 리보솜이 필요한데, 리보솜은 단백질과 rRNA로 이루
어져 있다.
(4), (5) ⓐ와 Ⅰ은 모두 단백질을 암호화하지 않는 부위인 인트론
이다. ⓐ는 처음 만들어진 RNA에서 Ⅰ 부분이 떨어진 것이다.
(6) 전사 인자는 프로모터와 가까운 근거리 조절 부위 또는 프로
모터와 먼 원거리 조절 부위에 결합한다.

01 ③	**02** ④	**03** ①	**04** ⑤	**05** ①	**06** ④
07 ⑤	**08** 해설 참조	**09** ③	**10** ②	**11** ③	**12** ⑤
13 해설 참조	**14** ④	**15** ⑤	**16** ④	**17** 해설 참조	

01 ① 오페론은 원핵생물에서만 볼 수 있는 유전자 발현 조절
방식이다.
② 오페론의 구조 유전자는 mRNA로 전사되어 단백질을 합성
하도록 암호화되어 있는 부위이다.
④ 조절 유전자는 오페론에는 포함되어 있지 않지만, 항상 유전
자가 발현되어 억제 단백질을 합성한다.
⑤ 억제 단백질이 작동 부위에 결합하면 RNA 중합 효소가 프
로모터에 결합하지 못하므로 구조 유전자의 전사가 일어나지 않
는다.
┃**바로알기**┃ ③ 프로모터는 RNA 중합 효소가 결합하는 부위로
RNA 중합 효소가 프로모터에 결합하면 전사가 시작된다.

02 꼼꼼 **문제 분석**

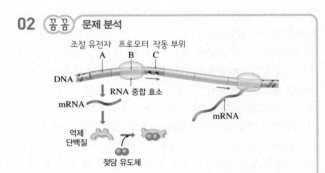

- 조절 유전자(A): 오페론에 포함되지 않으며, 항상 유전자가 발현되어 억제 단백질
  을 합성한다.
- 프로모터(B): RNA 중합 효소가 결합하여 전사가 시작되는 부위이다.
- 작동 부위(C): 억제 단백질이 결합하는 부위로 전사를 조절한다.
- 구조 유전자: 단백질 합성에 대한 유전 정보를 암호화하고 있는 부위로 mRNA
  로 전사된다.

①, ② A는 억제 단백질을 합성하는 조절 유전자이고, B는
RNA 중합 효소가 결합하여 전사가 시작되는 프로모터이다.
③ 젖당이 없을 때는 작동 부위(C)에 억제 단백질이 결합하여 구
조 유전자의 전사가 일어나지 않지만, 젖당이 있을 때는 젖당 유
도체가 억제 단백질과 결합하고 억제 단백질은 구조가 변형되므
로 작동 부위(C)에 결합하지 못한다.
⑤ 억제 단백질이 작동 부위에 결합하면 RNA 중합 효소가 프
로모터에 결합하지 못하므로 구조 유전자의 전사가 일어나지 않
는다.
┃**바로알기**┃ ④ 젖당 유도체가 있으면 억제 단백질이 작용하지 못
하므로 구조 유전자가 전사된다.

03 ㄱ. 젖당 오페론은 하나의 프로모터와 작동 부위 아래에 젖당을 체내로 흡수하여 이용하는 데 필요한 세 가지 효소의 유전자가 모여 있는 구조이다.

바로알기 ㄴ. 포도당과 젖당이 모두 있는 경우 대장균은 포도당을 우선적으로 사용하므로 젖당 오페론이 거의 활성화되지 않는다.

ㄷ. 젖당이 없을 때에는 억제 단백질이 작동 부위에 결합하여 구조 유전자의 전사가 일어나지 않는다.

04 꼼꼼 **문제 분석**

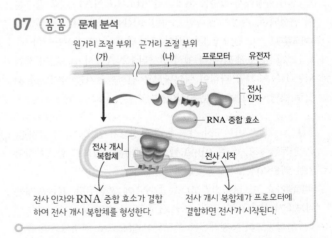

조절 유전자 작동 부위
ㄱ
구조 유전자
ㄴ 프로모터

대장균	배양 결과
I	젖당 오페론의 구조 유전자가 발현되지 않는다. ㄴ은 프로모터이다. 프로모터가 결실되면 RNA 중합 효소가 결합하지 못하므로 구조 유전자가 발현되지 않는다. 따라서 I은 ㄴ이 결실된 대장균이다.
II	젖당 오페론의 구조 유전자가 발현된다. 야생형 대장균은 포도당이 없고 젖당만 있는 배지에서 구조 유전자가 발현되어 젖당 분해 효소를 합성한다. 따라서 II가 야생형이다.
III	억제 단백질을 생성하지 않는다. ㄱ은 조절 유전자이다. 조절 유전자가 결실되면 억제 단백질이 만들어지지 않으므로 III은 ㄱ 부분이 결실된 대장균이다.

ㄱ. I은 프로모터(ㄴ)가 결실된 대장균으로 구조 유전자가 발현되지 않는다.

ㄴ. II는 야생형 대장균이며, 포도당이 없고 젖당만 있는 배지에서는 젖당 유도체가 억제 단백질과 결합한다.

ㄷ. III은 조절 유전자(ㄱ)가 결실되어 억제 단백질을 생성하지 않으므로 젖당의 유무에 관계없이 구조 유전자가 발현된다.

05 꼼꼼 **문제 분석**

이 시점부터 젖당 분해 효소량이 증가하기 시작한다.
→ 포도당이 고갈되면 대장균에서는 젖당을 에너지원으로 이용하기 위하여 젖당 오페론이 작동한다.

[그래프: 대장균 수(상댓값)(─), 젖당 분해 효소량(상댓값)(─), 포도당 고갈 시점, t_1, t_2, 시간]

대장균은 배지의 포도당을 에너지원으로 이용한다.

대장균은 배지의 젖당을 흡수한 후 포도당으로 분해하여 에너지원으로 이용한다. → 젖당 오페론이 활발하게 작동한다.

ㄱ. t_1에서 대장균은 배지의 포도당을 에너지원으로 이용하여 빠르게 생장하므로 젖당 분해 효소량이 매우 적다.

바로알기 ㄴ. t_1에서는 젖당 분해 효소량이 매우 적다. 따라서 젖당 오페론에서 RNA 중합 효소에 의한 구조 유전자의 전사가 거의 일어나지 않는다는 것을 알 수 있다.

ㄷ. 조절 유전자는 항상 발현되어 억제 단백질을 만든다. t_2에서 젖당 오페론이 활발하게 작동하여 젖당 분해 효소가 만들어지는 것은 억제 단백질이 만들어지지 않기 때문이 아니라 젖당 유도체에 의해 억제 단백질이 비활성화되었기 때문이다. 즉, t_2에서는 억제 단백질이 작동 부위에 결합하지 않아 RNA 중합 효소가 프로모터에 결합하여 구조 유전자의 전사가 활발하게 일어난다.

06 ④ 원핵생물은 오페론이 있지만, 진핵생물은 오페론이 없으며 각각의 유전자마다 프로모터가 있다.

바로알기 ① 조절 부위는 진핵생물의 DNA에서 전사 인자가 결합하는 특정 부위이다.

② 전사 촉진 인자는 진핵생물에서 RNA 중합 효소의 결합이나 활성을 촉진하여 유전자의 전사를 조절하는 단백질이다.

③ 원핵생물의 유전자에는 인트론이 없다. RNA 가공은 진핵생물에서만 나타나며, mRNA의 정확한 번역과 안정성을 위하여 필요하다.

⑤ 오페론은 진핵생물에는 없고, 원핵생물에만 있는 유전자 발현 조절 방식이다.

07 꼼꼼 **문제 분석**

원거리 조절 부위 근거리 조절 부위
(가) (나) 프로모터 유전자
전사 인자
RNA 중합 효소
전사 개시 복합체
전사 시작

전사 인자와 RNA 중합 효소가 결합하여 전사 개시 복합체를 형성한다.

전사 개시 복합체가 프로모터에 결합하면 전사가 시작된다.

ㄱ. (가)는 진핵세포 DNA의 프로모터에서 멀리 떨어진 원거리 조절 부위이며, (나)는 프로모터에서 가까이 위치한 근거리 조절 부위이다. (가)와 (나)에 전사 인자가 결합하여 유전자의 발현이 조절된다.

ㄴ. 다양한 전사 인자가 RNA 중합 효소와 함께 프로모터에 결합하여 전사 개시 복합체를 형성한다.

ㄷ. 전사 개시 복합체는 전사 조절 단계에서 형성되며, 전사 개시 복합체가 프로모터에 결합하면 전사가 개시된다.

08 하나의 진핵생물 내에서 모든 세포가 가지는 유전자는 동일하지만 세포의 종류와 시기 등에 따라 유전자가 선택적으로 발현된다.

모범답안 세포의 종류와 시기 등에 따라 세포가 가진 전사 인자가 달라지고 전사 인자의 조합이 달라져 유전자를 선택적으로 발현시킬 수 있기 때문이다.

채점 기준	배점
유전자가 선택적으로 발현되는 까닭을 전사 인자와 관련지어 옳게 서술한 경우	100 %
유전자가 선택적으로 발현되는 까닭을 전사 인자와 관련지어 서술하였지만 설명이 부족한 경우	70 %

09 꼼꼼 **문제 분석**

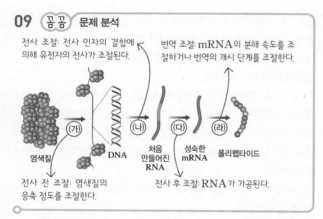

전사 조절: 전사 인자의 결합에 의해 유전자의 전사가 조절된다.

번역 조절: mRNA의 분해 속도를 조절하거나 번역의 개시 단계를 조절한다.

염색질 (가) DNA 처음 만들어진 RNA 성숙한 mRNA (나) (다) (라) 폴리펩타이드

전사 전 조절: 염색질의 응축 정도를 조절한다.

전사 후 조절: RNA가 가공된다.

ㄷ. (다) 과정에서 핵막을 통과할 수 있도록 RNA의 양쪽 끝부분이 변형되며, 가공이 끝나면 성숙한 mRNA가 된다.

바로알기 ㄱ. 전사 인자는 전사 조절 단계(나)에서 작용한다.
ㄴ. 전사 후 조절 단계(다)에서 전사된 RNA에서 인트론이 제거되는 RNA 가공 과정이 일어나므로 전사되었지만 아미노산 서열로 번역되지 않는 부분이 있다.

10 ㄴ. ㉠은 아미노산 서열에 대한 정보가 암호화되어 있지 않은 인트론이고, ㉡은 아미노산 서열에 대한 정보가 암호화되어 있는 엑손이다.

바로알기 ㄱ. 디옥시리보스는 DNA에 포함된다. RNA에는 리보스가 있다.
ㄷ. 원핵세포의 유전자에는 인트론이 없으므로 원핵세포의 유전자 발현 조절 과정에서는 RNA 가공이 일어나지 않는다.

11 ① 대장균은 원핵생물이고, 생쥐는 진핵생물이다. (가)는 하나의 프로모터와 작동 부위에 의해 구조 유전자의 전사가 조절되는 대장균의 젖당 오페론을 나타낸 것이고, (나)는 프로모터 앞에 다양한 전사 인자가 결합하는 조절 부위가 있는 생쥐의 유전자 구조를 나타낸 것이다.
② (가)의 작동 부위에는 억제 단백질이 결합한다.

④ 조절 부위는 프로모터의 상단부에 있으므로 (나)에서 A~C는 전사 인자가 결합하는 조절 부위이다.
⑤ (가)의 구조 유전자와 (나)의 유전자 x는 RNA 중합 효소에 의해 전사되는 부분이다.

바로알기 ③ (가)와 (나)의 프로모터는 RNA 중합 효소가 결합하는 부위이다. 전사 개시 복합체는 진핵생물(생쥐)의 전사 과정에서만 형성된다.

12 꼼꼼 **문제 분석**

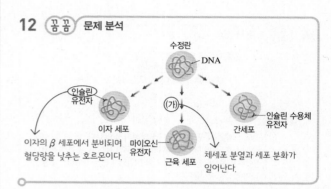

수정란 DNA

인슐린 유전자 이자 세포 (가) 근육 세포 간세포 인슐린 수용체 유전자

이자의 β 세포에서 분비되며 혈당량을 낮추는 호르몬이다.

마이오신 유전자

체세포 분열과 세포 분화가 일어난다.

ㄴ. 수정란이 분열하고 이로부터 생긴 세포들이 분화할 때 유전체는 변하지 않는다. 따라서 수정란과 간세포의 유전체는 같다.
ㄷ. 이자 세포에서 인슐린이 합성되는 것은 세포에 인슐린 유전자의 전사 촉진 인자가 있기 때문이다.

바로알기 ㄱ. (가) 과정에서 인슐린 유전자는 있지만 인슐린 유전자의 발현이 억제된다.

13 발생 과정이나 세포 분화 과정에서 세포의 유전체 구성은 수정란일 때와 같게 유지된다.

모범답안 세포 분화 과정에서 유전체의 구성은 변하지 않는다.

채점 기준	배점
세포 분화 과정에서 유전체의 구성이 변하지 않는다고 서술한 경우	100 %
분화된 세포의 유전자는 수정란과 같다고 서술한 경우	100 %

14 ㄱ. 유전자 X는 근육 세포 분화에 관여하는 가장 상위의 조절 유전자인 핵심 조절 유전자이다.
ㄷ. 전사 인자 X는 유전자 Y의 전사를 촉진하고, 전사 인자 Y는 마이오신 유전자와 액틴 유전자의 전사를 촉진한다.

바로알기 ㄴ. 마이오신 유전자와 액틴 유전자는 모든 세포에 들어 있지만 특정 세포에서만 발현된다.

15 ㄱ. 호미오 도메인은 특정 유전자의 프로모터나 조절 부위에 결합하여 전사를 조절한다.
ㄴ. 혹스 유전자의 종류와 염색체에서의 배열 순서는 생물종에 관계없이 비슷하므로 다양한 동물이 공통 조상에서 진화해 왔다는 증거가 되기도 한다.

ㄷ. 혹스 유전자는 동물의 발생 초기 배아 단계에서 각 기관이 정확한 위치에 형성되도록 하는 데 관여하는 핵심 조절 유전자이다.

16 ㄴ, ㄷ. *Ubx*는 핵심 조절 유전자로서 이로부터 합성된 단백질은 다른 유전자의 발현을 조절한다.

▮**바로알기**▮ ㄱ. *Ubx*의 기능이 사라지면 평균곤 대신 날개가 형성되므로 *Ubx*는 날개 형성을 억제하는 기능을 한다.

17 여러 동물에서 혹스 유전자의 구성이 유사하고 유사한 방식으로 기관의 형성에 영향을 주는 것은 다양한 동물이 공통 조상에서 진화하였다는 증거가 되기도 한다.

모범답안 초파리, 생쥐, 사람은 공통 조상에서 진화하였다.

채점 기준	배점
초파리, 생쥐, 사람이 공통 조상에서 진화하였다고 서술한 경우	100 %
초파리, 생쥐, 사람에서 혹스 유전자가 같은 기능을 한다고 서술한 경우	30 %

중단원 핵심 정리   239쪽~240쪽

❶ 1효소설 ❷ 전사 ❸ 번역 ❹ 3염기 조합 ❺ 코돈
❻ RNA 중합 효소 ❼ 아미노산 ❽ rRNA ❾ P 자리
❿ 신장 ⓫ 펩타이드 ⓬ 폴리펩타이드 ⓭ 종결
⓮ 작동 부위 ⓯ 젖당 유도체 ⓰ 염색질 ⓱ 전사 개시
복합체 ⓲ 세포 분화 ⓳ 핵심 조절 유전자 ⓴ 혹스 유전자

중단원 마무리 문제   241쪽~244쪽

01 ⑤   02 ④   03 ③   04 ⑤   05 ④   06 ⑤
07 ②   08 ⑤   09 ⑤   10 ③   11 ④   12 해설 참조
13 해설 참조   14 해설 참조

01 영양 요구주 Ⅰ형~Ⅲ형은 모두 최소 배지에 물질 ⓒ을 첨가하였을 때 생장하므로 물질 ⓒ은 붉은빵곰팡이의 생장에 반드시 필요한 아르지닌이다. 영양 요구주 Ⅱ형은 아르지닌(ⓒ)을 첨가하였을 때만 생장하므로 효소 C가 결핍된 돌연변이이다. 영양 요구주 Ⅲ형은 물질 ㉠을 첨가하였을 때는 생장하고, 물질 ⓛ을 첨가하였을 때는 생장하지 못하므로 물질 ㉠은 시트룰린이고, 물질 ⓛ은 오르니틴이며 영양 요구주 Ⅲ형은 효소 B가 결핍된 돌연변이이다. 따라서 영양 요구주 Ⅰ형은 효소 A가 결핍된 돌연변이이다.

ㄴ. 영양 요구주 Ⅰ형은 효소 A, Ⅱ형은 효소 C, Ⅲ형은 효소 B가 결핍된 것이다.

ㄷ. 최소 배지에 아르지닌(ⓒ)을 첨가하면 영양 요구주 Ⅰ형~Ⅲ형이 모두 생장하므로 붉은빵곰팡이의 생장에 반드시 필요한 물질은 아르지닌이다.

▮**바로알기**▮ ㄱ. ㉠은 시트룰린, ⓛ은 오르니틴, ⓒ은 아르지닌이다.

02 (꼼꼼) **문제 분석**

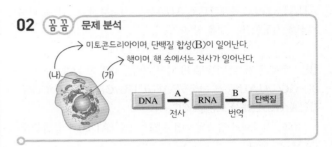

ㄱ. 전사(A) 과정은 핵(가) 속에서 일어난다.
ㄴ. 전사(A)는 DNA 주형 가닥에 RNA 중합 효소가 결합하여 주형 DNA의 염기에 상보적인 리보뉴클레오타이드를 결합시켜 RNA를 합성하는 과정이다.

▮**바로알기**▮ ㄷ. 번역(B) 과정은 리보솜에서 일어난다. 핵(가)은 리보솜이 없으므로 번역이 일어나지 않고, 미토콘드리아(나)는 리보솜을 가지고 있으므로 번역이 일어난다.

03 ① 가닥 Ⅰ의 G 비율은 $100-(20+20+25)=35\,\%$이다. 복제 가닥의 G 비율은 주형 가닥의 C 비율과 같으므로 ⓛ은 25이다. 따라서 ㉠+ⓛ=35+25=60이다.
② 전사된 RNA 가닥의 염기 서열과 상보적인 염기 서열을 갖는 가닥 Ⅱ가 주형 가닥이다.
④ 염기에 N이 포함되고 DNA와 RNA는 모두 염기를 가지므로 ^{15}N로 표지될 수 있다.
⑤ 가닥 Ⅰ을 주형으로 하여 복제된 가닥의 염기 서열과 방향은 가닥 Ⅰ과 이중 나선을 이루고 있던 가닥 Ⅱ와 일치한다. 따라서 ⓒ은 DNA 가닥 Ⅱ의 C의 비율과 같다.

▮**바로알기**▮ ③ 가닥 Ⅱ는 전사의 주형 가닥이므로 RNA와는 방향이 반대이고, 염기 서열은 가닥 Ⅰ과 RNA에 모두 상보적이다. 따라서 (가)에 들어갈 DNA 염기 서열은 3′-AAT-5′이다.

04 ㄴ. Ⅱ에서 가능한 코돈은 AUA, UAA, AAU이다. 이중 AUA는 Ⅰ에도 존재하는 코돈이므로 아이소류신을 지정하며, UAA는 종결 코돈이므로 AAU는 아스파라진을 지정하는 코돈임을 알 수 있다. Ⅲ에서 가능한 코돈은 AUC, UCG, CGA, GAC, ACU, CUG, UGC, GCA, CAA, AAU이므로 Ⅲ에는 아스파라진을 지정하는 코돈이 있다.

ㄷ. Ⅳ에서 가능한 코돈은 AAC, ACG, CGU, GUC, UCU, CUG, UGG, GGU, GUA, UAA이다. 이 중 UAA가 종결 코돈이므로 Ⅳ로부터 합성될 수 있는 폴리펩타이드는 최대 9개의 아미노산이 연결되어 형성되며, 펩타이드 결합의 수는 아미노산의 수보다 1개 적다. 따라서 Ⅳ로부터 8개의 펩타이드 결합을 가진 폴리펩타이드가 합성될 수 있다.

바로알기 ㄱ. Ⅰ에서 가능한 코돈은 AUA, UAU이다. 이중 AUA는 Ⅱ에도 존재하므로 AUA는 아이소류신, UAU는 타이로신을 지정한다는 것을 알 수 있다.

05 ⊙에서 전사된 RNA의 염기 서열은 다음과 같다.
3′-GCC/GAU(종결 코돈)/CAG/UUU/CAA/UCC/CGG/UUA/GUA(개시 코돈)/GCG-5′
ㄴ. ⊙이 전사되어 합성된 y에는 개시 코돈(AUG)과 종결 코돈(UAG)이 있다.
ㄷ. 개시 코돈에서 종결 코돈 전까지 아미노산으로 번역되므로 z는 7개의 아미노산으로 이루어진다.
바로알기 ㄱ. y에는 1개의 개시 코돈이 포함된다.

06 (꼼꼼) **문제 분석**
• x의 이중 나선 DNA 중 한 가닥의 염기 서열과 이로부터 합성된 폴리펩타이드의 아미노산 서열은 다음과 같다.

염기 서열	3′-GGTACAGTTCTAAGTAGTCCATCCATCT-5′ mRNA: 5′-CCAUGUCAAGAUUCAUCAGGUAG GUAGA-3′
아미 노산 서열	메싸이오닌–세린–아르지닌–페닐알라닌–아이소류신–아르지닌 　　　　　　　AGA　　　UUC　　　AUC

• x*는 x에서 이웃한 2개의 뉴클레오타이드가 동시에 결실되고, 1개의 뉴클레오타이드가 삽입된 것이다. x*로부터 합성된 폴리펩타이드의 아미노산 서열은 다음과 같다.

| 아미
노산
서열 | 메싸이오닌–세린–메싸이오닌–트레오닌–세린–글리신–아르
지닌　　　AUG　　　ACA　UCA GGU
　　　　→U 삽입　→UU 결실 |

• x*는 x에서 2개의 뉴클레오타이드가 결실되고 하나의 뉴클레오타이드가 삽입되었으므로 결국 중간에 1개의 염기가 결실된 것이다.
• ① 세 번째 아미노산이 메싸이오닌이 되었으므로 세 번째 코돈 A과 G 사이에 U이 삽입되어 코돈이 AUG로 바뀌었다.
• ② 세 번째 코돈이 AUG로 되면 다음 코돈은 AUU가 되어 아이소류신을 지정해야 하는데 네 번째 아미노산이 트레오닌이 되었으므로 UU 2개가 결실되어 네 번째 코돈이 트레오닌을 지정하는 ACA로 되었음을 알수 있다.
• ③ 따라서 x*에서 전사된 mRNA의 염기 서열은 다음과 같다.
5′-CC/AUG/UCA/AUG/ACA/UCA/GGU/AGG/UAG/A-3′

ㄱ. x*의 mRNA에서 결실된 염기는 5′-UU-3′이므로 전사의 주형 가닥에서 결실된 뉴클레오타이드의 염기 서열은 3′-AA-5′이다.

ㄴ. x*의 mRNA에서 삽입된 염기는 U이므로 전사의 주형 가닥에서 삽입된 뉴클레오타이드의 염기는 A이다.
ㄷ. x에서 전사된 mRNA의 염기 서열은 5′-CC/AUG(개시 코돈)/UCA/AUG/ACA/UCA/GGU/AGG/UAG(종결 코돈)/A-3′이다. 따라서 x에서 전사된 mRNA와 x*에서 전사된 mRNA에서 종결 코돈은 모두 UAG이다.

07 ⊙은 리보솜 대단위체, ⓒ은 개시 코돈에 상보적으로 결합한 개시 tRNA, ⓒ은 mRNA, ⓔ은 리보솜 소단위체이다.
① 리보솜(⊙)은 rRNA와 단백질로 구성된다.
③ mRNA(ⓒ)는 리보솜 소단위체(ⓔ)와 먼저 결합하고, 개시 tRNA(ⓒ)와 결합한 후 리보솜 대단위체(⊙)와 결합한다.
④ 개시 tRNA(ⓒ)에는 mRNA의 개시 코돈과 결합하는 3개의 염기 조합(안티코돈)이 있다.
⑤ 이후에 새로 추가될 아미노산과 결합한 새로운 tRNA가 A 자리로 들어오고, P 자리와 A 자리에 있는 tRNA에 결합된 아미노산 사이에 펩타이드 결합이 일어난다.
바로알기 ② DNA에는 디옥시리보스, RNA에는 리보스가 포함되어 있으므로 tRNA(ⓒ)와 mRNA(ⓒ)에는 리보스가 포함되어 있다.

08 ㄱ. A는 구조 유전자로, 젖당 분해 효소(β 갈락토시데이스)와 젖당 분해에 필요한 효소(투과 효소, 아세틸기 전이 효소)에 대한 유전 정보를 암호화하여 가지고 있다.
ㄴ. 조절 유전자에는 억제 단백질(B)의 아미노산 서열 정보가 저장되어 있으므로 전사되면 억제 단백질(B)을 합성한다.
ㄷ. 억제 단백질(B)에 젖당 유도체가 결합하면 입체 구조가 변형되어 비활성화되므로 DNA의 작동 부위에 결합하지 못한다.

09 ① ⊙은 RNA 가공 과정에서 제거되는 인트론이다. 인트론은 RNA의 일부이므로 당으로 리보스가 있다.
② (나)는 전사 개시 복합체가 형성된 상태이며, 이것은 DNA로부터 RNA가 전사되는 과정 Ⅰ에서 나타난다.
③ A는 전사 인자이며, DNA의 조절 부위와 다른 전사 인자인 단백질 B와도 결합하여 전사 개시 복합체를 형성한다.
④ 과정 Ⅲ은 번역 과정이며, 번역에는 코돈이 있는 mRNA, 아미노산을 운반하는 tRNA, 리보솜을 구성하는 rRNA가 모두 관여한다.
바로알기 ⑤ 진핵세포의 유전자 중에는 단백질을 암호화하지 않는 부분(⊙, 인트론)이 있고, 이는 RNA 가공 과정에서 제거된다. 따라서 X의 DNA 염기 서열 중에 아미노산 서열로 번역되지 않는 부위가 있다.

10 ㄱ. 섬유 아세포에 도입된 액틴 유전자와 마이오신 유전자에 의해 근육 단백질이 생성되었으므로 세포에 인위적으로 도입된 유전자도 발현될 수 있다.

ㄴ. 전사 촉진 인자의 유전자인 마이오디 유전자를 도입하여 발현시킨 경우 섬유 아세포가 근육 세포로 분화되었다. 이는 전사 인자가 특정 유전자의 전사 여부를 조절함으로써 세포 분화가 일어난다는 것을 의미한다.

▌**바로알기** ㄷ. 섬유 아세포에 액틴 유전자와 마이오신 유전자를 도입하여 발현시킨 경우 근육 단백질과 같은 특이적인 단백질이 생성되지만 근육 세포로 분화되지 않았다. 즉, 단순히 각 세포에서 특이적인 단백질이 생성된다고 하여 세포 분화와 기관 형성이 일어나는 것은 아니다.

11 ㄱ. 혹스 유전자는 몸의 앞뒤 축을 따라 기관이 정확한 위치에 형성되도록 하는 핵심 조절 유전자이다.

ㄴ. 생쥐는 4개의 염색체에 여러 개의 혹스 유전자가 있다.

▌**바로알기** ㄷ. 특정 기관의 형성을 조절하는 혹스 유전자의 배열 순서는 생물종에 관계없이 비슷하다.

12 (1) (가)는 DNA로부터 RNA로 유전 정보가 전달되는 과정이고, (나)는 RNA의 유전 정보에 따라 폴리펩타이드가 형성되는 번역 과정이다. 진핵세포에서 DNA는 핵 속에 있어 전사는 핵 속에서 일어나고 번역은 세포질의 리보솜에서 일어난다.

(2) 알라닌을 지정하는 코돈은 5′−GCC−3′ 또는 5′−GCA−3′이다. 세 번째 코돈이 G으로 시작되려면 mRNA는 오른쪽에서 왼쪽으로 번역되어야 하므로, DNA에서 주형 가닥은 위쪽에 있는 것이다.

모범답안 (1) (가)는 전사이며, 핵 속에서 일어나고, (나)는 번역이며, 세포질에서 일어난다.
(2) 3′−ACGCCGUGU−5′

채점 기준		배점
(1)	(가)와 (나) 과정의 이름과 일어나는 장소를 모두 옳게 쓴 경우	50 %
	(가)와 (나) 과정 중 하나의 이름과 일어나는 장소만 옳게 쓴 경우	25 %
(2)	mRNA의 염기 서열과 방향을 옳게 쓴 경우	50 %
	mRNA의 염기 서열은 옳게 썼지만 방향을 쓰지 않거나 틀린 경우	30 %

13 대장균의 젖당 오페론에서 프로모터가 결실되면 RNA 중합 효소가 결합하지 못하므로 구조 유전자의 전사가 일어나지 않는다. 작동 부위가 결실되면 억제 단백질이 결합하지 못하므로 구조 유전자의 전사가 일어난다.

모범답안 프로모터, 프로모터 결실로 인해 RNA 중합 효소가 결합하지 못하므로 젖당 분해 효소를 합성하지 못하고, 그로 인해 젖당을 에너지원으로 이용하지 못하기 때문이다.

채점 기준	배점
A에서 돌연변이가 일어난 부위를 옳게 쓰고, 그렇게 판단한 근거를 옳게 서술한 경우	100 %
A에서 돌연변이가 일어난 부위만 옳게 쓴 경우	40 %

14 당근 뿌리 세포가 조직 배양 결과 완전한 개체로 생장한 것은 당근 뿌리 세포에 완전한 개체로 발생하는 데 필요한 유전자가 모두 있다는 것을 의미한다.

모범답안 일치한다. 세포 분화 과정에서 유전체가 그대로 유지되기 때문이다.

채점 기준	배점
일치한다고 쓰고, 그렇게 판단한 근거를 옳게 서술한 경우	100 %
일치한다고만 쓴 경우	30 %

수능 실전 문제 245쪽~249쪽

| 01 ⑤ | 02 ③ | 03 ③ | 04 ④ | 05 ② | 06 ③ |
| 07 ③ | 08 ① | 09 ⑤ | 10 ① | 11 ⑤ | 12 ⑤ |
| 13 ⑤ |

01 꼼꼼 문제 분석

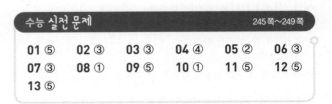

효소 A가 결핍되면 전구 물질을 오르니틴으로 합성하지 못한다.
효소 B가 결핍되면 오르니틴을 시트룰린으로 합성하지 못한다.
효소 C가 결핍되면 시트룰린을 아르지닌으로 합성하지 못한다.

▌**선택지 분석**▐

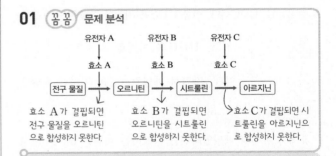

ㄴ. 최소 배지에 ⓒ을 첨가하였을 때 야생형과 영양 요구주 Ⅰ, Ⅱ가 모두 생장하였으므로 ⓒ은 아르지닌이다. 영양 요구주 Ⅰ은 ⊙을 첨가한 최소 배지에서는 ⓒ을 합성하고, ⓒ을 첨가한 최소 배지에서 ⓒ을 합성하지 못하므로 ⊙으로부터 ⓒ이 합성된다는 것을 알 수 있다. 따라서 영양 요구주 Ⅰ은 유전자 A에 돌연변이가 일어난 것이고 ⊙은 오르니틴, ⓒ은 시트룰린이다.

ㄷ. 영양 요구주 Ⅱ는 최소 배지와 오르니틴(⊙), 아르지닌(ⓒ)을 첨가한 배지에서 모두 시트룰린(ⓒ)을 합성하므로 효소 A와 효소 B는 정상적으로 생성된다. 따라서 영양 요구주 Ⅱ는 효소 C를 합성하는 유전자 C에 돌연변이가 일어난 것이다.

바로알기 ㄱ. 효소 B는 오르니틴이 시트룰린으로 전환되는 과정에 관여하므로 효소 B의 기질은 오르니틴(㉠)이다.

02

ㄱ. Ⅱ에서 염기가 C일 확률은 $\dfrac{3}{㉠+3}$이고, U일 확률은 $\dfrac{㉠}{㉠+3}$이다.

• Ⅱ에서 류신을 지정할 확률: 류신을 지정하는 코돈은 CUU, CUC이다. 이중 CUU을 지정할 확률은 $\dfrac{3}{㉠+3}\times\dfrac{㉠}{㉠+3}\times\dfrac{㉠}{㉠+3}$이고, CUC을 지정할 확률은 $\dfrac{3}{㉠+3}\times\dfrac{㉠}{㉠+3}\times\dfrac{3}{㉠+3}$이다. 따라서 Ⅱ에서 류신을 지정할 확률은 $\dfrac{3㉠^2}{(㉠+3)^3}+\dfrac{9㉠}{(㉠+3)^3}$이다.

• Ⅱ에서 페닐알라닌을 지정할 확률: 페닐알라닌을 지정하는 코돈은 UUU, UUC이다. 이중 UUU을 지정할 확률은 $\dfrac{㉠}{㉠+3}\times\dfrac{㉠}{㉠+3}\times\dfrac{㉠}{㉠+3}$이고, UUC을 지정할 확률은 $\dfrac{㉠}{㉠+3}\times\dfrac{㉠}{㉠+3}\times\dfrac{3}{㉠+3}$이다. 따라서 페닐알라닌을 지정할 확률은 $\dfrac{㉠^3}{(㉠+3)^3}+\dfrac{3㉠^2}{(㉠+3)^3}$이다.

• Ⅱ에서 류신과 페닐알라닌을 지정하는 비율은 6 : 4이므로 $\dfrac{3㉠^2}{(㉠+3)^3}+\dfrac{9㉠}{(㉠+3)^3}$: $\dfrac{㉠^3}{(㉠+3)^3}+\dfrac{3㉠^2}{(㉠+3)^3}$은 6 : 4이다. 따라서 ㉠=2이다.

• Ⅲ에서 염기가 C일 확률은 $\dfrac{1}{㉡+1}$이고, U일 확률은 $\dfrac{㉡}{㉡+1}$이다.

• Ⅲ에서 류신을 지정할 확률: 류신을 지정하는 코돈은 CUU, CUC이다. 이중 CUU을 지정할 확률은 $\dfrac{1}{㉡+1}\times\dfrac{㉡}{㉡+1}\times\dfrac{㉡}{㉡+1}$이고, CUC을 지정할 확률은 $\dfrac{1}{㉡+1}\times\dfrac{㉡}{㉡+1}\times\dfrac{1}{㉡+1}$이다. 따라서 Ⅲ에서 류신을 지정할 확률은 $\dfrac{㉡^2}{(㉡+1)^3}+\dfrac{㉡}{(㉡+1)^3}$이다.

• Ⅲ에서 프롤린을 지정할 확률: 프롤린을 지정하는 코돈은 CCU, CCC이다. 이중 CCU을 지정할 확률은 $\dfrac{1}{㉡+1}\times\dfrac{1}{㉡+1}\times\dfrac{㉡}{㉡+1}$이고, CCC을 지정할 확률은 $\dfrac{1}{㉡+1}\times\dfrac{1}{㉡+1}$

$\times\dfrac{1}{㉡+1}$이다. 따라서 Ⅲ에서 프롤린을 지정할 확률은 $\dfrac{㉡}{(㉡+1)^3}+\dfrac{1}{(㉡+1)^3}$이다.

• Ⅲ에서 류신과 프롤린을 지정하는 비율은 6 : 1이므로 $\dfrac{㉡^2}{(㉡+1)^3}+\dfrac{㉡}{(㉡+1)^3}$: $\dfrac{㉡}{(㉡+1)^3}+\dfrac{1}{(㉡+1)^3}$은 6 : 1이다. 따라서 ㉡=6이다.

그러므로 (가)에서 ㉠+㉡=2+6=8이다.

ㄴ. RNA로부터 번역이 일어나려면 리보솜, tRNA, 아미노산 등이 있어야 한다.

바로알기 ㄷ. 페닐알라닌을 지정하는 코돈은 UUU과 UUC이다. Ⅲ에서 UUU을 지정할 확률은 $\dfrac{㉡}{㉡+1}\times\dfrac{㉡}{㉡+1}\times\dfrac{㉡}{㉡+1}$이고, UUC을 지정할 확률은 $\dfrac{㉡}{㉡+1}\times\dfrac{㉡}{㉡+1}\times\dfrac{1}{㉡+1}$이다. 따라서 Ⅲ에서 페닐알라닌을 지정할 확률은 $\dfrac{㉡^3}{(㉡+1)^3}+\dfrac{㉡^2}{(㉡+1)^3}=\dfrac{36}{49}$이다. 프롤린을 지정할 확률 $\dfrac{㉡}{(㉡+1)^3}+\dfrac{1}{(㉡+1)^3}=\dfrac{1}{49}$이 폴리펩타이드를 구성하는 아미노산의 상대적인 비에서 1을 나타내므로 페닐알라닌 수의 상대적인 비인 ⓐ는=36이다.

03 꼼꼼 문제 분석

• 이중 나선 DNA X와 Y는 각각 300개의 염기쌍으로 이루어져 있다.
→ X와 Y의 염기 수는 각각 600개이다.

• X는 단일 가닥 X₁과 X₂로, Y는 단일 가닥 Y₁과 Y₂로 이루어져 있다.

• X에서 $\dfrac{A+T}{G+C}=\dfrac{3}{2}$이고, Y에서 $\dfrac{A+T}{G+C}=\dfrac{3}{7}$이다.

→ X에서 $A+T=\dfrac{3}{2+3}\times600=360$이다. 따라서 아데닌(A)과 타이민(T)의 수는 각각 180개이고, 구아닌(G)과 사이토신(C)의 수는 각각 120개이다. Y에서 $A+T=\dfrac{3}{7+3}\times600=180$이다. 따라서 아데닌(A)과 타이민(T)의 수는 각각 90개이고, 구아닌(G)과 사이토신(C)의 수는 각각 210개이다.

• X₁에서 구아닌(G)의 비율은 16 %이고, 피리미딘 계열 염기의 비율은 52 %이다.
→ X₁에서 구아닌(G)의 비율은 16 %, 피리미딘 계열 염기(타이민(T), 사이토신(C))의 비율은 52 %이므로 아데닌(A)의 비율은 100-(16+52)=32 %이고, X에서 A+T의 비율이 60 %이므로 타이민(T)의 비율은 28 %이다. 따라서 X₁ 염기 조성 비율은 아데닌(A) 32 %, 구아닌(G) 16 %, 사이토신(C) 24 %, 타이민(T) 28 %이고, X₂의 염기 조성 비율은 아데닌(A) 28 %, 구아닌(G) 24 %, 사이토신(C) 16 %, 타이민(T) 32 %이다.

• Y₁에서 사이토신(C)의 비율은 30 %이다.

• Y₂에서 아데닌(A)의 비율은 12 %이다.
→ Y₁의 타이민(T)의 비율은 Y₂의 아데닌(A)의 비율과 같고, Y₁의 사이토신(C)+구아닌(G)=70 %이다. 따라서 Y₁의 염기 조성 비율은 아데닌(A) 18 %, 구아닌(G) 40 %, 사이토신(C) 30 %, 타이민(T) 12 %이고, Y₂의 염기 조성 비율은 아데닌(A) 12 %, 구아닌(G) 30 %, 사이토신(C) 40 %, 타이민(T) 18 %이다.

ㄱ. 염기 간 수소 결합의 총 개수는 Y가 X보다 90개 더 많다.

ㄴ. Z가 만들어질 때 주형으로 사용된 가닥은 X_1이다. X_2

ㄷ. X_1의 아데닌(A) 개수와 Y_1의 구아닌(G) 개수의 합은 216개이다.

ㄱ. X의 염기 간 수소 결합의 총 개수는 $(180×2)+(120×3)=720$이고, Y의 염기 간 수소 결합의 총 개수는 $(90×2)+(210×3)=810$이다. 따라서 염기 간 수소 결합의 총 개수는 Y가 X보다 90개 많다.

ㄷ. X_1의 염기 300개 중 아데닌(A)은 32 %이므로 $300×0.32=96$이고, Y_1의 염기 300개 중 구아닌(G)은 40 %이므로 $300×0.40=120$이다. 따라서 X_1의 아데닌(A) 개수와 Y_1의 구아닌(G) 개수의 합은 216개이다.

┃ 바로알기 ┃ ㄴ. 전사되어 만들어진 Z에서 구아닌(G)의 비율이 16 %이므로 주형 가닥 DNA는 사이토신(C)의 비율이 16 %이다. 사이토신(C)의 비율이 16 %인 것은 X_2이다.

04

ㄱ. ㉠에는 코돈이 있다.

ㄴ. tRNA ⓐ, tRNA ⓑ와 ㉠은 단일 가닥으로 이루어진 폴리뉴클레오타이드이다.

ㄷ. 리보솜에서 tRNA ⓐ가 tRNA ⓑ보다 먼저 방출된다. 나중에

ㄱ. ㉠은 mRNA이다. mRNA의 유전부호는 코돈이다.

ㄴ. RNA는 단일 가닥으로 이루어져 있으므로 tRNA ⓐ, tRNA ⓑ와 ㉠은 단일 가닥으로 이루어졌다.

┃ 바로알기 ┃ ㄷ. 리보솜이 mRNA의 5′→3′ 방향으로 이동하면서 번역이 일어나므로 mRNA의 5′ 말단 쪽에 tRNA가 리보솜으로 먼저 들어왔다가 먼저 방출된다.

05 꼼꼼 문제 분석

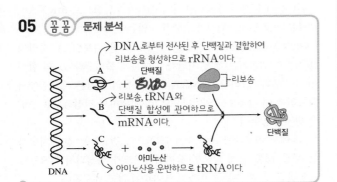

→ DNA로부터 전사된 후 단백질과 결합하여 리보솜을 형성하므로 rRNA이다.
단백질 → 리보솜
→ 리보솜, tRNA와 단백질 합성에 관여하므로 mRNA이다.
단백질
→ 아미노산
→ 아미노산을 운반하므로 tRNA이다.
DNA

ㄴ. A에는 코돈, C에는 안티코돈이 있다. B

ㄴ. B는 단백질 합성 정보를 전달한다.

ㄷ. A와 C의 존재는 1유전자 1폴리펩타이드설로 설명할 수 있다. 없다.

ㄴ. mRNA(B)는 단백질의 합성 정보를 리보솜에 전달하는 역할을 한다.

┃ 바로알기 ┃ ㄱ. 코돈은 mRNA(B)에 있고, 안티코돈은 tRNA(C)에 있다.

ㄷ. 1유전자 1폴리펩타이드설은 하나의 단백질이 여러 종류의 폴리펩타이드로 구성된 경우 하나의 단백질을 구성하는 다른 종류의 폴리펩타이드는 서로 다른 유전자에 의해 합성된다는 것이다. rRNA(A)와 tRNA(C)는 유전자의 발현 결과가 단백질이 아닌 RNA가 합성된 경우이므로 1유전자 1폴리펩타이드설로 설명할 수 없다.

06 꼼꼼 문제 분석

• 유전자 y는 유전자 x에서 아스파트산을 암호화하는 부위에 1개의 염기쌍이 삽입되고, 발린을 암호화하는 부위에서 ㉠1개의 염기쌍이 결실된 것이다. 유전자 y의 DNA 이중 가닥 염기 서열은 다음과 같고, (가)는 전사 주형 가닥이다.

> 5′-CTATGCTGCATGGACGTTGCGACCGACCATAG-3′
> 3′-GATACGACGTACCTGCAACGCTGGCTGGTATC-5′
> (가)

→ 5′-CU/AUG(메싸이오닌-개시 코돈)/CUG(류신)/CAU(히스티딘)/GGA(글리신)/CGU(아르지닌)/UGC(시스테인)/GAC(아스파트산)/CGA(아르지닌)/CCA(프롤린)/UAG(종결 코돈)-3′

→ Y의 1~3번째 아미노산인 메싸이오닌, 류신, 히스티딘과 9번째 아미노산 프롤린은 X에 공통적이므로 mRNA의 코돈의 4번째와 8번째 코돈에 변화가 생겼다. 아스파트산의 유전부호는 GAU, GAC이다. 유전자 y에서 1개의 염기쌍을 제거하였을 때 아스파트산을 암호화할 수 있는 유전부호는 글리신 GGA이다. 이후 8번째 코돈은 1개의 염기가 결실되기 전에 발린을 암호화하므로 GUA이며, G과 A 사이에 있던 U이 결실된 것이다.

X의 번역에 사용된 mRNA 염기 서열은 다음과 같다.

5′-CU/AUG(메싸이오닌-개시 코돈)/CUG(류신)/CAU(히스티딘)/GAC(아스파트산)/GUU(발린)/GCG(알라닌)/ACC(트레오닌)/GUA(발린)/CCA(프롤린)/UAG(종결 코돈)-3′

• 유전자 z는 유전자 x에서 같은 염기가 연속된 2개의 염기쌍이 결실되고, 다른 위치에 ㉡ 같은 염기가 연속된 2개의 염기쌍이 삽입된 것이다. 결실된 염기와 삽입된 염기는 다르며, 폴리펩타이드 Z의 아미노산 서열은 다음과 같다.

> 메싸이오닌-류신-아스파라진-메싸이오닌-트레오닌-류신-아르지닌-프롤린

→ 폴리펩타이드 X의 mRNA에서 3번째 코돈이 아스파라진을 암호화하는 AAU 또는 AAC로 바뀌었다. 그 사이에 같은 염기 2개가 연속된 것이 없으므로 같은 염기 AA 2개가 C 앞에 삽입되어 AAC가 된 것이다. 이후 프롤린을 지정하는 유전부호 CCA에서 CC이 결실된 결과 z의 종결 코돈 UAA이 된다.

5′-CU/AUG(개시 코돈)/CUG/AAC/AUG/ACG/UUG/CGA/CCG/UAA(종결 코돈)/UAG-3′

| 선택지 분석 |

✗ 유전자 x의 전사 주형 가닥에서 ㉠에 있는 염기는 <u>타이민(T)</u>이다. 아데닌(A)

✗ ㉡ 부분은 전사될 때 염기 유라실(U)로 된다. 아데닌(A)

㉢ X가 합성될 때 사용된 종결 코돈은 UAG이고, Z가 합성될 때 사용된 종결 코돈은 UAA이다.

ㄷ. 종결 코돈은 UAA, UAG, UGA이다. X가 합성될 때 사용된 종결 코돈은 UAG이고, Z가 합성될 때 사용된 종결 코돈은 UAA이다.

| 바로알기 | ㄱ. x의 mRNA에서 결실된 염기가 유라실(U)이므로 전사 주형 가닥에서 ㉠에 있는 염기는 아데닌(A)이다.

ㄴ. Z의 mRNA에서 삽입된 동일한 염기 2개는 AA이므로 주형 가닥 DNA인 z에서 ㉡ 부분은 TT이다. TT가 mRNA로 전사될 때 염기 아데닌(A)으로 된 것이다.

07 꼼꼼 문제 분석

• 유전자 x가 포함된 주형 가닥의 DNA 염기 서열은 다음과 같다.

> 3′-AATACGAGGTGACAAGGTCTCTCGTATTCG-5′

• 유전자 x가 전사되어 1차 mRNA가 합성된다.
➡ 5′-UU/AUG(개시 코돈)/CUC/CAC/UGU/UCC/AGA/GAG/CAU/AAG/C-3′

• 1차 mRNA로부터 ㉠ 연속된 7개의 뉴클레오타이드가 제거되어 새로운 종결 코돈을 갖는 성숙한 mRNA가 만들어진다.

• 성숙한 mRNA가 번역되어 폴리펩타이드 Y가 생성된다.
➡ 개시 코돈은 유지되어야 하고, 종결 코돈은 모두 첫 번째 염기가 U이 되어야 하므로 U 다음부터 제거되거나 U 앞까지 제거된 후 U로부터 코돈이 시작되어야 한다. 따라서 제거된 뉴클레오타이드는 5′-GUUCCAG-3′이다. 7개의 뉴클레오타이드가 제거되면 5′-UU/AUG(개시 코돈)/CUC/CAC/UAG(종결 코돈)/AGC/AUAAGC-3′가 되어 새로운 종결 코돈(UAG)이 만들어진다.

| 선택지 분석 |

㉠ Y에 있는 펩타이드 결합의 수는 2개이다.

㉡ ㉠의 3′ 말단에 있는 염기는 구아닌(G)이다.

✗ 성숙한 mRNA가 폴리펩타이드 Y로 번역될 때 사용된 종결 코돈은 UGA이다. UAG

ㄱ. 폴리펩타이드 Y는 AUG(개시 코돈)-CUC-CAC의 코돈이 지정하는 3개의 아미노산으로 구성되므로 Y에 있는 펩타이드 결합의 수는 아미노산의 수보다 1개 적은 2개이다.

ㄴ. 제거된 7개의 염기 서열은 5′-GUUCCAG-3′로 ㉠의 3′ 말단에 있는 염기는 구아닌(G)이다.

| 바로알기 | ㄷ. 성숙한 mRNA가 폴리펩타이드 Y로 번역될 때 사용된 종결 코돈은 UAG이다.

08 꼼꼼 문제 분석

시험관 \ 물질	t_0에 첨가한 물질	t_1에 첨가한 물질
I	mRNA	㉠
II	mRNA+㉠	㉡
III	mRNA+㉠	㉢
IV	mRNA+㉡	㉠
V	mRNA+㉢	㉠

㉡은 mRNA와 리보솜 소단위체의 결합을 차단하므로 IV에서는 폴리펩타이드 합성이 일어나지 않는다.

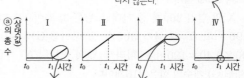

t_1 시기에 시험관 I에 ㉠을 첨가하였더니 방사성 동위 원소로 표지된 아미노산의 총 수가 증가하는 것으로 보아 ㉠은 개시 tRNA이다.

시험관 III에서 폴리펩타이드가 합성되고 있는 상태에서 ㉢을 첨가하면 아미노산의 총 수가 증가하지 않으므로 ㉢은 리보솜 A 자리에 tRNA가 결합하는 것을 차단하는 물질이다.

• I에서 mRNA에 ㉠을 첨가하면 폴리펩타이드에 아미노산이 첨가되기 시작하므로 ㉠은 개시 tRNA이다.

• III에서 폴리펩타이드가 합성되고 있는 상태에서 ㉢을 첨가하면 즉시 아미노산의 첨가가 중지되므로 ㉢은 리보솜 A 자리에 tRNA가 결합하는 것을 차단하는 물질이다.

• IV의 t_0에서 ㉡을 첨가한 후 t_1에서 tRNA(㉠)를 첨가하여도 방사성 동위 원소로 표지된 아미노산이 증가하지 않으므로 ㉡은 mRNA와 리보솜 소단위체의 결합을 차단하는 물질이다.

| 선택지 분석 |

㉠ II에서 t_1 이후에 mRNA에 새로운 리보솜 소단위체가 결합하지 않는다.

✗ III에서 t_1 이후에 세포질에는 아미노산과 결합한 tRNA가 없다.

✗ V에서 폴리펩타이드에 포함된 ⓐ의 총 수는 t_0 이후에 계속 증가한다. V에서는 폴리펩타이드가 합성되지 않는다.

ㄱ. II의 t_1에서 ㉡을 첨가한 이후로 방사성 동위 원소로 표지된 아미노산이 일정 시간 증가하다가 증가하지 않으므로 mRNA에 새로운 리보솜 소단위체가 결합하지 않는다.

| 바로알기 | ㄴ. III에서 t_1에 ㉢을 첨가하면 리보솜 A 자리에 tRNA가 결합하는 것을 차단하기 때문에 폴리펩타이드의 합성이 중지된다. 그러나 tRNA와 아미노산의 결합은 세포질에서 효소의 촉매 작용으로 일어나므로 ㉢에 의하여 직접적으로 영향을 받지는 않는다.

ㄷ. V에서 리보솜의 A 자리에 tRNA가 결합하는 것을 차단하는 물질 ㉢을 함께 넣으면 폴리펩타이드가 형성되지 않으므로 삽입된 ⓐ의 총 수는 t_0 이후에 증가하지 않고 유지된다.

09 꼼꼼 문제 분석

억제 단백질과 젖당 오페론의
작동 부위 결합

억제 단백질과 → ← 젖당 오페론의 프로모터와
젖당 유도체의 결합 → RNA 중합 효소의 결합

구분	㉠	㉡	㉢	젖당 분해 효소의 생성
야생형	○	×	○	생성됨
작동 부위 결실 Ⅰ	○	×	○	생성됨
조절 유전자 결실 Ⅱ	×	ⓐ×	○	생성됨
프로모터 결실 Ⅲ	?	?	ⓑ×	생성 안 됨

(○: 결합함, ×: 결합 못함)

• 야생형에서 ㉠의 결합이 일어나도 젖당 분해 효소가 생성되므로 ㉠은 '억제 단백질과 젖당 유도체의 결합'이고, ㉡의 결합이 일어나지 않았으므로 ㉡은 '억제 단백질과 젖당 오페론의 작동 부위 결합'이다. 따라서 ㉢은 '젖당 오페론의 프로모터와 RNA 중합 효소의 결합'이다.
• 젖당 오페론의 프로모터가 결실되면 RNA 중합 효소가 결합하지 못하므로 어떤 경우에도 젖당 분해 효소가 생성되지 않는다. → Ⅲ은 프로모터가 결실된 돌연변이이다.
• 조절 유전자가 결실되면 억제 단백질이 합성되지 않아 '억제 단백질과 젖당 유도체의 결합(㉠)'이 일어나지 않아도 '젖당 오페론의 프로모터와 RNA 중합 효소의 결합(㉢)'이 일어나 구조 유전자가 전사되어 젖당 분해 효소가 생성된다. → Ⅱ는 조절 유전자가 결실된 돌연변이이다.
• Ⅰ은 젖당 오페론의 작동 부위가 결실된 돌연변이로 '억제 단백질과 젖당 오페론의 작동 부위 결합(㉡)'이 일어나지 않는다.

선택지 분석

✗. ㉠은 '억제 단백질과 젖당 오페론의 작동 부위 결합'이다.
　　　　　　　　　　　　　　젖당 유도체
㉡. ⓐ와 ⓑ는 모두 '×'이다.
㉢. Ⅱ에서는 억제 단백질이 합성되지 않는다.

ㄴ, ㄷ. Ⅱ는 조절 유전자가 결실되어 억제 단백질이 생성되지 않으므로 억제 단백질과 젖당 오페론의 작동 부위 결합(㉡)이 일어나지 않는다. 따라서 작동 부위의 결합 ⓐ는 '×'이다. Ⅲ은 프로모터가 결실된 돌연변이므로 젖당 오페론의 프로모터와 RNA 중합 효소의 결합(㉢)이 일어나지 않는다. 따라서 ⓑ는 '×'이다.

바로알기 ㄱ. ㉠에 상관없이 젖당 분해 효소가 생성되므로 ㉠은 '억제 단백질과 젖당 유도체의 결합'이다.

10 꼼꼼 문제 분석

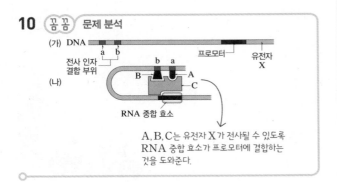

(가) DNA
전사 인자
결합 부위
(나)
B A
C
RNA 중합 효소
프로모터
유전자 X

A, B, C는 유전자 X가 전사될 수 있도록 RNA 중합 효소가 프로모터에 결합하는 것을 도와준다.

선택지 분석

㉠. a의 염기 서열은 심장 세포의 핵 DNA에도 있다.
✗. a, b, 프로모터, 유전자 X는 오페론을 구성한다.
　　– 사람은 진핵생물이므로 오페론이 없다.
✗. (나)는 유전자 X의 전사 후에 일어나는 단계이다. 전사 전

ㄱ. 세포 분화가 일어나더라도 각 세포의 유전체 구성은 변하지 않아 분화 전과 동일하므로 a의 염기 서열은 심장 세포의 핵 DNA뿐만 아니라 사람의 몸을 구성하는 모든 체세포의 핵 DNA에 있다.

바로알기 ㄴ. 오페론은 원핵생물의 유전자 발현 조절 방식이고, 사람은 진핵생물이다.

ㄷ. (나)는 특정 조절 부위에 결합한 다양한 전사 인자와 RNA 중합 효소가 결합하여 전사 개시 복합체를 형성한 것이므로 전사 조절 단계에서 일어난다.

11

선택지 분석

① ㉣의 결합 부위는 D이다.
② Ⅰ에서는 ㉢이 발현되지 않는다. Ⅰ에서는 ㉠과 ㉣이 발현된다.
③ Ⅰ에서는 y가 발현된다. Ⅰ에서는 x와 y가 발현된다.
④ Ⅱ와 Ⅲ에서는 z가 발현된다.
⑤ Ⅲ에서는 x가 발현되지 않는다. x와 z가 발현된다.

유전자 x는 전사 인자 ㉠ 또는 ㉡이 있으면 전사되고, 유전자 y는 전사 인자 ㉠과 ㉢ 또는 ㉠과 ㉣, 유전자 z는 ㉡ 또는 C에 결합하는 전사 인자가 있으면 전사된다.

Ⅱ에서는 전사 인자 ㉢만 발현되는데, x~z 중 적어도 하나가 발현되므로 x와 y는 발현하지 않으므로 z가 발현되고, 전사 인자 ㉢은 C에 결합한다. 따라서 ㉣은 D에 결합한다.

Ⅰ에서는 전사 인자 ㉡이 발현되지 않지만 x~z 중 두 가지가 발현되는데, 전사 인자 ㉠이 발현되지 않으면 x와 y 모두 발현되지 않으므로 ㉠이 발현된다. 이때 전사 인자 ㉢이 발현되면 y와 z가 모두 발현되므로 ㉢은 발현되지 않고 ㉣이 발현된다. 그 결과 x와 y가 발현된다.

Ⅲ에서는 ㉠이 발현되지 않으며 x~z 중 두 가지가 발현되므로 ㉠이 반드시 필요한 y를 제외한 x와 z가 발현된다.

① ㉢의 결합 부위가 C이므로 ㉣의 결합 부위는 D이다.
② Ⅰ에서는 ㉠과 ㉣이 발현되고, ㉢이 발현되지 않는다.
③ Ⅰ에서는 x와 y가 발현되고, z는 발현되지 않는다.
④ Ⅱ에서는 z가, Ⅲ에서는 x와 z가 발현된다.
바로알기 ⑤ Ⅲ에서는 x와 z가 발현된다.

12 꼼꼼 문제 분석

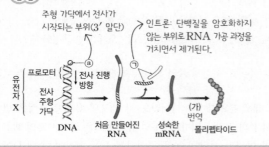

주형 가닥에서 전사가
시작되는 부위(3' 말단)

인트론: 단백질을 암호화하지
않는 부위로 RNA 가공 과정을
거치면서 제거된다.

유전자 X { 프로모터 전사 진행 방향 / 전사 주형 가닥 } @

DNA → 처음 만들어진 RNA → 성숙한 mRNA → (가) 번역 → 폴리펩타이드

│선택지 분석│

ㄱ ⓐ는 전사 주형 가닥의 3' 말단이다.

✗ ㉠에는 염기 타이민(T)이 포함될 수 있다. 포함될 수 없다.

ㄷ (가)에 mRNA, rRNA, tRNA가 모두 관여한다.

ㄱ. 전사는 항상 5'→3' 방향으로 일어나므로 전사 주형 가닥에서 전사가 시작되는 부위 ⓐ는 RNA와는 반대이므로 3' 말단이다.

ㄷ. (나)는 번역 단계이며, 번역 단계에서는 유전 정보를 저장하고 있는 mRNA, 리보솜을 구성하는 rRNA, 아미노산을 운반하는 tRNA가 모두 관여한다.

│바로알기│ ㄴ. ㉠은 처음 만들어진 RNA에서 단백질을 암호화하지 않는 부위인 인트론이다. 인트론은 RNA 가공 과정을 거치면서 제거되며 RNA의 일부이므로 염기로 아데닌(A), 유라실(U), 구아닌(G), 사이토신(C)을 가진다. 따라서 ㉠에는 염기 타이민(T)이 포함될 수 없다.

13 꼼꼼 문제 분석

· 유전자 A, B, C는 꽃 구조 형성에 관여하는 핵심 조절 유전자이다.
· 유전자 A만 발현되면 꽃받침, 유전자 A와 B가 발현되면 꽃잎, 유전자 B와 C가 발현되면 수술, 유전자 C만 발현되면 암술이 형성된다.
· 야생형과 돌연변이 식물체 (가)~(다)의 꽃에서 형성된 구조는 표와 같다. 돌연변이 (가)~(다)는 각각 유전자 A~C 중 하나 이상이 결실된 것이다.

꽃받침과 꽃잎은 모두 형성되었고, 수술과 암술은 모두 형성되지 않았다. →
꽃잎과 꽃받침 형성에는 유전자 A가 관여한다.

구분	꽃받침	꽃잎	수술	암술
야생형	형성	형성	형성	형성
(가)	형성	형성	형성 안 됨	형성 안 됨
(나)	형성	형성 안 됨	형성 안 됨	형성
(다)	형성 안 됨	㉠	형성	형성

형성 안됨

꽃받침이 형성되지 않으므로
유전자 A가 결실되었다.

│선택지 분석│

㉠ (가)에서는 유전자 C가 결실되었다.

✗ ㉠은 '형성'이다. 형성 안 됨

ㄷ 야생형의 꽃받침에는 유전자 A와 B가 모두 있다.

ㄱ. 돌연변이 (가)에서 꽃받침과 꽃잎은 모두 형성되었고, 수술과 암술은 모두 형성되지 않았다. 꽃받침과 꽃잎의 형성에는 모두 유전자 A가 관여하며, 수술의 형성에는 유전자 B와 C, 암술의 발현에는 유전자 C가 관여한다. 따라서 (가)에서는 유전자 C가 결실되었다.

ㄷ. 세포 분화 과정에서 유전체의 구성은 변하지 않으므로 유전자 A와 B는 이 식물체를 구성하는 세포에 모두 있다.

│바로알기│ ㄴ. 돌연변이 (다)에서는 꽃받침이 형성되지 않았으므로 유전자 A가 결실되었다. 꽃잎은 유전자 A와 B가 발현되어야 형성되므로 유전자 A가 결실되면 꽃잎도 형성되지 않는다.

V. 생물의 진화와 다양성

① 생명의 기원과 다양성

01 생명의 기원

1 (1) 원시 지구의 대기는 산소가 거의 포함되지 않았다.
(2) 원시 지구는 빈번한 운석 충돌과 대규모 화산 활동으로 열이 많이 발생하였고, 대기에 오존층이 없어 태양의 강한 자외선이 지구 표면에 도달하였으며, 대기가 불안정하여 번개와 같은 방전 현상이 자주 일어났다. 그 결과 지구에 에너지가 매우 풍부하였다.
(3) 원시 지구에는 오존층이 형성되지 않아 태양의 강한 자외선이 지구 표면에 도달하였다.
(4) 화학적 진화설에 따르면 '무기물(암모니아 등) → 간단한 유기물(뉴클레오타이드 등) → 복잡한 유기물(단백질 등) → 유기물 복합체(코아세르베이트 등) → 원시 세포' 순으로 형성된다.
(5) 유리와 밀러는 무기물에서 간단한 유기물이 합성된다는 오파린의 가설을 실험을 통해 입증하였다. 폭스는 실험을 통해 아미노산에서 복잡한 유기물이 만들어질 수 있음을 입증하였다.
(6) 원시 세포가 되기 위해서는 막 구조가 있어야 하는데, 이는 내부를 외부 환경과 분리시켜 생명 활동이 일어날 수 있는 공간을 만들어 주고, 물질을 선택적으로 흡수하여 내부 환경을 안정적으로 유지하게 해 주기 때문이다.

2 리포솜, 마이크로스피어, 코아세르베이트는 모두 유기물 복합체이다. 코아세르베이트는 액상의 막을 가지며, 리포솜은 인지질 2중층의 막, 마이크로스피어는 단백질 2중층의 막을 가진다.

3 (1), (2) 리보자임은 유전 정보의 저장과 효소 기능이 모두 있는 특정한 RNA 분자로 최초의 유전 물질로 추정된다.
(3) RNA−단백질 기반 체계에서 리보자임(RNA)은 유전 정보를 저장하고 있는 유전 물질의 기능을 담당하였으며, 단백질이 효소 기능을 담당하였다.

1 (1), (4) 원시 지구에 최초의 생명체(원핵생물)가 출현한 이후 생명체는 '단세포 진핵생물의 출현 → 다세포 진핵생물의 출현 → 육상 생물의 출현' 과정을 거치며 진화하였다.
(2), (3) 원핵생물은 '무산소 호흡 종속 영양 생물 → 광합성 독립 영양 생물 → 산소 호흡 종속 영양 생물'로 진화하였다.

2 (1) (가)에서 세포막의 함입이 일어나 핵막이 형성되었으므로 이 과정이 막 진화설로 설명된다.
(2) A는 원시 진핵생물에 산소 호흡 세균이 공생하면서 형성된 미토콘드리아, B는 산소 호흡이 가능해진 원시 진핵생물에 광합성 세균이 공생하면서 형성된 엽록체이다.

3 미토콘드리아와 엽록체는 모두 2중막 구조이며, 이것은 세포내 공생설을 지지하는 근거에 해당한다.

4 (1) 군체는 세포 분화가 일어나기 전 단세포 진핵생물이 모여서 형성된 것이다.
(2), (3) 단세포 진핵생물이 출현한 이후 이들이 모여 군체를 형성하였고, 군체가 환경에 적응하는 과정에서 세포 분화가 일어나 다세포 진핵생물이 출현하였다.

5 광합성 독립 영양 생물의 출현 이후 대기 중의 산소 농도가 증가하면서 오존층이 형성된 결과 태양의 강한 자외선(㉠)이 차단되었으며, 이로 인해 다세포 진핵생물이 육상(㉡)으로 진출할 수 있게 되었다.

①-1 ㉠은 원시 지구에 출현한 최초의 생명체이므로 무산소 호흡 종속 영양 생물이고, ㉡은 빛에너지와 대기의 CO_2를 이용하여 유기물을 합성하는 광합성 독립 영양 생물이며, ㉢은 산소 호흡을 통해 유기물을 얻는 산소 호흡 종속 영양 생물이다.

①-2 무기물을 이용하여 유기물을 합성하는 생물은 독립 영양을 하는 생물이므로 ㉡이다.

①-3 광합성 독립 영양 생물(㉡)은 대기로 산소를 배출하였고, 그 결과 대기의 산소 농도가 증가하였다.

①-4 (1) 무산소 호흡 종속 영양 생물(㉠)이 출현하기 전에 화학적 진화가 일어나 유기물이 합성되었다.
(2) 무산소 호흡 종속 영양 생물(㉠)은 무산소 호흡으로 유기물을 분해하여 대기로 CO_2를 방출하였다.
(3) 광합성 독립 영양 생물(㉡)은 원핵생물이므로 세포 소기관인 엽록체가 없다.
(4) 대기의 오존층에 의해 강한 자외선이 차단되어 생물이 육상으로 진출하였으므로 지표에 도달하는 자외선의 세기는 오존층이 형성되기 전인 ㉢이 출현하였을 때가 오존층이 형성된 후인 생물이 육상으로 진출하였을 때보다 더 강했다.

②-1 ⓐ는 세포 호흡이 일어나는 미토콘드리아로 분화되는 산소 호흡 세균이고, ⓑ는 광합성이 일어나는 엽록체로 분화되는 광합성 세균이다.

②-2 산소 호흡 세균(ⓐ)과 광합성 세균(ⓑ)은 모두 유전 물질을 가지고 있으며, 이로부터 형성된 미토콘드리아와 엽록체에는 자체 DNA가 존재하여 스스로 복제하고 증식할 수 있다.

②-3 동물 세포에는 엽록체가 없으므로 동물 세포의 기원이 된 것은 엽록체가 없는 (가)이다.

②-4 (1), (2) 핵막은 A 과정에서 세포막의 함입이 일어나면서 형성되었다.
(3) 세포 내 공생은 A 과정 이후에 산소 호흡 세균(ⓐ)이 원시 진핵생물 안에 공생하면서 처음 일어났다.
(4) 빛에너지를 화학 에너지로 전환하는 세균은 광합성 세균(ⓑ)이다.
(5) 산소 호흡 세균(ⓐ)과 광합성 세균(ⓑ)은 모두 단일 막 구조이지만, 이들이 원시 진핵생물 안으로 들어가면서 원시 진핵생물의 세포막으로 둘러싸여 2중막 구조의 미토콘드리아와 엽록체로 진화되었다.

(6) 미토콘드리아와 엽록체는 모두 자체 DNA와 리보솜이 있어 스스로 복제를 하여 증식할 수 있다.
(7) 미토콘드리아와 엽록체가 모두 원핵세포에 존재하는 원형 DNA를 갖는 것은 세포내 공생설을 지지하는 근거가 된다.

261쪽~263쪽

내신 만점 문제

01 ②	02 ③	03 ④	04 ①	05 ②	06 ⑤
07 ①	08 ③	09 ①	10 ⑤	11 해설 참조	
12 ③	13 ②				

01 · 학생 B: 원시 지구는 빈번한 운석 충돌과 대규모 화산 활동으로 많은 열이 발생하여 에너지가 매우 풍부하였다.
∥ 바로알기 ∥ · 학생 A, 학생 C: 원시 대기에는 산소가 거의 없으며, 오존층이 없어 태양의 강한 자외선이 그대로 지구 표면에 도달하였다.

02 화학적 진화는 '무기물 → 간단한 유기물 합성 → 복잡한 유기물 합성 → 유기물 복합체 형성 → 원시 세포의 출현' 순으로 일어났다. 메테인은 무기물, 아미노산은 간단한 유기물, 핵산은 복잡한 유기물, 마이크로스피어는 유기물 복합체이다.

03 ㄱ. ㉠은 무기물로, 암모니아를 포함한다.
ㄷ. ㉢은 코아세르베이트 등과 같은 유기물 복합체이다.
∥ 바로알기 ∥ ㄴ. ㉡은 단백질, 핵산 등과 같은 복잡한 유기물이다. 원시 대기를 구성하는 물질은 수소, 수증기, 메테인, 암모니아 등의 기체로 무기물(㉠)에 해당한다.

04 꼼꼼 문제 분석

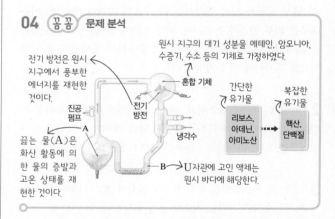

ㄱ. 유리와 밀러의 실험에서 혼합 기체는 원시 대기를 가정한 것으로, 여기에는 수소, 수증기, 메테인, 암모니아 등의 기체가 포함되어 있다.

바로알기 ㄴ. A는 혼합 기체에 수증기와 열을 공급하기 위한 끓는 물이고, B는 U자관에 고인 액체로 혼합 기체가 들어 있는 플라스크 안에서 합성된 물질이 포함되어 있다. 따라서 원시 바다에 해당하는 것은 B이다.

ㄷ. (나)는 간단한 유기물로부터 복잡한 유기물이 합성되는 과정이다. 유리와 밀러의 실험을 통해서는 원시 지구의 무기물로부터 간단한 유기물이 합성되는 과정만 증명되었다.

05 ㄷ. 마이크로스피어(가)와 리포솜(나)에서는 모두 간단한 화학 반응이 일어난다.

바로알기 ㄱ. (가)는 단백질 2중층의 막을 가지므로 마이크로스피어이다.

ㄴ. (나)는 인지질 2중층의 막을 갖는 리포솜이다. 농축된 아미노산 용액에 열을 가하여 만드는 것은 마이크로스피어(가)이다.

06 ㄱ. 원시 세포는 유전 물질에 유전 정보를 저장하고 자기 복제를 할 수 있어야 한다. 원시 세포는 유전 물질을 통해 유전 정보를 자손에게 전달해 준다.

ㄴ. 원시 세포는 막을 형성하여 원시 세포와 외부 환경을 구분하고, 막을 경계로 외부와의 물질 출입을 조절할 수 있어야 한다.

ㄷ. 원시 세포는 물질대사에 필요한 효소(단백질)를 스스로 합성할 수 있어야 하며, 세포 내에 유입된 물질을 전환시키는 물질대사를 통하여 생명 활동에 필요한 에너지와 물질을 얻는다.

07 꼼꼼 문제 분석

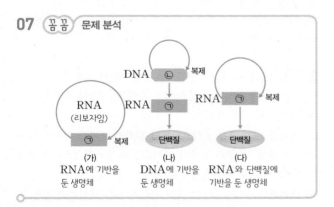

(가) RNA에 기반을 둔 생명체
(나) DNA에 기반을 둔 생명체
(다) RNA와 단백질에 기반을 둔 생명체

ㄴ. 생물의 초기 유전 정보는 RNA에 기반하였으나, 이후 효소의 기능을 담당하는 단백질이 출현하면서 RNA-단백질을 기반으로 하는 중간 단계를 거쳐, 정보의 저장 기능을 수행하는 DNA의 출현으로 오늘날과 같은 DNA-RNA-단백질의 유전 정보 체계가 형성되었다.

바로알기 ㄱ. 리보자임은 유전 정보 저장과 물질대사를 촉매하는 효소의 기능을 모두 가진 RNA(㉠)이다.

ㄷ. RNA에 기반을 둔 생명체(가)에서 RNA(㉠)는 유전 정보를 저장하지만, DNA에 기반을 둔 생명체(나)에서 유전 정보를 저장하는 것은 RNA(㉠)가 아닌 DNA(㉡)이다.

08 ㄷ. A~C는 모두 육상 생물이 출현하기 전에 원시 바다에서 출현하였다.

바로알기 ㄱ. A는 최초로 산소를 이용하여 유기물을 분해하였으므로 산소 호흡 종속 영양 생물이다. 최초의 산소 호흡 종속 영양 생물(A)은 원핵생물이므로 미토콘드리아를 가지지 않는다.

ㄴ. 출현한 순서는 '무산소 호흡 종속 영양 생물(C) → 광합성 독립 영양 생물(B) → 산소 호흡 종속 영양 생물(A)'이다.

09 꼼꼼 문제 분석

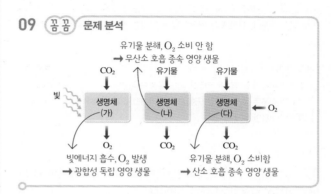

ㄱ. (가)는 빛에너지를 흡수하고, 산소(O_2)를 발생시키므로 광합성 독립 영양 생물이다. 이 생물의 출현과 번성으로 대기의 산소 농도가 증가하였다.

바로알기 ㄴ. (가)~(다)는 모두 원핵생물이므로 막으로 둘러싸인 세포 소기관을 가지지 않는다.

ㄷ. (나)는 산소를 이용하지 않고 유기물을 분해하는 무산소 호흡 종속 영양 생물, (다)는 산소를 이용하여 유기물을 분해하는 산소 호흡 종속 영양 생물이므로 원시 지구에 (나)가 (다)보다 먼저 출현하였다.

10 꼼꼼 문제 분석

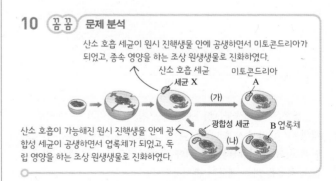

ㄴ. 세포내 공생을 통하여 미토콘드리아(A)가 된 세균 X는 산소 호흡 세균이다. 미토콘드리아(A)의 내막은 산소 호흡 세균 X의 세포막에서, 외막은 숙주가 된 원핵생물의 세포막에서 유래하였다.

ㄷ. 세포내 공생설은 원핵생물이 다른 생물에 들어가 공생하면서 미토콘드리아와 엽록체로 분화하였다는 가설이다. 따라서 세포내 공생설은 (가)와 (나) 과정을 설명하는 학설이다.

바로알기 ㄱ. 산소 호흡 세균(X)은 종속 영양을 하고, 남세균은 광합성을 하므로 독립 영양을 한다. 따라서 산소 호흡 세균(X)은 남세균과 영양 방식이 다르다.

11 A는 산소 호흡 세균(X)이 세포내 공생을 하여 형성된 미토콘드리아이고, B는 광합성 세균이 세포내 공생을 하여 형성된 엽록체이다.

(모범답안) A: 미토콘드리아, B: 엽록체, 2중막 구조이다. 자체 DNA와 리보솜을 가진다. DNA가 원핵생물과 유사한 형태이다. 분열법으로 증식한다.

채점 기준	배점
A와 B의 이름과 공통점 두 가지를 모두 옳게 쓴 경우	100 %
A와 B의 이름은 옳게 썼지만, 공통점을 한 가지만 옳게 쓴 경우	70 %
A와 B의 이름만 옳게 쓴 경우	30 %

12 ㄷ. (다)는 초기 다세포 진핵생물로, 세포 분화가 일어나 모양과 기능이 다양한 세포로 구성된다.

바로알기 ㄱ. (가)는 단세포 진핵생물이다.
ㄴ. A 과정에서 단세포 진핵생물이 모여서 군체를 형성하였으며, B 과정에서 세포 분화가 일어났다.

13 (꼼꼼) 문제 분석

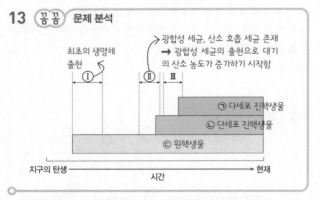

ㄴ. 생물은 '원핵생물(ⓒ) → 단세포 진핵생물(ⓒ) → 다세포 진핵생물(㉠)'의 순서로 나타났다. 산소 호흡을 하는 세균은 단세포 진핵생물(ⓒ)이 나타나기 전에 출현하였으므로 Ⅱ에서 지구에 산소 호흡을 하는 세균이 존재하였다.

바로알기 ㄱ. 세포내 공생이 일어나 단세포 진핵생물(ⓒ)이 출현하였으므로 세포내 공생은 Ⅱ에서 일어났다.
ㄷ. 대기의 산소 농도는 광합성 독립 영양 세균이 출현하면서 증가하기 시작하였고, 광합성 독립 영양 세균은 단세포 진핵생물(ⓒ)이 나타나기 전에 출현하였다. 따라서 대기의 산소 농도는 Ⅲ 이전에 증가하기 시작하였다.

---

02 생물의 분류

개념 확인 문제 267쪽

❶ 종　❷ 속　❸ 역　❹ 이명법　❺ 유연관계　❻ 계통수
❼ 3역 6계　❽ 진핵생물

1 (1) 역 (2) 목 (3) 같은 (4) 생식적　**2** ④　**3** (1) × (2) × (3) ○ (4) ○　**4** (1) × (2) × (3) ○ (4) ○ (5) ○　**5** (1) A: 균계, B: 진정세균계, C: 고세균계, D: 진핵생물역 (2) B

1 (1) 생물의 분류 단계는 종, 속, 과, 목, 강, 문, 계, 역으로 구분되며, 가장 큰 분류군은 역이다.
(2) 속이 과보다 더 작은 분류군이므로 여러 속이 모여 하나의 과를 이루고, 목이 과보다 더 큰 분류군이므로 여러 과가 모여 하나의 목을 이룬다.
(3) 몇몇 유사한 목이 모여 하나의 강을 이루므로 같은 목에 속한 두 생물종은 같은 강에 속한다.
(4) 종은 자연 상태에서 자유롭게 교배하여 생식 능력이 있는 자손을 낳을 수 있는 개체들의 집단이므로, 생식적 격리 여부가 종을 판정하는 가장 중요한 기준이 된다.

2 학명은 이명법에 따라 '속명＋종소명＋(명명자)'로 표기한다. 이때 속명의 첫 글자는 대문자로, 종소명의 첫 글자는 소문자로 쓰고, 속명과 종소명은 모두 이탤릭체로 쓴다.

3 (1) 계통수에 위치한 생물종은 공통 조상으로부터 자신에게 이르는 경로에 위치한 특징을 모두 가진다. 따라서 침팬지는 특징 ㉠과 ㉡을 모두 가진다.
(2) 까치와 개가 공통 조상으로부터 갈라진 시기가 까치와 악어가 공통 조상으로부터 갈라진 시기보다 더 오래되었으므로 까치는 악어보다 개와 유연관계가 더 멀다.
(3) 분기점에는 해당 분기점에서 갈라진 모든 생물종의 공통 조상이 위치한다. 따라서 도마뱀과 악어의 공통 조상은 분기점 C에 위치한다.
(4) 개와 도마뱀이 공통 조상으로부터 갈라진 시기가 개와 침팬지가 공통 조상으로부터 갈라진 시기보다 더 오래되었다.

4 (1) 2계 분류 체계(식물계, 동물계)에서 3계 분류 체계(원생생물계, 식물계, 동물계)로 변하면서 원생생물계가 새롭게 분류되었다. 균계는 생물의 영양 방식을 반영하여 5계 분류 체계(원핵생물계, 원생생물계, 식물계, 균계, 동물계)로 변하면서 새롭게 분류되었다.

(2) 5계 분류 체계에서는 생물을 원핵생물계, 원생생물계, 식물계, 균계, 동물계로 분류한다.

(3) 3역 6계 분류 체계에서 진핵생물(원생생물계, 식물계, 균계, 동물계)은 모두 진핵생물역으로 분류한다.

(4) 5계 분류 체계에서 원핵생물은 원핵생물계로 분류하지만, 3역 6계 분류 체계에서 원핵생물은 진정세균계와 고세균계로 나누어 분류한다.

(5) 5계 분류 체계와 3역 6계 분류 체계의 공통점은 핵막이 있는 진핵생물을 원생생물계, 식물계, 균계, 동물계의 4개의 계로 분류한 것이다.

5 (1) A는 균계, B는 세균역에 속하는 진정세균계, C는 고세균역에 속하는 고세균계, D는 원생생물계, 식물계, 균계, 동물계가 속한 진핵생물역이다.

(2) B(진정세균계)에 속한 생물은 펩티도글리칸 성분의 세포벽을 가진다.

①에 해당하는 생물종은 ⓒ과 한 가지에서 갈라져 나온 것이므로 특징 C를 공통으로 가지는 ②이다. ②에 해당하는 생물종은 ⓒ, ②과 한 가지에서 갈라져 나온 것이므로 ⓒ, ②과 공통된 특징 B를 가지는 ⑩이다. ③에 해당하는 생물종은 ⓛ과 한 가지에서 갈라져 나온 것이므로 ⓛ과 특징 D를 공통으로 가지는 ⓐ이다.

①-2 생물종 ⓛ과 유연관계가 가장 가까운 생물종은 ⓛ과 한 가지에서 갈라져 나온 ⓐ이다.

①-3 (1) ①에 해당하는 생물종은 ⓒ과 가장 최근까지 공통 조상을 공유하므로 유연관계가 가장 가깝다.

(2) ②에 해당하는 생물종은 특징 A와 B를 모두 가진다. 특징 C는 ⓒ과 ①에 해당하는 생물종이 가진다.

(3) ③에 해당하는 생물종은 ⓐ~⑩의 공통된 특징인 특징 A와 ③과 ⓛ에 해당하는 생물종의 공통된 특징인 특징 D를 가진다.

(4) 특징 A는 생물종 ⓐ~⑩이 모두 가지고 있는 특징이다.

(5), (7) 특징 B를 가지고 있는 ⓒ, ①(②), ②(⑩)와 특징 D를 가지고 있는 ③(ⓐ), ⓛ으로 분화된 후 ⓒ, ①(②), ②(⑩)는 다시 특징 C를 가지고 있는 ⓒ, ①(②)로 분화되었다. 따라서 특징 B는 C보다 먼저 나타났고, ⓒ과 ②(⑩)의 분화는 ⓒ과 ①(②)의 분화보다 먼저 이루어졌다.

(6) ⓒ에 해당하는 생물종은 ②과 가장 최근의 공통 조상을 공유하므로 ⑩보다 유연관계가 가깝다.

(8) ⓒ, ①(②), ②(⑩)는 ⓐ~⑩의 공통된 특징인 특징 A와 ⓒ, ①(②), ②(⑩)의 공통된 특징인 특징 B를 모두 가진다.

②-1 (가)는 원핵생물계, 원생생물계, 균계, 식물계, 동물계로 분류한 5계 분류 체계이고, (나)는 3역(세균역, 고세균역, 진핵생물역), 6계(진정세균계, 고세균계, 원생생물계, 식물계, 균계, 동물계)로 분류한 3역 6계 분류 체계이다.

②-2 A는 고세균역에 속한 고세균계이고, B는 진핵생물역에 속한 원생생물계이다.

②-3 (1) 5계 분류 체계(가)는 3역 6계 분류 체계(나)보다 먼저 제시되었다.

(2) 5계 분류 체계(가)에서 원핵생물계를 제외한 4계(원생생물계, 균계, 식물계, 동물계)는 모두 3역 6계 분류 체계(나)에서 진핵생물역에 속한다.

(3) 고세균역은 rRNA 염기 서열, 세포벽의 성분, DNA 복제 및 단백질 합성 과정 등이 세균역보다 진핵생물역과 더 유사하다. 따라서 고세균역은 세균역보다 진핵생물역과 유연관계가 더 가깝다.

268쪽

대표 자료 분석

[자료 ①] **1** ①: ②, ②: ⑩, ③: ⓐ **2** ⓐ **3** (1) ○ (2) ×
(3) ○ (4) ○ (5) ○ (6) × (7) × (8) ○

[자료 ②] **1** (가) 5계 분류 체계 (나) 3역 6계 분류 체계 **2** A: 고세균계, B: 원생생물계 **3** (1) ○ (2) ○ (3) × (4) ○
(5) × (6) ○

①-1 꼼꼼 **문제 분석**

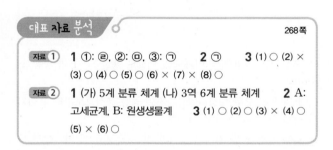

특징 A는 ⓐ~⑩의 공통된 특징이다.

특징 B와 특징 D에 의해 생물종 ⓒ, ②, ⑩과 ⓐ, ⓛ으로 나뉜다.

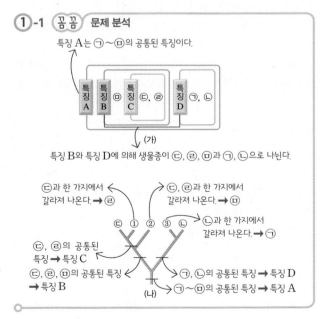

(4) 5계 분류 체계(가)와 3역 6계 분류 체계(나)의 공통점은 핵막이 있는 진핵생물을 원생생물계, 식물계, 균계, 동물계의 4계로 분류한 것이다.

(5) 5계 분류 체계(가)와 3역 6계 분류 체계(나)는 모두 원핵생물계를 포함하며, 5계 분류 체계(가)와 달리 3역 6계 분류 체계(나)에서는 원핵생물계를 진정세균계와 고세균계로 분류한다.

(6) 형태 형질 이외에도 염기 서열 등 다양한 정보를 추가한 통합 계통수를 작성할 수 있게 되었기 때문에 5계 분류 체계(가)에서 3역 6계 분류 체계(나)로 변하게 되었다.

내신 만점 문제

269쪽~271쪽

01 ⑤	02 ③	03 ④	04 해설 참조	05 ⑤
06 ②	07 ①	08 ②	09 ③	10 ⑤	11 ⑤
12 ④	13 ①			

01 ㄴ, ㄷ. 생식적 격리는 종을 판정하는 중요한 기준으로, 같은 생물종인 두 개체는 생식적으로 격리되어 있지 않다. 따라서 같은 생물종인 두 개체 사이에서는 자연 상태에서 교배하여 생식 능력이 있는 자손이 태어날 수 있다.

바로알기 ㄱ. 종은 생물을 분류하는 가장 작은 분류군이다.

02 ㄱ. 사자와 호랑이는 모두 같은 *Panthera*속에 속하므로 같은 과에 속한다.

ㄴ. 사자와 호랑이 사이에서 태어난 라이거는 생식 능력이 없으므로 사자와 호랑이는 생식적으로 격리되어 있다.

바로알기 ㄷ. 사자와 호랑이는 서로 다른 생물학적 종이지만, 생식 능력이 없는 라이거는 독립된 종으로 분류하지 않는다. 따라서 이 자료에 제시된 생물학적 종은 사자와 호랑이 두 가지뿐이다.

03 ④ A~C는 모두 같은 ㉡에 속하는데 B와 C는 서로 다른 ㉠에 속하므로 ㉡은 ㉠보다 큰 분류군인 과이고, ㉠은 ㉡보다 작은 분류군인 속이다. A와 B는 같은 속이며, A와 C는 같은 과이지만 다른 속이기 때문에 A는 C보다 B와 유연관계가 더 가깝다.

바로알기 ①, ⑤ B와 C는 서로 다른 속에 속하므로 서로 다른 종이다. 따라서 B와 C 사이에서 생식 능력을 가진 자손이 태어나지 않는다.

② A와 B는 같은 속에 속하므로 같은 목에 속한다.

③ B와 C는 같은 과에 속하므로 같은 강에 속한다.

04 학명은 생물종의 고유한 이름이므로 학명이 서로 다른 두 생물은 서로 다른 종이다. 학명은 속명과 종소명으로 표기하며, 속명과 종소명 중 하나만 달라도 서로 다른 종이다.

모범답안 생식 능력을 가진 자손은 태어나지 않는다. A와 B는 학명이 달라 서로 다른 종이기 때문이다.

채점 기준	배점
생식 능력을 가진 자손이 태어나지 않는다고 쓰고, 그 근거를 두 동물의 학명이 다르기 때문이라고 서술한 경우	100 %
생식 능력을 가진 자손이 태어나지 않는다는 것과 두 동물의 학명이 다른 것 중 하나만 서술한 경우	50 %

05 ㄱ. (가)와 (나)는 종소명이 모두 *japonica*이다.

ㄴ. (가)~(다)의 학명은 모두 속명＋종소명＋(명명자)로 구성된 이명법을 사용하였다.

ㄷ. (가)는 *Camellia*속에 속하고, (나)와 (다)는 모두 *Styrax*속에 속하므로 서로 다른 속에 속하는 (가)와 (나)의 유연관계보다 같은 속에 속하는 (나)와 (다)의 유연관계가 더 가깝다.

06 꼼꼼 문제 분석

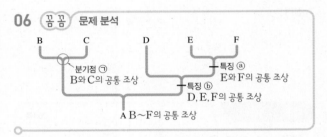

① A는 계통수의 가장 아래에 있으므로 생물 B~F의 공통 조상이다.

③ E와 F는 모두 특징 ⓐ를 가지는 공통 조상으로부터 유래되었으므로 모두 특징 ⓐ를 가진다.

④ C는 특징 ⓑ를 가지지 않지만, F는 특징 ⓑ를 가지므로 특징 ⓑ를 이용하여 C와 F를 구분할 수 있다.

⑤ 분기점 ㉠에서 B와 C가 갈라졌으므로 분기점 ㉠에는 B와 C의 공통 조상이 위치한다.

바로알기 ② 공통 조상으로부터 갈라진 시기가 D와 E보다 D와 C가 더 오래되었으므로 D는 E보다 C와 유연관계가 더 멀다.

07 꼼꼼 문제 분석

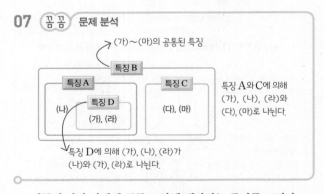

ㄱ. 계통의 가장 아래에 공통 조상에 해당하는 줄기를 그린다.

| **바로알기** | ㄴ. (가)와 (나)는 모두 특징 A와 B를 가지지만 (가)와 (라)는 모두 특징 A, B, D를 가지므로 (가)와 (나)의 분기점은 (가)와 (라)의 분기점보다 아래에 있다.

ㄷ. (다)와 (라)는 공통된 특징을 B만 가지므로 (다)와 (라)의 분기점은 가장 아래에 있다.

08 A는 B와 네 가지 특징이 같으므로 A는 B와 유연관계가 가장 가깝다. D는 E와 네 가지 특징이 같으므로 D는 E와 유연관계가 가장 가깝다. 따라서 주어진 계통수 중에서 식물 종 A~E의 계통수로 가장 적절한 것은 ②이다.

09 (꼼꼼) **문제 분석**

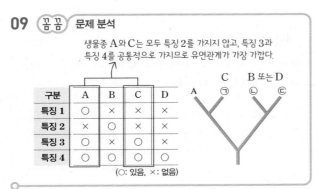

생물종 A와 C는 모두 특징 2를 가지지 않고, 특징 3과 특징 4를 공통적으로 가지므로 유연관계가 가장 가깝다.

구분	A	B	C	D
특징 1	○	×	×	×
특징 2	×	○	×	×
특징 3	○	×	○	×
특징 4	○	○	○	○

(○: 있음, ×: 없음)

ㄷ. A는 B~D 중 C와 가장 많은 특징이 일치하므로 A와 유연관계가 가장 가까운 ㉠은 C이고, ㉡과 ㉢은 각각 B와 D 중 하나이다. 따라서 ㉠(C)과 ㉢의 공통 조상은 특징 4를 가진다.

| **바로알기** | ㄱ. ㉠이 A와 유연관계가 가장 가까운 C이다.

ㄴ. B는 D와 가장 많은 특징이 일치하므로 유연관계가 가장 가깝다.

10 (꼼꼼) **문제 분석**

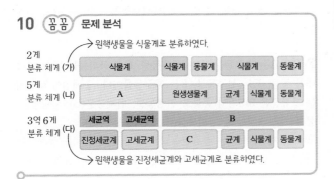

①, ③ (가)는 식물계와 동물계로 분류한 2계 분류 체계, (나)는 원핵생물계, 원생생물계, 균계, 식물계, 동물계로 분류한 5계 분류 체계, (다)는 세균역(진정세균계), 고세균역(고세균계), 진핵생물역(원생생물계, 균계, 식물계, 동물계)으로 분류한 3역 6계 분류 체계이다. 따라서 A는 원핵생물계이고, C는 원생생물계이다.

② 3역 6계 분류 체계에서 핵막이 있는 생물은 모두 진핵생물역(B)에 속한다.

④ 생물 분류 체계는 '2계 분류 체계(가) → 3계 분류 체계 → 4계 분류 체계 → 5계 분류 체계(나) → 3역 6계 분류 체계(다)'로 변하였다.

| **바로알기** | ⑤ 대장균과 호염성 고세균은 2계 분류 체계(가)에서는 모두 식물계에, 5계 분류 체계(나)에서는 모두 원핵생물계(A)에 속한다. 따라서 (가)~(다) 중 대장균과 호염성 고세균이 같은 분류군에 속하는 분류 체계는 (가)와 (나)이다.

11 ㄱ. (가)는 휘태커가 생물의 영양 방식을 근거로 제안한 5계 분류 체제이고, (나)는 우즈가 rRNA 염기 서열 정보 등을 근거로 제안한 3역 6계 분류 체제이다.

ㄴ, ㄷ. 3역 6계 분류 체계가 5계 분류 체계와 다른 점은 원핵생물계를 진정세균계와 고세균계로 분류한 것과 계보다 상위 분류군인 역을 사용한 것이다.

12 ①, ③ 3역은 세균역, 고세균역, 진핵생물역이며, 6계는 진정세균계, 고세균계, 원생생물계, 식물계, 균계, 동물계이다.

② 진핵생물역의 4계 중 주로 단세포 진핵생물로 구성된 원생생물계가 가장 먼저 출현한 이후 식물계, 균계, 동물계가 출현하였다.

⑤ 5계 분류 체계에서 3역 6계 분류 체계로 변하게 된 까닭은 형태 형질 이외에도 rRNA 염기 서열, 단백질의 아미노산 서열, 전자 현미경으로 관찰한 초미세 구조 등 다양한 정보를 추가한 통합 계통수가 작성되었기 때문이다.

| **바로알기** | ④ 세균역과 고세균역이 먼저 나누어졌고, 고세균역 가지에서 진핵생물역이 나왔다.

13 (꼼꼼) **문제 분석**

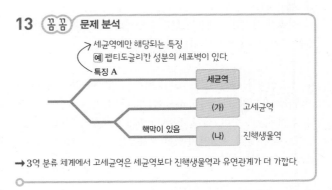

세균역에만 해당되는 특징
[예] 펩티도글리칸 성분의 세포벽이 있다.

→ 3역 분류 체계에서 고세균역은 세균역보다 진핵생물역과 유연관계가 더 가깝다.

ㄴ. (가)는 핵막이 없는 고세균역이다. 고세균역에 속한 생물 중에는 히스톤과 결합한 DNA를 가진 생물이 있다.

| **바로알기** | ㄱ. 세균역뿐만 아니라 고세균역(가)에 속한 생물도 1개의 원형 DNA를 가진다. 따라서 '1개의 원형 DNA를 가진다.'는 특징 A가 될 수 없다.

ㄷ. (나)는 핵막이 있는 진핵생물역이다. 펩티도글리칸 성분의 세포벽을 가진 생물은 세균역에 해당한다.

03 생물의 다양성

개념 확인 문제

275쪽

① 진핵생물 **②** 셀룰로스 **③** 독립 **④** 선태 **⑤** 포자
⑥ 양치 **⑦** 헛물관 **⑧** 포자 **⑨** 종자 **⑩** 밑씨
⑪ 씨방

1 (1) ⓒ (2) ⓗ (3) ⓜ (4) ⓒ (5) ㉠ (6) ⓔ　　**2** (1) 고세균계
(2) ㉠ 독립, ⓒ 종속 (3) ㉠ 진핵, ⓒ 포자　　**3** (1) × (2) ○
(3) ○　　**4** (1) A, B, C (2) B, C, D　　**5** (1) × (2) ○ (3) ○
6 (1) 석송, 은행나무 (2) 백합, 무궁화

1 곰팡이는 균계, 대장균은 진정세균계, 솔이끼는 식물계, 침팬지는 동물계, 짚신벌레는 원생생물계, 메테인 생성균은 고세균계에 각각 속한다.

2 (1) 세균역에 속하는 진정세균계와 고세균역에 속하는 고세균계는 모두 단세포 원핵생물이다.
(2) 식물은 광합성을 하는 독립 영양 생물이며, 균류와 동물은 모두 종속 영양 생물이다.
(3) 균류는 대부분 다세포 진핵생물로, 주로 키틴질로 이루어진 세포벽이 있으며, 포자로 번식하고, 분해자 역할을 한다.

3 (1), (2) 식물은 진핵생물역, 식물계에 속하며, 광합성 색소를 이용해 흡수한 빛에너지를 이용하여 유기물을 합성하는 독립 영양 생물이다.
(3) 식물의 기원인 녹조류는 뿌리와 몸체로 이루어져 있지만, 식물은 뿌리, 줄기, 잎으로 기관이 분화되어 있다.

4 (1) 씨방은 속씨식물만 있다. 따라서 씨방이 없는 분류군은 선태식물(A), 양치식물(B), 겉씨식물(C)이다.
(2) 선태식물은 뿌리, 줄기, 잎의 구별이 뚜렷하지 않다. 따라서 뿌리, 줄기, 잎의 구별이 뚜렷한 분류군은 양치식물(B), 겉씨식물(C), 종자식물(D)이다.

5 (1) 비관다발 식물인 선태식물은 기관이 분화되지 않아 뿌리, 줄기, 잎의 구별이 뚜렷하지 않지만, 비종자 관다발 식물인 석송류와 양치식물은 모두 기관이 분화되어 뿌리, 줄기, 잎의 구별이 뚜렷하다.
(2) 양치식물은 포자로, 겉씨식물은 종자로 번식한다.
(3) 속씨식물은 떡잎의 수에 따라 외떡잎식물과 쌍떡잎식물로 분류한다.

6 석송은 석송류, 백합은 속씨식물, 솔이끼는 선태식물, 무궁화는 속씨식물, 은행나무는 겉씨식물에 각각 속한다.
(1) 헛물관은 비종자 관다발 식물과 겉씨식물이 가지고 있다. 따라서 헛물관을 가지는 식물은 석송과 은행나무이다.
(2) 속씨식물(백합, 무궁화)은 꽃잎이나 꽃받침이 발달한 꽃이 핀다.

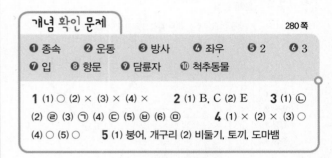

개념 확인 문제

280쪽

① 종속 **②** 운동 **③** 방사 **④** 좌우 **⑤** 2 **⑥** 3
⑦ 입 **⑧** 항문 **⑨** 담륜자 **⑩** 척추동물

1 (1) ○ (2) × (3) × (4) ×　　**2** (1) B, C (2) E　　**3** (1) ⓒ
(2) ⓔ (3) ㉠ (4) ⓒ (5) ⓗ (6) ⓜ　　**4** (1) × (2) × (3) ○
(4) ○ (5) ○　　**5** (1) 붕어, 개구리 (2) 비둘기, 토끼, 도마뱀

1 (1) 동물은 몸의 대칭성에 따라 무대칭 동물(해면동물), 방사 대칭 동물(자포동물), 좌우 대칭 동물(해면동물과 자포동물을 제외한 대부분의 동물)로 분류한다.
(2) 2배엽성 동물은 낭배 단계에서 발생이 끝나 외배엽과 내배엽을 갖는 동물이다.
(3) 선구동물은 원구가 입이 되고, 원구의 반대쪽에 항문이 생긴다.
(4) DNA 염기 서열에 따라 선구동물은 촉수담륜동물(편형동물, 연체동물, 환형동물)과 탈피동물(선형동물, 절지동물)로 분류한다.

2 (1) A는 자포동물, B는 연체동물, C는 극피동물, D는 방사 대칭 동물, E는 선구동물, F는 후구동물이다. 중배엽이 형성되는 분류군은 3배엽성 동물로 편형동물, 연체동물(B), 환형동물, 선형동물, 절지동물, 극피동물(C), 척삭동물이 있다.
(2) 원구가 입이 되는 분류군은 선구동물(E)이다. 선구동물에는 편형동물, 연체동물(B), 환형동물, 선형동물, 절지동물이 있다.

3 회충은 선형동물, 촌충은 편형동물, 가재는 절지동물, 지렁이는 환형동물, 우렁쉥이는 척삭동물, 불가사리는 극피동물에 해당한다.

4 (1) 해면동물은 포배 상태에서 발생이 완료되므로 낭배 시기가 나타나지 않으며, 자포동물은 낭배 시기가 나타난다.
(2) 환형동물은 폐쇄 혈관계를 가진다.

(3) 연체동물의 몸은 근육으로 된 발, 대부분의 기관이 포함되어 있는 내장낭, 패각을 분비하는 외투막으로 이루어져 있다.

(4) 절지동물의 몸은 키틴질의 단단한 외골격으로 덮여 있다.

(5) 극피동물은 순환, 호흡, 운동의 복합적인 역할을 하는 수관계를 가지며, 수관계에 연결된 관족을 움직여 이동하고 음식을 섭취한다.

5 (1) 체내 수정은 생식 기관 내에서 정자와 난자가 결합하는 수정이 일어나는 것으로 파충류(도마뱀), 조류(비둘기), 포유류(토끼)에서 일어나며, 체외 수정은 생식 기관 밖에서 수정이 일어나는 것으로 어류(붕어)와 양서류(개구리)에서 일어난다.

(2) 파충류(도마뱀), 조류(비둘기), 포유류(토끼)는 모두 건조한 육상 환경에 적응한 여러 특징(폐 호흡, 체내 수정 등)을 가진다.

281쪽

대표 자료 분석

자료 ① **1** Ⅲ **2** ⓐ: ○, ⓑ: ○, ⓒ: ×, ⓓ: × **3** 번식 방법
4 (1) ○ (2) ○ (3) × (4) × (5) ○ (6) ○ (7) ○ (8) ×

자료 ② **1** A, B, D **2** ㉣ **3** D **4** (1) ○ (2) ○ (3) ○
(4) ○ (5) × (6) × (7) ×

①-1 Ⅰ은 관다발이 없는 선태식물, Ⅱ는 씨방이 있는 속씨식물, Ⅲ은 관다발은 있지만 종자를 형성하지 않는 양치식물, Ⅳ는 종자를 형성하지만 씨방이 없는 겉씨식물이다. 그러므로 (가)는 선태식물, (나)는 양치식물, (다)는 겉씨식물, (라)는 속씨식물이다. 따라서 (나)에 해당하는 것은 Ⅲ(양치식물)이다.

①-2 모든 식물에는 엽록체가 있고, 양치식물(Ⅲ)은 관다발이 있지만 종자를 형성하지 않으며, 겉씨식물(Ⅳ)은 씨방이 없다.

①-3 선태식물(가)과 양치식물(나)은 모두 포자로 번식하고, 겉씨식물(다)과 속씨식물(라)은 모두 종자로 번식하므로 '번식 방법'이 A에 해당한다. 양치식물(나)과 겉씨식물(다)은 모두 관다발이 있으므로 관다발 유무는 A에 해당하지 않는다.

①-4 (1) 선태식물(Ⅰ)은 비관다발 식물이다.
(2) 속씨식물(Ⅱ)은 포자로 번식하는 양치식물(Ⅲ)보다 종자로 번식하는 겉씨식물(Ⅳ)과 유연관계가 더 가깝다.
(3) 양치식물(Ⅲ)은 비종자 관다발 식물이다. 종자식물은 겉씨식물(Ⅳ)과 속씨식물(Ⅱ)이다.

(4) 속씨식물(Ⅱ)은 떡잎의 수에 따라 쌍떡잎식물과 외떡잎식물로 분류한다.

(5) 선태식물(가)과 양치식물(나)은 모두 포자로 번식한다.

(6) 식물의 공통 조상인 녹조류는 엽록체를 가지므로 모든 식물은 엽록체를 가지고 있다.

(7) 고사리는 양치식물(나)에, 소나무는 겉씨식물(다)에 각각 속한다.

(8) 겉씨식물(다)과 속씨식물(라)은 모두 밑씨를 가진다. 따라서 '밑씨의 유무'는 (다)와 (라)를 구분하는 기준이 될 수 없다. (다)와 (라)를 구분하는 기준은 '씨방의 유무'가 될 수 있다.

②-1 3배엽성 동물은 뱀(척추동물), 갯지렁이(환형동물), 해삼(극피동물)이며, 이 중 뱀만 척추를 가지는 동물이다. 뱀, 해파리, 갯지렁이, 해삼 중 해파리(자포동물)만 방사 대칭성 동물이며, 뱀과 해삼만 원구가 항문이 되는 후구동물이다. 따라서 ㉠은 '원구가 항문이 된다.', ㉡은 '방사 대칭성이다.', ㉢은 '척추를 가진다.', ㉣은 '3배엽성이다.'이고, A는 해삼, B는 뱀, C는 해파리, D는 갯지렁이이다.

②-2 해파리(자포동물)는 낭배 단계에서 발생이 끝나 외배엽과 내배엽을 갖는 2배엽성 동물이고, 뱀(척추동물), 갯지렁이(환형동물), 해삼(극피동물)은 낭배 단계에서 발생이 더 진행되어 외배엽, 내배엽, 중배엽을 갖는 3배엽성 동물이다. 따라서 세 종의 생물에서 '○'가 있는 ㉣이 '3배엽성이다.'가 된다.

②-3 해파리(C)는 원구가 형성되지 않으며, 해삼(A)과 뱀(B)은 후구동물이다.

②-4 (1) 해삼(A)은 극피동물에 속한다.
(2) 뱀(B)은 육상 생활에 적응하여 체내 수정을 한다.
(3) 해파리(C)는 낭배 단계에서 발생이 끝나 외배엽과 내배엽만 형성되는 2배엽성 동물이다.
(4) 촉수담륜동물은 촉수관을 가지거나 담륜자 유생 시기를 거치는 동물로 편형동물, 연체동물, 환형동물이 이에 해당한다. 따라서 환형동물인 갯지렁이(D)는 촉수담륜동물에 속한다.
(5) 오징어는 촉수담륜동물에 속하는 연체동물이므로 같은 촉수담륜동물에 속하는 갯지렁이(D)가 A∼D 중 유연관계가 가장 가깝다.
(6) 뱀(B)과 갯지렁이(D)는 모두 3배엽성 동물이므로 모두 중배엽이 형성된다. 따라서 발생 과정에서 중배엽의 형성 여부는 B와 D를 구분하는 기준이 될 수 없다. B와 D를 구분하는 기준에는 척추의 유무, 원구의 발생 차이 등이 있다.
(7) ㉠이 '원구가 항문이 된다.'이다.

01 ②, ③ 진정세균계 속하는 생물은 대부분 무성 생식의 한 방법인 분열법으로 증식하며, 한 세대가 짧아 돌연변이가 잘 생긴다.
④ 진정세균계에 속하는 생물에는 대장균, 포도상구균, 매독균, 젖산균, 남세균 등이 있다.
⑤ 진정세균계에 속하는 생물은 호흡 방법에 따라 산소 호흡 세균과 무산소 호흡 세균으로 분류한다.
▌바로알기▏ ① 진정세균계에 속하는 생물은 단세포 원핵생물이다.

02 꼼꼼 **문제 분석**

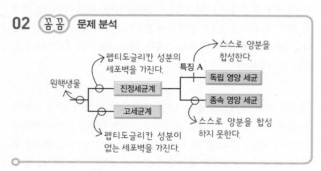

ㄷ. 특징 A는 종속 영양 세균과 구별되는 독립 영양 세균의 특징이므로 '무기물을 이용하여 유기물을 합성한다.'는 특징 A가 될 수 있다.
▌바로알기▏ ㄱ. 진정세균계는 세균역에, 고세균계는 고세균역에 속한다.
ㄴ. 포도상구균은 진정세균계에, 메테인 생성균은 고세균계에 속한다.

03 ㄱ. 원생생물계에 속하는 생물은 대부분 단세포 진핵생물이지만, 군체를 형성하거나 다세포 생물도 있다.
ㄷ. 최근 계통수에 따르면 원생생물계는 계통적으로 하나의 무리가 아니며, 진핵생물 중 식물계, 균계, 동물계에 속하지 않는 모든 생물을 말한다.
▌바로알기▏ ㄴ. 남세균은 진정세균계에 속한다.

04 A는 고세균계, B는 진정세균계, C는 균계, D는 식물계, E는 동물계, F는 원생생물계이다.
ㄱ. 고세균계(A)와 진정세균계(B)의 생물은 단세포 원핵생물이다.
ㄴ. 균계(C)에 속한 생물은 키틴질로 이루어진 세포벽을 가진다.
▌바로알기▏ ㄷ. 식물계(D)에 속한 생물은 광합성을 하는 독립 영양 생물이다.

ㄹ. E는 다세포 진핵생물인 동물계, F는 대부분 단세포 진핵생물인 원생생물계이다.

05 ㄱ. 식물은 진핵생물역, 식물계에 속하는 다세포 생물이다.
ㄷ. 식물은 엽록소와 카로티노이드 등의 색소를 이용하여 광합성을 하는 독립 영양 생물이다.
▌바로알기▏ ㄴ. 식물은 셀룰로스로 이루어진 세포벽을 가진다. 펩티도글리칸 성분의 세포벽은 세균역에 속한 생물이 가진다.

06 꼼꼼 **문제 분석**

구조	선태식물 A	양치식물 B	겉씨식물 C	속씨식물 D
㉠종자	없음포자로 번식		있음 종자식물	
㉡씨방	없음			있음 속씨식물
㉢관다발	없음 (비관다발 식물)	있음 (관다발 식물 ➡ 기관이 분화됨)		

• 선태식물과 양치식물은 종자가 없고, 겉씨식물과 속씨식물은 종자가 있다. ➡ ㉠은 종자이다.
• 선태식물, 양치식물, 겉씨식물은 씨방이 없고, 속씨식물은 씨방이 있다. ➡ ㉡은 씨방이다.
• 선태식물은 관다발이 없고, 양치식물, 겉씨식물, 속씨식물은 관다발이 있다. ➡ ㉢은 관다발이다.

ㄱ. 겉씨식물, 선태식물, 속씨식물, 양치식물 중 겉씨식물과 속씨식물이 종자로 번식하므로 ㉠은 종자이다.
▌바로알기▏ ㄴ. A는 종자(㉠), 씨방(㉡), 관다발(㉢)이 모두 없는 선태식물이므로 비관다발 식물에 해당한다.
ㄷ. B는 포자로 번식하며 관다발이 있는 양치식물이고, C는 종자로 번식하며 씨방이 없는 겉씨식물이다. 석송류는 양치식물(B)과 같은 비종자 관다발 식물이므로 종자식물인 겉씨식물(C)보다 양치식물(B)과 유연관계가 더 가깝다.

07 ㄱ. (가)는 선태식물인 솔이끼, (나)는 양치식물인 고사리이다. 솔이끼(가)는 기관(뿌리, 줄기, 잎)이 분화되지 않았으나 헛뿌리를 가진다.
ㄴ. 고사리(나)는 체관과 헛물관으로 이루어진 관다발이 있다.
ㄷ. 솔이끼(가)와 고사리(나)는 모두 포자로 번식한다.

08 꼼꼼 **문제 분석**

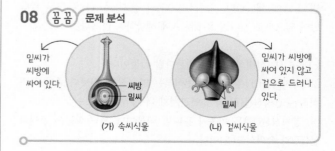

밑씨가 씨방에 싸여 있다. | 씨방 밑씨

밑씨가 씨방에 싸여 있지 않고 겉으로 드러나 있다. | 밑씨

(가) 속씨식물 | (나) 겉씨식물

ㄴ. (나)는 씨방이 없어 밑씨가 겉으로 노출되어 있는 겉씨식물이므로 체관과 헛물관으로 이루어진 관다발이 있다.

ㄷ. 속씨식물(가)과 겉씨식물(나)은 종자식물로, 육상 환경에 가장 잘 적응하여 식물 중 가장 번성한 무리이다.

바로알기 ㄱ. (가)는 밑씨가 씨방에 싸여 있는 속씨식물이므로 꽃잎이나 꽃받침이 발달한 꽃이 핀다.

09 꼼꼼 문제 분석

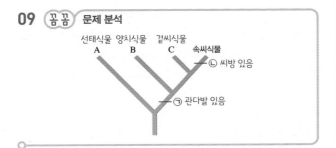

ㄴ. A는 선태식물, B는 양치식물, C는 겉씨식물이다. 양치식물(B), 겉씨식물(C), 속씨식물은 모두 관다발이 있으므로 '관다발 있음'은 ㉠에 해당한다.

바로알기 ㄱ. 쇠뜨기는 양치식물(B)에 속한다.

ㄷ. 겉씨식물(C)과 속씨식물은 모두 종자로 번식하므로 '종자 있음'은 ㉡에 해당하지 않는다.

10 ①, ② 동물은 진핵생물역, 동물계에 속하는 다세포 진핵생물로 원생생물의 한 계통으로부터 진화하였으며, 엽록체와 세포벽이 없다.

③ 대부분의 동물은 정자와 난자의 수정을 통해 수정란을 형성하는 유성 생식을 한다.

④ 대부분의 동물은 감각 기관이 있어 환경 변화에 빠르게 반응하며, 운동 기관이 발달하여 장소를 이동할 수 있다.

바로알기 ⑤ 동물은 먹이를 섭취한 후 영양소를 소화·흡수하여 살아가는 종속 영양 생물이다.

11 꼼꼼 문제 분석

분류군	몸의 대칭성	배엽의 수
해면동물 (가)	없음	무배엽
자포동물 (나)	방사 대칭	2배엽
환형동물 (다)	㉠ 좌우 대칭	3배엽

• 해면동물은 포배 단계에서 발생이 끝나는 무배엽성 동물이다.
• 자포동물은 낭배 단계에서 발생이 끝나 외배엽과 내배엽만 형성하는 2배엽성 동물이다.
• 환형동물은 낭배 단계에서 발생이 더 진행되어 외배엽, 내배엽, 중배엽을 형성하는 3배엽성 동물이다.

ㄴ, ㄷ. (가)는 무배엽성 동물인 해면동물, (나)는 2배엽성 동물인 자포동물, (다)는 3배엽성 동물인 환형동물이다. 지렁이(환형동물)는 3배엽성 동물이고, 좌우 대칭 동물이므로 (다)에 속한다.

바로알기 ㄱ. (가)는 무배엽성 동물이므로 포배 단계에서 발생이 멈추는 해면동물이다. 해면동물은 진정한 의미의 조직을 가지지 않는다.

12 발생 과정에서 원구가 입이 되고, 원구의 반대쪽에 항문이 생기는 동물은 선구동물이다. 선구동물에는 편형동물, 환형동물, 연체동물, 선형동물, 절지동물이 있다. 촌충은 편형동물, 달팽이는 연체동물, 지렁이는 환형동물, 잠자리는 절지동물에 속하므로 선구동물이다. 미더덕(척삭동물)은 후구동물이다.

13 낭배 단계에서 발생이 더 진행되어 외배엽, 내배엽, 중배엽을 갖는 동물은 3배엽성 동물이고, 3배엽성 동물에는 편형동물, 환형동물, 연체동물, 선형동물, 절지동물, 극피동물, 척삭동물이 있다. 또한 발생 과정에서 원구가 항문이 되는 동물은 후구동물이고, 후구동물에는 극피동물과 척삭동물이 있다. 따라서 3배엽성 후구동물에는 극피동물과 척삭동물이 있다. 해파리는 자포동물, 지렁이는 환형동물, 예쁜꼬마선충은 선형동물, 메뚜기는 절지동물, 성게는 극피동물이므로 이 분류군에 해당하는 동물은 성게이다.

14 ㄱ. 연체동물과 환형동물은 모두 촉수담륜동물에 해당하므로 연체동물과 유연관계가 더 가까운 (가)는 환형동물이고, 먼 (나)는 절지동물이다. 환형동물(가)은 폐쇄 혈관계를 가진다.

ㄴ. 거미와 새우는 모두 절지동물(나)에 속한다.

ㄷ. 환형동물(가)과 절지동물(나)은 모두 체절이 있다.

15 사람(척추동물), 창고기(두삭동물), 미더덕과 우렁쉥이(미삭동물)는 모두 척삭동물이다. 척삭동물은 발생 과정에서 척삭이 나타나며, 배 발생 초기에 공통된 특징으로 등 쪽의 속 빈 신경 다발, 아가미 틈, 항문 뒤 근육성 꼬리 등이 나타난다.

모범답안 발생 과정에서 척삭이 나타난다. 등 쪽에 속이 빈 신경 다발이 나타난다. 아가미 틈이 나타난다. 항문 뒤 근육성 꼬리가 나타난다. 원구가 항문이 되고 원구의 반대쪽에 입이 생긴다.

채점 기준	배점
공통적인 특징 중 한 가지를 옳게 서술한 경우	100 %
후구동물이라고만 서술한 경우	50 %

16 ① 말미잘(자포동물), 메뚜기(절지동물), 조개(연체동물), 성게(극피동물), 우렁쉥이(척삭동물)는 모두 낭배 단계를 거치므로 내배엽이 형성된다.

② 절지동물(메뚜기)과 연체동물(조개)은 모두 원구가 입이 되고, 원구의 반대쪽에 항문이 형성되는 선구동물이다.

③ 연체동물(조개)은 담륜자 유생 시기를 거친다.

⑤ 척삭동물(우렁쉥이)은 발생 과정에서 척삭을 갖는 시기가 나타난다.

┃바로알기┃ ④ 해면동물을 제외한 나머지 동물은 모두 진정한 의미의 조직이 있다.

17 꼼꼼 문제 분석

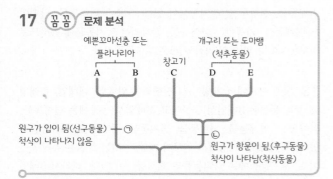

ㄷ. A와 B는 각각 예쁜꼬마선충과 플라나리아 중 하나이고, C는 창고기이며, D와 E는 각각 개구리와 도마뱀 중 하나이다. 해삼(극피동물)은 후구동물이므로 선구동물인 B보다 후구동물인 C(창고기)와 유연관계가 더 가깝다.

┃바로알기┃ ㄱ. 예쁜꼬마선충은 탈피동물이지만, 플라나리아는 탈피를 하지 않는다. 따라서 ㉠은 '탈피를 한다.'가 될 수 없다.
ㄴ. 개구리와 도마뱀은 턱이 있는 척추동물이지만, 창고기는 척추동물이 아니다.

18 꼼꼼 문제 분석

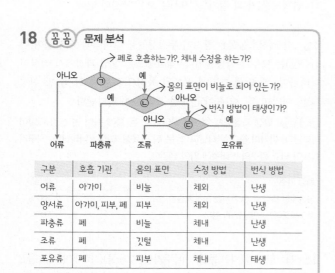

구분	호흡 기관	몸의 표면	수정 방법	번식 방법
어류	아가미	비늘	체외	난생
양서류	아가미, 피부, 폐	피부	체외	난생
파충류	폐	비늘	체내	난생
조류	폐	깃털	체내	난생
포유류	폐	피부	체내	태생

ㄱ. 어류는 아가미로 호흡하지만, 파충류, 조류, 포유류는 모두 폐로 호흡하므로 ㉠은 '폐로 호흡하는가?'가 될 수 있다.
ㄷ. 어류, 파충류, 조류는 모두 알에서 새끼가 부화하는 난생이지만, 포유류는 모체 속에서 발생한 후 새끼가 태어나는 태생이다.

┃바로알기┃ ㄴ. 파충류, 조류, 포유류는 모두 체내 수정을 하므로 '체내 수정을 하는가?'는 ㉡이 될 수 없다.

19 ① (가)는 '척삭이 나타나지 않는다.'이고, (바)는 '척삭이 나타난다.'이다.
② 동물은 배엽의 수에 따라 무배엽성 동물, 2배엽성 동물, 3배엽성 동물로 분류한다. 따라서 '3배엽성 동물이다.'는 (나)에 해당한다.
③ (다)는 척삭이 없고, 3배엽성 동물이며, 선구동물이고, 탈피를 하며, 가늘고 긴 몸을 가지므로 선형동물이다.
⑤ 환형동물은 원통형의 몸을 가지므로 '원통형의 몸을 가진다.'는 (라)에 해당한다.

┃바로알기┃ ④ 촌충은 편형동물에 속하는 생물이다. (다)는 선형동물이므로 촌충은 (다)에 속하지 않는다.

중단원 핵심 정리 286쪽~287쪽

❶ 무기물 ❷ 에너지 ❸ 유기물 ❹ 유기물
❺ 리보자임 ❻ 무산소 ❼ 광합성 ❽ 산소
❾ 미토콘드리아 ❿ 엽록체 ⓫ 다세포 ⓬ 산소
⓭ 오존층 ⓮ 종 ⓯ 과 ⓰ 계 ⓱ 없음
⓲ 있음 ⓳ 없음 ⓴ 없음 ㉑ 선형 ㉒ 진정세균계
㉓ 원생생물계 ㉔ 없음 ㉕ 있음 ㉖ 없음 ㉗ 있음
㉘ 헛물관 ㉙ 씨방 ㉚ 좌우 ㉛ 3배엽

중단원 마무리 문제 288쪽~291쪽

01 ④ 02 ① 03 ④ 04 ① 05 ⑤ 06 ④
07 ① 08 ⑤ 09 ③ 10 ③ 11 ⑤ 12 ②
13 ④ 14 ③ 15 해설 참조 16 해설 참조 17 해설 참조

01 ㄱ. 강한 자외선, 대규모 화산 활동, 빈번한 운석 충돌 등으로 인해 원시 지구에는 에너지가 풍부하였다.
ㄴ. 원시 대기 성분(수소, 수증기, 메테인, 암모니아 등)으로부터 아미노산 등과 같은 유기물이 생성되는 과정에서 화학 반응이 일어났다.

┃바로알기┃ ㄷ. 코아세르베이트는 막 구조를 가지고 있지만 유전 물질과 효소를 가지고 있지 않아 원시 세포(ⓒ)가 아니며, 원시 생명체의 기원으로 추정되는 유기물 복합체이다.

02 꼼꼼 문제 분석

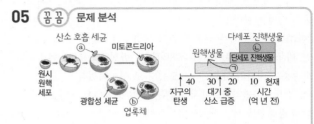

(가)는 혼합 기체가 들어 있는 플라스크이다. 방전은 원시 지구에 풍부한 번개 등의 에너지를 재현한 것이다.

U자관에 고인 액체는 원시 바다에 해당된다. U자관에 고인 액체에서 암모니아의 농도는 감소하였고, 아미노산의 농도는 증가하였다.
➡ 암모니아로부터 아미노산이 합성되었다.

ㄱ. 방전 장치가 연결된 플라스크 안의 혼합 기체가 냉각 장치를 거치며 냉각되므로 (가)는 방전 장치가 연결된 플라스크이다.

‖ 바로알기 ‖ ㄴ. (가)에 들어 있는 혼합 기체에는 산소가 포함되어 있지 않다.

ㄷ. (나)는 원시 바다에 해당하는 U자관이다. 실험 결과 U자관에 고인 액체에서 아미노산과 같은 간단한 유기물은 검출되었지만, 단백질과 같은 복잡한 유기물은 검출되지 않았다.

03
ㄴ. (가)는 원시 대기의 성분, (나)는 복잡한 유기물, (다)는 간단한 유기물이다. 원시 대기의 성분으로부터 유기물이 합성되는 데 에너지가 사용되었다.

ㄷ. 유리와 밀러의 실험에서 (가)는 (다)의 합성에 탄소(C)를 제공하는 물질로 사용되었다.

‖ 바로알기 ‖ ㄱ. 심해 열수구는 메테인(가), 암모니아 등의 물질이 풍부하며, 화산 활동에 의해 지속적으로 에너지가 공급되어 생명체 탄생에 필요한 유기물의 합성이 일어났을 것이라고 추정된다.

04 꼼꼼 문제 분석

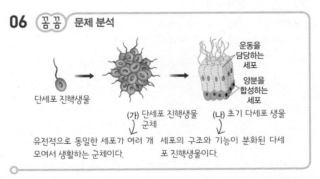

(가)	(나)	(다)
코아세르베이트	리포솜	마이크로스피어

- 공통점: 물질을 선택적으로 흡수해 생장하고, 일정 크기가 되면 분열한다. 간단한 화학 반응이 일어난다.
- 차이점: 코아세르베이트는 액상의 막, 리포솜은 인지질 2중층의 막, 마이크로스피어는 단백질 2중층의 막을 가진다.

ㄴ. 코아세르베이트(가), 리포솜(나), 마이크로스피어(다)는 모두 주위 환경으로부터 물질을 흡수하여 크기가 커지는 생장을 하며, 일정 크기가 되면 둘로 나누어지는 분열을 한다.

‖ 바로알기 ‖ ㄱ. (가)는 액상의 막으로 둘러싸인 코아세르베이트, (나)는 인지질 2중층의 막을 가진 리포솜, (다)는 단백질 2중층의 막을 가진 마이크로스피어이다.

ㄷ. (가)~(다) 중 세포와 가장 유사한 막을 가지는 것은 인지질 2중층의 막을 가진 리포솜(나)이다.

05 꼼꼼 문제 분석

- ㉠ 원핵생물: 약 39억 년 전에 출현한 것으로 추정되며, 지구에 나타난 최초의 생명체이다.
- ㉡ 다세포 진핵생물: 약 15억 년 전에 출현한 것으로 추정되며, 이때 출현한 다세포 생물은 원생생물, 식물, 균류, 동물의 조상이 되었다.

ㄴ. 세포내 공생설에 따르면 산소 호흡 세균(ⓐ)이 원시 진핵생물 안에 공생하면서 미토콘드리아로 분화되었고, 산소 호흡이 가능해진 원시 진핵생물 안에 광합성 세균이 공생하면서 엽록체(ⓑ)로 분화하였다. 따라서 ⓐ는 산소 호흡 세균이고, ⓑ는 엽록체이다.

ㄷ. 지구에 나타난 최초의 생명체 ㉠은 원핵생물이고, ㉡은 약 15억 년 전에 출현한 다세포 진핵생물이다.

‖ 바로알기 ‖ ㄱ. ⓐ는 산소 호흡 세균이므로 ㉠(원핵생물)에 속한다. ㉡은 다세포 진핵생물이다.

06 꼼꼼 문제 분석

ㄴ, ㄷ. 초기 다세포 진핵생물인 (나)는 몸을 이루는 세포가 운동을 담당하는 세포와 양분을 합성하는 세포로 구조와 기능이 분화되어 있으므로, (가)에서 (나)로 될 때 세포 분화가 일어났음을 알 수 있다.

‖ 바로알기 ‖ ㄱ. (가)는 유전적으로 동일한 단세포 진핵생물이 여러 개 모여 군체를 형성한 것이다. 이후 세포들은 각각 특수한 기능을 담당하도록 분화되었다.

07 꼼꼼 문제 분석

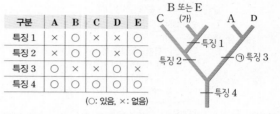

ㄱ. A는 광합성 세균이므로 스스로 유기물을 합성하여 생활하는 독립 영양을 한다.

바로알기 ㄴ. ⊙은 최초의 원시 생명체인 무산소 호흡 종속 영양 세균에 의해 유기물이 분해되면서 발생한 이산화 탄소이다. 오존층은 대기의 산소(ⓒ) 농도 증가로 형성되었다.

ㄷ. 스트로마톨라이트에서 발견된 생명체 화석은 남세균과 비슷하게 광합성을 하는 생물이었으므로 A에 해당한다. B는 산소 호흡 세균이다.

08

ㄱ. A와 B 사이에서 태어난 자손 L과 M의 교배를 통하여 자손 X와 Y를 얻을 수 있었다. 따라서 A와 B 사이에서 태어난 자손이 생식 능력이 있는 것이므로, A와 B는 같은 종이다.

ㄴ. B와 C 사이에서 태어난 자손 P와 Q의 교배에서는 자손을 얻을 수 없었다. 따라서 B와 C 사이에서 태어난 자손이 생식 능력이 없는 것이므로 B와 C는 다른 종이다.

ㄷ. X와 Y는 성별이 다르고 같은 종이므로, X와 Y 간의 교배에서는 자손이 태어난다.

ㄹ. 서로 다른 종인 B와 C 사이에서 태어난 P와 Q는 생물학적 종이 아니라 종간 잡종이다.

09 꼼꼼 문제 분석

• 생물의 분류 계급(종<속<과<목<강<문<계<역)은 하위 분류 단계에 함께 속하는 생물군일수록 유연관계가 가깝다.

	종	과명	학명
호랑이	A	고양이과	*Panthera tigris*
큰곰	B	곰과	*Ursus arctos*
스라소니	C	고양이과	*Lynx lynx*
북극곰	D	곰과	*Ursus maritimus*
재규어	E	고양이과	*Panthera onca*

• 고양이과에 속한 생물종(A, C, E)은 *Panthera*속(A, E)과 *Lynx*속(C)으로 분류된다.
• 곰과에 속한 종들(B, D)은 모두 *Ursus*속에 속한다.

학명(속명+종소명)을 비교할 때 A와 E가 같은 속, B와 D가 같은 속이므로 A는 E와, B는 D와 유연관계가 가장 가깝다. 또한 C는 A, E와 속은 다르지만 같은 고양이과에 속하므로 B, D 보다는 A, E와 유연관계가 가깝다. 따라서 주어진 계통수 중 가장 적절한 것은 ③이다.

10 꼼꼼 문제 분석

• D와 유연관계가 가장 가까운 것은 A이고, B, C, E 중에 B와 E의 유연관계가 가장 가까우므로 계통수를 그리면 다음과 같다.

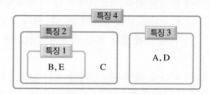

구분	A	B	C	D	E
특징 1	×	○	×	×	○
특징 2	×	○	○	×	○
특징 3	○	×	×	○	×
특징 4	○	○	○	○	○

(○: 있음, ×: 없음)

• 표에 있는 생물 A~E의 특징을 벤다이어그램으로 나타내면 다음과 같다.

```
┌─────────── 특징 4 ───────────┐
│ ┌── 특징 2 ──┐   ┌── 특징 3 ──┐│
│ │ ┌─특징 1─┐ │   │           ││
│ │ │ B, E  │ C │   │   A, D    ││
│ │ └───────┘ │   │           ││
│ └───────────┘   └───────────┘│
└──────────────────────────────┘
```

5종의 생물은 모두 특징 4를 가지고 있으며, 특징 2를 가진 B, C, E와 특징 3을 가진 A, D로 분류할 수 있다. 그리고 특징 2를 가진 생물들은 특징 1을 가진 B, E와 특징 1을 가지지 않는 C로 분류할 수 있다. ➡ ⊙은 특징 3이며, (가)는 B 또는 E이다.

ㄱ. D와 유연관계가 가장 가까운 것은 A이다. D와 A는 특징 3과 4를 공통으로 가지고 있으며, 특징 4는 모든 생물이 공통으로 가지고 있는 특징이므로 D와 A의 공통된 특징인 ⊙은 특징 3이다.

ㄴ. B, C, E 중 B와 유연관계가 가장 가까운 것은 E이므로 (가)는 B 또는 E이다. 따라서 (가)는 특징 1, 2, 4를 모두 가진다.

바로알기 ㄷ. C와 B의 유연관계가 C와 A의 유연관계보다 가깝다.

11

ㄴ. (가)와 (나)는 핵막과 막성 소기관이 없으므로 원핵생물에 해당한다. 3역 중 원핵생물은 세균역과 고세균역에 속하는데, (가)는 펩티도글리칸 성분의 세포벽을 가지므로 세균역이고, (나)는 펩티도글리칸 성분의 세포벽을 가지지 않으므로 고세균역이다. (다)는 핵막과 막성 소기관이 있고, 염색체 모양이 선형이므로 진핵생물역에 해당한다. 호염성 고세균은 고세균계에 속하므로 (나)에 포함된다.

ㄷ. 고세균역(나)은 세균역(가)보다 진핵생물역(다)과 유연관계가 더 가깝다.

바로알기 ㄱ. 동물계는 진핵생물역(다)에 속한다.

12

ㄴ. ⊙은 관다발이 없으므로 비관다발 식물인 선태식물이다. 선태식물은 뿌리, 줄기, 잎의 구별이 뚜렷하지 않으며, 헛뿌리를 가진다.

바로알기 ㄱ. B는 석송류와 양치식물(ⓒ)이다. ⓒ은 종자로 번식하며, 씨방이 없으므로 겉씨식물이다.

ㄷ. 석송류와 양치식물(B)은 기관이 분화되어 뿌리, 줄기, 잎의 구별이 뚜렷하므로 ⓐ 시기 이전에 기관의 분화가 처음 일어났다.

13 (꼼꼼) 문제 분석

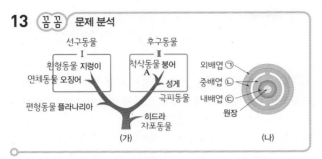

ㄱ. 붕어는 척삭동물(척추동물)이고, 성게는 극피동물이므로 미더덕과 같은 척삭동물(미삭동물)은 A에 해당한다.

ㄷ. ⓒ은 몸의 가장 안쪽에 있는 내배엽이다. (가)에 제시된 동물은 모두 낭배를 형성하므로 모두 내배엽을 가진다.

┃**바로알기**┃ ㄴ. 환형동물인 지렁이와 연체동물인 오징어는 모두 선구동물이고, 극피동물인 성게와 척추동물인 붕어는 모두 후구동물이다.

14 (꼼꼼) 문제 분석

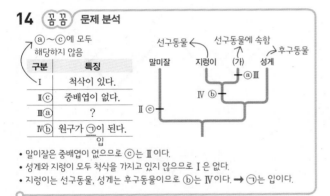

• 말미잘은 중배엽이 없으므로 ⓒ는 II이다.
• 성게와 지렁이 모두 척삭을 가지고 있지 않으므로 I은 없다.
• 지렁이는 선구동물, 성게는 후구동물이므로 ⓑ는 IV이다. ➡ ㉠는 입이다.

ㄷ. 해파리(자포동물)는 2배엽성 동물이므로 중배엽이 없고, 가재(절지동물)는 3배엽성 동물이므로 중배엽이 있다. 따라서 해파리와 가재는 II를 이용하여 구분할 수 있다. 또한 해파리와 가재 중 가재만 원구가 입이 되므로 IV를 이용하여 해파리와 가재를 구분할 수 있다.

┃**바로알기**┃ ㄱ. (가)는 선구동물이므로 I을 가지지 않는다.
ㄴ. 지렁이는 담륜자 유생 시기를 거치므로 '담륜자 유생 시기를 거친다.'는 III(ⓐ)에 해당하지 않는다.

15 리보자임은 단일 가닥 RNA 분자이면서 상보적 RNA 복사본을 만드는 물질대사를 촉매한다.

(모범답안) 리보자임. 유전 정보의 저장과 물질대사를 촉매하는 효소의 기능을 모두 가지고 있기 때문이다.

채점 기준	배점
리보자임을 쓰고, 유전 정보 저장과 물질대사를 촉매하는 효소의 기능을 모두 갖기 때문이라고 옳게 서술한 경우	100 %
리보자임을 쓰고, 유전 정보 저장과 물질대사를 촉매하는 효소의 기능 중 한 가지만 옳게 서술한 경우	70 %
리보자임만 쓴 경우	40 %

16 (가)는 선태식물에 속하는 뿔이끼, (나)는 양치식물에 속하는 고비, (다)는 겉씨식물에 속하는 향나무, (라)는 속씨식물에 속하는 콩이다.

(모범답안) 고비. 종자 형성의 유무(종자로의 번식 여부)로 나눈 것이다.

채점 기준	배점
두 가지를 모두 옳게 서술한 경우	100 %
두 가지 중 하나만 옳게 서술한 경우	40 %

17 개구리는 양서류, 도마뱀과 거북은 파충류, 토끼는 포유류이다. 양서류는 체외 수정을 하고, 파충류와 포유류는 체내 수정을 한다. 파충류는 난생으로 번식하지만, 포유류는 태생으로 번식한다.

(모범답안) A는 수정 방법, B는 번식 방법이다.

채점 기준	배점
분류 기준 A와 B를 모두 옳게 서술한 경우	100 %
분류 기준 A와 B 중 하나만 옳게 서술한 경우	40 %

수능 실전 문제   292쪽~293쪽

01 ⑤   **02** ④   **03** ①   **04** ①   **05** ④   **06** ①
07 ⑤   **08** ②

01 (꼼꼼) 문제 분석

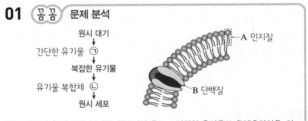

원시 대기(수소, 수증기, 메테인, 암모니아 등) → 간단한 유기물(뉴클레오타이드, 아미노산 등) → 복잡한 유기물(단백질, 핵산 등) → 유기물 복합체(코아세르베이트, 마이크로스피어, 리포솜) → 원시 세포

┃ **선택지 분석** ┃
✗. B는 ㉠에 해당한다. 복잡한 유기물
ㄴ. 원시 세포에는 A와 B가 모두 존재한다.
ㄷ. 리포솜은 ㉡에 해당하며, A로 이루어진 막 구조를 가진다.

ㄴ. A는 인지질, B는 단백질이다. 원시 세포는 세포막으로 둘러싸여 있으므로 원시 세포에는 인지질과 단백질이 모두 존재한다.

ㄷ. ㉡은 유기물 복합체이다. 리포솜은 유기물 복합체에 해당하며, 인지질(A) 2중층의 막을 가진다.

∥바로알기∥ ㄱ. ㉠은 간단한 유기물이고, B는 단백질이다. 단백질은 복잡한 유기물이므로 B는 ㉠에 해당하지 않는다.

02 꼼꼼) 문제 분석

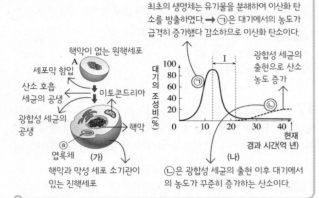

최초의 생명체는 유기물을 분해하여 이산화 탄소를 방출하였다. ➡ ㉠은 대기에서의 농도가 급격히 증가했다 감소하므로 이산화 탄소이다.

광합성 세균의 출현으로 산소 농도 증가

㉡은 광합성 세균의 출현 이후 대기에서의 농도가 꾸준히 증가하는 산소이다.

∥선택지 분석∥

㉠ A는 무산소 호흡을 한다.

㉡ ⓐ는 ㉠을 흡수하고, ㉡을 방출한다.

✗ (가) 과정은 모두 (나)의 I 시기에 일어난다. ~~I 시기 이후에~~

ㄱ. A는 산소 호흡 세균의 세포내 공생이 일어나기 전의 원핵세포이므로 무산소 호흡을 한다.

ㄴ 엽록체(ⓐ)는 광합성 과정에서 이산화 탄소(㉠)를 흡수하고 산소(㉡)를 방출한다.

∥바로알기∥ ㄷ. (가)는 원핵세포가 미토콘드리아와 엽록체를 모두 갖는 진핵세포로 진화되는 과정이다. 이 과정은 광합성 세균이 출현하여 대기의 산소(㉡) 농도가 증가하기 시작한 이후에 일어났으므로 I 시기 이후에 일어났다.

03 꼼꼼) 문제 분석

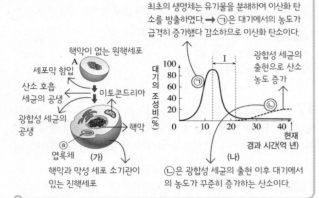

∥선택지 분석∥

✗ B가 출현한 이후에 미토콘드리아가 형성되었다. ~~출현하기 이전에~~

㉡ I 시기에 생물이 육상으로 진출하였다.

✗ '다세포 생물이다.'는 ㉠~㉢ 중 하나에 해당한다. ~~해당하지 않는다.~~

ㄴ. A는 단세포 진핵생물, B는 생물의 육상 진출 이전에 출현한 척삭동물, C는 생물의 육상 진출 이후에 출현한 속씨식물이므로 I 시기에 생물이 육상으로 진출하였다.

∥바로알기∥ ㄱ. B는 진핵생물인 척삭동물이므로 미토콘드리아를 가진다. 따라서 B가 출현하기 이전에 미토콘드리아가 형성되었다.

ㄷ. A는 단세포 진핵생물이다. 척삭동물(B)과 속씨식물(C)은 모두 다세포 생물이므로 '다세포 생물이다.'는 A에 속하지 않으며, B와 C의 공통점에만 해당한다.

04 꼼꼼) 문제 분석

- (나)에서 C는 D와 서로 다른 가지에 위치하므로 (가)에서 ㉡은 D이고, ㉠은 B이다. (나)에서 ㉢은 B이고, ㉣은 E이다.
- 만약 (가)에서 ㉠이 B라면, C는 B보다 D와 유연관계가 가까우므로 (나)에서 B는 ㉣일 수 밖에 없다. 이 경우 (가)에서 D는 B보다 C와 유연관계가 가까우므로 모순이 된다.

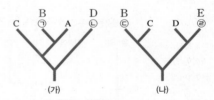

(가)   (나)

- 두 계통수를 합치면 그림과 같다.

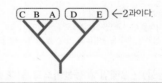

C B A D E ←2과이다.

∥선택지 분석∥

㉠ ㉠과 ㉢은 모두 B이다.

✗ A와 B는 같은 과, 서로 다른 속에 속한다. ~~같은~~

✗ C와 D의 공통 조상보다 B와 E의 공통 조상이 먼저 출현하였다. ~~C와 D의 공통 조상과 B와 E의 공통 조상은 같다.~~

ㄱ. (나)에서 C와 D는 서로 다른 가지에 위치하므로 (가)에서 ㉡은 D이고, ㉠은 B이다. 그러므로 (나)에서 ㉢은 B이고, ㉣은 E이다.

∥바로알기∥ ㄴ. A~E가 2과 3속으로 이루어져 있으므로 과는 ABC/DE로 구분되며, 속은 C/AB/DE 또는 ABC/D/E로 구분된다. 따라서 A와 B는 같은 과, 같은 속에 속한다.

ㄷ. C와 D의 공통 조상과 B와 E의 공통 조상은 같다.

05

∥선택지 분석∥

✗ (나)는 ㉠에 속한다. A

㉡ ㉡은 산화적 인산화가 일어나는 세포 소기관을 가진다.

㉢ A와 B에 속하는 생물은 모두 세포벽과 리보솜을 가진다.

ㄴ. ㉡은 균계이다. 균계에 속한 생물은 진핵생물이므로 산화적 인산화가 일어나는 세포 소기관인 미토콘드리아를 가진다.

ㄷ. 세균역(A)과 고세균역(B)에 속하는 생물은 모두 세포벽과 리보솜을 가진다.

∥바로알기∥ ㄱ. (가)는 다세포 생물이며 엽록소 a를 가지므로 진핵생물역(C)에 속하는 식물계(㉠)이며, (나)는 엽록소 a를 가지지만 (가)와 서로 다른 역에 속하므로 세균역(A)에 속하는 남세균이다. 따라서 (나)는 ㉠(식물계)에 속하지 않는다.

06

∥선택지 분석∥

㉠ B와 ㉡은 모두 호열성 고세균이다.

✗ '종속 영양을 함'은 ⓐ에 해당한다. 해당하지 않는다.

✗ '세포벽에 펩티도글리칸이 없음'은 ⓑ에 해당한다.
해당하지 않는다.

ㄱ. 3역 6계 분류 체계에서 고세균역은 세균역보다 진핵생물역과 유연관계가 가까우므로 A는 남세균(진정세균계), B는 호열성 고세균(고세균계)이다. ㉠~㉢ 중 호열성 고세균은 핵막이 없는 원핵생물이므로 ㉡이다.

∥바로알기∥ ㄴ. C와 D는 각각 메뚜기와 푸른곰팡이 중 하나이다. 메뚜기와 푸른곰팡이는 모두 종속 영양을 하므로 '종속 영양을 함'은 ⓐ에 해당하지 않는다.

ㄷ. ㉡은 호열성 고세균이고, ㉠과 ㉢은 각각 메뚜기와 푸른곰팡이 중 하나이다. 호열성 고세균, 메뚜기, 푸른곰팡이는 모두 세포벽에 펩티도글리칸이 없으므로 '세포벽에 펩티도글리칸이 없음'은 ⓑ에 해당하지 않는다.

07 꼼꼼 문제 분석

구분	A	B	C	D
관다발 ㉠	○	○	?✗	?○
씨방 ㉡	✗	?✗	✗	○
종자로 번식함	?✗	?○	✗	○

고사리 소나무 솔이끼 무궁화

(○: 있음, ✗: 없음)

배우체 / 포자 ⓐ / 난자 / 포자체 / 수정 / 정자

∥선택지 분석∥

✗ ⓐ는 종자이다. 포자

㉡ B는 A보다 D와 유연관계가 가깝다.

㉢ '뿌리, 줄기, 잎의 구별이 뚜렷한가?'를 이용하여 C와 D를 구분할 수 있다.

고사리(양치식물), 무궁화(속씨식물), 소나무(겉씨식물), 솔이끼(선태식물) 중 무궁화에만 씨방이 있으므로 ㉡이 씨방, ㉠이 관다발이다. 관다발이 있는 A와 B는 각각 고사리와 소나무 중 하나인데, 그림은 포자체에서 만들어지는 포자(ⓐ)에 의해 번식하는 식물의 생활사이므로 A는 고사리이고, B는 소나무이다. 따라서 C는 솔이끼, D는 무궁화이다.

ㄴ. 소나무(B)는 종자로 번식하는 종자식물이므로 비종자 관다발 식물인 고사리(A)보다 종자식물인 무궁화(D)와 유연관계가 가깝다.

ㄷ. 솔이끼(C)는 기관이 분화되지 않아 뿌리, 줄기, 잎의 구별이 뚜렷하지 않은 반면, 무궁화(D)는 기관이 분화되어 뿌리, 줄기, 잎의 구별이 뚜렷하다. 따라서 '뿌리, 줄기, 잎의 구별이 뚜렷한가?'를 이용하여 C와 D를 구분할 수 있다.

∥바로알기∥ ㄱ. ⓐ는 포자체에서 만들어져 배우체로 발아하는 포자이다.

08 꼼꼼 문제 분석

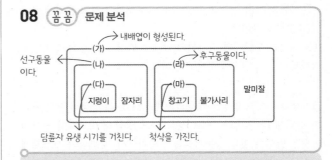

내배엽이 형성된다. / (가) / 선구동물이다. / (나) / (다) / 지렁이 잠자리 / 후구동물이다. / (라) / (마) / 창고기 불가사리 / 말미잘 / 담륜자 유생 시기를 거친다. / 척삭을 가진다.

∥선택지 분석∥

✗ '중배엽이 형성된다.'는 (가)에 해당한다. 내배엽

✗ (나)는 후구동물이다. 선구동물

㉢ '담륜자 유생 시기를 거친다.'는 (다)에 해당한다.

ㄷ. 환형동물인 지렁이는 담륜자 유생 시기를 거치므로 (다)에 해당한다.

∥바로알기∥ ㄱ. 중배엽은 3배엽성 동물에서만 형성된다. 자포동물인 말미잘은 2배엽성 동물이므로 중배엽이 형성되지 않는다. 제시된 모든 동물에서 내배엽이 형성되므로 '내배엽이 형성된다.'는 (가)에 해당한다.

ㄴ. (나)에 속하는 지렁이(환형동물)와 잠자리(절지동물)는 원구가 입이 되고, 반대쪽에 항문이 생기는 선구동물이다.

2 생물의 진화

01 진화의 증거

❶ 비교해부학적　　❷ 상동　　❸ 상사　　❹ 흔적
❺ 유연관계　　❻ 발생

1 (1) ㉠ 뒷다리, ㉡ 뒷다리 (2) ㉠ 수중, ㉡ 육상 (3) 화석상의
2 (가) 상동 기관 (나) 흔적 기관 (다) 상사 기관　　**3** 생물지리학적
증거　　**4** 붉은털원숭이, 칠성장어　　**5** (1) × (2) ○ (3) ○

1 (1), (2) 고래의 조상은 육상 생활을 하여 4개의 완전한 다리
가 있었지만, 서식지를 육상에서 수중으로 옮기면서 뒷다리는 퇴
화하고 앞다리가 지느러미 형태로 변하였다.
(3) 고래의 진화 과정은 고래 화석을 통하여 알 수 있다.

2 (가) 척추동물의 앞다리는 생김새와 기능이 다르지만 해부학
적 구조나 발생 기원이 같은 상동 기관이다.
(나) 사람의 꼬리뼈는 더 이상 기능을 수행하지 않고 흔적만 남아
있는 흔적 기관이다.
(다) 독수리의 날개와 잠자리의 날개는 발생 기원은 다르지만 생
김새와 기능이 비슷한 상사 기관이다.

3 생물의 분포 양상은 대륙의 이동, 산맥, 해협 등과 같은 물리
적 장벽에 따라 달라지므로 생물 분포 양상을 비교하여 진화의
과정을 밝히는 것은 생물지리학적 증거이다. 유대류가 오스트레
일리아구에서만 서식하는 것은 생물지리학적 증거의 예이다.

4 사람과 아미노산 서열이 95 % 일치하는 붉은털원숭이가 사
람과 유연관계가 가장 가깝고, 아미노산 서열이 14 % 일치하는
칠성장어가 사람과 유연관계가 가장 멀다.

5 (1) 진화발생학적 증거는 발생 과정에서의 유사성을 통하여
생물이 공통 조상으로부터 진화하였음을 알 수 있다.
(2) 조류와 포유류는 척추동물로, 발생 초기에 근육성 꼬리, 아가
미 틈, 척삭이 나타난다.
(3) 연체동물인 조개와 환형동물인 갯지렁이는 모두 담륜자 유생
시기를 거치므로 연체동물인 조개와 환형동물인 갯지렁이는 공
통 조상에서 진화하였다.

자료 ① **1** (가) 비교해부학적 증거 (나) 비교해부학적 증거 (다) 진
화발생학적 증거　　**2** (1) (나) (2) (가)　　**3** (1) ○ (2) ○
(3) ○ (4) × (5) ○
자료 ② **1** 유연관계　　**2** (1) ○ (2) ○ (3) × (4) × (5) × (6) ×

①-1 (가)는 척추동물의 앞다리 구조로 생김새와 기능은 다르
지만 해부학적 구조와 발생 기원이 같은 상동 기관이고, (나)는
곤충과 박쥐의 날개로 발생 기원은 다르지만 생김새가 비슷한 상
사 기관이다. 상동 기관과 상사 기관은 모두 비교해부학적 증거
이다. (다)는 척추동물의 발생 초기 배아를 나타낸 것으로 진화발
생학적 증거이다.

①-2 (1) 발생 기원은 다르지만 비슷한 환경에 적응하여 모양
과 기능이 유사하게 진화한 상사 기관은 (나)이다.
(2) 발생 기원은 같으나 다른 환경에 적응하여 모양과 기능이 다
르게 진화한 상동 기관은 (가)이다.

①-3 (1), (3) 고래의 가슴 지느러미와 고양이의 앞다리는 발생
기원은 같지만 모양과 기능이 다른 상동 기관이다. 이를 통해 고
래와 고양이가 공통 조상에서 유래하였음을 알 수 있다.
(2) 사람의 폐와 어류의 부레도 고래의 가슴 지느러미와 고양이
의 앞다리처럼 상동 기관의 예이다.
(4) 곤충의 날개와 박쥐의 날개는 상사 기관으로 서로 다른 조상
으로부터 날개 형질을 물려받은 것이다.
(5) 닭과 사람의 배아에는 모두 아가미 틈이 존재한다. 이를 통하
여 닭과 사람의 공통 조상이 수중 생활을 하였음을 알 수 있다.

②-1 꼼꼼 **문제 분석**

사람과 차이 나는 아미노산 비율이 가
장 낮다. ➡ 최근에 공통 조상에서 분화
되어 사람과 유연관계가 가장 가깝다.

사람과 차이 나는 아미노산 비율이 가
장 높다. ➡ 가장 오래 전에 공통 조상
에서 분화되어 사람과 유연관계가 가
장 멀다.

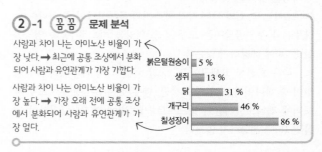

붉은털원숭이 5 %
생쥐 13 %
닭 31 %
개구리 46 %
칠성장어 86 %

생명체를 구성하는 기본 물질인 DNA 염기 서열이나 단백질의
아미노산 서열을 비교해 보면 생물 간의 유연관계와 진화 과정을
알 수 있다.

②-2 (1) 서로 다른 생물종의 아미노산 서열을 비교하여 유연
관계를 판단하는 것은 분자진화학적 증거에 해당한다.
(2) 사람의 글로빈 단백질과 차이 나는 아미노산의 비율이 낮은
생물일수록 최근에 공통 조상에서 분화된 생물이므로 사람과 유
연관계가 가깝다.

(3) 사람과 아미노산 서열의 차이가 클수록, 오래전에 공통 조상에서 분화한 것이다.

(4) 사람의 글로빈 단백질과 차이 나는 아미노산 비율이 가장 낮은 붉은털원숭이가 사람과 유연 관계가 가장 가깝다.

(5) 사람의 글로빈 단백질과 차이 나는 아미노산의 비율이 낮을수록 최근에 공통 조상에서 분화하였다. 따라서 붉은털원숭이는 닭보다 최근에 공통 조상에서 분화되었다.

(6) 사람을 기준으로 여러 동물의 글로빈 단백질 아미노산 서열를 비교한 것으로, 닭과 개구리의 유연관계는 이 자료를 통해서는 알 수 없다.

내신 만점 문제

301쪽~303쪽

01 ④	02 ①	03 ④	04 ③	05 ②	06 해설 참조
07 ⑤	08 ④	09 ⑤	10 ⑤	11 ④	
12 (나)-(가)-(다)-(라)		13 ③		14 해설 참조	

01 • 학생 A: 생물의 화석을 연구하면 생물의 진화 과정을 알 수 있다.
• 학생 C: 월리스선을 경계로 한 생물의 분포는 생물지리학적 증거의 예 중 하나이다.

바로알기 • 학생 B: 상동 기관, 상사 기관, 흔적 기관은 모두 비교해부학적 증거의 예이다.

02 (가) 대륙 이동 후 태반류의 등장으로 태반이 발달하지 않은 유대류가 멸종되었지만, 다른 대륙으로부터 분리된 오스트레일리아에서는 유대류가 살아남아 현재까지 캥거루, 코알라 등이 서식한다. 이것은 진화의 생물지리학적 증거이다.
(나) 종자고사리 화석은 양치식물과 종자식물의 특징을 모두 가지고 있으므로 생물의 진화 과정에서 중간 단계의 생물임을 알 수 있다. 이것은 진화의 화석상의 증거이다.

03 ㄴ, ㄷ. 고래의 조상 화석에서 짧은 지느러미 형태로 변한 뒷다리 흔적이 나타나므로 고래의 조상은 뒷다리를 가졌고, 육상 생활을 하는 포유류였음을 알 수 있다.

바로알기 ㄱ. 고래 화석을 시간 순으로 배열하여 고래의 진화 과정을 살펴본 것으로, 이는 진화의 화석상의 증거에 해당한다.

04 ㄱ. 말은 몸집이 점점 커지는 방향으로 진화하였다.
ㄷ. 어금니가 커지고 표면에 주름이 많아진 것은 초원의 풀을 먹기에 적합하게 변한 것이고, 발가락 수가 줄어든 것은 초원에서 달리기에 적합하게 변한 것이다.

바로알기 ㄴ. 말은 발가락 수가 점점 줄어드는 방향으로 진화하였다.

05 ㄷ. 박쥐의 날개, 바다사자의 앞다리, 사자의 앞다리, 침팬지의 팔, 사람의 팔은 상동 기관으로 모두 공통 조상에서 유래하였음을 알 수 있다.

바로알기 ㄱ, ㄴ. 박쥐의 날개와 바다사자의 앞다리, 사자의 앞다리, 침팬지의 팔, 사람의 팔은 생김새와 기능은 다르지만 발생 기원이 같은 상동 기관이다.

06 나비의 날개는 표피가 변한 것이고, 박쥐의 날개는 앞다리가 변한 것이다.

모범답안 상사 기관, 나비의 날개와 박쥐의 날개는 발생 기원은 다르지만 환경에 적응하면서 형태와 기능이 유사하게 진화하였다.

채점 기준	배점
상사 기관이라고 쓰고, 세 가지 용어를 모두 사용하여 옳게 서술한 경우	100 %
상사 기관이라고 쓰고, 두 가지 용어만 사용하여 옳게 서술한 경우	70 %
상사 기관이라고 쓰고, 한 가지 용어만 사용하여 옳게 서술한 경우	50 %
상사 기관이라고만 쓴 경우	30 %

07 사람의 꼬리뼈, 귀를 움직이는 근육은 기능을 더 이상 수행하지 않고 흔적만 남아 있는 흔적 기관이다. 흔적 기관은 비교해부학적 증거에 해당한다.

08 ㄴ. 월리스선은 가상의 생물 분포 경계선으로, 월리스선을 기준으로 A(로라시아 대륙에서 유래한 동남아시아구)와 B(곤드와나 대륙에서 유래한 오스트레일리아구)로 나뉜다.
ㄷ. 오스트레일리아구가 곤드와나 대륙으로부터 분리되면서 유대류가 B 지역에서만 나타났다. 이를 통해 유대류는 원시 포유류에서 독자적으로 진화하였음을 알 수 있다.

바로알기 ㄱ. 유대류는 B 지역(오스트레일리아구)에서만 서식한다.

09 ⑤ 갈라파고스 군도의 서로 다른 섬에 서식하는 핀치의 부리 모양이 다른 것은 지리적 격리에 따라 각 섬의 먹이 환경에 적응한 결과로 진화의 생물지리학적 증거에 해당한다. 이것은 같은 생물종이 지리적으로 다른 환경에서 서식하면 다양한 생물종으로 진화할 수 있음을 보여준다.

바로알기 ①은 진화발생학적 증거, ②는 비교해부학적 증거, ③은 화석상의 증거, ④는 진화발생학적 증거에 해당한다.

10 ㄱ. 서로 다른 생물종의 단백질 아미노산 서열을 비교한 것이므로 분자진화학적 증거에 해당한다.
ㄴ. 단백질 아미노산 서열이 D와 가장 차이 나는 생물종은 C이므로 D는 C와 유연관계가 가장 멀다.

ㄷ. 단백질 아미노산 서열이 B는 D와 2개가 차이 나고, A와
는 1개가 차이나므로 B는 D보다 A와 유연관계가 더 가깝다.

11 ㄴ. 사람을 기준으로 차이 나는 아미노산의 수를 비교하여
사람과 여러 동물의 유연관계를 알아보는 것이다.
ㄷ. 사이토크롬 c는 호흡에 관여하는 효소로 단백질이다. 공통
조상으로부터 갈라진 시간이 오래될수록 유전자의 변화가 크므
로 효소와 같은 단백질의 아미노산 서열 차이도 크다. 그러므로
단백질의 아미노산 서열 차이가 클수록 유연관계가 멀다고 할 수
있다. 따라서 사람과 유연관계가 가까운 순으로 나열하면 침팬지
-붉은털원숭이-개-닭-뱀-거북-효모이다.
┃**바로알기**┃ ㄱ. 제시된 그림은 사람을 기준으로 사람과 각 동물의
유연관계를 나타낸 것이므로 개를 기준으로 유연관계를 알기는
어렵다.

12 꼼꼼 **문제 분석**

생물종	DNA 염기 서열											
공통 조상	T	G	A	G	C	C	T	T	C	G	T	A
(가)	T	G	A	C	T	C	T	T	C	G	T	A
(나)	T	G	A	G	C	C	T	T	C	G	C	A
(다)	T	G	A	T	G	C	T	T	A	G	T	A
(라)	A	G	A	T	G	C	T	T	G	G	T	A

공통 조상과 비교하였을 때 (가)는 2개, (나)는 1개, (다)는 3개, (라)는
4개의 염기가 다르다.

공통 조상과 염기 서열 차이가 적을수록 유연관계가 가깝다. 따
라서 (나) - (가) - (다) - (라) 순으로 유연관계가 가깝다.

13 ㄱ. 여러 척추동물들의 발생 초기 배아에서 나타나는 유사
성을 통하여 이들이 공통 조상으로부터 진화하였음을 알 수 있으
며, 이는 진화발생학적 증거에 해당한다.
ㄷ. 무척추동물은 담륜자 유생 시기를 거치는 데 이것도 척추동
물의 발생 초기 배아와 같은 진화발생학적 증거에 해당한다.
┃**바로알기**┃ ㄴ. 진화발생학적 증거는 발생 과정에서의 유사성을
통하여 생물이 공통 조상에서 진화하였음을 알 수 있다.

14 모범답안 척추동물의 발생 초기 배아에 공통적으로 아가미 틈과
근육성 꼬리가 존재하는 것으로 보아 육상 척추동물은 수중 생활을 하던
척추동물(공통 조상)로부터 진화하였다.

채점 기준	배점
아가미 틈과 근육성 꼬리를 언급하여 육상 척추동물이 수중 생활을 하던 척추동물(공통 조상)에서 유래하였다고 서술한 경우	100 %
육상 척추동물이 수중 생활을 하였던 척추동물(공통 조상)에서 유래하였다고만 서술한 경우	50 %

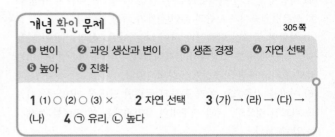

02 진화의 원리

개념 확인 문제 305쪽

❶ 변이 ❷ 과잉 생산과 변이 ❸ 생존 경쟁 ❹ 자연 선택
❺ 높아 ❻ 진화

1 (1) ○ (2) ○ (3) × **2** 자연 선택 **3** (가) → (라) → (다) →
(나) **4** ㉠ 유리, ㉡ 높다

1 (1) 변이는 자연 선택에 영향을 주며, 자연 선택된 개체의 유
전적 변이는 자손에게 전달될 수 있다.
(2), (3) 변이는 한 집단(개체군)을 구성하는 개체 간에 나타나는
형질(몸의 형태, 습성, 기능 등)의 차이이다. 형질의 차이에 따라
개체의 환경 적응 능력이 달라져 생존율이 달라질 수 있다.

2 여러 세대에 걸쳐 자연 선택이 일어나면 집단은 생존에 유리
한 형질을 가진 집단으로 진화하게 된다.

3 기린 목의 진화를 자연 선택설로 설명하면 과잉 생산된 집단
에는 목 길이가 다양한 변이를 가진 기린이 존재하였고(가), 이들
사이에는 먹이, 서식지 등을 두고 생존 경쟁이 일어났다(라). 생
존에 유리한 목이 긴 기린 개체는 살아남아 더 많은 자손을 남겼
고(다), 이러한 자연 선택 과정이 누적된 결과 진화가 일어나 목
이 긴 기린 집단이 형성되었다(나).

4 말라리아가 자주 발생하는 지역에서는 낫 모양 적혈구 헤모
글로빈 대립유전자(Hb^S)가 생존에 ㉠유리하게 작용하여 자연
선택되므로 말라리아가 자주 발생하는 지역에서는 Hb^S를 가진
사람의 비율이 다른 지역에 비해 ㉡높게 나타난다.

308쪽

완자쌤 비법특강 Q1 $\dfrac{4}{49}$ Q2 $\dfrac{21}{22}$

Q1 회색 털의 암수 개체로부터 흰색 털을 가진 자손이 태어나
기 위해서는 회색 털인 부모의 유전자형이 모두 Aa이어야 한다.
집단 ㉡에서 회색 털의 개체(AA와 Aa) 중 유전자형이 Aa인
개체의 비율은 $\dfrac{2pq}{p^2+2pq}=\dfrac{2pq}{1-q^2}=\dfrac{4}{7}$이고, 유전자형이 Aa인
부모 사이에서 유전자형이 aa인 자손이 태어날 확률은 $\dfrac{1}{4}$이므로
구하고자 하는 확률은 $\dfrac{4}{7}\times\dfrac{4}{7}\times\dfrac{1}{4}=\dfrac{4}{49}$이다.

Q2 정상인 여자의 유전자형은 $X^A X^A$ 또는 $X^A X^a$이다. 정상인 남자($X^A Y$)와 정상인 여자 사이에서 태어나는 아이가 정상일 확률은 여자의 유전자형이 $X^A X^A$일 때 ($\frac{p^2}{p^2+2pq}=\frac{9}{11}$)에는 1이고, $X^A X^a$일 때($\frac{2pq}{p^2+2pq}=\frac{2}{11}$)에는 $\frac{3}{4}$이므로 이 집단에서 정상인 남자와 정상인 여자 사이에서 아이가 태어날 때, 이 아이가 정상일 확률은 $\frac{9}{11}+(\frac{2}{11}\times\frac{3}{4})=\frac{21}{22}$이다.

개념 확인 문제

309쪽

❶ 집단 ❷ 유전자풀 ❸ 유전적 평형 ❹ 진화 ❺ p^2
❻ $2pq$ ❼ q^2 ❽ p ❾ q ❿ 멘델 집단

1 (1) × (2) ○ (3) ○ **2** 대립유전자 R의 빈도: 0.8, 대립유전자 r의 빈도: 0.2 **3** (1) 유전자풀 (2) 유전적 평형 (3) 멘델 집단
4 (1) × (2) ○ (3) ○ (4) × (5) × **5** (1) ㉠ 32, ㉡ 16, ㉢ 2
(2) 1

---

1 (1) 진화는 같은 종의 개체들이 모여 있는 집단(개체군) 수준에서 관찰된다.
(2) 유전자풀은 한 집단을 구성하는 모든 개체가 가지고 있는 대립유전자 전체를 의미하는 것으로, 집단에서 일어나는 유전자풀의 변화는 진화를 일으킨다.
(3) 환경 적응력이 뛰어난 형질을 나타내는 대립유전자는 자연 선택되어 세대를 거듭할수록 그 빈도가 높아지므로 자연 선택이 일어나면 유전자풀이 변한다.

2 전체 개체 수가 100이므로 전체 대립유전자 수는 $100\times2=200$이다. 이 중 대립유전자 R의 수는 $(64\times2)+32=160$이고, 대립유전자 r의 수는 $32+(4\times2)=40$이므로 대립유전자 R의 빈도는 $\frac{160}{200}=0.8$, 대립유전자 r의 빈도는 $\frac{40}{200}=0.2$이다.

3 (1) 한 집단에 속하는 모든 개체가 가지고 있는 대립유전자 전체를 유전자풀이라고 한다.
(2) 세대를 거듭해도 대립유전자의 종류와 빈도가 변하지 않는 상태를 유전적 평형이라고 하며, 유전적 평형이 일어나는 집단은 진화가 일어나지 않는다.
(3) 하디·바인베르크 법칙이 적용되는 유전적 평형 상태의 가상 집단을 멘델 집단이라고 한다.

4 (1) 확률적으로 통계 처리가 가능해야 하기 때문에 집단의 크기가 커야 한다.
(2) 새로운 대립유전자가 생기지 않아야 하기 때문에 돌연변이가 일어나지 않아야 한다.
(3) 집단 내에서 각 개체가 다른 개체와 교배할 수 있는 확률이 같아야 하기 때문에 개체들 간에 자유로운 교배가 일어나야 한다.
(4) 각 대립유전자가 자손에게 전달될 확률이 같아야 하기 때문에 특정 유전자에 대한 자연 선택이 일어나지 않아야 하며, 집단에서 개체들의 생존력이 같아야 한다.
(5) 다른 집단과 유전자 흐름이 없어야 한다. 즉, 대립유전자가 들어오거나 나가지 않아야 한다.

5 (1) 대립유전자 A의 빈도는 $\frac{160}{200}=0.8$, 대립유전자 a의 빈도는 $\frac{40}{200}=0.2$이므로 자손의 유전자형이 AA가 될 확률은 $p^2=(0.8)^2=0.64$, Aa가 될 확률은 $2pq=0.32$, aa가 될 확률은 $q^2=0.04$이다. 따라서 ㉠은 $0.64\times50=32$, ㉡은 $0.32\times50=16$, ㉢은 $0.04\times50=2$이다.
(2) 대립유전자 빈도 $p+q=0.8+0.2=1$이다.

개념 확인 문제

312쪽

❶ 돌연변이 ❷ 자연 선택 ❸ 병목 ❹ 유전자 흐름
❺ 대립유전자 ❻ 진화

1 (1) × (2) × (3) ○ **2** 돌연변이 **3** A **4** 자연 선택
5 ㉠ 병목, ㉡ 유전적 부동 **6** (1) ○ (2) ×

---

1 (1), (3) 유전자풀의 변화 요인에는 돌연변이, 자연 선택, 유전적 부동, 유전자 흐름이 있으며, 멘델 집단에서 작용하지 않는다.
(2) 크기가 작은 집단일수록 유전적 부동에 의한 유전자풀의 변화가 크게 나타난다.

2 대립유전자 A로부터 새로운 대립유전자 B가 만들어졌으므로 유전자풀의 변화 요인에서 돌연변이에 해당한다.

3 자연 선택된 대립유전자는 집단에서 빈도가 증가한다. 대립유전자 A의 빈도는 부모 세대에서 0.5였는데 자손 세대에서 0.75로 증가하였으므로, 이 집단에서는 A가 자연 선택되었다.

4 (다)의 어두운 용암 지대에서 털 색깔이 진한 포켓쥐가 자연 선택된 결과 털 색깔이 진한 포켓쥐의 비율이 증가하였다.

5 북방코끼리바다표범은 ㉠병목 효과로 개체 수가 급격하게 감소하면서 대립유전자 빈도가 달라져 유전자풀이 변화된 ㉡유전적 부동의 예이다.

6 (1) 두 집단 사이에 유전자 흐름이 활발하게 일어나면 집단 간 유전적 차이는 줄어들고, 각 집단에서의 유전적 다양성은 증가한다.
(2) 이입과 이출의 개체 수가 같더라도 들어오고 나간 개체들이 가진 유전자가 같지 않을 경우에는 유전자풀이 변한다.

개념 확인 문제   314쪽

❶ 종분화 ❷ 유전자풀 ❸ 생식적 ❹ 고리종 ❺ 가능
❻ 불가능

1 (1) ○ (2) × (3) ○ (4) ×   **2** (1) ○ (2) × (3) ○

1 (1) 종분화를 일으키는 지리적 장벽에는 산맥 형성, 협곡 형성, 가뭄으로 하나의 호수가 여러 개의 작은 호수로 나누어지는 경우 등이 있다.
(2), (4) 종분화가 일어난 두 집단은 유전자풀이 서로 다르며, 생식적 격리가 일어난 상태이므로 교배가 일어나지 않거나, 교배가 일어나더라도 생식 능력이 있는 자손이 태어나지 않는다.
(3) 지리적 장벽에 의해 분리된 두 집단에서는 돌연변이, 자연 선택 등과 같은 독자적인 진화 과정을 겪는다.

2 (1), (2) 고리종의 경우 인접한 두 집단 사이에서는 생식이 가능하므로 집단 B와 C 사이에서는 생식이 가능하지만, 고리의 양 끝에 있는 두 집단 A와 E 사이에는 생식적 격리가 일어나 교배가 일어나지 않거나 교배가 일어나도 생식 능력이 있는 자손이 태어나지 않으므로 종분화 가능성이 가장 높다.
(3) 고리종은 한 생물종으로부터 분화된 집단들 사이에 생식적 격리가 생겨 종분화가 일어날 수 있음을 보여 주며, 종분화가 연속적이고 점진적으로 일어난다는 것을 보여 준다.

대표 자료 분석   315쪽

[자료 ①] **1** 대립유전자 A의 빈도: 0.7, 대립유전자 a의 빈도: 0.3 **2** 0.42 **3** ㄱ, ㄴ, ㄹ **4** (1) ○ (2) ○ (3) ○ (4) ×

[자료 ②] **1** ⓐ **2** ㉠ **3** (1) ○ (2) × (3) ○ (4) ○ (5) ○ (6) ○ (7) ×

①-1 이 집단에서 대립유전자의 수는 총 2000개이고, 대립유전자 A의 수는 $(490 \times 2) + 420 = 1400$개, 대립유전자 a의 수는 $420 + (90 \times 2) = 600$개이다. 따라서 대립유전자 A의 빈도는 $\frac{1400}{2000} = 0.7$이고, 대립유전자 a의 빈도는 $\frac{600}{2000} = 0.3$이다.

①-2 유전자형이 Aa인 개체의 비율은 $2pq$이므로 $2 \times 0.7 \times 0.3 = 0.42$이다.

①-3 ㄱ, ㄴ, ㄹ 멘델 집단은 집단의 크기가 충분히 커야 하며, 돌연변이가 일어나지 않아야 한다. 또한, 특정 대립유전자에 대한 자연 선택이 일어나지 않아야 한다.
┃바로알기┃ ㄷ. 다른 집단과 유전자 흐름이 없어야 한다. 즉, 대립유전자가 들어오거나 나가지 않아야 한다.

①-4 (1) 대립유전자 A와 a의 빈도 합은 $p + q = 0.7 + 0.3 = 1$이다.
(2) 이 집단은 멘델 집단으로, 하디·바인베르크 법칙이 적용된다.
(3) 자손 세대(F_1)에서 유전자형이 AA인 개체가 나타날 확률은 $p^2 = (0.7)^2 = 0.49$이다.
(4) 멘델 집단은 세대가 거듭되더라도 대립유전자 빈도는 일정하다. 따라서 세대가 거듭되더라도 집단에서 회색 몸 대립유전자 빈도는 일정하다.

②-1 서식지의 일부가 떨어져 나가면서 지리적 격리가 일어난 시기는 ⓐ이다.

②-2 A로부터 B가 먼저 분화되었고, 이후에 A로부터 C가 분화되었으므로 A는 B보다 최근에 분화된 C와 유연관계가 더 가깝다. 따라서 B는 ㉠이다.

②-3 (1) ⓑ에서 유전자풀의 변화가 일어나 두 집단의 유전자풀이 서로 달라졌다.
(2) A로 구성된 집단에서 ⓒ가 일어나 새로운 종 C가 분화되었으므로, 이 과정에서 유전자풀의 변화가 일어났다. 따라서 이 집단은 멘델 집단이 아니다.
(3) ⓐ에서 지리적 격리가 일어난 후 ⓑ에서 B의 분화가 일어났으므로 지리적 격리는 B의 분화에 영향을 주었다.
(4) A와 B는 서로 다른 종이므로 생식적 격리가 일어나 교배가 일어나지 않거나 교배가 일어나도 생식 능력이 있는 자손이 태어나지 않는다.
(5) 가장 최근에 A로부터 C가 분화되었으므로 C는 B보다 A와 유연관계가 더 가깝다.

(6) ㉠은 B, ㉡과 ㉢은 A 또는 C이고, A~C는 모두 서로 다른 종이다. 따라서 ㉠과 ㉡으로 각각 구성된 두 집단은 유전자풀이 서로 다르다.

(7) ㉡과 ㉢은 각각 A와 C 중 하나이며, A와 C는 서로 다른 종이므로 이 두 종을 교배하여도 생식 능력이 있는 자손은 태어나지 않는다.

01 ① 변이에 따라 개체의 환경 적응 능력이 달라져 생존율이 달라질 수 있다.
②, ③, ⑤ 집단 내에서 생존에 유리한 변이를 가진 개체가 살아남아 자손을 많이 남긴 결과(자연 선택) 진화가 일어난다.
바로알기 ④ 집단 내에서 자연 선택된 형질의 대립유전자 빈도는 증가한다.

02 꼼꼼 **문제 분석**

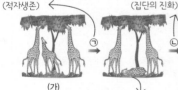

높은 곳에 있는 먹이에 대한 경쟁이 일어남(생존 경쟁)
→ 목이 긴 개체가 살아남음 (적자생존)

생존에 유리한 긴 목 형질이 자손에게 전달됨(자연 선택) → 대부분의 개체가 긴 목을 가지게 됨 (집단의 진화)

(가)
목 길이가 다양함
→ 변이가 존재함

높은 곳의 먹이를 먹기에 짧은 목을 가진 개체는 도태됨

ㄱ. (가)에는 목 길이가 서로 다른 개체가 존재하는데, 이는 변이로 인해 기린의 목 길이가 다양해진 것이다.
ㄴ. ㉠에서 높은 곳에 있는 먹이를 차지하기 위한 생존 경쟁이 일어났으며, 그 결과 경쟁에서 목이 긴 개체가 이겨 살아남았다.
바로알기 ㄷ. ㉡ 과정을 통하여 자연 선택과 진화가 일어났음을 알 수 있으며, 당시에는 유전의 원리가 알려지지 않았기 때문에 변이의 원인을 명확하게 설명하지 못하였다.

03 ㄴ. A 과정을 거친 후 크고 두꺼운 부리를 가진 개체가 살아남았으므로 A 과정에서 자연 선택이 일어났다.
바로알기 ㄱ. 결과적으로 이 섬에는 크고 두꺼운 부리를 가진 개체가 살아남았으므로, 이 섬에서 핀치의 먹이는 크고 두꺼운

부리로 먹을 수 있는 크고 단단한 씨앗이다.
ㄷ. A 과정 이전에 이 집단에 부리 모양이 서로 다른 개체들이 존재하며, 이 개체들은 부리 모양을 결정하는 대립유전자가 서로 다르므로 유전자 구성이 서로 다르다.

04 ㄱ. 진화는 집단의 유전자풀을 구성하는 대립유전자 빈도를 통해 알 수 있다.
바로알기 ㄴ, ㄷ. 하디·바인베르크 법칙이 적용되는 집단은 시간이 지나도 유전자풀이 변하지 않는 유전적 평형 상태의 가상 집단으로, 진화가 일어나지 않는다. 자연 상태의 집단은 유전적 평형 상태에 놓여 있지 않다.

05 꼼꼼 **문제 분석**

유전자형	AA	Aa	aa
개체 수	360	480	160

① 전체 대립유전자 수: $(360×2)+(480×2)+(160×2)=2000$
전체 개체 수가 1000이므로 $1000×2=2000$으로도 구할 수 있다.
② 대립유전자 A의 수: $(360×2)+480=1200$
대립유전자 a의 수: $480+(160×2)=800$
③ 대립유전자 A의 빈도: $\frac{1200}{2000}=0.6$
대립유전자 a의 빈도: $\frac{800}{2000}=0.4$

ㄱ, ㄴ. 전체 개체 수가 1000이므로 이 집단의 대립유전자 수는 2000이다. 이중 대립유전자 A의 수는 $(360×2)+480=1200$이고, 대립유전자 a의 수는 $480+(160×2)=800$이므로 대립유전자 A의 빈도는 $\frac{1200}{2000}=0.6$이고, 대립유전자 a의 빈도는 $\frac{800}{2000}=0.4$이다.
바로알기 ㄷ. 이 집단은 멘델 집단이므로 다음 세대에서도 대립유전자 A의 빈도는 0.6이고, 대립유전자 a의 빈도는 0.4이다. 따라서 유전자형이 AA인 개체가 태어날 확률은 $(0.6)^2=0.36$이다.

06 (ⅰ) 멘델 집단 ㉠에서 정상 대립유전자(A) 빈도를 p, 유전병 대립유전자(a) 빈도를 q라고 하면, 유전병 (가)를 나타내는 신생아(aa)의 빈도는 $q^2=\frac{9}{100}=\left(\frac{3}{10}\right)^2$이므로 $q=\frac{3}{10}$, $p=\frac{7}{10}$이다.
(ⅱ) 유전병 (가)를 나타내는 남자(aa)와 정상 여자(AA, Aa) 사이에 유전병 (가)를 나타내는 아이가 태어나려면 정상 여자는 유전자형이 이형접합성(Aa)이어야 한다. 유전자형 Aa의 빈도는 $2pq$이므로 정상 여자 중에서 유전자형이 Aa인 여자의 비율은 $\frac{2pq(\text{Aa인 여자})}{p^2+2pq(\text{정상인 여자})}$이므로 $\frac{2(0.7×0.3)}{(0.7)^2+2(0.7×0.3)}=\frac{6}{13}$이다.

(iii) 유전병 (가)를 나타내는 남자(aa)와 정상 여자(Aa) 사이에서 태어난 아이가 유전병(aa)을 나타낼 확률은 aa×Aa → Aa, Aa, aa, aa로 $\frac{1}{2}$이다.

(iv) 따라서 유전병 (가)를 나타내는 어떤 남자(aa)와 정상 여자(Aa) 사이에서 아이가 태어날 때 이 아이가 유전병 (가)일 확률은 $\frac{6}{13} \times \frac{1}{2} = \frac{3}{13}$이다.

07 ㄱ. (나)에서 검은색 몸 개체의 비율이 0.75이므로 검은색 몸이 흰색 몸에 대해 우성 형질이다. 그런데 ㉠은 ㉡보다 크므로 A는 흰색 몸 대립유전자이고, A*는 검은색 몸 대립유전자이다. 따라서 A는 A*에 대해 열성이다.

┃**바로알기**┃ ㄴ. A*의 빈도를 p, A의 빈도를 q라고 하면 검은색 몸 개체(A*A*, A*A)의 비율은 $p^2+2pq=1-q^2$이다. 따라서 ㉠은 $(1-q^2)=1-(0.3)^2=0.91$이고, ㉡은 $(1-q^2)=1-(0.8)^2=0.36$이다. 따라서 ㉠과 ㉡의 합은 1.5보다 작다.

ㄷ. (라)에서 $\dfrac{\text{흰색 몸 개체의 비율}}{\text{유전자형이 AA*인 개체의 비율}}$ 은 $\dfrac{q^2}{2pq}=\dfrac{1}{3}$이다. $p+q=1$이므로 A*의 빈도(p)는 0.6, A의 빈도(q)는 0.4이다.

08 적록 색맹은 X 염색체에 의한 유전이다. 정상 대립유전자(A) 빈도를 p, 적록 색맹 대립유전자(a) 빈도를 q라고 하면 적록 색맹인 남자(X^aY)의 빈도는 q, 적록 색맹인 여자(X^aX^a)의 빈도는 q^2이다. 적록 색맹인 남자는 1000명당 100명의 비율로 나타나므로 적록 색맹 대립유전자 빈도(q)는 $\dfrac{100}{1000}=0.1$이다. 남자는 적록 색맹 대립유전자가 하나만 있어도 적록 색맹이 나타나지만, 여자는 적록 색맹 대립유전자가 2개 있어야 적록 색맹이 나타나므로 여자 1000명 중 적록 색맹인 여자의 수는 $1000 \times q^2=10$(명)이다.

09 유전자풀이 변하는 요인에는 돌연변이, 자연 선택, 유전적 부동, 유전자 흐름 등이 있다.

┃**바로알기**┃ ② 개체들 간에 자유로운 교배가 일어나는 것은 유전자풀이 변하지 않는 멘델 집단의 조건이다.

10 꼼꼼 **문제 분석**

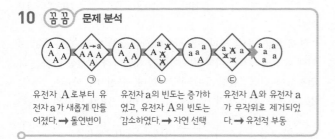

유전자 A로부터 유전자 a가 새롭게 만들어졌다. ➡ 돌연변이

유전자 a의 빈도는 증가하였고, 유전자 A의 빈도는 감소하였다. ➡ 자연 선택

유전자 A와 유전자 a가 무작위로 제거되었다. ➡ 유전적 부동

ㄱ. ㉠에 의해 대립유전자 A로부터 대립유전자 a가 새롭게 만들어졌으므로 ㉠은 돌연변이이다.

┃**바로알기**┃ ㄴ. ㉡은 자연 선택이다. 자연 선택이 일어나기 전과 후에 대립유전자 A와 대립유전자 a가 모두 존재하므로 변이가 감소하지는 않았다.

ㄷ. ㉢에 의해 대립유전자 A와 대립유전자 a의 일부가 제거되었으므로 ㉢은 무작위로 유전자풀이 변하는 유전적 부동이다. 유전적 부동에 의한 유전자풀의 변화는 집단의 크기가 작을 때 잘 일어난다.

11 ㄴ. 모집단의 일부 개체들이 소집단을 구성할 때 대립유전자 빈도가 무작위로 변하였다. 이것은 유전적 부동에 의한 유전자풀의 변화를 나타낸 것이다.

┃**바로알기**┃ ㄱ. 모집단에서 유전적 부동이 일어나 유전자풀이 변하였으므로 모집단은 멘델 집단이 아니다.

ㄷ. 일반적으로 소집단의 크기가 작을수록 유전적 부동에 의한 유전자풀의 변화가 크게 나타나므로 소집단의 유전자풀이 모집단과 차이가 크게 난다. (가)의 유전자풀은 대립유전자 A, a로 구성되고, (나)는 a로 구성되므로 (나)의 유전자풀은 (가)보다 모집단과 덜 유사하다.

12 두 가지 모두 개체 수가 급격히 감소한 후 유전적 다양성이 감소하면서 유전자풀이 변화된 것이므로 유전적 부동(병목 효과)에 의한 유전자풀이 변화된 예에 해당한다.

모범답안 개체 수가 감소하면서 유전적 부동(또는 병목 효과)이(가) 일어나 대립유전자 빈도가 변하였다.

채점 기준	배점
개체 수의 감소와 유전적 부동(병목 효과)에 의한 대립유전자 빈도의 변화를 모두 옳게 서술한 경우	100 %
유전적 부동(병목 효과)에 의한 대립유전자 빈도의 변화만 옳게 서술한 경우	70 %
개체 수의 감소와 대립유전자 빈도의 변화만 서술한 경우	50 %

13 ①, ② (가)는 개체의 이입에 의해 대립유전자의 교류가 일어나면서 두 집단의 유전자풀이 섞이는 유전자 흐름이다.

④, ⑤ (나)는 우연한 사건에 의해 대립유전자 빈도가 변하는 유전적 부동이다. 질병이나 자연재해로 인해 집단의 크기가 급격히 줄어들면서 살아남은 집단의 유전자풀이 처음 집단의 유전자풀과 달라지는 병목 효과는 유전적 부동에 해당한다.

┃**바로알기**┃ ③ 유전자 흐름이 일어나기 위해서는 어떤 집단으로 이주한 개체가 그 집단의 다른 개체와 교배하여 생식 능력이 있는 자손을 낳음으로써 유전자풀에 변화가 일어나야 한다. 따라서 생식적으로 격리된 두 집단 사이에서는 유전자 흐름(가)이 일어나지 않는다.

14 ㄱ. A에 의해 새로운 대립유전자(■)가 만들어졌으므로 A는 돌연변이이다.

ㄴ. 한 집단이 둘로 나누어졌으므로 B는 지리적 격리이다.

바로알기 ㄷ. ㉠의 빈도는 증가하였고, ㉡은 사라졌으므로 C는 자연 선택이다. 생존에 유리한 형질이 자연 선택되므로 ㉡보다 ㉠에 의해 나타난 형질이 생존에 유리하게 작용하였다.

15 꼼꼼 문제 분석

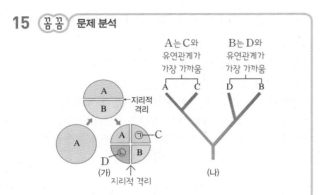

A는 C와 유연관계가 가장 가까움
B는 D와 유연관계가 가장 가까움

지리적 격리
(가)
지리적 격리
(나)

• 종분화는 A로부터 B의 분화 → A로부터 ㉠의 분화, B로부터 ㉡의 분화 순서로 일어났다.
• A는 ㉠과 유연관계가 가장 가깝다. ➡ ㉠은 C이다.
• B는 ㉡과 유연관계가 가장 가깝다. ➡ ㉡은 D이다.

ㄱ. A와 유연관계가 가장 가까운 ㉠은 C이다.

ㄴ. A와 B는 서로 다른 종이므로 유전자풀이 서로 달라 생식적으로 격리되어 있다.

ㄷ. ㉡은 B와 유연관계가 가장 가까운 D이다. B는 지리적 격리로 인해 A로부터 분화한 것이고, D(㉡)는 지리적 격리로 인해 B로부터 집단이 둘로 분리되면서 분화한 것이다.

16 ㄱ. A~G는 모두 한 생물종으로부터 분화된 고리종이다.

ㄴ. A와 B는 서로 다른 집단이므로 유전자풀이 서로 다르다.

바로알기 ㄷ. 고리의 양 끝에 있는 두 집단인 A와 G 사이에는 거리가 가까움에도 불구하고 생식적 격리가 일어났기 때문에 생식 능력이 있는 자손이 태어날 수 없다.

중단원 핵심 정리

320쪽~321쪽

❶ 화석 ❷ 상동 기관 ❸ 상사 기관 ❹ 지리적
❺ 윌리스선 ❻ 염기 ❼ 아미노산 ❽ 유연관계
❾ 공통 조상 ❿ 척추동물 ⓫ 변이 ⓬ 자연 선택
⓭ 자연 선택 ⓮ 집단 ⓯ 유전적 평형 ⓰ 멘델 ⓱ 돌연
변이 ⓲ 교배 ⓳ 대립유전자 ⓴ 유전적 부동
㉑ 병목 ㉒ 창시자 ㉓ 생식적 ㉔ 가능 ㉕ 격리

중단원 마무리 문제

322쪽~325쪽

01 ③ 02 ④ 03 ④ 04 ③ 05 ④ 06 ⑤
07 ① 08 ② 09 ⑤ 10 ① 11 ⑤ 12 (가) D
(나) A (다) C 13 ④ 14 ③ 15 해설 참조 16 해설
참조 17 해설 참조

01 ① (가)는 생물지리학적 증거, (나)는 비교해부학적 증거 중 상동 기관, (다)는 분자진화학적 증거이다.

② 갈라파고스 군도의 각 섬에 사는 핀치는 먹이의 종류에 따라 부리의 모양이 다른 방향으로 진화하였는데, 이는 (가)와 같은 생물지리학적 증거에 해당한다.

④ 사람의 팔과 사자의 앞다리는 생김새와 기능은 다르지만 해부학적 구조나 발생 기원이 같은 상동 기관이다.

⑤ 글로빈 단백질을 이루는 아미노산의 서열 차이가 적을수록 최근에 공통 조상으로부터 분화하여 유연관계가 가깝다.

바로알기 ③ (나)는 비교해부학적 증거이고, 고래의 진화는 화석상의 증거의 예이다.

02 꼼꼼 문제 분석

B와 C는 6개, B와 D는 4개의 아미노산이 같다.

	A	B	C	D	E	F
A						
B	5					
C	4	⑥				
D	5	④	4			
E	5	6	7	5		
F	⑥	3	4	⑦	4	

F는 D 다음으로 A와 유연관계가 가깝다. ➡ ㉠

F는 D와 유연관계가 가장 가깝다.

C와 E는 7개, C와 B는 6개의 아미노산이 같다.

ㄱ. F와 유연관계가 가장 가까운 D를 제외하고 F와 같은 아미노산의 개수가 가장 많은 생물종은 A이므로 ㉠은 A이다.

ㄴ. C와 E는 서로 다른 생물종이므로 생식적으로 격리되어 있다.

바로알기 ㄷ. B와 C는 6개의 아미노산이 같지만 B와 D는 4개의 아미노산이 같다. 따라서 B는 D보다 C와 유연관계가 더 가깝다.

03 ㄱ. (가)에서 귀를 움직이는 근육, 꼬리뼈는 모두 기능을 더 이상 수행하지 않고 현재는 흔적만 남거나 쓰임새가 처음의 목적과 많이 달라진 흔적 기관이다.

ㄷ. 조류와 사람의 초기 배아에 모두 아가미 틈과 근육성 꼬리가 있다. 이것은 조류와 사람이 아가미와 근육성 꼬리를 가지고 있던 수중 척추동물로부터 진화하였음을 뒷받침한다.

바로알기 ㄴ. (가)는 흔적 기관이므로 비교해부학적 증거이고, (나)는 척추동물의 발생 초기 배아의 유사성을 나타낸 것으로 진화발생학적 증거이다.

04 ㄱ. 대립유전자 Hb^S는 말라리아가 자주 발생하는 지역(가)에서 생존에 유리하게 작용하여 자연 선택된다. 따라서 Hb^S를 가진 사람의 비율은 말라리아가 발생하지 않는 지역보다 말라리아가 자주 발생하는 지역에서 높다.

ㄴ. (나)에서 유전자형이 $Hb^A Hb^A$인 사람이 유전자형이 $Hb^S Hb^S$인 사람보다 많으므로 대립유전자 Hb^A 빈도가 대립유전자 Hb^S의 빈도보다 높다.

바로알기 ㄷ. 집단 내 대립유전자 Hb^S의 빈도가 (가)보다 (나)에서 낮으므로 말라리아 발생 빈도는 (가)보다 (나)에서 낮다.

05 ㄱ. 과정 (가)에서 돌연변이가 일어나 항생제 내성 대립유전자가 새롭게 만들어졌으며, 그 결과 집단의 개체들 사이에 변이가 나타났다.

ㄷ. 과정 (가)에서는 돌연변이가 일어났으며, 과정 (나)에서는 항생제 내성 형질에 대한 자연 선택이 일어났다. 돌연변이와 자연 선택은 모두 집단의 유전자풀을 변화시키는 요인이다.

바로알기 ㄴ. 과정 (나) 이후 항생제 내성 세균 B의 비율이 증가하였으므로 과정 (나)에서 항생제가 사용되어 항생제 내성 세균 B가 생존에 유리한 환경이 되었다.

06 (꼼꼼) **문제 분석**

구분	검푸른 날개 (AA)	푸른 날개 (Aa)	흰 날개 (aa)
부모 세대	220마리	190마리	90마리
자손 세대	440마리	380마리	180마리

- [부모 세대] 대립유전자의 총 수: $500 \times 2 = 1000$
  - 대립유전자 A의 빈도 $= \dfrac{(220 \times 2) + 190}{1000} = 0.63$
  - 대립유전자 a의 빈도 $= \dfrac{190 + (90 \times 2)}{1000} = 0.37$
- [자손 세대] 대립유전자의 총 수: $1000 \times 2 = 2000$
  - 대립유전자 A의 빈도 $= \dfrac{(440 \times 2) + 380}{2000} = 0.63$
  - 대립유전자 a의 빈도 $= \dfrac{380 + (180 \times 2)}{2000} = 0.37$

ㄴ. 부모 세대와 자손 세대에서 날개 색과 유전자형에 따른 개체 수의 비율이 서로 같으므로 대립유전자 A의 빈도도 서로 같다.

ㄷ. 자손 세대에서 푸른 날개 두 개체의 유전자형은 각각 Aa이므로 이 두 개체 사이에서 태어나는 자손이 흰 날개(aa)일 확률은 $\dfrac{1}{4}$이다. (Aa × Aa → AA, Aa, Aa, <u>aa</u>)

바로알기 ㄱ. 부모 세대와 자손 세대에서 대립유전자 A의 빈도

는 0.63이고, 대립유전자 a의 빈도는 0.37이다. 그런데 자손에서 유전자형이 AA인 개체의 비율은 0.44로 $(0.63)^2$이 아니다. 따라서 이 집단은 유전적 평형 상태에 있지 않다.

07 ㄱ. 대립유전자 A의 빈도를 p, 대립유전자 a의 빈도를 q라고 하면 멘델 집단의 경우 유전자형이 aa인 개체의 비율은 $q^2 = \dfrac{160}{1000} = 0.16$이므로 $p = 0.6$이고, q는 $1 - q$이므로 $q = 0.4$이다. 이 경우 유전자형이 AA인 개체의 비율은 $p^2 = 0.36$이고, Aa인 개체의 비율은 $2pq = 0.48$이다. ⓐ보다 ⓑ가 더 크므로 ⓐ는 360, ⓑ는 480이다. 따라서 ⓑ − ⓐ = 120이다.

바로알기 ㄴ. (가)에서 유전자형이 AA인 개체의 비율은 0.36으로 $(0.6)^2$과 같다. 따라서 (가) 집단은 멘델 집단이다. (나)에서 유전자형이 AA인 개체의 비율은 0.48로 $(0.66)^2$과 같지 않다. 따라서 (나) 집단은 멘델 집단이 아니다.

ㄷ. (가)에서 대립유전자 A의 빈도는 $\dfrac{(360 \times 2) + 480}{2000} = 0.6$이고,

(나)에서 대립유전자 A의 빈도는 $\dfrac{(480 \times 2) + 360}{2000} = 0.66$이다.

따라서 대립유전자 A의 빈도는 (가)보다 (나)에서 높다.

08 (꼼꼼) **문제 분석**

A^*의 빈도가 0일 때 회색 몸 개체의 비율이 1이므로 A^*는 검은색 몸 대립유전자이다.

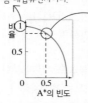

A^*의 빈도가 0.5일 때 회색 몸 개체의 비율이 0.5보다 크므로 회색 몸(A)이 우성, 검은색 몸(A^*)이 열성 형질이다.

ㄴ. A의 빈도가 A^*의 빈도의 2배인 집단에서는 A의 빈도(p)가 $\dfrac{2}{3}$, A^*의 빈도(q)가 $\dfrac{1}{3}$이므로 회색 몸 개체의 비율은 $(p^2 + 2pq) = \left(\dfrac{2}{3}\right)^2 + 2\left(\dfrac{2}{3} \times \dfrac{1}{3}\right) = \dfrac{8}{9}$이고, 유전자형이 AA^*인 개체의 비율은 $2pq = 2\left(\dfrac{2}{3} \times \dfrac{1}{3}\right) = \dfrac{4}{9}$이므로 회색 몸 개체 중 절반은 유전자형이 AA^*이다.

바로알기 ㄱ. 대립유전자 A^*의 빈도가 0.5일 때 회색 몸 개체의 비율이 0.5보다 크므로 유전자형이 AA^*일 때 회색 몸이 나타난다. 따라서 A는 A^*에 대해 우성이다.

ㄷ. A^*의 빈도(q)가 각각 0.1, 0.3, 0.5인 세 집단에서 각 집단의 검은색 몸 개체의 비율(q^2)은 각각 0.01, 0.09, 0.25이므로 검은색 몸 개체의 비율을 모두 더하면 합은 0.35이다.

09 ㄱ. 상자 2개에 흰색 바둑알(대립유전자 A)이 40개, 검은색 바둑알(대립유전자 a)이 60개씩 들어있으므로 부모 집단에서 대립유전자 A의 빈도는 $\frac{40 \times 2}{100 \times 2} = 0.4$, 대립유전자 a의 빈도는 $\frac{60 \times 2}{100 \times 2} = 0.6$이다.

ㄴ. 자손 집단에서 A의 빈도(p)는 $\frac{(8 \times 2) + 24}{50 \times 2} = \frac{40}{100} = 0.4$, a의 빈도($q$)는 $\frac{24 + (18 \times 2)}{50 \times 2} = \frac{60}{100} = 0.6$이다.

ㄷ. 대립유전자 A와 a의 빈도가 세대를 거듭해도 변화가 일어나지 않으므로 이 집단은 멘델 집단이다.

10 ㄱ. X가 작용하여 특정 형질에 대한 개체 빈도가 증가하였으므로 환경에 유리한 형질을 가진 개체의 빈도를 증가시키는 자연 선택은 X에 해당한다.

┃**바로알기**┃ ㄴ. X가 작용하여 형질에 따른 개체 빈도가 변하였으므로 X는 유전자풀에 영향을 주었다.

ㄷ. 환경 변화에 대한 적응력이 큰 개체는 생존에 유리하기 때문에 점점 개체의 빈도가 높아지는 방향으로 자연 선택이 일어난다. 따라서 환경 변화에 대한 개체의 적응 능력의 차이는 자연 선택(X)에 중요한 요인으로 작용한다.

11 ㄴ. 육지에 서식하는 어떤 집단의 일부 개체가 섬으로 이주하여 새로운 집단을 형성하였으므로 어떤 집단에서 일부 개체가 떨어져 나와 새로운 집단을 형성할 때 나타나는 창시자 효과가 일어났다. 창시자 효과는 이주 직후 ㉠의 유전자풀이 이주 전 ㉠과 달라지게 한 요인에 해당한다.

ㄷ. 이주 직후 ㉠에서 A의 빈도는 $\frac{(4 \times 2) + 4}{10 \times 2} = \frac{12}{20} = 0.6$, a의 빈도는 $1 - 0.6 = 0.4$이다. 이주 직후부터 섬에 서식하는 집단 ㉠은 멘델 집단이 되었으므로 하디·바인베르크 법칙에 따라 다음 세대에 유전자형이 aa인 개체가 태어날 확률은 $(0.4)^2 = 0.16$이다.

┃**바로알기**┃ ㄱ. 이주 전 ㉠에서 A의 빈도(p)는 $\frac{(40 \times 2) + 120}{200 \times 2} = 0.5$, a의 빈도($q$)는 $1 - p = 0.5$이다. 그런데 유전자형이 AA인 개체의 비율이 $\frac{40}{200} = 0.2$이므로 $(0.5)^2$과 같지 않다. 따라서 이주 전 ㉠은 유전적 평형 상태에 있지 않다.

12 A는 돌연변이, B는 자연 선택, C는 유전적 부동, D는 유전자 흐름의 모형이다. (가)는 이웃 집단과의 교류로 두 집단의 유전자풀이 섞이는 현상이므로 유전자 흐름, (나)는 집단에 없던 살충제 내성 해충이 출현하였으므로 돌연변이, (다)는 사냥에 의한 개체 수의 급격한 감소에 의해 유전자 빈도가 변하였으므로 유전적 부동의 예이다.

13 꼼꼼 **문제 분석**

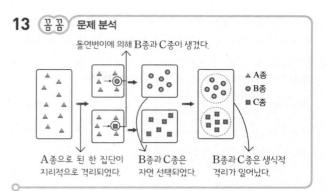

돌연변이에 의해 B종과 C종이 생겼다.

▲ A종
● B종
■ C종

A종으로 된 한 집단이 지리적으로 격리되었다. / B종과 C종이 자연 선택되었다. / B종과 C종은 생식적 격리가 일어났다.

ㄱ. 지리적 격리가 일어난 후 종분화가 일어났다.

ㄴ. 격리된 각 집단에서 B종과 C종은 돌연변이에 의해 생긴 것이고, 이들 종이 많아진 것은 자연 선택이 일어난 것이다.

┃**바로알기**┃ ㄷ. B와 C는 생식적으로 격리된 서로 다른 종이므로 이들이 교배하여도 생식 능력이 있는 자손을 낳을 수 없다.

14 ㄱ. A~D는 서로 다른 생물종이므로 생식적으로 격리되어 있다.

ㄴ. A가 섬으로 이주한 후 B의 종분화가 일어났으므로 지리적 격리는 B의 종분화에 영향을 준 요인이다.

┃**바로알기**┃ ㄷ. C와 D는 서로 다른 종이므로 C로부터 D가 분화될 때 유전자풀의 변화가 일어났다.

15 분자진화학적 증거에 따르면 DNA 염기 서열이나 단백질의 아미노산 서열 차이가 클수록 오래전에 공통 조상으로부터 분화한 것이므로 유연관계가 멀다.

모범답안 개구리, 사람과 차이 나는 아미노산의 비율이 가장 높기 때문이다.

채점 기준	배점
개구리라고 쓰고, 그 근거를 옳게 서술한 경우	100 %
개구리만 쓴 경우	50 %

16 달팽이는 총 10마리이므로 달팽이 집단의 대립유전자의 총 수는 20개이다. 이중 대립유전자 A의 수는 4개이므로 대립유전자 A의 빈도(p)는 $\frac{4}{20} = 0.2$이다. 따라서 대립유전자 a의 빈도(q)는 0.8이다.

모범답안 대립유전자 A의 빈도(p)가 0.2이므로 대립유전자 a의 빈도(q)는 0.8이다. 자손 세대에서 흰색 달팽이가 나타날 확률은 q^2이므로 $(0.8)^2 = 0.64$이다. 따라서 400마리 중에서 흰색 달팽이는 $0.64 \times 400 = 256$(마리)이다.

채점 기준	배점
흰색 달팽이의 개체 수와 풀이 과정을 모두 옳게 서술한 경우	100 %
흰색 달팽이의 개체 수만 옳게 쓴 경우	50 %

17 고리종은 인접한 집단 사이에는 교배가 가능하지만 고리의 양 끝에 있는 집단 사이에는 교배가 불가능한 집단들의 모임이다.

모범답안 A−B, F−G 사이에서는 각각 교배가 가능하지만, A−G 사이에서는 생식적 격리가 일어나 교배가 불가능하다.

채점 기준	배점
A−B, F−G 사이에서 교배가 가능한 것과, A−G 사이에서 생식적 격리가 일어났다는 것을 모두 옳게 서술한 경우	100 %
A−B, F−G 사이에서 교배가 가능한 것과, A−G 사이에서 생식적 격리가 일어났다는 것 중 한 가지만 옳게 서술한 경우	50 %

수능 실전 문제

326쪽~327쪽

01 ② **02** ② **03** ① **04** ⑤ **05** ① **06** ②

01 꼼꼼 문제 분석

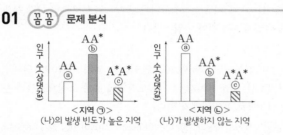

<지역 ㉠>
(나)의 발생 빈도가 높은 지역

<지역 ㉡>
(나)가 발생하지 않는 지역

- A^*은 (나)의 발생 빈도가 높은 지역(㉠)에서는 생존에 유리하게 작용하여 자연 선택된다. → A^*을 가진 사람의 비율은 (나)가 발생하지 않는 지역(㉡)보다 (나)의 발생 빈도가 높은 지역(㉠)에서 높다.
- (나)가 발생하지 않는 지역(㉡)에서는 유전자형에 따른 환경 적응력이 (가)가 나타나지 않는 AA(ⓐ)가 가장 높고, (가)가 약하게 나타나는 AA^*(ⓑ)가 그 다음, (가)가 심하게 나타나는 A^*A^*(ⓒ)가 가장 낮다. (나)의 발생 빈도가 높은 지역인 ㉠에서는 유전자형이 AA^*(ⓑ)와 A^*A^*(ⓒ)인 인구 수가 각각 ㉡에서보다 높다.

❙선택지 분석❙

✗ A를 가진 사람이 (나)에 대한 저항성을 나타낸다. A^*

✗ 유전자형이 AA^*인 사람의 빈도는 ㉠보다 ㉡에서 높다. 낮다.

㉢ 자연 선택에 의해 ㉠과 ㉡에서 A^*의 빈도가 서로 다르다.

ㄷ. A^*의 빈도는 ㉡보다 ㉠에서 높은데, 이것은 ㉡보다 ㉠에서 A^*를 가진 개체가 생존에 유리하여 자연 선택이 일어났기 때문이다.

❙바로알기❙ ㄱ. A^*의 빈도가 ㉡보다 ㉠에서 높으므로 A^*를 가진 사람이 (나)에 대한 저항성을 나타낸다.

ㄴ. 유전자형이 AA^*(ⓑ)인 사람의 빈도는 ㉠보다 ㉡에서 낮다.

02

❙선택지 분석❙

✗ $\dfrac{1}{15}$ ② $\dfrac{1}{30}$ ✗ $\dfrac{1}{32}$ ✗ $\dfrac{1}{45}$ ✗ $\dfrac{1}{64}$

(ⅰ) 자손 세대에서 부모(회색 몸과 긴 날개)와 형질이 다른 노란색 몸과 짧은 날개의 개체가 각각 나타났으므로 회색 몸(A)이 노란색 몸(a)에 대해 우성이고, 긴 날개(B)가 짧은 날개(b)에 대해 우성이다.

(ⅱ) 자손 세대에서 같은 수컷이라도 노란색 몸 수컷의 비율 $\left(\text{노란색일 확률}\left(\dfrac{1}{2}\right) \times \text{수컷일 확률}\left(\dfrac{1}{2}\right) = \dfrac{1}{4}\right)$이 짧은 날개 수컷 $\left(\text{짧은 날개일 확률}\left(\dfrac{1}{4}\right) \times \text{수컷일 확률}\left(\dfrac{1}{2}\right) = \dfrac{1}{8}\right)$의 비율보다 높으므로 몸 색깔은 X 염색체에 의한 유전 형질이고, 날개 길이는 상염색체에 의한 유전 형질이다.

(ⅲ) 따라서 부모 중 회색 몸·긴 날개 암컷(㉠)의 유전자형은 $X^AX^a \cdot Bb$이고, 회색 몸·긴 날개 수컷의 유전자형은 $X^AY \cdot Bb$이다. 암컷 5000마리와 수컷 5000마리로 구성된 P에서 A의 빈도를 p, a의 빈도를 q라고 하면, 노란색 몸 암컷(X^aX^a)의 개체 수는 $5000q^2 = 3200$이므로 $q = 0.8$이고, $p = 1 - 0.8 = 0.2$이다.

(ⅳ) P에서 B의 빈도를 p', b의 빈도를 q'라고 하면, 짧은 날개 수컷의 개체 수는 $5000q'^2 = 1250$이므로 $q' = 0.5$, $p' = 1 - 0.5 = 0.5$이다.

(ⅴ) ㉠의 유전자형은 X^AX^aBb이므로 몸 색깔의 경우, 암컷 자손이 노란색 몸(X^aX^a)을 가지기 위해서는 임의의 수컷의 유전자형이 X^AY와 X^aY 중 X^aY이어야 하며, 이 확률은 $q = 0.8$이다.

(ⅵ) 따라서 자손이 노란색 몸 암컷(X^aX^a)일 확률은 $0.8 \times \dfrac{1}{4}$ ($X^AX^a \times X^aY \rightarrow X^AX^a$, X^AY, X^aX^a, $\boxed{X^aY}X^aY$) $= \dfrac{1}{5}$이다. 날개 길이의 경우, 자손이 짧은 날개(bb)를 가지기 위해서는 긴 날개 수컷의 유전자형이 BB와 Bb 중 Bb이어야 하며, 이 확률은 $\dfrac{2p'q'}{p'^2 + 2p'q'} = \dfrac{0.50}{0.25 + 0.50} = \dfrac{2}{3}$이다. 따라서 자손이 짧은 날개 (bb)일 확률은 $\dfrac{2}{3} \times \dfrac{1}{4}$(Bb × Bb → BB, Bb, Bb, $\boxed{bb}$) $= \dfrac{1}{6}$이다.

(ⅶ) 구하고자 하는 확률은 $\dfrac{1}{5} \times \dfrac{1}{6} = \dfrac{1}{30}$이다.

03

❙선택지 분석❙

㉠ 병목 효과는 유전적 부동의 한 현상이다.

✗ 자연 선택은 개체 간 변이의 원인 중 하나이다.
  – 개체 간의 변이를 발생시키는 원인에는 돌연변이 등이 있다.

✗ 유전자 흐름은 환경 변화에 의해 집단의 크기가 줄어들면서 그 집단의 대립유전자 빈도가 변하는 것이다. 병목 효과

ㄱ. 유전적 부동이란 가뭄, 산불, 지진 등과 같은 천재지변이나 이주 등 우연한 사건에 의해서 대립유전자 빈도가 변하는 현상으로, 집단의 크기가 작을 때 잘 일어난다. 유전적 부동에는 병목 효과와 창시자 효과가 있다.

┃바로알기┃ ㄴ. 개체 간의 변이를 발생시키는 대표적인 원인에는 돌연변이가 있다.

ㄷ. 유전자 흐름은 집단 사이에서 개체의 이주 등으로 인해 대립유전자의 교류가 일어나면서 대립유전자 빈도가 달라지는 것이다. 환경 변화에 의해 집단의 크기가 줄어들면서 집단의 대립유전자가 변하는 현상은 유전적 부동 중 병목 효과이다.

04

┃선택지 분석┃
✗ 습지가 형성되면서 종분화 가능성이 낮아졌다. 높아졌다.
ⓛ 유전자풀의 변화 요인으로 자연 선택이 작용하였다.
ⓒ 습지가 형성되면서 중간 크기 부리를 나타나게 하는 대립유전자 빈도가 감소하였다.

ㄴ. 습지가 형성된 후에는 핀치의 먹이가 딱딱하거나 부드러운 씨앗만 존재하였다. 따라서 중간 크기 부리 개체의 비율이 높은 (나)는 습지가 형성되기 전이고, 작은 크기 부리와 큰 크기 부리 개체의 비율이 각각 높은 (가)는 습지가 형성된 후이다. (나)에서 (가)로 변화된 것은 먹이 종류에 따른 부리 형질에 대해 자연 선택이 작용하였기 때문이다.

ㄷ. 습지가 형성되면서 중간 크기 부리 개체 비율이 감소하였으므로 중간 크기 부리를 나타나게 하는 대립유전자 빈도가 감소하였다.

┃바로알기┃ ㄱ. 습지가 형성되면서 집단 X를 구성하는 개체의 부리 크기가 작은 집단과 큰 집단으로 나누어졌으므로 종분화 가능성이 높아졌다.

05 꼼꼼 문제 분석

동물 종	염기 서열
□ : Ⅰ	GTTAAAC
● : Ⅱ	GTGAAAG → A와 2개 차이
▲ : Ⅲ	GTGTAGC → A와 3개 차이

→ 지리적 격리

Ⅰ과 Ⅱ는 유전자의 염기 서열이 2개가 차이 나지만, Ⅰ과 Ⅲ은 유전자의 염기 서열이 3개가 차이 난다. → Ⅱ의 분화가 Ⅲ의 분화보다 나중에 일어났다.

┃선택지 분석┃
✗ Ⅱ의 분화가 Ⅲ의 분화보다 먼저 일어났다. 나중에
ⓛ Ⅱ는 지리적 격리에 의한 종분화로 출현하였다.
✗ Ⅱ와 Ⅲ 사이에서 태어나는 자손은 생식 능력이 있다.

ㄴ. Ⅰ과 Ⅱ는 섬이 분리되면서 서로 떨어진 지역에 분포하므로 Ⅱ의 종분화는 지리적 격리에 의해 일어났다.

┃바로알기┃ ㄱ. 유전자의 염기 서열이 Ⅰ과 Ⅱ는 2개가 차이 나지만, Ⅰ과 Ⅲ은 3개가 차이 난다. 따라서 Ⅰ은 Ⅲ보다 Ⅱ와 유연관계가 가까우므로 Ⅱ의 분화가 Ⅲ의 분화보다 나중에 일어났다.

ㄷ. Ⅱ와 Ⅲ은 서로 다른 종이므로 이 둘 사이에서 생식 능력이 있는 자손은 태어나지 않는다.

06

┃선택지 분석┃
✗ 과정 Ⅰ에서 창시자 효과가 일어났다.
 – 자연 선택이 일어났거나 유전적 부동(천재지변) 등이 일어났음을 알 수 있다.
✗ A와 B의 유연관계보다 A와 C의 유연관계가 가깝다.
 – 유연관계를 알 수 없다.
ⓒ B와 C는 생식적으로 격리되어 있다.

ㄷ. A~C는 서로 다른 생물학적 종이므로 B와 C는 생식적으로 격리되어 있다.

┃바로알기┃ ㄱ. A가 사라지고, B와 C만 남은 것으로 보아 격리된 두 지역에서 자연 선택이 일어났거나 천재지변 등이 일어났음을 알 수 있다.

ㄴ. 이 자료를 통해서는 A와의 유연관계를 알 수 없다.

VI. 생명 공학 기술과 인간 생활

1 생명 공학 기술

01 생명 공학 기술의 원리

개념 확인 문제   335쪽

❶ 유전자 재조합 기술   ❷ 플라스미드   ❸ 제한 효소
❹ DNA 연결 효소   ❺ 대장균(숙주 세포)   ❻ 재조합
DNA(재조합 플라스미드)

1 (1) ○ (2) × (3) ○   **2** (1) ㄹ (2) ㄴ (3) ㄷ (4) ㄱ
3 플라스미드   **4** (마) → (라) → (가) → (다) → (나)

1 유전자 재조합 기술은 DNA를 인위적으로 자르고 연결하여 새로운 유전자 조합을 가진 DNA를 만드는 생명 공학 기술이다.
(1) 재조합 DNA는 플라스미드와 같은 DNA 운반체에 유용한 유전자를 삽입하여 만들 수 있다.
(2) 사람의 인슐린 유전자가 재조합된 플라스미드를 대장균에 도입하여 인슐린을 생산하는 대장균을 만드는 것처럼 서로 다른 생물종의 유전자를 재조합할 수 있다.
(3) 유전자 재조합 기술을 활용하면 특정 유전자나 유용한 단백질을 대량으로 생산할 수 있다.

2 유전자 재조합에는 유용한 유전자 외에 DNA 운반체, 제한 효소, DNA 연결 효소, 숙주 세포가 필요하다.
(1) 제한 효소에 의해 잘린 두 DNA 조각을 연결하는 효소는 DNA 연결 효소이다.
(2) 재조합 DNA를 도입 받는 세포는 숙주 세포로, 주로 대장균이 사용된다.
(3) 유용한 유전자를 숙주 세포로 운반하는 DNA는 DNA 운반체로, 주로 플라스미드가 사용된다.
(4) DNA의 특정 염기 서열을 인식하여 자르는 효소는 제한 효소이다.

3 플라스미드는 세균이 가진 작은 원형의 DNA로, 숙주의 염색체와는 독립적으로 증식하고, 크기가 작아 세균에서 분리하여 조작하기 쉬우며, 세포 안으로 쉽게 도입될 수 있다. 따라서 플라스미드는 유전자 재조합 과정에서 유용한 유전자를 숙주 세포로 운반하는 DNA 운반체로 사용된다.

4 적절한 제한 효소로 사람의 유용한 유전자와 대장균의 플라스미드를 자르고(마), DNA 연결 효소로 유용한 유전자와 플라스미드를 연결하여 재조합 DNA를 만든다(라). 재조합 DNA를 대장균에 도입하고(가), 재조합 DNA를 가진 대장균을 선별하여(다) 배양하면 유용한 단백질을 대량으로 얻을 수 있다(나).

개념 확인 문제   337쪽

❶ 핵치환   ❷ 조직 배양   ❸ 세포 융합

1 (1) ○ (2) × (3) ×   **2** (1) × (2) × (3) ○ (4) ○

1 (1) 복제 동물의 핵 DNA는 핵을 제공한 A와 같다.
(2), (3) 복제 동물은 A의 체세포(젖샘 세포)와 B의 무핵 난자를 융합하는 핵치환 기술을 활용하여 만들어졌다.

2 (1) 핵치환 기술을 통해 태어난 개체는 핵을 제공한 개체와 유전적으로 같으며, 난자를 제공한 개체와는 유전적으로 다르다.
(2), (3) 식물은 하나의 체세포로부터 완전한 식물체를 만들 수 있으므로 조직 배양을 통해 유전적으로 같은 여러 개체를 만들 수 있지만, 동물은 조직 배양을 하더라도 하나의 체세포로부터 완전한 개체를 만들 수 없다.
(4) 단일 클론 항체(B 림프구＋암세포), 무추(무＋배추)는 모두 서로 다른 두 종류의 세포를 융합하여 새로운 잡종 세포를 만드는 세포 융합 기술을 활용한 예이다.

대표 자료 분석   338쪽

자료 ① **1** (가) 제한 효소 (나) DNA 연결 효소   **2** 플라스미드
3 (1) ○ (2) ○ (3) × (4) ○ (5) ○ (6) ○ (7) ×
자료 ② **1** 핵치환   **2** A   **3** (1) × (2) × (3) ○ (4) ×
(5) × (6) ○ (7) ○ (8) ○

①-1 (가)는 사람의 DNA와 대장균의 플라스미드에 제한 효소를 처리하여 인슐린 유전자와 플라스미드를 자르는 과정이고, (나)는 인슐린 유전자와 플라스미드에 DNA 연결 효소를 처리하여 재조합 DNA를 만드는 과정이다.

①-2 대장균에서 분리한 A는 염색체와는 별도로 존재하는 플라스미드이다.

①-3 (1) 플라스미드(A)는 인슐린 유전자를 대장균으로 운반하는 DNA 운반체로 사용되었다.

(2) 인슐린 유전자와 플라스미드를 자를 때는 같은 제한 효소를 사용해야 잘린 DNA 말단의 염기가 상보적으로 결합할 수 있다.

(3) ㉠은 숙주 세포로 사용되는 대장균으로, 형질 전환 대장균의 선별을 쉽게 하기 위해 플라스미드가 없는 것을 사용한다. 대장균 염색체가 없으면 대장균은 생존할 수 없다.

(4) ㉡은 사람의 인슐린 유전자가 도입된 형질 전환 대장균이다.

(5), (6) (다) 과정에서는 조직 배양 기술을 활용하여 대장균을 증식시키며, 이때 재조합 DNA가 복제된다.

(7) 이와 같은 방법을 활용하면 형질 전환 생물을 만들 수 있다. 복제 동물을 만드는 데는 핵치환 기술이 활용된다.

②-1 C를 만드는 과정에서 A의 젖샘세포와 B의 무핵 난자를 융합하는 핵치환 기술이 활용되었다.

②-2 C를 만들 때 핵을 제공한 개체는 A이므로 C의 핵 DNA는 A의 것과 같다.

②-3 (1) C는 핵을 제공한 A를 복제한 양이다.

(2) A와 C는 핵 DNA가 같으므로 성별이 같다.

(3) ㉠ 과정에서 B의 난자로부터 핵을 제거해 무핵 난자를 만들었다.

(4) ⓐ는 젖샘 세포($2n$)와 무핵 난자가 융합되어 만들어진 세포이므로 핵상이 $2n$이다.

(5) C의 체세포에는 B에서 유래된 미토콘드리아 DNA가 있다.

(6) C는 핵을 제공한 A와 세포질의 미토콘드리아를 제공한 B로부터는 DNA를 물려받았지만, 대리모로부터는 DNA를 물려받지 않았다.

(7) C를 만드는 과정 중 젖샘 세포를 배양하는 과정과 융합된 세포(ⓐ)를 배양하는 과정에서 조직 배양 기술이 활용되었다.

(8) C를 만드는 데 활용된 핵치환 기술을 통해 특정 개체를 복제할 수 있으므로, 이 기술은 멸종 위기 동물을 보존하는 데에도 활용될 수 있다.

01 · 학생 A: 유전자 재조합 과정에서는 유용한 유전자와 DNA 운반체를 연결하여 재조합 DNA를 만든다.

· 학생 C: 유전자 재조합 기술을 활용하면 유용한 유전자가 도입된 형질 전환 생물을 만들 수 있다.

바로알기 · 학생 B: 사람의 인슐린을 생산하는 대장균과 같이 사람의 유전자가 재조합된 DNA는 사람이 아닌 다른 생물의 세포에 도입될 수 있다.

02 꼼꼼 **문제 분석**

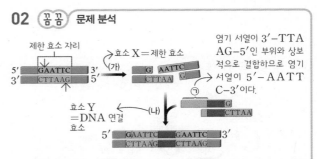

한 가지 제한 효소는 DNA의 특정 염기 서열 부위만을 인식해 DNA를 자른다. → 제한 효소 X는 염기 서열이 5′-GAATTC-3′인 부위만 자르는 *Eco*R I이다.

ㄷ. (나)는 잘린 두 DNA를 하나로 연결시키는 과정이므로 이 과정에 사용된 Y는 DNA 연결 효소이다. DNA 연결 효소는 두 DNA의 말단에서 5′-인산기와 3′-OH기 사이의 공유 결합 형성을 촉매한다.

바로알기 ㄱ. ㉠ 부위는 효소 X에 의해 잘린 DNA 조각의 말단 부위와 상보적인 염기 서열을 가지므로 염기 서열이 5′-AATTC-3′이다.

ㄴ. (가)는 DNA가 잘리는 과정이므로 이 과정에 사용된 X는 제한 효소이다. 한 종류의 제한 효소는 DNA의 특정 염기 서열 부위만을 인식하여 자른다.

03 꼼꼼 **문제 분석**

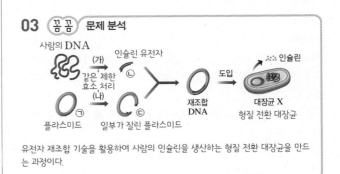

유전자 재조합 기술을 활용하여 사람의 인슐린을 생산하는 형질 전환 대장균을 만드는 과정이다.

ㄴ. ㉠은 세균의 플라스미드로, 인슐린 유전자를 대장균으로 운반하는 DNA 운반체로 사용된다.

ㄹ. X는 사람의 인슐린 유전자(ⓛ)가 포함된 재조합 DNA를 가지고 있어 사람의 인슐린을 생산하므로 유전자 재조합 기술을 통해 새로운 형질을 갖게 된 형질 전환 대장균이다.

┃바로알기┃ ㄱ. (가)는 사람의 DNA로부터 인슐린 유전자를 잘라내는 과정이고, (나)는 세균의 플라스미드를 자르는 과정으로, 인슐린 유전자와 플라스미드의 결합을 위해 같은 제한 효소가 사용된다.

ㄷ. ⓛ은 사람의 DNA로부터 잘라낸 인슐린 유전자이고, ⓒ은 고리 모양의 플라스미드를 자른 것이다.

04 꼼꼼 문제 분석

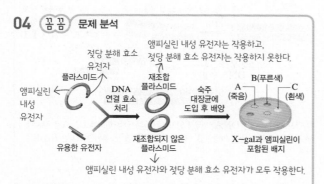

• A: 앰피실린 내성이 없다. ➡ 플라스미드를 가지지 않은 숙주 대장균이다.
• B: 앰피실린 내성이 있고, 젖당 분해 효소를 합성한다.➡ 유용한 유전자가 재조합되지 않은 플라스미드를 가진다.
• C: 앰피실린 내성이 있고, 젖당 분해 효소를 합성하지 못한다.➡ 유용한 유전자가 재조합된 플라스미드를 가진다.

ㄴ. X-gal과 앰피실린이 포함된 배지를 이용하여 형질 전환 대장균을 선별하므로 형질 전환 대장균은 숙주 대장균과 달리 앰피실린에 내성을 가진다. 따라서 유용한 유전자는 플라스미드의 젖당 분해 효소 유전자 내부에 재조합되며, 유용한 유전자가 도입된 형질 전환 대장균은 앰피실린 내성은 가지지만, 젖당 분해 효소는 합성하지 못하므로 X-gal을 분해하지 못해 배지에서 흰색 군체를 형성한다. 따라서 선별하여 증식시키고자 하는 대장균은 C이다.

┃바로알기┃ ㄱ. 숙주 대장균은 재조합 플라스미드가 도입되었는지를 확인하기 쉽도록 플라스미드가 없는 것을 사용한다. 따라서 숙주 대장균은 앰피실린 내성이 없고 젖당 분해 효소를 합성하지 못한다.

ㄷ. 유용한 유전자는 플라스미드의 젖당 분해 효소 유전자 내부에 삽입된다.

05 재조합되지 않은 플라스미드가 도입된 대장균은 앰피실린 내성을 가지면서 젖당 분해 효소를 합성한다.

모범답안 B, 젖당 분해 효소를 합성하므로 배지의 X-gal을 분해하여 군체가 푸른색을 띠기 때문이다.

채점 기준	배점
B를 쓰고, 젖당 분해 효소를 합성해 X-gal을 분해하여 군체가 푸른색을 띠기 때문이라고 서술한 경우	100 %
B를 쓰고, 군체가 푸른색을 띠기 때문이라고만 서술한 경우	60 %
B만 쓴 경우	30 %

06 꼼꼼 문제 분석

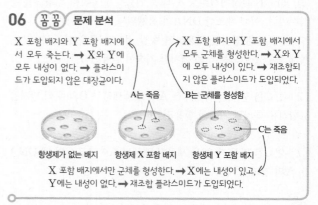

ㄴ. C는 항생제 X가 포함된 배지에서는 증식하지만, Y가 포함된 배지에서는 증식하지 못한다. 따라서 C는 Y에 대한 내성을 갖지 않으므로 X와 Y가 모두 포함된 배지에서 생존하지 못한다.

┃바로알기┃ ㄱ. 재조합 플라스미드가 도입된 형질 전환 대장균은 항생제 X와 Y 중 한 가지에만 내성을 나타내므로 X에는 내성이 있고 Y에는 내성이 없는 C가 형질 전환 대장균이다.

ㄷ. C는 Y에 대한 내성을 갖지 않으므로 유용한 유전자는 항생제 Y 내성 유전자 내부에 삽입되었다.

07 꼼꼼 문제 분석

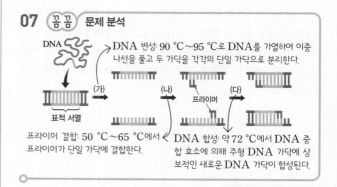

ㄱ. (가)에서는 열을 가해 두 가닥 DNA 사이의 수소 결합을 끊어 이중 가닥을 단일 가닥으로 분리하는 DNA 변성이 일어난다.

ㄷ. 분리된 주형 가닥에 프라이머가 결합한 후 (다)에서 DNA 중합 효소에 의해 주형 가닥과 상보적인 가닥이 합성되면서 DNA가 복제된다.

바로알기 ㄴ. PCR 과정 중 DNA를 변성시키는 (가) 과정에서의 온도가 가장 높다.

08 꼼꼼 문제 분석

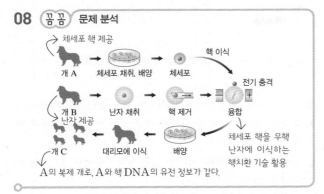

개 A — 체세포 핵 제공 → 체세포 채취, 배양 → 체세포 → 핵 이식 → 전기 충격

개 B — 난자 제공 → 난자 채취 → 핵 제거 → 융합

개 C ← 대리모에 이식 ← 배양 ← 체세포 핵을 무핵 난자에 이식하는 핵치환 기술 활용

A의 복제 개로, A와 핵 DNA의 유전 정보가 같다.

ㄱ. C를 만들 때 A의 체세포 핵과 B의 무핵 난자가 이용되었으므로 A와 C의 핵 DNA의 유전 정보는 같다.

ㄴ. C를 만드는 데 무핵 난자에 체세포 핵을 이식하는 핵치환 기술이 활용되었다.

바로알기 ㄷ. C는 미토콘드리아 DNA를 미토콘드리아가 존재하는 세포질(무핵 난자)을 제공한 B로부터 물려받았다.

09 꼼꼼 문제 분석

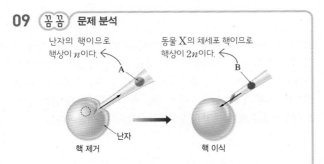

A — 난자의 핵이므로 핵상이 n이다.
B — 동물 X의 체세포 핵이므로 핵상이 $2n$이다.

핵 제거 → 핵 이식

동물 X를 복제하기 위해 핵이 제거된 난자에 동물 X의 체세포 핵을 이식하는 핵치환 과정이다.

ㄴ. 핵치환 기술을 활용하여 동물 X를 복제하기 위한 과정이므로 이식하는 B는 동물 X로부터 채취한 체세포의 핵이다.

ㄷ. 핵치환 기술을 활용하면 교배 과정을 거치지 않고 체세포의 핵을 이용하여 생물을 탄생시킬 수 있다.

바로알기 ㄱ. A는 난자의 핵이므로 핵상이 n이고, B는 동물 X의 체세포 핵이므로 핵상이 $2n$이다.

10 ㄱ. 당근 세포를 영양 배지에서 배양하였으므로 조직 배양 기술이 활용되었다.

ㄴ. ㉠은 영양 배지에서 배양하면 세포 분열을 통해 증식하므로 뿌리에 있는 분열 조직에서 추출한 세포이다.

ㄷ. 식물은 하나의 체세포가 완전한 개체로 발생할 수 있으므로 ㉡은 적절한 배양 조건에서 완전한 식물체로 발생할 수 있다.

11 ㄴ. ㉡은 캘러스로, 캘러스를 구성하는 세포에는 개체를 형성하는 데 필요한 모든 정보가 들어 있어 적절한 조건에서 계속 분열시키면 새로운 식물체로 발생한다.

ㄷ. 식물은 하나의 세포로부터 완전한 개체로의 발생이 가능하므로 개체의 복제가 가능하다. 따라서 (라)의 결과 얻은 개체는 식물 X와 유전적으로 동일하다.

바로알기 ㄱ. 뿌리의 형성층을 구성하는 세포는 활발하게 분열하므로 조직 배양에 적합한 반면, 물관을 구성하는 세포는 더 이상 분열하지 않는 세포이므로 조직 배양에 적합하지 않다.

12 꼼꼼 문제 분석

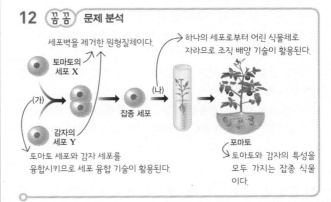

세포벽을 제거한 원형질체이다.

토마토의 세포 X — (가) → 잡종 세포 — (나) → 하나의 세포로부터 어린 식물체로 자라므로 조직 배양 기술이 활용된다.

감자의 세포 Y

토마토 세포와 감자 세포를 융합시키므로 세포 융합 기술이 활용된다.

포마토 — 토마토와 감자의 특성을 모두 가지는 잡종 식물이다.

ㄱ. 식물 세포는 단단한 세포벽이 있어 그대로는 두 세포를 하나로 융합시키기 어려우므로 융합 전에 세포벽을 제거해야 한다. 세포 X와 Y는 세포 융합이 일어나기 전 단계의 세포이므로 세포 융합을 위해 세포벽을 제거한 원형질체이다.

ㄷ. 포마토는 토마토 세포와 감자 세포를 융합시켜 만든 것이므로 토마토와 감자의 특성을 모두 가진다.

바로알기 ㄴ. (가)에서는 토마토 세포와 감자 세포를 융합시키는 세포 융합 기술이 활용된다. 핵치환은 핵이 제거된 세포에 다른 세포의 핵을 이식하는 기술이다. (나)에서는 잡종 세포를 영양 배지에서 배양하여 어린 식물체로 발생시키므로, 이 과정에 조직 배양 기술이 활용된다.

13 ㄱ. (가)는 무핵 난자와 같은 핵이 제거된 세포에 다른 세포의 핵을 이식하는 핵치환 기술이다.

ㄴ. (나)는 무균 상태에서 세포를 배양하는 조직 배양 기술이다. 조직 배양 기술을 활용하면 식물의 세포를 완전한 개체로 발생시킬 수 있으므로 식물 복제가 가능하다.

ㄷ. (다)는 두 세포를 융합시켜 잡종 세포를 만드는 세포 융합 기술이다. 무추는 세포 융합 기술을 활용하여 무의 세포와 배추의 세포를 융합시켜 만든다.

02 생명 공학 기술의 활용과 전망

344쪽

❶ 단일 클론 항체 ❷ 항체 ❸ 암세포 ❹ 항체
❺ 유전자 치료 ❻ 배아 ❼ 성체 ❽ 유도 만능

1 (1) ○ (2) × (3) × (4) ○ **2** ㉠ B 림프구, ㉡ 암세포
3 유전자 치료 **4** (1) × (2) ○ (3) × (4) ×

1 (1) 단일 클론 항체는 유전 정보가 같은 잡종 세포 집단인 클론에서 만들어지는 한 종류의 항체이다.
(2) 단일 클론 항체는 모두 동일한 항원 결정기에 결합하는 단일한 구조로 되어 있다.
(3) 단일 클론 항체는 세포 융합 기술을 활용하여 B 림프구와 암세포를 융합시켜 만든다.
(4) 단일 클론 항체를 활용하면 암, 간염, 말라리아, 후천성 면역 결핍증(AIDS) 등의 질병을 신속하고 정확하게 진단할 수 있다.

2 단일 클론 항체는 항체를 생산하지만 생명체 밖에서는 분열하지 않고 수명이 짧은 B 림프구(㉠)와 인공 배지에서 빠르게 분열하며 수명이 반영구적인 암세포(㉡)를 융합시켜 만든 잡종 세포로부터 얻는다.

3 제시된 질병 치료 방법은 바이러스를 DNA 운반체로 사용하여 정상 유전자를 환자의 골수 세포에 도입함으로써 유전병을 치료하는 유전자 치료이다.

4 (1) 수정란으로부터 얻은 배아 줄기세포는 환자에게 이식하였을 때 면역 거부 반응이 나타날 수 있다.
(2) 복제 배아 줄기세포는 핵치환 기술을 활용하여 환자의 체세포 핵을 추출한 다음 핵을 제거한 난자에 이식해 만든 배아로부터 얻는다.
(3) 배아 줄기세포는 발생 초기의 배아로부터 얻어 인체를 구성하는 모든 세포로 분화할 수 있지만, 성체 줄기세포는 성체의 조직으로부터 얻어 분화될 수 있는 세포의 종류가 제한적이다.
(4) 유도 만능 줄기세포를 만드는 과정에는 환자 자신의 체세포가 사용되며, 만드는 과정에 난자가 필요한 줄기세포는 복제 배아 줄기세포이다.

347쪽

❶ 유전자 변형 생물체(LMO) ❷ 안전성 ❸ 인간 복제
❹ 배아

1 (1) × (2) ○ (3) × (4) × **2** (1) ㄴ (2) ㄱ (3) ㄷ **3** (1) ×
(2) ○ (3) × (4) ○ **4** ㉠ 생명 윤리법, ㉡ 생명 윤리

1 (1) 유전자 변형 생물체(LMO)는 세포 융합 기술뿐만 아니라 유전자 재조합 기술 등 다양한 생명 공학 기술을 활용하여 만든다.
(2) 유전자 변형 생물체(LMO)는 다른 생물의 유용한 유전자를 가지고 이를 발현시킨다.
(3) 중금속을 흡수하는 식물, 바이오 에탄올용 고구마 등과 같은 유전자 변형 생물체(LMO)는 환경 문제와 에너지 문제를 해결하는데 활용된다.
(4) LMO는 생물 그 자체를 의미하고, GMO는 LMO뿐 아니라 LMO로 만든 식품이나 가공물까지 모두 포함한다. 따라서 유전자 변형 옥수수는 LMO에 해당하며, 이를 이용하여 만든 통조림은 GMO에 해당한다.

2 독성 물질을 분해하는 세균(ㄱ)은 오염 물질을 분해하여 환경 정화에 도움을 주도록 개발된 생물이고, 생장 속도가 빠르고 크게 자라는 연어(ㄴ)는 생산성이 높은 식량 자원으로 개발된 생물이며, 사람의 혈액 응고 단백질을 젖으로 분비하는 염소(ㄷ)는 의학적으로 유용한 물질을 생산하도록 개발된 생물이다.

3 (1) 질병 치료, 식량 증산을 통한 기아 문제 해결은 생명 공학 기술 활용의 긍정적인 면에 해당한다.
(2) 핵치환 기술의 발달로 동물 복제가 인간 복제로 이어지면 인간의 존엄성이 훼손될 수 있다.
(3) LMO로 만든 식품은 안전성이 충분히 검증되지 않아 인류의 건강을 위협할 수 있다.
(4) 특정 유전자나 LMO가 특허 대상이 되어 이를 소수 기업이 독점하게 되면 유전자 사용에 대한 법적 분쟁이 생길 수 있다.

4 생명 공학 기술의 올바른 활용을 위해 우리나라에서는 인간, 배아, 유전자 등을 연구할 때 인간의 존엄과 가치를 침해하거나 인체에 위해를 끼치는 것을 방지하기 위해 생명 윤리법(㉠)이 제정되어 있다. 또한 모든 생명은 존귀하며 수단이 아닌 그 자체로서의 목적성을 가진다는 것을 인식하고, 인간과 자연의 동반자적 관계가 바탕이 된 올바른 생명 윤리(㉡)가 확립되어야 한다.

자료 ① 1 ㉠, ㉢ 2 세포 융합 기술 3 (1) ○ (2) × (3) ○
(4) × (5) ○

자료 ② 1 유전자 재조합 기술 2 체외 유전자 치료 3 (1) ○
(2) × (3) × (4) ○ (5) ○ (6) ×

자료 ③ 1 A: 배아 줄기세포, B: 복제 배아 줄기세포, C: 유도
만능 줄기세포, D: 성체 줄기세포 2 B, C, D
3 (1) ○ (2) × (3) ○ (4) × (5) ○ (6) ×

자료 ④ 1 무르지 않는 토마토 2 (가) 유전자 재조합 기술
(나) 조직 배양 기술 3 (1) × (2) ○ (3) ○ (4) ×
(5) ○ (6) × (7) ○

①-1 ㉠은 쥐에 항원 X를 주입한 후 얻은 B 림프구로, 항체를 생산한다. ㉢은 항체는 생산하지 못하지만 반영구적으로 증식이 가능한 암세포이다. ㉢은 B 림프구(㉠)와 암세포(㉢)가 융합된 잡종 세포로, 항체를 생산하며 반영구적으로 증식한다.

①-2 (가) 과정에서 B 림프구(㉠)와 암세포(㉢)를 하나로 융합시켜 잡종 세포를 만들기 위해 세포 융합 기술이 활용되었다.

①-3 (1) 잡종 세포(㉢)는 B 림프구(㉠)와 달리 수명이 길고 인공 배지에서 빠르게 증식하므로, 세포 분열 속도는 B 림프구보다 잡종 세포가 빠르다.
(2) 잡종 세포(㉢)는 B 림프구와 암세포를 융합시켜 만든 것이므로 암세포의 DNA뿐 아니라 B 림프구의 DNA도 가져 무한 증식하는 암세포의 특성과 항체를 생산하는 B 림프구의 특성을 모두 나타낸다. 따라서 암세포(㉢)와 잡종 세포(㉢)에 각각 존재하는 DNA에 저장된 유전 정보는 서로 다르다.
(3) (가) 과정에서 활용된 세포 융합 기술은 토마토 세포와 감자 세포를 융합시켜 토마토와 감자의 특성을 모두 갖는 포마토를 만드는 데에도 활용된다.
(4) 단일 클론 항체를 만들 때 잡종 세포를 배양하는 과정에서 조직 배양 기술이 활용된다.
(5) 항원 X를 쥐에게 주입한 후 추출한 B 림프구를 이용하여 단일 클론 항체를 만들었으므로 이 단일 클론 항체는 항원 X에 특이적으로 결합한다.

②-1 정상 유전자와 바이러스 DNA는 유전자 재조합 기술에 의해 재조합된다.

②-2 주어진 유전자 치료 방법은 환자의 세포를 채취하여 정상 유전자를 도입한 후 이 세포를 환자의 몸 안에 다시 넣어 유전병을 치료하므로 체외 유전자 치료에 해당한다. 체내 유전자 치료는 DNA 운반체를 이용하여 치료에 필요한 유전자를 환자의 몸에 직접 넣는 방법이고, 유전자 가위는 DNA에서 이상이 있는 부위를 잘라 내고 새로운 DNA로 교체하는 방법이다.

②-3 (1) 바이러스는 정상 유전자를 환자의 골수 세포로 도입하는 DNA 운반체로 사용되었다.
(2) 환자는 정상 유전자가 없어서 질병이 나타나는 것이므로 정상 유전자는 정상인으로부터 추출한다.
(3) 바이러스를 삽입하는 골수 세포는 환자의 것을 사용하므로 환자에게 다시 주입하여도 면역 거부 반응이 일어나지 않는다.
(4) 바이러스에는 정상 유전자가 포함되어 있으므로 바이러스가 삽입된 골수 세포는 정상 유전자를 가진다.
(5) 환자의 체내에서 골수 세포에 도입된 정상 유전자가 발현되면 환자의 증상이 치료된다.
(6) 이 방법으로 치료한 환자는 증상은 치료되지만, 생식세포의 유전자는 그대로이므로 유전병은 자손에게 유전된다.

③-1 A는 정자와 난자의 수정으로 형성된 배아에서 얻어지는 배아 줄기세포이고, B는 체세포의 핵을 무핵 난자에 이식하여 만든 배아에서 얻어지는 복제 배아 줄기세포이다. C는 성인의 체세포를 역분화시켜 만드는 유도 만능 줄기세포이고, D는 탯줄의 혈액이나 골수에서 얻어지는 성체 줄기세포이다.

③-2 B는 체세포 핵을 제공한 환자와 유전적으로 동일하므로 면역 거부 반응이 일어나지 않고, C와 D는 환자의 세포를 사용하므로 면역 거부 반응이 일어나지 않는다. 반면에 A는 어느 한 사람과 유전적으로 동일하지 않으므로 환자에게 이식했을 때 면역 거부 반응이 일어날 수 있다.

③-3 (1) 배아 줄기세포는(A)는 인체의 모든 세포로 분화할 수 있다.
(2) 복제 배아 줄기세포(B)는 핵치환 기술을 활용하여 체세포의 핵을 무핵 난자에 이식한 후 배양한 배아로부터 만들어진다.
(3) 복제 배아 줄기세포(B)는 체세포의 핵을 제공한 개체와 유전적으로 동일하므로 이를 개체로 발생시킬 경우 인간 복제가 가능할 수 있다.
(4) 유도 만능 줄기세포(C)는 체세포로부터 만들어지므로 핵상이 $2n$이다.
(5) 성체 줄기세포(D)는 분화될 수 있는 세포의 종류가 제한적이어서 특정 세포로만 분화할 수 있다는 한계가 있다.
(6) 유도 만능 줄기세포(C)와 성체 줄기세포(D)는 모두 환자의 체세포를 이용하므로 생명 윤리적인 문제가 발생하지 않지만, 배아 줄기세포(A)와 복제 배아 줄기세포(B)는 발생 중인 배아를 희생시키므로 생명 윤리적인 문제가 발생한다.

④-1 유전자 변형 생물체는 생명 공학 기술을 활용하여 새로운 유전자를 가지게 된 생물체이므로 유전자 A가 도입된 무르지 않는 토마토가 유전자 변형 생물체이다.

④-2 (가) 과정에서는 유전자 A를 플라스미드에 연결하여 재조합 DNA를 만드는 유전자 재조합 기술이 활용되었다. (나) 과정에서는 재조합 DNA가 도입된 형질 전환 세포를 무균 상태의 배지에서 배양하여 어린 식물로 발생시키므로 조직 배양 기술이 활용되었다.

④-3 (1) 유전자 A는 효소 X 유전자의 발현을 억제하므로 A가 도입된 무르지 않는 토마토에서는 효소 X가 생성되지 않는다. 따라서 단위 무게당 효소 X의 양은 무르지 않는 토마토가 무른 토마토보다 적다.
(2) (가) 과정에서 유전자 A를 잘라내고 플라스미드를 자를 때 제한 효소가 사용되며, 유전자 A와 플라스미드를 하나로 연결시킬 때 DNA 연결 효소가 사용된다.
(3) (가) 과정에서 플라스미드는 유전자 A와 재조합되어 식물 세포로 도입되므로 DNA 운반체로 사용된다.
(4) (가) 과정에서 유전자 A와 플라스미드는 같은 종류의 제한 효소로 잘려야 양쪽 말단의 염기 서열이 상보적이 되어 DNA 연결 효소에 의해 연결된다.
(5), (6) (나) 과정에서 재조합 DNA가 도입된 형질 전환 세포가 배양되어 어린 식물로 자라므로 이 과정에서 체세포 분열이 일어난다.
(7) 어린 식물은 새로운 유전자 A를 가지므로 LMO(유전자 변형 생물체)에 해당한다.

내신 만점 문제

350쪽~353쪽

01 ⑤	**02** ③	**03** 해설 참조	**04** ①	**05** ⑤
06 ②	**07** 해설 참조	**08** ⑤	**09** ④	**10** ⑤
11 ⑤	**12** ④	**13** ①	**14** ⑤	**15** ⑤	**16** 해설 참조

01 ㄱ. (가) 과정에서 B 림프구(㉠)와 암세포(㉡)를 융합시켜 잡종 세포를 만들기 위해 세포 융합 기술이 활용된다.
ㄴ. ㉠은 쥐에 항원을 주입하여 얻은 B 림프구로, 각각의 B 림프구는 특정한 항원 결정기에 결합하는 항체를 생산한다.
ㄷ. 암세포(㉡)와 잡종 세포는 모두 수명이 반영구적이며, 인공 배지에서 분열하므로 배양이 가능하다.

---

02 (꼼꼼) 문제 분석

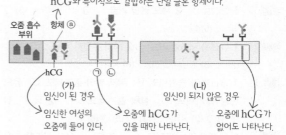

hCG와 특이적으로 결합하는 단일 클론 항체이다.

오줌 흡수 부위 / 항체 ⓐ

hCG / ㉠ ㉡

(가) 임신이 된 경우
임신한 여성의 오줌에 들어 있다.
오줌에 hCG가 있을 때만 나타난다.

(나) 임신이 되지 않은 경우
오줌에 hCG가 없어도 나타난다.

• 항체 ⓐ는 (가)에서만 hCG와 결합해 ㉠에서 띠가 나타나게 한다. → ㉠의 띠는 임신한 여성에서만 나타난다.
• ㉡의 띠는 (가)와 (나)에서 모두 나타난다. → 임신 여부(오줌의 hCG 포함 여부)와 상관없이 항체 ⓐ가 결합하여 나타난다.

ㄱ. ⓐ는 여성의 오줌에 포함된 hCG와 결합하므로 hCG와 특이적으로 결합하는 단일 클론 항체이다.
ㄴ. ㉠의 띠는 오줌에 hCG가 포함되어 ⓐ에 hCG가 결합한 경우에만 나타난다. 따라서 ㉠의 띠는 임신한 여성에서만 나타나며, (가)는 임신이 된 경우이다.
┃**바로알기**┃ ㄷ. ㉡의 띠는 키트의 hCG 항체(ⓐ)가 결합하여 나타나는 것으로, (나)에서와 같이 임신이 되지 않아 오줌에 hCG가 포함되지 않은 경우에도 나타난다. hCG가 ⓐ와 결합한 경우에만 나타나는 띠는 ㉠이다.

03 항암제 X는 항암제와 단일 클론 항체를 결합시켜 만들며, 단일 클론 항체가 특정 항원과 결합하는 특성을 이용하여 특정 암세포에만 작용한다.

(모범답안) 표적 항암제, 특정 암세포만 선택적으로 파괴하여 정상 세포의 손상을 최소화한다.

채점 기준	배점
표적 항암제를 쓰고, 장점을 옳게 서술한 경우	100 %
표적 항암제만 쓰거나, 장점만 옳게 서술한 경우	50 %

04 ㄱ. 유전자 ㉠이 재조합된 DNA를 가진 바이러스 ⓐ를 환자의 골수 세포에 삽입시켜 골수 세포가 ㉠을 가지게 하므로 ⓐ는 DNA 운반체로 사용된다.
┃**바로알기**┃ ㄴ. ㉠은 이 환자의 체세포인 골수 세포에 도입되었으므로 자녀에게 전달되지 않는다.
ㄷ. 이 유전자 치료 과정은 유전자 X가 결핍된 환자를 대상으로 한 것이므로, ㉠은 X이거나 X의 작용을 대신하는 유전자이다.

05 ㄴ. (나)는 DNA에서 이상이 있는 부위를 잘라내므로 유전자 가위이다. 유전자 가위는 제한 효소보다 효율적으로 DNA에

서 원하는 부위를 잘라낼 수 있으므로 재조합 DNA를 만드는 데 활용될 수 있다.

ㄷ. (다)에서 세포 X에 정상 유전자를 도입하므로 X는 환자의 몸에서 추출한 비정상 세포이다.

바로알기 ㄱ. (가)는 정상 유전자가 포함된 DNA 운반체를 환자에게 직접 투여하는 체내 유전자 치료이다. 체외 유전자 치료는 (다)이다.

06 꼼꼼 문제 분석

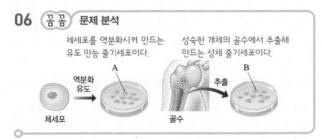

체세포를 역분화시켜 만드는 유도 만능 줄기세포이다.

성숙한 개체의 골수에서 추출해 만드는 성체 줄기세포이다.

ㄴ. A와 B는 모두 줄기세포이므로 분화되지 않은 상태로 배지에서 증식하며, 적절한 조건에서 특정한 종류의 세포로 분화될 수 있다.

바로알기 ㄱ. 유도 만능 줄기세포(A)는 환자 자신의 체세포를 이용하므로 면역 거부 반응이 일어나지 않는다.

ㄷ. 유도 만능 줄기세포(A)는 인체를 구성하는 다양한 종류의 세포로 분화될 수 있지만, 성체 줄기세포(B)는 분화될 수 있는 세포의 종류가 제한적이다.

07
이 줄기세포는 발생 초기 배아인 포배(배반포)의 내부에 존재하는 내세포 덩어리를 추출하여 만드는 것으로, 배아 줄기세포이다.

모범답안 배아 줄기세포, 발생 중인 배아를 희생시켜야 하므로 생명 윤리적인 문제가 발생한다.

채점 기준	배점
배아 줄기세포를 쓰고, 까닭을 포함하여 문제점을 옳게 서술한 경우	100 %
배아 줄기세포를 쓰고, 배아를 사용해야 하는 문제가 발생한다고만 서술한 경우	70 %
배아 줄기세포만 쓴 경우	30 %

08 꼼꼼 문제 분석

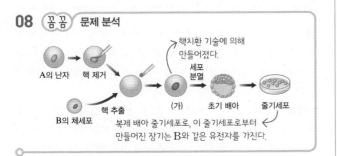

A의 난자 → 핵 제거
핵치환 기술에 의해 만들어졌다.
세포 분열
B의 체세포 → 핵 추출 → (가) → 초기 배아 → 줄기세포
복제 배아 줄기세포로, 이 줄기세포로부터 만들어진 장기는 B와 같은 유전자를 가진다.

ㄴ. 체세포 핵을 무핵 난자에 이식하여 만든 배아로부터 줄기세포를 얻으므로 복제 배아 줄기세포(환자 맞춤형 줄기세포)를 만드는 과정을 나타낸 것이다.

ㄷ. 이 줄기세포는 핵을 제공한 B와 유전적으로 동일하므로 이 줄기세포로부터 만들어진 장기를 B에게 이식하면 면역 거부 반응이 일어나지 않는다.

바로알기 ㄱ. (가)는 B의 체세포 핵을 A의 무핵 난자에 이식하여 만들었으므로 핵치환 기술이 활용되었다.

09
ㄱ. (가)~(다)는 모두 다른 생물종의 유전자가 도입되어 유용한 형질을 가지므로 LMO(유전자 변형 생물체)에 해당한다.

ㄷ. 독성 유기 화합물을 분해하는 세균은 석유 유출 등 환경 문제를 해결하는 데 활용할 수 있다.

바로알기 ㄴ. 사람의 혈액 응고 단백질을 젖으로 분비하는 염소는 사람의 혈액 응고 단백질 유전자를 가진다.

10
ㄴ. LMO는 유전자 변형 생물체로서, 생식과 번식이 가능한 생물 자체이고, GMO는 LMO뿐 아니라 LMO로 만든 식품이나 가공물까지 모두 포함한다. 따라서 (가)는 GMO, (나)는 LMO이고, A는 유전자 변형 옥수수, B는 유전자 변형 옥수수 통조림이다.

ㄷ. GMO(가)와 달리 LMO(나)는 살아 있는(living) 생물체임을 강조한 용어이다.

바로알기 ㄱ. (가)는 GMO이다.

11 꼼꼼 문제 분석

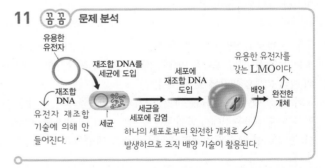

유용한 유전자
재조합 DNA를 세균에 도입
세포에 재조합 DNA 도입
유용한 유전자를 갖는 LMO이다.
재조합 DNA
유전자 재조합 기술에 의해 만들어진다.
세균
세균을 세포에 감염
배양
완전한 개체
하나의 세포로부터 완전한 개체로 발생하므로 조직 배양 기술이 활용된다.

ㄴ. 세균은 유용한 유전자가 재조합된 DNA를 세포로 도입하는 DNA 운반체로 사용된다.

ㄷ. 유용한 유전자가 재조합된 DNA를 만들 때 유전자 재조합 기술이 활용되며, 재조합 DNA가 도입된 세포를 완전한 개체로 배양할 때 조직 배양 기술이 활용된다.

바로알기 ㄱ. 동물은 식물과 달리 하나의 세포를 배양하여 완전한 개체로 발생시킬 수 없다. 따라서 이 과정은 형질 전환 동물을 만드는 과정이 아니라 형질 전환 식물을 만드는 과정이다.

12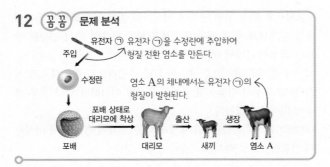

꼼꼼 문제 분석

유전자 ㉠ 유전자 ㉠을 수정란에 주입하여
주입   형질 전환 염소를 만든다.

수정란   염소 A의 체내에서는 유전자 ㉠의
형질이 발현된다.

포배 상태로
대리모에 착상

포배   대리모   새끼   염소 A
출산   생장

ㄱ. 유전자 ㉠이 주입된 수정란을 포배 상태까지 발생시킨 후 대리모의 자궁에 착상시켜 염소 A를 얻었으므로 새로운 유전자를 가지는 LMO(유전자 변형 생물체)를 만드는 과정이다.
ㄷ. A는 유전자 ㉠을 가지므로 ㉠의 형질이 발현된다.

┃바로알기┃ ㄴ. 생명 공학 기술을 활용하여 한 생물종에 다른 생물종의 유전자를 도입시켜 유전자 변형 생물체를 만들 수 있으므로 ㉠은 염소가 아닌 생물종의 유전자가 될 수 있다.

13 ② 병충해에 강하고 생산성이 높은 작물의 개발은 농업 생산성을 증가시켜 식량 문제를 해결할 수 있다.
③ LMO를 활용한 의약품의 대량 생산은 질병 치료에 도움을 준다.
④ 바이오 에탄올용 고구마 등을 이용한 바이오 연료의 생산은 화석 연료를 대체하여 에너지 문제를 해결할 수 있다.
⑤ 기름이나 독성 유기 화합물을 분해하는 세균은 환경 오염 물질을 제거하여 환경 문제 해결에 도움을 준다.

┃바로알기┃ ① LMO를 장기간 재배하면 유전자 전이로 슈퍼 잡초와 같은 새로운 변형 생물체가 출현하게 되어 생태계 교란이 일어날 가능성이 높아진다.

14 • 학생 B: 병충해에 강한 옥수수, 독성 유기 화합물을 분해하는 세균 등 생명 공학은 인류가 당면한 식량, 환경, 에너지 등의 여러 문제를 해결해 줄 수 있다.
• 학생 C: 배아를 사용하는 배아 줄기세포 연구와 같이 생명 공학을 활용하는 과정에서 윤리적인 문제가 생길 수 있으며, 이러한 문제를 잘 해결해야 생명 공학을 올바른 방향으로 활용할 수 있다.

┃바로알기┃ • 학생 A: 생명 공학은 화학, 의학 등 여러 학문 분야와 긴밀한 관계를 맺으며 의료, 식량, 농업, 환경 등 인류의 생활 향상에 기여하였다.

15 ㄱ. LMO에 유전자를 도입하는 데 사용되는 기술은 유전자 재조합 기술이다. LMO에 도입된 유전자가 다른 생물체에 전이되어 의도하지 않는 새로운 변형 생물체가 나타날 경우 생태계가 교란될 수 있다.

ㄴ. (나)는 동물을 복제하는 데 이용되는 핵치환 기술이다. 핵치환 기술은 멸종 위기 동물을 보존하는 데 활용할 수 있다.
ㄷ. (다)는 배아 줄기세포 기술이다. 배아 줄기세포 기술은 손상된 조직이나 장기를 회복시켜 난치병을 치료하는 데 활용할 수 있으며, 인간의 생명 연장을 위한 방법을 제공한다.

16 아실로마 합의는 유전자 재조합 실험의 기준을 마련한 것이고, 바이오 안전성 의정서는 유전자 변형 생물체의 국가 간 이동을 규제하는 국제 협약이다. 생명 윤리 및 안전에 관한 법률은 인간, 배아, 유전자 등을 연구할 때 인간의 존엄과 가치를 침해하거나 인체에 위해를 끼치는 것을 방지함으로써 생명 윤리 및 안전을 확보하기 위한 목적으로 제정되었다.

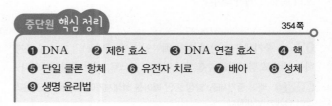

모범답안 생명 공학의 연구 범위와 생명 윤리를 제도적으로 규정하고 있다.

채점 기준	배점
생명 공학의 연구 범위 규정과 생명 윤리의 규정을 모두 서술한 경우	100 %
생명 공학의 연구 범위 규정과 생명 윤리의 규정 중 하나만 서술한 경우	50 %

중단원 핵심 정리   354쪽

❶ DNA   ❷ 제한 효소   ❸ DNA 연결 효소   ❹ 핵
❺ 단일 클론 항체   ❻ 유전자 치료   ❼ 배아   ❽ 성체
❾ 생명 윤리법

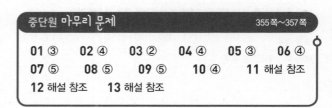

중단원 마무리 문제   355쪽~357쪽

01 ③   **02** ④   **03** ②   **04** ④   **05** ③   **06** ④
07 ⑤   **08** ⑤   **09** ⑤   **10** ④   **11** 해설 참조
12 해설 참조   **13** 해설 참조

01 ㄷ. (다)의 잘린 DNA의 양쪽 말단에서 노출된 가닥의 염기 서열이 각각 3′-TTAA-5′와 5′-GATC-3′이므로 상보적이지 않다. 따라서 (다)를 만들 때 두 가지 제한 효소가 사용되었다.

┃바로알기┃ ㄱ. ㉠과 ㉡에서 노출된 가닥의 염기 서열이 각각 5′-AATT-3′와 3′-CTAG-5′이므로 상보적이지 않다. 따라서 ㉠과 ㉡은 서로 다른 제한 효소에 의해 잘린 부위이다.

ㄴ. (가)와 (다), (나)와 (다)는 각각 잘린 DNA의 양쪽 말단에서 노출된 가닥의 염기 서열이 상보적이므로 DNA 연결 효소에 의해 연결될 수 있다. 따라서 ⓐ는 (가) 또는 (나)에 해당한다. 그러나 (가)와 (나)는 잘린 DNA의 양쪽 말단에서 노출된 가닥의 염기 서열이 상보적이지 않으므로 연결될 수 없다.

02 꼼꼼 문제 분석

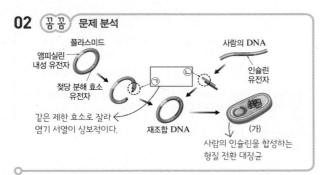

플라스미드
앰피실린 내성 유전자
젖당 분해 효소 유전자
같은 제한 효소로 잘라 염기 서열이 상보적이다.
재조합 DNA
사람의 DNA
인슐린 유전자
사람의 인슐린을 합성하는 형질 전환 대장균
(가)

① 재조합 DNA를 만들 때 플라스미드와 인슐린 유전자를 하나로 연결시키기 위해 DNA 연결 효소가 사용된다.
② (가)에 도입된 재조합 DNA를 만들 때 DNA를 자르고 연결하는 유전자 재조합 기술이 활용된다.
③ ㉠과 ㉡은 특정 염기 서열 부위를 인식하는 한 가지 제한 효소에 의해 잘린 말단이므로 서로 상보적인 염기 서열이 존재한다.
⑤ (가)는 앰피실린 내성 유전자와 인슐린 유전자를 가지므로, (가)를 플라스미드가 도입되지 않은 숙주 대장균과 인슐린 유전자가 재조합되지 않은 플라스미드가 도입된 대장균으로부터 선별해 내기 위해서는 앰피실린과 물질 S가 포함된 배지를 이용해야 한다.
▌바로알기▌ ④ (가)는 젖당 분해 효소 유전자 내부에 사람의 인슐린 유전자가 재조합된 DNA를 가지므로 젖당 분해 효소를 합성하지 않는다. 따라서 (가)는 물질 S를 분해하지 못하므로 S가 포함된 배지에서 푸른색 군체를 형성하지 않는다.

03 ㄷ. PCR 과정에서 DNA가 합성될 때(Ⅲ 단계) DNA 중합 효소가 주형 가닥에 결합한 프라이머의 3′ 말단에 주형 가닥의 염기와 상보적인 염기를 가진 새로운 뉴클레오타이드를 첨가하면서 새로운 가닥을 합성한다.
▌바로알기▌ ㄱ. PCR 과정에서 DNA를 변성시킬 때(Ⅰ 단계)의 온도가 가장 높으며, 프라이머를 주형 가닥에 결합시킬 때(Ⅱ 단계)의 온도가 가장 낮다. 따라서 각 단계의 온도는 Ⅰ > Ⅲ > Ⅱ이다.
ㄴ. PCR에 사용되는 프라이머는 주형 가닥에서 증폭시키고자 하는 부위의 3′ 말단에 결합한다. 이 경우, 증폭시키고자 하는 부위의 3′ 말단 염기 서열이 각각 3′-AGTCA-5′와 3′-CCTTG-5′이므로 사용되는 프라이머의 염기 서열은 각각 5′-TCAGT-3′와 5′-GGAAC-3′이다.

04 꼼꼼 문제 분석

(가) A의 난자를 채취한 후 핵을 제거한다.
  ↳ 난자를 제공한다.
(나) B의 세포 ㉠을 배양한 후 핵을 채취한다.
  ↳ 체세포 핵을 제공한다.
(다) A의 무핵 난자에 ㉠의 핵을 이식한다.
  ↳ 핵치환 기술이 활용된다.
(라) 핵이 이식된 난자의 난할을 유도하여 일정 단계까지 발생시킨 후 C의 자궁에 착상시킨다. ↳ 대리모로, 자궁을 제공한다. ↲
(마) 일정 기간 후 C로부터 D가 태어난다.
  ↳ B의 복제 동물로, B와 D는 유전적으로 동일하다.

ㄴ. D는 A로부터 무핵 난자에 존재하는 미토콘드리아를 물려받으므로 A로부터 미토콘드리아 DNA를 물려받는다.
ㄷ. D를 만드는 과정에서 A의 무핵 난자에 ㉠의 핵을 이식하므로 핵치환 기술이 활용되고, 세포 ㉠을 배양하는 과정과 핵이 이식된 난자를 일정 단계까지 발생시키는 과정에서 조직 배양 기술이 활용된다.
▌바로알기▌ ㄱ. A의 무핵 난자에 ㉠의 핵을 이식하여 만든 배아를 D로 발생시키므로 ㉠은 핵상이 2n인 B의 체세포이다.

05 꼼꼼 문제 분석

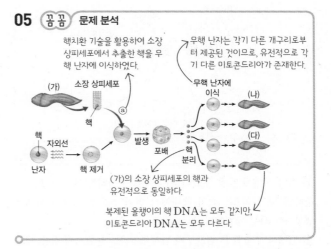

핵치환 기술을 활용하여 소장 상피세포에서 추출한 핵을 무핵 난자에 이식하였다.
무핵 난자는 각기 다른 개구리로부터 제공된 것이므로, 유전적으로 각기 다른 미토콘드리아가 존재한다.
(가)
소장 상피세포
핵
핵
자외선
난자
핵 제거
ⓐ
발생
포배
핵 분리
무핵 난자에 이식
(나)
(다)
(가)의 소장 상피세포의 핵과 유전적으로 동일하다.
복제된 올챙이의 핵 DNA는 모두 같지만, 미토콘드리아 DNA는 모두 다르다.

ㄱ. ⓐ 과정에서 (가)의 소장 상피세포(체세포) 핵을 무핵 난자에 이식하는 데 핵치환 기술이 활용된다.
ㄴ. (나)를 만들 때 (가)의 소장 상피세포 핵이 이식된 난자를 포배 단계까지 발생시킨 후 핵을 분리하였다. 따라서 이 핵은 (가)의 소장 상피세포 핵과 유전적으로 동일하며, 이 핵을 다시 무핵 난자에 이식한 후 발생시켜 (나)를 만들었으므로 (가)와 (나)의 핵 DNA는 같다.
▌바로알기▌ ㄷ. (나)와 (다)는 (가)에서 유래된 핵을 각각 서로 다른 무핵 난자에 이식해 발생시켜 만들었다. 서로 다른 개구리로부터 제공된 무핵 난자에는 유전적으로 다른 미토콘드리아가 존재하므로 (나)와 (다)의 미토콘드리아 DNA는 다르다.

06 ㄱ. 당근(A)의 뿌리에서 분열 조직의 일부를 분리한 후 조각내어 영양 배지에서 배양하여 캘러스(B)를 얻었으며, 이 캘러스를 배양하여 완전한 개체(C)로 발생시켰다. 즉, 당근(A)의 체세포가 체세포 분열하여 캘러스(B)가 형성되었고, 캘러스(B)가 체세포 분열하여 개체(C)가 형성되었으므로 A, B, C는 모두 유전적으로 동일하다.

ㄷ. 식물 세포의 배양을 통해 만든 캘러스(B)는 미분화된 상태의 세포 덩어리로, 모든 기관으로 분화할 수 있는 특성을 가진다. 따라서 적절한 조건에서 계속 분열시키거나 호르몬을 처리하면 완전한 개체(C)로 발생시킬 수 있다.

┃바로알기┃ ㄴ. (가) 과정에서는 세포 덩어리인 캘러스를 인공 배지에서 배양하는 조직 배양 기술이 활용되며, 두 세포를 하나로 합치는 세포 융합 기술은 활용되지 않는다.

07 꼼꼼 **문제 분석**

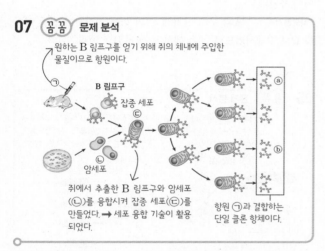

원하는 B 림프구를 얻기 위해 쥐의 체내에 주입한 물질이므로 항원이다.

쥐에서 추출한 B 림프구와 암세포(ⓒ)를 융합시켜 잡종 세포(ⓒ)를 만들었다. → 세포 융합 기술이 활용되었다.

항원 ㉠과 결합하는 단일 클론 항체이다.

① 쥐의 체내에 ㉠을 주입한 후 항체를 생산하는 B 림프구를 추출하였으므로 ㉠은 쥐의 체내에서 면역 반응을 일으켜 항체를 생산하게 하는 항원이다.

② 쥐에서 추출한 B 림프구와 암세포(ⓒ)를 융합시켜 잡종 세포(ⓒ)를 만들 때 세포 융합 기술이 활용되었다.

③ ⓐ와 ⓑ는 하나의 잡종 세포(ⓒ)가 증식하여 형성된 하나의 클론으로부터 생산된 항체이므로 모두 항원 ㉠과 결합하는 동일한 구조의 단일 클론 항체이다.

④ B 림프구는 항체는 생산하지만 수명이 짧고 체외에서 배양이 어려우므로 체외에서 반영구적으로 증식이 가능한 암세포(ⓒ)와 융합시켜 잡종 세포를 만듦으로써 많은 양의 단일 클론 항체를 얻는다.

┃바로알기┃ ⑤ 잡종 세포(ⓒ)는 B 림프구와 암세포(ⓒ)를 융합시켜 만든 것이므로 B 림프구와 암세포(ⓒ)의 유전자를 모두 가지고 있다.

08 꼼꼼 **문제 분석**

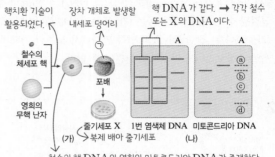

핵치환 기술이 활용되었다.

장차 개체로 발생할 내세포 덩어리

핵 DNA가 같다. → 각각 철수 또는 X의 DNA이다.

철수의 핵 DNA와 영희의 미토콘드리아 DNA가 존재한다.

- 줄기세포 X는 철수의 체세포에서 유래된 핵과 영희의 무핵 난자에서 유래된 미토콘드리아를 가진다. → 핵 DNA는 철수와 같고, 미토콘드리아 DNA는 영희와 같다.
- A는 1번 염색체 DNA(핵 DNA)가 나머지 둘과 다르다. → A는 영희의 전기 영동 결과이다.

① X는 사람의 발생 초기 단계에서 형성되는 포배(배반포) 내에 존재하며 장차 개체로 발생할 세포 집단인 ㉠(내세포 덩어리)을 추출한 후 배양하여 만든 배아 줄기세포이다.

② X를 만들 때 철수의 체세포 핵을 영희의 무핵 난자에 이식하는 과정에서 핵치환 기술이 활용되었다.

③, ④ X의 핵 DNA는 체세포 핵을 제공한 철수의 핵 DNA와 같다. 따라서 X를 철수의 체내에 이식하면 면역 거부 반응이 일어나지 않는다. (나)에서 핵 DNA에 해당하는 1번 염색체 DNA의 전기 영동 결과, A는 나머지 둘(철수와 X)과 띠가 나타난 위치가 다르므로 영희의 전기 영동 결과이다.

┃바로알기┃ ⑤ X의 미토콘드리아 DNA는 무핵 난자(세포질)를 제공한 영희의 미토콘드리아 DNA와 같다. 따라서 영희의 전기 영동 결과인 A에서는 ⓑ, ⓒ, ⓓ에서만 띠가 나타나거나 ⓐ, ⓒ에서만 띠가 나타난다.

09 꼼꼼 **문제 분석**

사람의 항응고 단백질 유전자를 핵치환된 난자에 도입하여 형질 전환 염소 D를 만들었다.

ㄷ. 염소 D의 체내에서는 항응고 단백질 유전자가 발현되어 사람의 항응고 단백질이 만들어진다.

ㄹ. D를 만드는 과정에서 A의 체세포 핵을 B의 무핵 난자에 이식할 때 핵치환 기술이 활용되었다.

바로알기 ㄱ. D는 A의 체세포 핵이 이식된 난자를 발생시켜 만들었지만, 핵치환 후 사람의 항응고 단백질 유전자가 주입되었다. 따라서 D는 A와 달리 사람의 항응고 단백질 유전자를 가지므로 A와 유전적으로 다르다.

ㄴ. D는 미토콘드리아 DNA를 미토콘드리아가 존재하는 무핵 난자를 제공한 B로부터 물려받았으며, 대리모인 C로부터는 DNA를 물려받지 않았다.

10 ㄴ. 이들 생물체는 모두 생명 공학 기술을 활용하여 만들어진 새롭게 조합된 유전 물질을 포함하고 있는 유전자 변형 생물체(LMO)이다.

ㄷ. 유전자 변형 생물체는 식량(비타민 A가 강화된 황금쌀), 의약(사람의 인슐린을 생산하는 세균), 환경(중금속을 흡수하는 식물), 에너지(바이오 에탄올용 고구마) 등 여러 분야에 폭넓게 활용되어 인간 생활에 긍정적인 영향을 준다.

바로알기 ㄱ. 유전자 변형 생물체(LMO)는 다른 생물종의 유용한 유전자가 도입되어 새롭게 재조합된 유전 물질을 가지고 있다.

11 유전자 치료 과정에서 환자의 체세포에 바이러스를 감염시키는데, 이 바이러스는 정상 유전자 X를 환자 세포에 도입시키는 DNA 운반체 역할을 한다.

모범답안 정상 유전자 X를 잘라 바이러스 DNA에 삽입(재조합)한다.

채점 기준	배점
X를 잘라 바이러스의 DNA에 삽입(재조합)한다고 서술한 경우	100 %
X가 포함된 재조합 DNA를 만든다고만 서술한 경우	70 %
재조합 DNA를 만든다고만 서술한 경우	40 %

12 (가)는 핵치환 기술을 활용하여 환자의 체세포 핵을 무핵 난자에 이식하여 만든 것이고, (나)는 정자와 난자의 수정을 통해 만들어진 수정란이다.

모범답안 (가), 무핵 난자에 환자의 체세포 핵을 이식하여 만든 배아로부터 얻은 줄기세포는 환자와 유전적으로 동일하기 때문이다.

채점 기준	배점
(가)를 쓰고, 환자의 체세포 핵을 이식하여 만들어 환자와 유전적으로 동일하기 때문이라고 서술한 경우	100 %
(가)를 쓰고, 환자와 유전적으로 동일하기 때문이라고만 서술한 경우	70 %
(가)만 쓴 경우	30 %

13 유전자 변형 생물체(LMO)는 식량과 의약품을 생산하고, 환경과 에너지 문제를 해결하는 등 인간 생활에 긍정적인 영향을 미치기도 하지만, 부정적인 영향을 미치기도 한다. 즉, 인체에 대한 안전성이 충분히 검증되지 않아 LMO로 만든 식품을 장기간 섭취하면 건강상의 문제를 일으킬 수 있다. 또한 LMO의 장기간 재배는 유전자 전이로 새로운 변형 생물체가 출현하게 되어 생태

계가 교란될 가능성이 있으며, 단일 품종의 LMO 재배는 생물 다양성을 감소시키는 결과를 가져올 수 있다.

모범답안 LMO로 만든 식품은 인체에 대한 안전성이 충분히 검증되지 않았으므로 장기간 섭취할 경우 건강상에 문제가 생길 수 있다. 단일 품종의 LMO를 대규모로 재배하면 생태계의 생물 다양성이 감소할 수 있다.

채점 기준	배점
인간 생활과 생태계에 미치는 부정적인 영향을 모두 옳게 서술한 경우	100 %
두 가지 중 한 가지만 옳게 서술한 경우	50 %

수능 실전 문제 358쪽~360쪽

01 ⑤   **02** ③   **03** ④   **04** ④   **05** ③   **06** ③
07 ④   **08** ①

01 꼼꼼 **문제 분석**

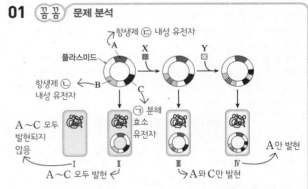

특성	대장균의 가짓수
ⓐ 포함 배지에서 푸른색 군체를 형성함 ⓐ 분해 효소 유전자 정상	두 가지
항생제 ⓑ 내성을 가짐 항생제 ⓑ 내성 유전자 정상	한 가지
항생제 ⓒ 내성을 가짐 항생제 ⓒ 내성 유전자 정상	세 가지

• A는 Ⅱ~Ⅳ에서 모두 발현된다. ➡ A는 항생제 ⓒ 내성 유전자이다.
• B는 Ⅱ에서만 발현된다. ➡ B는 항생제 ⓑ 내성 유전자이다.
• C는 Ⅱ와 Ⅲ에서만 발현된다. ➡ C는 ⓐ의 분해 효소 유전자이다.

선택지 분석

✗ A는 ⓐ 분해 효소 유전자이다. 항생제 ⓒ 내성 유전자

ⓑ 항생제 ⓑ 내성을 가지는 대장균은 항생제 ⓒ 내성도 가진다.

ⓒ ⓐ과 항생제 ⓒ이 모두 포함된 배지에서 증식하여 흰색 군체를 형성하는 대장균은 Ⅳ뿐이다.

대장균 Ⅱ~Ⅳ는 모두 정상적인 A를 가지며, 항생제 ⓒ 내성을 가지는 대장균은 세 가지이므로 A는 항생제 ⓒ 내성 유전자이다. 항생제 ⓒ 내성을 가지는 대장균은 한 가지인데, 정상적인 B를 가지는 대장균이 Ⅱ의 한 가지이므로 B는 항생제 ⓒ 내성 유전자이고, C는 ① 분해 효소 유전자이다.

ㄴ. 대장균 Ⅰ~Ⅳ 중 항생제 ⓒ 내성을 가지는 대장균은 정상적인 B를 갖는 Ⅱ이며, Ⅱ는 정상적인 A도 가지므로 항생제 ⓒ 내성도 가진다.

ㄷ. ①과 항생제 ⓒ이 모두 포함된 배지에서 증식하여 흰색 군체를 형성하는 대장균은 A는 정상이고 C는 정상이 아니어야 하므로 Ⅳ뿐이다.

┃바로알기┃ ㄱ. A는 항생제 ⓒ 내성 유전자이고, ① 분해 효소 유전자는 C이다.

02 꼼꼼 문제 분석

- 유전자 재조합에 플라스미드 P가 사용되었다. P에는 유전자 A~C가 있으며, A~C는 각각 항생제 α~γ 내성 유전자이다.
  - ↳ A: α 내성 유전자, B: β 내성 유전자, C: γ 내성 유전자
- P에 유전자 X를 재조합시켜 플라스미드 P*를, P*에 유전자 Y를 재조합시켜 플라스미드 P**를 각각 만들었다. X와 Y는 각각 A~C 중 서로 다른 유전자의 내부에 삽입되었다.
  - ↳ P*는 유전자 X를 포함하고, P**는 유전자 X와 Y를 포함한다.
- 그림은 숙주 대장균 배양액에 P, P*, P**를 모두 첨가하여 플라스미드를 도입시키는 과정에서 얻은 모든 대장균을 각각 α~γ가 첨가된 배지에서 배양한 결과를 나타낸 것이다.

α와 γ 첨가 배지에서는 군체를 형성하였으나
β 첨가 배지에서는 죽었다.

항생제 α 첨가 배지　항생제 β 첨가 배지　항생제 γ 첨가 배지

γ 첨가 배지에서만 군체를 형성하였다.

- 각 배지에 존재하는 대장균 군체의 수: γ 첨가 배지>α 첨가 배지>β 첨가 배지 ➡ P*를 만들 때 X가 B의 내부에 삽입되었으며, P**를 만들 때 Y가 A의 내부에 삽입되었다.
- X와 Y가 모두 재조합되지 않은 P가 도입된 대장균은 α~γ에 모두 내성을 가지고, X가 재조합된 P*가 도입된 대장균은 α와 γ에 내성을 가지며, X와 Y가 모두 재조합된 P**가 도입된 대장균은 γ에만 내성을 가진다.
- 대장균 ⊙: α와 γ에 대한 내성은 있으나 β에 대한 내성은 없다. ➡ 유전자 A와 C는 발현되지만, B는 발현되지 않는다. ➡ 유전자 X가 재조합되었다.
- 대장균 ⓛ: γ에만 내성이 있다. ➡ 유전자 C만 발현된다. ➡ 유전자 X와 Y가 재조합되었다.

┃선택지 분석┃

⊙ P*에서 X는 B의 내부에 삽입되었다.

ⓛ 대장균 ⊙과 ⓛ에서는 모두 X가 발현된다.

✗ ⊙은 P, P*, P**가 모두 도입된 대장균에 해당한다.
　　　　P* 또는 P*와 P**가 도입된 대장균

ㄱ. 각 배지에 존재하는 대장균 군체의 수가 γ 첨가 배지>α 첨가 배지>β 첨가 배지이므로 P*를 만들 때 X가 B의 내부에 삽입되었으며, P**를 만들 때 Y가 A의 내부에 삽입되었다.

ㄴ. ⊙은 α와 γ에 대한 내성은 있으나 β에 대한 내성은 없으므로 P*를 가져 A와 C가 발현되며, ⓛ은 γ에만 내성은 가지므로 P**를 가져 C만 발현된다. 따라서 ⊙에서는 X가 발현되고, ⓛ에서는 X와 Y가 모두 발현된다.

┃바로알기┃ ㄷ. P, P*, P**가 모두 도입된 대장균은 P에 의해 A~C가 모두 발현되므로 α~γ에 모두 내성을 가진다. 그러나 ⊙은 β에 내성을 가지지 않는다.

03 꼼꼼 문제 분석

구분	반응 온도	반응
(가) DNA 변성	⊙ 90 ℃~95 ℃	이중 나선 DNA를 2개의 단일 가닥으로 분리한다. 분리된 단일 가닥은 새로운 DNA를 합성하는 주형 역할을 한다.
(나) 프라이머 결합	ⓛ 50 ℃~65 ℃	프라이머가 단일 가닥에 결합한다. 온도를 낮추어 두 가지 프라이머가 각 가닥의 표적 서열 말단에 결합한다.
(다) DNA 합성	72 ℃	주형 DNA 가닥에 상보적인 새로운 DNA 가닥이 합성된다. DNA 중합 효소가 새로운 DNA 가닥을 합성한다.

┃선택지 분석┃

✗ 반응 온도는 ⊙<ⓛ이다. ⊙>ⓛ

ⓛ (나)에서 프라이머는 단일 가닥 DNA의 3′ 말단 부위에 결합한다.

ⓒ (가)~(다)를 반복하여 이중 나선 DNA 1분자를 8분자로 증폭시켰을 때, (나)의 반응에서 사용된 프라이머는 14분자이다.

중합 효소 연쇄 반응(PCR)은 DNA의 특정 부분을 반복적으로 복제하여 적은 양의 DNA로부터 짧은 시간 안에 다량의 DNA를 얻는 기술이다. (가)는 90 ℃~95 ℃로 DNA를 가열하여 이중 나선을 풀고 두 가닥을 각각 단일 가닥으로 분리하는 DNA 변성 단계, (나)는 온도를 50 ℃~65 ℃로 낮추어 프라이머가 단일 가닥에 결합하게 하는 프라이머 결합 단계, (다)는 약 72 ℃에서 DNA 중합 효소에 의해 주형 DNA 가닥에 상보적인 새로운 가닥이 합성되는 DNA 합성 단계이다.

ㄴ. DNA 중합 효소는 항상 5′→3′ 방향으로만 새로운 가닥을 합성하므로 (나)에서 프라이머는 DNA 단일 가닥의 3′ 말단 부위에 결합하여 새로운 DNA 가닥이 5′→3′ 방향으로 합성될 수 있도록 한다.

ㄷ. 중합 효소 연쇄 반응(PCR)을 1회 실시하면 DNA의 분자 수는 2배로 증폭된다. 따라서 (가)~(다)를 3회 반복하면 DNA 분자 수는 8배로 증폭된다. 따라서 (나) 반응에 사용된 프라이머는 1회 반복하였을 때 2분자, 2회 반복하였을 때 4분자, 3회 반복하였을 때 8분자이므로 총 14분자가 사용된다.

바로알기 ㄱ. (가)~(다) 중 (가)가 가장 높은 온도(90 °C~95 °C)에서 진행되며, (나)가 가장 낮은 온도(50 °C~65 °C)에서 진행된다. 따라서 반응 온도는 ㉠>㉡이다.

04 꼼꼼 문제 분석

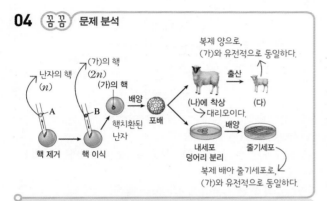

복제 양으로, (가)와 유전적으로 동일하다.

복제 배아 줄기세포로, (가)와 유전적으로 동일하다.

│선택지 분석│

① 염색체 수는 B가 A의 두 배이다.
② 성염색체 구성은 (다)와 줄기세포가 같다.
③ 배양된 줄기세포는 모두 유전적으로 같다.
④ (다)의 미토콘드리아 DNA는 (가)와 같다. 다르다.
⑤ 줄기세포를 (나)에 이식하면 면역 거부 반응이 일어날 수 있다.

① A는 난자로부터 제거되는 핵이므로 핵상이 n이고, B는 무핵 난자에 이식되는 체세포 핵이므로 핵상이 $2n$이다. 따라서 염색체 수는 B가 A의 두 배이다.
② 무핵 난자에 (가)의 핵을 이식해 얻은 배아를 배양하여 각각 (다)와 줄기세포를 만들었으므로 (가), (다), 줄기세포는 모두 유전적으로 동일하다. 따라서 성염색체 구성은 (다)와 줄기세포가 같다.
③ 줄기세포는 핵치환된 난자를 발생시켜 얻은 배아로부터 추출한 내세포 덩어리를 배양한 것이므로 모두 유전적으로 같다.
⑤ (나)는 대리모이며, (가)와 다른 양이므로 (가)와 유전적으로 다르다. 그런데 줄기세포는 (가)와 유전적으로 같으므로 줄기세포를 (나)에 이식하면 면역 거부 반응이 일어날 수 있다.
바로알기 ④ (다)의 미토콘드리아 DNA는 미토콘드리아가 존재하는 무핵 난자를 제공한 양으로부터 유래된 것이며, 수컷 양인 (가)로부터 유래된 것이 아니다. 따라서 (다)의 미토콘드리아 DNA는 (가)와 다르다.

05 꼼꼼 문제 분석

골수암 세포의 증식 능력과 B 림프구의 항체 생산 능력을 모두 가지고 있다.

단일 클론 항체는 유방암 세포와만 특이적으로 결합하므로 유방암 세포에 항암제가 작용하게 한다.

│선택지 분석│

✗ 유방암 세포의 항원은 잡종 세포가 빠르게 분열할 수 있도록 한다. 골수암 세포
ⓛ 잡종 세포의 항체 생산 능력은 B 림프구에서 유래한 것이다.
ⓒ 단일 클론 항체는 항암제가 암세포에 작용하게 하는 역할을 한다.
✗ 표적 항암제는 골수암 치료에 사용된다. 유방암

ㄴ. 잡종 세포가 항체를 생산할 수 있는 것은 B 림프구로부터 유래된 특성이다.
ㄷ. 단일 클론 항체는 항체를 만들게 한 유방암 세포의 항원과 특이적으로 결합함으로써 항암제가 유방암 세포에 작용하게 하는 역할을 한다.
바로알기 ㄱ. 유방암 세포의 항원은 쥐에서 이에 대한 항체를 생산하는 B 림프구를 얻기 위해 주입한 것으로, B 림프구를 추출하여 만든 단일 클론 항체는 유방암 세포에만 특이적으로 결합한다. 잡종 세포가 빠르게 분열할 수 있는 것은 골수암 세포로부터 유래된 특성이다.
ㄹ. 표적 항암제의 단일 클론 항체는 항암제를 유방암 세포로 운반하여 결합함으로써 항암제가 유방암 세포에 작용하게 하여 유방암을 치료한다.

06 꼼꼼 문제 분석

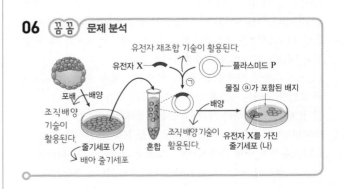

◯ (가)는 배아 줄기세포이다.

◯ 플라스미드 P에 물질 ⓐ 내성 유전자가 존재한다.

✗ (나)를 만드는 과정에 세포 융합 기술과 유전자 재조합
기술이 모두 활용된다.   조직 배양 기술

ㄱ. (가)는 발생 초기 단계의 포배로부터 세포를 추출한 후 배양
하여 만든 것이므로 배아 줄기세포이다.

ㄴ. 유전자 X를 가진 형질 전환 세포를 선별하기 위해 물질 ⓐ가
포함된 배지에서 배양하였다. 그런데 형질 전환되지 않은 (가)는
ⓐ에 노출되면 죽으므로 플라스미드 P에 ⓐ 내성 유전자가 존재
하며, 재조합 플라스미드가 도입된 형질 전환 세포는 ⓐ에 대한
내성을 가진다.

| 바로알기 | ㄷ. (나)를 만드는 과정 중 포배로부터 추출한 세포를
배양하고 재조합 플라스미드가 도입된 형질 전환 세포를 배양할
때 조직 배양 기술이 활용되었으며, X가 포함된 재조합 플라스
미드를 만들 때 유전자 재조합 기술이 활용되었다. 그러나 두 세
포를 하나로 합치는 세포 융합 기술은 활용되지 않았다.

07 꼼꼼 문제 분석

(가) 세균에서 아미노산 X를 합성하게 하는 효소 E의 유전자를 분리한다.

(나) 효소 E의 유전자를 식물에 전달할 수 있는 ⓐ유전자 운반체에 삽입한다.
  유전자 재조합 기술에서 유전자 운반체로 세균의 플라스미드가 주로 사용된다.

(다) 재조합된 유전자 운반체를 일반 감자 세포에 도입한다.

(라)   ?

(마) 감자 ㉠에서 아미노산 X의 양을 측정한다.
  → 효소 E의 유전자가 새롭게 조합된 유전자 변형 생물체(LMO)이다.

◯ ⓐ로 세균의 플라스미드가 사용될 수 있다.

✗ 감자 ㉠으로 만든 식품은 LMO에 해당한다.   GMO

◯ 형질 전환 세포를 선별하고 배양하는 과정은 (라)에 해
당한다.

ㄱ. 효소 E의 유전자를 식물 세포로 도입하기 위해 특정 세균
(예 아그로박테리아)의 플라스미드를 유전자 운반체(ⓐ)로 사용
할 수 있다. 세균의 플라스미드에 E의 유전자를 재조합시켜 재
조합 DNA를 만들고, 재조합 DNA를 세균에 도입한 후 형질
전환 세균을 식물 세포에 감염시키면 된다.

ㄷ. E가 포함된 재조합 DNA(유전자 운반체)를 일반 감자 세포
에 도입한 후에는 재조합 DNA가 제대로 도입된 형질 전환 세포
를 선별하고 배양하여 감자 ㉠으로 발생시켜야 한다.

| 바로알기 | ㄴ. 감자 ㉠은 새롭게 효소 E의 유전자를 갖게 된
LMO(유전자 변형 생물체)이다. 그러나 ㉠으로 만든 식품은 살
아 있는 생물체가 아니므로 LMO가 아닌 GMO에 해당한다.

08 꼼꼼 문제 분석

[과정]

(가) 염소 ㉠의 젖샘 세포를 채취하여 배양한다.
  → 체세포의 핵(핵 DNA) 제공

(나) 염소 ㉡으로부터 난자를 채취한 후, 핵을 제거한다.
  → 난자(미토콘드리아 DNA) 제공

(다) 무핵 난자에 배양한 ㉠의 젖샘 세포 핵을 이식한 후, 염소 ㉢의 자궁에
착상시킨다.

(라) 염소 ㉠~㉢과 새롭게 태어난 염소 ㉣의 체세포 핵에서 DNA를 추출한다.
  → ㉣은 ㉠의 복제 염소 → 핵 DNA 동일

(마) ㉠~㉣의 DNA를 제한 효소로 자른 후 전기 영동으로 분리한다.

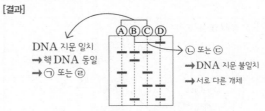

DNA 지문 일치
→ 핵 DNA 동일
→ ㉠ 또는 ㉣

→ ㉡ 또는 ㉢
→ DNA 지문 불일치
→ 서로 다른 개체

◯ ㉠과 ㉣은 모두 사람의 생장 호르몬을 생산하는 LMO
이다.

✗ ㉡과 ㉢은 같은 개체이다.   서로 다른

✗ (마)에서 ㉠~㉣의 DNA는 서로 다른 제한 효소로 자
른다.   같은

ㄱ. ㉠은 사람의 생장 호르몬을 생산하므로 생명 공학 기술을 활
용하여 사람의 생장 호르몬 유전자를 갖게 된 LMO(유전자 변형
생물체)이다. 그런데 ㉣은 무핵 난자에 ㉠의 젖샘 세포 핵을 이
식하여 만든 배아로부터 발생 과정을 거쳐 태어났으므로 ㉠과 핵
DNA가 같다. 따라서 ㉣도 사람의 생장 호르몬 유전자를 가지
는 LMO이다.

| 바로알기 | ㄴ. ㉠과 ㉣은 핵 DNA가 같다. 전기 영동 결과에서
A와 C의 분리 결과가 같으므로 A와 C는 각각 ㉠과 ㉣ 중 하나
이다. 그런데 B와 D의 분리 결과는 다르므로 ㉡과 ㉢은 핵
DNA가 서로 다른 개체이다.

ㄷ. (마)에서 ㉠~㉣의 DNA는 같은 제한 효소로 잘라야 염기
서열의 차이에 따라 생성되는 DNA 조각의 크기와 수가 달라져
전기 영동으로 결과를 비교하여 유전적으로 같은지 다른지를 확
인할 수 있다.

완자 시·리·즈　친절한 개념설명으로 완벽한 자율학습이 가능하여 공부의 자신감을 갖게 합니다.

대표전화 1544-0554
주소 경기도 과천시 과천대로2길 54(갈현동, 그라운드브이)
협의 없는 무단 복제는 법으로 금지되어 있습니다.